胡经之文集

胡经之文集
第四卷

文化美学

海天出版社（中国·深圳）

图书在版编目（CIP）数据

文化美学 / 胡经之著. — 深圳：海天出版社，2015.10
（胡经之文集；4）
ISBN 978-7-5507-1470-0

Ⅰ.①文… Ⅱ.①胡… Ⅲ.①文艺美学—中国—文集 Ⅳ.①I01-53

中国版本图书馆CIP数据核字（2015）第224729号

胡经之文集·第四卷·文化美学
HUJINGZHI WENJI·DISIJUAN·WENHUA MEIXUE

出 品 人	聂雄前
项目负责人	于志斌
责 任 编 辑	陈 嫣
责 任 校 对	李小梅　陈少扬
	万妮霞　张 玫
责 任 技 编	蔡梅琴
装 帧 设 计	龙瀚文化

出版发行	海天出版社
地　　址	深圳市彩田南路海天综合大厦　（518033）
网　　址	www.htph.com.cn
订购电话	0755-83460293（批发）　83460397（邮购）
排版制作	深圳市龙瀚文化传播有限公司　33133493
印　　刷	深圳市新联美术印刷有限公司
开　　本	787mm×1092mm　1/16
印　　张	54.25
字　　数	760千
版　　次	2015年10月第1版
印　　次	2015年10月第1次
定　　价	220.00元

海天版图书版权所有，侵权必究。
海天版图书凡有印装质量问题，请随时向承印厂调换。

目　录

文化美学

第一辑　文化美学待发展 ·············· 2

走向文化美学 ·························· 2
文化美学应时生 ······················ 9
焕发新审美精神 ······················ 13
文化美学待深探 ······················ 30
人文之美靠创造 ······················ 35
按美的规律创造 ······················ 38
摄影文学：审美新天地 ············ 44
创造美的散文诗 ······················ 48
音乐自有独特美 ······················ 52
七彩世界应宜人 ······················ 56
美学伴我悟人生 ······················ 58

附文一　诗意的裁判与文艺的价值 ·············· 74
附文二　心向至美人生幸 ·············· 88
附文三　从文艺美学到文化美学的历史转折 ·············· 144

第二辑　现代人文重美育 ································ 176

现代美学重美育 ···································· 176
梁启超的美学贡献 ································ 180
蔡元培的美育精神 ································ 186
人格境界美育塑 ···································· 202
审美教育多样化 ···································· 209
为了人的完善 ······································· 212
精神文化与审美教育 ······························ 216
教育自身亦求美 ···································· 233
人文学科及时修 ···································· 240
人的价值与使命 ···································· 245
文明治家好举措 ···································· 251

第三辑　向人而生自然美 ································ 253

珍重天地自然美 ···································· 253
生态之美究何在 ···································· 261
天地大美有奥妙 ···································· 267

人文论丛

第一辑　构筑共同家园 ···································· 274

热闹过后求宁静 ···································· 274
文化引领向未来 ···································· 277
海滨特色国际城 ···································· 283
心灵安处方为家 ···································· 288
深圳精神善创新 ···································· 303
文化立市人为本 ···································· 306

共同家园精经营 ············· 312
发展有赖新思维 ············· 317
文化精品求质美 ············· 322
文化品位待提升 ············· 327
学术文化应先导 ············· 332
文化设计要先行 ············· 339

第二辑　探索艺术之路 ············· 341

深圳艺术之路 ············· 341
重在参与求创新 ············· 353
文化尤待着意栽 ············· 358
促成文化合力 ············· 360
感悟人生价值 ············· 362
提升人文精神 ············· 367
重视人文教育 ············· 373
新都市需新文学 ············· 378
文学创新三十春 ············· 384

第三辑　倡导文艺批评 ············· 406

文艺批评重意蕴 ············· 406
文艺评论求创新 ············· 409
文艺评论要发展 ············· 414
好书多读更需评 ············· 421
行走都市体悟深 ············· 423
特区自有情义在 ············· 427
特区依然觅诗魂 ············· 431
商潮声喧犹著文 ············· 433
青春多美妙 ············· 436
追寻心灵自由 ············· 439

细语娓娓阐大义	448
鞭辟入里发人省	453
艺术人生何所求	456
千载难逢只一回	460
有感而发诗常新	463
人生变幻何本真	470
意象俱足气韵生	478
神采飞扬意境深	481
寄情山水创新境	483
豪情长寄诗书画	485
创造一个新世界	488
夕阳岁月亦风采	490
人生能有几回搏	495
情系特区笔底真	497
浩然正气贯《汉魂》	501
野趣横生真逸品	502
文化情结解不开	504
文化研究热心人	507
为深圳文化献身心	512
打工文学留脚印	520
着意文化优建构	523
诗意栖居何处是	530
回归家园安精神	539
守望特区献真情	543
深圳何处水围村	548
恰逢盛世放声唱	554
山外风光更精彩	560
南国寻梦铸文心	563

自由和谐适我性 ················· 567
诗情不减当年醇 ················· 574
美的毁灭发人省 ················· 577
深圳妈妈实可敬 ················· 584
取之自然应有道 ················· 591
心声协和时代韵 ················· 596
新诗尤需精气神 ················· 599
与时俱进更精神 ················· 603
心廓开阔连广宇 ················· 607
时空交错意趣深 ················· 612
海滨开拓新天地 ················· 616
雨季的森林 ····················· 619
真情流露散文纯 ················· 623
云裳出彩多新美 ················· 625

第四辑　人文回忆 ················· 628

人生难得此回搏 ················· 628
流水人生 ······················· 633
江南稚子 ······················· 642
北大学子 ······················· 646
海滨游子 ······················· 654
唱晚岭南应无悔 ················· 660
走向边缘又何妨 ················· 665
精神家园何处觅 ················· 668
家园亦可在天涯 ················· 671
走出家门是香港 ················· 674
南有荔园令人迷 ················· 678
饮水思源倍感亲 ················· 680

开卷有益乐无穷 ………………………………………… 684
乐为教书献终生 ………………………………………… 692
诲人不倦启后人 ………………………………………… 702
悼念老师杨晦 …………………………………………… 716
博学多思善创新 ………………………………………… 719
国际友好佛克马 ………………………………………… 724
患难至交严家炎 ………………………………………… 730
同窗四载读副博 ………………………………………… 752
适逢其时解放初 ………………………………………… 768
忘年之交忆柯老 ………………………………………… 776
永远的柯蓝 ……………………………………………… 779
人间仙境又重现 ………………………………………… 781
怀念乐群 ………………………………………………… 784
家 ………………………………………………………… 787

第五辑　少作拾遗 ……………………………………… 789

野火春风卷古城 ………………………………………… 789
《七根火柴》赏析 ……………………………………… 827
王愿坚的短篇小说 ……………………………………… 832
劳动人民的赞歌 ………………………………………… 844
革命战士英雄歌 ………………………………………… 853

文化美学

第一辑
文化美学待发展

走向文化美学

也许仅只是我的一种直觉印象。我感到,文艺学或艺术学在近几年正向两个方向发展:音乐、舞蹈、美术、戏剧、影视等的研究越来越趋向门类专门化,音乐美学、舞蹈美学、戏剧美学等越来越深入探索不同艺术独具的艺术奥秘,各自遵循的"自律"。但是,对文学的研究,却越来越趋同于文化普适化,把文学与整个文化融合起来,逐渐向文化研究转移。

本来,多年前就知道西方当代美学早已出现向文化研究转移的趋向,没有想到,这种趋势很快在我们这里也出现了。

有朋自远方来,畅谈之后更加深了我的这种印象。多年不见的香港中文大学美学教授王建元博士前不久来访,他的一番宏论使我越发感到,我们这个时代的变化真是太快。这位在台湾曾以研究"雄浑""崇高"著名的美学博士,坦率告诉我,他现在不研究抽象的美学问题了,已经转向文化研究,关注很具体的文化现象,如:西方文化如何影响香港文化,香港如何应对迪士尼乐园落户,等等。

当然也有不同声音。就在香港同一学校都是朋友的美学教授刘昌元博士就不以为然。在最近一次美学的国际研讨会上,他宣读一篇长长的美学论文,还是探讨美学的基本理论问题。他对我说:美学自身的基本问题,不能由文化研究所替代。他还将继续作美学沉思,不想转移。他对美学的执着,令人敬佩。

我却觉得,美学、文艺学的这两种发展趋势,相反却又相成。自上而下,由下而上,应可互补,关键是如何将两者结合起来,促成新的整合。

我向来十分敬重哲学美学,但我不满足于仅对审美作哲学结论,而希望美学能解释人类具体的审美和创美。艺术创造和艺术审美,乃是人类审美现象中的一种独特形态,和自然审美、文化审美相比,有其独特的性质和规律。因此,在20世纪80年代初,我热切期盼发展文艺美学或艺术美学。如今,文艺美学的发展成了文艺学中的一个学科方向,绘画美学、音乐美学、电影美学等也都在向更纵深的层次发展。我想,文艺美学或艺术美学还应有新发展。

但是,文艺美学或艺术美学并不要也不能代替哲学美学。美学的领域广阔得很,它至少应对这两类审美现象作出理论概括:一是对自然的审美,二是对文化的审美。艺术创造和艺术审美,只是文化现象的一种。

大自然为人类带来了连绵不尽的美感。我们赞叹大自然之美,鬼斧神工,自然天成,不由人力所致,具有独特的魅力。随着人类实践领域的扩展,人在大自然中越来越多地发现天然之美。伴随而来的自然生态环境日益恶化,天然之美会越来越显得珍贵。中国传统美学对天然之美情有独钟,对自然审美有许多真切的体会和精辟的描绘。但是,对自然如何审美和自然本身怎么会美毕竟不是同一回事。对自然本身之美至今尚未有一个合理的符合实际的解释。物种自然属性说或物种典型说,人的本质力量对象化说,都不能令人满意。还是马克思主义的价值论可以把我们引向对自然美的更合理的解释,似应大有可为,且可发展为一门新的学科:生态美学。前两年,我在主编《人与自然丛书》时,就期盼生态美学的早日出现。

但人生活在这个世界上,已不可能完全回归自然。我们每个人都已不可能脱离人自己创造出来的文化世界。作为主体的人，在和作为客体的自然不断相互作用的过程中，自然不断在人化；人和人的相互作用的发展，使主体间的关系更为复杂多样；个体自我本身和周围环境的相互影响，使得个体世界也越来越丰富复杂。物和物，人和物，人和人的相互作用都在影响着个体世界。

我们可以把文化区分为物质文化和精神文化，但任何文化都是处于一定人文关系中的人的活动的结果，人化的产物。对于我们生活于其中的文化世界，我们可以从不同的角度去对待，但我最感兴趣的还是如何从美学的角度来审视。我们需要各种各样的文化研究，我更希望走向文化美学。

文化之美是人所创造的美，不同于天然之美。美，并非都是人的创造；劳动创造出来的，也并非必美。文化，正如其他实践一样，可以创造出美，也可以创造出丑。如果人能按照美的规律来创造，人类就能创造出美。但是，如果人类劳动违反了美的规律，创造出来的就不一定美。人的本质力量的对象化，未必都美。人间有多少假、丑、恶，这不都是人的自我异化活动中滋生出来的吗？那么，人间的文化创造，怎样才能符合美的规律，这是文化美学必须回答的首要问题。进一层，人间的文化创造，并不只是仅为满足审美需要而展开的，很可能首先是为满足实用需要，甚至可能把交换需要放在首位。马克思在《资本论》，特别是在第四卷《剩余价值理论》中，科学论证了使用价值、交换价值、剩余价值的联系和区别。使用价值不像交换价值（它表现的是人和人之间的关系），它"虽然是社会需要的对象，因而处在社会联系之中，但是并不反映任何社会生产关系"。使用价值反映的是人和自然的关系，是"对人的需要的关系的物的属性"。在马克思看来，审美价值是使用价值的一种，满足的是精神需要。文化美学应沿着马克思的价值学说，进而探讨人类的文化，应如何按照美的规律来创造。人类创造的文化产品的实用价值、交换价值、审美价值应是什么结构关系，这也是文化美学必须回答的问题。还有，对文化的审美，和自然审美、艺术审美是怎样的关系，它们之间的联系和区别，这涉及更为复杂的审美标准、审美理想等，亦应是文化美学不能回避的问题。

人,更应成为文化美学关注的中心。人是万物的尺度,万事万物之所以有美丑,乃是因为它们对人来说具有肯定还是否定的客观价值。人类的三大生产——物质生产、精神生产,以及人自身的生产——要相互促进,良性互动,但最根本的还是人类自身的生产。无论是物质生产还是精神生产,都是为了满足人的需要(物质的和精神的),是为人自身的发展服务的,人是目的。人类之所以要创造文化,乃是因为自然不能完全满足人。人生活在这世界上,不仅只是为了生存,还要求发展,更要完善。所以,人要按照美的规律来创造文化,不断在创造中自我完善,成为自由而全面发展的完整的人,和周围环境(既有自然环境,又有人文环境)达到动态平衡。当然,人的自由本性的发展,人的理想人格的建立,人和环境的动态平衡,是不断发展的历史过程。马克思在1857~1858年写的《经济学手稿》中,曾这样论述人如何从现有环境中获得自由的历史过程:先是"人的依赖关系"的时代,个体不能独立,只能依赖于人才能生存;二是"以物的依赖性为基础的独立性"的时代,个体从人的依赖关系中独立出来,却又堕入依赖于物的关系之中;三是"建立在个人全面发展和他们共同的社会生产能力成为他们的社会财富这一基础上的自由个性"的时代。①

"人的依赖"时代,就是我们所说的前现代。"物的依赖"时代,包括现代、后现代的整个现代化时代。而"自由个性"的全面发展,有待未来的理想时代。每个时代,都有自己的文化,文化美学应该面向自己时代的文化现象。

我们这个国度,现正处在社会主义初级阶段,正在为实现社会主义现代化而奋进,目标自然是朝向"自由个性"全面发展。但中国地广人多,各地发展极不平衡,广大的西部地区,基本还在由前现代向现代转化。就是沿海发达地区,也还在为基本实现现代化而奋斗,前现代的文化现象也还到处可见,而西方却已舶来后现代文化。中国还正

---

① [德]马克思、恩格斯:《马克思恩格斯全集》第46卷(上),人民出版社,北京,2003年,第104页。

在走向全面小康的路途上，但前现代、现代和后现代的文化现象在当下已呈现出共时杂错，这样，我国目前的文化现象，已极为错综复杂。我们急需对现代化过程中涌现出来的错综复杂的具体的文化现象作文化研究，也需要及早对文化发展作宏观审视，从整体上关注文化发展的美学走向。

文化美学、文化研究，两者相辅相成，相联系而又各有区别。在我国，都应受到重视，都该得到发展。

关于文化研究，美国学者卡勒教授在《文学理论》一书中曾有较为精辟的评述。文化研究在西方从20世纪60年代兴起，但其实在19世纪就已有萌芽。从歌德、卡莱尔、爱默生的时代就出现了一种新型的著作，它既不是评介文学作品，也不是思想史，也不是哲学、社会学，而是所有的这些融为一体，形成一种新的类型。到了20世纪的60年代，从事文学研究的人开始研究文学之外的著作。文化研究已经不只是对文学作研究，而是涉及广泛的社会领域，用卡勒的话说，它"包括人类学、艺术史、电影研究、性研究、语言学、哲学、政治理论、心理分析、科学研究、社会和思想史，以及社会学等各方面的著作"[1]。发展到90年代，文化研究成了人文科学一项主要活动。文化研究的对象，已扩展到整个广义的文化领域："令人吃惊的是，随着文化研究的发展，已经说不清它究竟跨了多少学科[2]。"文化研究已经包罗万象，从莎士比亚到肥皂剧，从弥尔顿到麦当娜，从失乐园到迪士尼，高雅文化和通俗文化，过去文化与当今文化，都在文化研究视野之中。

文化研究是从文学研究发展而来，那么，文化研究兴盛起来之后，还需要文学研究吗？文化研究和文学研究是什么关系？文化研究有利于文学研究的深入。按卡勒的说法，"文化研究因为坚持把这研究作为一项重要的研究实践，坚持考察文化的不同作用是如何影响并覆盖文学作品的，所以它能够把文学研究作为一种复杂的、相互关

---

[1] [美]卡勒：《文学理论》，李平译，辽宁教育出版社，沈阳，1998年，第4页。
[2] 同上书，第45页。

联的现象加以强化"①。但是，文化研究并不能替代也不会取消文学研究本身。文学研究应该深入研究作为艺术文化之一的文学的特殊性："文学研究关注的要点正是一部作品与众不同的错综性。"如果不能掌握文学的特殊性，而只停留在文化的一般性，"文化研究很容易变成一种非量化的社会学，把作品作为反映作品之外什么东西的实例或者表象来对待，而不认为作品是其本身内在要点的表象"②。所以，卡勒在这部《文学理论》中，主要还是在阐释文学的特殊性，语言、修辞、叙述、意义、解释等仍然是主题。

我国的文化研究也在近几年兴起。我们也有了《文化研究》杂志，还有好些刊物所登的文化研究文章也多了起来。关注文化热点，分析文化现象，涉及教育、家庭、男性、女性、扶贫、下岗、腐败、污染、色情、暴力、黑社会、全球化等等，都是社会关注的现实问题。我们的美学也在面向现实，剖析当代审美文化现象，出现了多部研究当代审美文化的专著，使人耳目一新，令人鼓舞。依我看，美学如能面对当下现实，更多关注文化现象，进一步发展，正可走向文化美学。

无疑，文化美学首先应关注当代审美文化。但当代审美文化并不只限于大众文化，高雅文化当亦在其列。文化美学可以通过对高雅文化和通俗文化的研究，探索当代文化如何走雅俗共赏之路。大众文化、高雅文化和主流文化如何相互促进，形成良性循环，文化美学应予关注，深入探索，责无旁贷。不只是当代审美文化，就是非审美文化也应列入文化美学的视野。艺术文化之外，政治文化、道德文化、科技文化、教育文化等也应得到文化美学的关注，从美学上加以审视、评析。研究领域因现代化的发展而日益扩大，这正是文化美学和文化研究相近之处。然而，西方在解构主义、反本质主义兴起以来，文化研究关注具体问题的具体分析，从一个具体问题引发出思考。像福柯的《性态的历史》，就把"性"放在具体的历史中来评说，说它乃由一系列社会实践、话语实践共同造成。人们"把原本相去甚远的、各个

---

① [美]卡勒：《文学理论》，李平译，辽宁教育出版社，沈阳，1998年，第50页。
② 同上书，第53页。

不同领域里的东西:一些我们认为与性有关的行为、心理的区别、身体的部位、心理的不同反应,还有最不同的社会意义,组合到一个统一的范畴之内(即"性")"[①]。文化美学也重视具体的文化现象,并从文化研究中吸收养料;但更应重视归纳,从众多的文化现象作出的分析中,从美学高度进行思考,作出理论概括,走向文化美学。

无疑,我们要密切关注西方的文化新思潮,但并非要我们去赶浪潮。文化研究还是要面向我们自己正在走向社会主义现代化的当下现实,研究文化实践中出现的新问题,而且,决不能丢弃我们自己的价值取向,要有我们自己的价值评判。所以,文化美学的灵魂,还是要树立中华美学精神。也只有这样,我们的文化研究才能对世界先进文化的发展作出独特的贡献。在1995年深圳召开的国际美学会议上,法国一位美学和艺术学教授曼纽什在题为《中国哲学对西方美学的重要性》的发言中说道,"我期望随着中国思想对西方美学影响的增长,会产生这样一个结果:目前流行一时的一些方法论论述,诸如读者反应批评主义、结构主义、后结构主义、解构主义、新历史主义等等,最终都将变得了无意义,因为所有这些被人们大量讨论的主义,早就失去了其应有的目标:视觉艺术和文学。相反,艺术对人之存在的意义问题,将再次变成人们注意的焦点"。

深圳大学是所年轻学校,但近20年来,陆续来了许多青年学者,如今已成长为学术中坚。我们约请了热心文化的人文学者分别撰写了专著,编成一套《文化美学丛书》出版。希望这套丛书能对文化美学的发展,起一些积极作用。

为《文化美学丛书》所作总序
2000年秋,深大新村

[①] [美]卡勒:《文学理论》,李平译,辽宁教育出版社,沈阳,1998年,第6页。

文化美学应时生

时代需要文化研究

　　大众文化的兴起，引发了文化研究，并在不断拓展新领域，很多年轻学者都在转向文化研究，令人高兴。本来，中国在迅速走向现代化的过程中，各种文化现象纷纷涌现，时而令人振奋，又时而使人困惑、眼花缭乱。文化研究能把视角转向当下现实，捕捉社会实际中的复杂现象，深入剖析，各抒己见，这正是适应了现实需要，使人耳目一新。

　　目前的文化研究，已出现了三种类型：一是对所有社会现象作研究，经济、政治等现象都已包括在内，从饮食男女，穿着打扮一直到社会暴力、黑暗势力都在文化研究的视野；二是，对社会中的一部分现象，即精神文化现象作研究，研究对象缩小到哲学、宗教、道德、艺术等领域；三是，对精神文化中的更小范围作研究，对象专注于文学艺术这类现象。依我看，这三种类型的文化研究都有自己的发展前景。这也正说明了，文化研究并不限定于一个学科，而是一种跨学科研究；甚至，有些文化研究的倡导者，就是要消解学者的学科，跨越各种各样学科的限制。这也无妨，关键是要有正确的价值评判。

　　中国正在走向现代化的路途上，但当下出现的文化现象却错综复杂，前现代、现代和后现代同时并存，可称共时杂错。对这错综复杂的文化现象急需作综合的整体研究，给予价值分析，指明价值导向。

研究文化也需要美学

　　对文化现象的研究确也可以从不同学科的角度和方法来研究，

比如说,可以以文化学的角度和方法,也可以以美学的角度和方法来研究文化现象。

所谓文化,就是"人文化成",乃相对于天然而说的,本来就包含了两个方面:一是"人化",把"物"按照人的需要加以加工改造,二是"化人",使"人"的品性自身得以提升,"人化"和"化人"相互促进,使文化不断从野蛮向文明提升,向先进文化方向发展。文化的产生和发展,就使得我们这个世界有了三个层次:一是天然的世界,这是一个广阔无限的没有人涉足的大自然;二是人工自然,不断被人加工改造着和扩展着的世界;三是人类自身构成的社会。美学研究人类的审美活动,不仅涉及艺术审美、文化审美,而且还涉及自然审美,特别当我们的生态环境日益恶化之时,就更需要研究自然审美(包括如何保护天然生态之美以及如何按照美的规律来改造自然)。美学要面向现实,生态美学确实大有可为,但在当下,我们又面临着另一种现实,那就是在奔向现代化的过程中,又在生产着许多违背美的规律的文化垃圾,我们的美学如何应对?我觉得这就需要发展文化美学,研究我们的文化生产如何按照美的规律来创造。文化既然包含"人化"和"化人"两个方面,那么,无论是物质文化还是政治文化,精神文化都应按美的规律来创造,都为满足人的需要。不过有的文化主要是为实用,而有的文化主要是为虚用。把经济、政治、文化这样并置的文化,主要是指精神文化,这也正是文化美学应作为重要考察的对象。精神文化的创造也是一种实践活动,是精神生产,主要靠精神劳动。但若精神劳动还只停留在脑海中,那还不算是实践,而仅只是虚践。虚践也是一种存在,但不是实在,而只是虚在。这头脑中的虚在要用符号来物化,才转化为实在。作为精神生产的产物,精神文化是符号化了的文化,把人的内心世界予以符号化了,但并非都是审美文化,并不只具审美价值。作为商品生产的精神文化产品,实用价值、交换价值、审美价值常交织在一起,而审美文化则在其自身结构中,审美价值被突出起来。文化美学要重点研究审美文化,必然要研究实用价值、审美价值、交换价值之间的关系,更要研究审美价值和其他精神价值(认识和评价、思索和感悟、科学和道德等)的关系。真、善、美这古老命题,在当下现实中究竟有了什么新的内容,需要文化美学作新的阐释。

大众文化发展起来之后,中国的审美文化格局发生了新变,大众文化、主导文化、高雅文化三足鼎立,互补互动,相互影响,共同促进了当代审美文化的发展。随着社会现实和思想观念的急遽变化,崇高和荒诞,悲剧和喜剧,优美和丑恶等等都会产生新的内容和形式,需要文化美学从现实生活中的实际现象出发,作出新的阐释,如色情、暴力、权谋等等文化现象,如何从美学上给予评判等等,需要研究的问题多多,尚需我们与时俱进,进行探索。审美文化是为满足人的审美需要的,可什么是人的审美需要,和人的其他需要是什么关系?马斯洛把人的需求分了好几个层次,我看,主要是三个层次:生理需求、心理需求、精神需求。这三者是什么关系,西方的精神现象学正在深入研究。文化美学自然也不能回避这样的问题:审美愉悦和生理快感、心理舒畅究竟有什么样的联系和区别?大众文化竭力倡导娱乐性,主导文化、高尚文化也在增强娱乐性,这能吸引更多人来文化消费,向雅俗共赏方面努力,但对娱乐性不妨作些更深入的研究,区分一下审美的娱乐和其他娱乐的区别,以利大众文化向先进文化方向发展。

文化美学、生态美学都大有可为,都值得重视。

文学艺术仍需要美学研究

大众文化的发展,推动了艺术的生活化,生活的审美化,审美向生活渗透和泛化,于是,美学的领域正在日益扩展,文化美学必然也更关注生活的美学。但这并不意味着艺术和生活的界限消失了,艺术活动当然是人的生活的一部分,但不就等同于日常生活。由于审美活动已泛化到日常生活,日常生活的审美因素日益显现,证实审美性已非文学艺术之专有特性,于是有人以为对文学艺术的研究,已用不着美学,只要文化研究就行。

诚然,文学艺术的生产、交换和消费,作为一种文化现象,应以文化学的角度、视点、方法,把它放在整个文化系统中去进行研究。文化研究拓展了文艺研究的视野,反过来促进文艺研究向纵深发展。

文学艺术这种复杂的文化现象，本可以从多种角度、视点、方法去研究，不只文化学，而且社会学、经济学、政治学、道德学都可以介入。把文学艺术放在美学视野中来考察，这是传统美学题中应有之义，因为，文学艺术乃是人类审美活动的集中表现形式。可是，当下社会的急剧变化，使大众文化、通俗艺术空前活跃，传统的文学艺术正在被挤向边缘，不少文学艺术又在走向实用，纯文学走向杂文学，艺术只用来作包装外壳。

然而正是在这种现实面前，我们仍然需要文艺美学，从理论上弄清以实用为目的的杂文艺和以审美为目的的纯文艺之间的联系和区别。诚然，艺术创造和物质生产、日常生活都需要按照美的规律来创造，但艺术创造仍然有和其他生产不同的特点。艺术创造要用物质材料按照美的规律创造出一种符号样式来，但这种美的符号样式却是为了表达出作家、艺术家对人生的审美体验，自有独特的创作规律。要把审美体验组织起来，通过意和象的结合，进行构思，转为意象，营构意境，予以符号化，成为一种独特的美的创造，和其他文化产品不同。如今的日常生活，衣食住行，我们都在追寻美，但这并非艺术之美，而是生活之美。毛泽东在延安时代就已说了，生活美和艺术美两者都是美，但艺术美应该而且可以比生活更美。我们不能因为日常生活越来越审美化而去消解艺术美，恰恰相反，我们应该提升艺术美，对艺术有更高的审美要求。艺术美的价值和功能，自有独特的内涵。所以，研究范围更大的审美文化，并不必然要消解艺术文化，文化美学要发展，文艺美学也仍需深入。

在我们面前，要研究的问题多多，道路十分广阔，从中文系出来而又长于研究的年轻学子大可不必担心。文学艺术的专门研究，广泛的文化研究，文化美学、文艺美学、生态美学，道路多么宽广，大家可以依照社会的需要和个人的志趣，各取所需，各显神通，相互促进，共同推进我们的理论研究面向现实，欣欣向荣。

在深圳大学中文系研究生座谈会上之发言
2002年春，深大新村

焕发新审美精神

在走向现代化的进程中,审美现代性也悄然而生。改革开放之初的那股文化启蒙思潮,本身就充盈着现代审美精神,推动着文学艺术的与时俱进。大众文化、通俗艺术的兴起,推进了审美现代性的新变,成为我国审美文化的新维度,从而改变了审美文化的格局。如今,主流文化、大众文化、高雅文化已三足鼎立,各显神通,三分天下,各领风骚。在审美文化的发展过程中,三者既分立又互动,相互作用,彼此影响。随着新世纪的到来,国际文化交流的扩大和深入,我们要自觉把握这个契机,在促进文化的互动和沟通中提升,向着先进文化方向发展,唤起和焕发新审美精神。

一

从"文化大革命"的噩梦中醒来的人们,迎来了精神的自由和解放,对未来充满了美好的憧憬和希望。于是,美学热应运而生,文化生活中洋溢着一股和呼唤现代化相应的现代美学精神。

在改革开放之初的那个年代,大众的生活还远未摆脱贫困,百废待兴,一切都要重新开始,但心里充盈着对美好生活的期盼。所以,这时的审美精神,主要是对未来的一种审美期待、审美向往,呼唤崇高,富有浪漫气息、理想色彩。这种启蒙型的审美精神,高扬人的主体性,呼唤精神的自由和解放,把美看做是人的本质力量的对象化,美也被主体化了,因而成了人的自由象征。

这种富有浪漫气息、理想色彩的现代审美精神,起着呼唤奔向现代化的文化启蒙作用,唤起了我们的自我意识的觉醒。文学艺术中出现的,从舔吮"伤痕"到内心"反思",一直到文化"寻根",其实都渗透着这种启蒙型的审美精神。不过,社会生活出现了新的变动,不仅"官本位"未能消退,而且又新出了"钱本位",这两者相互争夺而又相互勾结,权钱交易甚嚣尘上,把文学艺术挤向了边缘。尽管少数精英还在艺术创作中坚守着精神启蒙,但更多的人却转向大众文化、通俗艺术,甚至审美转而向日常生活扩散,促成了审美精神向生活靠近,向实际生活泛化,发展为生活型的审美精神。

也许我从中心走向边缘较早,所以较早就感受、体验到了这种审美精神的转变,而不是在书本上。为了能把理性分析和个体经验连结起来,我还得从个人体验切入。

我最早接触的大众文化、通俗艺术是从港台传入的。20世纪80年代初,我第一次看到台湾歌星奚秀兰放歌《阿里山的姑娘》,引起了我的一种惊奇感。这位歌星在台湾并非一流,歌喉只能说圆浑,说不上优美,更称不上高雅,但那唱法却很新颖,充满生命活力,富有青春动感,表情甚为丰富,内容洋溢着生活气息,给人以一气呵成的鲜活之感。过去,习惯了太多的沉闷、迟缓、拖沓的节奏,突然听到了充满青春活力的歌曲,一下感到惊奇,歌还能这么唱,世上还有这样的歌!以后,又听到了三毛的歌曲,邓丽君的歌唱,更加深了我的印象:这同传统的审美已有了很大不同。

受了古典审美的熏陶,我对世界名曲一向充满崇敬,但没有想到,当代钢琴王子克莱德曼竟会那样演奏古典名曲。第一次听到他演奏经他改编后的古典名曲,我的直觉是:这些古典名曲和我们亲近了,流进了我们的现代生活。他对古典乐曲作了现代阐释,赋予了现代气息,加快了节奏,多了自由发挥,适应了现代人的审美需要。受这古典新曲的激发,我曾一度全神贯注、如痴如醉地沉迷于中外名曲的欣赏中,以致高价的音碟机刚在香港面世,我就迫不及待、不辞劳苦地运回,以便尽情一饱耳福。我曾在华盛顿郊外的一个小镇上盘桓数天。一次,正当我在餐馆准备进食之时,忽听得音箱中放出以牧场抒怀为主题的新乐曲,一下就吸引了我。我静静地听着,忘了动手进食。至今,我始终不记得那次吃了什么,什么味道,但一想起那情景,就又不知不觉地沉湎于那缭绕的余音之中。那次,我又一次体验到了孔老夫子所慨叹的余音缭绕，三月不知肉味的意境。回来后，我到处打听能否买到这一乐曲的音碟，终未如愿，留下了深深的遗憾。

从古典审美走向现代审美，对我来说，是在不知不觉、潜移默化中悄然行进的，并未借助于什么理论。在不时来往于香港之际，我不由得也看起港台小说来。先是看琼瑶的爱情小说，那古典式的爱情的理想境界，也能给人以审美享受，但终究离现代尘世太远，渐感乏味。继而看亦舒的爱情小说，感受到爱情的现代境界，扑朔迷离，惊心动魄。我惊异作者能那样深切体验女性内心世界而捕捉到了现代生活中爱情的复杂性，这是在大陆作家中从未见到过的。后来再看梁凤仪的财经小说，虽然作品也以爱情为纽带展示出人与人的多重复杂关系，但已更多地关注商界的兴衰浮沉，少了心灵的深掘，虽仍可读，却已逐渐少了阅读的兴趣。对于铺天盖地而来的武侠小说，虽然我年少不经世事之时曾为之着迷，但长大后，再也引不起我的兴趣；就是香港文友送我金庸大侠的扛鼎之作，也只是翻了几页，就感昏昏欲睡，赶快转送给了别人。心里总觉得那上天入地的武侠，离现代尘世太远。若要好奇，还不如看一看陈娟的《昙花梦》，那还离尘世近些，尽管这也是艺术的虚构。

那时的主流文化、精英文化变化都不大，没有什么吸引我非看不可的东西。于是，我的审美意向就转到近十年来获得奥斯卡金像奖的影片上来。在深圳每天都能看到香港电视台播放的一到二部的欧美影片，连续好几年，真看了不少。这是一种现代审美，那新鲜的感受持续了数年。其中一些优秀之作，已渐成经典，确实耐人寻味。但更多的则是走向模式化，暴力、色情、黑幕、西部片，均有不少重复的套路，无多少蕴味，看多了也就感到无味。大约在20世纪90年代中期始，我已很少再转向香港电视台去看好莱坞影片，非不敢也，乃不为也，实已提不起精神，引不起多少兴趣。引起我的兴趣的，已是对发生在我们自己身边的现实的审美反思。

改革开放激发了中国人的惊人创造力。港台和欧美的大众时尚之风吹来之后，当初受过审美精神感召的文化人中，开始有人把目光转向大众文化实践，出现了自由制作人、自由经纪人、自由写作人、自由卖艺人,从对港台、欧美大众文化的仿制,逐渐走向中国自己的大众文化的创造。于是,发展到20世纪90年代,大众文化、通俗艺术已蔚为一道独特的景观。

如今,越来越多的自由文化人走向了大众文化、通俗艺术的道路,就连以抒发心灵见长的诗歌也是如此。还在1986年,深圳的青年报就推出了《中国诗坛:1986年现代诗群大展》,张扬诗歌要表现日常经验、平常生活、普通形象,嘲讽崇高、典雅、神圣。不久,大众化、通俗化、日常化的思潮也渗入小说,新写实小说兴起,一反过去的艺术典型化和宏大叙事的观念,着力于描写日常生活的"原生态",审美的触角向日常生活延伸。也曾出现了《一地鸡毛》《烦恼人生》等颇有影响的作品,为小说开拓了新的领域。但发展到新生代小说,则走向了只关注个体自我,不顾他人,厌恶社会,竭力把自我的"绝对隐私"有意暴露出来,自我展示,以此招揽读者,这就完全消解了文学艺术的审美判断,甚至颠倒了价值关系。

大众文化、通俗艺术日益发展为审美文化新格局中最活跃的因素。它正在冲击着主流文化和高雅文化。这样发展下去,大众文化、通俗艺术会不会像香港那样,扩展成为我国的主流文化?[①]

这就不仅取决于大众文化今后会怎么发展,还取决于在我国历史上已长期形成的主流文化会怎样发展。

在我国50年前逐渐发展起来的主流文化,一直高奏主旋律,弘扬社会主义、爱国主义、集体主义,但是,在文艺为政治服务的道路上,途径越来越狭窄,发展到"文化大革命",文艺只剩下了几个"样板",其他则被一扫而光。改革开放也解放了精神生产力,主流文化也从"政治化"的惟一途径上走向"启蒙"和"审美"的道路,特别是在大众文化、通俗艺术兴起之后,主流文化徘徊、反思之后,自我调整,吸取了大众文化、通俗艺术之长,也关注起文艺的娱乐性来,开始摆

[①] 香港的学者、文友告我:大众文化、通俗艺术在香港已发展成为主流文化。香港也有学院派文学艺术,但和大众隔离,不和大众文化、通俗艺术发生关系。国际上著名的交响乐团、歌剧舞剧也不时出现在香港舞台上,而且还有自己的水平很高的乐团,但构不成文化主流。

脱过去那种单调的政治说教，探索使文艺如何"寓教于乐"，寻求"雅俗共赏"。正是这样，主流文化在自我反思、自我调整中走向更加宽广的道路，巩固了自己的主导地位。

在整个审美文化格局中，高雅文化始终是一个最为薄弱的环节。改革开放以来，不少文化精英转向大众文化、通俗艺术，也有不少人转向主流文化，但坚守高雅文化的人却越来越少。高雅文艺也仍在发展，但成就大多在"古雅"领域，对古典艺术、民间艺术进行加工，而甚少出现"新雅"佳作。

我们的文化研究，很可关注一下"春节演出"这一重大的"文化事件"，作些深入的分析。就在我们国家的电视台上，"春节演出"已出现了三种类型。一种是持续了十多年的综合众多艺术表演的正宗演出，竭力在寻求为大众喜闻乐见、雅俗共赏的道路，尽管年年受到非议，精品无多，精彩渐少，但营造了一种传统节日的热烈气氛。这是否代表了我国当今审美文化的主流，不妨深入下去作些学术探讨。但心连心艺术团走向全国各地基层所作的艺术演出，当是如今的主流文化无疑。二是文化部组织的另一种文艺晚会，显然更重视艺术的审美价值。中外古典名曲和中外民间乐曲成为主导内容，无论是名曲还是民歌，都是历史上沉淀下来的优秀之作，成了百听不厌的经典。这些名曲或民歌，或经文化精英的加工、改编，或经文化精英的现代阐释，都显现出了典雅，即使是来自民间的乐曲、民歌，也都提高为精美之作，我愿把这称之为精美文化。在日益扩大的国际文化交流大潮中，我们能真正"送出去"到金色大厅去展示的，其实主要还是这些作了现代阐释的传统文化，特别是民族歌舞、民间杂技、民歌民乐。经过王洛宾加工了的西部民歌，经过提升了的华彦钧的《二泉映月》，由越剧曲调提炼出来的小提琴协奏曲等等，现在不都走向了世界？三是一种专为青少年组织的青春动感的演出，融摇滚、蹦跳、撞击于一体的劲歌猛舞，这是否算是大众文化的极致？但在我心灵上引起的已不是审美愉悦，而是撕裂之感，看来已非我这样年纪的人所能享受得了。但看看那些歌迷、舞迷的如痴如醉，兴奋迷狂，不由得引发我的思索：大众文化之火是否会越烧越旺？这真是大众文化发展应有的方向？

二

面对审美文化格局的新变,我们应把探索大众文化、主流文化、高雅文化各具的特点以及相互关系综合起来研究,在它们互动相渗中把握发展趋向,真正研究发展中的一些问题。

对于大众文化的研究,成果渐多。国外的文化研究不断进入我们的视野,西方马克思主义的文化批判学说,社会交往理论,后现代主义文化理论,英国文化主义理论,甚至,欧洲新兴起来的以批判文化相对主义为特征的文化理论,都得到了我们的重视。这为我们提供了文化研究的新视角。但它们在不同文化土壤上产生,面对的是不同的文化现实,对大众文化的评价并不一样,所要解决的问题也不同。我们需要有广阔的理论视野,但需要解决的还是我们自己的问题。

大众文化,本应包括民俗文化和流行文化。民俗文化是传统的大众文化,在民间流传,也在发生变化,出现了新民俗文化。但城市却被流行文化所笼罩,以至一说起大众文化,在我们心目中习惯上就只指流行文化。

当前的大众文化究竟有什么特点?说法已有很多,诸如商品性、市场性、产业性、技术性、标准性、平面性、复制性、游戏性等,还可以列出更多。但这大多是从文化生产方式和流通方式着眼而作的抽象,而且有些并非大众文化所独有,主流文化、精英文化也在走向产业化、技术化、商品化,服从现代生产的一般规律。因此,还是要探讨大众文化自身所独具的价值、功能、结构。

若把大众文化和主流文化、高雅文化放在一起考察,大众文化给我印象最深的还是它的世俗性、娱乐性和流行性(或叫即时性)。大众文化可以有许多价值、功能,但它的最突出的目的和功能,就是给大众即时的快乐,正如西方学者所说,"大众文化的花样很简单——就是尽一切办法让大伙儿高兴"[①]。流行的文化,就是要为大众逗

[①] [美]丹尼尔·贝尔:《资本主义文化矛盾》,赵一凡、蒲隆、任晓晋、译,生活·读书·新知三联书店,北京,1992年,第91页

乐、找乐,即时享受,引起大家的高兴。当然,逗乐的背后,隐藏着利益,那就是我给你逗乐,你交给我钱,通过交换,我得到的是实利,所以,当然要招揽越来越多的顾客,大众越多越好。文化市场必然要面向大众,正如《中国文化蓝皮书》所说:"市场惟大众的马首是瞻,认定最畅销的东西就是最好的东西。"流行文化就是以当时最流行的时尚来逗乐大众。

审美文化本从日常生活中来,由日常生活中的审美发展而为审美文化的不同形态。大众文化则是最贴近日常生活的那种审美文化形态。它从日常生活的审美中提炼出新形式,从而又回归日常生活,引发大众体验生活的乐趣,享受生命的欢乐。改革开放以来,大众的生活发生了剧烈变化,紧张劳动之余,渴求享受生命的欢乐,体验生活的乐趣,大众文化应运而生。它适应了日常生活的需要,推动了大众向日常生活的回归,促进了生活的审美化和审美的生活化,使日常生活具有了一种新的意义,正如丹尼尔·贝尔在《文化:现代与后现代》所说:"运动感和变化——人对世界感知方式的剧变——确立了人们赖以判断自我感觉和经验的生动而崭新的形式。"[1]大众文化、通俗艺术表现了生活剧变引起的运动感、变化感,创造出自己特有的艺术方式,富有青春动感和生命活力,因而受到大众的欢迎。

尽管审美和娱乐相通,审美也要求娱乐,但并非一切娱乐都是审美。娱乐,有娱感官之乐,也有娱审美之乐。大众文化、通俗艺术不能只停留在满足感官的享受,而应提升为精神的体验。生命的意义,当然也包含感官的享受,但是"囿于粗陋的实际需要的感觉只具有限的意义"(马克思),审美才使我们能体验更高更深的人生意义。因此,大众文化、通俗艺术要向关注审美意蕴方向提升。最困难的是如何提升。对此已有许多尝试,一手伸向经典,一手伸向民俗,且已初见成效,像《涛声依旧》借用了古诗意象,《霸王别姬》引进了京剧曲牌,《中华民谣》则融入了民歌,还有不少干脆就将民歌改编,运用了一些民歌旋律,却改换了内容,变成了新腔,名为新民歌,

---

[1] 王岳川:《论现代主义文化与美学》,北京大学出版社,北京,1992年,第4页。

其实已是面目全非。但不管怎样，多少还有一些文化意蕴，有所提升。伸向经典，伸向民俗都很必要，今后仍需要继续，以求创新。但是，依我看，大众文化、通俗艺术更应在提炼生活经验上下工夫。还是要面向当下现实，关注大众生活，和大众日常生活的实践更贴近；但又要通过自己对大众日常生活的体验、领悟和反思，对日常生活又有所超越。正是在对大众生活的新体验、新领悟、新反思中，焕发出新的审美精神。

这不也正是对整个当代审美文化所应提出的要求？当然不错，大众文化、通俗艺术就是整个审美文化中的一个有机组成部分。但当我们把目光转向主流文化时，我觉得对主流文化却应有更高的要求。

主流文化受主流意识形态的主导，应反映社会的公共要求。我们所要实现的，乃是社会主义现代化，社会主义思想教育当然是精神文明建设的灵魂。主流文化担负着社会主义教育的伟大使命，实施德、智、体、劳、美的全面教育。因此，主流文化并不只是审美文化。就是从我自己的这个个体来看世界，我们也并不只是要接受审美教育，而要广阔得多。我需要认识和了解我生活于其中的这个世界，这世界究竟是怎样的，正在发生着什么变化，不同的人在这世界上怎么生活着。我也需要体验和评价这个世界上发生的变化、人的各种不同的生活，而且，我也需要学会以什么态度，怎样来对待这个世界、生活中发生的一切。因此，只要有助于我认识、评价、体验以及如何对待这个世界的文化，不管体现为艺术，还是科学，我都乐于接受。在我们这个世界发生急速变化的时代，人的生活和命运也千变万化，我们的文学急于反映这种变化，不一定都要变成主要为满足审美需要的艺术的文学。可以是现实的实录，也可以是调查报告，只要有助于我们认识这个世界，又何尝不可？因此，大文学、杂文学的发展已势在必行。回想起来，能引起我阅读兴趣的，其实不一定都是审美的。我爱看这样的纪实：我那见过的可爱的太湖、滇池、洞庭湖甚至洱海怎样被污染了，在咱们自己国土上生活的各种各样的人是如何地生活着，中国人远离国土后在那里又怎样生活。当然还有普通百姓都关心的问题，如那些贪官污吏怎样被挖出来了。而能及时反映这些的,大都是调查报告、新闻报导或是纪实文学,没有多少审美意味,但却都是反映了我们生活中已经发生的事件,这正是我所要急切知道的,没有审美意味,也照样读,它满足了我要认识世界这个需要。

但如果我们对主流文化有更高的要求,希望主流文化重视发展审美维度,教育我们如何从审美上去体验和评价我们这个世界,如何作诗意的裁判,教会公众如何以审美态度对待这个世界,那就不仅要对日常生活作审美超越,更应超越大众文化、通俗艺术。

在商品生产的刺激下,最近数年在我国形成了规模空前宏大的创作之潮。如今,我国每年生产出来的长篇小说就达800到1000部,而影视制作,每年更在万集之上,有时高达15000集,这真是历史罕见。艺术生产都在向产业化、工业化、技术化、商品化、规模化发展,艺术产品急增并不奇怪。不仅业余作家、艺术家在走向大众文化,就是由国家供养的专业作家、艺术家也在向大众文化靠拢。但规模日益扩大的艺术生产究竟产出来多少是艺术精品?是不是获得形形色色各种奖状的作品就是精品?不见得。艺术精品,乃艺术中之精品,就不只要有较高的认识价值、思想价值,更必须要有高度的审美价值。认识价值、思想价值就寓于审美价值之中,达到真、善、美的融合和统一。恩格斯一再说,他是从"美学观点和历史观点"来评价艺术作品的,而且这是衡量作品的"最高标准"。作为审美文化的最重要部分,主流文艺应有很高的审美价值。为此,主流文艺应该站在时代发展前列,具有超前意识,把握时代脉搏,抓住人民大众共同关切的人类命运问题,"入乎其内",有真切的体验和深刻的领悟,又"出乎其外",唤醒自我意识,进行自我反思。我们高兴地看到,负有社会主义教育使命的"五个一工程",在注意抓重大题材的时候,鼓励提高艺术质量,促进"主旋律"具有更高的审美价值。近数年,我们的文艺更增强了审美批判性,多年不敢涉及的政治领域,渐渐又成了热门话题,现代官场小说、肃腐反贪作品、扫黄打黑的影视作品纷纷涌现,触及人民大众关注的问题。《抉择》《大厂》《至高利益》《大雪无痕》《大法官》等优秀之作,吸引了广大读者、观众。本来,作家、艺术家的审美视野原应十分广阔,激烈的政治斗争,崇高的道德行动,都可以审美的眼光做出审美评价,作出诗意的裁判,从审美上做出肯定或否定的审美判断。如今,主流文艺又在重拾宏大叙事,发扬敢于面向现实的审美精神,使我们在严酷斗争的描绘中重新体验正义,在盖世太保枪口下的中国女性形象中又重新感受到崇高。但是,应该清醒地认识到,真正称得上艺术精品的还是不多,珍品则更是罕见,平庸则随处可见,艺术垃圾日益增多。当务之急不应再鼓励量的疯长,而应更加重视质的提高,特别要关注审美评价中的价值取向,应有更高的审美追求。商潮涌动中,在人与人的关系、人与自然的关系、人和自我的关系中,异化现象都在滋长,作家、艺术家如何对人与世界的关系不时作审美反思,焕发直面人生而又超越现实的新审美精神,增强审美批判性应是提升主流艺术审美品位的必要途径。

在我心目中,高雅文化既应是对大众文化的吸收和超越,又应吸收主流文化的精华作新的超越,创造出来的应是弥足珍贵的精美珍品、传世之作。但在启蒙型审美精神潮退之后,少数文化精英受西方形式主义美学影响,致力于形式之美的建构,只在符号本身下工夫,不在体验生活上着力,忽视在现实生活中体验、领悟人生价值和意义,把艺术美仅仅归结为形式美。这种重在形式的审美精神,使得少数精英只关注形式审美,导致作品失去有价值的审美意蕴,受到时代和人民的冷落。幸而,一些文化精英在改编古典名著和改作民俗艺术这两个领域还是取得了一定成功。对中外古典名著的现代阐释,对民俗音乐的深度开掘,对梁山伯祝英台民间故事的多种艺术演绎,对王洛宾改编的民歌的再演绎等,都给人留下了深刻印象,不少已登上国际舞台。对古典艺术和民俗艺术的再创造,前景广阔,道路宽广,尚有很大潜能可挖掘和发挥。但若要在我们这个时代实现中华文化的伟大复兴,创造中华文化的新的辉煌,我们的作家、艺术家就要有伟大的艺术抱负,吸纳中外文化的精华,熔铸和焕发新的审美精神,不仅有对大众文化的超越,更要对主流文化作新的超越。

三

不同时代的审美精神有着不同的特色。在改革开放之初，我们曾经高扬过富有浪漫气息、理想色彩的现代审美精神，美学热潮消退，审美精神向社会更广泛的领域弥散。在大众文化、通俗艺术中发展了一种以感性享乐为特征的审美精神，而在少数精英文化中则曾发生过一种以形式追求为特征的审美精神。在主流文化中，更多地在发扬着面向现实、关注人生的审美精神。在文化的相互碰撞、沟通、互动过程中，现代审美精神也在逐渐发展、提升。

随着新世纪的来临，国际文化交流正在迅速加快和扩大，我国的社会主义现代化进程也在向纵深发展，人的现代化问题更加突出起来。在呼唤中华民族的伟大复兴声中，中华文化的发展将进入一个新的历史时代。新的时代需要唤起和焕发新的审美精神。不是要重归当初那种审美情景，不可能也无必要再兴美学热潮。我们应在汲取、反思这些浪漫审美、感性审美、形式审美、现实审美的审美经验的基础上，又继承和发扬中华文化的古典审美精神，按照我们这个新时代的实践需要，着眼未来而又面向现实，实现新的超越。

这种与时俱进的新审美精神，应富有时代气息而又蕴含东方神韵。我想从时代感、人性化和超越性这三个方面略说一下这种审美精神应有的品格。

一是时代感。

我们这个时代的审美精神，应面向当下现实，把握时代脉搏，富有时代感。

我们正在经历着一个剧烈变动的时代。尽管我们在一个世纪前就在尝试着走向现代化，但历经磨难，多受波折。等到我们真正睁开眼睛看世界，痛切地感到我们已落后得太久，就匆忙急起直追，赶快引进国外生产力，加足马力赶上去。待到一些地方迅速发展，生产的物质生活资料已丰富起来之后，我们又发现，生产出来的许多商品已经销不出去。于是，我们就转而扩大内销。但广大的内陆地区还刚在奔向初级现代化，不少地方还正从前现代向现代化转化，刚解决了温饱,而世界上西方发达国家所占的人口不多,却早已抢先垄断了世界上大多数的物质财富。人家早已从初级现代化越过了高级现代化又进入后现代,一些先知先觉,在享受过丰饶的物质生活之后,又在追求简朴的生活。我们在一些地方刚经历了资本原始积累,又在加快现代化步伐,初级现代化(以工业化为特征)还未完成,马上又迎来了知识经济时代,仓促间又要赶上信息化,两步并作一步走,要作跨越式发展。而西方后现代思潮却已悄然舶来,激发我们自我反思。那西方现代化所造成的许多弊端发人深省,物欲高涨、人欲横流、人我疏离、生态破坏、人性扭曲等异化现象,在我们这里也都在发生。我们还需要西方那样的现代化?究竟我们应追求什么样的现代化?能不能探索一种新的现代化?我们需要什么样的跨越式发展?一些人沉醉在眼前享乐和狂欢,一些人在焦虑、急躁,而我们更该做的乃是对我们这个时代作审美的反思,增强对社会中所出现的各种异化现象的批判性,从时代高度持批判态度。在肯定我们时代中的真、善、美的同时,必须加大批判假、丑、恶的力度,深化审美的批判性,这应是我们这个时代的更高审美追求。

无疑,这种审美追求乃是新感性和新理性的融合,蕴含了理性思考的科学精神,又富有当代人文精神。只有将科学精神和人文精神辩证结合起来,人类才能获得真正的自由。

二是人性化。

新的审美精神应从人民大众的审美追求中提升出来,反映人民大众的审美需要。尽管个人审美体验极为个性化,但在主体间的交往中,可以引发相似的体验。关注人的命运,重视人文关怀,提升人类本性,应是新审美精神的重要内容。

审美本身就是人类本性的表现,只有人类才有。人经由劳动而从自然关系中提升出来,成为人类,人类和动物有着本质的差别。马克思在《1844年经济学哲学手稿》中说到:动物如蜜蜂、海狸、蚂蚁等也进行生产,但只能在直接的肉体需要的支配下,凭本能来生产,而人却只有在摆脱了肉体时才自由进行生产。动物只是按照自己所属的那个物种的尺度来生产,而人却懂得按照任何物种的尺度进行生产,并且,

"随时随地都能用内在固有的尺度来衡量对象;所以,人也按照美的规律来创造"(朱光潜译文)。人能不能用"内在固有的尺度来衡量对象",这是能不能按美的规律来创造的前提。那么,什么是"内在固有的尺度"呢?前人常用"主体的需要"来解释,但依我的理解,这"内在固有的尺度"乃是人内在固有的"类特性"。正是"类特性",把人和动物的生命活动区别开来,"而自由自觉地活动恰恰就是人的类的特性"。人能用"自由自觉"的这一类特性作内在尺度来衡量对象,所以才有审美。类的特性,人类本性乃是衡量对象是否按美的规律创造的价值尺度、根本标准。审美活动、创美活动,则是更高的自由自觉活动,突出体现了类的特性、人类本性。

但是,历史发展的曲折,使得人应有的人类本性、类的特性发生了异化。马克思在考察社会关系中发现,人与人,人与物,人与我,在历史发展中都在发生着异化。人的异化活动不是创造真、善、美,而是造成假、丑、恶。在异化的干扰下,人类本性、类的特性,只能在曲折中发展,自由自觉的活动不能顺利展开。当人类刚从自然界提升出来之时,原始人还无大的分工,个人的活动"显得比较全面",人的个性还具有"原始的丰富"。但这是一种狭隘范围内的原始丰富性,"在这里,无论个人还是社会,都不能想象会有自由而充分的发展"①。分工的发展,特别是精神劳动和物质劳动相分离,使得人有了更多的自由自觉。但在"人的依赖关系"中,受血缘、地缘、族缘的束缚,人的个性只能"在狭窄的范围内与孤立的地点上发展着"。当商品经济发展起来,人从"人的依赖关系"中解放出来,个性获得独立。但这是一种"以物的依赖性为基础的独立性",人的个性受物的支配,甚至沦为物的奴隶。只有"建立在个人全面发展和他们共同的社会生产能力成为他们的社会财富这一基础上",自由个性才能获得全面而自由地发展,自由自觉的活动才能充分展开②。现在,我们还处在社会主义

---

① [德]马克思、恩格斯:《马克思恩格斯全集》第46卷(上),人民出版社,北京,2003年,第109页。
② [德]马克思、恩格斯:《马克思恩格斯全集》第45卷(上),人民出版社,北京,2003年,第104页。

初级阶段,还在竭尽全力发展商品经济,还只能"以物的依赖性为基础",但是我们要奔的是"社会主义"现代化,如何及早防止物的片面发展,更多关注人的现代化,未雨绸缪,在促进社会发展的全面进步中,更加重视人的全面发展。人类的三大生产,物质生产、精神生产、人自身的生产,最根本的还是人自身的生产,物质生产和精神生产都是服务于人,以人为目的,所以要以人为本。马克思呼唤人性复归,在更高阶段上提升人类本性,发挥人的自由自觉的潜能,这正是新审美精神需包含的应有之义。

三是超越性。

审美是个体的一种自由自觉的生命活动,是自由个性的一种存在方式。审美和艺术都根源于生活,但都是对日常生活的超越。马尔库塞说得好:"艺术只是在它使自己与我们可能有的日常现实相区别和相分离的这个意义上来说是超越性的。"[①]在审美活动中,个体是审美活动的主体,在审美的主客融为一体的过程中,主体体验到了自我实现的愉悦,感受到了自我的价值。但是,审美的根本目的乃在人格自我的提升。怎样才能实现这一目的,那就必须超越自我,以人类本性、类的特性(亦即类本质)作为价值尺度来衡量自我,发展自我意识,对自我作审美反思。这就需要如马克思所说:就像"在意识中所发生的那样在精神上把自己划分为二"。这种划分为二,不仅是要区分对象意识和自我意识,而且在自我意识中区别出"客我"和"主我"。当自我在审美中沉醉在自我体验中时,心灵"入乎其内",随对象喜怒哀乐,不能自拔,贪官的贪婪,商人的奸诈,市民的鄙俗,都要体验。但体验种种丑恶心理,并不意味着心灵的自我也要跟着沉沦下去。因此自我又要"出乎其外",从自我体验中跳出,把那种体验作为客体来加以审视、观照,而以"主我"的视界来评价那"客我",从而采取什么态度。"主我"的价值观念的不同,对"客我"的审美评价、审美态度就不一样,这正表现了这自我(审美主体)的审美人格的品

[①] [美]马尔库塞:《作为现实形式的艺术》,伍蠡甫、胡经之主编:《西方文艺理论名著选编》(下),北京大学出版社,北京,1988年,第724页。

位。有的对丑恶引不起审美的反感,有的则对美好引不起审美的快感,这种审美态度恰好表现出了自我的审美趣味的低劣、恶俗。这就需要以人类本性、类的特性(类本质)作为衡量"客我"的尺度,使"主我"向人类本性、类的特性方向提升,提高审美品位,完善人格自我。

然而,超越自我不仅是对客我意识和主我意识所作的调整,而且还是对自我意识和对象意识的融合。审美意识是一种自我意识,是对象意识的超越。但它又以对象意识为前提,对象意识是自我意识的基础。审美意识是自我意识和对象意识的交融。审美活动产生的审美体验中,主客统一、物我同一,已分不清对象和自我。但在进入审美活动之初,在人和世界的审美关系中,仍然存在着审美主体和审美客体的区别。审美关系在实践关系中生发出来,实践中和世界达致动态平衡,为人类建立了实在的家园。而人和世界建立了审美关系,通过审美活动和世界建立了自由的精神关系,在精神上和世界达致动态平衡,为人类建立精神家园。人和世界是对象性的关系,主体和客体相依相动,在实践中相互对象化,主体于对象既受动又能动,主体客体化,客体主体化。审美活动则是一种意向性活动,包含了审美主体对审美客体的价值评价,更有审美主体对审美的价值态度。在审美关系中,审美主体和审美客体是相依互动,审美主体必须具有审美的本质力量(素养和能力),但也必须有相应的审美对象。"对象如何对他说来成为他的对象,这取决于对象的性质以及与其相适应的本质力量的性质;因为正是这种关系的规定性造成了一种特殊的、现实的肯定方式"①。马克思所说,忧心忡忡的穷人对"最美丽的景色"却无动于衷,那是因为主体缺乏审美的心情,进不了审美关系之中,但那"最美丽的景色"还是客体那里的客观存在,是一种价值存在。只懂购买矿物的商人只重矿物的商业价值,而看不到矿物的"美和特性",那是因为那商人缺乏审美能力,看不到矿物的审美价值,但那矿物这一客体

---

①[德]马克思:《1844年经济学哲学手稿》,人民出版社,北京,1979年,第78页。

所具有的审美价值,也是客观存在。①

在走向新世纪的时代,我们更需要美学,而不是要消解美学。不过,这是一种把握时代脉搏、密切关注人生、面向而又超越现实的新美学。

我们的美学,过去曾离开了人这个主体而只在对象中找美的本质,后来,又只从人的主体本身来寻美的本质。但是人的本质又并非就是美的本质,这里存在着辩证关系。美不是主体情感投射或人性外化,却也不是客体的自在物性,而是对象只对人这个主体才显示的一种价值属性,是一种对人类特性具有肯定意义的价值。客体对象的审美价值,美、丑、悲、喜、滑稽、荒诞等,虽然是对人所具有的肯定或否定的意义,只在审美关系中才显现出来,在审美活动中才能被把握;但是,审美价值仍是处在关系中的关系客体的客观存在,不是主体的主观体验。审美活动所产生的审美体验,乃是对审美价值所作的审美反应,是对于价值的体验,这种价值体验是审美主体的心灵和审美对象自身价值的融合。审美活动的结果,主体自身的心灵世界和对象世界的精神交流和融合,在心灵世界中实现物我同一,已分不清主客。但审美关系,还是主体和客体的关系,不过这是一种特殊的主客体关系,是那种类似主体间的那种亲和关系,无怪乎有人想把审美关系说成主体间关系。但我还是把审美关系看作是类似主体间关系的特殊主客关系,主客间的一种和谐关系。

不过,审美对象并非即是实践对象,而是人的精神世界中的对象。人所面对的整个世界,自然生态、人文生态和精神生态只有进入审美主体的精神世界,才是审美对象;而且,精神世界中出现的各种意象本身也可成为审美对象。在审美关系中,审美对象的美呈现出对人的亲和力,展示出自己的诗意光辉;而审美对象的丑却表现出对人类本性的否定意义,审美主体则对它做出诗意的裁判。在审美活动中,主客体互动交融,对象意识和自我意识相互激发,能动和受动相互交融,顺应和同化相互作用,审美主体在心灵自我中形成动态平

---

① [德]马克思:《1844年经济学哲学手稿》,人民出版社,北京,1979年,第80页。

衡，从而在人和世界之间建立起精神上的动态平衡，自由和谐的关系。随着人类实践领域的扩大，人不仅需要通过人文审美，深化和人文环境的审美关系，而且也应重视自然审美，拓展人和自然环境的审美关系，寻求和人文环境、自然环境建立精神上的动态平衡。马克思渴求的未来的理想社会，应是自然主义和人道主义的统一。依我看来，在人和世界的关系问题上，不应是人类中心论，也不应是自然中心论，而应是以人为本的动态平衡论，在改造世界的动态过程中，以人为本，寻求动态平衡，建立自由和谐的关系。当今时代的新审美，亦应是自然审美和人文审美的统一，并在文化创造中首先实现和人文、自然的审美关系的这种统一。因此，探寻自然主义和人道主义在审美中的统一，这正是新审美精神的不懈追求。

2002年秋，深圳，望海书斋

（原载《马克思主义美学研究》，2002年）

文化美学待深探

社会要以人为本,渐已成为我们大家的共识。个体的生命价值也日益受到重视,个体生命的日常生活已被纳入哲学视野,成为文化哲学的重要对象。从哲学高度来审视人的日常生活,乃文化哲学题中应有之义。那么,美学呢,要否面对日常生活?

当代人的日常生活随着"初级现代化"的推进,正在向全面小康发展,发生了急遽变化,丰富多彩,新奇纷呈。古人云:"食必常饱,然后求美;衣必常暖,然后求丽;居必常安,然后求乐。"审美需要伴随着日常生活的提高也逐渐发展起来。

于是,日常生活中的审美问题也就凸显出来。一方面,审美的日常生活化:自然审美、艺术审美、文化审美等多种审美活动,逐渐进入普通人的日常生活。"昔日王谢堂前燕,飞入寻常百姓家",过去只有极少数文化精英所能享受的,如今的"小资"、"中产"乃至小康人家也渐能享受。生活空间的拓展,自由时间的增多,已容许人们投入更多的审美活动,逐渐使日常生活丰富、完美起来,审美正在逐步走向日常生活化。另一方面,日常生活本身也在逐步审美化:衣食住行、日常起居的消费质量在提高,日常生活的品位在提升,普通人可以从日常生活中获得更多的审美享受,生活本身有了更多乐趣。

无论是日常生活的审美化,还是审美的日常生活化,都在提醒我们,文化美学,应对此加以关注。文化美学理所当然地要把日常生活的美学纳入视野,探索人们应如何按照美的规律来安排生活,什么样的生活才是美好的生活,生活的意义究竟何在。

确实,当代人的审美活动已经超出了文学艺术的范围而渗透到大众的日常生活中,如广告、流行歌曲、时装、电视及至环境设计、城市规划、居室装修等广阔的领域,城市广场、购物中心、超级市场、街心花园的日益美化，必然引发人们的美学思考。

日常生活的急遽变化，呼唤文化美学不能只停留在文艺美学，而要进入日常生活领域，探讨生活的审美问题。

审美如何才能日常生活化，关键在于怎样把人类创造出来的人文之美以及由天造地设天然就有的自然之美引进普通人的日常生活。这要历史发展到较高水平才能做到。过去就很难，皇家园林、苏州园林只有极少数人才能享有，就是名山大川，也只有漫游不为稻粱谋的徐霞客等文人雅士方能去体验。如今，现代媒介能把世界文化遗产和世界自然遗产一一呈现于影视屏幕。现在的问题反而是，涌入我们日常生活的审美实在太多，使普通人无所措手，先进文化能进入日常生活当然好，落后文化、腐朽文化呢？难道都要进入寻常百姓家？我们已经在生活中遭受到了那么多的"审美疲劳"，难道还要忍受更多的"审美反感"？我们的文化美学不能不回答。

日常生活的审美化，关键问题则是如何在日常生活中把日常体验提升为审美体验，而不是仅仅沉溺在日常生活的物质消费中。但是日常生活的审美化，是否就消解了艺术？为什么就不能在此基础之上，进而促进艺术的进一步提升呢？为什么在把日常体验提升为审美体验之后就不能再进而提升到艺术体验呢？面对日常生活审美化，艺术究竟应何为？

依我看来，艺术和生活应是相互促进的关系。艺术不必然比生活高明，平庸的、拙劣的艺术远比生活贫乏，这样的艺术若是消解，并不奇怪，也不足惜。但艺术可以而且应该有比生活高明之处。如果艺术真正发挥了自己的长处，在日常生活审美化的基础上有更高的提升，艺术怎么会被日常审美化所消解？所以，我们的艺术，应该正视日常生活的审美化，把日常生活的审美体验提升为艺术体验，进而超越推进艺术创造更上层楼。

何谓日常生活？日常生活就是每个人都要进行的个体得以生存和再生产的生命活动。衣食住行，起居作息，养儿育女，生老病死，亲友往来，闲聊杂谈等等，这都是日常生活的基本内容，大致包括了个人的日常消费和日常交往以及伴随而生的日常观念活动。人在这个世界上生活,既离不开物,又离不开人,要直接面对人和物。因此,日常生活中最紧要的就是每个人如何待人接物。

人类对生活的反映存在不同的方式,视要达到什么目的而定。若要认识生活,那就要遵循感性—知性—理性这条途径,获得对生活的理性认识,从理论上去掌握生活。若要去体验生活,获得对生活的精神享受,那就可以沿着直觉—反思—领悟这条途径,获得对生活的深切体验。所谓日常生活的审美,其实就是从日常生活是否能满足人的审美需要这个维度去体验日常生活,在审美体验中获得审美享受。作家、艺术家在从生活中直接获得的审美体验基础上,加以再体验,在再体验中反思,对美、丑、悲、喜、荒诞、滑稽等现象作出审辨、评价,然后加以符号化。在艺术创造中,应有作家、艺术家对生活的审美判断,而审美判断就是审辨什么是美、丑、悲、喜等等。审美一定需要体验,但体验中有理性,有对生活的反思,通过反思而领悟人生的价值、意义。在康德之前,所谓判断力被说成是审辨力,康德之后,审辨力才转说成判断力。审美确是一种体验活动,但这里确实有"审辨"在内,是一种含有"审"的反思性体验。

反思我们的艺术创作,数量的增长飞速,长中篇小说年产已近千部,电视剧也在万集以上,但可称为精品的究竟有多少?有,但为数不会太多。大批量的乃平庸之作,而卑劣之作也在不时涌现。对生活缺乏深切体验,而只能停留在概念认识的作品,虽仍然存在,但缺少艺术感染力,很难给人留下深刻印象。武侠、戏说、神话倒出现颇多,但远离当今的现实,恍如隔世,很难引起在世的现实体验,而有的更在欢笑中宣扬暴力、劫杀、权谋,需引起世人的审辨。用力在日常生活体验的作品日渐多起来了,一些作品逼真表现出了另类人的"独特"体验,甚至连形形色色的"绝对隐私"也在公众面前大肆渲染。张扬、物欲、肉欲、食欲,成了一些卑劣之作或伪艺术的主旨。这是在宣泄本能体验,既无"审辨"、"反思"、"领悟",更有不少黑白颠倒,价值混乱。

我们的许多艺术,内中失去了审美判断力,关键还在价值观念的混乱,价值标准的颠倒。暴殄天物,骄奢淫逸,纸醉金迷,肉欲横流,纵欲无度,这本都是对人的本质力量的否定,是生活中的丑恶现象,可是在一些艺术作品中大事渲染反而成了一种荣耀。中国还处在社会主义"初级阶段",现代化程度尚不高,还属基本小康,还在奋斗走向全面小康,离后现代还差得远。可是,我们的一些艺术已经在为奢侈张扬,夸耀西方消费社会中的奢侈消费、虚假消费、畸形消费,甚至还自鸣得意,标榜"超前"。其实,早在一个多世纪前,马克思就对那种刺激畸形消费的"工业宦官",作过辛辣的讽刺:"工业的宦官投合消费者的最下流的意念,充当他和他的需要之间的牵线人,激起他的病态的欲望,窥伺他的每一个弱点,然后要求这种殷勤的服务付报酬"。①想不到如今有文化人也加入了这个行列,悲哉!

而对韩剧洪流滚滚而来,愤愤不平之声随之而起。韩剧美工布景不精,制作水平不高,角色表演不真,怎么会席卷中国甚至东亚荧屏?其实,这真可引起我们进一步的深思。韩国在经历了东南亚金融风暴的巨大冲击之后,痛定思痛,深刻反思,决定立即转轨,在1998年鲜明提出:"文化立国",文化成了立国之本。发展文化产业当然是"文化立国"的题中应有之义,但眼光不能只停留在制作的技术层面,而是着眼于文化内容的探求。为此,2001年,韩国专门成立了宏大的韩国文化内容振兴院,甚至在北京、上海都成立了分支机构,研究中国人的文化需要。韩国对文化内容的研究,已经深入到历史深处,把历代的风俗、服饰、饮食、兵器、音乐、舞蹈以及丰富的历史故事,运用现代科技手段,贮存在"故事银行"和"原创文化"数码机构中,作家、艺术家随时都可以使用。正是韩剧最重视内容的构思,把传统文化和现代生活相结合,创造出了富有文化内涵的影视作品,所以才受到人们的欢迎。

韩剧注重展示普通人的平常生活,不去渲染暴力、凶杀、色情,而是着力突出在待人接物、处世做事中的亲情、友情、爱情。尽管生活中也有丑恶、伪善,但最后还是正义、美好取得胜利。韩剧的主旨是弘扬东方文化的精髓:社会应该而且可以和谐。

---

①[德]马克思:《1844年经济学哲学手稿》,人民出版社,北京,1979年。

从美学的角度看,韩剧并非完美。我只想说,我们的艺术创新可以从中受到启发:艺术手段很重要,但更需我们重视的是文化精神。

日常生活,乃个体生命的根基,人类文化的起点。但在日常生活世界之上,还存在着远比个体生命生产更广阔的非日常生活、超日常生活的生活世界,一个为了社会能再生产而展开的整个社会生活。整个社会的大厦,从经济基础到上层建筑,都奠基于日常生活之上。一个完整的生活世界,乃是日常生活、非日常生活、超日常生活相互渗透、相互促进、相辅相成的动态过程。我们生活于其中的生活世界,广阔而博大,丰富而多样,就马克思告诉我们的,至少有物质生活、社会生活、政治生活、精神生活四个层面。他在《政治经济学批判》的"序言"中这样说道:"物质生活的生产方式制约着整个社会生活、政治生活和精神生活的过程。"显然,人类的生活世界,包括了日常生活,但却并不仅限于日常生活,而是还从物质生活的基础上,生发出了社会生活、政治生活和精神生活。恩格斯也告诉我们,当我们面对自然界、人类历史或人的精神活动时,"首先呈现在我们面前的,是一幅由种种联系和相互作用无穷无尽地交织起来的画面"。人类的生活世界是如此丰富多彩,作家、艺术家就不能只满足于日常生活的审美化,而应走向更广大的世界。艺术反映生活也不能仅仅于日常生活的审美化,而是应着力开掘无限广阔的道路。

2005年秋,望海书斋

(原载《文艺报》,2005年10月27日,题为《生活审美化,艺术应何为?》)

人文之美靠创造

爱美之心,人皆有之。追求美,乃是人类的社会本性。

人来到这世界上,不仅仅只是为了活着,而且要活得好,活得有意义。我常说,人,要生存,发展,完善。寻求美好人生应是人类的共同理想。

我们生活中本来就有美,需要我们去发现,也需要我们去创造新的美。近代启蒙思想家梁启超说得好:"美是人类生活一要素——或者还是各种要素中最要者,倘若在生活内容中把'美'的成分抽出,恐怕便活得不自在甚至活不成。"美国著名人本心理学家马斯洛论证了,一个追求自我实现的人,一生都在不断超越基本生活需要,谋求新的发展,在社会实现自我价值;而人类发展需要的最高端,就是对真、善、美的追求。

美好的人生,要靠人自己去创造。关键是如何去创造?马克思告诉我们:要按"美的规律"去创造。人类有三大生产领域:物质生产,精神生产,人自身的生产。无论哪一种生产,都需要按"美的规律"去创造,才能使人的活动和产品都具有审美价值,人自身的品位也不断提升。随着现代化步伐的加快,我们对生产的要求越来越高,生产的物品,不仅要实用,而且要美观,审美价值的地位越来越高。

如果说,以主要满足实用为目的的生产,其审美功能已在日益上升,那么,以主要满足审美需要的生产,其审美的功能就显得更为突出和重要了。如今要发展美丽的经济,当然要以创造美丽为直接目的,那就更需要按照"美的规律"来创造了。

大自然自身就具有天然之美,鬼斧神工,天造地设,并非人工所致。清学者叶燮说得好:"凡物之生而美者,美本乎天者也,本乎天自有之美也。"自然之美虽由天生,但只对人具有意义,所以,"凡物之美者,盈天地间皆是也,然必待人之神明才慧而见"(《己畦文集》)。更进一层,人类如何利用自然之美来为社会服务,就更须懂得如何按照"美的规律"来安排。深圳得天独厚,在2000平方公里上,山海交错,东部海岸可以发展成旅游胜地。但这需要精心地策划,艺术地设计,真正显现出她的海滨特色,使人文和生态融为一体,让人回归自然而获得美的享受。

我们生活在这个世界上,每个人都在和周围世界进行着物质、能量和信息的相互交换。但人和周围环境的交流,并不都能让我们感受得到,我们能直接感受得到的只是显"现"在我们面前的"象"。清代文史名家章学诚说得好:"万物万物,当其静而动,形迹未彰而象见矣。故道不可见,人求道而恍若有见者,皆其象也。"但我们周围的环境,既有自然环境,又有人文环境,不同环境显现于人类面前,也就构成不同的象。章学诚就精辟地区分出了,在我们面前,既有"天地自然之象",又有"人心营构之象"。依我看来,自然美就显现在"天地自然之象"中,而艺术中的意象美、意蕴美、意境美都是"人心营构之象",是作家、艺术家通过头脑中的"虚践"(而不是"实践")营构出来的,又通过建构符号,即符号(语言的和非语言的)实践,使"虚践"转化为符号"实践"才创造出艺术作品。所以,我们把艺术创造称之为精神实践,以区别于物质实践。

我想在"天地自然之象"和"人心营构之象"之外,增添一种"人文创造之象",人文之美就在"人文创造之象"中。人文之美不同于天然之美,需要人来创造,这创造是"实践",而不是"虚践"。但无论是"实践"还是"虚践",并非都在按美的规律进行着。人文之美源自两个方面:一是物的"人"化,人对物进行人工改造,有可能造成物之美;二是人的"文"化,人自身用"文"来改造,使人的身心都趋于优化。但无论是物的"人"化,还是人的"文"化,都需要按照美的规律进行,"人"化、"文"化的结果才能是美的,动态的美、化成静态的美。但人对物的"人"化和人对人"文"化都是由"活动"造成,而无论是人和物的相互作用,还是人和人的相互作用,都可能违反"美的规律",因而这"活动"本身也可能是美的,也可能是不美的。我们若要发展美丽经济,使物不断"人"化,使人不断"文"化,就需要遵循"美的规律",才能使活动和产品都成为美的。

艺术之美,当属人文之美,是人的创造。但艺术之美却非一般的人文之美,而是一种特殊形态。艺术创造出一种艺术符号,乃是传达一种特殊的信息:人类的审美体验。作家、艺术家从生活中获得丰富的人生体验,从而把人生体验提升为审美体验,用艺术符号表达出来。我们的日常生活正在日益审美化,但并不能代替艺术创造,文学艺术并不因此而就要消失。艺术审美,并不能由生活审美来替代或消解。

自然审美、艺术审美、人文审美,包括日常生活的审美,都需要发展,因此,作为人文科学,美学大有可为,其前景阳光灿烂。

2001年秋,深大新村

按美的规律创造

社会主义的现代化,当然,首当其冲的是经济基础要有所变革;随之,上层建筑、意识形态也必然要发生变化。一向飘浮于高空自由飞翔的美学,也莫不如此。当前,美学面临的问题是如何现代化,这在我脑海中也一直盘旋着。

人来到世上,就和外部世界结下了不解之缘。人只有和外部世界进行物质、能量和信息的交流,才能生活下去。人过着各种各样的生活,从物质生活、社会(交往)生活、精神生活一直到政治生活等等,从而在实践中生成了个人的内部世界。人通过物质生产、精神生产以及人自身的生产等实践活动,不仅在改变着客观世界,也在改变着主观世界,而且还在改变着主观世界和客观世界之间的关系。随着时代的推移,在现代化的发展进程中,我们和世界的审美关系也在发生着变化。

站在世纪之交的门槛上,关注中国的当下现实,我们就会发现,如今社会,审美价值观念已经走向多元,审美活动方式也日益多样,人的审美关系更是丰富复杂。如果无视中国当下现实的审美现象,不作新的探索,恐怕很难建构中国的当代美学。中国还处在社会主义初级阶段,社会结构成分并不单一,发展又不平衡。大片地区尚未开发,还处在前现代状态;改革开放较快的地方,则在短短20年中,急遽完成了资本原始积累,却也很快暴露出现代化过程中的许多矛盾;而在一些暴富起来的领域,竟也有了后现代的弊病出现。如何分析、综合这些前现代、现代和后现代共时杂错的审美现象,从而给予评价,作出理论上的概括,这是当代美学不能回避的问题。而这,恰恰是我们的美学最薄弱的环节。

然而,当代美学的建构,还需要借助于既有的理论资料。在中外文化交流日益扩大的今天，至少有两种文化传统的美学，不能漠视，那就是西方的美学传统和中国的美学传统。

20世纪初以来，我们对西方的古典美学了解较多。但对西方现代美学的了解，虽在二三十年代已开始，却要到80年代才有大的进展，掌握了较多的理论资料。西方美学的古典传统和现代传统虽已很不同，但都在对中国的美学发生着影响。新马克思主义对现代社会中的异化有所揭露，并想通过审美的途径来消除异化。虽然这是审美的乌托邦，但仍然会引起我们共鸣。审美并不能直接消除实践中的异化，但审美究竟在消除异化中起什么作用，仍然会引起我们的思索，值得我们深思。全面而深入地研究西方美学，作为建构中国当代美学的理论资料，仍应继续得到重视。

我们更需要直接面对自己的美学传统：中国的古典美学传统和现代美学传统。

中国古典美学的传统离我们虽已显得久远，但优秀的美学精神仍然值得我们继承。儒家的美学重视人与社会的和谐，道家的美学则追求人和自然的统一，释家的美学沉湎于人自身内心的调适，这对于想把人和环境的关系建立在动态平衡之上的今人来说，是否仍有所启发？我相信，对中国古典美学的思想体系、基本范畴、逻辑方式作出全面的梳理，必将为中国当代美学的建构做出重要的贡献。

中国美学的现代传统，应该和我们更为贴近。然而，在西方当代美学的冲击下，反而觉得好像有些疏远了。中国美学的现代化进程，早在近代就开始了。梁启超、王国维、蔡元培很早就尝试把西方美学融入中国传统，并且促进古典话语向现代话语的转换。经过这酝酿期的尝试，在20世纪20年代到40年代，中国的现代美学得到发展，逐渐形成中国美学的现代传统。鲁迅、陈望道、梁实秋、吕澂、丰子恺、梁宗岱、宗白华、朱光潜、蔡仪、伍蠡甫等，都曾为中国现代美学作过贡献。在50年代才活跃起来的王朝闻，其实在40年代的延安，也已开始关注艺术和美学问题。值得我们回味沉思的是，这些美学家大多接受过西方美学的熏陶，不同程度地在尝试中、西美学的比较和融合，并且较好地把握了西方话语向中国话语的转换。很多著作虽过去半个世纪了,今天读来也仍然感到亲近。我们仍然需要继承这种传统。

中国美学的现代传统中,马克思主义美学的传统应有突出的地位。马克思主义美学一旦和中国的审美实践相结合,也就内化为中国美学的重要构成。周扬在20世纪50年代后期就呼唤建立中国自己的马克思主义美学、文艺学,并亲自带领邵荃麟、林默涵、何其芳、张光年等到北京大学开设课程,尝试探索。在停滞了20年之后,改革开放又将近20年,我们仍然在为建设和发展中国特色的马克思主义美学、文艺学而不断努力,这是时代发展的必然。关键在于:当下现实的审美现象已是错综复杂,理论能否回答和解决实践中提出的问题?古今中外的美学资料已比之前丰富得多,如何取其精华,去其糟粕,分析吸收?对马克思主义美学思想本身如何全面、深入地掌握,结合实践,有所发展?

在这个世界上,谁不想"诗意地栖居"?用中国自己的话说,人人都希望美妙地生活,生活得更美好。问题是:生活不是都美好。人类活动既按照"美的规律"创造了真、善、美,但也因违反了"美的规律"而造成不少假、恶、丑。那么,怎样才能"诗意地栖居"?一方面,人们必须在实践中努力消灭假、恶、丑;另一方面又必须在实践中创造真、善、美。人应该按照"美的规律",既要尊重客体特性,又要遵循主体本性来把握世界,使人和对象和谐一致,才能创造美好世界。在这个世界上,只有人和环境的动态平衡、协调发展,建立起自由和谐的关系,人才能"诗意地栖居"。离开客体与主体的统一,各执一端,只顾客体特性或主体本性,就不能按照美的规律来把握世界。人和环境的关系,应是以人为本,自由和谐,动态平衡。我们要倡导的,既不是人类中心论,也不是自然中心论,而是以人为本的动态平衡论。

客体,当然是客观存在。但客体的特性却可有多个层次:有自在的自然特性;也有相对其他客体而具有的功能特性;还有只相对于主体才有的价值特性,其中包括审美特性。审美客体存在于十分广阔的领域。没有经过人类加工改造过的广大自然界,即使没有拟人化,只要和人类生活发生了关系,对主体具有这样那样的意义,就有可能具有审美价值。没有经过人化的自然界,只要在客观上对人具有意义,和人有了对象性关系,就可能成为审美客体。空气、阳光和水,是大自然的赐予,不必经过人工改造,也可能具有审美价值,成为人的精神食粮。随着人类实践领域的扩大,自在的世界,越来越转化为人的世界,人与现实的审美关系也只会越来越丰富多样。

主体也是客观存在。主体是人,而人有自己的需要:一要生存,二要发展,三要完善。客体有自身的特性和规律,主体不能消灭它,但却可以按照主体的需要把握住客体的特性和规律,为自己的生存、发展、完善而服务。这样,人必须对自身有所把握,"了解自己本身,使自己成为衡量一切生活关系的尺度,按照自己的本质去估价这些关系,真正依照人的方式,根据自己本性的需要来安排世界"。[①]主体,可以是个体,也可以是群体,直至社会。但个体离不开社会,是社会化的人。"每个人的自由发展是一切人的自由发展的条件",但是,"只有在共同体中,个人才能获得全面发展其才能的手段"。[②]理想的社会,应是个体得到全面而自由发展的美好环境。而追求全面而自由发展的个体,理所当然应是为社会作出贡献的人。"人类的天性本来就是这样的:人们只有为同时代人的完善、为他们的幸福而工作,才能使自己也达到完美"[③]。那么,所谓按照人的"自己本性的需要来安排世界",当然既要为了个体的自我完善,也要为了社会的完美来安排这个世界。

因此,人和环境的和谐,既是主体和客体的动态平衡,又是个体与社会的协调一致。为了人(个体与社会)的生存、发展和完善,人不得不向自然索取。但是,人们千万不能忘记:社会化的人,应该"合理地调节他们之间的物质变换,把它置于他们的共同控制之下,而不让它作为盲目的力量来统治自己;靠消耗最小的力量,在最无愧于和

---

① [德]马克思、恩格斯:《马克思恩格斯全集》第1卷,人民出版社,北京,1976年,第651页。
② 同上书,第294、119页。
③ [德]马克思、恩格斯:《马克思恩格斯全集》第40卷,人民出版社,北京,1982年,第7页。

最适合于他们的人类本性的条件下来进行这种物质交换"。①为了生存,当然需要发展生产力。但是无序的开发和盲目的生产,不仅不是靠消耗最小的力量来为社会获取最大的幸福,而是暴殄天物,劫夺自然;而且,竭泽而渔,杀鸡取卵,花了极高的成本,换来的反而是人的最基本的生存条件的破坏,从而扼杀人类的本性。"只要人不承认自己是人,因而不按照人的样子来组织世界,这种社会联系就以异化的形式出现。"②只有如马克思所说,合理调节我们的生产力,掌握在社会的共同控制之下,而不让它作为盲目的力量统治我们,我们这个世界才能走向更加美好。

海纳百川,有容乃大。马克思从宏观上揭示了人如何在实践中按照美的规律来把握世界,而不只是在想象中"诗意地栖居"。而在想象中"诗意地栖居",不过是实践中"诗意地栖居"的反映。以实践论为基础的反映论,并不能只归结为认识论。人的内心世界,想象、感情、意志、理想等等,甚至最虚无缥缈的幻觉,都是人对现实的反映,只是反映的具体内容和形式各有差别。在审美活动中,审美主体对现实的反映,则更是幽深微妙。由审美活动而引发的审美体验,是一种极为复杂微妙的心理反应。"在这些短暂的时刻里,他们沉浸在一片纯净而完善的幸福之中……他们的自我意识也消逝。他们不再感到自己与世界之间存在着任何距离而相互隔绝,相反,他们觉得自己已经与世界紧紧相连融为一体。他们感到自己是真正属于这一世界,而不是站在世界之外的旁观者。"③主客、物我,在审美活动中融合为一。因此,以审美活动为基础的文学艺术的内容,既反映了审美活动的主体,也反映了审美活动的客体,更反映了审美主体和审美客体的审美关系。由审美活动建构起来的审美关系,已把审美主体和审美客体融

---

① [德]马克思、恩格斯:《马克思恩格斯全集》第25卷,人民出版社,北京,1982年,第926页。
② [德]马克思、恩格斯:《马克思恩格斯全集》第42卷,人民出版社,北京,1976年,第24页。
③ [美]马斯洛:《谈高峰体验》,见《人的潜能和价值》,林方主编,华夏出版社,北京,1987年,第366页。

为一体了。马克思主义是开放体系,应该而且能够在研究当下现实的审美现象的同时,吸取中外古今美学的有价值成果,建设和发展中国特色的马克思主义美学、文艺学。

为《美学与现代性》所作序
1998年初夏,深大新村

摄影文学：审美新天地

自"摄影文学"概念在中国诞生以来，摄影文学在国内迅速发展，成为我国艺苑中引人注目的新葩。《中国艺术报·摄影文学艺术》的创办，更为摄影文学的进一步发展，提高艺术水平，提供了一个良好的园地。

摄影文学，艺术图文相生交融，审美意蕴深广拓展，应是适应时代需要、大有发展前途的艺术品种。

摄影，作为一门独立的艺术，本已自成特色，摄影形象的再现性、直观性、逼真性，早已有目共睹。20世纪50年代，为了弄清艺术摄影和一般摄影的区别，我曾涉猎过苏联的摄影美学和绘画美学。那时，同是空间艺术的摄影和绘画，其不同的审美特性，在美学理论上已被作了很好的阐释。后来才发展起来的电影、电视一直到电子网络，其实也正是吸收了摄影艺术之所长，造就了动态新艺术。但是，摄影作为一种独立的艺术，却并不因此而消失，而仍有其独特的审美价值。

摄影形象是静态的，只能抓住审美对象在历史发展进程中的"瞬间"定格，用影像凝固下来。但历史是不可重复的，时间不可能倒退，因此，那定格、凝固下来的"瞬间"，成了独特的唯一。当我回忆往事，那些本来不多的青年时代的留影，海婴为我在北大校门口照的第一张相片，和前辈师长学者朱光潜、王朝闻、蔡仪、杨晦等分别留照的合影，就成了不可重复的历史"瞬间"。尽管那是黑白的，但凝视这些照片，会重又唤起许多美好的回忆，好像时光又流入过去岁月的生活情景中去。如今，摄影艺术自身也在不断完善，不仅黑白变为彩色，而且制作越来越精美，影像还能变形、合成。摄影作品如同绘画作品一样，高挂在展览大厅，走进家庭居室，成为持久的审美对象。

摄影艺术亦在与时俱进，向多元方向发展，既然摄影可以和动作、声音结合,向电影、电视等动态艺术发展,为什么不能和文学结合,发展为一种新的艺术呢?

文学向来被称为最自由的艺术。文学所用的媒介是语言,可以最自由、灵活地构建人自己的意义世界。语言所指涉的天地极为广阔,既可通过描写来再现丰富多彩的外部世界,又可以通过抒发来表现极为微妙的内心世界,更可以通过叙事来述说错综复杂的人类活动。文学还可以运用语言来舒展自己的自由想象,虚构出人类生活中所没有的虚无缥缈的幻想世界。这个人心营构之象,寄寓着作家对人生的体验和领悟,构建的是一个有着多重意义的艺术世界。语言是思维的工具,文学借助于语言,使得文学形象和思想的联系最为紧密,思想性也最易在其中见出。

然而,文学却没有摄影那种形象的直接性。尽管语言中有拟声词,汉字中也有象形字,可以引发我们如闻其声、如见其形的感觉,但语言的本质只是音的抽象,文学也是线的组合,不能直接展示现实世界的声音、形状。文学只能借助于语言,文学在历史发展中"约定俗成"的和相对稳定的"意义"的联系,启人联想,唤起心中之意,才能进入艺术世界。因此,文学的形象缺乏直接性,而具有间接性、联想性、多义性。

文学和摄影的结合,可以发挥各自的优势,融合两者之长,形成一个新的有机体。整体,可以而且应该大于局部之和,但并非必然,事在人为,关键在于摄影文学是否真正按照美的规律来创造。

文学和摄影的结合,最明显的好处是可以相互完形。文学通过语言,也能唤起视觉意象,但那已不是外在世界的直接再现,中介着语言,终隔一层。由语言唤起的,是由联想而引起的想象中的内视觉意象,不像摄像所摄下的影像,乃是直接面对的现实对象,可直接引起我们的外视觉意象,造型直观而逼真。一篇美文,不管它如何细致地描绘自然风光,比如描写庐山、黄山或九寨沟之美,那描写可以"令人神往",但那只是在想象中神往而已。"百闻不如一见",只有亲自目睹,方见"庐山真面目"。而摄影,虽非那"庐山真面目"自身,却是它的直接再现,这摄影形象就比文学形象真切、清晰。对于文学来说,静态描绘对象并非其长处,所以高明的作家在描绘人物时,常把人物放在活动中展示，或从他们的反应中来反衬，比如用沉鱼、落雁、羞花、闭月等来衬托美女容貌，用大观园中其他人物的反应来间接反衬王熙凤之泼辣。这种间接描绘，缺乏摄影的直接性，却自由灵活，可以直接表达作者的审美评价和审美态度。摄影文学结合两者之长，把内视象和外视象统一起来，图文并茂，相互完形，使艺术形象更为真切、丰富，具有立体效应。当然，艺术的目的并非只在再现真景，而是要创造意境，但是，只有先具实景，才能引发出空境。"空本难图，实景清而空景现；神无可绘，真境逼而神境生"（笪重光：《画筌》）。这里论的是绘画，只有绘出实景，生动逼真才能引生空境，虚实结合，有无相生，才能产生妙境。摄影文学也还是把形象的直接性和间接性统一起来，直接形象和间接形象相互结合，相互完形，从而向艺术妙境提升。

摄影文学还可以使形象直观性和抒情表意性很好结合，直观性和喻意性相互补充。我国传统文化，寻求画中有诗，诗中有画，诗画结合，诗情画意可以产生更高的艺术魅力。摄影文学继承和发扬了这种审美传统，把图像和意趣融合在艺术形象之中。文学可以借助于语义而不时生发出多重意义，从而使得文学形象的意趣无穷，从情趣一直到理趣，生生不息，寓意不尽。文学的意蕴和摄影的形象相互补足，可以在更高的层次上实现"意象融洽"、"意象俱足"的审美追求，创造出意蕴更为深广的艺术意境。

摄影文学把摄影和文学这两种不同的文本，纳入一个有机整体中，从而内在地具有了互文性。在这个有机整体内部，两个文本相互阐发，产生了一个新的审美张力之场，使摄影文学兼具了空间性和时间性，从而拓展了审美时空，开辟了审美新天地。摄影的形象，只是为我们画下了审美对象的静态的"瞬间"，无法直接呈现"过去"和"未来"。文学却可以通过叙事，揭示审美对象的时间流程，说出它的"过去"、"现在"和"未来"。深圳的"后花园"仙湖湖畔有一株高山榕，乃邓小平第二次南方谈话时手植，十年过去，山树长大，独木成林，郁郁葱葱，摄将下来，已成美景。但深圳作家在照片旁写下散文诗，不仅回忆了当初小平植树时的情景，还诗意盎然地把此树和深圳的历史巨变联系了起来，揭示了这一高山榕独特形象的历史文化意义，有了时代动态感，自然就有了更深远的艺术意蕴。

　　文学和摄影在一个有机整体中相互完形，相互补足，相互生发，使得摄影文学开拓了审美新天地。当然，摄影和文学的结合，方式可以多样，可以偏于文学，也可重在摄影，要视创意而定，可以灵活多变，但关键还在尊重美的规律，要把两者统一为一个有机整体。

　　摄影文学自有独特的审美价值和艺术魅力。摄影和绘画、雕塑等空间艺术的特点在于把那历史的"瞬间"、"顷刻"定格、凝固，但这也需要"精心构思"，要想办法把那最能表达你想要表达的"意义"能在这"瞬间"呈示。德国启蒙美学家莱辛在论及《拉奥孔》时说道："既然在永远变化的自然中，艺术家只能选用某一顷刻，特别是画家还只能从某一角度来运用这一顷刻；既然艺术家的作品之所以被创造出来，并不是让人一看了事，还要让人玩索，而且长期地反复玩索。那么，我们就可以有把握地说，选择上述某一顷刻以及它的某一角度，就要看它能否产生最大效果了。"这精选的某一"顷刻"，在摄影文学中要和文学的意蕴相响应、配合。文学可以通过语言的召唤，展现自由的想象，历史的动荡、风云的变幻和摄影所照的"顷刻"相结合，摄影文学可以实现"观古今于须臾，抚四海于一瞬"的审美追求。这样，摄影文学的审美效应，就不是让人"一看了事"，而是可以静下来，凝神观照，静思默想，可以"长期地反复玩索"。

　　都说世界已进入"图像"时代。其实，在"图像"涌来的同时，"音像"也蓬勃而起，"文字"也空前繁荣，且不论诗歌、散文，光长篇小说，如今已年产千部上下，实为历史未见。而熔图像、音响、语言为一炉的影视，生产力之旺盛，更创历史新高，仅电视剧就年产万集以上。现在的问题不在数量，而是质量如何提升，如果光在"娱乐性"上下功夫，而不提高审美水平，不向更高精神境界提高，不只文学作品，就是影视作品，亦难有真正的繁荣。摄影文学另辟蹊径，以图文相结合这种方式致力于拓展和深化艺术意蕴，开拓审美新天地，使人喜闻乐见而又雅俗共赏，实乃时代之急需，其发展应有广阔的前景。

（原载《中国艺术报》，2003年7月4日）

创造美的散文诗

散文诗,这一文学新品种虽早在"五四"时代已在中国出现,但是到改革开放以来,才有蓬勃的发展。这期间,前辈作家柯蓝对散文诗的发展起着积极的作用,功不可没。正是在柯蓝的创作实践的带动下,散文诗才有今天这样灿烂的光辉。柯蓝延安时代投身文学创作时,写的是小说、散文。他的《洋铁桶的故事》和《深谷回声》自成特色,为新文学的建设作出了自己的贡献。但和"五四"以来许多作家所走的道路不一样,他是从作诗开始,后转向小说,然后又走向散文。从延安步入北京后,柯蓝的创作热情移向了散文诗,独辟蹊径,开始了一种新的创作之路。

受到鲁迅《野草》此类散文诗的熏陶,又得到泰戈尔、波特莱尔此类散文诗的启示,柯蓝热情地投入了散文诗的创作,把抒情性和哲理性紧密结合起来,融入自己的散文诗,逐渐形成了自己独特的风格。1959年,柯蓝的第一本散文诗集《早霞短笛》问世,从此和散文诗结下了不解之缘,沿着这条路不断前进。柯蓝50多年的创作实践,散文诗的硕果累累,成绩斐然。特别是在新时期以来,改革开放激发了他的创作激情,历经磨难而对人生有了更深切的体验,在沉思中感悟人生,写出了不少优秀的散文诗篇,出版了《果园集》《迟开的玫瑰》《爱情哲理散文诗》《拾到的纪念册》《踏着星光远行》等散文诗集。他对散文诗,有丰富的创作经验,有深刻的创作体会,因而,近几年他尝试要从理论上总结出散文诗的创作规律,揭示散文诗的美学特征,为散文诗这一文学品种作出理论阐释。这部《中国散文诗创作概论》,就是柯老对散文诗的历史和理论创作的深层思考的积极成果。

我最感兴趣的,是对散文诗美学特征的概括。柯老从四个方面来阐释散文诗的美学特征：一是短小、凝聚；二是空白、空间；三是哲理、意境；四是含蓄、可诵。在论证时，柯老以自己的丰富创作经验作实践，从实际出发，层层分析，令人深感敬佩。顺着这个思路，继续联想，引发一些感想，略抒我思。

散文诗，顾名思义，既不是诗，又非散文，但既吸取了诗的优点，又吸取了散文之所长，相互补充，融为一体，构建成一个新的有机整体，因而是文学中的一个独立品种。

在中国传统文学中，诗以言志，文以载道，各有所长，各有所用。诗人感物言志，随物宛转，情思连绵，意蕴无穷；而散文家叙事状物耳闻目睹，极尽其道，形神毕现。诗以抒情表意见长，而文以叙事理为胜。散文诗取其二者之长而融合创新，铸成一个新的文学体裁。正如柯老所说："散文诗是诗化的散文，散文的诗化。散文诗是新诗与散文相结合，兼任两者的优势和特长。新诗重抒情，散文重哲理。散文诗的两个眼睛，一个眼睛捕捉诗情，一个眼睛捕捉哲理。"①由于散文诗用了"两个眼睛"，所以能看得远，看得深，扩大了审美视野，能创造出更为深远的艺术境界。

真正的艺术创造，都根据对人生的真切体验，以身体之，以心验之，在体验人生中感悟人生的意义。艺术创作就是把自己对人生的独特体验组织起来，用艺术形式体现出来。由于世界是无限的，生活于世界中的作家、艺术家对人生的体验极为丰富多彩，怎样才能通过语言体现出来，是个难题。文学要用有限的语言来体现不尽的体验，非要在语言上下工夫不可。"言不尽意"的苦恼在很多作家那里常有，只有那些高明的作家，才能做到用尽量少的语言来表达出无尽的情思。文学语言的创造，必须按照美的规律来进行，不同体裁都有各自的美学特征，内容和形式相互制约，古诗从四言发展为五言，再到七言、律诗，既是为了表意的需要，又是审美的规律。我在大学读书时，我的老师林庚，是个诗人，他就在讲堂上竭力提倡九言诗，虽比七言只多两个字，但有更多的自由，可以表达更丰富的感情。到了新诗，冲

---

①柯蓝：《柯蓝文集》第6卷，河北人民出版社，石家庄，1996年，第428页。

破了古诗的格律限制,更加自由,篇幅也长了。散文诗比新诗更自由,或可重于抒情,或可偏于哲理,更可和政论、特写、叙事相结合,向不同方面发展。但不管散文诗自由到什么程度,终究要有一个"限度",要有自己的规定性,要有散文诗之所以成为散文诗的特点。超过这个"限度"就不是散文诗了,而成为别的什么,政论、散文、杂文、小说或其他。

柯老从自己的创作经验出发,摸索出了散文诗这一体裁的特征,首先必须短小、凝聚,而语言则要含蓄、精练。无论内容多么丰富,散文诗必须浓缩在500字左右的规范之内,太长了就变成了散文、报告文学。相应地,散文诗的语言就要含蓄、精练。

正是散文诗这种体裁短小、凝练,对内容的表达也就有了一种规范,不能漫无边际、无限展开,而必须浓缩,更重简洁,不要有过多细节,要有所跳跃,留下空白和空间,从而有了空白之美、空间之美。但是,简洁又不是简单。散文诗要在短小、凝练的篇幅中,尽可能表达出丰富的内容。要引人深思,启发联想,这就要运用诗词、歌赋等各种方法,作意象经营,以实带虚,虚实相生,创造出富有哲理意蕴的艺术意境。创造出富有人生哲理的意境之美,这就是散文诗的最高的艺术追求。

散文诗是一种美的创造,不仅需要精心的构思,创造意境,引导人进入人生的最高境界,而且要创造出一种美的形式,完美地体现出这种精心的构思。对于读者来说,要能进入美的意境,必先接受美的形式。因此,散文诗更应重视语言的艺术,运用语言这符号创造出形式美,从而才能引人入胜,进而登堂入室,步入艺术世界,体验到意境之美。散文诗应是典型的美文。柯老竭力主张,散文诗应能朗诵,像诗一样,具有可诵性。铿锵有力、朗朗上口,声情并茂,方能拨动人的心弦,扣动人心。"言之无文,行而不远",千古好诗,能流传下来的,哪篇不是这样的呢!柯老一直致力于在全国各地推进散文诗的朗诵,实乃深得散文诗三昧之举。散文诗这种文体,虽是从西方引进,但很早就中国化了。刘半农的《老牛》,鲁迅的《螃蟹》,郭沫若的《山茶花》等,都运用了贴近生活的语言。当代散文诗,更应继承和发扬这种传统,让它更贴近生活,贴近人民,让人民喜闻乐见,才能进入千家万户,具有真正的生命力。

真正的美文,不是要堆积华丽的辞藻,而是要运用朴素含蓄的语言,深入作家的内心世界,表达丰富的情思。高明的散文诗就要善于将二者统一起来。深入浅出是通俗,浅出浅入是庸俗;深入深出犹可恕,浅入深出最可恶。散文诗的创作,可由此得到启发。

中国当代散文诗的发展,在柯老的积极倡导开拓下,已经出现欣欣向荣的气象,成为一道独特的风景线。现在,他又从理论上对散文诗加以概括和总结,必将进一步推动散文诗向先进文化方向发展。我为散文诗高兴,对他深表敬意。早在新中国成立前夕,我少年时代就读过柯老在延安写的小说《洋铁桶的故事》,可说早有神交。新中国成立后,我在北京多年,他也在北京工作,未能相识。但我在20世纪80年代初期到深圳来后,却有缘和他相识,成了忘年交。我很敬佩柯老那"老当益壮"的坚韧精神。他已85岁高龄,却仍在海内外到处奔走,积极开展散文诗活动,乐此不疲。对此,我这后辈常自愧不如。但在他的精神鼓舞下,我亦努力参与了他的一些散文诗活动,更加体会到他的这种热心文化事业的精神的可贵,深深受到激励,觉得应为深圳的文化艺术做更多事。

乘此《中国散文诗创作概论》问世之际,谨向他表达我深深的敬意。

为《中国散文诗创作概论》所作序
2003年5月25日,望海书斋

音乐自有独特美

音乐的美妙,令人陶醉,常把我引入忘我境界。在所有艺术样式中,这一辈子,最吸引我的还是音乐,它也最早引发我的美学思索:是什么使音乐具有迷人的艺术魅力?从而开始我的学术生涯。

那是在1952年秋,我刚从苏州到北京大学就读,住在原来的燕京大学实验农场棉花地旁新建的二层楼上。晚饭后,我一个人在很少有人去的小山坡散步。学校的广播台已播放完新闻,然后在放音乐。突然,一首优美的弦乐合奏深深吸引了我,使我不由自主地停了下来,全神贯注地静听这首我从未听到过的外国乐曲。徐缓的节奏,忧伤的旋律,美妙的和声把我全身心引入了音乐世界,心灵为之颤动,听完后还久久不能平静。我脑海里不由得浮现了无锡阿炳的《二泉映月》的乐声,内心涌现了一种莫名的忧伤之情,更添了一抹淡淡的乡愁。这是一首什么样的乐曲?回到宿舍问同学,没有人知道。第二天一早,我立即奔到图书馆,急忙寻找外国音乐史、世界名曲选编等资料。终于在《俄罗斯音乐史》中看到,原来这就是柴可夫斯基的第一弦乐四重奏中的"如歌的行板",列夫·托尔斯泰听过这乐曲感动得流泪,说他听到了俄罗斯灵魂的哭泣。啊,原来如此!我马上想到无锡阿炳的《二泉映月》也正是表达了中华民族哭泣的灵魂!音乐竟有这样的艺术魅力!

这样,我入学后的第一个冬天和次年的春天,都痴迷于音乐美学,想从理论上弄清,音乐为什么会有这样的艺术魅力?也就在这时,我第一次拜访朱光潜先生,从此相识。当时,我在图书馆查阅了所有音乐美学的书籍,写了不少笔记,想研究音乐魅力问题,只是后来课程太多,而且兴趣又扩及美术理论、摄影美学、电影美学等领域,没能集中精力于音乐美学。到我副博士研究生毕业,写成《为何古典作品至今还有艺术魅力》长篇论文,附带涉及了音乐,只在后来的《文艺美学》一书中,才有一节论音乐的审美特性。

20世纪70年代后期,有机缘和我的老师林庚先生同处一室,有两年多的时光得以坐在一起,畅谈音乐和诗歌的美学问题。他是诗人,又是个音乐爱好者,对诗乐的关系了解甚深,他的女儿就在攻音乐,夫人也会弹钢琴,因而谈起音乐之美来,真可说眉飞色舞,忘乎所以。他一直鼓励我从美学上来研究艺术。

当时,音乐使我困惑的难题有三:一是,乐音只是音乐的一种符号,这种符号是如何产生的?有别于其他符号的是什么特点?二是,音乐怎么能用来表达人的心灵世界?三是,音乐怎样才能扣动人心、动人心魄?我自1981年开始培养研究生以来,其中曾有人侧重于文学理论、美术学、戏剧美学等的研究。我虽不能专事音乐美学研究,但很希望有研究生来作。先是有香港从事音乐统筹工作的钱永利来随我攻读博士学位,重点在研究中国民族音乐的特点。后来,当黄汉华来报考我的博士研究生时,听他说想研究音乐美学,我就和他作了一番交谈,希望他能从音乐符号的研究着手。如今,他的博士论文《抽象与原型——音乐符号论》通过答辩,以优秀的成绩获得博士学位,而且,上海音乐学院出版社把其列入音乐博士学位论文系列丛书,并即将出版,甚为他感到高兴,我自己也感到欣慰。这是一部具有创见的学术著作,洋洋20余万言,紧紧地从"原型到抽象"又从"抽象到原型",全面地、深入地论述和阐释了"音乐符号"的美学本质与美学内涵。

我对此书可说的有三:

高屋建瓴　立论精当

作者在广泛阅读了中外有关专著的基础上,才形成了自己的见解,孕育出这样的命题。从所列142种参考书目、319条选用资料注释中,足以看出,作者在掌握中外音乐研究的状况、各家学术思想和学术观点上,下了一番苦功。由于作者这方面做得充分,故能高屋建瓴,纵可深,横能广,一切材料,随手拈来,为我所用。

作者自始至终都遵循"抽象与原型"的关系,把"音乐符号"放在艺术发展的过程中,进行考察、阐释和论证。正如书中所说"在美学研究中，我们需要的是用历史唯物主义的、辩证的观点，从人类文化发生学、人类文化阐释学等多元的理论视角，深入研究音乐中自律与他律、抽象与移情、形式与内容之间的内在关系。这样才会有利于进一步揭示音乐美学的本质问题。"

主线鲜明　理据充实

作者认为，"人的内在生命情态的动态形式，是音乐音响符号形式及音乐音响作品赖以产生和抽象的最主要也是最重要的动态原型，也是自然的、社会的声态、动态原型进入音乐音响形式的必经的中介环节"。并以"物"→"心"→"音"→"心"→"物"的链条，说明"人的内在生命情态"、"音乐符号"和"现实原型"之间的转化关系。从发生的角度看，首先是"物"（自然以及社会生活的声态、动态原型）如何感动"心"（人的内在生命情态），然后才是"心"如何外化为"音"（音乐音响符号）的过程。从接受的角度看，则首先是"音"（作为音乐音响符号的作品）如何感动"心"（音乐欣赏者的内在生命情态），然后才是欣赏者如何通过"心"的体验联想把"音"与它所反映的"物"（现实生活原型）联系起来的过程。此"关系链"成为本著论述贯穿的一条主线，并在各章节中层层递进，步步深入，使得整个著作成为连贯有机的整体。

逻辑严密　条理清晰

作者力图建构严密有序的理论架构。导论，对音乐界历来争论的问题作了详尽的梳理和评述，而后提出本书需要探讨和解答的基本问题。第一章，开门见山直奔"音乐符号的抽象与原型"关系，从艺术符号的抽象与移情，音乐符号的抽象与生命情感形式，音乐符号的抽象与内在生命情态、外在现实之间的关系，音乐符号与其他文化符号之间的互渗互阐等几个方面作了充分的论述。第二、三章，对人的内在生命情态是如何通过言语声态、体态外化、抽象为音乐符号的由内至外的过程作了详细、缜密的论述。第四章，探讨了自然的、社会的声态、动态原型如何通过人的内在生命情态这个中介进入音乐音响符号。章节之间逻辑严密，条理清晰。

本书可贵之处还在于其独立的学术批判意识和创新精神。作者在研究中外音乐美学理论后，能发现其不足，提出己见。作者认为，苏珊·朗格的音乐符号论，在某种程度上，只揭示了"音"（音乐音响形式）与"心"（人的内在生命情态）之间的异质同构关系，但把"物"是如何影响"心"，"心"是如何外化为"音"的问题遗漏在其理论视野之外了。克列姆辽夫虽然揭示了"音"与"物"之间的抽象关系，但对"心"在"物"—"音"的抽象转化中起的中介作用，没有引起足够的重视。沃林格把艺术符号的抽象与移情完全对立的观点，亦不符合艺术符号的实际情况。此外，对汉斯立克和嵇康的观点，作者亦提出了自己的见解。通过对已有学说的批判性审视，作者一方面剔除其中的不合理的因素，一方面又辩证地吸取了各家学说中的合理成分，在此基础上，进而，提出自己较全面而系统的、具有内在逻辑合理性和阐释性的音乐符号理论。这些都显示了本著作的学术性和开拓性的价值。

然而，这部著作还只是黄汉华博士研究音乐美学的开始。我希望他能继续奋进，把音乐放到整个艺术领域甚至文化世界中深入研究它的特性、构成、作用，特别要和当前的音乐实践相结合，探索音乐怎样按"美的规律"来创造，对音乐美学做出更多更大的贡献。

为《音乐符号学》所作序
2003年12月18日，望海书斋

七彩世界应宜人

人生活在这个世界上,离不开色彩。

奇妙的大自然,在阳光的照耀下,会呈现出各种各样的色彩。不说别的,就那雨后飞出的彩虹,就不知引起了多少人的赞叹!

但人类还是不满足于自然固有的色彩,还要花样翻新,创造出更美的色彩,为的是为人类创造出更美好的环境,使人类的生活更丰富多彩。

色彩,对人来说,不仅有实用价值,而且还有审美价值,让人赏心悦目。

如何利用自然和人工的各种各样色彩,精心设计,为人类创造出一个更为美好的色彩世界,是一件很有意义和饶有兴味的赏心乐事。

我很高兴地看到青年学者陈炜精心撰写的这本《实用色彩设计》,羡慕她正在为大家做着这样的事。读着读着,不仅使我大开眼界,增长了不少色彩知识,而且,也给了我一种审美享受,愈益感到色彩的奇妙。

陈炜是苏州人,生性文静,温文尔雅,专业追求却很执着。她在无锡上轻工业大学,专攻纺织服装,后又到英国康霍尔大学研究艺术设计,学成归国,到深圳大学来任教。她的研究专长是在服装设计,发表过不少有价值的论文,思路开阔,内容甚广,涉及多个方面,诸如,女性健康与内衣设计、男性设计和风格律动、当代中国人的文化心态和着装意识、英国人着装的个性化意识。甚至,她还进而对中西设计的思潮作过比较研究。这次,在这本研究实用色彩设计的专著中,却不仅研究了服装的色彩,而且还扩及产品、包装、广告、建筑、环境,一直到企业形象的色彩设计,涉及生理学、物理学、心理学和美学等多种学科。如何将色彩的多角度研究融会贯通,合为一个整体,陈炜深深抓住了色彩和生活的关系这一关键问题,由此入手,逐步展开,立论明确而又通俗易懂,既有一定学术价值,又能引起人们的阅读兴趣。这是一种很有意义的尝试。

也许是出于对美学的偏好,我更感兴趣的还是涉及色彩的审美价值的问题。

不同的色彩,在不同人的生活中起着不同的作用,具有不同的审美价值。在实际生活中,色彩总是具体地存在于具体的审美对象之中:绿色的草地,蔚蓝色的天空,白云朵朵,青山连绵……红、橙、黄、绿、青、蓝、紫、黑、白等,是科学从具体对象中抽取出来而作的概括。但是,这些色彩及其组合,经由人的通感、联想、移情等心理折射,还是能唤起人的审美反应,引发人的审美体验。白色能给人以纯净真切、洁白无瑕之感,绿色能给人以宁静清新、充满生机之感。由于色彩在人类实际生活中长期形成的固定联系,反映在人的心理中,也就会引发相对稳定的感受,例如不同的色彩会给人冷暖感、轻重感、软硬感、强弱感、动静感、文质感等等。陈炜在书中有专章论及色彩与人,触及色彩的美学问题,读来使人感到特别亲切。

随着社会的发展,人类生活越来越丰富多彩,色彩的设计扩及更为广阔的领域,无处不有,变化多端。但色彩设计的根本原则,却是最终都要为人服务,是为了让人们生活得更美好,所以,七彩缤纷,总应宜人。陈炜在书中说得好:"不同色彩通过不同搭配,会产生千变万化的效果,有的给人新鲜、活泼、刺激感,有的则宁静、庄重、柔和……色彩作用对象是人,人眼总是寻找着色彩的语言和美感。色彩设计要研究色彩的语言、性格、行为,从而正确合理运用它们,使之富有魅力,耐人寻味,为人类创造美好环境。"

祝愿我们生活中的色彩设计更加丰富多彩,这个世界更加美好!

为《实用色彩设计》所作序
1998年夏,深大新村

美学伴我悟人生

我对美学发生兴趣乃在年少时,但美学真正融入我的人生,却要在我自己投入美学研究之后。

我这人生,历经江南稚子、北大学子、南海游子三阶段。在北大的岁月最长,历30多年,到深圳亦已25年了,在老家太湖之滨反而不到20年。但江南水乡,风光无限,引人入胜,少年时常沉醉于审美状态之中而不自觉,实际上已开始了我的审美人生。只是,那时我还没有意识到自己在审美,更不懂什么叫美学。

我年少时最早接触到的美学是朱光潜的《给青年的十二封信》和"第十三封信"——《谈美》,它们引导我入美学之门。到我19岁考入北大,有缘直接聆听到朱光潜、宗白华、蔡仪、王朝闻、杨晦等师长的教诲,方才进入美学的思考,开始了美学人生。在我美学生涯中,前期着重研究文艺美学,中间走向文化美学,后来,我又更多投向自然美学。

我对美学发生兴趣乃出于我自己内心的需要,要回答我在自己的审美活动中遇到的内心困惑:自然中不存在美吗?艺术怎样才能美?什么样才是美好的生活?我要对人生作美学思考。越到后来,美学越融入了我的生命,伴我感悟人生,给我精神愉悦,优化我的诗意人生,鼓舞我追求更美好人生。

美学怎样融入了我的生命从而由审美人生走向美学人生?

缘起美的困惑

我从小生活于江南水乡、太湖之滨,受东吴文化的哺育。

1933年我出生在被称之为"江南第一古镇"的梅村。这古镇地处苏州与无锡之间,现今归属无锡市的新区,成为文化旅游胜地。一条从大运河分出来而东流入苏州河的伯渎江穿过小镇，把苏州和无锡连接起来，鲁迅笔下的乌篷船，在这里来往穿梭。这条江之所以古来就名之为"伯渎"，乃因3000多年前来到这荆蛮之地的周太王之长子泰伯，就常在此洗濯，乃泰伯洗渎之江。这里是吴文化的发源地，留下了有关泰伯的许多古迹，伯渎江之外，还有宏大的泰伯庙，魏伟的泰伯墓、鸿山等等。每年正月初九，传说乃泰伯的生日，后人在这一天就举办庙会，定为纪念泰伯的盛大节日，万人空巷来瞻仰泰伯塑像。

我虽出生在梅村，但从小就常在苏州、无锡间行走。我祖籍苏州，祖父在苏州丝织厂里做技师。我父亲胡定一当小学校长，时而在无锡，时而在苏州，在苏州有一套十居室的住宅，一家过着小康生活。我小时跟着父亲到好几所小学读过书，去过国学大师钱穆家乡鸿声里，读了半年。我读过私塾，在苏州城里，我还读过美国的教会学校，礼拜日还去诵诗班唱赞歌。如果在无锡读书，一到放寒暑假，父亲也总要租上一条乌篷船，带着全家，妈妈、弟弟、妹妹，带上无锡的土特产，到苏州城里住上一两个月。所以，我对苏州比对无锡要更熟悉些，体验也更多些。苏州作家陆文夫请我在苏州酒家吃饭时，我半开玩笑说：我是苏州人，却无福在苏州享受；你不是苏州人（他老家在苏北），却能真正享受苏州，我太亏了！他回说：谁叫你不回来。后来，我也常和鲁枢元这样半开玩笑，无非是对故乡苏州的一种怀念，忘不了在苏州的美好岁月。在阔别了20多年之后，改革开放的第一年，我回到苏州，不乘任何车，一个人踏着石子路，遍访我少年时曾住过的好几个地方，勾起那个时代的美好回忆，重新体验少时曾有过的审美体验，思绪万千，感慨系之。

在东吴文化的熏陶下，年少时逐渐培育了自己的审美爱好。引起我的审美兴趣的主要有三类现象。首先是自然风光。太湖、西湖、阳澄湖、惠山、鸿山、白丹山，东南胜景，四时常有，湖光山色，山水宜人。其次是风土人情。江南胜地，人文荟萃，吴侬软语，温柔敦厚。更有那些民间习俗，乡土风情，多姿多彩，丰富生动。苏州玄妙观，无锡崇安寺，普陀禅院，杭州灵隐寺，梅村泰伯庙等等，儒道佛文化都在这里各放异彩。还有，便是那吴中艺文。富有地方色彩的苏昆越剧，常锡文戏，评弹说唱，丝竹歌舞，琴棋书画，都在散发出江南艺术的特有韵味。但在这些审美爱好中，我最先发生和最感兴趣的还是那自然风光。这，我和古人甚有同感。

白居易在《忆江南》中的第一阕就这样说："江南好，风景旧曾谙。日出江花红胜火，春来江水绿如蓝。能不忆江南！"最早唤起他的记忆的，还是那自然风光。可见，这不是我一个人的感受。我对自然审美的兴趣，早于艺术的审美，而且，引发我艺术审美兴趣的，最初也是和自然审美密切相关。我对苏州的园林艺术最为赞赏，因为在这里，艺术美和自然美融为一体。拙政园、狮子林、网师园都是我少时的挚爱。我最喜爱的画，也是山水画。这自然情结，可能在那时逐渐形成了。

就在我进入初中之后，我开始接触到朱光潜美学了。在1946到1948年间，我先是读到了《给青年的十二封信》，那是我父亲在苏州给我买来的。后来，我的语文老师何阡陌给我看了《谈美》。我的高中时的语文老师陈友梅则让我读了他新买的《诗论》。这，我才知道，世界上还有这样一门研究美和艺术的学问。其中谈到艺术之美的地方，让我感到大开眼界，读起来饶有兴味。但在谈到自然之美时，我就大惑不解。按照书中的说法，自然本身无所谓美不美，只有艺术美，没有自然美；自然所以美，那是已经把自然加以艺术化了。自然没有美不美的问题吗？这，从此就贮存在我的脑海中，开始引发我的美学思考。

但是，现实的残酷扼杀了美学的思考，在炮火隆隆声中，我参加了三年学生运动。

致志文艺美学

真正能使我进行美学思考的，那是在我跨入北大之后。

1952年我考入北京大学中文系。我一进校门，就被燕园的美景所吸引，那湖光塔影，亭台楼阁，满园散发着古典园林之美。但是，我那时美学思考的重心已转向艺术美。在进北大之前，我教过半年小学，半年中学,教三门课:语文、音乐、历史。我对历史,缺乏钻研的兴趣,但对音乐、文学,有一种出自内心需要的爱好。在弹唱乐曲之后,脑海中常闪现这样的问题:为什么有的乐曲悠扬悦耳,令人赏心悦目,而有的乐曲却枯燥无味,甚至刺耳烦心,令人讨厌?在讲读语文的过程中,也常出现类似的问题:为什么有的作品动人心魄,扣动人心,而有的作品却索然无味,催人昏睡?带着这些困惑我跨进了北大,我的目的很明确,我要攻读文艺理论。

那时,北大和全国所有大学一样,没有开任何美学课程,只有一门"文学概论",在中文系开设,授课教授是系主任杨晦。我入学后上的第一堂课就是"文学概论",而且,我是这门课的课代表,从此开始了我和晦师30多年的交往。

杨晦谈文学,向来不从现成的抽象理论出发,而是从他自己对文学现象的分析理解出发。那时,苏式理论还没有在讲堂上出现,"文学概论"既没有教材,又无统一的教学大纲,全凭杨晦说自己的文学体会。他从文学现象本身的事实出发,分析文学和文章的异同,区分以语言塑形象的艺术以及使用语言本身的艺术,文学创作的不同方法,现实主义和浪漫主义有什么特点。特别是,他后来说到文学和社会的关系时,又提到了他在《文艺与社会》(1949)中所用的比喻:文艺好比地球,社会好比太阳,地球围绕太阳旋转,又有自身的旋转,文艺也就既有公转律,又有自转律,文艺就要把他律和自律统一起来。这一比喻给我极大启发,为我以后从美学上研究文学艺术提供了一个重要视角。那时,还尚未有《马克思恩格斯全集》的出版,多年之后我方读到全集的第一卷,收有马克思的《第六届莱茵省议会的辩论》,文中就谈到:"在宇宙系统中,每一个单独的行星一面自转,同时又围绕太阳运转,同样,在自由的系统中,它的每个领域也是一面自转,同时又围绕自由这一太阳中心运转。"①杨晦考察文学,先从分析现象入手,经过理论分析,最后又要回到事实上来,这种方法也吸引了我,

---

① [德]马克思、恩格斯:《马克思恩格斯全集》第1卷,人民出版社,北京,1976年,第191页。

受益匪浅。后来我听苏联专家毕达可夫讲"文艺学引论",到中国人民大学马列主义研究班听哲学课,一个共同特点,都是从既定概念出发,推演出抽象理论,生产力—生产关系,基础—上层建筑,再推演出各种意识形式:科学、道德、艺术、宗教等等,这里只有公转律,却无自转律。可文学艺术究竟为何物,还是不知所云。所以,当了半年马列主义研究生,在1956年杨晦开始首次招收文艺学副博士研究生时,我还是赶快回到杨晦门下,有四年时光专心致志地研究文艺学。

文学艺术是社会的一种复杂现象,应该而且可以从不同的视角来加以审视,哲学的、社会学的、心理学的研究方法都可以运用。我读过朱光潜的《诗论》,从美学角度解读古典诗词,很吸引人。那时朱光潜在北大,尽管他并不开课,我在进北大后的1953年初就到他家里拜访,后来在燕东园又成了多年邻居,请教的机缘更多。第二年,1953年初春,我又在未名湖认识了常来散步的宗白华,这位老家在常熟的吴中老乡,因院系调整从南京大学调入北大哲学系做中国思想史研究,虽然不教美学了,但一交谈就又谈到美学上去。由此我读了他过去所写的美学、文艺学著作。结果,我对宗白华的美学发生了深厚兴趣,觉得他对美的阐释,较符合实际,我的审美体验和他比较接近。1957年春,学界争论美究竟是主观的还是客观的,高尔泰《论美》力主美是主观的,乃人的主观感觉。宗白华提出质疑,并阐明自己的看法:"当我们欣赏一个美的对象的时候,此时我们说'这朵花是美的',这话的涵义,是肯定了这朵花具有美的特性、价值。"后来,他在《美从何处寻》一文中又说:"美有艺术的美,自然的美。从美的客观存在来说,是不依意志为转移的。美的对象(人生的、社会的、自然的),这美,对于你是客观存在。专心在心内搜寻是达不到美的踪迹的。美的踪迹要到自然、人生、社会的具体形象里去找。"我很赞同他的见解,说得投机,话语自然也多了起来。我们之间,常可以作自由的、随意的、放松的交谈。

在北大期间,我还和另两位美学家蔡仪、王朝闻有了学术交往。蔡仪是我导师杨晦的好友,沉钟社时就交往密切。北大文学研究所成立时,所长郑振铎、何其芳把蔡仪从中央美术学院调来创建文艺理论研究室，就住在燕东园，和杨晦邻居，我也就得以认识了，并读了他的《新美学》《新艺术论》。他也是从美学观点来阐释文学艺术，突出了文学艺术要创造典型，很有道理。但他把美归结为物种的典型，尚缺乏足够的说服力。王朝闻原在中央美术学院，后到中国艺术研究院，是新中国第一本《美学概论》的主编。在《美学概论》编写期间，我们几乎天天见面，晚饭后就常去颐和园漫步聊天。王朝闻谈笑风生，诙谐幽默，有说不完的话，面对什么人、物、事，他都能作出美学的评析。他的审美感、艺术感之敏锐，实在惊人，使我敬佩得五体投地。对于曾经争吵不休的美究竟是主观的还是客观的争论，他兴趣不大，因为这解决不了文学艺术创作中的复杂现象。这话说到我的心坎上了，使我永远不忘。后来，我主编《文艺美学论丛》（每年一辑），就请了王朝闻、宗白华两位师长当顾问。王朝闻主编《艺术美学丛书》，他也邀我为编委。我到深圳大学之后，第一位请来讲学的，就是王朝闻。深圳市成立美学学会，选我当会长，我立即聘请王朝闻为名誉会长。

为了从美学上探索文学艺术的奥秘，我在20世纪50年代中期开始尽量阅读德、法、意等国的音乐美学、绘画美学、电影美学等的论著。继而，苏联在斯大林时代之后，美学有了新的发展，我对那时兴起的文化学派和审美学派发生了浓烈兴趣，读了卡冈、斯托洛维奇、波斯彼洛夫、洛特曼等多家美学。我数次建议朱光潜研究生，精通俄语的凌继尧把苏联当代美学系统地译介过来。我自己从苏联当代美学中吸收了营养，如美是价值、艺术自成系统诸说，但我决不轻信一家之说，而是从自己的审美经验出发进行考量。特别是到了改革开放之初，为了扩大学术视野，我和李衍柱等一起，为国家教育委员会编出了国内第一部西方文艺理论教科书《西方文艺理论名著教程》，特地编选了三本教学参考书作为辅助资料。后来，我和张首映又出版了《西方二十世纪文论史》，四卷参考书同时出来，目的是要了解西方。但在了解西方的同时，又必须掌握传统。所以，我在1981年招收的首届文艺美学研究生一入学，就组织大家编选《中国古典美学丛编》三卷，王一川、陈伟、丁涛和后来的王岳川都参加了。在此基础上，我的博士生李健又参加了编选成一百多万言的《中国古典文艺学丛编》三卷。最后，我和李健出版了《中国古典文艺学》一书,目的都在接续传统。

但是,中国古典也好,西方现代也好,在我心目中,这些都只是构思文艺美学的思想资料。我想从美学上来对文学艺术的全过程作系统的考察,从作家、艺术家在实践生活中对人生的审美体验开始,进入审美活动,从而对自己的审美体验作再体验和反思,建构意象、意境,生成意蕴,予以物化,形成艺象。读者、受众和艺象相遇,引发感受,作出新的解读,产生新的体验。文艺美学本身就内含着体验美学、创作美学、接受美学。而前人对文学艺术的思考,对我说来都是可以引发我自己思考的思想资料。我的《文艺美学》就是想接着毛泽东之所问作进一步的思考。生活中存在着美,艺术也要追求美,两者都要美,为什么人民还是不满足于生活而要创造艺术美?毛泽东在延安时代就已对此作了探讨,我想对此接着说,作进一步探讨。因此,我的《文艺美学》就是围绕着文学艺术怎样才能美这一中心问题展开的。

我在1980年开始准备《文艺美学》的课程。春天,我在参加中华全国美学学会成立大会之际,倡导在大学中文系和艺术院校开辟文艺美学课程,促进艺术创作按美的规律进行。回北大后,关于文艺美学的构想,我曾先后写过《文艺美学是什么》《文艺美学及其他》《文艺美学:对文学艺术的系统研究》三文。1981年我第一次开始招研究生,首次在北大设立了文艺美学这一新的专业方向,以区别于传统的文艺理论。同时也就开始讲授文艺美学课程,最后成书,《文艺美学》于1989年在北京大学出版社出版。

我把文学艺术放在整个审美文化系统中来考察,发现文学艺术现象有三个层次的规律:一是文学艺术和其他所有审美文化共有的特性和规律,二是文学艺术共有而与其他审美文化不同的特性和规律,三是艺术系统内不同艺术部类又各具自身的特性和规律。我在《文艺美学》中,主要探讨了文学艺术共具的特性和规律,如何按美的规律来创造,也兼及了不同艺术部类各自的特性和规律,如何按美的规律创造了不同的艺术。但是,对文学艺术和其他审美文化同具的特性和规律却探讨不多,因为,当时的哲学美学就是在探索人类整个审美活动的特性和规律，我这里就少说了。

走向文化美学

致志于文艺美学20年，来到新世纪初，我觉得文艺美学要发展，进而走向文化美学。

这不是一时的心血来潮，而是我到深圳以后较早接触到了许多新的文化现象，有感而发。

一所新的大学正在诞生，清华大学副校长张维院士受命创建深圳大学。1983年底，他在清华寓所约见我和汤一介，邀我和汤一介、乐黛云去深圳大学参与创办中文系，不需脱离北大，可以常在北京与深圳之间行走。这样，我在1984年就来到了深圳这个改革开放的前沿阵地，而且可以自由出入香港，每年还能经由香港到海外作国际文化交流。从封闭到开放，许多新的文化现象就纷纷涌现在我面前。继金庸武侠小说之后，琼瑶的言情小说，亦舒的激情小说，梁凤仪的财经小说，纷至沓来，应接不暇，我惊异爱情还能这样写！邓丽君、梅艳芳、蔡琴等那种别开生面的歌唱，给我的也是别一种新的审美体验。香港大学、香港中文大学的学友告诉我：大众文化已成香港文化的主流，精英文化只在边缘。这使我大吃一惊，怎么会？等我在钱穆创建的新亚书院住过一阵之后，我才相信，在香港这世俗社会中，大众文化确成主流。但我立即发现，在高等学府里，精英文化绝对主宰讲台，而文化精英不仅待遇极好，而且社会地位很高，如饶宗颐、金耀基等，都极受人尊敬。而香港的作家、艺术家的社会地位比起学者、教授来相差甚远，真可说是望尘莫及。获得成功的那些娱乐明星，会有许多痴迷崇拜者，但在学者、教授面前也不敢趾高气扬、自我炫耀。

深圳受港台的大众文化影响最早，那时兴起的歌舞厅，从香港过来表演的艺人最多。更重要的，那时深圳的电视，竟是香港的传播占主位，一开就是香港节目。香港有一个台，每天晚上都要连续播放两场奥斯卡金像奖得奖电影，还有一个台则常放香港的搞笑表演和香港歌舞。一洋一土，使我的文化视野一下扩展。不久，港台之风也吹到内地,我们的大众文化随之亦风起云涌,蔚为奇观。在这里,生活的审美化也开始得早。深圳本是个边陲小镇,才两万多人,沿袭的是岭南文化习俗。我来时,移民潮刚开始,外来人口不断涌入。但在80年代末,大家不知道深圳的前途如何,一下又纷纷回到老家去,一到年底,这里几乎又成空城,街上见不到行人。等到小平二次南方视察,深圳缓过气来,外来人口又蜂拥而来,城市建设飞速发展,高楼大厦遍地而起。住在这现代化的居所,生活怎么现代啊?大约在90年代中期,生活审美化的追求在深圳悄然兴起,蔚为潮流,这,我是亲身感受到了。

新出现的种种文化现象,向美学提出了新的问题,超出了美学的视域,美学应如何面对?香港中文大学的美学教授王建元博士,坦率地对我说,迪士尼乐园马上要在香港兴建,他要转向,以后就要研究这种新文化现象了。这位在台湾以研究"雄浑"、"崇高"著名的美学家,实际上要转向文化研究了。但另一位朋友刘昌元教授却不以为然,不想转向,仍要继续他的美学深思,研究哲学美学。我则以为,美学要面向现实,仍可有所作为,应及时提出:走向文化美学。我鼓动文学院长郁龙余教授,深圳大学应及早组织一套《文化美学丛书》,推进文化美学的建设。就在新世纪初,我为《文化美学丛书》写了一篇总序,就叫:《走向文化美学》。广州的《学术研究》后来发表了我这篇总序。此时,中国艺术研究院的《文艺研究》正在回顾文艺美学30年的历程,探索今后如何发展。我写了《发展文艺美学》《超越古典:文艺美学新方向》等文,其中也都表达了我的这种意向:走向文化美学。

那么,文化美学研究些什么呢?这就要面向我们当前现实,考察我们的文化世界,出现了哪些重要的文化现象,出现了一些什么问题。2001年,我应《马克思主义美学研究》主编刘纲纪、王杰之约,写了一篇长文:《焕发新审美精神》。我在这里从宏观上审视了新时期以来的文化新格局,大众文化、主流文化、高雅文化已成三足鼎立之势,相互补充而又相互影响。当时大众文化正在蓬勃发展,方兴未艾,但我以为还未成为国内的主流文化,高扬主旋律的文化还是主流,仍占主导。而高雅文化还多为"古雅",急需跟上时代步伐的"新雅",而在当时却最为微弱。文化美学正可以从美学上来研究大众文化、高雅文化、主流文化之各自之所长，又如何促进相互之间的取长补短，相互提升，各得优化，共同繁荣。当务之急，不管大众文化、高雅文化、主流文化，都急需提高自己的水平，焕发新审美精神，从时代感、人性化、超越性三方面提升，按美的规律来创造。这篇论文的主体部分，曾在2002年被《辽宁日报》转载，产生了一定的社会影响。

其实，当时最急需的是应对中国的整体文化生态作宏观审视。当时的文化生态已在出现前现代、现代、后现代共时杂错的势头，精神生产亦已开始走向市场化。文化美学正可与时俱进，及早探索作为精神生产重要领域的文化产业自身的独特性，研究精神生产和物质生产以及人自身生产之间的相互关系，不要把艺术产品降低为物质产品、普通商品。

但文化美学不能只停留在对当前文化作宏观透视，还需要对具体文化现象作微观剖析。生活审美化，审美生活化，既然已在我们生活中发生，文化美学就要给予研究。我以为，出现这种文化现象乃是好事，不能简单否定，但不能因此而否定文学艺术在社会生活中的重要作用。我在《文艺报》上发表过一篇《生活审美化，艺术应何为》，中心意思是在说：生活审美化，使审美进入平常百姓的生活中，那么，文学艺术的使命不是减轻了，而是应在生活审美化的基础上，提高审美水平；而审美水平提升了的文学艺术，反过来又进入平常人的生活里。艺术审美和生活审美相互促进，逐步提升，这才是良性循环。而文化美学正可以研究艺术审美和生活审美的互动关系，促进这种良性循环。所以，走向文化美学，决非要消解文艺美学，而是要让文艺美学超越古典，面向现实，使文艺美学更深入发展。

无论是文化美学，还是文艺美学，都不能离开价值论。我们的审美活动是一种感性活动，审美体验也是感性体验，这已成了美学共识。但我们常忽视，审美活动中含有康德所说的审美判断、反思判断，依我之见，审美体验中所含反思性体验，其实就是对价值的体验，其中蕴含着作家、艺术家对价值的评价，所以是审美判断，是价值体验。艺术创造，更是一种创造精神价值的实践活动。在我看来，艺术生产乃是以实践思维的方式来掌握世界，从审美上作出价值评价，其中渗透着作家、艺术家的价值理念，所以，艺术生产创造出来的艺术产品，具有意识形态的性质。因此，文化美学、文艺美学不能没有价值视角，更不能缺少价值目的。在这世上存在的文化艺术并不都是美的。正如人类的劳动，既创造了美，也制造了丑（异化劳动），艺术既有美的，又有丑的。20世纪60年代末，我完成的副博士论文《为何古典作品至今还有艺术魅力》，是说经典作品之所以至今还能吸引人，乃是其中体现了真、善、美，因而具有永恒价值。最优秀的是三者统一，但有的以"善"见长，有的则突出了"真"，有的则以"美"取胜。所以，若要细析历史上留下来的，有"真"的文学，有"善"的文学，当然也有"美"的文学。但我如今见识越多，就愈加明白：在这世上，文学并不都是美的，还有那么多的"假"的文学，"恶"的文学，"丑"的文学。这里的关键之处，就是：我们的价值追求是什么？我最关切的仍然是，文化艺术是否按美的规律来创造。文化美学的价值目的，就是要促进文化艺术能按美的规律来创造。如今，文化事业正在欣欣向荣，文化产业也在蒸蒸日上，但我却不时担心：究竟生产出来的是什么产品？如果对人类无益，再多生产又有何用！但愿我这是杞人忧天，庸人自扰。

倾情自然美学

过了古稀之年，我招收的文艺美学博士生逐渐少了，可以不必都围绕着文化艺术来言说。此时，我国的生态危机日渐凸显，对自然美的呼唤，在我内心里也就突出浮现出来。

我自小就对自然之美情有独钟，到了北京，也是对大自然心向往之，念念不忘，一有机会，就去游访名山大川，欣赏自然风光。当初到深圳，和校长说好，来去自由，只要中文系办起来，就可以回北大。但我初到深圳，就为这个还未被人污染的处女地所深深吸引。这里，当时还像我在20世纪50年代初见到的海淀那样只是个小镇，但自然风光迷人，蓝天、白云、碧海、青山、绿水，令人豁然开朗，心旷神怡，这样的地方在国内已是稀有。我喜欢这样的自然环境，只是当时还未下定决心要来这里永远停留。这里的人文环境也好，单纯、宽松、自由。

学校初创,清规戒律的束缚不多,办了三年中文系,我竟可以自由决定把它扩建成国际文化系,只需校长认同,不需再惊动更多上层。这在当时国内,实属首创,尚无先例(北大还只有国际政治系),要到90年代,国内才有其他院校设立国际文化专业。为此,《光明日报》还在1988年作了头版介绍,这为中文系的发展开拓了新路。正是有了这样的自然环境和人文环境,我作了这样的重大人生选择:不回北大了,就在这里潜沉下来。我为自己写了四句诗,记下当时的心态:"飘泊京都数十年,半年尽染书卷气;到此放眼看世界,方知尚有新天地。"

  20年的飞跃发展,使这里的自然环境和人文环境都发生了急速变化,有使我欢欣鼓舞的,也有令人沮丧的,令人最伤心的是不少原生态的自然之美被毁灭了。无数青山被削平,所有河水都污染,天空常被阴霾所遮蔽,阳光、空气和水,这些大自然赐给人类的最基本的礼物,都在损失其自然本色。自然被人化了,但这种人化不是在优化,而是在劣化。深圳大学本靠海湾,我初来时,住在紧靠海边湿地的"海涛楼",晚上真的能卧听海涛声。海边湿地长着碧绿的红树林,生机勃发,给人美感。1986年深圳市成立美学学会,我特聘王朝闻为名誉会长,接来深圳大学住了几天,天天陪他夫妇俩来红树林散步,流连忘返。回去之后,王朝闻还写了一封信来,谈他此行的感受,盛赞那红树林之美。可惜,数年之后,那后海湾的一角已被填平,美景不再,红树林消失了。我恋恋不舍地搬离了这海边湿地,怅然若失。

  自然环境的急速变化和我的生活息息相关,不断触发我对自然的思索:现代化就一定要破坏自然环境,难道这就是人类的命运?人的发展和自然的开发之间能否找到动态平衡?海天出版社要出一套《人与自然丛书》,邀我主编。这设想正合我意,欣然同意,有感而发,很快在1999年春写就了丛书的总序:《珍重自然》。在这篇总序中,我发挥了在上一年所写的《按美的规律创造》一文中的观点:人不能只在想象中求得"诗意地栖居",而要在实践中真正实现,创造出真正美好的环境,这,只有如马克思所说:"按美的规律创造。"人类的创造,既要运用"人"的尺度,又要顾及"物"的尺度。人和自然的关系,应是"以人为本,动态平衡",既不是人类中心论,也不是自然中心论,而是以人为本的自由和谐动态平衡论。为了求得动态平衡,人类要充分发挥自己的智慧和潜能,珍重自然,善待自然。自然不仅是我们物质生活的资源,而且还是我们精神生活的精神食粮,我们人类得以存在的环境。自然之美,乃"大美",可以把我们引入"天地境界"——人类的最高境界。

生态危机日益凸显,我对自然美学的思索也就越来越多。进入新世纪以来,我阅读了大量生态学著作,拓展了美学视野。但我又感到,若要从美学的视野来考察世界生态,还是要和自己的审美经验联系起来。如果没有对自然的审美体验,就很难理解生态美的真谛。2005年8月,我应山东大学之邀,赴青岛参加生态文明的国际研讨会,我结合自己对自然的审美体验,宣读了一篇《生态之美何在》,不谈人文生态和精神生态,专说自然生态。依我看来,自然之美还是存在,不只存在于朱光潜所说的"意象"中,而且也存在于人的"生活"中。这自然之美,并非蔡仪所说的物种典型,也不是李泽厚所说的自然的人化,而是自然进入了人类生活而显出来的对人生的价值。章学诚所说的"天地自然之象"只有在自然和人类发生了联系,在和人的关系中才生成和显呈出美来,但这不是人的创造,而是自然本身向人的生成。这正如叶燮所说:"凡物之生而美者,美本乎天者也,本乎天自有之美也。"天工造物,鬼斧神工,有的要亿万年才能生成,进入人类生活之后,人对自然发生了审美关系,天然之物也成了人的审美对象。美是对人具有肯定价值的对象,对人才具有意义,所以叶燮又说:"凡物之美者,盈天地间皆是也,然必待人之神明才慧而见。"(《己畦文集》)人从大自然中来,最后又要回到大自然中去。人在活着的时候,在社会中生活,也在自然中生活,无时无刻不在和自然接触,我们的生活能离开空气、阳光和水吗?在自然生态正在被加速破坏的时候,我们应比过去任何时代更要彰显自然之美,通过自然审美来唤醒更多人来珍惜自然,爱护自然。为此,我在文中着重分析自然之美的独特魅力,不同于人工之美、艺术之美的不同特色。中国古来就有特别重视自然审美的传统美学,我们应把这传统发扬光大,关注自然美学。

我好从自己的审美经验出发来谈美,但我也尊重别人的审美经验，想从别人的审美经验中获益。20年前，我写《文艺美学》时，还未去过郑板桥故居，但对他所谈论的竹极感兴趣。2001年我去扬州开会，姚文放特别为大家安排，去访察郑板桥、刘熙载的故居。我在板桥门前小小庭园的竹枝前徘徊良久，思绪万千。郑板桥自叙"晨起看竹"，看的就是园中的这几枝竹，这"园中之竹"是物的存在，人不去看它，也就无所谓意向对象。但板桥去看了，和"园中之竹"相遇，映入眼中，成了"眼中之竹"，这就可说是意向对象。但这"眼中之竹"在不同的人的"眼"里并不一样，要视之看的人"意向"如何，既可成实用对象，又可成科学对象，也可成审美对象。到了郑板桥眼里，这眼中之竹成了审美对象，引发了他的情趣，把这"眼中之竹"放在胸中玩味，就在胸中产生了"意象"，这意象和情趣一契合就如朱光潜所说，生出了美感。这和情趣相契合的意象，存在于心中，也就是板桥所说的"胸中之竹"。这"胸中之竹"在板桥心胸里流动，"胸中勃勃，遂有画意"，就是想把这"胸中之竹"画出来。于是，板桥付诸实践，挥笔作画，"倏作变相"，成了"手中之竹"，最后作画完成停笔，这"手中之竹"转化成"画中之竹"。如今美学上争辩不休的，其实是把什么样的"竹"指称为美。叶朗发挥了朱光潜物甲、物乙的理论，毫不含糊地称：美在意象，只有"胸中之竹"才美，那"眼中之竹"说不上美，更何谈"园中之竹"了；而更多的人则以为美在画上，"画中之竹"才美。当代现象学中，对"现象"究何所指，也是众说纷纭，知觉之象？联想之象？想象之象？存在论的所说"现象"，也并不和这些一样，那么对美是什么现象，理解就更不同了。

诚然，和情趣相契合的意象确可成为审美对象，即使那黄山、太湖已不在我眼前，但我心中有黄山、太湖的意象，我自己在心中对这意象玩赏，也能得到审美享受，产生美感。这时，黄山、太湖已不在我眼前，但在我心胸中留有意象，我在回忆中可以重新唤起意象，重新回味，那意象本身就是我的审美对象。但是，若我亲去黄山、太湖，那真山真水直接在场，通过现象学所说的"本质直观"，迅速捉住了这真山真水的意象，这心中的意象引发了我的美感，那么，我也可以把那真山真水说成是我的审美对象。这是因为那真山真水直接在场，现象直接转化为意象,由此发生了审美活动——纯粹的精神活动。在我看来,审美活动不是认识活动,更不是实践活动,而是内心的体验活动,但那审美的对象,既可以是我以外的物象、人象、事象,也可以是我自己心中的意象。而从我个人的审美情趣,更喜爱亲临真山真水,直接和大自然亲密接触,对直接在场的审美对象进行自然审美。黄公望笔下的《富春山居图》固然好,但我不满足于此,还是想方设法去亲历富春江,切身体验那自然之美,我的心方安定下来。我不愿只看画中自然,影视中的自然(尽管这也能产生美感),而宁愿长途跋涉,每年尽量要寻觅一个远离尘嚣的海岛安静一阵,从南海的文莱、沙巴,一直到印度洋的马尔代夫,在海天一色中体验大自然之美,领悟人生价值。

其实,在天地人的宏伟系统中,美的多样性随处可见。天地自然之象,人心营构之象,人文创造之象都可能向人生成为美。艺术中有美,现实中也有美,各有特色,不可替代。张潮在《幽梦影》中说得好:"有地上之山水,有画中之山水,有梦中之山水,有胸中之山水。地上者妙在丘壑,画上者妙在笔墨淋漓,梦中者妙在景象变幻,胸中者妙在位置自如。"只是,我个人的审美情趣,更爱自然之美。

感谢命运的恩赐,我感到最欣慰的是,跨入古稀之年的我,在这已经显得喧嚣的现代都市里,终于找到了一个可以亲近自然的家,在靠近深圳河的地方安居了下来。这里面向香港的流浮山和后海湾,从高处可以远眺山和海,前无遮拦,视野开阔,每天都可以体验到自我在天地之间,和自己有着亲密接触。天一亮起身就直奔泳池,身水交融,还可仰卧水上,仰看悠悠天空,浮想联翩。早餐后自由阅读,看报、读书、撰文,读自己感兴趣的书:从小的为什么美,到大国如何酿成悲剧,从美国梦、欧洲梦到中国梦,从社会为何成败兴衰,到我们的地球究竟怎么了,都在我的视野之中。休歇间,放眼室外,远眺近邻香港,欣赏海湾、红树林,和自然融成一片,我把书房叫作望海书斋。

我深深体验到,这里一年中最好的时光,乃是在冬天的下午。每天冬泳归来,回坐客厅,正好夕阳西下,和煦的阳光照在海面之上,把整个海湾都染成琥珀色。那晚霞在变化多端的云层中透射下来,蔚成在平地很难见到的绝色美景。在这美妙的时光,忍不住写了《冬泳》:

> 冬泳归来仍从容，遥看香江多青峰。
> 落日余晖染港湾，最美海上夕阳红。

越到后来，我越是感悟到，人类的文化艺术，也应向顺应自然这个方向发展，"师法造化，中得心源"，这是文化艺术的根本法则。自我反思，我发现自己最喜欢的艺术还是音乐。我年少时只会弹风琴，如今却弹起钢琴来了，越弹越有兴致，在少年时听到的许多乐曲，竟然陆续都流淌到琴键上来了。记不起来的，才让我的一位研究音乐美学的博士黄汉华教授去找乐谱。如今，我能背下百首乐典，每天弹奏三次，夜间最佳。夜晚已无从自然审美，那就从弹奏中自得其乐。最爱弹的乐曲是：《春江花月夜》《二泉映月》《茉莉花》等能引起对大自然联想的乐曲。高兴之余，曾写下《琴乐》四句：

> 老来好弹少时曲，日奏三旋久自熟。
> 胸存百首指间流，怡然自得心常乐。

随着岁月的流逝，我越来越领悟到，顺应自然的生活应是简朴的生活，"应物而不累于物"（庄子）。暴饮豪食，暴殄天物，不仅伤害自然，亦乃自我戕害。人应以最少的时间和精力来满足自己的基本需求后，要多花时间和精力去读书、思索、漫步、游泳、赏乐。过简朴的生活，为的是追寻更丰富的精神生活。适者生存，善者优存，美者乐存。心有真善美的追求，才有完美的人生。我在反思了这人生之后，写下了《感悟》：

> 人生苦短波折多，不如意事常八九。
> 尚幸留得平常心，犹持真善美追求。

2009年闰五月，望海书斋
（原载《美与时代》杂志，2010年）

附文一

诗意的裁判与文艺的价值
——文艺理论家胡经之访谈

熊元义[①]

文艺批评确实需要有标准

熊元义：在人们的印象中，您是文艺理论家。其实，您的文艺美学研究是从文艺批评开始的。您能否谈谈这个转变过程？

胡经之：是的，我是从文艺批评开始，是想探索文艺批评的美学标准。不久前，香港举办了一年一度的书展，作家王安忆特别提到，改革开放之初，她的创作获益于文艺批评良多。她和文艺批评家结为朋友，相互切磋，从而，不断地提升创作水平。那个时候，"批评家很诚恳地告诉你，你的写作局限性在哪里，然后，批评家和作家一起设想未来的蓝图"。文艺批评的对象当然是文艺作品本身。既然要评价作品的优劣、好坏、高下，就必然要有评价的标准，若无标准，评价就会自说自话，各说各话，莫衷一是，说了白说。因此，王安忆呼吁：希望能够有一个标准，至少能够判断这是文学那不是文学，这是好东西那不是好东西。我绝对不相信这是没有的，否则的话，这个世界简直太虚无了。真的，文艺批评确实需要有标准，半个多世纪前，我正好遇上了高扬文艺批评的时代，也曾参与到文艺批评的行列，深感文艺批评标准的重要。20世纪50年代后期，中国文坛上涌现出不少优秀的文艺作品，如《青春之歌》《红旗谱》《林海雪原》等，茅盾、周扬、邵荃麟

[①]熊元义，《文艺报》理论部主任，文艺评论家。

等在文艺创作会议上先后提出发展文艺评论,以推进新的文艺创作。周扬还亲自带着邵荃麟、林默涵、何其芳、张光年到北大开设文艺理论讲座,倡导建设中国的马克思主义美学。张光年、侯金镜为在《文艺报》推动文艺批评,约请了报社之外的李希凡、李泽厚等担任特约评论员。当时,我和严家炎、王世德正在杨晦门下攻读文艺学副博士,亦在特聘之列。国内开展"读书辅导"运动,上海文艺出版社专门出版了《读书辅导丛书》,约我写了一本评论李英儒《野火春风斗古城》的小书,一下就印了10万册。后来,我又陆续写了多篇评论王愿坚短篇小说的文章,其中一篇分析《七根火柴》的文章,还由中央人民广播电台向全国播放。在那个时代,我亲自体验了文艺批评所具有的力量。我所依据的批评标准只是政治标准第一,艺术标准第二。这是革命高潮时代社会公认的价值标准,我真诚地信奉,自觉地遵循。只是,当时我还是个涉世不多的年轻学人,虽然参加过学生运动,却没有亲身经历过战火纷飞的艰难生活,缺乏真切的生活体验,无从切入那历史意蕴的深处,只能笼统地谈论作品的认识价值和思想价值,不懂得要从美学分析着手去揭示审美价值。

　　随着认识的与时俱进,文艺批评的标准也渐渐演进,政治批评拓展为历史批评、社会批评、文化批评等等,而艺术标准的演进也逐渐转向美学批评。恩格斯谈他所作的文艺批评,乃是从美学观点和史学观点来衡量作品的价值的,而且还说,这是他作文艺批评的"最高标准"。马克思、恩格斯在评价希腊史诗、莎士比亚、歌德、巴尔扎克等作家作品时,都把美学观点和历史观点结合起来,揭示出了历史价值、社会价值和审美价值。列宁在评价托尔斯泰、冈察洛夫、赫尔岑等作家、作品时,也都既运用了美学观点,又运用了历史观点,揭示了历史内容和审美意义,旗帜鲜明地提出:"应该把美作为社会主义社会中艺术的标单。"从马克思、恩格斯、列宁、普列汉诺夫一直到毛泽东,尽管对历史批评、社会批评、政治批评的关注中心略有不同,但一致地都重视美学批评。可什么是美学批评,美学批评如何与史学批评结合得好?为解这种种困惑,我对文艺学的关注逐渐转向美学的思索。

熊元义：您是在文学批评的过程中遇到了理论难题之后从文艺学转向美学的思索的。您最早接触的，不是苏联美学，而是中国现代美学。您曾提到中国现代美学有两大走向，您能否详谈？

胡经之：我在北大最初接触的是中国现代早期初创的美学。那时北大不开任何美学课程，只开了一门课程"文学概论"，由中文系主任杨晦在开讲。我在听"文学概论"的同时，特向杨晦请教，我想自学美学，该从何着手？杨晦要我先读蔡元培、梁启超的美学，再读蔡仪的美学。1953年初，我又去朱光潜家里请教，他却教我先读王国维、吕澂的美学，然后，再读宗白华的美学和他的《文艺心理学》。我综合了他俩的建议，先从蔡元培、梁启超读起，再读王国维、蔡仪。从1953年初到1954年夏苏联专家来之前的一年多里，我先后读了中国20世纪前半个世纪的中国现代美学著作30部左右。所以，我最早接触的，不是苏联美学，而是中国现代美学。

中国现代美学乃是人生的美学，着重探讨的是人生如何能美好。尽管美学必谈文学艺术，但又不限于谈文学艺术，而是广及人类的物质生活、社会生活、精神生活。并不是只有艺术才美，生活中也有美，自然中有美，艺术中当然更有美。人类之所以要创造出艺术美为了什么？为了更美好的人生。中国现代美学的主流虽然首肯艺术是为了人生而创，但人生是什么，却有不同的理解。因而，艺术为人生也就有了不同的路径。王国维在《人间词话》中曾区分了两种不同的诗人，一种是"忧生"的诗人，还有一种是"忧世"的诗人。"忧生"者，立足于个体生命之生，感叹人生艰难，苦多乐少，为个人遭遇而忧。"忧世"者则放眼世道人心，感慨世事难料，人心险恶，为周围环境艰险而忧。在近代向现代转折的启蒙时代，梁启超最重视文学艺术的启蒙作用，特别推崇和倡导"忧世"之作，鼓吹"诗界革命"、"文界革命"和"小说界革命"，要在新小说里"熔铸新理想"，"创造新意境"，"运用新语句"，开启民智，启蒙新民，培育"新人心"、"新人格"。梁启超希冀通过文学的革命，启蒙新民，唤起民心，从而投身社会变革。由梁启超开启的艺术要为社会服务的这一美学传统，在"五四"新文化运动以后得到了继承和发扬。鲁迅、郭沫若、胡适、茅盾、曹靖华等在回忆中都说到了所受梁启超的影响，连毛泽东、周恩来也受过影响。

王国维的美学和梁启超的美学有所不同。他的美学虽也关注"忧世"，但更重视"忧生"。而且，他的"忧世"不仅没有像梁启超那样激起变革社会的决心，反而为他的"忧生"增添了更多的烦恼。在他看来，生活的本质正如叔本华所说，充满了欲望，欲望不能满足就痛苦；而欲望满足之后，又感到厌倦。"故人生者，如钟表之摆，实往复于苦痛与倦厌之间者也。"那么，人有没有办法从痛苦和厌倦中解脱出来呢？王国维说有，那就是，"唯美之为物，不与吾人之利害相关，而吾人观美时，亦不知有一己之利害"。王国维把审美看作是从生活之欲中跳出来的解脱之道，他研究文学艺术也就是探索如何进入艺术之境，以求得解脱。但最终，王国维自己也没有从艺术之境获得彻底的解脱，只好投湖自尽。

朱光潜的美学自成特色，对文艺创作过程中的意象运动作了较深入的探索，他称自己的美学为文艺心理学。他早期受王国维美学的影响甚多，所以劝我研究美学也从王国维入手。他比王国维更关注"忧世"，深感到这世道人心缺少美。1932年他在《谈美》中深深叹息："现世只是一个密密无缝的利害网，一般人不能跳脱这个圈套，所以转来转去，仍是被利害两个大字系住。"怎样才能跳出这世上的利害网？朱光潜劝青年要进入艺术的境界，艺术美化了人生，超越了人生，这是因为，"美感的世界纯粹是意象世界，超乎利害关系而独立，在创造或是欣赏艺术时，人都是从有利关系的实用世界搬到绝无利害关系的理想世界里去"。王国维要从生活之欲中解脱，朱光潜则劝人从实用世界中搬出，都到艺术的意象世界中得到慰藉。朱光潜美学特别推崇艺术之美，所以再三阐明，美在物乙，美在意象，美只能是意识形态。到了后期，朱光潜美学发生变化，认识到文学艺术不只是意识形态，还是生产劳动，承认生活中也有美，美不只有意识形态的，也还有非意识形态的，但始终认定，艺术美要高于其他美。

中国现代美学中最吸引我的，还是蔡元培的美学。蔡元培的美学没有像梁启超美学那样，慷慨激昂，催人奋起，去立即投身社会改革；也不像王国维美学那样研究精深，引人潜入古典诗词的艺术意境，而是综合吸收了两家之长，平和全面而又自成特色。他把自己的美学建立在价值论基石之上，把美看作是一种价值。当时西方美学中的"移情说"影响甚大，认为自然之所以美，就是因为人类把感情移入了自然。蔡元培在那时就清醒地觉察到了："感情移入的理论，在美的享受上，有一部分可以用，但不能说明全部。"自然还是有自己独特的美，不能由其他的美来代替，"自然上诚有一种超过艺术之美"；但自然美也不能代替艺术美，因为，艺术之美，在"与自然相关以外，还有艺术家的精神，寄托在里面"，所以，艺术美"有一种在自然美以外独立的价值"。在他看来，艺术的价值，主要取决于作品"刺激之情感的价值"，这就和道德教化、科学研究大不一样。道德教化在求善，科学研究在求真，而艺术审美在求美，获得美的享受，唤起美的精神。"美学的主观与客观，是不能偏废的。在客观方面，必须具有可以引起美感的条件；在主观方面，又必需具有感受美的对象的能力。与求真的偏于客观，求善的偏于主观，不能一样"。这样看来，审美活动这一精神活动，就是要使人的主观和客观达到动态平衡，从而获得审美的愉悦。在蔡元培看来，艺术的功能，不仅在于给人以审美享受，而且还潜移默化，陶冶人的情性，培养美的人格，进而，再可以去改造社会。依他之见，"爱美是人类性能中固有的要求"，我们的教育，"知其能够持这种爱美之心因势而利导之，小之可以怡性悦情，进德养身，大之可以治国平天下"。

探寻文学艺术独特的精神价值

熊元义：您对中国现代美学两大传统的梳理非常精彩。其实，中国当代文艺批评界发生的不少理论分歧都可以从这两大源头中寻找。科学地总结和梳理中国现代美学的这两大传统分歧并超越它，这恐怕是中国当代文艺理论发展的未来。

胡经之：1958年，周扬在北大开设"文艺理论"讲座，呼唤"建设中国的马克思主义美学"。作为马寅初、江隆基特邀的兼职教授，周扬带领了邵荃麟、张光年、林默涵、何其芳主动到北大来开设这个讲座。当时，我正在跟随杨晦攻读文艺学副博士研究生，受命担任这个讲座的助教，因而有缘出入周扬家，亲临受教，从而，决定了我今后的学术方向，由古典文艺学转向了当代马克思主义美学。

这次重拾美学目标明确，朝着"建设中国的马克思主义美学"方向发展，而且，关注点把文学艺术放在中心，专攻文学艺术中的美学问题。周扬在演讲一开始，就开门见山地说：生活和艺术都要美，但毛主席说，艺术可以而且应该比生活更美。他没有说艺术美就必然比生活更美，而是说可以而且应该，这就要看作家、艺术家有没有这个本事了。马克思主义美学应当从这里开始，来研究如何创造艺术美，艺术美怎样才能比生活更美。于是，我的学术志趣也就逐渐转向艺术美的探讨。此时，我已经注意到，20世纪50年代后期的苏联文艺学已从美学上对艺术的审美特性作了较为深入的研究。斯大林时代过去之后，苏联文艺学早已兴起了审美学派、文化学派，揭示了文学艺术的审美价值。当时的苏联哲学，已从价值论上区分出了使用价值、交换价值、剩余价值、物质价值和精神价值等不同价值。苏联文艺学中的文化学派更进而对精神价值作了深层的区分，揭示了审美价值和认识价值、道德价值的异同。那么，文学艺术具有什么样的精神价值呢？文化学派的代表卡冈认为，文学艺术不仅具有审美价值，而且具有认识价值和道德价值；优秀的文学艺术，应是真、善、美正面的精神价值的统一。而审美学派的斯托洛维奇则认为，文学艺术虽然也包含认识价值和道德价值，但主要的还是审美价值；优秀的文学艺术，在作品中都要使善、真转化为美。当时我就觉得，历史的文学艺术现象错综复杂，必须根据其具体情况作具体分析。历史上出现过大量的假、丑、恶的文艺现象，也创造出了众多真、善、美的文学艺术。最伟大的文学艺术能达致真、善、美的统一，但也有许多优秀作品，或以真见长，或以善见长，不一定能做到真、善、美统一，具体作品具体分析。其实，正是因为复杂多样的文学艺术具有各不相同的价值内涵，或具真、善、美，或具假、丑、恶，所以才需要有文艺批评来加以审辨，而文艺批评也需要有自己的真、善、美的价值理念。

当代文艺美学发展的得与失

熊元义：1980年初，您倡导"文艺美学"可以说既是时代发展的需要，也是文艺发展的需要。您能否谈谈中国当代文艺理论界探讨文艺美学的经验教训？

胡经之：改革开放之初掀起的那场启蒙运动，激发了我重新投入美学研究的热情。1980年初春，北大有我和朱光潜、杨辛三人去昆明参加全国第一次美学会议。在参加全国高校美学学会成立大会之际，我积极倡导文艺美学，提出在艺术院校和文学系科应该开设和哲学美学不同的文艺美学。回北大后，我陆续办了三件事。一是在当年研究生高年级开了一门课，就叫"文艺美学"。二是在文艺学研究生招收方案中，新辟了文艺美学这一专业方向，并在1981年首次招收了文艺美学硕士生。三是我和叶朗、江溶一起在北京大学出版社主持了《文艺美学丛书》的编写。我在北大的讲稿，后整理成《文艺美学》一书，百年校庆时又收入《北京大学文艺美学精选丛书》。我作了较大的修改和增补，成为第2版。

尽管文学艺术不必然是美的，但应该而且可以是美的，这是人类的价值追求所使然，我们渴望生活要美好，希望艺术更美好。而艺术要能美，就必须按照马克思所说的，按照美的规律来创造。文艺美学就是要研究文学艺术是怎样按照美的规律来创造。美的规律不是抽象的，而是具体的，渗透在物质实践和精神实践的多种多样活动中，互有异同。艺术创造，作为人类掌握世界的一种独特方式，和其他实践方式互有异同，具有自己的美的规律。在艺术创造的整个过程中，从作家、艺术家的审美活动开始到构建艺术作品，再到作品走向社会为人接受，每个环节中都可能有美的规律发生作用。但美的规律在作者—作品—读者的不同环节中却各有异同。再进一层，不同的艺术品种，文学、音乐、雕塑、绘画、建筑、舞蹈等等，美的规律又互有异同，不能一律。作家、艺术家在生活中所感受到的审美体验，更是千差万别。发现自然美，构建人文美，欣赏精神美，都存在各自不同的美的规律。就是在已经完成了的艺术作品的结构中，怎样把符、象、意多层次因素构建成一个有机整体，这里就有艺术创造的美的规律的存在。这些，文艺美学都应加以研究。

在这里，最大的困难还在于怎样才能阐明深入生活对于艺术创造的深刻意义和价值。作家、艺术家对生活要有广泛和深刻的审美体验，深入领悟到生活的意义和价值，才能成功地把现实生活转化为意象、境界，按美的规律创造一个意象世界，从而物化为符号。直接经验对于作家、艺术家来说特别重要，要以直接经验为基础，不断吸收丰富间接经验，才能创作出优秀的艺术作品。深入生活，直接参与实践活动，"读万卷书，行万里路"，这是艺术创作的正途。所以，在探讨艺术创作过程之前，我专辟了一章，阐明作家、艺术家在实践生活中直接参与审美活动，从生活中获得丰富而深刻的感受。回想起来，我对文学艺术的关注，还是封闭在作者—作品—读者这三个环节，没有把艺术创作进程放在时代历史、社会生活史更广阔的视野中来考察，重视了美的自律，相对忽视了历史的规律。

熊元义：文艺批评是在反省中发展的。您认为您对文学艺术的关注，重视了美的自律，相对忽视了历史的规律。这种自我批评是令人敬佩的。这恐怕是中国当代文艺理论界重视王国维美学传统而轻视梁启超美学传统所致。中国当代文艺理论没有超越中国现代美学两大传统，而是走了极端。

胡经之：反顾一下普列汉诺夫对法国文学艺术的研究，颇能给我们很好的启发。他善于把美学的分析和历史的分析结合起来，把法国18世纪的戏剧放在整个社会的历史发展中来考察，揭示出了当时的戏剧，从"闹剧"发展为"悲剧"，再发展为"流泪喜剧"，反映了不同历史阶段的审美趣味的变化。这种审美趣味的变化恰恰表现出了社会历史的变化。他对文学艺术所作的历史分析和美学分析，令人信服。中国自改革开放以来的文学艺术发生了激烈的变化，现代的、前现代的、后现代的文化特征，几乎是同时显现，审美时尚不时变换，使人眼花缭乱，目不暇接。我们迫切需要像普列汉诺夫那样，用历史唯物主义的眼光，对当下的文学艺术巨变作历史的和美学的分析。

由此想到，我觉得对文学艺术的美学探讨，当前更急需和文艺批评相结合,更好地发扬李长之所倡导的传统。文艺美学这一学科的冠名不是我想出来的。我在20世纪70年代看过台湾学者王梦鸥一本论文学的美学问题的小册子《文艺美学》,觉得这书名简洁醒目,我在后来用了。当时我孤陋寡闻,没有看到李长之的著作,直到我在20世纪90年代看过他的《苦雾集》之后,方才知道,他早已提出过"文艺美学"这一概念。1935年,李长之在《论文艺批评家所需要之学识》一文中提倡,文艺批评家要有多种学识,而"文艺美学是文艺批评家的专门知识"。1942年在《释文艺批评》一文中,又再提倡文艺批评需要文艺美学。李长之自己就付诸实践,积极运用文艺美学原理来从事文艺批评,所以,他的文艺批评就很富有美学色彩,他的理论文章也密切联系文艺创作实践。我以为,文艺美学在今后的发展,应该继承和发扬文艺美学和文艺批评相结合的这种传统。

追求文艺美学和文艺批评的结合

熊元义:中国当代文艺批评界认识到应提升文艺批评的理论品质。但是,如何提升,很多人不是很清楚的。您提出文艺美学和文艺批评相结合,这的确是一条有生气的发展道路。

胡经之:文学艺术的社会意义和价值,只有置于社会生活之中才能见出。如果把文学艺术放在整个结构中考察,那么,文学艺术乃是属于社会的上层建筑领域的那种"悬浮于空中"的意识形态。马克思说得好:"在不同的所有制形式上,在生存的社会条件上,耸立着由各种不同情感、幻想、思想方式和世界观构成的整个上层建筑。"文学艺术的内容,就是由各种不同的情感、幻想、思想按不同的方式熔铸而成,它由社会产生,反过来,又对社会发生反作用。说它"悬浮于空中",那是因为它离社会的物质基础较远,中间隔着政治、法律、道德等许多"中介"环节,不是直接发生作用和反作用。但是,文学艺术还是社会生活的反映,问题在于如何理解。

20世纪60年代初,我参编蔡仪主编的教科书《文学概论》,受命撰写第一章"文学是社会生活的特殊的意识形态"。在这一章中,要简明扼要地体现出主编蔡仪的最基本的文学观念。两年里，我先后写了五六稿，中间和蔡仪有多次交谈，反复琢磨，最后由蔡仪改定。此章的第一节开宗明义就先说"文学是社会生活的反映"。照我当时的理解，这"社会生活"应是作家参与其中的现实的社会生活，应涵盖物质生活、人际生活、精神生活多层次。那么，这第一章是否要从作家参与社会实践谈起，从社会实践的展开，深入到多层次的社会生活。作家之所以能在文学作品中构想出丰富多彩的意象世界，就因为反映了社会生活。"问渠哪得清如许，为有源头活水来。"但蔡仪觉得，不要一开始就从现实的社会生活谈起，还是要从已被反映在文学作品中的社会生活说起，然后才追溯到创作的源泉——现实的社会生活。听从主编的旨意，我改变了思路。从阅读文学作品着手，我把文学作品中所描写的社会生活现象归纳为三类：一是人文现象（《红楼梦》《子夜》里所写的），二是自然现象（广义的社会生活包括了人类接触到的自然现象，如山水诗里所写的），三是精神现象（感情生活、幻想生活都在内，如《西游记》所写的）。蔡仪基本同意这说法，但他把描写幻想生活的这一类特别分出来，像古代的神话、现代的童话以及《西游记》《聊斋志异》这一类，描写的是超现实的事物，是对社会生活的幻想的反映。说到文学艺术中所写的自然现象时，蔡仪要我这样写："无论哪种作品中所描写的自然事物，总是人们生活中所接触的，为人们所关心的事物，总是和人们的生活有关系，而不是无关系的事物。因此描写自然景物的作品，实质上也仍然是社会生活的反映。"至于说到文学中描写人的精神生活现象，蔡仪则特地加上了一句，说这是"整个社会生活的一个方面"。文学在反映社会生活时，必然表现了作家的思想倾向性。蔡仪当然很重视文学的思想倾向性，主张作家要有先进的世界观。但他几次对我说，文学的真实性是第一位的，文学的根本是要反映生活的真实。文学的最高成就是反映生活的本质，这只有创造出典型形象才能做到，最优秀之作就是要创造出典型环境中的典型性格。

对生活现象的典型化，确是使艺术创造能高于生活现象的重要手段。要能创造出典型环境中的典型性格，不是普通文学艺术所能达到的,这是艺术创造的极高境界。艺术创造的美的规律多种多样,容许有不同的新的探索。普列汉诺夫对车尔尼雪夫斯基的美学多有肯定,指出文学艺术不仅仅只是再现生活,而且还说明生活和评判生活。在一些文学作品中,甚至把说明生活和评判生活放在首要地位。而作家、艺术家要去说明生活和评判生活,心里就要有自己的价值理念:什么才是美好的生活,应当如何生活。在普列汉诺夫看来,关于美好生活,应当如此的生活,还是现实中尚未实现的理想。作家、艺术家要能真实地再现生活,说明生活,评判生活,就需要有美好的生活理念。所以,普列汉诺夫在1897年就说:"艺术家如果同时不能告诉我们,他是怎样了解社会生活现象的,就是说,不能以自己的方式向我们说明生活现象,他就不能对于生活现象作出自己的判断。"因此,他提出,文学艺术的创造应该由现实主义和理想主义相混合。在恩格斯的心目中,优秀的剧作应该具有较大的思想深度,意识到的历史内容,情节生动而丰富,应是三者的"完美的融合"。这当然是很高的要求,需要作家、艺术家有丰富的生活经验,广阔的视野,更重要的是,要能对生活作出"诗意的裁判"。1883年,恩格斯在给拉法格的信中,特别称颂了巴尔扎克的《人间喜剧》真实地反映出了1815到1848年的法国历史,对这一重大的历史转折时期的社会生活,作出了"诗意的裁判"。恩格斯高度赞扬了巴尔扎克的作品:"在他富有诗意的裁判中有多么了不起的革命辩证法。"裁判,就是作家对所描写的生活现象作出价值判断,对那些生活现象的意义和价值给予评价。而这种裁判,在文学艺术中不是理论的评析,而是诗意的裁判。俄国的文艺批评家沃洛夫斯基早在近百年前就把文学艺术称作"审美的意识形态",以区别于"政治的意识形态"。在他看来,"人类创作的这个领域,其实质是对生活作出诗意的反映"。依我看,文学艺术对生活的"诗意的反映",其核心则是"诗意的裁判",是价值判断。只是这种价值判断蕴含在人生体验中,融入艺术创造的意象世界中。"诗意的裁判"当然涵盖对真、善、美的肯定,但不限于此,也还有对假、丑、恶的否定。巴尔扎克所写的人间喜剧,既展示了贵族的可悲,也写出了商人的可笑,对社会生活中的丑恶作了讽刺。对此,当代已有不少作家、艺术家有了自己切身的领会。一向重视电影中的诗意的导演贾樟柯,在谈及最近的新作已接触到社会中的罪恶、暴力、丑陋时说到,"一个导演站在这样一个社会里,你要对人的命运有基于历史、社会和美学纬度上作个人的判断,真实地呈现你的判断和感受",只有对人生有了真实的判断和感受,才能有诗意,从而,"观众才能感同身受,才能有一种美感"。从他导演的电影来看,确实接近普通百姓的感受,颇具一种新的人民性。

按照美的规律来创造

熊元义:"诗意的裁判",多么精彩的文艺美学思想!可是,中国当代文学正如有的作家所提出的,中国当代作家创作的技术没有问题,问题在于没有价值上的"总体性",缺少对任何世界整体理解的确定性,价值观念极其混乱,以至于能不能对事物给出判断这一重要的事情变得不重要了。作家按照美的规律来创造,但是,作家对如何"诗意的裁判"却不是很清楚。

胡经之:关于文学艺术,马克思主义的创始人在不同的场合有过不同的论说。有时说,文学艺术是人类掌握世界的一种方式;有时说,文学艺术是社会意识形态之一;有时说,文学艺术是生产劳动的一种方式及其产物。这些论说,其实是互补的,而非矛盾的。这里最关键之处,文学艺术生产的不是一般意识,而是价值意识,具有价值意向。我们如今把这称为意义生产,生产的是精神价值。对文学艺术,确可以从不同的视角来揭示其不同方面的特性和规律。而我最为关注的还是文学艺术要怎样才能按照美的规律来创造。马克思说,人类懂得按照任何物种的尺度来进行生产,并且随时随地都能用内在固有的尺度来衡量对象,所以,人也按照美的规律来创造。这里所说的生产,乃是物质生产,那么,作为精神生产的一种,艺术生产就更应按照美的规律来生产了。并不是所有的文学艺术就必然遵循美的规律,但应该而且可以遵循美的规律,以求创造出为人喜闻乐见的优秀作品来。

我们的文艺美学当然不能只停留在对马列经典的阐释上,而应在正确阐释的基础上,接着马列经典继续向前言说。更重要的是要从马克思主义的根本精神出发,和中国的文艺实践相结合,回答和解决我们中国的问题。这就需要运用马克思主义来对新的文艺现实作新的探索。大众文化的兴起,日常生活审美化,文化产业的发展,使文学艺术本身也发生了变化,都需要面对。

熊元义:您在深圳接触到了不少大众文化,您如何看待大众文化与高雅文化的关系?

胡经之:来深圳的最初几年,我在这里亲身体验到了大众文化的兴起。在香港,大众文化绝对占主导。但是,在大学校园里,受推崇的还是高雅文化。校园文化还是以高雅文化为主,文化精英受到尊敬。金庸、倪匡、亦舒的书无论怎样畅销,但这些通俗作家绝对不可能进入大学讲堂。大众文化中确有不少优秀之作能吸引人,这里应有其"美的规律"在,只是我当时尚未作进一步的探索。

自到深圳之后,我对新的文化艺术现象的关注多了起来。一是文艺美学应从过去的关注古典转为面向现实。二是文艺美学应该拓展新的领域,把文学艺术置于整个文化系统中来研究,吸取文化研究之长,走向文化美学。三是面向新的现实,文化艺术应呼吁新的美学精神,促进大众文化、高雅文化和主流文化良性互动,提升时代的审美水平,推动文学艺术向时代化、人性化、超越性方向提升。弘扬主旋律,提倡多样化,这是文学艺术发展的正确方向。主旋律、多样化都要发挥正能量,关键还是价值理念要以人民为中心。所谓主旋律不能仅仅看作是题材的问题,而是价值导向问题。大众文化、高雅文化、主流文化的区分,只是为了适应不同文化层次人群的审美需要,但都应有正确的价值导向,输送正能量。如今的文学艺术产品的数量已达空前规模,关键是如何提高质量。我希望今后的发展,应以"精"为要,以"民"为本,以"特"为贵。

文学艺术的功能当然不能只归结为审美。优秀的文学艺术蕴含着真、善、美的追求,美只是一个维度。仅就审美这个维度而论,审美既可使人放松,也能使人振奋。我们的文学艺术,应该发挥这样的作用:让那些急功近利、暴躁激进的人能沉静下来,而使那些意志消失、无所作为的人能够振奋起来,共同为实现中国梦而奋斗。国家富强,民族复兴,人民幸福,这正是中国人的共同目标。我们的文化艺术要为实现中国梦作出新的贡献。

(原载《文艺报》,2013年9月9日)

附文二

心向至美人生幸
——胡经之先生访谈录

李 健[①]

【作者题记】 承蒙《文艺研究》主编方宁先生信任,约我访谈胡经之先生,探寻他的学术道路与学术贡献。作为先生的学生,我对他的学术与人生已经有了相当的了解,但是,还是有点惴惴不安,因为先生经历的文艺学、美学的大事太多,难以把握。前一阶段,胡先生忙于应对深圳大学建校30周年纪念活动,找不到完整的时间,我只能见缝插针,趁他闲暇之时零星访谈。6月2日,在前海湾青青世界,由我们这些弟子共同发起,举办了"胡经之先生八十寿诞恳谈会",数十位同门与会,共叙师生情谊。其间,我得以与先生促膝长谈,同时,又听了王一川、王岳川、王列生、张首映、陈伟诸师兄的精彩发言,更进一步了解了先生学术和人生的一些鲜为人知的事情。几次访谈,先生给我突出的印象是:他一生钟情于美学、文艺学,不断探索审美、创美、育美的独特规律,他的探索总是从人生出发而最终又回归人生。学术为人生,人文研究的最终目的是为了提升人生境界。先生甚至建言,这篇访谈不妨题为"心向至美人生幸"。我欣然同意。访谈成稿后交予先生审阅,他又将几个小标题改成具有诗意的句子。希望读者从中能够领略先生的"诗性美学家"(王一川对先生的评语)的情怀。

[①]李健,深圳大学文艺学教授,博士,文艺理论教研室主任,文艺学研究中心主任。

一、美的追寻生活始

李健：胡先生，您好！受《文艺研究》编辑部委托，对您的学术经历和学术贡献做一个访谈，以便对当今的学术研究与后学者有一些启发，恐怕要耽误您一些宝贵的时间。您是新中国培养出来的第一代文艺理论家、美学家，在北京大学学习、工作了30多年。在您这一代学者中，您在文艺学、美学界的经历尤为丰富，亲历和见证了新中国文艺学、美学的许多重大事件。我想问的第一个问题是：您能否对您的学术经验与学术兴趣作一个简单的概括？

胡经之：方宁主编给我打了电话，让我配合你做好这个访谈。正好，在我学术生涯60年之际，我也想对我的学术道路做一些反思。我的学术关注集中在文艺学、美学领域，但又不像有些学者那样专一。我受梁启超的"趣味主义"影响，治学常常从兴趣出发，不时想摸索一下新路，因而，常行走在探索的路上。对于后学者来说，也许可以从我的学术经历中吸取一些教训，不一定要学我。这也是一种借鉴。

我所写的文章大致有两类：一类是命题作文，接受任务，遵命之作，无多少学术价值；还有一类则是自感有趣，真情投入，融进体验，凭兴趣而作，这是我生命的体现。如果能把两类结合起来，既符合自己的兴趣，又完成命题任务，当然更好。但这种机缘不容易常得。

我的学术兴趣路径大致是这样：一是起步于文艺美学的倡导，继而涉足文化美学，三是重拾中国古典文艺学，四是走向自然美学再思索，五是寄望于比较美学。

李健：从您的兴趣可以看出，您是把美学、文艺学放在一起进行探索的。那么，您怎么会对文艺学、美学发生兴趣，从而走上了熔美学与文艺学为一炉的学术道路的？能从您青少年时期所受的教育谈起吗？

胡经之：我之所以会走上这条学术道路，既受到了我那个时代的教育的熏陶，又为我自己的兴趣所驱使。

我少小接受教育的时代，正是"五四"新文化传统发扬光大之时。1912年，时任教育总长的蔡元培在中国历史上第一次破天荒地将美育纳入国家的教育方针之中。在周树人（鲁迅）的积极配合下，蔡元培在北京大学最早将美育付诸实践,亲自开设美学课程,激励着美育社团的兴起。北伐战争之后,蔡元培把"教育救国"的思想推行到江南,倡导教育的科学化、艺术化、劳动化,"三化"并举,特别看重美育在教育中的作用。蔡元培在江南推行美育,花了十年时间,影响深远。20世纪30年代,苏、浙、沪成了审美教育最发达的地区。蔡元培的美育精神直接影响了我的父辈与师辈,然后,父辈与师辈又影响了我们这些30年代出生的年少一辈。受那个时代的美育熏陶,我对审美发生了兴趣,印象最深刻的是自然审美,然后是艺术审美。

我出生在苏州和无锡交界的梅村,被称为江南第一古镇。商周之交,周太王的长子泰伯、次子仲雍,为了实现父亲把王位让给幼子季历的心愿,自动离开了家乡,躲到这荒蛮之地,定居在梅村。这个被古人称之为梅里的地方,就是吴文化的发祥地,至今已有三千多年的历史。我生长在一个小康之家,祖父胡锦堂是苏州城里的织锦技师,父亲胡定一则在太湖周边当小学校长,靠自己的一技之长,自食其力。我从小受的教育,就是温、良、恭、俭、让。心气和平,善待别人,洁身自好,管好自己,不与人争,成为我从小接受的待人处世的精神。我4岁丧母,5岁失去了最爱我的慈祥的祖父,6岁跟随我外祖父住在离梅村不远的鱼池村,进入村中的私塾就读。私塾教习叫朱青竹,带了我们不到10个学童念《三字经》《百家姓》《千字文》这些启蒙读本。然而,受新学的影响,他居然也经常带我们到鱼池钓鱼,钓上来的鱼,又送进池塘放生。他还带我们到竹林里爬竹竿,所以,我从小就学会爬上很高的竹竿。当春天到来的时候,他还带我们去附近"远足",爬过鸿山,在梁溪洗足,回来后,他自编自吟,教我们唱"三月三,清明到,去游山"。其实,此时我们也就不知不觉地接受了自然审美。7岁时,父亲带我到苏州城里一所美国教会学校(晟成中学)的附小上学,每周要做礼拜。学校让我参加了童声小合唱,穿着白色的小礼服在学校的小教堂里演唱。也就在苏州上小学的3年里,我喜欢上了音乐,并且对苏州园林发生了浓厚兴趣。苏州园林把自然美和艺术美巧妙地结合起来,让我久久不能释怀。

我小学四年级的最后阶段是跟着父亲接受教育的。珍珠港事件之后，美国参战，日本对苏州的教会学校施压，施行奴化教育。在我初小的最后一学期，父亲就把我转到了他那里。父亲有两年时光在钱穆的老家鸿声里一带当小学校长。一放寒暑假，我就跟着他在鸿声里、荡口、后宅等地的学生家里去家访，所以对这里也渐熟悉起来。这一带更靠近苏州，文化更发达，也更重视审美教育。钱穆年轻时在荡口、后宅、梅村都教过书，20世纪30年代到燕京大学、北京大学任教；抗日战争时期又去了西南联大，妻女仍留在苏州。我父亲比钱穆小半辈（10岁左右），读的是省立无锡师范，受西学影响更多一些。我父亲教的是语文，受蔡元培美育的影响，还开设了"劳作"、"乡土"、"远足"等新课程。"劳作"就是教学生学动手，种菜、养花、锄草、采桑、挖藕，还学折纸鹤、扎风筝、放荷灯等。"乡土"就是教学生了解江南的风土人情、民间习俗、土特产品和太湖山水。"远足"就是动脚，去周围跋山涉水，身历其境。正是在这些日子里，我不仅更多地接触到苏州的风俗人情、民间艺术（评弹、唱春、锡剧、苏昆），而且，还深入地亲近了周边的大自然：太湖、石湖、西湖、阳澄湖、鹅真荡。我父亲不仅会拉二胡、弹琵琶、吹笛箫，而且还别出心裁，用木炭作画，既省力，又方便，称作木炭画。可见，审美教育在那个年代已经深入到我上一辈的心中。

我在鸿声里小学读了半个学期，到我上高小的时候，父亲要到苏州城里高职院去了，他就把我托付给他的好友陈友梅，回到梅村老家进入无锡县立第四高小，校址在泰伯庙内。第四高小创办之初，甚重儒家传统，当时就请钱穆来教历史与古文。那时，钱穆住在鹅真荡边的荡口镇，到梅村上课，必须乘船在伯渎江里往返。钱穆晚年深情地回忆了他曾经往返于梅村、荡口之间的情景："余坐船头上，读《史记·李斯列传》，上下千古，恍如目前。余之读书，又获深入新境，当自读此篇始。"钱穆在梅村高小教了三年书，写成了《论语文解》一书，在商务印书馆出版，这是钱穆的第一本书。三年之后，钱穆从梅村高小转到离他家乡更近的后宅小学当校长。接替钱穆到梅村高小教古文和历史的是比他小五六岁的陈友梅。陈友梅在国专毕业就回到老家梅村接替钱穆的教职，到1943年我入读时，已经在此教了多年书。陈老师和我父亲是要好的朋友。当时,他刚年过40岁,但在我心目中,已是老教师了。陈友梅熟悉古文,到我入学时,他已将古文课改成了语文课,用的是开明书店叶圣陶等编的教本。该教本不仅富有诗意,而且还配上丰子恺的画,充满诗情画意,渗透着审美精神。当时的音乐家黎锦熙对这个教本赞赏有加,称之为:叶公之文格,丰子恺之画品,珠联璧合。教本中有些词句,让人读后,经久不忘。如"菜花黄,菜花香,蝴蝶飞过墙",多美的景致啊!"星期天,天气晴,大家去踏青,过了一村又一村,到处是美景。"通俗而易懂,深入人心。李叔同的"长亭外"也被收入到教本,后又谱成了乐曲,流传甚广,经久不衰,至今成了经典。陈友梅对中国古典诗词的分析更为精彩。那时,梅村还在日本侵略者的统治之下,镇上就驻扎着日本宪兵,但他在课堂上敢于大讲陆游的《示儿》、岳飞的《满江红》、文天祥的《正气歌》,借以抒发爱国情怀。他讲解古典诗词,声情并茂,先是一番吟咏,抑扬顿挫,铿锵有力,到最动人处,禁不住呜咽,潸然泪下,然后是精彩的分析。讲到陆游临死前写的"死去元知万事空,但悲不见九州同。王师北定中原日,家祭无忘告乃翁",不禁失声痛哭。这样的讲课场景,自然就刻在我的心灵深处,终身难忘。

　　抗日战争胜利,正好是我从高小毕业进入初中阶段。我清楚记得,10月10日双十节那天,苏州城里一片欢腾。夜晚放了一场我有生以来唯一一次见到的焰火。夜幕降临,天空绽放出古典园林的影像,假山、亭子、树木、亭台等图景,一幕幕出现在夜空中。焰火原来是这样的啊,多美!可是,从1945年这一次见到这样的焰火之后,再也没有见过第二次。1949年以后在北京天安门广场燃放的焰火,一直到香港回归燃放的焰火,都不是这个样子的了。我不时向苏州老乡询问:这古典园林式的焰火怎么就没有了呢?是不是失传了?直到今天,始终没有得到解答,心里却念念不忘。

　　初中三年,我上的是在梅村新开设的中华中学。教我语文的老师叫何阡陌,毕业于武汉大学中文系。抗日战争期间在重庆的中学教书,抗战胜利后来到了中华中学。他也接受了"五四"的新文化传统,讲解鲁迅、胡适、郭沫若、茅盾、巴金、冰心的新文学作品,细细道来,娓娓动听。最使我倾心的是他讲解朱自清的《背影》,饱含深情,刻骨铭心。我从来没有体验到文学艺术的魅力可以达到如此神奇的境地。我从此深深爱上了艺术的文学。何阡陌是我所受教育中最崇信梁启超"趣味教育"的老师,他的审美趣味非常广泛,中国的、西方的艺术都有所爱。当时,他所住房间的书桌上就放着一尊女神石膏像,这是我第一次见到并且知道它叫维纳斯女神。那时,梅村还没有电灯,点的都是洋油灯。为了增强欣赏的效果,他特地买了一支手电筒,从侧面照射雕像,令人赞不绝口。我听了他的讲解,也特地去无锡城里买了一尊维纳斯石膏像,放在我苏州家里的书桌上,伴我就读。数年之后,我考上北京大学,把这尊雕像带到了北京,一直放在书架上,伴我在燕园度过了30多年。1984年,我从北大来到了深圳大学,雕像也随我而来,今天,虽然有些破损,但仍放在书房窗台的阳光下,伴我读书。想不到,岁月已经过去60多年了。

李健: 听到这里,我明白了,您是在新文化传统的美育精神熏陶下对审美产生了兴趣,进而走上美学与文艺学研究之路的,然而,对审美产生兴趣,不一定都走理论探索之路,这还需要对理论探索产生兴趣才行。您怎么会对理论产生兴趣,能不能更进一层说说?

胡经之: 每个研究美学、文艺学的学者,路径都不一样。就我个人而言,先有审美爱好,然后才有对审美的理论思考。审美和美学有联系,但不是一回事。这就要说到我接触到美学之后的思考了。

1945年,我进入中华中学,开始接触美学著作。最早是我父亲在苏州给我买的一本朱光潜的《给青年的十二封信》,然后,是何阡陌老师送给我的《谈美》,是朱光潜给青年的第十三封信。这时,我才知道世界上还有一门专门来研究美的学问,叫美学。到了1948年,我初中毕业,考入无锡县师范学校,准备将来像父亲一样从事教育。说来也巧,我师范一年级时,班主任和语文老师竟然是梅村高小时教过我的陈友梅老师。陈老师离开梅村高小后,在无锡城里教了几年中学,无锡县师范在梅村开办,他就回到了师范。此时,钱穆已从四川回到无锡,在荣德生(荣毅仁之父)开办的江南大学当文学院院长。陈友梅经常和他来往。入秋,陈友梅从无锡城里买了一本朱光潜的《诗论》,也让我读一读。所以,我最早接触的美学是朱光潜的美学。朱光潜的美学其实就是他自称的文艺心理学。《谈美》就是《文艺心理学》的简本,而《诗论》则是运用文艺心理学来解释中国古典诗词,对诗词的创作过程、创作心理进行美学的分析。朱光潜对艺术美的分析非常精辟,令我信服。他把"意象"和"情趣"列为艺术的两大要素,"意象"和"情趣"相契合构成境界,这就是艺术。美就在"意象","意象"恰好能表现"情趣",这"意象"就是美。我在后来研究文艺美学,也就是接着朱光潜的意象说,进而研究艺术创作的意象运动,如何通过意象经营创造出美的境界。

朱光潜在肯定艺术美的同时,却否定了自然美,实在使我不解,感到困惑。朱光潜前期美学的一个基点,就是只承认艺术有美,美就在意象之中。自然之中没有意象,自然之中就不可能有美,自然就是自然,没有所谓美不美的问题。因此,在朱光潜的美学中,没有自然美之说。他所说的"自然",笼括了艺术之外的所有的现实事物:"自然就是现实世界,凡是感官所接触的实在的人和物都属于自然。"那就是说,包括自然世界和人文世界的全部现实世界都不存在美,只有在人所创造的意象世界中才存在美。所以,他后来又把美说成是意识形态。他的这个美学思想,和我自少小以来获得的审美经验相差太远,不能不使我感到困惑。从我自己的审美经验出发,现实世界里怎么会没有美丑呢?在现实生活中,无论是自然现象(太湖、西湖、阳澄湖、鹅真荡以及苏、锡周边的其他好山好水等)还是人文现象(乡土人情、节日风俗、人际交往等),不是都存在着美从而激起我的美感吗?如果现实生活中没有美,这现实生活还值得过吗?这江南水乡还值得白居易、苏东坡、范成大这样的大诗人流连吗?

读朱光潜美学而引发的困惑,促使我想读更多的美学著作,从而,想作些理论思考,以求解惑。可是,时势的急剧变化,已容不得我想作什么美学思考。解放战争已经发展到解放军即将渡江,地下党发展我加入了新民主主义青年团,要我组织县师的学生开展护校运动,迎接解放。从此,我投入了学生运动,最终迎来解放。17岁被推上了无锡县学联主席的位子,18岁成为苏南首届人民代表会议的最年轻的代表之一（另二位是王忍之和吴文琍，当时18岁），和最年长的代表荣德生（76岁）以及钱孙卿（钱钟书之叔）等坐在一起参政议政。

1951年春，我随校领导去慰问参军的学生，第一次到南京，发觉世界真大，回来之后下决心考大学，于是，我又急切地关注美学和文艺学来。就在此时，我买到一本由苏南新华书店翻印的1944年就已经在延安出版的周扬编的《马克思主义与文艺》的书，如获珍宝，就在泰伯庙大殿的汽灯下认真读了起来。在这本书里，周扬选辑了马克思、恩格斯、列宁、斯大林、普列汉诺夫、高尔基、毛泽东、鲁迅这八位马克思主义作家的关于文艺的言论。这是我第一次接触马克思主义文艺学，从而，激起了去大学攻读文艺学和美学的热情。

1951年夏，我从无锡县师范毕业，没有选择去县里做青年团的工作，而是去陈墅教了半年小学，又去严家桥（唐英年老家）教了半年中学，讲授语文、历史和音乐，以一年的时间作了应考的准备。1952年夏，我辞职回苏州，以同等学力的资格考入了北京大学中文系，要去专攻文艺学和美学。

我的审美人生从少小就开始了，但美学生涯却要从北大才开始。

二、治学之路坎坷多

李健：您的文艺学、美学系统学习和研究之路是从北大开始起步的。北大的兼容并包会给各种人才的成长提供健康的土壤。据我所知，您走的这条路并不平坦。这恐怕要慢慢说。我想问的是，燕园的传统对您有怎样的熏陶？您怎么会产生把文艺学、美学熔为一炉的想法的？

胡经之：确实，我的学习与研究之路比较曲折，一下子不容易说清楚。我刚进北大的时候，连美学研究什么、文艺学研究什么也还没弄明白，谈不上有将文艺学、美学熔为一炉的想法。在我学了文艺学又学了美学，并对此摸索、探求、反思了20多年之后，才敢在改革开放之初，公开提出要建设文艺美学，主张将文艺学与美学熔为一炉。

我在燕园生活了30多年，经历了文艺理论的好多次变化。在这不断地变化中,我不时反思、摸索,逐渐走上了自己的学术道路。

北大从蔡元培倡导美育开始,早有讲授美学的传统。可是,当我进入北大时,已经没有美学课程了。全校只有中文系开设的"文学概论",属于文艺学而不是美学。1952年秋天,我上的第一课就是"文学概论",讲授此课的是中文系主任杨晦教授。我是班级的学习委员,又被推举为"文学概论"的课代表,自然和杨先生的接触比较多,经常出入燕东园37号他的家门。从此开始了与杨晦先生30多年的交往,直到他逝世。我的学术道路与杨先生的联系是非常密切的。

李健: 杨晦先生是您的恩师,学术引路人。您和他情感深厚,在他身边,跟随他学习、生活了30多年。杨先生在文学理论上对您有什么影响?

胡经之: 杨晦是"五四"老人。他正是在蔡元培就任校长之时进入北大哲学门,聆听过蔡元培的教诲。杨先生的经历非常曲折。在"五四"运动中,他就和学生领袖许德珩一道,游行到北洋政府外交次长曹汝霖的住所赵家楼,痛打章宗祥。他是新文化运动的积极参与者。从1925年起,他和冯至、蔡仪等人先后参加了沉钟社的文学活动,差不多有十年。沉钟社是"五四"以后影响仅次于创造社和文学研究会的第三大文学社团,鲁迅赞之为:"确是中国最坚韧、最诚实,挣扎得最久的团体。"杨先生在参加沉钟社期间,写作了大量的评论、散文和悲剧,同时,还翻译过罗曼·罗兰的《贝多芬传》。他先后在多所大学教过书,从北京到河北再到上海、重庆、西安,最后,从香港回到北京,辗转大半个中国。他在参加完全国第一次文代会后,就到北大任副教务长、中文系主任。在讲授我们这一年级"文学概论"课程的时候,先生才刚刚53岁,但已鬓发斑白,满脸沧桑。他朴实、慈祥、和蔼,对学生爱护有加,大家都说他像鲁迅。在他身上,渗透着一股无可名状的悲剧精神。

杨先生给我们开了一年的"文学概论"课,那时,没有教材,也没有教学大纲,苏联的文学理论还没有占领大学讲坛。杨晦讲课,继承和发扬"五四"以来的新文化传统,全是谈他自己独立的思考和心得,自由发挥。他古今中外,旁征博引,涉猎非常广泛,有自己独特的见解。我清楚记得他曾经在课堂上发挥文艺的公转律和自转律的问题。依他之见，文艺围绕着社会公转，受社会的制约，服从社会规律，就像地球围绕太阳公转一样；但文艺又有自转的规律，就像地球自身在旋转一样。由此，他断定，文艺是由自律与他律合力作用的结果。

杨晦的这个自转和公转而形成合力的理论，并不只是说说而已，而是运用它来解释"五四"以来的新文化运动的发展历程。在他看来，文化运动和社会运动两者之间，就是自转和公转的规律相互发生作用。文化运动本身有自律，如果和社会运动相对，就有一定的"离心"力；但文化运动又要服从社会运动的他律，具有"向心"力；而最后形成的合力，就要由自律和他律的力量大小、消长、互动的结果而定。文化界的所谓"京派"与"海派"，就是这样形成的。杨晦的自转、公转说在20世纪40年代就提出了，当时《马克思恩格斯全集》还未在中国出版。多年之后，晦师才知道马克思也曾有过类似比喻。杨晦晚年，更把公转、自转之说和马克思主义经典作家所说的经济基础和上层建筑的关系学说联系了起来，用来解释文学艺术作为上层建筑的高层构物，既有自身的自转规律，又有围绕经济、政治运动运转的公转规律。杨晦的自转、公转之说，对我后来研究文艺美学在方法论上影响很大。我在他所说的太阳和地球的两维上，又加上了月亮一维。太阳、地球、月亮三维构成一个系统，三维相互作用而各自又有自身的规律。由此启发，我把马克思所说的"美的规律"也分成三个层次：一是人类一切的创造活动，包括艺术的和非艺术的创造，无论是人的生产，物的生产，还是心的生产，都共同遵循美的规律。二是只有艺术生产才遵循的美的规律。三是不同的艺术门类，如音乐、舞蹈、文学等等，又有各自的、独特的美的规律。这是事物的自转、公转在普遍、特殊、个别中的具体表现。

杨先生讲"文学概论"很少发空话，从不做概念游戏，理论紧密联系实际。他从中国历史发展的实际中分析艺术的文学和非艺术的文学如何区分，艺术的文学如何不同于道德文章。最抽象的理论也就讲到创作方法为止，举出实例告诉我们，什么是现实主义的创作，什么是浪漫主义的创作。他的授课就直接体现出他的治学方法：从具体出发，抽象的问题先从理论上予以阐释，然后又回到具体，对这具体现象作出阐释。不从抽象的理论出发，而是从具体—抽象—具体，这是"五四"新文化以来老一辈文艺理论家的治学传统。这种传统在杨先生身上表现得非常明显。

杨晦先生不仅是我的学术引路人，还是我人生道路的指点人。在我多次人生转折点上，都给了我切实的帮助，是更深层意义上的恩师。我能越级去听苏联专家讲课，回到北大攻读副博士研究生，然后，当周扬的助教，留校任教，去蔡仪门下编教材，开辟文艺美学学科方向，都直接得到了晦师的实际帮助。师生情谊，我永世难忘。

李健：杨晦先生在您的学术和人生成长的过程中给您的帮助是很大的。在北大，您除了听杨晦先生的"文学概论"之外，还接触过其他什么理论？

胡经之：当时，北大就只有杨晦先生开设了这门"文学概论"。朱光潜、宗白华两位先生都在北大，过了一年，蔡仪也来到了北大，但都不开课。我想多学些理论，特别是美学，就先到杨先生家里请教。我说，我想读一些"五四"以来的中国现代美学，应该读些什么书？杨先生要我先读蔡元培、梁启超，再读蔡仪，然后，读王国维、朱光潜、宗白华。于是，我就自己跑到图书馆去找书读。我一直想去拜访朱光潜先生，当面向他求教。1952年入冬不久，我经常胃疼，到学校医院检查，说我得了胃炎，把我转到胃病食堂用餐。就是在这里，我遇到了我来北京后除同学之外相识的第一个熟人周海婴，鲁迅的独子。他比我大四岁，从小在上海长大，到了北京也得了胃病，久治不好。我们同桌吃了两年的胃病灶。他比我早两年毕业，后来留在物理系筹建实验室。他熟悉北大的情况，得知我想找朱光潜，就告诉我朱光潜住在校医院后面的平房里，名叫佟府。1953年的第一天，我就到佟府那小平房里去拜访朱光潜先生。我一踏进小门走到那小平房里，不禁大吃一惊，鼎鼎大名的朱光潜先生怎么住在这又矮又小的破旧房屋里！屋里又潮又暗，地板高低不平。朱先生也就比杨先生大两岁，55岁刚过，但头发已大半花白。这是我第一次见朱先生。他以一种警惕和怀疑的眼光看着我，冷冰冰地问我有什么事。我赶紧向他说明，我是杨晦的学生，是新年给他拜年来了。他一听我说是杨晦的学生，就客气地让我坐下。我告诉他，我读过他的《给青年的十二封信》《谈美》《诗论》，想由此多学些美学，想请先生推荐该读些什么书。朱先生抽着烟斗，边抽边说，他最早学美学是从王国维着手的。他要求我不妨先读一下王国维，再读一读佛学家吕澂的美学，宗白华的美学也应该读一读。说到自己的著作，他说既然已读了《谈美》，就可以读一读《文艺心理学》了。从朱先生家里出来，我心里一直有个疑问：院系调整之后，北大的著名教授都迁入了燕东园和燕南园，朱先生在新中国成立前就很有名，怎么住在这破旧的地方呢？吃饭时和海婴说起此事，还是海婴知道内情（他妈妈许广平时任政务院副秘书长）。他告诉我，这是朱先生最倒霉的时候，他是思想改造的重点，已作过好几次自我批判，还没有过关。他现今拿的是七级教授的工资，哪进得了燕东园、燕南园？那是一级教授才能进去的。

  1953年春节前，我突发急性阑尾炎，被送去北京人民医院动了手术，出院后住在未名湖边的均斋养病。海婴因为受凉胃出血也住在均斋疗养。我们每天傍晚在未名湖散步，常遇见一位戴着罗宋帽和棉手套的老人。一次，我大胆走到他面前，问他贵姓，他带着浓重的安徽口音说：宗白华。我一下子就兴奋起来：我正要找您！原来他从南京的中央大学调到北京大学来了，住在均斋旁的体斋，还没有分到家属宿舍呢！从此，我就经常去体斋向他请教。在这期间，我又去燕东园拜访蔡仪。他和何其芳都是杨晦的邻居。

  从1953年到1954年夏，在苏联专家到来之前，我除了正常听课之外，全部时间都泡在图书馆，查看晚清以来的中国现代美学资料。

  中国古代无美学之说，1878年，德国教士花之安撰文介绍西方的教育，才说到美学。后来，康有为介绍日本国情，也说到美学。他们都没有产生多大影响。1901年，王国维在介绍日本教育时，才稍为完整地谈论美学，并且自己也开始了美学研究。他还建议京师大学堂应开设美学课，并未实现。1902年，梁启超在国内发动了"小说界革命"，把美学和社会变革联系起来，美学才逐渐引起了学界的关注。蔡元培倡导美育虽然比王、梁晚，但他在任教育总长时，正式把美育纳入国家教育方针,并且在1917年上任北大校长不久,发表了《文化运动不要忘了美育》,亲自开设"美学",从而,掀起了我国第一次美学热潮。作为蔡元培的同乡与助手,鲁迅1911年进入教育部,负责美育的倡导和执行。他的《拟播布美术意见书》《美术略论》等就是为此而作的。蔡元培在北大讲"美学",鲁迅受聘为讲师,开设"中国小说史略"。蔡元培本想请周作人讲美学,因非周作人之所长,就请他改讲"欧美文学"。

在王国维、梁启超、蔡元培、鲁迅等人的推动下,自"五四"到新中国成立,从事美学研究的有50多人,其中包括朱光潜、宗白华、蔡仪等名家,同时,还出版了20多部美学专著,我看到的就有:20世纪20年代,吕澂《美学浅说》(1923)、《美学概论》(1923)、《晚近美学思潮》(1924)、《晚近美学和美的原理》(1925),张竞生《美的人生观》(1924)、《美的社会组织法》(1926),李石岑《美育之原理》(1925),陈望道《美学概论》(1927),范寿康《美学概论》(1927),徐庆誉《美的哲学》(1928),徐蔚南《生活艺术化之是非》(1927),杨伯安《美的常识及美术史》(1929);30年代,吕澂《现代美学思潮》(1932),丰子恺《艺术教育》(1932)、《艺术趣味》(1934)、《艺术与人生》(1939),王钧初《辩证法的美学十讲》(1932),俞寄凡《人体美之研究》(1933),李安宅《美学》(1934),金公亮《美学原论》(1936);40年代,周扬编《马克思主义与文艺》(1944),马采《论美》(1948),傅统先《美学纲要》(1948),萧树模《美学纲要》(1948),洪毅然《新美学评论》(1948)。

美学虽然是从欧洲或日本传入的,但在"五四"新文化运动之后,传入中国的美学却因个人的理解而作了自由发挥,百家争鸣。如陈望道就说美学是"辨别美丑之学",不仅要研究美,也要辨别丑。吕澂的美学核心是美为人格价值说。范寿康则认为,具有生的肯定意义的物象是美,具有生的否定意义的物象是丑。金公亮说美是秩序的精神。李安宅则说凡使我们的态度"中和"的都美。傅统先更说,美是一种复杂的精神价值,具有自身的价值结构。这时,所有的美学研究,都把艺术纳入研究领域,还有一些美学研究则突出了现实生活的美,艺术是为人生而创造的。蔡元培的美学重在育人,要改造中国人的国民性。梁启超更是要借助艺术来唤起民众,改造社会。

当时,我做了不少笔记,想在以后陆续整理,写出以后的毕业论文来,题目都想好了,叫做《美学初起半世纪》。

李健:论文最终写没写出来?如果沿着这条路走下去,您是否会走上另一种学术道路?我们想知道,您后来的治学路径与那时您的关注点产生背离的真正原因是什么?

胡经之:对,是这样。材料我都准备好了,足够写一篇三万字的论文。但是,当我准备动手写作的时候,情况发生了变化。

那时,实际掌管教育部的党组书记、副部长钱俊瑞正在学习苏联的教育体制,为北大请了一批苏联专家,协助北大建立教研室,还准备推行学位制。为在全国高校进行文艺理论课程建设,教育部一方面委托杨晦、蔡仪起草制定"文学概论"教学大纲,另一方面又请杨晦开办全国性的文艺理论研究班,加快文艺理论教师的培养。1954年春天,苏联文艺学家毕达可夫来到了北京大学,在文艺理论研究班主讲"文艺学引论"。这个文艺理论研究班由两部分人组成:一是教育部从全国重点高校抽调的年轻教师,二是从北大中文、西语、俄语等系高年级学生选拔的优秀学生,让他们提前毕业,到研究班做研究生。无论是研究生还是进修生,在研究班结业时都要提交结业论文。研究班为期两年,写不完结业论文,就要继续下去,延期结业。研究班除了写结业论文,主要是听毕达可夫开讲的"文艺学引论"。毕达可夫毕业于莫斯科大学,是苏联著名文艺理论家季摩菲耶夫的学生。他曾经参加过苏联的卫国战争,断了一条胳膊,来中国前是苏联基辅大学的副教授。

4月份,文艺理论研究班开班,研究生共有15人,其中,西语系8人,俄语系2人,中文系5人。我当时认识的有乔福山、赖应棠、王家骏、潘家森、石汝祥、谭令仰、李学娴、弓惠英等,他们都是即将升入四年级的学生,提前一年毕业。他们将来的任务就是到全国各高等学校和研究机构,从事文艺理论的教学和研究。从全国各重点高校抽调的文艺理论的进修教师有:复旦大学的蒋孔阳,陕西师范大学的霍松林,武汉大学的王文生、胡国瑞,云南大学的张文勋,山东大学的吕慧鹃,中山大学的邱世友,厦门大学的蔡厚示,南京大学的杨咏祁,西北大学的郝御风,东北师范大学的李树谦等。北京大学俄语系俄罗斯苏联文学研究班的全体学员也集体到班上听课。由于毕达可夫不通汉语,全程用俄语讲授,北大专门派了霍汉姬、李广仁翻译,因此,讲课的时间拖得很长,有将近一年半的时光。

我当时是二年级即将升入三年级的学生,没有资格参加文艺理论研究班。因为喜爱文艺理论,我提出听课申请,杨晦先生特许我去班上旁听,但是,要按照正式学员的要求来对待,必须写结业论文。杨晦还对我作了特别交代:文艺理论是从实践中来的,中国有自己的文艺实践,苏联的文艺理论只是作为我们的参考,不能照搬,还是要总结我们自己民族的东西。杨晦自己从苏联专家来校后,就再也不讲"文学概论"了,而转身去研究中国文艺思想史。

当时,系里给我分配的指导老师是钱学熙教授。我听毕达可夫的讲解,觉得他那一套理论基本上是季摩菲耶夫《文学原理》的体系,在此基础加以扩充,框架比季摩菲耶夫的更大,把历史唯物主义的基本原理都搬到讲课里来了,从生产方式、经济基础一直说到上层建筑、意识形态,然后归结到文学艺术具有阶级性,是阶级斗争的工具。先进的文学艺术要有人民性,而党性就是人民性的集中而高度的表现。毕达可夫既不会说汉语,又不懂中国文学,所以,多半举俄罗斯古典文学作品作为例证,条理虽然比较清晰,但却非常烦琐。尽管如此,我还是报以很大的热情,认真听完了两个多学期。那时,学员们尤其是从全国各高校来的老师们,听课的积极性都非常高,一些教学经验比较丰富的老师,利用这一千载难逢的时机编起了自己的文艺理论教材。如,蒋孔阳开始撰写他的《文学的基本知识》,霍松林开始构思自己的《文艺学概论》。文艺理论研究班结束不久,他们的教材就出版了,开始在全国高校流行。当时,也有一些老师一边听课,一边就把自己的笔记寄回所在学校,作为教学的参考,以应付教学之急。

毕达可夫的课1955年夏就结束了,而文艺理论研究班实际上一直延续到1957年4月才算结束,因为到那时有些正式学员的结业论文才真正完成。后来，这15位正式学员真正从事文艺理论研究的并不多，很多学外语的人又都回归他们的老本行，其中的原因自然非常复杂。但是，那些从全国高校抽调来听课的老师们却成为文艺理论教学与研究的骨干，他们构成了20世纪50年代以后中国文艺理论研究的一道亮丽景观。

我按时完成了结业论文。1955年8月，我提交了《论文学的人民性——兼论现实主义和浪漫主义》作为结业论文，这篇文章近3万字。

由北大开办、毕达可夫主讲的文艺理论研究班，对当时的文艺理论产生了极其深远的影响。以毕达可夫的授课为蓝本，加以中国化，列举中国文学的实例，产生了一批文艺学的教材。那时，我们都以为，斯大林时代的马克思主义是正宗的马克思主义，大家纷纷学习，后来反思，觉得斯大林时代的文艺理论已走向哲学化、政治化和教条化。严重脱离实际，道路越走越窄。比如，毕达可夫授课，就大讲艺术典型的塑造是一个时代的政治问题，是党性在文学艺术中的表现。在说到文学艺术的发展时，竟把哲学上的唯物主义和唯心主义的斗争，直接移植到文学史中。他声称："两个方向的斗争，现实主义和形式主义的斗争，像一根红线一样，贯穿着整个文学和文学科学的历史。"毕达可夫在北大的讲稿《文艺学引论》一直到1988年才在国内出版。此时，已转向中国文学思想史研究的杨晦特地写了一篇"后记"，对毕达可夫的授课这样评价："所讲的只能是从苏联出发，所能运用的也多是苏联的文艺理论成就"，所以，中国读者"必须避免教条主义的搬用"。杨晦早已觉察到苏联文艺理论和中国文艺实践之间并不完全一致。毕达可夫吸取的只是斯大林时代的文艺理论成就。其实，在斯大林时代之后的文艺学领域，20世纪50年代后期就兴起了声势浩大的审美学派。布罗夫、卡冈、万斯洛夫、斯托洛维奇、波斯彼洛夫等都参与了艺术与审美的争论，从而，开辟了对文艺作美学研究之路。

李健： 从您的描述中，我们了解了北大开办的、由毕达可夫主讲的文艺理论研究班的情况，这是第一手的、直接的观感，使我们了解了中国现代文艺理论史上的一个重要的事件。那么，接下来我想问的是，苏联文艺理论对您产生了怎样的影响？

胡经之：客观地讲，影响很大。它使我懂得了研究文学艺术必须将之放在整个社会结构来作宏观的考察，而不能对文学艺术作孤立的研究。在整个宏大的社会结构中，文学艺术是上层建筑，而且是上层建筑中漂浮于更高层的社会意识形态。它服从于政治，从而，间接地影响到经济。1955年，我上交了研究班的结业论文《文学的人民性——兼论现实主义和浪漫主义》不久，便去了中国人民大学马列主义研究班当研究生，只学两门课，一门是胡华、何干之教的中国革命史，一门是历史唯物主义哲学。通过这两门课的学习，更加深了对经济基础、上层建筑、意识形态之间的辩证关系的认识，并且，接触到了马克思所提出的古希腊艺术为何至今还有艺术魅力这一问题，只是还没有来得及作进一步的思考和研究。毕达可夫的课对我最大的影响还在于：从此，我密切关注着苏联文艺学在斯大林之后的发展。即使我在1956年重返北大，跟杨晦攻读副博士研究生，把关注点转向了中国文艺思想史，但我始终密切跟踪着苏联审美学派的走向和足迹，了解审美学派如何以美学观点来看待文学艺术。在我看来，苏联审美学派中的不少人，并不是要否定文艺是意识形态之说，而是对此说的深化和细化，想辨明文学艺术是什么样的意识形态。所有一切意识形态都有共同性，又都有特殊性，就像杨晦先生所说，既有公转律，又有自转律。

李健：您回北大攻读文艺学副博士研究生，是您人生道路上的一大转折。这一时期，中国文艺学、美学经历的事情很多。您在那一时期主要跟谁接触，都学到了些什么？

胡经之：正是在我攻读文艺学副博士研究生的四年半中，我选定了我的学术方向，那就是想从美学上来研究文学艺术。

新中国成立后，中国一直未曾明确学位制，即使苏联专家培养的研究生（如文艺理论研究班）也不给学位。钱俊瑞离开教育部之前，确定了一个重大的举措，就是要在北大、复旦等名校试行副博士研究生制度，1956年开始招生，四年制，论文合格通过之后授予副博士学位。那时是学苏联，学位制采取的是苏联模式，从学士（大学本科）到副博士（研究生），将来还要设博士。招生面向全国，少数可从高校应届优秀毕业生中挑选。当时，朱光潜、宗白华已经开始讲授美学，但不招研究生。杨晦则被授权招收文艺学副博士研究生，同时担任文艺学副博士研究生导师的还有从西语系过来的钱学熙先生。杨先生指导中国文艺思想史，钱先生指导西方文艺理论。钱先生是我的无锡同乡，说一口无锡话，他的儿子就是后来大名鼎鼎的雕塑家钱绍武，当时去了苏联攻读美术学副博士研究生。那年，北大文艺学副博士研究生从全国招收了3人，严家炎、王世德和陈安湖。陈安湖到北大见了杨晦，没有入学，又回到华中师范学院当他的讲师，后来成为中文系主任。这届研究生本应1956年秋天入学，但北大一下子招进了一百多人，没有来得及安排好住所，只好延期到1957年春季入学。我在1956年暑假从中国人民大学回到北京大学，和毕达可夫的研究生住在一起。杨晦先安排我当他的助教，然后，进入中国文艺思想史的研习。从孔子、庄子等人的文艺思想着手，一本一本地阅读古典原著。从1956年到1958年秋天，我整整有两年时光，全心全意地投入古典原著的阅读，真是两耳不闻窗外事，一心只读圣贤书，边读边写读书笔记，写出了《孔子的文艺思想》《老庄的文艺思想》《魏晋南北朝的文艺思潮》等读书报告，交杨晦先生审读，但从未想过要发表。杨先生一再叮嘱，趁年轻悟性好，要坐下来静心多读点书，不要急着写文章去发表，急功近利做不了学问，要厚积薄发。我感到这是老师大半生积累的经验，听他的话。我专心投入读书中，躲过了反右那场政治运动。在毕达可夫上完"文艺学引论"之后，杨先生叮嘱我：苏联的文艺理论要学，但不能断了中国自己的文论、画论等民族理论的传统。我在1953年曾集中学习过中国现代美学，如今，要赶快接上中国古典文艺思想的传统。我并不想把研究中国文艺思想史作为今后的学术方向，但必须懂得中国文艺思想的传统。我的想法，杨先生是明白的。当时，他已留了我大学的师兄邵岳当了他的中国文艺思想史的助教。到了1961年，又留了张少康专攻中国文艺思想史。究竟今后我的学术方向向哪里发展，自己还不十分清楚。

　　沉入中国古代文艺思想史两年后，到了1958年秋天，我正在思索选定副博士论文之际，杨晦先生把我叫到他的家里，说他和冯至（西语系主任)、曹靖华(俄语系主任)、季羡林(东语系主任)、魏建功(北大文科学术委员会负责人)商定了,要我担任周扬的助教,协助安排"建设马克思主义文艺理论"系列讲座。他为我细说了此事的来龙去脉。原来,新中国成立初,周扬接替钱俊瑞代表中央来接收北大,就与北大有比较紧密的联系。马寅初当校长和江隆基任党委书记后,聘请周扬为兼职教授。1958年秋,周扬主动提出,要带何其芳、张光年、邵荃麟、林默涵等来北大,为全校师生开设这一系列讲座。马寅初要魏建功、杨晦等一起商量怎么办,这几个系的系主任一致决定,组织中文、俄语、西语、东语四个系的高年级学生共800余人来听讲座。

我的助教的任务是具体负责沟通上下,上和周扬及其他几位沟通,下和这四个系的学术秘书联系,并为讲座整理讲稿。为此,我就去了周扬在沙滩北街的住所和中宣部数次,并有机会向周扬当面请教。周扬一个人讲了两讲,第一讲是整个讲座的序论:"建设马克思主义美学"。1959年春讲了第二讲"文艺与政治"。第三讲是邵荃麟讲的"文艺与现实",何其芳讲的是第四讲"文艺与传统"。本来是林默涵讲第五讲"文艺与人民",张光年讲第六讲"文艺与批评",但由于后来国内的关注点转向批判国际修正主义,林默涵和张光年就没有再讲。1959年秋天,讲座就没有再开下去。然而,周扬的这个讲座影响很大,不仅校内的朱光潜、宗白华、闻家驷、杨晦、冯至、曹靖华、季羡林等都来听,北京、上海的几个著名报刊都来采访,向社会传播这次讲座的信息。

周扬在北大的演讲,对美学学科的发展起了推动作用。北大在次年就正式成立了美学教研室,把朱光潜从西语系调入讲美学,从事西方美学史的研究。而宗白华则研究和开设中国美学史,这是中国历史上的第一个美学教研室。中共中央党校也在何家槐的积极努力下,成立了一个美学小组,先后聘请朱光潜、蔡仪、王朝闻等去讲美学。周扬倡导的建设马克思主义美学,对当时正在进行的美学大辩论也是一种促进,提升了美学争论的学术水平。这场美学争论从朱光潜的自我批判《我的文艺思想的反动性》开始,持续长达六年,发表了近三百篇文章。在陆定一代表党中央阐明了"百花齐放,百家争鸣"的方针之后，朱光潜与时俱进，不断反思，积极投入，受到校长马寅初、副校长江隆基的重视和赞扬。江隆基曾提名朱光潜为哲学社会科学学部委员，引起争议，阻力重重。陆定一决定搁置争议，他告诉周扬，要立刻提高朱光潜的待遇和地位，很快，朱光潜由董桂枝等介绍加入了中国民主同盟，增补为政协委员。在北大，江隆基力主把朱光潜从七级教授恢复为一级教授，并从佟府的陋室迁居燕东园27号楼上（楼下住的是历史学家杨人楩），这是原燕京大学校长陆志韦的寓所，宽敞明亮，可以安心住这里做学问了。1959年冬，我开始做副博士论文《为何古典作品至今还有艺术魅力》时，第一次到他的新居讨教如何开展论证，顿觉眼前一亮，和六年前到他那破旧的平房里去时的感觉完全不一样了。他坦率和我谈起，在听了周扬讲的建设马克思主义美学之后，感触颇深，此后就加快了对马克思、恩格斯的经典著作的钻研。以后，他不想再在心理学的狭窄范围内谈文艺，而要提升到马克思主义哲学的高度来看文艺，想围绕艺术是一种生产劳动，是掌握世界的特殊方式的问题写些文章。朱先生的这番见解引起了我的极大兴趣，从此，我就密切关注、追踪他的学术路径。果然，不到一年，他就在《新建设》上发表了一篇长文《生产劳动与人对世界的掌握——马克思主义美学的实践观点》，较为系统地论述了他学习马克思、恩格斯经典著作后对艺术的新见解。这成了朱光潜后期美学研究关注的重点，并且运用新见解再来反思他自己前期的美学思想。他不但在艺术见解方面信服了马克思、恩格斯的观点，而且对美的看法也逐渐发生了改变。新中国成立前，他坚持美在意象，只有意象才美，自然无美。新中国成立后，先是说美在物乙，不在物甲，美是意识形态，只有意识形态才美。后经过辩论，他逐渐接受了美可以不是意识形态之说，承认美有两种：意识形态的美和非意识形态的美。最后，他又退了半步，承认在这个世界上，艺术美之外确实还存在着现实美。但他还坚持，美学主要的研究对象还是艺术美，只是不排除现实美。现实美是较低层次的美，而艺术美是更高层次的美。可见，朱先生在重视马克思主义美学之后，美学研究正在不断前进，从新的高度再重新阐释他过去的美学思想。

李健：说到周扬，作为当时宣传和文化部门的主要领导者，主管中国的意识形态，又是一个文艺理论家和美学家，他对文学艺术观念领域的作用举足轻重。周扬倡导建设马克思主义美学，对您的学术道路产生了怎样的影响？

胡经之：周扬倡导建设马克思主义美学，启发我今后要从马克思主义美学的高度来探索文艺和美学问题。我1953年投入了中国现代美学的研习，1956年又埋头于中国古代文艺思想史，还没有自觉意识到要去钻研马克思主义美学。经周扬一倡导，我也开始钻研起马克思、恩格斯的经典著作来。在周扬编的《马克思主义与文艺》之外，还阅读了普列汉诺夫、卢那卡尔斯基和卢卡契的一些著作，对朱光潜先生所关注的艺术掌握世界的方式、艺术生产和物质生产的关系等问题也发生了浓厚的兴趣。更进一步，周扬特别重视要以马克思主义为指导来解决当前文艺实践中的问题，比如，文艺在社会中究竟起什么作用，怎样起作用，为什么我们要提出革命的现实主义和革命的浪漫主义相结合，等等。中国文艺思想史、中国现代美学史不是不重要，周扬再三交代，要重视编中外古今的文艺学和美学的参考资料，不能闭目塞听。建设马克思主义美学的根本目的还是要回答当今时代文艺实践中的重大问题。马克思主义是主导，用来指导研究现实中的问题，上升为理论，以丰富和创新马克思主义。所以，马克思主义必须面向现实。而人类历史上出现的各种理论，那是作为现实参照的历史资料，是建设马克思主义的思想材料。马克思主义美学在回答当下现实的文艺实践中的问题时，历史上出现的古典美学和现代美学，都是必须参考的历史资料和思想资料。懂得这些之后，我当即付诸实践，参与了当时正在展开的革命现实主义与革命浪漫主义相结合的讨论，投入全国推行的读书辅导丛书的撰写之中。当时，我们三个在读的副博士研究生严家炎、王世德和我，都被张光年聘为《文艺报》特约评论员，北京还有李希凡和李泽厚，上海有姚文元。但我从未见到姚文元其人，常见的是李希凡和李泽厚。在1958年到1959年这一年多，《文艺报》发表了我和杨晦先生在中国作家协会座谈会上的发言。同时，我又应《文学评论》之约，写了一篇近两万字的长文《理想与现实在文学中的辩证结合》,对两结合的创作方法作了一些探讨。此文与周扬、郭沫若等人的文章编在一起,成为当时不少高校文艺理论教学的参考资料。为配合全民读书运动,应上海文艺出版社之约,写了一本小册子《谈谈〈野火春风斗古城〉》,一下子就印刷发行了10万册,和李希凡、王世德等写的小册子同时向全国推出。这些都是受周扬倡导的建设马克思主义美学的影响。我切实付诸实践,理论要面向现实。

李健:这样看来,您在1958年就已经步入文坛,在文艺批评领域崭露头角。照这条路走下去,前途也应该一片光明。可是,您为什么没有沿着这条道路走下去?

胡经之:可以说,我只向文坛迈了半步,并没有一直走下去。到了1959年秋天,我又回到了书斋。这既是我的兴趣所致,又听取了导师杨晦先生的教诲。我坚定地信奉马克思主义,要以马克思主义为指导来做学问,研究文艺学和美学。这已成了我的学术信念。

在受聘为《文艺报》特约评论员、出版了《谈谈〈野火春风斗古城〉》的小册子之后,不断有人来约稿,要我"遵命"评这本书那本书。我虽然后来写过王愿坚短篇小说的评论,还应中央人民广播电台之约写过赏析文字,但我扪心自问:我适合作文艺批评吗?我开始犹豫起来,要不要像李希凡那样走文艺批评之路?

在那个时代,"南姚北李"大名鼎鼎,已成为青年学生学习的榜样。李希凡比我大四岁,也是中国人民大学马列主义研究生班出来的。不过,我在1956年初去时,他已经提前几个月毕业,去了《人民日报》文艺部,已是赫赫有名的文艺批评家。我们1958年才认识,同时,还认识了比我大两岁的李泽厚。《文艺报》开评论员会议,北大离得太远,又难得进城,我就乘车先到《人民日报》文艺部坐一坐,和李希凡聊聊。他像对小弟弟那样待我,告诉我一些文艺界的新闻。我也感到他为人爽朗、直率、坦诚,不隐瞒自己的观点,个性很鲜明。但是,我也听到包括我的师辈在内的老一代学者对他的微词。我就在何其芳家里听他说过,李希凡年少气盛,太自信,有些武断。吴组缃说,李希凡的文章有点像把马克思主义当作一把刀,一刀一刀地把文学作品割散,而不太顾艺术形象的整体。1959年元旦,我还在陆定一家里听他说过,美学界的争论要比批判《红楼梦》研究心平气和一些;李希凡批俞平伯,少年气盛,说理还不够,语调也过分激烈,有点盛气凌人。我没有参与《红楼梦》研究的批判,不了解当时的详情。我也开始琢磨,老一辈学者为什么对"南姚北李"并无好感呢?我和严家炎、王世德去燕东园杨晦家听他讲课,晦师好几次郑重其事地对我们说:你们要好好做学问,不要学李希凡、姚文元,动不动就批判别人;你们要潜下心来,多读书,掌握丰富的资料,做自己的学问;不是不要你们写文章,要真正写出自己的研究心得,厚积薄发;做学问就像登泰山,要攀登到顶峰,不要被中途的花花草草所迷惑。晦师反复向我们灌输这种思想:副博士是当时最高的学历,目的是要培养从事科研、做学问的人,不要我们走李希凡、姚文元的道路。

当时,我对杨先生的教诲是听进去了,知道这是他从自己一生的人生经验中提炼出来的深切体验,但我还领会不深。不走李希凡、姚文元的路,走什么路呢?我还没有想好。后来,我从周海婴一次无意中说出来的事件中,若有所悟,领会要走什么路。

那时,海婴已经比我早两年毕业了,和夫人马新云、儿子周令飞、一飞住在未名湖旁的镜春园78号。周扬来北大讲座时,海婴也来听了。有一天,他从物理系实验室骑车到我24楼住所,说要和我一起去中关园看望章廷谦(川岛)先生。川岛是鲁迅的同乡、好友,教过我写作课。我和他交往颇多,所以,海婴要我一起去。那天,在闲聊中,川岛先生说起一件事,他不久前听别人说,王蒙写的《组织部新来的年轻人》一发表,李希凡就写文章批判,扣了一个大帽子,称这是用小资产阶级思想改造党。可毛主席反而批判李希凡,说他不是平心说理,天子脚下怎么就不会出官僚主义?川岛问海婴,这是怎么回事?海婴虽不在文艺界,但许广平在上层,消息灵通。海婴说,确有此事。毛主席说《组织部新来的年轻人》写正面人物没有反面人物生动,有缺点,但不能一笔否定,不能用教条主义批判作品。毛主席还交代《人民日报》的领导,说李希凡不大了解基层生活,不适合在报刊工作,还是劝他回学校去,边教书、边研究。可李希凡很自信,上书毛主席,表示还要在《人民日报》工作,不愿到学校里去教书、研究。海婴说此事时是无心的,我听了,触动很大。我感到李希凡对文艺批评,一是真的爱好,有兴趣;二是有自信,真认为自己是从马克思主义出发的,所以敢坚持。我马上联想到自己,像我这样不了解社会的人,对批评本来兴趣就不大;而且,虽对马克思主义心向往之,但无此自信,相信自己的观点就是马克思主义的。所以,我想,今后还是在学校里教教书、研究点学问算了。这以后,我就逐渐向李泽厚、蒋孔阳的为学之路靠拢,以研究学术为主,文艺批评只可偶尔为之,不可常做。当时,李希凡的名声要比姚文元大多了,我还分不清李希凡和姚文元其实走的不是同一条路。姚文元批判别人是为了政治上向上爬,进入政治斗争。李希凡的文艺批评还是有研究学问的底气的,写的是他的研究心得、真实见解,有感而发,越到后来,就越向学术靠拢,与姚文元不是一条路。当时不少学者没有区分清楚。后来,世德兄也在向蒋孔阳、李泽厚的为学之路靠拢,家炎兄则早在1958年就转向中国现代文学史的研究,走向唐弢、王瑶的为学之路了。

一旦有所领悟,我就从1959年秋天开始全心投入我的副博士论文《为何古典作品至今仍有艺术魅力》的写作。

李健: 我曾经读了您的这篇文章,发表在1961年的《北京大学学报》上,篇幅很长。在那个急功近利的时代,您怎么会想起来研究古典作品的魅力?这是不是您计划要走的学术方向?

胡经之: 这时,离副博士研究生毕业还有一年的时光,如果要省事,我可以顺势做一篇论革命现实主义和革命浪漫主义相结合的论文。因为,在此之前,我写过三篇谈现实主义和浪漫主义的文章,再写一篇总结性的论文,不需花费太多的时间和精力。但我的兴趣已不在此。我想尝试以马克思主义的美学观点来回答文艺学中的一些疑难问题,同时也是我自己感到困惑而又想自我解惑的问题。北大中文系当时的学科重点是中国文学史,集中了当时国内一流的文学史家,游国恩、林庚、浦江清、吴组缃、王瑶都在讲授文学史。在听课的过程中,我脑海中常浮现一个问题:究竟是什么原因使得古典作品至今对我们仍然具有艺术魅力?了解了马克思对古希腊史诗、艺术的评价,我就想接着马克思之问,继续思考下去。我主观上想努力运用马克思主义的观点来解说，回答的是中国文学史中的问题。马列指导，解决中国问题，中国古典作品就是我的思想资料。在这篇文章中，试图从美学上揭示古典作品至今仍有艺术魅力的原因。在我看来，古典作品之所以至今仍有艺术魅力，一在于古典作品本身，二在于欣赏主体，这两个方面合力铸就了古典作品在当今的艺术魅力。古典作品表现真、善、美，也表现假、恶、丑，然而，优秀的古典作品却是在肯定真、善、美和否定假、恶、丑，其价值追求是真善美而不是假恶丑，所以，不仅在理智上能引发人们思考，而且，还在情感上打动人们，激起人们今天相应的、一致的情感态度。时至今日，我感到，这仍然是一个有意义的学术话题，值得深入研究。

李健：这篇文章因为运用的是美学的视角，集中表现了您早年的文艺理论、美学思想。可以说，是您进入北大后尝试从美学上来探索文艺问题的一个小结。我在读过您这篇文章之后，感觉这篇文章与您后来所倡导的文艺美学的观念是相承接的，是不是这样？

胡经之：确实如此。这是从美学上来探索文艺的一次尝试。马列引导方向，解决中国问题，成为我以后学术研究的基本路向。

这篇论文定题，当然首先要导师杨晦先生同意。同时，我也征求了周扬的意见，最后，又请教了朱光潜先生。论文答辩通过时，美学大辩论已接近尾声，发表的近三百篇论文，我基本都看了。总的感觉，争论还停留在哲学层面的"唯物"和"唯心"之争。即使解决了美是主观的、客观的还是主客观统一的问题，美究竟是什么，还是不清楚。苏联的实践美学引进之后，李泽厚对美在实践的思想作了一些发挥，但人类的实践都能创造美吗？我的同窗世德兄的副博士论文就写的是劳动创造美。当时，杨晦正在研究美的起源问题，他就问世德兄：劳动都能创造美吗？然后，他自我回答，劳动也创造了丑。因此，要进一步推进美学研究，就要追问更高层次的问题：什么样的劳动才创造出了美？按美的规律才能创造美，不按美的规律就创造不出美。那时，我非常关注苏联的审美学派、文化学派对艺术的研究，我感到他们已经深入到艺术的真、善、美的关系问题。卡冈认为，艺术中真、善、美均存在；斯托洛维奇说，艺术中的真、善、美是以美为主的，真、善、美都要转化为美。我从中国古典作品的实际出发，看到在不同类型的作品中，真、善、美的重心是不同的。所以，有"真"的文学，也有"善"的文学和"美"的文学，但都具有美的特征，只是重心不同而已。后来的文艺美学，是接着这篇论文的基本思想继续探索。那时，我还没有意识到要发展文艺美学。

这篇论文通过，四年多的副博士研究生生活结束。毕业时，南京大学的罗根泽先生动员我去他那里研究中国文学批评史，杨晦先生劝我别去，还是留在北大，边教"文学概论"，边从美学上研究文艺学，准备开新的专题课。他说，朱光潜、宗白华都在这里，可以时常去请教。我听了他的话，留在北大，开始教"文学概论"。1961年5月，我去中央高级党校参加蔡仪主编的高校教材《文学概论》的编写，是杨晦把我推荐给蔡仪的。从此，开始了我另一段有意义的学术活动。

李健：刚才说到，1961年，您被抽调到中央高级党校参加蔡仪主编的全国高校教材《文学概论》的编写工作，能参加这个大的工程，对您来说，是一大幸事！据我所知，这个教材是时任中宣部副部长的周扬主抓的。在党校，有没有您所经历过的特别的人和事令您终身难忘？

胡经之：是这样。我研究生毕业留校不久，就赶上了这个好时机，由此开始从文坛转向了学界，开始参与学术界的活动。这还得感谢邓小平。我在中南海听陆定一说，这是当时的总书记在书记处会议上做出的决定，指定周扬具体负责落实、执行。那时，三年困难已经开始，高校的生活也一落千丈。小平说要让大家休养生息，但要积极休养生息，办法是把一些专家集中起来，花几年时间，编出一些文科教材。编写者应老、中、青结合，既发挥了老专家的专长，又培养了年轻学者，一举多得。同时，小平还嘱托，清理一下食品仓库，把一些冷冻食品调剂出来，给大家增补些营养。周扬积极性很高，从社科院、教育部、重点高校中抽调三人组成领导班子，请冯至做他的副手。1961年，周扬就大张旗鼓地行动起来，计划三五年里编出两三百种文科教材。这架势有点像法国启蒙时代狄德罗等启动百科全书工程，声势浩大。所以，后来有人把周扬戏称为中国的"百科全书派"。

刚过"五一"节，我就来到了中央高级党校，向蔡仪报到，从此住了下来。两年多在此看书、编书，直到1963年秋才回北大讲课。中央高级党校是当时培训省部级干部的最高教育机构，生活条件较好。我们每人一个房间，食堂还真为大家供应别处见不到的冻鸡和冻鸭，虽然不多，已很难得。我们《文学概论》编写组和唐弢任主编的《中国现代文学史》编写组住一栋楼，王朝闻任主编的《美学概论》编写组和《马克思主义哲学》编写组住在旁边一栋楼，但都在一起用餐。大家天天见面，为学术交流提供了一个大好机会。唐弢、樊骏、严家炎已是熟人，李泽厚、杨辛、刘纲纪、于民、叶朗、李醒尘也已相识多年，马奇、齐一、洪毅然、周来祥、刘宁、朱狄等几位则是此次新认识的。最使我难以忘怀的是在这里认识了王朝闻。这位塑造了毛泽东浮雕、刘胡兰塑像的著名雕塑家，名满全国，家喻户晓。更使我敬佩的是，他还是一位有高度审美鉴赏力的艺术评论家，看他的艺术评论，本身就是一种艺术享受。在那两年多的时光里，我常在晚饭后跟随他散步到颐和园，一路上就是听他说他对所见所闻的审美感受。傍晚七八点钟，夕阳西下，晚霞满天，游人已回到城里，只剩下我们这些编书者在作美学散步。其情其景，长久留在我的脑海之中，至今犹历历在目。20年后，王朝闻先生在给已落户深圳的我写信时还说到，这一阶段是他一生中最轻松、愉快的日子，此后，再也没有这样美好的日子了。他对生活中美好的东西都持一种兴致勃勃的心志。有时我们经过露天剧场，正在放映一个什么片子，他一看是有兴趣的，就坐在石凳上，一直看下去。有一次，他在长廊里碰见红线女带着女儿也在散步，就问起她正在排演的粤剧情况。王朝闻滔滔不绝地谈起川剧艺术处理的绝妙，红线女聚精会神地倾听，只好让女儿先回园内的住处。他那高度的审美鉴赏力，他那审美的敏感，使我敬佩得五体投地，我一辈子也达不到他那样高的水平。

李健：如此美好的环境，正适合安心做学问。我想知道，您那时的学术兴趣在哪里？都在阅读与思考些什么问题？是否与所负责编写的《文学概论》教材内容有关？

胡经之：当时，周扬主抓文科教材，总结大跃进时期学生编书的经验和教训，力主老中青结合，但必须实行主编负责制，由老一辈学者任主编。主编根据各人的研究专长进行章节内容的分工,写出的书稿由集体讨论,修改多次后,最后由主编改定。蔡仪指定我写第一章:文学是反映社会生活的特殊的意识形态。这对我有不小的压力,因为,在这一章中,要概括出蔡仪对文学的最基本的看法,为全书定出基调,由这基调展开去论述其他问题。我觉得担当不起。但蔡仪说看过我的副博士论文,鼓励我可以在此基础上,再对文学是如何反映社会生活的根本问题作一些深入研究。

于是,我围绕文学反映生活的独特性展开了我的阅读和研究,并开始关注西方文艺理论。当时,参与《文学概论》编写的十多人中,有几种学术背景:一是参加过毕达可夫的"文艺学引论"培训,又有多年教学经验的中年学者,如武汉大学的何国瑞、山东大学的吕慧鹃、东北师范大学的李树谦;二是从苏联回来的青年学者,如杨汉池、涂武生(涂途)、王善忠;三是研究外国文学的年轻学者,如柳鸣九,北大西语系毕业,对法国文学有研究。最多的还是国内中文系毕业的年轻学者,如李传龙、张国民、张炯等,对中国自己的文学比较熟悉。因此,这一次我参加《文学概论》编写,是进行学术交流,提高学术水平的好机会。围绕文学与人生的关系这一问题,我作一些钻研,力求博览群书,集思广益。首先,当然是蔡仪的著作,我把他在20世纪40年代所著的《新艺术论》《新美学》和50年代写的《文学知识》作了精读。他是主编,我必须领会他对美和艺术的基本思想才好下笔。其次,我一直追寻着苏联的审美学派、文化学派的学术踪迹,中国科学院文学所编译的《苏联文艺理论译丛》,每辑必读,并不时向苏联留学归来的涂武生、杨汉池讨教。那时,跟随波斯彼洛夫攻读副博士研究生的钱中文也从莫斯科大学回国,只是还没有进入蔡仪的文艺理论研究室,暂时无缘相识。另一位从苏联回国的刘宁已在王朝闻的《美学概论》编写组钻研苏联美学,我得以很快相识,就苏联审美学派的发展问题频作交谈,获益良多。此外,我还恶补了欧美文艺理论。中国科学院外国文学研究室此时不断出版西方文艺理论译丛,对现实主义、浪漫主义介绍尤多。研究法国文学的柳鸣九就在外国文学研究室工作,他熟悉欧美文论,我从他那里学到了不少。以前,我只接触中国古代文论、现代美学,尔后跟踪苏联美学,此次又涉足西方文论,知识面稍广了,心里就逐渐踏实起来。

李健: 刚才您说了,《文学概论》的编写是主编负责制,每一位编写者怎样向主编负责?对您来说,您怎样在第一章中贯穿蔡仪的基本思想?

胡经之: 这也是我在教材编写中碰到的最大的难题。我自己的阅读可以天马行空,自由驰骋,但要下笔可就难了。按蔡仪的想法,第一章就要说清楚文学是什么,关键是要讲清文学和生活的关系。文学从生活中来,反映生活,然后才能反作用于生活。我写"文学是反映社会生活的特殊的意识形态"这一章,严格按照蔡老的思路展开,分三个层次来论述。第一节,"文学是社会生活的反映",是说文学的唯一根源在社会生活。第二节,"文学是社会生活的形象的反映",是说文学用形象来反映社会生活,而形象的最高成就是典型。第三节,"文学是语言的艺术",这才说到文学和其他艺术的区别,是用语言来创造形象。我所写的初稿还有第四节"文学的美感和教育作用",是说文学如何反作用于社会生活,主要是具有美感教育的作用。但蔡仪在最后改定时,却把这一节移到第二章"文学在社会生活中的地位和作用"中,作为最后一节。

我最感兴趣的问题当然是文学反映生活的特殊性,文学是以怎样独特的方式去反映生活的。就我当时的认识来看,蔡仪所说的以形象方式来创造典型,其实只是一种方式。现实主义创作方法讲创造典型,浪漫主义则不一定,还有其他方法。朱光潜所说的把意象予以情趣化,甚至席勒所说的理想化,都是文学艺术以形象反映生活的独特方式。如果按我的理解来写,就会展开来说,但既然是主编负责,我当然不能把朱老的观点放到这里来。蔡老的着力点是放在文学反映对象上,文学是反映生活的,而朱老的重心不在此,而放在意象经营上。所以,第一章一开始就要说社会生活是源泉。在叙述方法上,我提出了要从生活现象出发,从具体到抽象,再回到具体的整体。苏联的美学、文艺学喜欢一上来就大讲美的本质、艺术的本质,然后引经据典,从古希腊一直到当下,把各家各派的看法引述一遍,一下子就把读者弄得头昏脑涨。以我在北大教"文学概论"的经验,从分析现象出发,经过归纳,再提出问题,可能更切合实际。蔡老觉得有道理。因此,我在写作的过程中,一开始就不下定义,不讲大道理,而归纳出文学作品所写的三种现象:一是直接描写人际现象,如杜甫笔下的战乱、灾荒;二是精神现象,如李白诗中的激情,甚至李商隐诗中的梦境;三是自然景象,如谢灵运、王维的山水诗中所描写的自然风景。如果再深入下去,就必然要接触到蔡仪美学中的自然美、社会美、艺术美等关键问题。蔡仪说,《文学概论》不谈美学,让《美学概论》去说,在这里不要展开,只要论证到人际现象、精神现象、自然景象都是社会生活的有机组成部分,是社会生活的一个方面就行了。文学就反映这些社会生活,文学的源泉就在此。

李健:这部《文学概论》教材在中国的文艺理论界影响很大,在改革开放之初的那几年,全国很多高校都采用了这部教材。中文系一年级的学生进校就读。您是教材的编写者之一,您如何评价这部教材?

胡经之:《文学概论》20世纪60年代编好,但却没有及时公开出版,主要是因为"文革",一直到改革开放之初才出版,出版后很畅销。1979年第一版,到1984年第三次印刷时,已经印刷了一百多万册。我自己在北大开设"文学概论",当然使用这本教材。但我一上来就对学生说,这本教材是近20年前编的,已经陈旧了。也就在1980年,我在讲"文学概论"之外,另外为高年级学生开设一门选修课,叫"文艺美学",力图从美学上来说文艺。

《文学概论》陈旧在哪里?经过"文革"后进行反思,我觉得整本教材的基本思路还是在阐释文艺要为政治服务,为什么要为政治服务以及如何服务。这个基本思路是当初周扬定的。可周扬在1979年的全国文代会上所作的报告,已经不提文艺为政治服务了。还有,蔡老在主编《文学概论》时,有意回避了从美学上来谈论文艺,所以,在编写的过程中没有吸取中国数年来美学争论的积极成果,更没有吸取苏联的审美学派、文化学派的理论成果。

但是,我们也要历史主义地看待问题,这不能怪罪蔡仪,蔡仪也有苦衷。在60年代,蔡老的学术志趣还是在美学。他40年代就写了

《新艺术论》和《新美学》,并在武汉跟随郭沫若开展文化工作。他的美学思想受到郭沫若的赞赏。1953年,他在担任中国科学院文学所文艺理论组组长之后,研究重心就在美学。1959年,他定的60年代的研究计划是要修改、扩充《新美学》。可是,周扬没有让他担任《美学概论》主编。原因何在?社会上说法很多,有种种猜测。我从张光年那里听到一种说法,我觉得有道理。周扬本来是要张光年当《美学概论》主编的,张光年百般推托,最后脱身。光年说,他那《文艺报》一大堆事,忙得不可开交,哪里坐得下来做学问!更何况,美学争论了好几年,各吹各的号,各显神通,都称自己是马克思主义。编教材就要统一,怎么统一?周扬也很为难,不能让美学争论中的任何一方担任主编。不让朱光潜做主编,但用其所长,让他去编《西方美学史》,宗白华去编《中国美学史》。也不能让蔡仪做主编,他是美学争论中的一方。周扬虽然比较赞赏李泽厚的观点,但也不能把他抬上来,让他当主编,他也是争论的一方,而且年轻,比朱光潜、蔡仪低一辈。想来想去,还是王朝闻最合适。他懂艺术,没有参与美学争论,由他来统最好。我个人还是比较相信张光年的说法。从我和王朝闻的接触中,我体会到,他是个自来熟,善于与人相处,很容易和他交流。还有,他不但对艺术审美有深切的体会,而且对自然和人生的审美也有广泛的兴趣。在我的印象中,王朝闻、蔡仪、宗白华是美学家中最重视自然美的三位。因此,由王朝闻来做《美学概论》主编,乃顺理成章。但从《美学概论》的成果来说,由于突出了实践美学,讲劳动创造美,对自然美没有给予足够的重视,我感到这是一大遗憾。

周扬一直过问《文学概论》《美学概论》两本教材的编写,对《文学概论》关注更甚。这倒不一定出于个人兴趣,而是从他主管意识形态的使命出发,要求《文学概论》能更多地贯彻文艺为政治服务的精神。若按蔡仪自己的思路,《文学概论》应该阐述的是文学的基本原理,文学的一些相对稳定的普遍规律。但周扬则希望《文学概论》要突出社会主义文学的独特规律,如何为政治服务。蔡仪感到很为难,不知如何处理。蔡仪就提出了两个写作方案,一是《文学概论》的方案,就是照蔡老自己的编写思路,阐述文学的基本规律、基本原理；另外还有一个方案，是专论毛主席《在延安文艺座谈会上的讲话》中所阐述的文艺为政治服务，为工农兵服务。而且，蔡老已叫来自延安的王燎荧和在北大就参加《毛泽东文艺思想》编写的张炯写出了提纲。这两个编写方案送到北戴河、天津的专家讨论会上，最后，由周扬拍板，还是不另编《毛泽东文艺思想》，而是集中精力编好《文学概论》，延安讲话的精神要贯彻到《文学概论》中。与会专家冯至、杨晦、林默涵、邵荃麟、张光年、王朝闻、唐弢、侯金镜、何洛、毛星等都对编好《文学概论》发表了不少意见。周扬主张，文学概论可分为三大编：第一编文学发展论，第二编文学创作论，第三编文学鉴赏论。但在总结时，却说尊重主编负责，还是按照蔡仪既定的十一章内容来编。天津讨论会之后，蔡老感觉到压力很大，主要是如何把延安讲话精神贯彻全书。他仍要我写第一章，这一章不需谈文艺为政治服务，仍按他的思路写。难在第二章"文学在社会生活中的地位和作用"以及第三章"文学的发生和发展"，必须更加突出文学在阶级斗争、政治斗争中的作用。蔡老说，不太好处理的是"经"与"权"的关系。这"经"与"权"的关系是什么？蔡老虽没有进一步细说，但我已略知他的难处了。《在延安文艺座谈会上的讲话》出来之时，郭沫若就意识到了，这里所提出的文艺规律，既有"经"，即长远的、稳定的、经久的，又有"权"，即当时的、权宜的、常变的，难在如何区分，分别处理。所以，蔡老常说，文艺理论比美学变化大，不容易把握。他最想研究美学，却要他编《文学概论》，使他左右为难。他还是尊重周扬的意见，尽力体会周扬的意图。所以，这本《文学概论》是蔡仪文艺思想和周扬文艺思想调和的结果，是当时历史的产物。依我的理解，周扬和蔡仪都以为优秀的文学是反映生活真实性与思想倾向性的统一。然而，蔡仪更重视反映生活的真实性，把真实性放在首位；周扬则更重视文学的思想倾向性，而且，在思想倾向性中更突出了政治倾向性，把倾向性放在首位，写真实就是为了凸显思想倾向性。这本是学术思想的差异。周扬长期主管文艺，有时在一些场合站在领导位置上批评蔡仪。蔡仪长期以来一直感到有压力，不能畅所欲言，心情亦不舒畅，亦无从进行思想交流。等到改革开放以后，蔡仪的美学热情奔放，要在美学上"打翻身仗",推出了系列美学丛书与丛刊。此是后话。

三、文艺美学试起步

李健：1980年6月，您和朱光潜先生去昆明参加首届全国美学会议。很多人都知道，正是在这个会上，您提倡发展文艺美学。您是怎么想到这个问题的？为什么在那个时候提出发展文艺美学？

胡经之：昆明会议是新中国第一次大的美学会议，国内众多知名的学者如伍蠡甫、洪毅然、李泽厚等都参加了这次会议。北大受邀去了三人：西语系的朱光潜先生、哲学系的杨辛、中文系的我。这次会议是在昆明军区招待所开的，要谈的很多，开了十天左右。在这期间，我陪同朱光潜先生游览了西山、滇池、龙门等风景名胜。昆明曾经是朱光潜熟悉的地方，此次是故地重游，也是朱先生最后一次来昆明。在这次会议上，成立了中华全国美学学会，84岁高龄的朱光潜当选为会长，周扬被推为名誉会长，王朝闻、蔡仪、李泽厚三人为副会长。针对高校从事美学教学与研究人员众多的实际情况，专门成立了全国高校美学分会。在昆明会议上，李泽厚事先和我打了招呼，要我就中国美学史的问题发表些看法，所以，我大会发言讲的题目是《中国美学史的方法论问题》。然而，在全国高校美学分会成立的会上，我就针对当前高校的美学课程的设置提出了我的看法。我建议，高等学校的文学、艺术系科不应该停留在讲授哲学美学原理上，而应开设文艺美学。我简单谈了我对文艺美学的看法。我的理由是，哲学美学过于抽象，而文艺美学应和文艺实践结合起来。这一建议得到与会学者如朱立人、王世仁、张赣生等人的热情回应，也受到朱光潜、伍蠡甫、洪毅然等老一辈美学家的热忱鼓励。

倡导文艺美学的想法并不是我一时的心血来潮。那时，我在为中文系讲"文学概论"，用的是蔡老主编的教材，但我深感这部教材已经赶不上时代的需要了。我在准备为高年级学生开一门新课"文艺美学"，教材不准备用王朝闻主编的《美学概论》。那本教材一上来就讲美的本质，接下来讲美感，一下子把人引向哲学抽象，最后，才转到艺术美的问题。我已开始在写自己的讲稿，从生活中的具体现象出发，先讲现实生活中的审美活动。作家、艺术家在实践生活中，体验了生活，产生审美体验，然后有感而发，才进入创作活动，从意象经营再到意匠经营（符号化）。最后讲艺术接受（新一轮审美活动）和艺术的审美教育，把整个艺术活动的各个环节贯通起来。

我之所以把这门课取名为"文艺美学"，是受台湾学者的启发。1976年，我读到台湾学者王梦鸥的《文艺美学》，这本书的名字在我脑海里留下深刻的印象。这本书虽只谈文学，但却是从美学上来谈文学，论述简略，而"文艺美学"这个名字却起得好，既符合实际，又有中国特色，可以区别于哲学美学或其他美学。我想把文艺美学从文学扩展到其他艺术，把文学和其他艺术放在一起研究。在提倡发展文艺美学这一学科时，我并没有想到要以文艺美学取代其他美学。我深知，美学研究的是一个更为广阔的领域，是文艺美学无法涵盖的。

我之所以在20世纪80年代初提出发展文艺美学，是因为赶上了好时光。那时，北大发扬50年代初兴起的"炒名牌菜"的传统，鼓励教师开新课，在讲堂上宣讲自己的研究成果，学术研究开始步入正轨。

李健：1981年，您在北京大学招收硕士研究生，方向是文艺美学，列在文艺学学科之下，听说报考非常火爆。能谈谈当时的情况吗？在北大，您是如何开展文艺美学的教学与研究的？

胡经之：高考恢复之后，北大开始实行新的学位制度。我的老师杨晦在80岁时招了第一届文艺学硕士生，共有4人：曾镇南、董学文、杨星映、郭建模。接着安排我在1981年招第二届。我和他商量，我不招文艺理论了，新辟一个专业方向就叫"文艺美学"。他欣然同意。我和研究生招生部门多次商量，在招生简章中增加"文艺美学"这一专业方向，放到文艺学的下面。北大也正鼓励学科创新，当即同意，上报给国务院学位办，并得到批准。于是，在北大的硕士研究生招生目录中，第一次出现了"文艺美学"。那时，全国其他高校和科研机构还没有设立这一专业方向，是北大首先开始的。在北大之后，山东大学的周来祥、四川大学的王世德也分别开设了文艺美学这一专业方向，招收研究生。

1981年，新一届硕士研究生开始招生，从研究生院反馈过来的消息是，文艺美学方向报名人数极多，竟有98人，而该方向只有2个名额。考试成绩出来之后，我发现，报考文艺美学方向的优秀考生很多。可是，名额只有2个，怎么办？这让我非常为难。几经磋商，招生办给我增加了1个名额。最终，文艺美学方向录取了3人，即王一川、陈伟、丁涛。他们是文艺美学方向的第一届硕士研究生。同时，我也开始招收文艺美学进修教师，其中有北师大的齐大卫，已在开美学课。王鲁湘就是从湘潭大学来的进修教师，一年后才考入哲学系做美学硕士研究生。此后，我又陆续招收了王岳川、张首映、王坤、荣伟、谢欣、柳杰等，都是文艺美学专业方向。我到深大之后，招了十届博士生，都明确为文艺美学专业方向，研究的范围不限于文学，广及其他艺术领域。所以，这些研究生毕业之后，有的着重文学的美学（如王坤、李健、张家梅、黄玉蓉等），有的重在艺术的美学（如王一川等），有的重在戏剧美学（如丁涛），有的重在音乐美学（如黄汉华、钱永利），有的重在美术学（如邵宏），有的重在设计美学（如田春），有的重在生活美学（如祁艳），有的重在比较美学（如陈伟）。王岳川虽重在文学的美学，但对个别艺术门类如书法有比较精深的研究与实践，现在已是著名书法家。而像王列生，思路更广，已走向研究我国文化政策、文化发展战略和人类学美学了。

文艺美学之所以引起这么多的学生和年轻学者的兴趣，我想主要因为时代发生了变化，国人急需开阔视野，拓展思路。我20世纪50年代初进入北大，深感文艺学之路坎坷，而文艺学的道路不能越走越窄，必须拓展思路，不断寻找新的生长点，在发展中不断生成新的学科。文艺学不仅需要文艺社会学（甚至可以发展为文艺政治学）和文艺心理学，也还需要文艺美学，即从美学上来研究文学艺术，把文学作为美的艺术的一种，放在艺术系统中来研究，而不是孤立地考察文学。文艺美学的核心问题是研究文学艺术如何按照"美的规律"创造出"艺术之美"。

改革开放以来，我对文艺的研究始终围绕着文艺怎样才能按照"美的规律"创造"艺术之美"。昆明美学会议之后，我连续在《光明日报》等刊物发表了《文艺美学是什么》《文艺美学及其他》《文艺美学：对文学艺术的系统研究》等文章，甚至还写了《比较文艺学漫谈》，都是在说，文学艺术应该按"美的规律"来创造"艺术之美"。艺术美和自然美、人文美有同也有不同，文艺美学应该研究文学艺术不同于自然美、人文美的独特之美。我还写了好几篇论意境之美的赏析性文章，论述过郑板桥创造艺术美的人生道路。当时，中国社会科学院文学所办了《红楼梦研究集刊》，我和蒋和森、沈玉成、邓绍基、刘世德等是编委。我曾经写了一篇《美学和红学》，竭力鼓吹要从美学上来评价《红楼梦》。后来，一连又写了几篇《红楼梦》研究文章，从石头故事引发出谈曹雪芹的人生体验（悲剧感、喜剧感），都是从美学上来评说文学艺术。

倡导从美学上来评说文学艺术，不是我的新发明，不过是沿着马克思主义创始人所指明的方向走就是了。恩格斯一再说，他是从历史的观点和美学的观点来评价文学艺术的，而且说这样的文艺批评，是更高的要求。在"文革"中，除了《红楼梦》，别的不好研究，但钻研马列主义经典还是可以的。杨晦先生近八十高龄还在学德文读经典。我就精读过《资本论》《1844年经济学哲学手稿》等已译过来的经典，坚信从美学上来研究文学艺术是符合马克思主义创始人的思路的，应沿着这思路继续往前走。林彪摔死之后，我从江西鲤鱼洲回到北大重返教学岗位。学校要我参与教学改革，试讲一门"文艺讲座"，探索一下以后怎么教文艺理论。我想接着毛泽东在延安文艺座谈会所说的文艺和生活的关系稍作些阐释，为什么人民不满足于生活中的美，要求创造出艺术美。这时，我就试着把文学和其他艺术放在一起，把艺术和生活作些比较。为结合实际，我还去中央音乐学院请了院长喻宜萱来讲声乐，连唱带讲；又请了黎信昌带了小乐队来讲器乐，又奏又说；汪毓和讲了中国音乐简史。这个"文艺讲座"由于联系实际，通俗易懂，效果很好，受到了工农兵学员的欢迎。本来，我还想请戏曲学院、电影学院、美术学院的教师来讲，后来，学校安排我去做别的事，没能继续下去。我深切体会到，研究文学艺术的路径是多种多样的，不能只走一条道。文艺美学也只是一条道，却是文艺学中不可或缺的路。

李健：文艺美学提出之后，影响很大，不仅丰富了文艺学的研究内容，而且成为一个新的学科，成为很多青年学子向往的学术圣地。那时，您除了招收文艺美学研究生、开展文艺美学教学之外，围绕着学科建设，您还做了些什么？

胡经之：一旦确立了我的学科方向，我就要动脑筋，想办法，围绕学科建设做一些事情。当时，我主要做了两方面的事：一是积极推动北京大学出版社《文艺美学丛书》的组稿、编辑与出版；二是组织我的研究生编选了中国古典美学、中国现代美学和西方文艺理论方面的资料。这些工作，都是围绕着文艺美学的学科建设而做的。

李健：北京大学出版社出版的《文艺美学丛书》我印象特别深刻，我就读过其中的许多本。我想，凡是20世纪90年代前后加入文艺学、美学研究行列的，没有不读这套丛书的。据我所知，丛书已出版了好几十本。能不能说说这套丛书的来龙去脉？

胡经之：这套《文艺美学丛书》，正是在当时美学热中推出来的，反过来又为美学热推波助澜。我当时在中文系教书，当然要围绕文艺来说美学，不像哲学系讲美学，大讲美是主观性的还是客观的。我想，就是肯定了美是客观的，或者是主客观统一的，还是讲不清楚什么是美。我的课还是要解答艺术美在哪里才行。改革开放之初，北大指定麻子英负责筹建北京大学出版社，由他任社长。他已调入了几个编辑，但缺总编。总编需要由具有高级职称的人来当，他想从中文系文学专业的副教授中挑选。老一辈教授都已经七八十了，只能从中年学者中挑。那时，新中国成立后成长起来的、文学专业的、已做副教授的就那么几个：陈贻焮、乐黛云、严家炎、金开诚、赵齐平、袁行霈、褚斌杰等，我也算一个。但师兄们都学有专长，专业钻研得都很深，就我觉醒得晚，刚开始进入文艺美学。麻子英就来动员我离开中文系去当总编辑。我跟他半开玩笑地说：我才是个副教授，我还想当教授呢！到你那里，我一辈子就当不成教授了，还是在中文系教书。

麻子英为人好，我虽不去出版社，但答允他我会帮忙为出版社组织一套丛书，这就是《文艺美学丛书》。当时，北大出版社刚开张，还没有出什么像样的书。麻子英很重视这套丛书，专门配备了一位编辑来张罗此事。这位编辑叫江溶，我曾经教过的学生，和董学文、曾镇南、郭建模同班。他爱好文艺，在出版社开办之初，他抓了两套丛书，一套是《文艺欣赏丛书》，一套是《文艺美学丛书》。他请我和叶朗主抓《文艺美学丛书》。《文艺美学丛书》没有设主编，成立一个编辑委员会，我、叶朗、江溶都是常务委员。我们请朱光潜、杨晦、宗白华三老为顾问。这套丛书命名为《文艺美学丛书》是我和江溶先商量好然后才打出来的。叶朗虽然在哲学系，但他开的选修课是"中国小说美学"，当属文艺美学；金开诚开的是"文艺心理学"，后来，他就把自己的讲稿放到这套丛书里。我们推出的第一本书是1981年编辑的《美学向导》，朱光潜、宗白华、王朝闻、蔡仪、李泽厚五位名家都写了文章，我写了一篇《文艺美学与其他》。赵宋光谈音乐美学，王世仁谈建筑美学，张赣生谈戏剧美学，朱立人谈舞蹈美学，董学文谈马列美学，于民谈中国古典美学，阎国忠谈西方美学，凌继尧谈苏联美学，都简明扼要，通俗易懂。北大出版社一下子就印了12万册，很快一销而空。这从侧面反映了当时美学热的盛况。后来，美学热正逐渐减退，七八年后，由我主编的《文艺美学论丛》，虽请王朝闻、宗白华做顾问，就再也没有那样的盛况了，出了数辑之后就偃旗息鼓。

北大出版社的《文艺美学丛书》在美学热中出现，从而，推动了美学热向文艺美学领域挺进。当时的美学热确实配合了那个时代的思想解放运动。我信奉马克思主义，真的想把美学推向马克思所说的"美的规律"的探讨。愿望是如此，但是否做到，只有让历史去评说了。

李健：我听您那一辈文艺学、美学家说，在您的同辈中，您是最注重思想资料的整理和编选的。刚才也说了，您曾经组织过您的研究生做这方面的工作。您为什么如此重视思想资料的编选？单纯是为学科建设吗？

胡经之：既然学术方向明确了，要把文艺美学作为学科来建设，那就要十分重视思想资料，没有中外古今的思想资料作基础，理论就变成了空说空话、自说自话，谁信？我的第一届硕士生王一川、陈伟、丁涛入校，除了听"文艺美学"一课，我还给他们作了编选资料的安排,编选《中国古典美学丛编》,主要是为了配合"文艺美学"一课的教学。我们的编法不同于北大哲学系编的《中国美学史资料选编》,是按美学中的问题来编的,而且重在文艺。后来,《中国古典美学丛编》由中华书局分三卷出版。原本作为文艺美学硕士生入门读的资料,一晃20年过去了,我早已不带硕士生,以为此书就没有什么用了,不料2009年凤凰出版社的总编姜小青亲笔来函,说要把这套书三卷合成一卷,精装重新出版,并说当今的中文、艺术学科的研究生都需要这类资料书籍。当初参加编选的陈伟,在上海师大带文艺学、美学博士,他说这些资料对他们太有用了,成为研究生的入门书。年轻一代不可能一下子就沉入中国古典中,这些资料可以引导他们登堂入室,有兴趣的可进一步去钻研古典名著。在陈伟、王一川入学的第二年,我又让他们编了《中国现代美学丛编》,专门收集20世纪初新中国成立之前的50年的美学资料,在北大出版社出版。我初入北大时的梦,想探讨中国初起半世纪的美学,如今由陈伟、一川帮着圆了。后来,我又要王一川参与编一本中国现代作家论文学的资料,篇幅超出了百万字,原说好由东北一家出版社出版,因为当时忙于去深圳大学参与创办中文系,时间拖延了,另一家出版社抢先出版了类似的书,此事就搁置了。至今我还觉得对不起一川,浪费了他不少精力和时间。

  20世纪80年代初期,国内尚无一本西方文艺理论的教科书。国家教委负责文科教材的田敬诚一再劝我主持编一本西方文艺理论教材。我觉得还得请老一辈学者伍蠡甫主持,特地去复旦大学他家里拜访。20年前,我参编《文学概论》时,曾在复旦大学向伍老请教过,他当时受命在编《西方文论选》。他当时就说,国内缺资料,当代的资料在国内难找,只能编出上卷。20年后,我又去请教,请他来主编教材,他说年老了(当时80岁),担当不了了。但他答允由他和我共同主编《西方文艺理论名著选编》,并写一篇长序,而《西方文艺理论名著教程》由我主编。改革开放之初,西方的资料还很少,因此,教材中对当代的理论说得很少。田敬诚觉得不满足,又再三动员我赶快编写一部《西方二十世纪文论史》。这时,张首映正在北大攻读文艺美学研究生,我就让他全副精力投入编写。这时,最大的困难就是缺乏资料,老一辈学者手里也不多。幸好,北大的英语、西语、俄语、东语等系陆续招进了不少研究外国文学的研究生。我就叫张首映和他们建立联系,让他们翻译外国文论的资料,有一百多万字,最后编成四大卷《西方二十世纪文论选》,在此基础之上,写成了《西方二十世纪文论史》。此书1986年完成,由中国社会科学出版社出版,后来还获得了国家新闻出版署颁发的优秀图书奖。

在我的心目中,中国美学史的思想资料也好,西方文艺理论资料也好,都只是构建中国自己的马克思主义美学和文艺学的思想资料,不能相互代替。对我来说,这些中国古典美学和西方文论的思想资料,都是建设文艺美学必需的。

整理、编选文艺学、美学的资料不是我个人的开创,而是继承和发扬老一辈学者的做法。周扬在北大开设建设马克思主义美学讲座时,就要求北大学生既扩编《马克思主义与文艺》,又重新编古今中外的文艺理论资料。朱光潜写《西方美学史》,不仅要他的助手李醒尘等编西方美学家论美和美感的资料,还自己动手翻译了好多西方美学经典。宗白华虽没有写出完整的《中国美学史》,但也要助手于民、叶朗整理、编选出《中国美学史参考资料》。重视思想资料是老一辈学者做学问的基本功。这种做学问的传统,我觉得我们这一辈不能丢弃。跟我攻读中国古典文艺美学博士的李健深有同感。为了进一步研究中国古典文艺学,他搜集了大量资料,在《中国古典美学丛编》的基础上,又增补了50万字,成为三卷《中国古典文艺学丛编》,由北京大学出版社出版。在这些思想资料的基础上,又进而写作《中国古典文艺学》,在光明日报出版社出版了。

李健:文艺美学学科的发展今天看来非常令人欣喜,取得了很大的成功,可是,您却常说,您的《文艺美学》一书只是您在文艺学和美学之路上的一种尝试,为什么这么说?

胡经之:我从20世纪50年代初期走上文艺学之路,经过多次坎坷,到了80年代初才明确要熔文艺学与美学为一炉,走向文艺美学之路,但并没有构建完整的思想体系,只是文艺美学的起步。我在北大讲了两三次文艺美学课之后,江溶急着要我把讲稿整理成书,收入

《文艺美学丛书》,我觉得还不成熟,不着急出。当时,我接受了国家教委主编西方文论教材的委托,要先完成,接着,又去参与创办深圳大学中文系。那几年中,每年都有半年的时间在深圳。一直拖到1988年,在王岳川的帮助下,我才把《文艺美学》书稿交给北大出版社出版。那时,美学热已经过去了,仍有好多高校用它作文艺学研究生的教学必读书,重印了好几次。十年之后的1998年,北京大学出版社为迎接北大百年校庆,从已经出版的《文艺美学丛书》中挑选了宗白华的《艺境》、金开诚的《文艺心理学》、佛雏的《王国维诗学研究》、叶朗的《现代美学体系》、王岳川的《二十世纪西方哲性诗学》和我的《文艺美学》等十本为《北京大学文艺美学精选丛书》,再次出版。我对此书作了较大的修改,增加了五六万字。再版后,又重印了几次。

美学热消退之后,别再指望美学或文艺学著作还能产生多大的影响。文艺美学能够在多种学科中作为文艺学的一个专业方向被肯定下来,我已经很满意了。如果在新设定的艺术学学科中,容许艺术美学得到进一步的发展,那就更令人高兴了。

令我感到欣慰的还有一点,美国著名美学家布洛克和我国著名美学家朱立元早在20世纪90年代就想把中国新时期以来的美学介绍到英语世界,他们合作编选、翻译了一本《中国当代美学家论著选》,在纽约出版。其中,有老一辈美学家朱光潜、宗白华、蔡仪、蒋孔阳等人的代表作,也有中年一辈如李泽厚、周来祥、朱立元等人的代表作。我《文艺美学》讨论艺术形象的一章也被收入了。此章曾以《论艺术形象》为题80年代初发表在上海文艺出版社出版的《文艺论丛》,后被中国社会科学院文学所收入《中国新文学大系》。由《中国当代美学家论著选》的编译,我认识了布洛克和朱立元,还曾在深圳接待过布洛克夫妇来访。到了20世纪之初,人民教育出版社新编了高中语文教材,从《文艺美学》中挑选了谈艺术虚实的一节,收入高中《语文》第三册。这意味着文艺美学进入高中课堂,而不是只停留在大学的殿堂。文艺美学也正在走出文艺学的圈子,受到圈外人的青睐。2009年春节前夕我收到了常州一位素不相识的工程师汪一之的特快专递,寄的却是我的《文艺美学》,书中附有一封短信,说明寄这本书的目的，是请我签名题词，作为永久的纪念。信中这样写道："拜读《文艺美学》，就如'从山阴道上行，山川自相映发，使人应接不暇'。沏一杯淡茶，书卷在手，时有问道解惑，豁然开朗的好心情。常见时下皇皇巨著，正襟危坐，高山仰止，总感有些惶惶然，不知所云。读您的著作，则顿觉心清神爽，受益匪浅。近日重品，遥想您举重若轻的风采，虽不能至，心向往之，不禁妄生冒昧之念，托付鸿雁，奉上尊著，恭请题词，以感谢您所赐那一片可贵的清心天地。"我非常珍视这些读者的感受。

李健：在您看来，今后的文艺美学应该如何进一步发展？

胡经之：从倡导文艺美学至今，已经过去30多年了。美学热消逝之后，文艺美学仍在继续发展。新世纪初，教育部还在山东大学成立了文艺美学研究中心，是重点基地，为的是进一步推进文艺美学的研究。前不久，艺术学又单列上升为一级学科，这为发展艺术美学提供一个良机。文艺美学应进一步在马克思主义指导下，密切关注新的历史条件下文学艺术如何按"美的规律"来创新。对真、善、美的追求，是人类的价值追求，如何在文学艺术中得到体现，这应是文艺美学的不懈追求。文艺美学要与时俱进，与当下的文艺实践密切结合，针对新现象，研究新问题。我相信文艺美学仍大有可为。

我在多种场合都说，我当初开课、写书之所以命名为"文艺美学"，是受台湾学者王梦鸥20世纪70年代出版的《文艺美学》的启发。后来，一直也力倡文艺美学的朋友杜书瀛从台湾回来告诉我，在王梦鸥《文艺美学》出书之前，台湾好几所大学开过"文艺美学"课程。我当时就猜想，是不是在新中国成立前有些人听过朱光潜、宗白华开设的美学、艺术学的课程，到台湾后，继承了他们从美学上研究文艺的传统，而大陆反而中断了这个传统。当时，我没有看过李长之的著作，因为李长之被错划为右派后，没有人再敢出版、研究他的著作了。直到前几年，河北才出版了《李长之文集》。读过他的书后，我这才知道，这位前辈学者早在1935年写的《论文艺批评家所需要之学识》一文中就已经提出了文艺批评家要学一门专门的知识叫做"文艺美学"。在他看来，"文艺美学者，是纯以文艺作对象而加一种体系的研究的学问"。到1942年,李长之又进而把"文艺美学"称之为"文艺体系学"。他虽然把"文艺美学"定位为研究文学,但已明确"文学并不与其他艺术绝缘",要把文学和其他艺术联系起来研究。这一发现,使我一方面自责自己孤陋寡闻,另一方面也深感兴奋。这说明我的前辈学者早已倡导过文艺美学,台湾学者确实受到大陆老一辈学者的影响。同时,这也说明了自"五四"新文化运动以来,就已有了文艺美学的传统,我们在80年代只是重建而已。周扬在北大讲建设马克思主义美学时就已经说过,我们已面临着两种传统,一种是古典传统,一种是现代传统,要批判地继承两种传统。文艺美学传统在"五四"以后就产生了,我们应在马克思主义指导下,把文艺美学传统和中国古典美学传统接续起来,继续发扬,发展为具有中国民族特色的学科。

四、文化美学初涉足

李健: 当时,北京大学已经成为文艺美学的重镇,您的学术地位也在日益提升,可是,就在您学术事业辉煌的时候,您为什么选择去了深圳?

胡经之: 我去深圳是邓小平第一次南方谈话的召唤,改革开放之风把我从未名湖畔吹到了南海之滨。

1983年,深圳创办了一所新型的大学——深圳大学。首任校长是清华大学副校长张维院士。1984年初,张维约请汤一介和我到清华园他的寓所会面,他开门见山,说深圳创办了深圳大学,要办中文系,想请我和乐黛云去筹建,同时,请汤一介筹建国学研究所。当时,我们都和张维院士不熟,他怎么会找到我们?原来是钱穆之子钱逊推荐的。钱逊是我和老汤的朋友,他和我不仅同乡,而且同年。那时,他正在受命重建清华文科,曾先后动员过我们去清华。张维院士告诉我们,外文系请李赋宁去创建,请我们三人去把中文系、国学研究所建立起来。他还说,可以试一试新的模式。三个人可以轮流,半年由汤一介、乐黛云夫妇坐镇,半年由我镇守。这样,每个人可以半年在深大,半年在北大,照样开课、带研究生,兼顾了两头。张维院士是国际知名学者，常出入国际名校，见多识广。他半开玩笑说，咱们深圳也来个新事新办，希望我们去深圳用新办法来发展新学科。当时，乐黛云还在美国研修比较文学，老汤答允和她商量一下。

就在这次会面后的几天，1984年1月下旬，邓小平南方谈话，对深圳创办特区的举措给予肯定。不久，我的一位在教育部任职的学生告诉我，小平回京后就吩咐有关领导，一定要把特区办好，做好两件事：一是建设好大亚湾核电站，二是办好深圳大学。办深圳大学已经进入了小平的视野，这确实令人振奋。但那里究竟怎么样？百闻不如一见。我和汤一介商量，说好春节后亲自去看一看。

差不多同时，我参加了北大比较文学研究会的一个会议，会上，征询了季羡林和杨周翰两位的意见，两位先生都说这是好事，好在那里建立一个国际文化交流的平台，一南一北，相互连通。1981年秋，时任北大副校长的季羡林深感北大闭塞，不了解外国的情况，和英语系的杨周翰发起成立了北京大学比较文学研究会，由俄语系的岳凤麟、西语系的孙凤城、英语系的张隆溪、东语系的刘国楠等参与筹备，中文系则由我参加。大家意在以此为基地，推动北大的国际文化交流。改革开放之初，虽然允许中外交流了，但是困难重重。那时，海外学者要到北大，都是先到香港，再转深圳，然后经京广线到北京。我在北大接待过的叶维廉、刘若愚、李达三、叶嘉莹等都是如此。所以，深圳的地位很重要，在那里能筑建一个国际文化交流平台最好不过了。

可是，春节过后我们却没有走成。汤一介抽不开身，总有忙不完的事。正好，中华全国美学学会4月份要在厦门召开第二届学术研讨会，邀我参加。春节期间，正在受李嘉诚之命筹建汕头大学的罗列教授到我中关村住所，也邀我去加盟汕头大学。我想，乘此机会去汕头大学看一看也好。老汤也嘱咐我快动身，回来好作最后决定。就这样，我从北京飞到厦门，又从厦门飞到汕头，再从汕头飞到广州，只身一人来到了深圳。

汕头大学很漂亮，在山海之间，教授可住新建的200平方米的单栋别墅。可是，我坦率地对我的老师罗列（他曾任北大中文系副主任）教授说，这里的"三不"我无法适应：一是交通不便，二是语言不通，三是信息不灵,无法做学问。我当时只有50岁,得干事啊!好在罗列是熟人,他不见怪。

我到深圳正是"五一"放假期间。深大筹建处就在原宝安县政府的院子里,一栋简陋的二层楼,吃饭在临时搭建的铁皮房里。真巧,在这铁皮房里,正好遇见了李泽厚、蒋孔阳、刘纲纪三位,他们也到深圳考察来了。他们听说我和老汤夫妇要到深大来,都说好。我问好在哪里,李泽厚说,这里离香港近,正是国际文化交流的好地方。蒋孔阳知道我正在为国家教委主编西方文艺理论教科书,就补充说,香港虽只有两所大学(当时只有香港大学、香港中文大学),但图书资料丰富,特别是外文资料,内地很难见到的,这里却有。朱光潜先生就是在香港大学读的书啊!这里到香港,就像北大到王府井。刘纲纪也频频点头称是。当时,深大校园正在开始兴建,我虽没有去看,但坐镇这里的也是清华来的常务副校长罗征启说,中文系在暑假招生,保证你可以进新校舍。

我回北京和老汤一说这里的情形,就迅速做出决定:去!接着,他就敦促乐黛云快点回来。1984年9月,当张维校长带着我们北大的几个(李赋宁、汤一介、乐黛云和我)以及清华、人民大学的几位系主任一起到深大时,教学大楼、办公大楼、学生宿舍等现代化建筑都已经矗立在新校园中了,离我4月份来深圳还不到半年时间。我们在这里第一次领教了什么叫"深圳速度"。在中文系的成立大会上,我们迎来了特意从香港赶来祝贺的国学大师饶宗颐,从此开始了我和香港学者的交流。

李健: 前面说过,您和北大的一些知名学者都希望在深圳建立起国际文化交流的平台,这也是您来深圳的重要目的之一。请问,围绕着国际文化交流,您都做了些什么?

胡经之: 我和老汤、乐黛云的思想比较一致,都想借助深圳地处香港近邻的地域优势,推进国际文化交流。那时,海外学者要到北京,必须经过层层审批,在北大要开国际学术会议很难。可海外学者要到深圳很容易,当时是特区特办,凭到香港的签证,就可以到深圳去"旅游"或"考察",但不能去广州。凭借这种优势,乐黛云和我到深圳大学的第二年,就张罗了一个比较文学国际学术会议,迎来了许多港、澳、台地区学者和日、美、英等国的比较文学学会主席,成立了中国比较文学学会,选杨周翰任会长,季羡林为名誉会长,乐黛云为秘书长。我和国际比较文学学会会长佛克马主持国际学术研讨会开幕式,张旭东和王宁当翻译。我们开会的地方也很特别,就在由小平题名的"海上世界"的海轮上。这在深圳历史上可以说是空前的盛会。那年,汤一介又在深大张罗了一次国学研究的交流会,美国的杜维明、上海的王元化、北京的庞朴等都来参加会议。到了1986年,我们在深大举办了一次规模更大的海外华文文学国际研讨会,除了中国香港、澳门、台湾的许多作家、学者,还请来了东南亚好几个国家和美国、加拿大、澳大利亚以及法国、荷兰、比利时等国的华人作家、学者。以前,只在广州开过港、澳、台的作家研讨会,在深圳才第一次打出了"海外华文文学"的提法。后来,"海外华文文学"发展成为"世界华文文学"。秦牧、徐中玉、陈若曦、刘以鬯、曾敏之、陈映真、杜国清等都来参加会议。深圳市市长梁湘、副市长邹尔康亲临会议,他们都作为一般听众坐在台下,静听专家的发言。

李健:深圳大学是年轻的大学,您从中国最古老、知名的高等学府来到这所年轻大学,对您的学术走向有没有影响?如果有,表现在哪些方面?

胡经之:当然会有影响。到深圳之后,我的学术走向发生了一些变化。然而,我认真反思一下发现,既有变的一面,也有不变的一面。不变的是我在北大30多年培养的学术志趣,面对万事万物,喜欢从美学上去评价,美学是我的基点。变的是从美学上评价的对象,关注点发生了一些变化。我到深圳之后,文化视野开阔了。"漂泊京都数十年,半生尽染书卷气。到此放眼看世界,方知尚有新天地。"这是我当时的真实心态。来回京、深两地三年之后,我爱上了这块有待开垦的处女地,想在这里安居乐业了。那时,北大的副校长、副书记张学书看见我就催促我快回北大,说北大要发展新学科。北大成立了比较文学研究所,任命乐黛云为所长,老汤又和张岱年等张罗成立了中国文化书院,他俩就回北大了。北大中文系主任是我研究生同窗严家炎,他也动员我回北大,专事文艺美学学科的建设,要我带头申报文艺学博士点。因为是同窗好友,可以推心置腹,我实话实说,说我爱上深圳了。他知道,我在深圳身体好,在北京不行,就不想再回北京了。我劝他,你把王岳川留下来,继续发展文艺美学。正是在严家炎的谅解下,我才离开了北大。这是我人生的一大转折。我一直感谢他。如今,我一回北京,他总要约老同学一起会面,说我还是走对了。

来到这所年轻大学之后,我的学术关注更多地转向了当下现实,必须回答现实中出现的新的文化现象。但要回答现实问题,又必须具备国际视野。门户已经打开,已不可能闭关自守,必须把中国的问题放在世界范围考察。我到深圳将近十年,在这里养成了这样的学术思维定势:国际视野,中国问题。解决中国自己的问题,要有国际视野,不能自说自话,空说空话,乱说乱话。

为了适应深圳向国际化城市发展的需要,我在1988年将中文系改为国际文化系,《光明日报》头版作了专门报道。当时,只有北大设有国际政治系,国内尚无国际文化系。同时,我还创建了特区文化研究所,倡导面向当下现实,研究深圳文化发展中出现的问题;开办了两届特区文化研究生班。我担任了好几届深圳大学学术委员会副主任、人文社会科学委员会主任,鼓励深大的文科要有国际视野,要解决深圳问题,这样才能有真正的深圳学派的出现。深圳文艺界推选我当作家协会主席,后来,我又和文联主席创建了深圳市文艺评论家协会。我一再说,若有作家能把深圳30多年来的风风雨雨形象地反映出来,就是中国改革开放的伟大史诗。我当主任也好,所长也好,主席也好,向来不管人事,更不管经济,只关注学术方向、学科发展。这是我从北大那些老一辈学者那里学来的。杨晦、冯至、季羡林等当系主任,都是无为而治,只管学科方向、课程设置。正是这样,我才有时间做自己喜欢做的学问。

李健:2004年前后,国内掀起一股文化热,文化研究成为一个时髦的话题。文艺学、美学研究也受这股文化思潮的影响,产生了一场比较大的争论。国内学术界已经注意到,您在此时提出了要发展文化美学,是不是表明您的学术志趣发生了变化?文化美学和文艺美学是什么关系?您为什么在此时倡导文化美学?

胡经之：倡导文化美学,并不是否定我以前所倡导的文艺美学,而是要拓展文艺美学,使之更面向现实,面向更广阔的文化领域。在北大倡导文艺美学,那时眼光还在注视着中国古典,还来不及追踪当下现实的文化现象。到深圳后,文化视野扩大了,现实不断地涌现出新的文化现象。文化美学就要在文艺美学的基础上,更多地关注新的文化现象,作出新的理论阐释。

在香港回归之前,1995年,由滕守尧张罗,中华全国美学学会在深圳大学召开第一次国际美学会议。国际美学学会、英国等国的美学学会主席都来了。在会上,我重遇美国美学家布洛克,陆续和中国香港的学者自由交谈,颇有感触。香港中文大学的王建元教授本来在台湾研究美学,以彰显"崇高"、"雄浑"而著名。不料,此次见面,他说到香港后再也不研究这些抽象的美学了。他要跟踪香港的文化足迹,研究迪士尼乐园这种文化现象。我一听,他不就是去做文化研究吗?可是,在香港中文大学哲学系任教的刘昌元教授却对文化研究不屑一顾。他说,他还要坚持哲学美学,维护美学正宗。他俩的对立,引发了我的反思,难道这两种学术倾向一定要势不两立吗?结合国内的实际情况,我觉得应该而且可以把这两种发展趋势结合起来,发展为一门新学科：文化美学。文化美学将丰富多彩的文化研究成果作为自己的思想资料,从美学的高度,对那些丰富多彩的文化现象进行评价,总结新的"美的规律"。这不是很好吗?因此,我2001年在山东大学文艺美学研究中心成立大会上演讲的主题就是发展文艺美学,走向文化美学。后来,我又鼓动深圳大学文学院院长郁龙余组织编一套《文化美学丛书》,并为丛书写一篇长序《走向文化美学》,在《学术研究》上发表了。在我心中,文艺美学和文化美学并不矛盾,文化美学是文艺美学的发展,反过来,又可促进文艺美学的深化。两者相互促进,都是为了美学的发展。可以这么说,在20世纪末21世纪初,我的学术关注已逐渐从文艺美学转向文化美学,都是从美学上来评说文艺现象和文化现象。

我倡导文化美学,不是凭空而说,而是有感而发。我到深圳以后,接触了大量的内地尚无的文化现象。那时,深圳当然有文化,然而,多是古老而传统的南粤文化、客家文化,尚无现代文化。这里只有一家粤剧院,一家文化宫,一家新华书店,我教书,只能从北大自带参考书来。深圳刚建电视台,只能播放新闻。祝希娟刚从上海调来当副台长,正在准备开拓文艺节目,但还无甚可观。于是我就只好看香港电视台的文艺节目。那时,香港有一个台专门播放粤语的搞笑通俗节目,还有一个英文台,每晚都播中文字幕的电影。我不看粤语台,却看英文台播放的电影,那都是近一二十年来得奥斯卡金像奖的影片。这在北京是看不到的,正好为我补了课。三年中,我看了有上百部。1986年初春,我第一次跨过罗湖桥去香港中文大学新亚书院,在山顶上住了一个多月。此前,朱光潜、王瑶先后来此,都住在这会友楼。袁鹤翔、黄德伟等帮我在香港大学、香港中文大学复印了许多大陆没有的西方文论资料。同时,我开始与研究香港文化的黄继持、也斯、梅子等交往。他们告诉我,香港文化的主流是大众文化。这使我大吃一惊:大众文化、通俗文化怎么会成主流文化?他们告诉我,精英文化在大学殿堂还是占绝对优势,大学里还是崇尚高雅文化,学者教授在香港的地位绝对比影视明星高,就算金庸这样的已经大富大贵的通俗作家,对大学殿堂还是抱着仰视的态度。这种文化现象引起了我关注的兴趣。我也开始读琼瑶的小说、香港作家亦舒和梁凤仪的小说。我惊异她们能把爱情写得如此惊心动魄,渐渐懂得了大众文化为什么能成为香港文化的主流。后来,我又听了邓丽君、梅艳芳、蔡琴等人的演唱,与内地的歌唱家的演唱不一样,觉得另有一种审美价值。由此,我就关注起大众文化、精英文化和主流文化的关系来。2002年初,刘纲纪、王杰在广西师范大学办了一个刊物《马克思主义美学研究》,并且在那里召开马克思主义美学研讨会,邀我写稿并参会。我写了一篇长文《焕发新审美精神》,发表在那个刊物,在社会上产生了一些反响。这篇文章是我来深圳之后对20年文化现象的美学思考,没有来得及收入《胡经之文丛》,但却收入了深圳大学文学院编的《美的追寻——胡经之学术生涯》。

李健:在我印象中,这篇论文的写作正是国内的大众文化刚刚兴起之时,您呼唤中国文化要健康发展,需要及早注意大众文化、精英文化相互促进,相互提升,大力发展雅俗共赏的主流文化。您的意思是不是要及早从全局考虑,形成大众文化、精英文化和主流文化的良性循环?

胡经之: 是这样。大众文化必然要发展,势不可挡。但必须相应地及早扶持精英文化,然后,以精英文化引导大众文化的提升,提高大众文化的思想艺术水平,发展为雅俗共赏的主流文化。三者相互促进,形成良性循环。

在走向现代化的进程中,审美现代性也悄然而生。大众文化、通俗艺术的兴起,推进了审美现代性的新变,成为审美文化的新维度,改变了审美文化的格局。如今,主流文化、大众文化、高雅文化已三足鼎立,各显神通,三分天下,各领风骚。在审美文化的发展过程中,三者既分立,又互动,相互作用,彼此影响。随着国际文化交流的扩大和深入,我们必须自觉地把握这个契机,在促进文化的互动和沟通中提升,向着先进文化方向发展,唤起和焕发新审美精神。

然而,当今社会出现的大众文化,本身又与主流文化、精英文化密不可分,在具体对待的过程之中难以界定。比如,有些大众文化表现了主流的意识形态,那么,这种文化到底是大众的还是主流的?恐怕两个因素都有。但是,有些文化现象完全是为了迎合人们的享乐和低级趣味,其中充斥着淫秽和庸俗的内容。对这些,我的态度非常鲜明:对那些不具有审美素质的文化现象,研究者应该以研究社会和批判现实的态度来对待。我倡导文化美学,着重强调的是文化的美学问题,要求文化美学的研究要着重研究文化中的美学维度,核心还是价值理念。

任何文化现象都可能具有美的维度,即便是大众文化也不例外。大众文化和主流文化、高雅文化相比,具有世俗性、娱乐性、流行性(即时性)的特点。大众文化可以有许多价值、功能,但它的最突出的目的和功能,就是给大众即时的快乐。大众文化是从日常生活而来的,它是最贴近日常生活的那种审美文化形态。它从日常生活的审美中提炼出新的形式,从而又回归日常生活,引发大众体验生活的乐趣,享受生命的欢乐。因此,大众文化中包含着美的维度,能够成为文化美学的研究对象。

既然文化美学的研究对象是整个文化，那么，就不可能是单一的大众文化、通俗文化，还应该包括主流文化、高雅文化。一个时代不可能没有主流文化。所谓主流文化，是指在主流意识形态主导下生成的文化。这种文化承载着国家的公共利益，担负着对国民思想进行引导与教育的使命。应该强调的是，主流文化并不一定是审美文化，其中有审美的，而更多的是非审美的。无论是审美的还是非审美的，都会引起人们的兴趣。这是因为，主流文化传播的信息非常丰富、真实，从主流文化中，人们能够了解国家的政策动向，了解世界各地人民的生活变化，学会应付现实生活的方法，等等。无论是审美的主流文化还是非审美的主流文化，都是人们需要的，都应该纳入文化美学的研究范围。我对主流文化的态度是：它应该比大众文化的审美要求更高，能够对日常生活作审美超越，应该重视发展自己的审美维度，教育人们如何从审美上去体验和评价这个世界，教给公众如何以审美的态度来对待这个世界。我认为，主流文艺应该站在时代发展的前列，把握时代脉搏，具有超前意识，对社会现实有真切的体验和深刻的领悟，同时，又能够唤醒自我，进行自我反思。而要提升主流文艺的审美品位，必须超越现实，直面人生，增强文艺作品的批判性，这是一条重要的途径。

高雅文化是文化中的精品，它应该建立在大众文化和主流文化的基础上，是对大众文化的吸收和超越，同时也是对主流文化的吸收和超越，其审美品位和审美价值应该最高。当今社会，不可能人人都具有很高的欣赏水平，都沉迷于高雅文化，高雅文化毕竟是少数人的事情。大众文化、通俗艺术需求的人多，因此相对发达，而高雅文化、高雅艺术需求的人少，因此相对滞后。在现实的情形下，任何文化、艺术都存在着利益关系。高雅文化、高雅艺术因为需求的人少，不能给创造者带来更为丰厚的利益，很多高雅文化的作家、艺术家为了生存，转向大众文化、主流文化，使得高雅文化、高雅艺术的创作队伍严重萎缩，不仅创作的人较少，作品数量较少，而且质量不高。高雅文化、高雅艺术在发展中存在不少问题。文化精英在进行高雅文化、高雅艺术的创作时，受西方形式主义美学的影响较大，导致创作上出现偏差；很多人只是致力于形式之美的建构,不愿意在体验生活上下功夫,忽视了对人生价值和意义的领略,导致某些高雅的文学艺术创作失去审美的意蕴,受到时代和人民的冷落。高雅文化、高雅艺术创作所出现的这些问题应该是我们今天的文化美学认真反思的问题。文化美学要发展,要站稳脚跟,必须在大众文化、主流文化、高雅文化中取得平衡,在不同的文化之间进行审美的取舍,吸收各种文化的精华,从而完善文化美学。在这个意义上,从文艺美学转向文化美学也是一种必然。

李健:您提出,文化美学的研究在于唤起和焕发新的审美精神。这种新的审美精神是一种什么精神?能不能再深入地谈论一下?

胡经之:在我看来,文化美学的研究在于唤起新的审美精神,这种新的审美精神是指一个时代的自由、理想、积极、昂扬的美学气质和精神面貌。任何一个时代都有自己的审美精神,时代在变,审美精神也在不断地改变自己的形式,总是以新的面目出现。改革开放之初,中国社会的审美精神是崇高的、理想的、英雄主义的。后来,大众文化、通俗文艺兴起,对文学艺术的创作形成了强势冲击,无形地也在影响着时代的审美精神。20世纪90年代前后的小说与诗歌创作,明显地受大众文化观念的影响,它们一反典型化和宏大叙事的创作理念,在文学作品中开始表现日常生活、平凡形象,解构崇高、典雅、神圣。应该说,这些创作行为都为审美开辟了一个新的领域,有其存在的合理性。因为,随着社会的转型,人们的心态也逐渐趋于平民化,希望过上快乐、舒适的平民化生活,那种英雄主义的慷慨激烈退居次要地位。然而,到了新生代的文艺创作,过去一些优良的审美品质却遭到了抛弃,文艺审美走向极端。许多作品只关注小我,厌恶社会,描写的对象主要是酒吧、舞厅、夜总会,渲染的内容主要是暴力、色情、吸毒、黑社会等。这些创作行为,仅仅是为了满足感官的刺激,缺乏人文关怀的精神。这就背离了时代的审美精神,完全消解了文学艺术的审美判断,颠倒了价值关系。这是不符合人类审美发展的,体现了一种总体审美精神的缺失。这是对大众文化的负面承载,这种承载不符合审美的发展规律,理应遭到社会的抛弃。

大众文化、通俗艺术具有娱乐的作用,但是,不能仅仅停留在生理感官的娱乐层面,而应提升到精神体验的层面。这是焕发新审美精神的关键。怎样才能将大众文化、通俗艺术提升到精神体验的层面?这是一个难题。我在考察了当下的文学艺术实践后发现,很多作家、艺术家已经在做这方面的探索,并且取得了一些成绩。他们尝试的方法主要有两种:一是伸手向经典索取,二是伸手向民俗索取。比如,那些流行的歌曲,《涛声依旧》借用的是唐诗经典《枫桥夜泊》的审美意象,《霸王别姬》引进的是京剧的曲牌,《中华民谣》则融会了民歌的说唱精华。这些尝试都是有意义的、必要的,取得了一些成效。然而,在我看来,大众文化和通俗艺术不应该仅仅停留于此,还应该在提炼生活经验上下功夫。大众文化、通俗艺术应该面向当下,关注大众生活,与大众的日常生活更贴近一些,通过对大众日常生活的领悟、反思、体验,超越日常生活,在新的体验、领悟、反思中焕发出新的审美精神。大众文化、通俗艺术应该回到现实的地面,这也是所有文化、艺术生长的土壤,只有在这个土壤中,大众文化、通俗艺术才能长成参天大树。

李健: 前几年,日常生活审美化的问题成为学界热议的话题。据我所知,您的日常生活就带有一定的审美意味,能谈谈这个老问题吗?

胡经之: 在文化研究的热潮中,文化被抬到了至高无上的地位,仿佛文化就是一切,文化的研究可以代替文学艺术的研究,更有甚者,认为文学艺术的特质已经丧失,走向了反本质主义,乃至后来,围绕着"日常生活的审美化"等问题,展开了一场激烈的争论。

应该说,"日常生活的审美化"这一命题本身非常有意义。审美确实不只存在于高雅艺术之中,也存在于人类的日常生活之中,而人类日常生活中的大量审美现象是被美学忽视的,没有被认真地研究与对待。如果从美学的角度对人类的日常生活进行研究,将人类的日常生活与审美结合起来,对培养人类的审美情操、提高人类的生存质量和精神境界都是有意义的。然而,对日常生活的审美研究,应该与对文学艺术的审美研究并行不悖,这是两条审美的路径。可是,提出"日常生活的审美化"的论者在论证这一问题时却出现了一种偏颇,那就是企图以日常生活的研究代替文学艺术的研究,消解文学艺术的特质,过分地渲染流行文化、消费文化、商业文化的美学价值,渲染科学理性与技术理性的价值。社会的发展、科学技术的进步,目标只有一个,那就是提高人类的生存质量,当然,其中也包括审美。但是,事与愿违,科学技术的发展在给人类带来丰厚的物质利益的同时,也极大地伤害了人类,改变、扭曲了人类的某些道德和品行,这就与审美相悖了。20世纪初、中期西方的文化批评就充分注意到这一事实,以法兰克福学派为代表的新马克思主义就对资本主义的工具理性提出了批评,认为它在一定程度上异化了人性,使人成为"单面的人",可谓振聋发聩,发人深省。接着,美国学者马泰·卡林内斯库认真审视了现代性的五副面孔——现代主义、先锋派、颓废、媚俗艺术、后现代主义,对之进行了深入的剖析,审视利弊。可见,西方学者对文化的研究虽然关注流行文化,但主流的倾向并不媚俗,更没有偏于一隅,他们已经明确认识到了日常生活与审美之间所形成的悖论。

文化研究应该研究流行文化、消费文化、商业文化,但是,不能把流行文化、消费文化、商业文化作为文化研究的唯一目标或者风向标,不加分析地给予无条件的肯定与赞美,更不能以此代替文学艺术的研究。通过对西方文化研究的研究现状的考察,我发现,西方的文化研究在刚刚兴起的20世纪60年代,研究对象就已经非常广泛了,其中包括人类学、艺术史、哲学、政治学、心理学、语言学、电影、性、社会思想史等。进入20世纪90年代,已经扩展到整个文化领域,以至于没有人能说清楚它究竟跨越了多少学科。文化研究是从文学研究发展而来的,文化研究兴盛之后还需要文学研究吗?文化研究和文学研究到底是什么关系?我认为,文化研究并不能代替或者取消文学研究,但是,却有利于文学研究的深入。文学研究应该深入研究作为文化艺术之一的文学的特殊性,如果不能掌握文学的特殊性而只停留在文化的一般性上,那么,文化研究很容易变成一种非量化的社会学研究。文学艺术因为自身特殊规律的存在,对它的研究不可替代,只能深化,可以借助于文化的研究方法将文学艺术的研究推向深入。

日常生活审美化和审美日常化其实是有区别的两种文化现象,日常生活走向审美化,是把日常生活向审美提升,而审美的日常化,乃是把审美普及。这并不意味着要把文学艺术降低到日常生活水平,生活和艺术之间也要形成良性循环。我给《文艺报》写过一篇短文《生活审美化,艺术当何为》,是说生活审美化后,艺术应该怎么办?艺术要提高自己的水平,提升艺术境界,然后又反作用于生活,从日常的生活提高到超日常的生活,不断提升人的生活境界。人生美学和文艺美学之间应有相互提升的连续性,文艺美学的发展应更紧密地和人生美学联系起来。

五、美学生涯在延续

李健: 人生七十古来稀。2004年,您在71岁的时候退出了中国中外文艺理论学会副会长职务,学会授予您"文艺理论突出贡献奖"。在那之后,您还在继续招收文艺美学博士生,还在继续担任深圳大学学术委员会副主任、人文社会科学委员会主任。近年来,您每年还写10万字左右的著述。现在,您在学术上还关注些什么呢?

胡经之: 70岁之后,我招收的博士研究生已逐渐减少。在跨入新世纪第二个十年之前,我送走了最后一批博士生,不必再围绕文化艺术问题来言说了,可以自由地关注自然生态、比较美学、古典美学了。我的教书生涯已经结束,但我的美学生涯仍在延续。近几年来,我的美学思考路径大致是:

一是倾情自然美学。在新世纪初,海天出版社约我主编了一套《人与自然丛书》,我欣然答允,为丛书写了一篇总序《珍重自然》,延续中国古典美学的传统,说明天地自然之美才是"大美",才是人生建构"天地境界"的来源。2005年,我应邀去青岛参加了生态文明国际研讨会,写了一篇《生态之美何在》,自然之美虽要进入人的生活才有美,但美还在自然,不在意象。2010年,第十八届世界美学大会邀我与会,叶朗约我主持艺术美论坛。我说我在会上不谈文化艺术之美,只谈自然美。于是,大会安排我主持自然美论坛,并作了发言。关于自然美,前年,我和严家炎、李光曦等去俄罗斯沿伏尔加河走一趟,对自然美感受颇多,所以,我忍不住在大会上谈论自然美,题目就叫《向人而生自然美》。对此，我还想进一步探讨，想沿着宗白华之说继续探索。

二是重拾中国古典文艺学。我跟随杨晦先生攻读副博士研究生时，曾想走研究古典之路，可最终还是走上了文艺美学研究之路。李健来后，又燃起我的古典之梦，我们合著了《中国古典文艺学》一书，作为对晦师的永久纪念。前年，《中国古典美学丛编》再版时，我写了一序，说了我重拾古典的意义。2011年，太湖文化论坛召开首届年会，我应邀赴会，写了一篇文章《中华文明重和美》，也是重拾古典，以古说今。

三是再倡比较美学。改革开放之初，比较文学刚起之时，我就在《光明日报》上发表文章，倡导"比较文艺学"，把比较从文学扩展到艺术。后来，汤一介、张岱年创建了中国文化书院，负责教学的李中华要我去开设"比较美学"，我一口应允，准备了一个提纲，写出了一个序论。但因在深圳的头绪太多，未能继续下去。新世纪以来，王岳川在呼喊中华文化走向世界，王列生在研究国际文明如何相互交往。张法、陈伟等更直奔中外美学的比较研究。面临文化越来越走向国际化的时代，比较美学的重要性更日渐显露。去年，人民出版社出版了陈伟、邵志华合著的《比较美学原理》，陈伟嘱我写一篇序，我就说了中外美学的比较研究对于中国美学发展的巨大意义。没有国际化视野，说不清楚中国美学的问题。"国际视野，中国问题"，应是今后我国美学发展的根本方向。

年届八十，数年前我对自己的人生作了一番反思，写下了《感悟》四句："人生苦短波折多，不如意事常八九。尚幸留得平常心，犹向真善美追求。"对真善美的追求是无止境的，从小美到大美，从生活境界到天地境界，应不断提升。几年前，我应《美与时代》之约写过一篇《美学伴我悟人生》，今天，借助于这个访谈，我对我的人生进一步归纳，那就是：心向至美人生幸。

李健：好！我们已聊了很多。非常感谢您！祝您健康长寿！为文艺美学研究做出新的贡献。

（原载《文艺研究》，2013年11月）

附文三

从文艺美学到文化美学的历史转折
——胡经之的文艺理论和美学研究

李 健①

摘 要：胡经之是新中国培养成长起来的第一代文艺理论家和美学家。他全程体验并参与了新中国文艺理论和美学的建设。20世纪60年代，他就尝试从客体价值（真、善、美）和主体接受（审美感受）两方面统一的角度解释为何古典作品至今仍有艺术魅力。70年代末，针对文艺理论政治化、美学太抽象的现实，他另辟蹊径，开拓了文艺美学学科，构筑了比较完整的文艺美学的理论体系，极大地改变了中国文艺理论、美学的生态。90年代中期，随着文化的发展，文艺理论和美学研究发生了很大的变化，他又适时提出发展文化美学的构想，积极开展文化美学研究。从文艺美学到文化美学，是胡经之文艺理论、美学研究的路向，鲜明地昭示了中国现代文艺理论、美学研究的转向。胡经之为新中国文艺理论、美学研究的发展做出了杰出的贡献。

关键词：胡经之 文艺美学 文化美学 艺术生命意义 审美精神

新中国文艺理论和美学的发展经历了一个曲折的过程，在这一过程中，探索、构筑有自己民族特色的马克思主义文艺理论和美学体系成为文艺理论和美学研究的主要目标，成为每一个学者努力的方向。尽管在这一目标实施的过程中出现了不少问题，但是，中国当代文艺理论和美学的研究毕竟取得了很大的成绩，向着有民族特色的

---

① 李健，深圳大学文艺学教授，博士，文艺理论教研室主任，文艺学研究中心主任。

文艺理论和美学迈出了坚实的一步。作为新中国培养成长起来的第一代文艺理论家和美学家，胡经之全程体验并参与了这一过程，为新中国文艺理论和美学的发展做出了杰出的贡献。20世纪60年代初，他参与蔡仪主编的高校教材《文学概论》的编写工作，这本《文学概论》和以群主编的《文学的基本原理》奠定了中国当代文艺理论的基本模式——马克思主义文艺理论的模式。胡经之并不满意这种单一的模式。正是出于这种不满意，70年代末，他才另辟蹊径，开拓了文艺美学的新领域，极大地改变了中国当代文艺理论和美学的生态。文艺美学的观念深入人心，产生了极其广泛的影响。为此，他被誉为"文艺美学的教父"[①]。90年代，他又提出发展文化美学的构想，较为敏锐地捕捉到了文艺理论、美学发展的新动向，提出了一些新锐的理论主张，不仅开中国文艺理论、美学研究的文化研究之先河，而且也为这一研究的开展指明了方向。在中国当代文艺理论家、美学家中，胡经之是特立独行的一位，他的学术思想充满光彩，值得我们认真思量。

一

胡经之与文艺理论结缘，是在北京大学读书期间。那时，杨晦给他们开设"文学概论"课程，胡经之是"文学概论"的课代表。1954年，苏联文艺学家毕达可夫到北大开办"文艺理论研究班"，主讲"文艺学引论"，胡经之曾经作为旁听生听课，比较完整地了解了苏联文学理论的基本状况。1956年，国家仿效苏联试点副博士学位制度，胡经之便成为杨晦的第一届文艺学副博士研究生。攻读副博士研究生之后，他奉导师杨晦之命，先从中国古代文艺思想做起，集中阅读、研究中国古代的文艺理论，积累了大量的第一手资料。其间，他曾经帮助罗根泽核校了由郭绍虞与罗根泽联袂主编的《中国古典文学理论批评专著选辑》中的一些经典著作，查阅了大量的古籍版本。在这一过程中，胡经之对中国古典文艺理论有了比较深入的了解，为他后来的

[①] 杜书瀛：《文艺美学的教父》，《南方文坛》，2002年第5期。

理论创造打下了坚实的基础。

那时,全国美学界正在开展关于美的本质的讨论,围绕着美的主观性、客观性等抽象问题,朱光潜、蔡仪、李泽厚等美学家唇枪舌剑,气氛相当热烈,也非常紧张。胡经之默默关注着这场争论,围绕争论的内容思索良多。但是,他思索的重点不是美的本质,而是文学艺术的魅力。在听过杨晦的"中国古代文艺思想"、钱学熙的"西方文论课"之后,胡经之将他的思考进一步深化,逐渐有了一个比较明确的想法。在他看来,文艺学太政治化,美学又太抽象,能不能将两者融合在一起呢?他把自己的这一想法讲给杨晦听,与他讨论,得到了先生的支持。杨先生赞同他继续深入思考,并建议他多去找朱光潜、宗白华两位先生请教。从此以后,胡经之就成为朱光潜、宗白华两位先生家的常客。研究生的后一阶段,他到哲学系听朱光潜的西方美学史、宗白华的中国美学史,两位先生的课对他启发很大。随后,他便明确了自己的研究生毕业论文选题,探讨古典艺术为何至今还有艺术魅力。他想尝试从一个新的角度即客体价值(真、善、美)和主体接受(审美感受)两方面统一的角度来解释这种现象。

1958年,全国上下开展了轰轰烈烈的"大跃进"运动。这场运动,打破了胡经之的平静生活。当时,周扬带领何其芳、张光年、邵荃麟、林默涵、袁水拍等来到北京大学,为全校开设"建设中国的马克思主义文艺理论"讲座,明确提出要建立中国自己的马克思主义文艺学和美学。胡经之受命担任这一讲座的助教,亲历了这一事件。当时,他正埋首于中国古典文艺理论的研读之中,为此,不得不放下古典,开始关注当下的文艺现实。1958年秋天,全国文艺界开展了文艺创作方法的大讨论,讨论的核心是现实主义和浪漫主义两结合的问题。胡经之也加入讨论的行列。中国作家协会组织了一场规模盛大的研讨会,张光年、邵荃麟、田汉、曹禺、老舍等著名作家、批评家参加了会议。胡经之和老师杨晦也受邀参加了会议。在这次会议上,胡经之作了题为《关于现实主义和浪漫主义相结合》的发言。《文艺报》很快就刊登出他的大会发言稿,影响遍及全国。那年春天,他和严家炎、王世德一起被张光年、侯金镜聘为《文艺报》特约评论员,开始了文艺评论的写作。

随后将近两年的时间，胡经之把自己的主要精力花费在文艺批评上。1959年初，他发表了《理想与现实在文学中的辩证结合》(《文学评论》1959年第1期)，适应当时的形势，将此前对这一问题的思考进一步深化。为了配合全民读书运动，应上海文艺出版社之约，完成了一本文学评论小册《谈谈〈野火春风斗古城〉》。他曾经集中研究过王愿坚的短篇小说，撰写了《〈七根火柴〉赏析》等欣赏文章，在中央人民广播电台的《阅读与欣赏》节目中播出。

然而，胡经之不愿意失去宁静的书斋生活而完全走向文艺界，他喜欢的还是理论思辨，一直留恋文艺学、美学。即使在他进入文艺批评界展示自己的才华并获得一定的成绩时，也保持着十二分的清醒，常常利用闲暇时间阅读文艺学、美学著作，与朱光潜、宗白华探讨美学问题，钻研宗白华关于欧洲文艺复兴时期的美学，英国经验主义美学、心理分析美学，德国理性主义美学的研究手稿。从1959年下半年开始，他又回到了书斋，开始寂寞清苦的生活，全身心投入副博士论文的写作。他原本想将自己的副博士论文写成一本书，由于四年中间经历了这么多事情，参与了这么多事情，耗费了他大量的时间与精力，耽误了论文写作的进度。他只好将自己原本的计划稍作变通，将一本书的主要观点浓缩在一篇论文之中，最终完成了一篇将近三万字的长文——《为何古典作品至今还有艺术魅力》。后来，这篇长文全文刊发在《北京大学学报》上。

《为何古典作品至今还有艺术魅力》集中表现了胡经之早年的文艺理论、美学思想。在这篇文章中，胡经之运用马克思主义的观点，试图从美学上揭示古典作品至今仍有艺术魅力的原因。在他看来，古典作品之所以至今仍有艺术魅力，一在于古典作品本身，二在于欣赏主体，这两个方面合力铸就了古典作品在当今的艺术魅力。古典作品表现真、善、美，也表现假、恶、丑，然而，优秀的古典作品所展示出来的乃是对真、善、美的肯定，对假、恶、丑的否定，所以不仅在理智上能引发人们思考，而且，还在情感上打动人们，激起人们今天相应的、一致的情感态度。为什么会是这样？胡经之从两个方面作了逻辑的、细致的分析。

首先,从古典作品本身来说。胡经之认为,古典作品创造出来的艺术形象凝结了古典作家对现实对象的审美认识和感受,这种认识和感受能打动人,使人们获得艺术享受。"当我们面对的艺术形象,假如是生活的审美反映,而我们从艺术形象得到的审美上的体验和感受,恰恰又是和古典作家的审美反映相应的、一致的,那么,我们就得到了艺术享受。"问题是,古典作家距离我们今天已很遥远,我们的审美体验和感受如何才能与古典作家相应、一致?胡经之经过深入思考,作出了富有说服力的解答。他说:

>……古典作家的思想情感也不会和我们相同,由于历史的局限和认识的局限,他们对现实的体验和感受,和我们比起来,当然会有很大的差别,从而,作为主、客观统一的古典作品也不可能与现代作品具有同一的性质。但是,优秀的古典作品和我们之间,在矛盾中却也有着统一的、一致的方面。在优秀古典作品中所体现的古人对生活的体验和感受,不但不与我们今天对现实的反映相冲突,而且还是一致的、统一的。正是这样,马克思才在《〈政治经济学批判〉导言》中说,希腊人的艺术在我们面前所显示的魅力,是与它所由产生的未发展的社会阶段不相矛盾的。深刻的矛盾、惊人的一致,这就是古典作品对我们的双重关系。而那些传之不朽、真正富有艺术生命力的古典作品,却总是在这两重化的矛盾中闪耀出它的艺术光辉。①

也就是说,古典作家的思想情感无法脱离他们所生活的那个时代,同时也无法脱离他们所归属的社会阶层,他们身上的阶级性印记不可能清除。在胡经之看来,这种阶级性印记并不足以成为古典作品在今天仍然具有艺术魅力的天然阻隔。"文学艺术是现实生活的审美上的反映,它在反映现实时必定会有阶级的影响,但它的内容仍然

---

① 胡经之:《为何古典作品至今还有艺术魅力》,《北京大学学报》,1961年第6期。

是对生活的感受和体验,而不是阶级的思想体系。"①胡经之非常看重这生活的感受和体验,他强调,欣赏古典作家的作品,"我们大可不必去理会他们的政治观念,但他们对生活的真实体验,对人生的感悟,却对我们很有价值,能给我们美的享受"②。这就超越了当时评价古典作家把阶级性当作单一的评判标准的机械做法,把审美价值评判引入到对古典作品的评价之中。

其次,从欣赏主体来说。在胡经之看来,古典作品为什么至今仍有艺术魅力,是因为古典作品所表现出来的真、善、美。古典作品所表现出来的真、善、美虽然是旧的真、善、美,但在当今,这旧的真、善、美仍然具有价值,它是新的真、善、美进一步发展的起点。"当今人类需要'旧美'以及一切历史上有价值的东西,这不仅是因为当今人类不得不在前人遗产的基础上才能生存,而且,要发展新的东西,也必须吸收前人的经验、成就,作为'进一步发展的出发点'。"③我们在阅读古典作品的过程中之所以会被打动,是因为古典作品所表现的真、善、美能够引起我们的共鸣,对我们仍有道德教育的作用、认识生活的作用和审美享受的作用。胡经之认为,这些作用会随着新文化的建立、随着社会主义文学艺术的发展越来越明显。他强调:我们的审美水平是逐渐提高的,随着我们审美水平的提高,会对古典作品中所表现的真、善、美有更为深刻的感受和把握,充分利用古典作品所表现的真、善、美来认识、发展并完善我们现代的真、善、美。很显然,这种价值评判和阶级评判完全处于两个不同的层次。尽管胡经之处于那个阶级性至上的时代,他却保持一种清醒的头脑:文学艺术不完全是阶级思想的演绎,而更主要的是审美的呈现;惟其是审美的呈现,文学艺术才能保持恒久的艺术魅力。

从这里可以看出,胡经之对古典作品为何至今仍有艺术魅力的美学分析超越了他生活的那个时代,他已经自觉地将文学艺术引向审美评判的领域。今天看来,这篇文章在那个年代显得比较异端。由于

---

① 胡经之:《为何古典作品至今还有艺术魅力》,《北京大学学报》,1961年第6期。
② 同上。
③ 同上。

当时人们思考的焦点是文艺的政治性、文艺的阶级性、现实主义与浪漫主义等问题,忽视文艺的美学问题,没有对这篇文章所提出的理论观念投以足够的关注。然而,我们今天却不能不正视它的存在。这对理解中国当代文学理论、美学的发展会有一定的启发。如果我们忽略这一问题,必然难以理解胡经之文艺理论、美学思想发展的逻辑,同时,也妨碍我们准确地认识他开拓文艺美学的良苦用心。

1961年5月,胡经之被抽调到中央高级党校(现中共中央党校),参加蔡仪主编的高等学校教材《文学概论》的编写工作。与此同时,以王朝闻为主编的《美学概论》编写组也住在党校。这是周扬主抓的高等学校教材中的两部,其目的是建立中国自己的马克思主义文艺学、美学。胡经之参与《文学概论》的编写,但和王朝闻交往甚多,成为忘年交。他撰写的是《文学概论》的第一章,"文学是反映社会生活的特殊的意识形态"。按照胡经之原本的设想,这一章应开宗明义地阐述文学和生活的关系,突出文学是对生活的特殊反映,即对生活的真、善、美的反映,其特殊性就表现在真、善、美的结合上。这与他副博士毕业论文的主要观点是相联系的。但是,蔡仪要突出的是从认识论出发谈文学对生活的形象认识,周扬在参加讨论的过程中则明确要求突出文学的意识形态性质,强调文学要为政治服务。因此,胡经之只能按照他们的意图去做,认真完成了这一章内容的撰写,其实,在他内心深处,却有一种难言的无奈。

1966年,"文革"爆发,胡经之也被卷入运动的浪潮之中,几经沉浮。那时,全国上下都处于亢奋之中,大学都已停课,所有学术研究不得不停顿。胡经之虽然不能光明正大地研究文艺理论、美学,但并不表明他内心深处已不再思考这些问题。在当时的情形下,他只能将自己的兴趣暂时埋下,等待时机。1970年,他与北大的一些老师下放到江西鄱阳湖鲤鱼洲参加农业生产劳动,第二年冬天才回到北京。之后,依旧不能研究文艺理论、美学,能够研读的只有马列主义著作和《红楼梦》等,于是,他便潜心阅读马克思的《资本论》和《红楼梦》。1973年,他与陈熙中、侯忠义合写了《〈红楼梦〉——形象的封建社会没落史》一文,把《红楼梦》中四大家族的兴衰上升到封建社会的没落层面来加以认识。这篇文章发表在《北京日报》(9月22日)上,全国各地多家报刊转载,并印成单行本,在当时产生了很大的影响。胡经之的《红楼梦》研究一直持续到80年代初,后来,他的《红楼梦》研究便自觉地和美学结合在一起,先后撰写了《"红学"与美学》《枉入红尘若许年——谈〈红楼梦〉里的顽石故事》等论文。①这些论文,提倡从美学的角度研究《红楼梦》,探讨其艺术美及审美价值。这是他文艺理论、美学思想发展的风向标。实际上,在20世纪80年代初期,胡经之通过对《红楼梦》等问题的研究,已经开始构思他心中的文艺美学,试图打破当时文艺理论、美学研究沉闷的空气,构建一套完整的理论学说,开拓一个真正能够体现中国学术特色的新的学科。

二

"文化大革命"结束之后,中国迎来改革开放的新时代,中国人的精神终于获得了解放。精神的解放激发了胡经之的学术生产力和创造力,他积极投入到他所喜爱的学术研究之中。20世纪70年代末,北大鼓励教师拿出自己的学术品牌。受这种氛围的感染,胡经之的学术热情和学术创造力也极大地喷发出来。他积极参加学术研究活动,多方面吸收古今中外的文艺学、美学研究成果,开始了新的学术探求。

1978年,胡经之读到台湾学者王梦鸥的《文艺美学》,受到启发。这本书讨论文学、美学和文学批评等问题,论述虽显简略,但是"文艺美学"这个名称却起得好,非常具有中国特色。可是,王梦鸥并未有意将"文艺美学"作为一个学科来对待,他的"文艺美学"仅仅是个

---

① 《"红学"与美学》刊发于《光明日报》1981年11月30日。《枉入红尘若许年——谈〈红楼梦〉里的顽石故事》刊发于《红楼梦研究集刊》1981年第6辑(上海:上海古籍出版社)。这两篇文章后来被收入胡经之的《文艺美学论》(武汉:华中师范大学出版社2000年版)一书中,题目作了改动,《"红学"与美学》改为《美学亦应解"红学"》,《枉入红尘若许年——谈〈红楼梦〉里的顽石故事》改为《意象经营石头记》。

书名，提法具有随意性。这却引起了胡经之的思考：能不能将"文艺美学"作为一个学科来发展，以区别于哲学美学或其他美学？

其实，"文艺美学"这一概念早在20世纪三四十年代就出现了。李长之早在《苦雾集》的一篇对话体文章《文艺史学与文艺科学》中就曾经这样说过："但是文艺教育须以文艺批评为基础，而文艺批评却根于'文艺美学'。文艺美学的应用是文艺批评，文艺批评的应用才是文艺教育。"①这篇文章原本是李长之为他自己翻译的德国美学家和文艺理论家玛尔霍兹（Werner Mahrholz）的一本著作《文艺史学与文艺科学》所写的序言。在李长之看来，文艺美学就是德国人所说的诗学。②当时，由于种种原因，胡经之并没有读到李长之的文章，直到2004年，他才看到李长之的相关讨论。

1980年6月，中华全国美学学会成立大会在昆明召开，这是新中国建立以来的第一次美学盛会。朱光潜等很多老一代的学者都参加了这次大会。胡经之在大会上作了"中国美学史的方法论问题"的发言。③这次大会还成立了全国高校美学分会。在全国高校美学分会成立的会议上，胡经之建议，高校应改进美学教学，高校文学、艺术系科的美学教学不应该停留在讲授哲学美学原理上，而应开拓和发展"文艺美学"。接着，他就"文艺美学"的学科构想简单地陈述了自己的想法。这一建议引发了热烈的讨论，得到了朱光潜、伍蠡甫、蒋孔阳等美学家的热忱鼓励。

回到北京大学之后，胡经之在讲授文学概论之外，积极准备文艺美学讲稿，开设文艺美学课程。1980年秋天，新学期开始，在北京大

---

① 李长之：《李长之文集》第3卷，河北教育出版社，石家庄，2006年，第140页。
② 李长之在《我对于"美学和文艺批评的关系"的看法》一文中说："……但是，到了创作的时候，态度却只有一个，就是'为艺术而艺术'。这种态度，不止是文艺创作，所有一切艺术创作，都不可缺，不能缺。何以这种态度关系作品非常之大，道理在什么地方？这是美学所要解答的。特别是文艺美学，也就是德人所谓'诗学'里所要解答的。"《李长之文集》第3卷，河北教育出版社，石家庄，2006年，第6页。
③ 该发言后来撰写成完整的论文发表，题为《中国美学史方法论略谈》，参见《北京大学学报》，1980年第6期。

学的课程表上，增加了一门新的课程——文艺美学。这是新中国大学的教育史上第一次开设这门课程。胡经之成为主讲文艺美学的第一人。1981年这一年，胡经之已有资格招收硕士研究生，他专门写了个报告，要求在文艺理论专业下面开辟一个新的专业方向"文艺美学"。北大正鼓励学科创新，当即同意，并得到了教育部的批准。于是，在北大的硕士研究生招生专业目录中，第一次出现了"文艺美学"。

1980年，胡经之的文艺美学研究正式登场，他从对艺术形象的美学思考切入，探讨了文艺美学学科存在的依据，继而，构筑了比较完整的文艺美学的体系，注重对艺术生命意义的发掘。我们拟从切入、开拓、创造、价值等几个方面来讨论他的文艺美学贡献。

1. 切入：关于艺术形象的美学思考

艺术形象是胡经之最早深入论述的文艺美学内容。由于这一问题是他文艺美学研究的切入点，故而，我们单独把它拿出来讨论。借以说明他对新时期文艺理论、美学新观念的开拓与贡献。

胡经之的文艺美学研究是从反思艺术形象开始的，这是他的副博士毕业论文引而未发的问题。1981年，他发表了长文《论艺术形象——兼论艺术的审美本质》，比较深入地论述了艺术形象问题。在这篇文章中，胡经之并没有完全受20世纪80年代以前关于文学形象研究的左右，而是从艺术形象和非艺术形象切入，思考艺术形象的审美特性，进而揭示文学艺术的审美本质。在胡经之看来，艺术形象是一个审美物象，但艺术形象并非仅仅是个审美物象，它以审美物象作为自己的构成形式，借助于审美物象来表达特定的精神内容，这一精神内容就是审美意象。因此，审美意象成为胡经之关注的焦点。胡经之认为，审美意象隐藏于作家、艺术家的内心深处，要想使审美意象成为艺术形象，必须要经过符号化。他说："审美意象，乃是包含着审美认识和审美感情的心理复合体。"[①]也就是说，在审美意象

[①] 胡经之：《论艺术形象——兼论艺术的审美本质》，《文艺论丛》第12辑，上海文艺出版社，上海，1981年，第14页。

中,既包含着审美认识又包含着审美感情。审美认识是对现实对象的审美价值和审美属性的认识,这种认识并非单纯的理解、思维,还有感知、直觉等。而审美感情是与审美认识纠结在一起的,它是人对现实对象的审美属性能否满足人的审美需要作出的反应。审美认识和审美感情的融合完善了审美意象。审美意象对审美认识和审美感情的偏重和选择形成了不同的艺术类型。突出审美感情的艺术以抒情为主,形成抒情性艺术;突出审美认识的艺术以造型为主,形成造型艺术。造型艺术的审美意象以形寓情,表情艺术的审美意象使情具形。胡经之以大量的诗歌、音乐作品为例加以论证,凸显了他对这一问题的认识与众不同。胡经之对审美意象的特征、结构方式和符号化的探讨,在一定程度上深化了艺术形象的理论内涵,在学术界产生了震动。这篇文章发表之后很快被收入中国社会科学院文学研究所编的《中国新文艺大系·理论卷》(1976~1982),后又收入美国著名美学家布洛克与朱立元共同编选的《中国当代美学》一书,被译介到西方。

事隔20多年,中国社会科学院文学所研究员汤学智依旧称这篇文章是一篇"雄文":"这篇35000字的长文,我是一口气读完的,不仅没有厌倦之感,反而越读越兴奋。由于广博的知识学养和深入精细的研究,经之师很善于抓取富有典型意义的原生话题,首先阐明其自身的价值,然后由此及彼,层层深入,步步推进,揭示一连串相关的理论命题,建构起自成一体、富有内在生命的理论环链,让你不能不信服。"[1]

2. 开拓:阐发了文艺美学学科存在的依据

文艺美学是什么?这是胡经之提出将之作为学科发展时人们纷纷质疑的问题,也是他在开拓这一学科之初一直在思考的问题。在中西方规范的学科中,有文艺学、诗学、美学,这些学科虽然互有交叉,

---

[1] 汤学智:《醉心艺术探秘》,深圳大学文学院编:《美的追寻——胡经之学术生涯》,北京大学出版社,北京,2002年,第130页。

但基本独立。那么,文艺美学又是一个什么学科? 1982年初,胡经之发表了《文艺美学及其他》《"文艺美学"是什么》等论文,对这一问题作出解答。

胡经之说:"文艺美学,顾名思义,当是关于文学艺术的美学。它的研究对象,自然是文学艺术。"[1]既然文艺美学研究的是文学艺术的美学问题,那么,它与文艺学、美学之间到底有怎样的联系与区别呢?胡经之特别强调,他所说的文艺学,不是西方所谓狭义的文学学,而是包括文学学和艺术学在内的广义的文艺学。中国古代向来就有把文学和艺术放在一起考察的传统。胡经之很看重这种传统。文艺学以文学艺术为研究对象,文艺美学也以文学艺术为研究对象,那么,它们的区别又在什么地方呢?在胡经之看来,文艺学是对文学艺术做全面、综合、系统的研究,它主要由文艺理论、文艺历史、文艺批评三个部门组成。文艺批评不是一般意义上的认识活动,而是一种评价活动,它是作者和读者之间的桥梁,是作者和欣赏者反馈关系的中介。文艺历史属于历史学科,研究的是文学艺术的历史发展,探讨文学艺术的发展规律。文艺理论运用的是逻辑的方法研究文学艺术,把所有的文学艺术门类作为一个整体来对待,探索文学艺术共有的性质、功能、规律。这三个部门实际形成了三个学科,它们之间相互联系且相互影响。文艺理论与哲学、社会学、心理学、美学等学科的关系非常密切。文艺理论的研究侧重于不同的学科联系,便形成了文艺理论的不同学科,产生了文艺哲学、文艺社会学、文艺心理学、文艺美学等。因此,胡经之认为,文艺美学属于文艺学,是文艺学的一个组成部分。"文艺美学从美学上来研究文学艺术,深入到文学艺术的审美方面,揭示文学艺术的特殊审美性质和特殊的审美规律。"[2]然而,胡经之又说,文艺美学又可归入美学。既然这样,那么,文艺美学和美学的联系与区别又在什么地方呢?为了解答这一问题,他考察了中西方美学思想的发展历史。他发现,在中西方美学思想的发展历

---

[1]胡经之:《文艺美学及其他》,《美学向导》,北京大学出版社,北京,1982年,第26页。
[2]同上书,第32页。

程中,美学虽然是属于哲学的一个部门,但却始终与文艺理论纠缠在一起,这是因为,美学的研究对象包括文学艺术。直到18世纪,美学才成为哲学中的一个独立部门,一个独立学科。在胡经之看来,西方的所谓美学,其实又是审美学,"它不只研究美,而是研究整个审美"①。西方美学尤其是德国古典美学是从哲学上来研究审美的,这种研究,可以称之为哲学美学。当然,哲学美学也关注文学艺术,有的甚至把美学归结为艺术哲学。黑格尔就把自己的美学称为"美的艺术之哲学",这就把美学狭隘化了。胡经之认为,美学应研究的,不只是艺术审美,还应广及人文审美(包括生活审美)和自然审美等人类全部的审美活动。文艺美学则集中研究文学艺术的创造及审美,它要揭示的是文学艺术自身与其他审美活动相区别的特殊规律。②这就基本上把文艺美学的独特性发掘出来了,给它确定了一个比较明确的研究对象,那就是:文学艺术特殊的审美性质和审美规律。

文艺美学研究的是文学艺术特殊的审美性质和审美规律,并不意味着它要分解文学艺术各个门类,而是把文学艺术作为一个整体来对待,对之进行系统研究。文学艺术本身就是一个系统,这个系统由三方面构成,即文学艺术创造、文学艺术作品、文学艺术接受(消费)。这三个方面都有自己的审美规律。文艺美学就是要系统地研究文学艺术的作品、创造和接受这三方面的审美规律。这就是文艺美学的研究对象和内容。

胡经之关于文艺美学是对文学艺术的系统研究的认识,在一定程度上回应了德国美学家和文艺理论家玛尔霍兹的"文艺体系学"之说。玛尔霍兹将文艺科学分为两大支,一是文艺体系学(Literarsgstematik),一是文艺史学。他说:"文艺体系学的任务,是创造出一种文学之美学(Aes-thetik der Literatur),也就是诗学与诗的成分论,这是为文学批评作地步的,再把这种知识普遍化了,便是

---

① 胡经之:《文艺美学及其他》,《美学向导》,北京大学出版社,北京,1982年,第34页。
② 同上书,第37页。

文艺教育（Literarpadagogik）。"①胡经之对这一问题的考虑虽然处于初期，但是，文艺美学是什么的问题基本明朗，文艺美学的研究对象也大致清晰。文艺美学研究文学艺术审美的"自律"，也不能离开整个社会发展的"他律"。胡经之特别强调，文艺美学是开放的，它必须吸收哲学、社会学、伦理学、经济学、语言学、符号学等学科的研究成果。文艺理论是对文学艺术社会的、政治的、道德的、心理的、美学的种种因素进行全面、综合的研究，因此，文艺美学只能属于文艺理论的一个门类，不能取代文艺理论。同样，文艺美学也不能取代美学以及美学的其他门类。它既需要采取"自上而下"的方法，又需要运用"自下而上"的方法；既需要"一般"来指导"个别"，也需要从"个别"到"一般"，依靠与个别美学门类的共同努力，揭示文学艺术的普遍、特殊、个别的审美规律。因此，文艺美学只能是美学的一个门类。

1989年，胡经之出版了《文艺美学》，1999年修订再版。在修订再版的绪论中，胡经之对文艺美学是什么问题的思考又深入一步。他强调，文艺美学是诗学和美学的融合，它与人的现实处境和灵魂归宿联系在一起。这显然是受当下文学艺术发展和观念更新的启发。胡经之说："以追问艺术意义和艺术存在本体为己任的文艺美学，力求将被遮蔽的艺术本体重新推出场，从而去肯定人的活生生的感性生命，去解答人自身灵与肉的焦虑。"②文艺美学要解决的核心问题是艺术的意义和艺术本体之真，揭示艺术活动系统的奥秘，把握多层次的审美规律，深拓艺术生命的底蕴。这适应了文艺美学现代化的需求，研究目标更加明确。

胡经之将"文艺美学"从一个新鲜的名词提升到学科的高度，这就意味着"文艺美学"的背后存在着一个完整的理论系统，这是一个等待人们去开拓的学术领域，其研究前景是非常广阔的。

---

① [德]玛尔霍兹：《文艺史学与文艺科学》，李长之译，《李长之文集》第九卷，河北教育出版社，石家庄，2006年，第196页。
② 胡经之：《文艺美学》，北京大学出版社，北京，1999年，第1页。

3. 创造：构筑比较完整的"文艺美学"的理论系统

既然文艺美学不同于文艺学、美学，那么，文艺美学应该有怎样的理论构成？对此，胡经之进行了非常艰苦的斟酌与思考。这一思考的成果，一直到1989年《文艺美学》出版才得到完整的揭示。从这一思考的最终成果来看，它确实不是文艺学和美学的原理，也不是两者的简单相加，而是一个独特的理论系统。对此，胡经之自己有一个表白：

> 在我的思考中，曾想以艺术形象作为我分析的出发点，由艺术形象的特性引出艺术的内容、形式、构成、形态等等，然后再转入创作活动和欣赏活动。这是从静态分析走向动态考察的行程，常见的教科书就是采用这种方法。但我经过几番思考，还是放弃了这条路程，而顺着另一脉络展开去。我想，与其面面俱到，四平八稳，还不如有感即发，无感不发，有话即长，无话即短。审美活动、艺术本体、审美体验等问题，别人说得不多，而我有话要说，为何不由此入手展开？而别人在过去已谈得不少的批评、鉴赏等问题，我又何必多说！于是，我先从分析审美活动着手，剖析艺术把握世界的方式，进而探究审美体验的特点，寻求艺术的奥秘，然后才转入艺术美、艺术意境等的论述。这是从动态分析走向静态考察的路程。也许，这不是最好的方法，但既然我已沿着这条脉络展开我的思路，那就让它去罢！①

确实，胡经之在思考文艺美学的理论构成时，最早考虑的是艺术形象问题。1981年，他发表了《论艺术形象——兼论艺术的审美本质》一文，就表明了他思考的切入点是文学形象。后来，《文艺美学》成书，艺术形象却被安排在整个内容结构的后面。这是胡经之文艺美学理论构架逻辑的改变。这一改变非常关键，基本摆脱了当时文艺学和美学原理逻辑的阴影，进入实质性的创造阶段。

考察胡经之文艺美学的理论系统，当然要以《文艺美学》为主。他

---

① 胡经之：《文艺美学·序》，北京大学出版社，北京，1999年。

对文艺美学理论问题的逻辑思考,基本都体现在这本书的逻辑结构之中。从中,我们能够清晰地看出他对文艺美学独特的理解与创造。

《文艺美学》由11个重要问题组成,依次是:审美活动、审美体验、审美超越、艺术掌握、艺术本体之真、艺术的审美构成、艺术形象、艺术意境、艺术形态、艺术阐释接受、艺术审美教育。对每一个问题的探讨,都倾注了胡经之创造的心血。这些问题,与文艺学的作品、创造、接受的三维构成和美学对审美活动、审美意识、审美本质等问题的形而上思辨存在巨大的差异。这基本印证了胡经之对文艺美学的看法,即:文艺美学以文学艺术为研究对象,既可归入文艺学,又可归入美学。

然而,胡经之的这个文艺美学的理论构成有什么独特之处?又具有怎样的价值呢?

首先,它是一个逆向思维的产物。就像胡经之所说,一般的教科书对理论问题的分析往往采用的是从静态走向动态的考察方法,而《文艺美学》却反其道而行之,先从动态分析着手,然后进入静态的研究。在这一行程中,对文艺学、美学原理中所涉及的一些共性的、别人说得比较多的问题,胡经之说得比较少,而对文艺学、美学原理中所涉及的一些带有个性色彩的、独特的、别人说得比较少的问题,胡经之则说得较多。这种逆向思维是一种创新。在胡经之看来,审美活动、审美体验、审美超越、艺术掌握是动态的,艺术本体之真、艺术的审美构成、艺术形象、艺术意境、艺术形态是静态的,而艺术阐释接受、艺术审美教育是动态的还是静态的呢?在我们看来,仍然是动态的。实际上,胡经之的文艺美学的理论体系是一种"动态—静态—动态"的结构。这就使得这一理论的构成充满灵性,具有鲜活的生命之动,表现出一种可贵的创新精神。其次,他对艺术本体和艺术意义非常重视。这是当时的文艺学、美学原理严重忽略的问题。胡经之曾经说过:"以追问艺术意义和艺术本体为己任的文艺美学,力求将被遮蔽的艺术本体重新推出场,从而去肯定人的活生生的感性生命,去解答人自身灵肉的焦虑。因此,文艺美学将从本体论高度,将艺术看作人把握现实的方式、人的生存方式和灵魂栖息方式。"①这就是说，文艺美学的研究应该以人为中心，追问人的生命意义。而人的生命意义是蕴涵在艺术本体之中的。要想完整发掘人的生命意义，必须追问艺术本体，探讨艺术意义。

艺术本体是什么？艺术意义又是什么？艺术本体是艺术的存在之根，是艺术的生命价值之所在，而艺术意义就是艺术本体价值的体现，是艺术生命力存在的依据。当然，这些都与人的感性生命连接在一起。因此，文艺美学不仅注意对文学艺术的艺术形象、艺术意境、艺术形态等问题的研究，更注重对审美活动、审美体验、审美超越、艺术掌握的研究，这是文学艺术魅力产生之源。离开了人的审美活动、审美体验、审美超越、艺术掌握，很难想象文学艺术还能成为文学艺术。在这个意义上，我们可以称文艺美学是艺术生命之学。它关注的是艺术生命，而艺术生命又正是作家、艺术家的生命流动的表露，文艺美学其实关注的是人的存在价值和意义，呵护的是人的心灵。

再次，它将文艺学和美学熔为一炉。胡经之文艺美学的理论体系把人在实践生活中产生的审美活动作为自己立论的逻辑起点，论述了审美体验、审美超越、艺术掌握、艺术本体等问题，这些都是既关乎文艺学又关乎美学的问题。然而，文艺美学既不是文艺学，也不是美学，同时，既可属于文艺学，又可归为美学，处于文艺学和美学中间。胡经之将之融为一炉，使之相互融化渗透，在融化渗透中彰显了自己的个性，寻求文学艺术的独特规律。

这样看来，胡经之文艺美学的理论系统确实有它的长处，总体上富有逻辑性和层次性。胡经之对具体理论问题的言说，都是中西融通、相互参照的。在这个理论体系中，我们能够明显看出他融合古今、贯通中西的气派。因此，胡经之文艺美学的理论架构，不是西方的文艺学（诗学）或美学的架构，而是具有中国特色的。这就说明，文艺美学是中国的，是中国人自己的创造。

---

① 胡经之：《文艺美学》，北京大学出版社，北京，1999年，第1页。

4. 价值：注重对艺术生命意义的发掘

文艺美学最重要的价值是对艺术生命意义的发掘，这是贯穿胡经之文艺美学研究中的一根耀眼的红线，也是时下文艺理论、美学研究中最为缺乏的。胡经之对文艺美学各问题的讨论都交织着这么一个主题。艺术生命关系着艺术本体问题，它凝视的是文学艺术的价值存在，探求的是文学艺术的价值属性。由于它紧密关联着人的生存价值与生命意义，又与认识论相互交织、密不可分，对矫正机械的认识论有一定的作用。在机械认识论没有完全消退的20世纪80年代的中国，胡经之提出并探讨这一问题，是需要一定的学术胆识和学术眼光的。

在对艺术生命意义的追问中，德国哲学家、美学家海德格尔对胡经之有很大启发。海德格尔把诗（艺术）与思高度哲理化，认为一切思都是诗，而一切文学艺术的创造都是思，把诗看作思的存在方式。胡经之正是从这里切入、进入艺术生命意义的思考的。他说："人类正是通过真正意义上的创造，通过'思着的诗'或'诗化的思'使自己的本真存在在语言之中进入敞亮，获得生命的价值和意义。因此，艺术的根本目的是通过审美之途，通过赋诗运思，感悟人生生命意蕴所在，并在唤醒他人之时也唤醒自己，走向'诗意的人生'。"[①]

艺术的本真存在是感悟人的生命意蕴，走向诗意人生，这就是艺术的生命意义之所在。把握艺术的生命意义，只有依靠审美。因此，胡经之一开始就把自己的目光聚焦于审美活动。他着意强调审美活动的主客体交流与契合是人类自由的实践活动，认为只有当人类的活动转化为自由的实践活动时，人类才有审美需要，人类的活动才有审美的意义。审美活动中的主客体交流是一个非常复杂的心理流程，从这一过程的实质看，主客体的交流是交互的。在胡经之看来，这种交流有两个特殊的过程：一是来自于艺术家自身，二是来自于客观的材料。这些材料本身有自己的运动秩序，有自己的规定性和发展规律，在交流的过程中被社会化，获得审美的定性，从而，使得主客体在交流的过程中相互制约而又能相互创造。审美活动使人的内心世界本身

[①] 胡经之：《文艺美学》，北京大学出版社，北京，1999年，第17页。

达到了自由而和谐的平衡。而作家、艺术家的内心的自由和谐,正是反映了他和周围环境的动态平衡。

胡经之的这一思考虽然没有绕开中西美学史上关于主体与客体的二元论认识,却有超越的地方。这超越之处就是还原审美活动中的主客体的交互性,认定这种交互性是一种平衡。这一思想还贯穿在他对其他问题的讨论中。在研究审美超越时,胡经之把自己的视角放在对文艺的审美特征、文艺与审美的关系以及艺术的审美价值等问题的思考上。尤其是对艺术价值的讨论,他一反传统将美仅仅看作形式或者将美确定为机械的伦理道德内容的做法,认为艺术价值不仅在于完成作品,而且更在于完成人的灵魂塑造。在思考审美掌握时,胡经之关注的不仅是人与世界的审美掌握方式,更把这种审美掌握与艺术家的意象思维联系在一起。而最为精彩的莫过于他对审美体验的认识,从中,我们能够完整看出他对艺术生命意义的理解。

审美体验貌似西方文艺学、美学的命题,但实质却是中西方文艺学、美学共同的命题。早在宋代,理学家就曾经提出"体验"这一概念,并将它运用到对学问的研究之中。朱熹《答许顺之》有言:"幸秋来,老人粗健,心间无事,得一意体验。"[①]就是说,只有"心间无事",才能体验。所谓"心间无事",就是没有过多的功利考虑,是一种自由和谐的心境。胡经之所使用的这一概念,就是融合中西理念的,说的是,对于生活,必须"以身体之,以心验之"。

首先,胡经之探讨了审美体验的心理动力。他认为,审美体验是属于审美心理深层结构的动力过程问题。他将审美体验和审美经验进行区分,认为审美经验是审美主体从无数次审美活动中所获得的各种审美感受和内心印象的总汇,它包含着审美感知、审美情感、审美想象、审美理想、审美感受等等。审美经验具有积淀性、被动性、接受性等特点,是相对静态的、一般的。而审美体验是审美主体的张力场,它能够随着情感、想象、理解、灵感等多种心理因素交融、重叠、震荡、回流,呈现出不同的形态,是主动的、富有创造性的、导向活动

[①] 朱熹:《晦庵先生朱文公文集》卷第三十九,四部丛刊本。

的。胡经之运用大量的中外文学艺术作品的实例对审美体验的特殊性进行了分析,他认为,人类的许多体验如日常生活体验、道德体验、宗教体验等等非审美体验,都可以转化为审美体验,但是,必须具备转化的条件。他说:"在一定的条件下,非审美体验可以导向审美体验,或转化为审美体验。而且,一般地说,丰富的人生经验的积淀,将有助于审美体验的深化,换言之,审美的深层体验,是以深度体验和广泛的日常生活体验为杠杆的。"①

其次,胡经之从审美主体与客体的审美状态入手,试图揭示审美体验的心理奥秘。他认为,在审美体验中,审美主体和客体本身的关系是静态的,而只有当它们相互感发相生相合时才能进入动态过程。胡经之对动态和静态这两种状态进行了分析。在静态分析中,他认为,审美主体必须具备两个主观条件才会产生审美体验:一是审美能力,其中包括审美感受力、审美想象力、审美理解力、审美情感等;二是丰富的经验,其中包括审美经验和非审美经验。而对审美客体来说,必须具备审美特征以及审美信息刺激丛,具有美的魅力以及兴发感动的力量,这样,才能产生审美体验。在动态的分析中,胡经之运用中国古典文艺理论和美学的观念来解释审美体验,归纳出了审美体验所表现出来的起兴、神思、兴会几个不同的心理层面。通过对这些不同层次的分析,胡经之得出了结论:艺术创作的审美体验过程表现为相对独立的三个环节,一是艺术家虚静所表现出来的一种极端的聚精会神的心理状态,二是艺术家兴发感动勃然而起时所表现出来的迅速突破外形式而体味内形式的动感状态,三是艺术家进入最高的体验层次之后所表现出来的灵感勃发从而实现物化的境界。然而,审美体验不仅仅是艺术家进行艺术创造的专利,审美接受者在进行审美阅读与欣赏时也同样具备这种心理。它们共同构成了审美体验的系统。艺术的接受是一种再度体验,而艺术的价值就体现在这再度体验之中。胡经之比较深入地讨论了这种再度体验的特点。在他看来,再度体验首先是对艺术作品符号的破译,它能把读者的审美注意力

---

① 胡经之:《文艺美学》,北京大学出版社,北京,1999年,第57页。

凝聚在审美对象上；其次是文学艺术作品的情节、意境、气韵等与主体心灵交融，达到会心的中级体验状态，从而产生强烈的情感共鸣；再者是作品所释放出来的审美信息丛使主体能够充分发挥审美体验的能动性，达到"超以象外，得其环中"的境界。

其三，胡经之比较深入地发掘了审美体验的特性、层次性和拓展性。他认为，审美体验的特性表现在五个方面：模糊性和直觉超越性、激情性和随机性、流动深化性、双向建构性、二象性特征。而审美体验的层次性和拓展性系列表现得比较复杂。在对这一问题的分析的过程中，胡经之虽然把自己的目光凝定在中西宽广的理论视域，但却对中国传统的审美体验理论情有独钟。他说："中国以中和为本，在审美体验'心物'两极之间获得辩证统一，这是一种'镜'（再现）与'灯'（表现）的统一。中国美学对文艺审美特性的认识是一以贯之而富有变化的。但这变化是一种深化，不是一种断然的否定，而是中和、节制、自律的进程，围绕'心物'一轴上下波动。"①由此，他分析、比较了兴与移情、神思与想象、兴会与灵感等中西美学范畴，一方面承认它们内涵的差异性巨大，可比性比较薄弱，另一方面又尽可能发掘出它们的相似点，探讨这些理论范畴的独特性以及审美创造的价值。这些，其实关注的仍然是艺术的生命意义。

胡经之对艺术生命意义的追问还表现在他对艺术意境的思考上。艺术意境是中国古典文艺学和美学的一个重要范畴，它的理论内涵非常复杂。胡经之并没有将这一理论静态化，而是将它放置到一个动态的背景中进行分析。他指出，中国古代的"言志"说、感物说、比兴说、言不尽意说等等，都与意境的发生有着千丝万缕的联系。在胡经之看来，审美意境的构成有三个层面，那就是：境、境中之意、境外之意。境是象内之象，它是"审美对象的外部物象或艺术作品中的笔墨形式和语言构成的可见之象"。境中之象是"审美创造主体和审美欣赏主体情感表现性与客体对象现实之景与作品形象的融合（包括

---

① 胡经之：《文艺美学》，北京大学出版社，北京，1999年，第81页。

创造审美体验和欣赏的二度体验)"。①境外之象是无形之象,它不是一种能够独立存在的境,而存在于前两种境之中,但却是审美意境的极致。它秉承了宇宙之气的生命心灵,具体表现为天、地、人之间的和谐关系,达到了"天人合一"的妙境。这种对意境的思考视角是非常独特的。

胡经之的文艺美学研究,是在"左"倾思想并没有完全消退的背景下开始的,它是对文艺理论、美学研究本位的回归,极大地改变了中国当代文艺理论、美学的生态。正像杜书瀛所说:"文艺美学这一学科的提出和理论建构,是具有原创意义的。虽然它还很不完备,但毕竟是由中国学者首先提出来的,首先命名的,首先进行理论论述的。这可以算得上中国当代学者对世界学术的贡献吧?"②

三

20世纪90年代中后期,文艺美学研究完全进入了常态。很多学者已经在思索文艺美学研究的转向与突围问题。胡经之也在思考这一问题。他从来没有把文艺美学看作是僵死的,在他看来,文艺美学要发展、深化,就要不断地接近现实,在现实中寻求发展与深化的契机。由此,胡经之密切关注着中国和世界文学艺术发展以及文艺学、美学研究的新动向,努力探寻文艺美学深化的途径。从北京南下深圳之后,他与香港、海外的学术交往比较频繁,有条件深入接触香港和西方文化,了解海外的学术研究现状。他发现,在西方和香港,通俗文化盛行,逐渐取代了高雅文化,占据主流地位,因此,西方和香港的学者都非常关心现代文化问题,把目光转移到通俗文化上。文化研究关注通俗文化并不值得大惊小怪,问题是,通俗文化究竟有没有审美价值?胡经之大量地接触了港、台地区的文学艺术,从中获得一些启发。金庸的武侠小说、琼瑶的言情小说、亦舒的激情小说、梁凤仪的

---

① 胡经之:《文艺美学》,北京大学出版社,北京,1999年,第260~261页。
② 杜书瀛:《文艺美学的教父》,《南方文坛》,2002年第5期。

财经小说、陈娟的惊险小说等,向人们展示了一个新的文学世界;邓丽君、梅艳芳、蔡琴等人的歌唱,给人们带来新的听觉冲击。这些现象都具有一定的审美价值,同时也超出了当下文艺美学的研究视阈,是传统文艺理论、美学无法解释的。不久,那些在西方涌现出来的现代和后现代的文化现象,经香港等地传入了中国内地,大有流行的趋势。在这种情形下,胡经之明确地感到,再也不能漠视当下文化发展的现实,不能漠视当今世界学术的发展趋势,应该以积极的姿态作出回应。因此,他提出走向文化美学,开始了对文化美学的探索。

1. 文化美学何以可能

文化美学何以可能?这是胡经之首先思考的问题。多年来,他一直关注文艺学、美学的发展动向。他敏锐地感觉到,近来,文艺学、艺术学在向两个方向发展:一是对音乐、舞蹈、戏剧、美术、影视等的研究趋于专门化,相应地,对音乐美学、舞蹈美学、戏剧美学、影视美学等的研究越来越注重对不同艺术奥秘的揭示,发掘各种艺术应该遵循的"自律";二是对文学的研究越来越趋同于文化的普适化,把文学的研究和文化的研究融合在一起,重心向文化研究转移。文化的形态是异常复杂的,包罗非常广泛。传统的、民族的、地域的、风俗的、语言的研究内容都属于文化的范畴,其中也包括文学、艺术,因此,文化中包含着美的内容是不容置疑的。那么,文学的研究和文化研究融合怎么就能够成为当下文艺学、美学研究发展的一个新的动向呢?这里所说的文化有特殊所指,主要是指大众文化,即当下流行的文化,这种文化的复杂性不是一般意义上的文化如传统的、民族的、地域的、风俗的、语言的研究内容所能囊括的。在大众文化中,尤其是发源于西方的现代与后现代文化在现实生活中的表现更加复杂,它融合了现代化进程中的许多观念和技术的因素,有许多超越了中西传统的伦理。这些,胡经之在自己的观察与阅读体验中已有了比较深刻的体会。

胡经之一直喜爱艺术,对各种各样的艺术形式都乐于接触。20世纪80年代,他听到台湾歌星奚秀兰演唱的民歌《阿里山的姑娘》,随即产生了一种审美的惊异。他真的想象不到,歌曲还可以这样演唱。

实事求是地说,奚秀兰音质一般,说不上圆润、优美,但是,她的唱法新颖,加之演唱时带有一定的表演性,气息流畅,质朴自然,充满青春的动感,给人以无比丰富的审美感受,与一般经典的演唱节奏沉闷、拖沓形成了鲜明的对比。后来,他又听到了克莱德曼的古典名曲演奏,更加深了他的这种审美的惊异感。克莱德曼演奏的古典名曲,都是经过精心改编的。在改编的过程中赋予它们以现代的气息,加快了原曲的节奏,增加了现代元素,适应了现代人的审美需要。因此,他别具一格的演奏很快得到了人们的认可,在世界范围广受欢迎。由此看来,无论是传统民间的还是经典的,要想在当下获得审美的认同,不能一成不变。此外,胡经之还尝试着阅读了不少港台的文学作品,他承认,这些作品能很快抓住人们的注意力,有一定的审美价值,但是,属于快餐形式。由于它们注重的是感官刺激,没有厚重的审美意蕴,缺乏长久的审美感染力,而在一定的情形下又满足了人们的审美需求,因此,也有一定的价值。这就说明,文化美学的研究是可行的,它关注的是文化现象中的美学问题,选取的是美学研究的角度。

然而,当今社会涌现的大众文化与主流文化、精英文化密不可分,在具体对待的过程之中难以界定。比如,有些大众文化表现了主流的意识形态,那么,这种文化到底是大众的还是主流的?恐怕两个因素都有。这些文化,有些具有审美的素质,有些不具有审美的素质,更有甚者,有些完全是为了迎合人们的享乐和低级趣味。对这些,胡经之的态度非常鲜明。他认为,对那些不具有审美价值的文化现象,研究者应该以研究社会和批判现实的态度来对待,这也是一种学术行为。这种行为虽然表面上与审美无关,其实并非毫无关联。它与审美的关联是隐性的、内在的。胡经之着重强调的是文化的美学问题,他要求文化美学的研究要着重研究文化中的美学现象。

在胡经之看来,任何文化现象都可能具有美的维度,即便是大众文化也不例外。大众文化和主流文化、高雅文化相比,具有世俗性、娱乐性和流行性的特点。"大众文化可以有许多价值、功能,但它的最突出的目的和功能,就是给大众即时的快乐。"①大众文化是从日常生活而来的,"它从日常生活的审美中提炼出新的形式,从而又回归日常生活,引发大众体验生活的乐趣,享受生命的欢乐"②。因此,大众文化中包含着美的维度,能够成为文化美学的研究对象。在中国当下文化的发展中,有一个非常显著的特点:当港台和欧美的大众时尚之风吹进中国内地,一些经受审美精神感召的文人开始把目光转向大众文化实践,逐渐从对港台、欧美的大众文化仿制中走向了自己的创造,乃至20世纪90年代中期,大众文化和通俗艺术成为一道亮丽的风景。这就更加坚定了胡经之的信心,文化美学是可能的,文艺美学必须走向文化美学。

胡经之提倡文化美学研究的第一个实践行为就是主编《文化美学丛书》,并为该丛书撰写了序言《走向文化美学》。《走向文化美学》可以看作是胡经之文化美学研究的宣言和纲领。在这篇文章中,胡经之这样宣称:"我们急需对现代化过程中涌现出来的错综复杂的具体的文化现象作文化的研究,也需要及早对文化发展作宏观的审视,从整体上关注文化发展的美学方向。""无疑,文化美学首先应该关注当代审美文化。但当代审美文化并不只限于大众文化,高雅文化当亦在其列。文化美学可以通过对高雅文化和通俗文化的研究,探索当代文化如何走雅俗共赏之路。不只是当代审美文化,就是非审美文化也应列入文化美学的视野。""文化美学也重视具体的文化现象,并从文化研究中吸收养料;但更应重视归纳,从众多的文化现象作出的分析中,从美学高度进行思考,作出理论概括,走向文化美学。"③

2. 文化美学研究:焕发新审美精神

既然文化美学的研究是适应当下社会发展所作出的学术回应,那么,文化美学研究的目的是什么?对于这一问题,胡经之回答得非

---

① 胡经之:《焕发新审美精神》,《马克思主义美学研究》第六辑,广西师范大学出版社,桂林,2003年。
② 同上。
③ 胡经之:《走向文化美学》,《胡经之文丛》,作家出版社,北京,2001年,第70页。

常明确：焕发新审美精神。

在走向现代化的进程中，审美现代性也悄然而生。改革开放之初的那股文化启蒙思潮，本身尚充盈着现代审美精神，推动着文学艺术的与时俱进。大众文化、通俗艺术的兴起，推进了审美现代性的新变，成为我国审美文化的新维度，从而改变了审美文化的格局。如今，主流文化、大众文化、高雅文化已三足鼎立，各显神通，三分天下，各领风骚。在审美文化的发展过程中，三者既分立，又互动，相互作用，彼此影响。随着新世纪的到来，国际文化交流的扩大和深入，我们要自觉把握这个契机，在促进文化的互动和沟通中提升，向着先进文化方向发展，唤起和焕发新审美精神。①

所谓审美精神是指一个时代的自由、理想、积极、昂扬的美学气质和精神面貌。任何一个时代都有自己的审美精神，时代在变，审美精神也在不断地改变。改革开放之初，中国社会的审美精神是崇高的、理想的、英雄主义的。后来，大众文化、通俗文艺兴起，对文学艺术创作形成了强势冲击，影响着时代的审美观念。20世纪90年代前后的小说与诗歌创作，明显地受大众文化观念的影响，一反典型化和宏大叙事的创作理念，开始表现日常生活、平凡形象，解构崇高、典雅、神圣。这些创作行为都为审美开辟了一个新的领域，有其存在的合理性。然而，到了新生代的文艺创作，这些优良的审美品质却遭到了抛弃，文艺审美走向极端。许多作品关注自我，厌恶社会，描写的对象主要是酒吧、舞厅、夜总会，渲染的内容主要是暴力、色情、吸毒、黑社会等。这些创作行为，仅仅是为了满足感官的刺激，缺乏人文关怀精神，在一定程度上背离了时代的审美精神，完全消解了文学艺术的审美判断，颠倒了价值关系。这是对大众文化的负面承载，这种承载不符合审美的发展规律，理应遭到社会的抛弃。

---

① 胡经之：《焕发新审美精神》，《马克思主义美学研究》第六辑，广西师范大学出版社，桂林，2003年。

虽然大众文化、通俗艺术具有娱乐的作用，但是，不能仅仅停留在生理感官的娱乐层面，而应提升到精神体验的层面。这是焕发新审美精神的关键。怎样才能将大众文化、通俗艺术提升到精神体验的层面？胡经之悉心考察了当下的文学艺术实践，他发现，很多作家、艺术家已经在作这方面的探索，并且取得了一些成绩。他们尝试的方法主要有两种：一是向经典索取，二是向民俗索取。他以歌曲创作为例加以说明：《涛声依旧》借用的是唐诗经典《枫桥夜泊》的审美意象，《霸王别姬》引进的是京剧的曲牌，《中华民谣》则融会了民歌的说唱精华。这些尝试都是有意义的。然而，大众文化和通俗艺术不应该仅仅停留于此，还应该在提炼生活经验上下功夫。大众文化、通俗艺术应该面向当下，关注大众生活，与大众的日常生活更贴近一些，通过对大众日常生活的领悟、反思、体验，超越日常生活，在新的体验、领悟、反思中焕发出新的审美精神。

既然文化美学的研究对象是整个文化，那么，就不可能是单一的大众文化、通俗文化，还应该包括主流文化、高雅文化。一个时代不可能没有主流文化。所谓的主流文化，是指在主流意识形态主导下生成的文化。这种文化承载着国家的公共利益，担负着对国民思想进行引导与教育的使命。主流文化传播的信息非常丰富、真实，从主流文化中，人们能够了解国家的政策动向，了解世界各地人民的生活变化，学会应付现实生活的方法，等等。无论是审美的主流文化还是非审美的主流文化，都是人们需要的，都应该纳入文化美学的研究系列。而胡经之对主流文化的态度是：它应该比大众文化的审美要求更高，能够对日常生活作审美超越，应该重视发展自己的审美维度，教育人们如何从审美上去体验和评价这个世界，教给公众如何以审美的态度来对待这个世界。胡经之尤其强调主流文艺的审美价值，要提升主流文艺的审美品位，必须超越现实，直面人生，增强文艺作品的批判性。

高雅文化是文化中的精品，它应该建立在大众文化和主流文化的基础上，是对大众文化的吸收和超越，同时也是对主流文化的吸收和超越，审美品位和审美价值应该最高。当今社会，虽然这三种文化同时存在，但是，三者的分量却有所不同，大众文化和主流文化占据主要地位，而高雅文化退居次要地位，这也是文化发展的必然。这是因为，整个社会，不可能人人都具有很高的欣赏水平，高雅文化毕竟是少数人的事情。当今社会是一个商品经济社会，文化的发展也与人的需求有密切关系。大众文化、通俗艺术需求的人多，相对发达，而高雅文化、高雅艺术需求的人少，相对滞后。当今的高雅文化、高雅艺术创作存在着不少问题。胡经之敏锐地发现了这一问题：文化精英在进行高雅文化、高雅艺术的创作时，受西方形式主义美学的影响较大，很多人只是致力于形式之美的建构，不愿意在体验生活上下功夫，忽视了对人生价值和意义的领略，导致某些高雅的文学艺术失去审美的意蕴，受到时代和人民的冷落。高雅文化、高雅艺术创作出现的这些问题，应该是我们今天的文化美学认真反思的。文化美学要发展，要站稳脚跟，必须在大众文化、主流文化、高雅文化中取得平衡，在不同的文化之间进行审美的取舍，吸收各种文化的精华，完善文化美学。

　　大众文化、主流文化、高雅文化具有不同的审美特点，表现出不同的审美精神。大众文化、通俗艺术发展了一种以感性享乐为特征的审美精神，主流文化发扬了面对现实、关注人生的审美精神，而高雅文化则形成了以追求形式为特征的审美精神。然而，当今社会的审美应该朝着怎样的方向发展？文化美学所呼唤的新审美精神应该具有怎样的品格？胡经之说："新的时代需要唤起和焕发新的审美精神。不是要重归当初那种审美的情景，不可能也无必要再兴美学热潮。我们应在汲取、反思这些浪漫审美、感性审美、形式审美、现实审美的审美经验的基础上，继承和发扬中华文化的古典审美精神，按照我们这个新时代的实践需要，着眼未来而又面向现实，实现新的超越。"[①]这种新审美精神，具有时代感、人性化和超越性的审美品格。所谓时代感，是审美追求的新理性和新感性的融合，既蕴涵着理性思考的科

[①] 胡经之：《焕发新审美精神》，《马克思主义美学研究》第六辑，广西师范大学出版社，桂林，2003年。

学精神,又富有当代的人文精神。所谓人性化是关注人的命运,重视人文关怀,提升人类本性。所谓超越性有两个方面的内涵:一是超越自身,使自我的人格获得提升;二是超越日常生活,实现由日常生活向审美生活的飞跃。在胡经之看来,在这两种超越中,超越自我在焕发新审美精神中尤其关键,它是对客我意识和主我意识的调整,将自我意识和对象意识有机地融合起来,在审美体验的过程中实现主客统一、物我同一,达到审美的最高境界。

胡经之文化美学研究的构想,目的是要唤起和焕发新审美精神。时代在变,审美精神不能不变。新的时代对新的审美精神有更高的要求,而审美精神的变化就隐含在文化的发展与变化之中,只有捕捉到这种变化,才能洞悉审美精神的变化。由此可见,胡经之的文艺美学思想在这里已经开始深化。他从文化美学中寻求到文艺美学的一个新的生长点。从他的这些构想中,我们深深地领悟到其思想的逻辑发展,同时,也看到了文艺美学进一步深化与完善的曙光。

3. 文化美学研究的意义

胡经之提出走向文化美学、倡导对文化进行美学的研究之日,正是中国学术界刚刚兴起文化研究之时。当时,学术界对文化的关注点并不多,后来,由于引进了西方的文化批评观念,关注的内容越来越广泛。从现代到后现代,从文学艺术到日常生活,都成为文化研究的对象。在文化研究的热潮中,文化被抬到了至高无上的地位,仿佛文化就是一切。文化研究可以代替文学艺术研究,更有甚者,认为文学艺术的特质已经丧失,乃至后来,围绕着"日常生活的审美化"等问题,展开了一场激烈的争论。

应该说,"日常生活的审美化"命题本身非常有意义。审美确实不只存在于高雅艺术中,也存在于日常生活中。如果从美学的角度对人类的日常生活进行研究,将人类的日常生活与审美结合起来,对培养人类的审美情操、提高人类的生存质量和精神境界都是有意义的。然而,对日常生活的审美研究应该与对文学艺术的审美研究并行不悖,这是两条审美的路径。可是,"日常生活的审美化"论者在论证这一问题时却出现了偏颇，过分地渲染流行文化、消费文化、商业文化的美学价值，渲染科学理性与技术理性的价值，企图以日常生活的研究代替文学艺术的研究，消解文学艺术的特质。科学技术的进步是为了提高人类的生存质量，其中包括审美，事实是，科学技术在给人类带来丰厚的物质利益的同时，也极大地伤害了人类，改变、扭曲了人类的某些道德和品行。这就与审美相悖了。西方的文化批评充分注意到这一事实，以法兰克福学派为代表的新马克思主义对资本主义的工具理性提出了批评，认为它在一定程度上异化了人性，使人成为"单面的人"。美国学者马泰·卡林内斯库也认真剖析了现代性的五副面孔——现代主义、先锋派、颓废、媚俗艺术、后现代主义，审视了其利弊。可见，西方学者对文化的研究虽然关注流行文化，但主流的倾向并不媚俗，更没有偏于一隅，他们已经明确认识到了日常生活与审美之间所形成的悖论。

文化研究应该研究流行文化、消费文化、商业文化，但是，不能把流行文化、消费文化、商业文化作为文化研究的唯一目标，不加分析地给予无条件的肯定与赞美，更不能以此代替文学艺术的研究。这一点，胡经之非常清醒。通过对西方文化研究现状的考察，他发现，西方的文化研究在刚刚兴起的20世纪60年代，研究对象就已经非常广泛了，其中包括人类学、艺术史、哲学、政治学、心理学、语言学、电影、性、社会思想史等。进入90年代，已经扩展到整个文化领域，以至于没有人能说清楚它究竟跨越了多少学科。文化研究是从文学研究发展而来的，文化研究并不能代替或者取消文学研究，相反，应该有利于文学研究。这就与当下的"日常生活的审美化"研究呈现出明显的差异。为此，王元骧曾经这样评价胡经之对文化美学的思考："胡老师在倡导'文化美学'时坚持和强调'人间的文化创造，怎样才能符合美的规律，这是文化美学必须回答的问题'。并明确表示他是反对思辨美学对美的本质作抽象的哲学思考的，但不能以反本质主义为名把对事物的本质的研究也给否定了，因为这样一来，我们对问题的思考就失去了理论依据和理论前提，就会丧失科学性而陷入到主观随意性。所以胡老师说'如果把"反本质"膨胀为一种主义，成为反本质主义,我也不能苟同'。这样就与我国当今流传的所谓'文化批评'明确而彻底地划清了界限。"①

胡经之文化美学构想的突出意义在于关注当下的社会现实,试图通过对社会诸种文化现象的考察唤起新的审美精神,推动当代审美文化的发展。当代文化本身是多元的,在胡经之看来,它们都应该成为文化美学研究的对象。文化美学研究美的日常生活和文化现象,目的在于总结美的规律,进而把握美的规律;而研究那些不美的日常生活和文化现象,目的是从美学上去审视、评析这些现象,以便给社会发展提供一种参照。因此,审美文化和非审美文化都具有研究的价值。这就把美学的研究范围扩大了,扩大到所有领域,同时,也在一定程度上激活了美学的应用价值。文化有高雅、通俗之分,对这些不同的文化现象,不同的人由于自己的个性、气质、文化修养与审美趣味的不同可能会有不同的偏好,这就决定无论是雅还是俗都有价值。实际上,通俗和高雅人人都不能回避,再"俗"的人也需要一点高雅艺术,而再"雅"的人也需要一点通俗的艺术。这就给文化美学的发展提出了一个问题:应该如何对待现代文化中的通俗和高雅?胡经之经过认真思索,回答了这一问题:"文化美学可以通过对高雅文化和通俗文化的研究,探索当代文化如何走雅俗共赏之路。"②这里的雅俗共赏并不是折中,而是适应当下社会发展对文学艺术创造提出的新的要求,同时,也是为造就和培养一种新的审美品格而提出的要求。

文化美学作为胡经之提出的一种新的学术构想,也仅仅是一些构想而已,并没有像文艺美学那样形成比较完整的学术研究体系。然而,正是这种构想凸显了胡经之学术研究的深入。正像王元骧所说:"胡经之老师这几年继'文艺美学'之后又提出了'文化美学'的构想,它的基本精神按我的理解就是认为美学既要坚守美的规律,又不能像思辨美学那样只停留在对美的本质作抽象探讨的层面上,而还应关注当今的现实,与当今文化现象的研究相结合。我认为这是对文

---

① 王元骧:《"文化美学"随想》,《深圳大学学报》,2004年第1期。
② 胡经之:《走向文化美学》,《胡经之文丛》,作家出版社,北京,2001年,第70页。

艺美学研究领域的进一步拓展,是一种既坚持美学本性又与时俱进的学术倡导,是很有理论意义和现实意义的。"①

从文艺美学到文化美学,是胡经之文艺理论、美学研究的路向。这一过程中的每一关节点都伴随着文艺理论、美学研究的重要转向。文艺美学是为还原文艺理论、美学研究本身,以期建设有中国特色的文艺理论、美学;文化美学是为迎接中国现代性文化发展阶段的到来,以便中国的文艺理论、美学研究能及时适应文化和文学艺术的变化。胡经之的文艺理论、美学研究意义也呈现在这里。他为中国当代文艺理论、美学研究的发展做出了杰出贡献。

(原载《文学理论前沿》第八辑,2011年)

---

①王元骧:《"文化美学"随想》,《深圳大学学报》,2004年第1期。

第二辑

现代人文重美育

现代美学重美育

在研究文艺美学的过程中,我和陈伟、王一川查阅了20世纪以来我国的美学论著,感到从1919年到1949年间的资料甚为丰富。除了一些为人所熟知的美学家,如陈望道、朱光潜、宗白华、蔡仪、王朝闻等外,还有不少不大被人注意或注意不多的美学家,也写了不少专著和论文,在中国现代美学史上也有各自的贡献。

为此,我们决定选编一本《中国现代美学丛编》(1919~1949),也许可以为读者了解中国现代美学的概貌提供一些资料,同时也为撰写中国现代美学史作些初步的准备。

《丛编》从30年间的美学专著和论文中选辑了70余篇章,分成10个专题。"美学的对象和性质"、"美和美感"、"审美和社会"三编,探讨美学一般问题。"艺术与人生"、"艺术与文化"、"艺术的特性"、"艺术的门类"、"艺术的构成"、"艺术的创造"、"艺术欣赏与批评"七编,全是研究文艺问题。这是因为,在这个时期的中国美学,重点关注的还是文学艺术。但是,在新文化运动的推动下,美学的视野正在日渐拓展,人生论、价值论、移情论等都渗透到美学中。而且,随着新文化运动的发展,美育更加受到了重视。自蔡元培当教育总长竭力倡导美育以来,中国的现代美学就长期重视美育这一传统。自中国美学兴起之初,审美、创美、育美,都陆续纳入了美学的视野。由此,也许可以反映出中国现代美学的轮廓。

中国现代美学诞生在这样一个历史焦点上,即近代(1848~1911)旧民主主义革命的终结和现代新民主主义革命的开端。对旧的生活模式的批判性反思与对新的生活图景的热烈向往,带来了人们审美思维的普遍兴趣,美学遂成为"五四"时期的热门科学。几乎当时所有文科刊物都发表过美学论文、译稿(例如《新青年》《新中国》《民铎》《学艺》《学林》等),仅"五四"前后就有数十人发表过百余篇美学论文。蔡元培最早大力倡导"以美育代宗教",鲁迅写过《摩罗诗力说》《拟播布美术意见书》等美学论文,他们呼吁通过审美与艺术来改造中国人的民族性格,从而达到振兴中华的目的。20世纪20年代是现代美学的第一个高潮期。一大批新人如舒新城、黄忏华、吕澂、李石岑、华林、朱光潜、范寿康、陈望道、宗白华、邓以蛰、张竞生、徐庆誉等崭露头角,他们或大力提倡美育,或积极译介西方美学,或运用新方法探索中国美学、艺术原理,成绩斐然。在30年代,除朱光潜、宗白华、邓以蛰、华林等继续在前台活跃以外,丰子恺、梁宗岱、朱自清、闻一多等也汇入进来。朱光潜《文艺心理学》、宗白华《论中西画法的渊源与基础》《中西画法所表现的空间意识》、闻一多的多篇诗论等,是这时期的力作。与20年代相比,这时期更为活跃,更富于成果。无论是引进西方美学(朱光潜),还是探索中国美学(宗白华、闻一多),都可以说是中国现代美学史上收获的黄金季节。但随着民族危机的加剧和阶级冲突的日益尖锐,40年代美学就相对沉寂。值得一提的只有周扬所译《生活与美学》(车尔尼雪夫斯基作)、蔡仪所著《新美学》两部著作。

此外,马克思主义美学也在中国得到广泛传播。鲁迅、瞿秋白、冯雪峰、周扬等先后译介了普列汉诺夫、卢那察尔斯基的美学著作,以及马克思、恩格斯、列宁有关文艺问题的信,这在当时产生过巨大影响。

中国现代美学是中国现代文化的一部分。如果说,文化代表了特定时期人类历史的全部总和,那么,美学则是它的最高理论概括与自我反思形式。现代文化是处于衰落的旧文化与方兴的新文化相互夹击下的"夹缝"文化,它既是对旧文化的诀别,又是对新文化的召唤。因而当现代美学对历史作审美沉思之时,它就不能不时时眷顾逝去的流年,它挟带着中国传统文化与心理规范的"旧神"走向现代这个"新居"。这就决定了现代美学在承袭方面的偏爱和开放方面的踌躇。它在理论与方法论上力图革新,然而思维模式又仍然奠基于旧有文化心理的土壤上。倘若不从民族的社会、生产、文化、心理的整体上(或者说社会—科技结构与文化—心理结构的结合上)进行果断的反省,理论的更新就只是一句空话。按照马克思主义关于社会存在决定社会意识的原理,美学的改造必须依赖于社会存在的全面改造,只有这样才能真正发展中国美学。

进一步说,中国现代美学的结构内部交织着几种不同的"力":中国古代美学、西方美学和马克思主义美学。中国古代美学作为中华民族以往历史的审美反思的产物,作为民族审美心理的理论模式,是现代美学的理论渊源,必然在深层左右着现代美学的走向。这种渊源固然是发展中国美学的出发点与内在动力,但其保守的、封闭的一面也往往成为前进的桎梏。古代美学的这种二重性也使得现代美学呈现相同情形。同时,现代美学的最早倡导者如王国维、梁启超、蔡元培、鲁迅等,最初都是从西方美学取来火种,开创了现代美学研究,后来的黄忏华、朱光潜、宗白华等后继者更是全力引进西方美学。甚至可以说,几乎每一个现代美学家无一不受西方美学潮流的浸染;也可以说,中国现代美学正是在西方美学的"撞击"下产生的。尽管我们可以惋惜现代历史在承袭与更新上的踌躇,但现代毕竟是中国历史上少有的"开放"时期。就是在这种开放形势下,西方各种美学思潮,如康德、叔本华、尼采、弗洛伊德、移情论、直觉论、距离论、意识流、原欲说等等都一齐涌了进来,造成前所未有的中西美学大"对接"。对接就是相互冲突、相对作用、相互融会贯通。这种对接虽然还是初始的、表层的、令人难以满足的,但对于亟待变更的封闭的中国传统美学壁垒，无疑是一次剧烈摇撼（这以后的历史将会告诉人们，封闭的一面会多顽强，而摇撼远远没有完结，今天和以后都需继续这项工程）。中西美学两种"力"的对接还由于马克思主义美学的汇入而呈现更复杂的冲撞。在上述摇撼的迷茫中，马克思主义美学无疑是投下了一线光明：中国一些先进的美学研究者从唯物史观找到了"指南"，找到了探索美与艺术的理论基石，对中西美学的异同有了初步的辨析力。这样多种"力"的交汇造成中国现代美学独特的风貌。这表明，中国美学要发展，要步入世界，必须更加果断地"开放"，更加广泛地"对接"，形成中外（不仅西方）美学交互渗透、融会贯通的蔚为大观局面，以此为根基完成中国美学大厦的构筑。

当我们今天美学的力量在艺术领域中冲击庸俗社会学阴魂，确立艺术的审美创造特性和情感体验特性时，其实只是在继续现代美学未竟之事业。早在20世纪二三十年代，现代美学就已经普遍地把审美与情感作为艺术内蕴来探讨，把艺术看作审美的创造，蕴含情感的艺术看作抒发、宣泄自我情绪、苦闷、悲哀、意向的方式。可惜由于中国现代历史的特殊演变，这种积极探讨不得不在一个时期内停顿。在绕了一个大弯之后又在更高阶段上回到原地，当代美学在重新探讨这些课题。当代美学在从事这种沉思之时，认真思索现代美学的轨迹，必定不无教益。历史有许多相似点，每前进一步也需血的代价。

本丛编在分类上采用专题形式，专题内以年代为序排列。王国维、梁启超是中国现代美学最早倡导者，但因其主要活动年代而划入"近代美学"（1848~1911）时期，故本丛编不予收录。为节省篇幅，已出个人文集的美学家，如陈望道、朱光潜、宗白华、蔡仪、王朝闻、伍蠡甫等的论著亦未选入。版本采用原版，力求资料可靠、原始。

此书即将由北京大学出版社出版。特作此序说明。

为《中国现代美学丛编》所作序
1985年秋，北大中关园

梁启超的美学贡献

梁启超和王国维是同时代人。梁早生了4年（1873），晚死了2年（1929），两人都经历了晚清和民国两个时期，晚年都成了清华园国学门的著名导师。王国维因清亡、末代皇帝被逐，身为侍读的他感到奇耻大辱，痛不欲生，自沉于昆明湖。梁启超的一生，先是投身维新变革，热心从政救国，后又潜心著书立说，演说讲学，最终以"战士死于沙场，学者死于讲座"的追求，逝于北京。对于王国维的死，我们深感惋惜，但对于梁启超的一生，我们却要以钦佩之情来表示。且不说他满腔热血投身维新，就只说他的博学多才、著作等身，实令人叹为观止。收入《饮冰室合集》中的文字竟有1500万字之多，共有184集，堪称那个时代之冠。若以梁启超的写作时间不到30年计算，那么，他每年平均都要写出50多万字，这在还无电脑写作的时代，真是一个令人惊叹的数字。要能达到这种境地，不仅需要刻苦勤奋，还要才思敏捷，更需要具有一种精神：视写作为自己的生命，欲罢而不能。

梁启超处在两个世纪之交，社会现实把他卷进了时代潮流的中心，不断为中国探索新路。他的老师康有为贬之为"流质多变"。说他多变，确是事实。他博览群书，中外古今，涉猎甚广。他对自己的论著作了自我剖白：优点是"博而新"，但弱点也很明显，那就是"浅而芜"。这和王国维那种专而深的治学道路颇为不同。梁启超治学的最可贵之处，乃是虽然"多变"，却又并未"流质"。他在《善变的豪杰》中这样说道："大丈夫行事磊磊落落，行吾心之所志，必求志而后已焉。若夫其方法随时与境而变，随吾脑识之发达而变，百变不离其宗，但有所宗，斯变而非变也。此乃所以磊磊落落也。"梁启超的学术多变，但多变而不离其宗，那就是要唤醒国人，启发民智，更新人性，发愤图强，振兴中华。梁启超前后期的人生确有变化，但他的人生观却一以贯之。他自己说,他的一生是靠兴味来作生活的源泉,对学问和政治都有浓厚的兴味;两者相比,做学问的兴味更浓。在五四运动前,更多的精力放在政治的维新变革上面,但也不忘学问。1919年,他在欧洲游学,对西学发生了广泛的兴趣。他在那里最早得知巴黎和会传出的消息,作为战胜国的中国,反而要将德国在山东的权益移交给日本。梁启超气愤不平,立即将此消息传给国内学界,北京学生群情愤慨,北大学生带头烧了赵家楼,引爆了轰轰烈烈的五四运动。梁启超游学归来之后,就进了清华园国学门,将更多的精力投入到学术研究中去,走教育救国的道路。但他始终密切关注着政治,他说,自己若不管政治,便是逃避责任,心里会感到不安。兴味和责任构成梁启超人生观的两大基础。他治美学,也以此为基础。

梁启超的美学,前后期也有所变化,所突出的重点不同。当他热心政治维新、投身于社会变革之时,在美学上就特别强调文学艺术的政治教化作用,竭力倡导政治小说。而致力于学术研究时,他的美学就更多深入阐发文学艺术的审美教育作用。重点有变,其美学的宗旨未变。审美也好,艺术也好,其根本目的,还是"新民":打动人心,更新人性,也就是后人所说的改造国民性。作为一个启蒙思想家,梁启超一生不断地致力于"改造国民的品质",而审美教育就是对国人进行"精神教育"的重要途径。在他看来,"欲新一国之民",就要去"新人心"。审美教育的目的,就是要去"新人心",塑铸"新人格",从而,才能去变革社会。梁启超在美学上的最大贡献,乃是把审美这一人类独特的活动放置在社会人生的整体中来,揭示它如何影响人的心灵,从而又作用于变革社会的独特的社会功能。审美和艺术,既有自身的直接功能,又有对外的间接功能,离不开社会人生,但自身又有相对的独立性。在这一方面,梁启超的美学,要点有三:其一,美在人类生活中必不可少。"美是人类生活一要素,或者还是各种要素中之最要者。倘若在生活内容中把美的成分抽出,恐怕便活得不自在,甚至活不成。"(《美术与生活》)美就在生活中,美的人生被放置在人类的本体论的地位,因此,爱美,也就成了"人生目的的一部分"。美的追求,乃是人生的一大目的。其二,审美之所以必要,在于审美所引发出来的趣味或情感,乃是"生活的原动力",是人类一切活动的"源泉"。(《趣味教育与教育趣味》)在梁启超的美学中,有时突出"趣味",有时突出"情感",我们不妨把这些合称为"情趣"。梁启超把由审美引发的情趣看得十分重要,将之看作"是人类一切活动的原动力"。他把感情与理解作了区分,认为它们具有不同的功能。理解的功能,"顶多能叫人知道那件事应该做,那件事怎样做法";但感情却能激发人"到底去做不做"(《中国韵文里头表现的情感》),属于人的动力机制。其三,生活中的情趣要表达出来,最有效的手段就是文学艺术。文学艺术要能把情趣表达出来,就要创构出艺术的境界。依他看来,趣味乃是"由内发的情感和外受的环境交媾出来",要表现趣味,在文学艺术中就要把产生这趣味的境界表现出来。此时,内发的情感和外受的环境在心灵中融合为境界,"把我的生命和宇宙的众生进合为一"(《中国韵文里头表现的情感》)。梁启超倡导的文学革命,不仅在于文学要运用新语句,更重要的是要创造出新境界。梁启超的境界说,虽然其根底是在推崇唯心,但却比前人拓展了更为广阔的视野,并以新理想来导向新境界。

梁启超谈论审美,始终紧紧扣着趣味、情感来深入展开。情趣说,可以说是梁启超境界说的核心。这标志着,中国美学在吸收西方美学之长和继承中国古典美学传统的过程中,正在逐渐自成特色。西方美学在向现代转化的过程中,审美趣味的观念越来越受到重视。英国经验主义美学标举审美趣味,发展到德国理性主义美学,同样重视审美趣味,康德甚至把审美判断就称之为趣味判断。梁启超在阐释趣味的"无所为而为"时,显然吸取了西方美学中的审美功利说。更进一步,梁启超还把趣味之说推向整个人生。人要变成有趣之人,民族要变成有趣的民族,社会也要变成有趣的社会,所以,他自称是一个地道的趣味主义者。他没有想到的是,如今,西方发达国家已发展到后现代,趣味之说更受到青睐。英国当代后现代主义哲学家罗蒂在他的《后哲学文化》一书中说道:"所谓人类的进步,就是使人类做出更多有趣的事情,变成更加有趣的人。"

梁启超的美学,虽然吸收了西方现代美学的元素,但其根本,还是深深植根于中国传统文化之中。他多次阐发了孔子所说的"知之者不如好之者，好之者不如乐之者"的观念，认为审美的愉悦，超越了其他快乐。审美之乐，正在于精神境界的提升，在审美的愉悦中得到精神享受的同时，拓展和提升了精神境界。中国文人的人生理想，是要做到立德、立功、立言，通达时，"兼济天下"，实现自我；而受阻塞时，则要"独善其身"，自我完善。中国传统文化中有"内明之学"和"外用之学"两种，研究"格物、致知、诚意、正心"的是"内明之学"，而研究"修身、齐家、治国、平天下"的乃"外用之学"。这两者又是相辅相成、相互促进的。只有做到自我完善，"正心、诚意、修身"，才能进而做到"齐家、治国、平天下"。审美、艺术不能直接用来"齐家、治国、平天下"，只能用来"正心、诚意、修身"，但也可以间接地对前者发挥作用。梁启超美学承续了中国文化传统，而又做了自己的发挥。

美学中一个最大的难题，就是要回答审美怎样才能提升人的精神境界，使人日益自我完善。梁启超美学的最有价值之处，正在于深入到趣味、情感、境界的内部，作价值剖析，对趣味、价值、情感本身作了价值区分，从而给予我们莫大的启示：审美、艺术可以把人引向美好、崇高，也可以把人引向丑恶、卑下，关键乃在趣味、情感、境界的价值取向不同，从而产生了不同的价值定向。梁启超的美学奠基在价值论的基础之上，他对趣味、情感、境界所作的价值分析，使我们重新认识到审美活动其实是一种价值体验活动，具有价值定向作用。

人的趣味有好坏吗？梁启超十分肯定。他明确说："趣味的性质，不见得都是好的。比如好嫖好赌，何尝不是趣味？但从教育的眼光看来，这种趣味的性质当然是不好。"（《趣味教育与教育趣味》）文学艺术应该培育高尚趣味，"若不向高尚处提，结果可能流于丑秽"（《晚清两大家诗钞题辞》）。情感呢？在梁启超看来，情感本身并非都是美好。"他的本质不能说他都是善的都是美的，他也有很恶的方面……好起来好得可爱，坏起来也坏得可怕。"情感既有好坏，那么，"情感教育的目的，不外将情感善的美的方面尽量发挥，把那恶的丑的方面渐渐压伏淘汰下去"。正是这样，人类方能不断前进。作家、艺术家的使命也正在通过情感教育,把情感向真、善、美方向提升,所以,"最要紧的工夫是要修养自己的情感,极力往高洁纯挚的方面,向上提挈,向里体验。自己腔子里那一团优美的情感养足了,再用美妙的技术把他表现出来,这才不辱没了艺术的价值。"(《中国韵文里头所表现的情感》)

审美情趣的差异,表现于文学艺术,必然产生不同的艺术境界。依梁启超之见,艺术境界有的"狭而有限",有的则"广而无穷",有的"卑下平凡"。文学艺术应该创造"优美高尚"、"广而无穷"的艺术境界,"把我们卑下平凡的境界压下去"。(《美术与生活》)在他看来,只有"气象壮阔"、"寄托遥深"的艺术境界,方能使人"神思激扬"。他所倡导的"文学革命",就是要在文学艺术中熔铸新理想,创造新境界。倘若"从天然之美和社会实相两方面着力,而以新理想为之主干,自然会有一种新境出现"。(《晚清两大家诗钞题辞》)当然,当代美学应该进一步追问:什么样的趣味、情感、境界是高尚的、美妙的、真实的?什么样的趣味、情感、境界是卑下的、丑恶的、虚假的?梁启超对趣味、情感、境界的价值剖析有待于进一步深入,但他启示我们,我们的美学不能只停留在心理学的层次,而要上升到价值论,揭示审美和艺术的价值向度。审美体验是对价值的体验,在体验中领悟人生的价值,因而,审美判断,既是趣味判断,又是情感判断,而且是反思判断,蕴涵着价值的反思。正是因为在审美体验中有着对趣味、情感的反思,能在心灵世界内部作出价值评估,从而,促使心灵向高尚、美妙、真实的方向发展,才得以提升精神境界。审美不一定有外在目的,但却有内在目的,这种内在目的就是:提升精神境界,更新人心,塑铸审美人格。审美具有"无目的的合目的"性。这"无目的"是无外在目的,"合目的"是内在目的。梁启超所说的"无所为而为",这"无所为"也正是无外在目的,"而为"则有内在目的。因此,审美的功用也就可以有直接功用和间接功用。王国维所说的"无用之用",鲁迅所说的"不用之用",蔡元培所说的"似无用,非无用",其实,都说的是审美只是指向心灵,并不能改变物质。我们可以把审美的功用看成是一种"虚用",但这"虚用"也可以成为一种大用。就像郭沫若所说,艺术形似无用,但在"无用之中,有大用"。这种大用就是:"唤醒人性","鼓舞生命"。

那么,审美是否也可以对变革社会有用呢?精神问题只能靠精神力量来解决,物质问题也只能靠物质力量来解决。但是,物质力量和精神力量可以相互转化,审美影响人的精神,而精神的改变,通过实践,又会去作用于物质力量。不过,审美的功用,影响精神是直接的,而作用于社会则是间接的。梁启超的美学,致力于把审美的外在目的和内在目的统一起来,通过审美的直接作用来对社会起间接作用,把审美的自律和社会的他律结合起来,这是他的美学最大的贡献,对我们今天仍有重大的现实意义。

为"梁启超美学研讨会"(杭州)而作
2010年秋,望海书斋

蔡元培的美育精神

摘　要：在中国由近代向现代的历史转折中，蔡元培为推进我国的美学和美育的发展尤其美育事业，着力最多，影响最广，作用最大。他特别重视把美学教育和美感教育结合起来，创建了自成特色的美育学说。蔡元培的美育精神在新时代应该发扬。它启发我们进一步深思美育的使命，推进美育的实施，拓展美育的途径。

关键词：蔡元培　美育精神　美育学说　美育实践

在中国从近代转向现代的历史进程中，蔡元培是我国启蒙初起时代公认的新文化运动的领袖，一位启蒙思想家，一位杰出的教育家。他还是一位美学家，特别重视把美学与教育紧密结合，创建了自成特色的美育学说，把美育提升到人格教育、全民教育、终身教育的地位。蔡元培倡导美育，没有停留在抽象理论的层次，他不仅自己身体力行，而且付诸社会实践，向学校或更广的社会领域推行。在蔡元培的心目中，美育是在中国进行思想启蒙的一个重要途径。辛亥革命后建立了民国政府，孙中山任临时大总统，任命他为教育总长。他在鲁迅的支持配合下，旗帜鲜明地把美育列入整个教育方针之中。在中华文明史上，这是从未有过的伟大创举。蔡元培闪耀着启蒙思想光芒的美育精神，不仅在当时的新文化运动中发挥了巨大的作用，而且还影响了以后数代人，推动中国的文化教育向现代方向前进。在21世纪即将到来之际，中国为全面推进素质教育，终于把美育列入全民教育方针之中，德、智、体、美四育并举，协调发展，成了我国教育的方向。新的时代要求我们在更高层次上发扬蔡元培的美育精神，为的是实现马克思主义创始人对人的理想：按照美的规律培养全面发展的自由个性。

一

我生也晚，在20世纪30年代才来到这世上，进入北京大学则已是1952年。少年时期读了朱光潜给青年的十二封信和《谈美》，才知道世界上还有一门学问叫"美学"，心向往之。可是，等我进了北大，方知道北大已经没有了"美学"这门课，只有杨晦教的"文学概论"还和美学有些关系。朱光潜、宗白华、蔡仪都在北大，但都不开课。我自己做了个安排，决心从1953年开始，自学中国现代美学。我先向杨晦请教，又在年初拜访了朱光潜，请教该从哪里入手。杨晦要我先读蔡元培，再读梁启超，后读蔡仪。杨晦是位"五四"老人，当年就和许德珩一起参加了火烧赵家楼的行动，后来，当过北大的中文系主任、副教务长。他正是在1917年蔡元培任北大校长时考入了哲学门，聆听过蔡元培的教诲，听过他的美学演讲，对北大的美育耳濡目染，有亲身感受。他对蔡元培十分敬佩，所以要我钻研中国现代美学，就要从蔡元培入手。朱光潜则为我另辟蹊径，要我先读王国维，再读吕澂，后读宗白华。他说，他研究美学，受王国维的影响最早，印象深刻，要我不妨也从王国维着手。我自己做了选择：先读蔡元培，再读梁启超，然后读王国维。我安排两年时光，在听课之外，集中精力阅读"五四"以来的现代中国美学著作。我是从阅读蔡元培而进入中国现代美学领域的，所以，对蔡元培的美学印象较深，特别是对他那不屈不挠、坚持不懈的美育精神敬佩不已。20世纪80年代初期，我和叶朗、江溶策划《北京大学文艺美学丛书》，就首推《蔡元培美学文选》，优先出版。

蔡元培并非一开始就关注教育，更不要说重视美育了。1868年出生在绍兴的他，开始走的是封建文人的老路。那时，科举制度还未废除，蔡元培和梁启超同在1889年中了举人，但梁启超1890年参加全国会试落榜，从此放弃了应试做官的道路。蔡元培却一帆风顺，青云直上，24岁时就赴京会试得中，1892年殿试通过，成了二甲进士，不久，就被任命为皇家的翰林院编修。1898年戊戌政变，蔡元培虽未参加，但亲自目睹了百日维新的始末，极为同情康有为、梁启超的不幸遭遇，深感清王朝无药可救。蔡元培对康、梁维新的失败进行了反思：

"由于不先培养革新之人才,而欲以少数人代取政权,排斥顽旧,不能不情见势绌。此后北京政府,无可希望。故抛弃京职,而愿委身于教育。"①(《蔡元培口述传略》)

戊戌政变之后,康、梁流亡日本,蔡元培愤而弃官。在新世纪到来之前,这位封建末世的传统文人,终于走出皇家翰林院,走向一条新的道路,回家乡绍兴从事教育事业。这是蔡元培人生道路的一次大转折。此时正好是他30岁。蔡元培在故乡生活了八年,全力投入教育事业,积极参与绍兴的中西学堂、上海爱国女学、南洋公学(交通大学前身)等的建设,发起成立中国教育会、爱国学社等社会组织,竭力推动教育事业向全社会发展。"教育救国"开始渐成蔡元培的伟大志向。但就在此时,他还没对美育有所重视。上海爱国女学成立之初,蔡元培就倡导,教育就是要造就人的"完全人格"。但"完全人格"何在?当时他还只是提及德育、智育、体育这三育,在他此时的心目中,还尚无美育的地位。

蔡元培后来极为看重美育,那是在他人生有了另一次大转折,学得了美学之后自然而然发生的。

1907年,蔡元培将届不惑之年,他毅然选择了去德国留学。蔡元培一去就是五年多,遍访德国、瑞士,考察教育、文化。他在莱比锡大学听了三年课。这所歌德曾经就读的古老大学,以教育学、艺术学、美学而著称。蔡元培在后来所写的《自写年谱》中说:"我于讲堂上既常听美学、艺术史、文学史的讲演,于环境上又常受音乐、美术的熏习,不知不觉的渐集中心力于美学方面。"②他在德国,不仅听美学课,而且知行并重,自己还学起弹钢琴、拉小提琴来,把学得的美学付诸自己的人生实践。自此,蔡元培对美学和美术(广义的美术,即文学艺术)发生了浓烈的兴趣,后半生都乐此不疲。他不止一次地向别人说道,自己"到四十多岁,专治美学"。后来他又数次出国考察,遍历英、法、美、俄等国,对美学、美育尤为关注。即将步入70岁的蔡元

---

①蔡元培:《美育人生》,江苏文艺出版社,南京,2011年,第29页。
②同上书,第74页。

培，曾经发表了满怀深情的谈话《假如我的年纪回到二十岁》，谈话中说，若容许他能在年轻时就做出自由选择，他会"专治我所以爱的美学及世界美术史"①。正是在学得了美学之后，蔡元培结合实地考察，日渐懂得了美育的重要。欧美诸国重视人的完全人格的培育，美育必不可少。德国、法国尤为看重美育，只是法国人更喜爱优美，而德国人更看重崇高。这给蔡元培留下了深刻的印象。

当蔡元培的人生又一次发生大转折时，历史给了他一次机遇，竟能把美育引入国家的教育方针之内。这在中国实乃破天荒的奇迹。辛亥革命初定，国民政府成立，孙中山任临时大总统，立即急电蔡元培从德国回南京，受命担任临时政府的首任教育总长。蔡元培先调绍兴同乡许寿裳到教育部，许寿裳又推荐了一起在日本留学的周树人（鲁迅）协助蔡元培在教育部推行美育。1912年，蔡元培公开发表了《对于教育方针之意见》，旗帜鲜明地把美育列入到教育方针中。

由蔡元培主掌的教育部，先是设在南京，后又迁往北京，许寿裳和鲁迅也跟着到北京。鲁迅是蔡元培在教育部推行美育的得力助手。蔡元培对教育方针的意见，由鲁迅起草一个教育部文件，予以推行。鲁迅在教育部的任职，先是做社会教育司的第二科科长，后升任为社会教育司的佥事，主管的就是文博图书和美术教育。蔡元培所说的美术教育并不仅是视觉艺术的绘画、雕塑等，而是笼括所有的艺术，包括文学在内。受蔡元培的委托，鲁迅积极在北京实施艺术教育，向社会推行美育，甚至在暑假中还举办美术演讲会。鲁迅在暑期的美术演讲就先后举办了四次，1913年发表的《拟播布美术意见书》就是在这些演讲的基础之上作了发挥写成的。在这篇文章中，鲁迅对文学艺术（总称为美术）的作用和价值作了较为全面的阐释。在鲁迅的支持和配合下，蔡元培的美育精神初次得到了弘扬。后来，袁世凯复辟，蔡元培愤而辞职，1913年秋出走法国，又去钻研绘画、建筑、音乐。蔡元培出走后，教育部竟把美育从教育方针中删除。鲁迅悲愤交加，他在自己的日记中这样写道："闻临时教育会议竟删美育，此种豚犬，可怜

---

① 蔡元培：《蔡元培美学文选》，北京大学出版社，北京，1983年，第212页。

可怜。"(《鲁迅日记》)鲁迅对蔡元培的美育精神,一直深为敬服,他们都把美育看作改造国民性的重要途径。

二

蔡元培虽然在教育部受挫,但他的美育精神并未减退,反而在德、法养精蓄锐,终于有了在北京大学发扬的机会。1916年冬,教育部敦促蔡元培回国,要他就任北京大学校长。有人劝他,北大太腐败,无可救药,何必去那,怕要坏了名声。有人则鼓励他去,对北大做彻底改造。孙中山虽已不当总统,但支持他去北大开创新的局面。蔡元培在做翰林院编修时曾经去京师大学堂讲过课,知悉内中的腐败与丑恶,但最后还是下定了要去改革北大的决心。1917年初,蔡元培就任北京大学校长,开始实施他的教育方略。从1917年到1927年十年半的时间,蔡元培有一半时间在此坐镇。即使他不常在,代理校长蒋梦麟是他的学生,也一直支持他的教育方针,把美育放在整体教育中必不可少的地位。蔡元培的美育精神,由此而在北京大学扎下了根。

蔡元培在北京大学大刀阔斧的改革,乃从文科开始。他请李大钊任图书馆馆长,又亲自到陈独秀的住所请他出来当文科学长,主掌文科。为此,蔡元培还把陈独秀在上海已办了好几年的《新青年》杂志社转移到北京大学。当时,鲁迅还在教育部负责通俗教育研究会的工作,不能到北京大学担任专职教授,蔡元培就特聘他为兼职讲师,在北大开讲"中国小说史",为此才有了以后的《中国小说史略》。鲁迅又向蔡元培推荐了还在绍兴的周作人到北大任专职教授,开讲外国文学。胡适之从美国回国,即由蔡元培请来北大,推动新文学的研究。蔡元培到北大就提出在文科开设美学,可是,无人响应,他就亲自出马,开设了美学课程。他在《我在北京大学的经历》中说到,在十年之间,"我讲了十余次,因足疾进医院而停止"[①]。而美学之课在北大一

[①] 金雅主编:《中国现代美学名家文丛·蔡元培卷》,浙江大学出版社,杭州,2009年,第260页。

直延续,他请留法回来的张竞生来北大当专职教授,继续讲授美学课程。就在北大期间,蔡元培开始了《美学通论》的撰写,写出了《美学的对象》《美学的趋向》等文。

蔡元培对美育的重视,并没有仅停留在课堂上,而是更重在付诸实践,体现为行动。为鼓励北大学生向德、智、体、美全面发展,他发动师生开展课外活动,组织各类社团,学校为之创造条件。他一到任,就创办了《北京大学日刊》,鼓励校园社团相互交流。在蔡元培的激励下,各类社团如雨后春笋,蓬勃发展。仅在他就任校长的两年后,各类社团已达20个左右,其中就有陈独秀组织的社会主义研究会,后来又有李大钊组织的马克思学说研究会。在蔡元培美育精神的感召下,文学艺术社团最为兴旺,文学研究会、音乐研究会、绘画研究会、书法研究社等纷纷成立。后来,张竞生还发起成立了审美学社,出版审美丛书。这种由蔡元培倡导在讲堂之外展开美育的活动方式,成了北大的一个传统。我20世纪50年代初期进入北大,马寅初当校长,江隆基任副校长、党委书记,还继承着这种传统,所以还能亲身感受到这种美育精神。那时,北大校园还洋溢着课外的艺术氛围,国乐社、交响乐鉴赏会、文学社、新诗社、戏剧社等,一到下午社会活动时间,就各自活跃起来。发展到80年代,改革开放,又成立了由王朝闻、宗白华任指导的文艺美学研究会,公开出版《文艺美学》论丛。这要归功于蔡元培美育精神的鼓舞。

正是由于蔡元培怀抱"教育救国"的志向,全面推行德育、智育、体育、美育,采取"思想自由,兼容并包"的方针,才推动了教育向现代方向发展。北京大学成了新文化运动的发源地,"五四"爱国运动在这里发生,绝非偶然。蔡元培在北京大学厉行改革,逐渐引起了世人关注。在"五四"发生的前一年,已经退出政坛在天津居住的梁启超,出于爱国之心,密切注视着巴黎和会的动向,力争山东的权益回归祖国。为此,梁启超和蔡元培都积极参与了国际外交协会的领导工作,并在北京大学召开了国际联盟同志会。作为国际外交协会驻巴黎的代表,梁启超随同中国赴巴黎和会的代表前去巴黎当民间顾问。当他得悉北京政府首席代表陆征祥要在和会上签字,同意把德国在山东的权益转让给日本时，勃然大怒，当即把这一消息电告了国民外交协会的林长民（林徽因之父）。林长民又把这消息告诉了蔡元培。蔡元培在1919年5月3日得知此消息，立即返校，召见了北大学生领袖许德珩。北大迅速行动起来，5月4日，联合北京的其他学校，在天安门集会，由许德珩带头举行游行示威活动。北京政府本想秘密在卖国条约上签字，但为梁启超所泄露，就引发了五四运动。从此，梁启超对北京大学刮目相看，和北大教授胡适之、丁文江多有交往，并去北大做过演讲。在百日维新之时，京师大学堂正在筹办，光绪皇帝命梁启超起草《大学堂章程》。梁启超参照了日本的学规，依据中国的国情，为京师大学堂制定了洋洋80多条学规。但最后任命的掌学大臣却不是梁启超，而是官僚孙家鼐。京师大学堂还是成了科举制度取消以后又一培养封建官僚的衙门。梁启超深知要把这培养封建官僚的京师大学堂改造成现代大学之难，所以，对蔡元培在北大的贡献甚为敬服。

蔡元培的美育精神，在他主管北大的十年里得到了初步发扬。虽说是初试锋芒，但在国内实属首例，功不可没。此后的十多年中，蔡元培再接再厉，进而在江南倡导和推行美育，产生更为广泛的社会影响。蔡元培的美育精神在更广阔的社会领域得到了发扬。

五四运动以后，北京政府加大了对北京大学的控制。蔡元培对此十分反感，早有南归之意，想回故乡另觅"报国之道"，最想做的还是翻译一部西方艺术史、几部美学名著。但北京政府不想丢掉这个牌子，还要蔡元培继续当北京大学校长。他在长期坚持自己的教育方略之外，不时去欧美进行教育和文化的考察，探索如何作进一步的教育改革。

北伐战争之后，全国政治中心转向南方。民国政府允许蔡元培辞去北京大学校长之职，请他担任大学院院长，以推动国家的教育体制改革。年过六旬的蔡元培有两年光景全力投入了在国内设立大学区的实验。所谓大学院，乃是参考法国的大学区制而实行的模式，将全国分成若干学区，每一学区以大学院为中心，全学区的中、小学都归大学院管理，不再设立教育局之类的行政机构。这种体制的好处是突出了教育家治校，更尊重教育规律，而且教育在不同的地区的发展也会相对均衡。蔡元培做北大校长时，深受教育部行政官僚之苦，对官僚统治深恶痛绝，所以很支持这样的体制改革。1928年，作为大学院院长的他，亲自主持召开了第一次全国教育会议，大学校长及各省教育主管与会，共商教育改革方向。

正是在这次教育体制改革中，蔡元培的美育精神得到了进一步的发扬。在确定了大学院为全国最高学术教育机构之后，蔡元培进而突出了科学、艺术、劳动三者在教育中的地位："大学院以科学化、艺术化、劳动化相提倡，大学必须具备这三种精神。"他倡议，要在大学区中设立劳动大学，提倡劳动教育。更要"设音乐院、艺术院，实行美化教育"。这就在过去已有的德育、智育、体育之外，再加上劳育、美育。依他之见，德、智、体、劳、美五育并举，方为完全之教育。而且，在蔡元培看来，美育还要进一步走向社会："美育为近代教育之骨干。美育之实施，直以艺术为教育，培养美的创造及鉴赏的知识，而普及于社会。"蔡元培要求大学院把艺术看得和科学一样重要："艺术能养成人有一种美的精神，纯洁的人格。"[①]

在蔡元培的积极推动下，在大学院下筹备设立艺术教育委员会，以推进全国的艺术教育。大学院在蔡元培的主持下，很快在上海创建了国立音乐学院，请音乐家萧友梅当校长。接着，又迅速在杭州创办了国立艺术学院，请画家林风眠任校长。由此开始，艺术教育在江南地区蓬勃发展起来。大学院在1928年还支持美术教育委员会向社会推进美育，筹备全国美术展览会。这在国内实属创举，成为中国文化界的一大盛事。在大学院时代，蔡元培广开贤路，设置了特约著作员制，专聘国内学术上有贡献的专家、学者担任，任其自由著作，大学院给予特殊津贴。这时鲁迅也已在上海自由写作。蔡元培不忘鲁迅在北大的贡献，为他颁发了聘书。1936年鲁迅逝世，蔡元培和宋庆龄共同主持丧礼。蔡元培亲撰挽联："著述最严谨，非徒中国小说史；遗言太沉痛，莫作空头文学家。"

[①] 蔡元培：《蔡元培全集》第六卷，浙江教育出版社，杭州，1997年，第214页。

虽然后来大学院又改成了教育部,蔡元培坚决不愿再当教育部部长而只当中央研究院院长;但是,他仍然不忘坚持不懈地向社会推广美育。他仍陆续不断地发表美育演讲,撰写美育文章,参加文化艺术界的活动。他积极支持画家刘海粟创办的上海美专,参加刘海粟的画展,并撰文给予高度评价。李金发要创办《美育》杂志,蔡元培也给予大力支持。

蔡元培一直想写一本论美育的书,还想写一本美学著作。1936年,上海各界为蔡元培七十大寿举办了盛大的庆祝活动。蔡元培在致辞中对自己的一生进行了反思,感触良深。他满怀深情地说道:"回忆从前经过,可为而不为,与不可为而为的,不知多少;多一年,就增加一年的悔恨。……七十岁了,余年有限,还来得及补救吗?"[①]他最后说,假我数年,还是想写一本书,专论"以美育代宗教",还想编写一本美学。蔡元培的一生,对美育和美学真可以说是情有独钟,后悔没有把精力和时间更多地投在这里。但文化艺术界没有忘记他在美学事业上的杰出贡献,刘海粟、萧友梅、柳亚子等在此年成立了一个筹备委员会,要在上海成立"孑民美育研究院",其宗旨就是要继承和发展蔡元培的美育精神。可惜,因抗战爆发而未能实现。幸而,孙福熙在杭州已经建成了孑民美育院,实现了文化艺术界的一个共同愿望。

蔡元培在江南推进美育十年,影响深远。我的师辈就是在他的美育精神熏陶中成长起来的。我的父亲小时在苏州读书,后入无锡师范,琴棋书画都要学,所以,尽管他主要教历史课,但写得一手好字,能画画,还能拉二胡,吹笛箫。我自小也是受这种气氛的熏陶。

蔡元培的最后岁月,是在家国之恨和病痛交加中移居香港度过的。日本侵略、占领上海,蔡元培满腔悲愤,1937年年底,带着病痛之身来到香港,以图在此广结海外友人,争取国际对中国抗日的支援。就是在抗战爆发之后,他也不忘美育,坚信"美术乃抗战时期之必需品"。1938年春,蔡元培和宋庆龄受邀与港督夫妇一起参加一个国际美术展览开幕典礼。蔡元培在致辞中就鲜明地说:抗战时期也需要

[①] 蔡元培:《美育人生》,江苏文艺出版社,南京,2011年,第228页。

美术之陶养。他不仅只是说，还行动起来，亲自为国际反侵略运动大会作了中国会歌，调寄《满江红》。他自认为这一曲调适合表现中国人坚决抗日的"壮气"。他所作的曲词，"我中华，泱泱国，爱和平，御强敌"，"与友邦共奏凯旋歌，显成绩"①，洋溢着阳刚之气，崇高之美。1940年春，74岁的蔡元培因病与世长辞，在遗言中还不忘倡导"美育救国"。毛泽东电哀："孑民先生，学界泰斗，人世楷模。"周恩来送挽联："从排满到抗日战争，先生之志在民族革命；从五四到人权同盟，先生之行在民族自由。"

蔡元培与梁启超、王国维乃从近代转向现代的同辈美学家，其实，蔡元培最年长，生于1868年，而梁启超生于1873年，王国维更晚，生于1877年。但梁启超、王国维接触美学比蔡元培要早，在20世纪之初都已开始关注美学。王国维很早已上书提出要在大学开设美育。蔡元培在40岁（1809年）时才接触美学，1912年在教育部倡导美育。但把《国际歌》翻译到中国来的美学家陈望道在他所著的《美学纲要》中却这样说道："中国之有美学，实以蔡元培先生提倡为最早。中国人素讲智、德、体三育，近人更倡群育、美育，而并称为五育。美育即蔡元培先生所主倡。"②这并不是要抹杀梁启超、王国维的美学贡献，而是因为蔡元培为推进美学和美育的发展着力最多，影响最广，作用最大。尤其是对于美育，他尽心尽力，鞠躬尽瘁，死而后已。王国维对古典美学（诗词、戏曲）钻研甚深，但在国民革命正向北平推进之时，1927年年仅50岁时，就跳昆明湖自尽。梁启超在戊戌维新失败后，由倡导诗界、文界和小说革命而推进美学，在社会上产生了巨大的影响，但在北伐战争后不久，1929年就在协和医院逝世，年仅56岁。蔡元培则不仅经历了戊戌维新、辛亥革命、五四运动，而且在北伐战争以后还有十年时光广泛参与了社会活动，且到抗战爆发，还在自上而下地为推动美育事业而继续奋斗。正如梁漱溟在20世纪40年代所作《纪念蔡元培先生》一文所说："蔡先生一生的成就不在学问，不

---

① 蔡元培：《美育人生》，江苏文艺出版社，南京，2011年，第232页。
② 陈望道：《陈望道文集》第1卷，上海人民出版社，上海，1979年，第455页。

在事功,而只在开出一种风气,酿成一大潮流,影响全国,收果于后世。"蔡元培的美育精神影响之大,乃这种缘由。

三

自蔡元培倡导和推行美育以来,历史已经过去了100年。美育已被我国纳入国家教育方针之中,提升为国家意识。但是,蔡元培的美育精神,仍然值得我们继承和发扬,加倍珍视。重新领会蔡元培的美育精神,我觉得有三点值得我们特别关注,启发我们可以作进一层的思索。

一是深思美育的使命。

蔡元培从一开始就从哲学的高度来看美学和美育。他特别重视哲学中的价值论,他在《哲学大纲》中说道:"价值论者,举世间一切价值而评其最后之总关系者也。"[1]价值是对人所具有这样或那样的意义,真、善、美都是人生价值中的几种。教育是"以人为本位"的,其目的,就是要"以完全之人格为本位",造就具有德、智、体、劳、美全面素质的人。当然,我们今天已经知晓马克思主义创始人对于人的理想,就是要成为全面而自由发展的自由个性,因而加深了我们对教育这一伟大事业的认识。蔡元培所说的教育要培育"完全之人格"或"健全之人格",也正符合历史发展的大方向。

那么,美育有没有自己独特的功用和使命?不错,在谈论文学艺术的功用时,梁启超更重视政治功利,蔡元培更突出道德功利,而王国维则更关注审美功利。但是,蔡元培却并不忽视美育的独特功能。在他看来,爱美是人类性能中固有的要求,"如其能够将这种爱美之心,因势利导之,小之可以怡性悦情,进德善身,大之可以治国平天下"[2]。美育的独特功能,不仅在受美育的当时,能得到美的享受,可以"怡性悦情",而且可以获得审辨美丑的能力。他在《美学观念》中,把科学、道德、审美作了区别:"科学在于探究,故论理学之判断,

---

[1] 金雅主编:《中国现代美学名家文丛·蔡元培卷》,浙江大学出版社,杭州,2009年,第6页。
[2] 同上书,第172页。

所以别真伪。道德在于执行,故伦理学之判断,所以别善恶。美感在于欣赏,故美学之判断,所以别美丑。"①所以,美育还具有提高人的审美判断能力。更进一层,美育还可以"陶养吾人之感情,使有高尚纯洁之习惯"②,久而久之,就能培养"人人有一种美的精神,纯洁的人格"③。在他看来,要通过美育来培养一种美的精神,纯洁的人格,才能达到治国平天下的根本目的。

正是因为美育具有独特的作用,所以蔡元培就有了"以美育代宗教"之说。1917年,蔡元培发表了《以美育代宗教》的演讲,针对当时一股要在中国掀起倡导宗教的思潮,提出中国不需要倡导宗教,可以而且应该以美育来代宗教。他把美育和宗教作了优劣的比较:一、美育是自由的,而宗教是强制的;二、美育是进步的,而宗教是保守的;三、美育是普及的,而宗教是有界的。④所以,我国只能以美育来代宗教,而绝不能以宗教来代美育。在这里,蔡元培和王国维就有不同。王国维也倡导美育,但却给宗教留下地盘:美育只适合于上等社会,而在下流社会,却还需要宗教,好给予一点希望,能继续有勇气活下去。

美育确实应该而且可以用来代替宗教,蔡元培的"以美育代宗教"说,言之成理,持之有故,具有中国特色。但是,美育究竟能不能实现这一使命,除了我们要更进一步深思如何理解"美的精神,纯洁人格"之外,更重要的是如何付诸实践,在实践中推进美育的实施。

二是推进美育的实施。

美育贵在实践,切忌空谈。如何在美育中使理论和实践相结合,达致知行合一,这是美育中的一大难点。蔡元培极为重视美育的实施,尽力使美学教育和美感教育结合起来,这给我们的美育有很好的启示。

什么是美育?蔡元培在1930年为《教育大辞典》写下一个"美

---

① 金雅主编:《中国现代美学名家文丛·蔡元培卷》,浙江大学出版社,杭州,2009年,第11页。
② 同上书,第95页。
③ 同上书,第87页。
④ 同上书,第109页。

育"的条目:"美育者,应用美学之理论于教育,以陶养感情为目的也。"①可见,他心中的美育,还是以陶养感情为目的,但必须有美学上的研究,应用学理来指导美育。怎么来陶养感情?那还要有美的对象,而不只是美学的理论。他在1931年发表的《美育与人生》中说:"陶养的工具,为美的对象;陶养的作用,叫做美育。"②蔡元培倡导美育,注重美学教育和美感教育的结合,使美学教育和美感教育融为一体。他自己就身体力行,多次去欧美游学,不仅重点研究美学理论,而且自己付诸实践,学弹乐器,欣赏艺术,还遍访名山大川,亲身感受审美体验。他在北大十余年,别的课不讲,就开了一门美学,但并不停留在讲堂,而是鼓励文艺社团开展美育实践。蔡元培写过《美育实施的方法》,都体现了他那种理论和实践相结合的美学精神。

蔡元培这种竭力使美学教育和美感教育相结合的美育精神,对我们今天实施美育具有重要的价值。它促使我们反思,我们的美学教育,是不是只能停留在一味作抽象的推理和演绎水平上,而一旦沉溺在美感教育中,却又言不及义,只重技,不言道。如何真正能把美学教育和美感教育结合得好,需要我们不断探索。

三是拓展美育的途径。

美育离不开艺术的教育。蔡元培在倡导美育之初,曾突出了艺术教育。1921年,他向北平政府提议创建国立艺术大学的提案中,就这样说道:"美育之实施,直以艺术为教育,培养美的创造及鉴赏的知识,而普及于社会。"③但是,随着美育实践的逐步推进,蔡元培越来越意识到,美育绝不限于艺术教育。他对美学、美育、美术三者作了区别,提出了美育不同于美术(广义的美术,包括了所有艺术),范围不同,作用也不同。艺术里包含了真、善、美,文学的道德功利更为明显。美育则在怡性悦情,陶冶感情,培养美的精神,塑造纯洁的人格,但美育的范围却要比艺术教育广泛得多。美育的工具,离不开美的对

---

① 金雅主编:《中国现代美学名家文丛·蔡元培卷》,浙江大学出版社,杭州,2009年,第104页。
② 同上书,第125页。
③ 同上书,第217页。

象,而美的对象广泛存在于世界上,所以,美育的途径十分广阔。针对当时文化教育界普遍把美育和美术混为一谈的这种倾向,他特别地指出:"有的人常把美育和美术混在一起。自然,美育和美术是有关系的,但这两者范围不同。"不同在哪里呢?"美育的范围要比美术大得多,包括一切音乐、文学、戏院、电影、公园,小小园林的布置,繁华的都市(例如上海),幽静的乡村(例如龙华)等等,此外,如个人的举动(例如六朝人的尚清谈),社会的组织,学术团体,山水的利用,以及其他种种的社会现状,都是美育。"①

这就是说,我们这个世界上所存在的各种现象,从社会上的人文现象、精神现象,一直到自然现象,都可能成为美的对象。美育可以运用这些美的对象,作为美育的手段,因而美育的范围无比广泛。当然,蔡元培也没有忽略,由于时代的不同,美育的内容也会有所区别。在社会动荡需要奋起之时,美育就更需要进行"壮美"、"崇高"这样的美的精神教育,但也无需废弃"优美"。蔡元培说得好:优美使人和蔼、安静,对于一切能持静,遇事不乱,应付裕如;壮美使人有如受压迫,如瞻望高山,观览广洋狂涛,使人感到压迫,因而有反抗、勇往直前、一种大无畏的精神、奋发的情感。②席勒的美育思想,在这里有了进一步的发扬。

由蔡元培美育思路的拓展,引发我对整个美学的发展作出思索。蔡元培在《哲学总论》中说过美学和美育的关系:"审美学论情感之应用,而教育学教情感之应用。"传统的美学,主要还是审美学,研究的是审美活动,对美育活动却较少注意。蔡元培的美学,更多地关注美育,扩展了美学的内容,哲学美学或美的哲学确实应该在审美学之外,加进美育学。传统的美学也重视艺术活动,但却把艺术活动只归结为审美活动,把艺术仅作为审美对象来研究。其实,艺术的创作,乃是一种实践活动,正如蔡元培所说,是美的创造。艺术创造不同于审美活动,也不同于育美活动,而是一种创美活动。如今的物质生产,

---

① 金雅主编:《中国现代美学名家文丛·蔡元培卷》,浙江大学出版社,杭州,2009年,第121页。
② 同上书,第87页。

也都需要按美的规律来创造,更不要说精神生产了。物质的生产,人自身的生产,心的生产,都应该而且可以按美的规律进行。所以,哲学美学或美的哲学正在不断拓展,依我看,美学应该包含审美学、创美学、育美学。创美活动是人和物的相互作用,育美活动是人和人的相互作用,审美活动是人和心的相互作用,都是由人来进行而且是服从于人的需要的,当然要以人为本。

但是,人来到这世界上,离不开这个世界。人这个此在,和世界上的存在息息相关,和我这个此在有着关系的,不仅社会性存在,还有精神性存在和自然性存在。我这个此在必须和其他存在自由和谐,动态平衡。人类追求自由和谐、生态平衡,实际上,既要和人文生态、精神生态,更要和更广阔的自然生态达到动态平衡。所谓生态美学,最后还是哲学美学或美的哲学,探索人和世界的关系如何才能走向自由和谐,关键还在人,所以还是要以人为本。但生态美学是比传统美学拓宽的哲学美学,既包括人文美学、精神美学,又扩展到自然美学。这样,从日常活动的审美化,到超日常生活的审美化,一直到精神世界的天地境界,都被列入美学的研究领域。如今,当自然生态的危机日益加剧之时,生态美学当然应该更加关注研究整个生态中的自然维度,但也绝不能忽视整个生态中的人文维度和精神维度。新时代美学,应该研究人如何按照美的规律来处理人和周围环境以及内心世界的关系,建立自由和谐的关系,获得动态平衡。蔡元培在把美学和科学、道德作比较时说:"美学的主观和客观,是不能偏废的。在客观方面,必须具有可以引起美感的条件;在主观方面,又必须具有感受美的对象的能力。与求真的偏于客观,求善的偏于主观,不能一样。"①这启发我们可以去进一步思考,美学在建设和谐社会、和谐世界的伟大实践中,究竟应该而且可以起到什么作用。孔老夫子在过了70岁之后对自己的一生作了反思,深切体会到人生的最高境界,应能达到"从心所欲不逾矩"。个人要获得最大自由,而又不能超出规矩,什么规矩?我看这规矩应作宽泛的理解,天理、人道、良心都在其

---

① 高平叔:《蔡元培美育论集》,湖南教育出版社,长沙,1987年,第129页。

内。所以我对此的解读,自由与和谐,紧密相连。蔡元培的美育探索,是对孔子礼乐精神的发扬,我们应继续前进。

最后,我要说,此文只是谈论蔡元培的美育精神,未曾涉及他的政治观点。恩格斯在评论歌德时说道:"我们绝不是从道德的、党派的观点来责备歌德,而只是从美学的和历史的观点来责备他;我们并不是用道德的、政治的或'人的'尺度来衡量他。"后来,恩格斯在评论拉萨尔的作品时又说:"我是从美学的观点和历史的观点,以非常高的即最高的标准来衡量您的作品的。"我在这里也只是从美学的观点和历史的观点来谈蔡元培的美育精神。今天,我们从马克思主义的高度,从建设和谐社会、和谐世界出发,理应批判地继承和更好地发展蔡元培的美育精神。

> 为蔡元培倡导美育100年而作
> 2012年11月5日,望海书斋

人格境界美育塑

一

100年前，辛亥革命胜利后孙中山担任临时大总统，特从国外急召蔡元培回南京担任第一届教育总长。蔡元培在提出的国家教育方针中，破天荒地把美育列入国家教育方针之中。周树人（鲁迅）在教育部，积极贯彻这一方针，在北京大力推行美育。

在蔡元培倡导美育100年之际，《语文教学与研究》杂志社记者徐国年来访，要我对我们应如何重视美育、提升美育水平说些想法。这里，我只能略抒己见，说一点我的感受。

在中华文化传统中，虽然一向重视礼乐教化和高扬礼乐精神，但要把美育列入国家教育方针之中，直到蔡元培才开始。他先在北大倡导和实施美育，后到江南继续推行，我的父辈、师辈受益匪浅。到我们在新中国成长起来的这一辈，逢上了改革开放的新时代，又重视起美育来。1980年春，中华全国美学学会在昆明成立，朱光潜、杨辛和我三个，代表北大参加了此次盛会，共商发展美学的大计，并一致推选了朱光潜先生为会长。我们在高校任教的美学教师，又倡议成立了美育研究会，以期在全国推进美育。令人欢欣鼓舞的是，到了1999年6月，中共中央和国务院在全国发布了"全面推进素质教育"的重大决定，把美育列入全国教育的必要组成部分，和德、智、体三育处于同等地位，而且阐明了，美育具有德、智、体三育所"不可代替"的作用。

这样，美育的重视，提升到了"国家意识"的层面，其意义不可估量。

新世纪以来，美育日益受到重视，不断向前。2001年，人民教育出版社全面推进教材建设,在语文课本中增强了审美的内容,朱光潜、宗白华、林庚、李泽厚、袁行霈等谈论艺术和审美的文章都被收入高中语文必读课文中。我有幸,高中语文必读课文第五册,也把我在《文艺美学》一书中的一节《中国古典诗词虚实相生的取境美》收进去了。在这三千字篇幅中,我从分析李白、杜甫的名篇着手,说明中国古典诗词,善于在创作中使情景交融,虚实相生,从而显示出意境之美,使作品的意味无穷。

20世纪80年代我在北大开设"文艺美学"课程,面向的是研究生和高年级本科生。现在高中语文选了一小节,说明文艺美学也在尝试走向中学课堂,这确实令人鼓舞。我对中小学的美育实践并不熟悉,很难对此作具体的分析。但这启发我们,我国的美学应更重视对美育的研究,要为推进美育实践多做贡献。我们的美学著作,应该面向更广泛的群体。朱光潜先生在30年代就为当时的青年写了十三封谈美的书简,对我们这一辈人发生了深刻影响。我们今天的美学更应和广大人群进行思想交流。前不久,江苏一位工程师汪一之寄来了一本《文艺美学》,要我在扉页签名留念,中附一信:"拜读《文艺美学》,就如'从山阴道上行,山川自相映发,使人应接不暇'。沏一杯淡茶,书卷在手,时有问道解惑,豁然开朗的好心情。常见时下皇皇巨著,正襟危坐,高山仰止,总感有些惶惶然,不知所云。读您的著作,则顿觉心清神爽,受益匪浅。近日重品,遥想您举重若轻的风采,虽不能至,心向往之,不禁妄生冒昧之念,托付鸿雁,奉上尊著,恭请题词,以感谢您所赐那一片可贵的清心天地。"稍感欣慰之后,我深深感到,我们的美学应和广大的人群作精神上的交流。

二

美育具有不可替代的作用,这不可替代的作用表现在哪里?

教育的目的是在培养符合理想的人,人是目的。依照马克思主义创始人的想法,人类的发展方向,应是使人成为全面发展的自由个性。人受人的奴役,人受物的奴役,都不可能成为全面发展的自由个性。教育的目的,乃是培育人向全面发展的自由个性这一方向推进。

在中国,较早具有现代教育意识的王国维在1903年发表了《论教育之宗旨》一文,首倡美育。"教育之宗旨何在?在使人为完全之人物而已。"那么,什么是完全之人物呢?就是各种能力都能得到协调发展。人有两种能力,在外是身体的能力,在内则是精神的能力。完全之人物,身体的能力和精神的能力都应得到全面的发展。而精神的能力,应具有三大部:知力、感情及意志是也。"对此三者而有真善美之理想:真者知力之理想,美者感情之理想,善者意志之理想也。"王国维把对人进行真善美的教育,总称之为心育。完全之教育,必定要推进德育、智育、美育三者的协调发展。那么,美育和德育、智育又是什么关系呢?王国维是这样说的:"美育者,一面使人之感情发达,以达完美之域;一面又为德育与智育之手段"。在他看来,美育可以促进德育、智育的发展,有助于德育、智育,具有工具价值。但美育又具有独立性,有自己的内在价值,那就是促使人的感情向完美之域发展。所谓"达完美之域",就是进入完美的精神境界。王国维在后来所写的一系列论艺著述中再三阐明的艺术意境,就是这种精神境界的表现。所以,美育的独特作用,正在于培育人的完美的精神境界。

但王国维对美育的重视还只是停留在理论的探索层面,而到了蔡元培那里,不仅把美育的地位作了进一步提升,而且付诸实践,让美育发挥了不可替代的独特作用。蔡元培生长在清末,年青时就进士及第,读书做官,当了清廷翰林院的编修。但目睹清廷腐败,不可救药,他在将近40岁时,就赴德留学,回国后就沿着"教育救国"的道路,对国人进行启蒙教育。1912年临时国民政府成立,他任教育总长,1917年任北京大学校长,竭力推行新的教育方针。他一再阐明:"要有良好的社会,必先有良好的个人;要有良好的个人,就要先有良好的教育。"而良好的教育就要推行和清王朝不同的新教育,而美育就是新教育中的一个不可缺少的部分。他以为,美育不能混同于德育,应从德育中分出来,它的独特作用就在于进行"情感教育"。蔡元培甚至认为,美育可以代替宗教,宗教却不能代替美育。宗教虽然也唤起人的感情,但把人引入盲目的信仰,而美育不是单单唤起感情,而是

"专属陶养感情之术……陶养吾人之感情，使有高尚纯洁之习惯"，所以，"莫如舍宗教而易以纯洁之美育"。后来，蔡元培又对美育的独特作用作了进一步的阐发："美育之目的，在陶冶活泼敏锐之性灵，养成高尚纯洁之人格。"这样，美育的作用提高到了陶冶性灵、培养人格的层次。蔡元培不只推行美育，而且还亲身参与实践。身为校长，他自己就在北大开设美学课程，编写美学教材，亲力亲为。在他的亲自推动下，还为北大建立了美育设施，成立了音乐研究会、画法研究会、书法研究会、文学研究会等等，蔡元培是现代中国美育的开创者。但是，民国政府被袁世凯独裁复辟，蔡元培愤而辞职，美育竟也在教育方针中被删除。鲁迅一向支持蔡元培的教育方针，在当时写过谈论美育的文章，听到这消息，他忿然在日记中写道："闻临时教育会议竟删美育，此种豚犬，可怜可怜。"

一个世纪过去了，我们对美育的不可替代的独特作用究竟应怎么看？我个人的看法为三：一是培养审美情趣，提高审美判断能力；二是孕育创美能力，挖掘创造美的实践潜能；三是生成优美人格，提升人格境界。

人要成为全面发展的自由个性，必须依赖于德、智、体、美、劳五育的全面推进。美育是其中的一个维度，但美育的作用不可能为其他的维度所替代。

首先是审美情趣的培养，有赖于美育。一个全面发展的自由个性，要对审美本身发生兴趣，才能逐渐培育出审美情趣。美育首先要培养审美情趣，梁启超把审美教育称作"趣味教育"。在他看来，"趣味是生活的原动力，趣味丧失，生活便成了无意义"。人要是丧失了趣味，就像行尸走肉。人的情趣有高低，美育的作用就是"将情感善的、美的方面尽量发挥，把那恶的丑的方面渐渐压伏淘汰下去"。审美情趣提升了，才能对世界的万事万物作出正确的审美判断，什么是真、善、美，什么是假、丑、恶。人生活在世界上，就像康德所说，必须具有审美判断力，能够判断什么是美，什么是丑，什么是崇高，什么是卑下等等，而一个人的审美判断力直接依赖于此人具有什么样的审美趣味，所以康德把审美判断称之为趣味判断。恩格斯称赞巴尔扎克能对他所处的社会作诗意的裁判,从而反映到了他的《人间喜剧》中。审美情趣和审美能力是紧密相连的,美育的首要作用就是培养审美情趣,提高审美能力。

但是,美育的作用并不只是培养审美的情趣和能力,还需更进一步,孕育一定的创美能力。审美还只是停留在精神活动层面,是精神世界的自我完善活动,而创美则是上升为实践活动,进而由精神活动上升到实际的运作,使人的实践活动也按照美的规律进行,创造出美的成果。当然,要使一个人的自由个性从精神自由上升到实践自由,需要经过长期的实际运作,但要从小就要进行创美教育,要有一定的实践,所以我把这称作"孕育"一定的创美能力。我记得我们小时,学校设有"劳作"、"手工"这一类课程,还组织"远足"、"爬山"一类活动,都是把美育和实践结合起来。而唱歌、跳舞、画画等艺术活动,都不仅是培养审美能力,而且也孕育着创美能力的培养。人要追求美好的生活,创造美好的世界,不仅只是有美好的愿望,如何去想,而且还要懂得如何去做,所以,审美力和创美力都应得到发展。

最后,美育在培养审美力、创美力的基础上,还应对人格的培育起到独特的作用:人格立美,生成优美的人格。教育的最终目的,是要使德、智、体、美、劳各个维度都得到自由和全面的发展,构建全面发展的自由个性。但是,在全面发展的自由个性中,各种要素、各个维度要融合为一个统一整体,可以有多种多样的整合,或者凸显德性,以德性来统一其他,或者突出智性,以智性来统一其他,也可以高扬美性,以美来统一其他。美国和杜威同时代的著名教育学家罗恩菲尔德在《创造与心智的成长》一书中,就特别彰显了美育在塑造人格中的独特作用:心灵的统整和人格的提升。他突出了在青少年中进行艺术教育的重要,但这并不是为了要使艺术教育专业化,"而是人格的提升"。在他看来,"良好的美感成长是思想、感情及理解力表现的根基。……美感组织可能在生活中、游戏中、艺术中或任何时候,以意识或潜意识的状态逐渐成长。因此,我们的人格便受了美感成长的影响。一个人如果缺乏美感组织,心灵便不得统整"。审美,能够把心灵的其他维度统一为一个整体,所以,美育成为统整德育、智育等的纽带。依我看来,美育不仅把自我的精神世界统整一体,而且使自我和社会,自我和自然和谐地统一起来,在精神上把天地人统整一体,使人自己成为一个真正的生态自我。在我看来,理想的人格应是优美人格和高尚人格,是和天地人相融通的达人,而不仅仅只是善人、真人、上人。马克思所说的全面发展的自由个性,正就是和天地人相和谐融通的达人,也就是到达天地境界的自我实现的完美之人。

人来到这世界上,一要生存,二要发展,三要完善。面对天地人这个浩瀚的世界,适者生存,善者优存,美者乐存,真、善、美都是人生的理想追求。一个人不可能完全达到这理想境界,但确应为此而乐此不疲,追求终生,方能不枉到这世上来走一遭,笑对人生。

三

美育的内容丰富多彩,那美育应该如何展开,怎样进行方好?

美育是人对人进行审美教育的实践活动,其中已含有审美活动,但并不仅仅是精神活动。美育就是一个主体(教育者)对另一些主体(受教者)相互作用,按美的规律来塑造优美人格的实践活动。这是按美的规律来进行的"人"的生产和再生产,而不是"物"的生产和再生产。人类所进行的物质生产,也要按美的规律进行,但生产出来的是美的"物",当然在改造"物"的同时也塑造了"人"的心灵,但那是副产品,不是物质生产的主要目的。人类也进行精神生产,产生了科学、艺术等等,这是"心"的生产,虽然也要通过符号来加以物化,但生成的是精神产品。物质生产满足人的物质需要,精神生产满足人的精神需要,都是为了人,所以都要以人为本。但这两类生产的直接产物都是物或符号(物的一种),不是直接指向人。教育实践则是直接指向"人"的生产和再生产,其结果是要培养出新人,塑造人的整个身心。教育的对象,乃是有血有肉的活生生的人。教育者必先受教育,自己先要成为"精气神"都得到充实的人,然后才能和受教育进行精神的交流,使受教育的"精气神"也得到充实,生成高尚人格。从事美育的人,当然自身要具有较高的审美素质,还要懂得美育如何按照美的规律进行。目前正在兴起的教育美学就正在探索美育如何按美的规律进行,从事美育的人应密切关注教育美学的发展。

美育在目前要从大处着眼,小处着手,更加重视从实际出发,贴近现实。

美育不仅只是培养审美能力,还要孕育创美能力,提升到人格立美,但这要循序而为,不可能一步登天。当前,更需要突出的是培育审美能力,引发审美情趣,要使广大人群具有审美判断力,不要美丑不分,更不要以丑为美、以美为丑、美丑颠倒。美育当然要讲一点美学知识,但不能停留于此,必须进入审美的实践活动,让人亲力亲为,亲身体验,对身边的人文现象和自然现象作审美的体验,以身体之,以心验之,发生真切的体验,才能使美丑、悲喜、崇高、卑下、荒诞、滑稽等观念深入人心,从内心深处真正对真善美产生审美快感,而对假丑恶从心底发出审美反感,提升审美情趣。

美育若要从小处着手,不妨先从我们身边的环境审美开始。我看,学校的美育要讲乡土美学或城市美学。我们大多数人,或生活在乡村,或生活在城市,天天都和周围的自然环境、人文环境发生关系,美育就可以结合乡村或城市的环境来进行教育,爱祖国爱人民,就要从爱家乡的教育开始,然后再进一步扩大到如何面对世界。教育每个人要成为生态自我,不仅自我身心,而且对社会人文和天地自然,都要建立和谐平衡的关系,要建立和谐家乡、和谐社会以至和谐世界,要靠每一个生态自我。

2012年初,望海书斋

审美教育多样化

我们正在走向现代化。然而,我们追求的,不仅是物的现代化,更应是人的现代化。"人化"和"化人",相辅相成,相互促进,才能把我们引向社会主义现代化。

人的现代化,其核心是现代人格的建构。一位学者说得好:"现代的人产生现代化的国家。一个国家只有当它的人民是现代人,它的国民从心理和行为都转变为现代的人格,它的现代政治、经济和文化管理中的工作人员都获得了某种与现代化发展相适应的现代性,这样的国家才可以真正称之为现代化的国家。否则,调整稳定的经济发展和有效的管理,都不会得以实现。即使经济已经开始起飞,也不会持续长久。"(莫格尔斯《人的现代化》)

一个现代人格,既要富有科学精神,更需高扬人文精神。

对每个人来说,人文精神需要经过长时间的、多方面的培育才能树立。审美教育在人文精神培育中起着特殊的作用,使人提高人文素质,提升人文境界。

不久前,我和一位已从海外归来十年的青年科学家谈及当年年轻一代的精神状态。他以为当前最大的问题乃是缺乏理想和信仰,这就必须依赖于宗教。我则以为,信仰宗教还不如倡导美育,通过美育提升人的精神境界来代替那个彼岸世界。

审美教育虽然也要传授美学知识,但更主要的是要通过形象教育去启发、引导人们亲自去体验人生的意义,而不是抽象地谈论人生的意义。人们通过审美活动而获得审美体验,不仅感悟到对象的意义,而且引发了自我的情感态度,主客融为一体而构成一个新的精神境界。审美教育的根本,就是要通过对审美活动的反思,引导人们如何通过审美体验提升精神境界,追求美好的理想。由于审美教育不脱离鲜活的现实世界,又引导人从有限自我作更高的超越,它本身就给人以审美的愉悦,使人乐于接受。"知之者不如好之者,好之者不如乐之者",孔老夫子所说的这个道理,道出了审美教育的特殊意义。审美教育不同于谋生教育,而是乐业教育;不同于职业教育,而是人格教育。

人来到这世上,既要生存,又要发展和完善。人当然首先得活着,但又不能只活着,要活得有意义,就要有所发展。但往哪个方向发展,发展什么,如何发展等等,在人生实践中要不断摸索和反思,向自我完善的方向发展。发展是硬道理,也还有软道理,必须通过德、智、体、劳、美的教育和实践,使人得到自由而全面的发展,成为全面发展的个性,具有完美的人格。一个现代人,不仅必须投身时代潮流,积极参与社会实践,和周围环境(社会、自然)建立和谐的关系,而且,还要发展丰富的精神生活,不断提升自己的精神境界。审美教育的根本使命就在于通过审美活动来提升精神境界,不断自我超越,自我完善,提高审美品格。反过来,具有审美品格的人再参与社会实践时,就能按照美的规律来进行创造。

审美教育的途径多种多样,并不限于艺术教育。艺术审美之外,文化审美、自然审美都是审美教育可以展开的领域。

文化审美,引导人去体验人类所创造的人文之美。广义的文化,包涵了"人化"和"化人",整个人文领域。人类的实践,不一定都能按美的规律进行,违反美的规律的实践,比比皆是,其制造出来的非但不美,更有不少注入丑陋。但在自由的实践和实践的自由中,确实能引发审美体验。从普通的日常生活,到人际的交往活动、劳动创造、科学实验、道德履践、政治运作等等,都可从实践自由中获得审美愉悦。因此,人类的实践及其结果就有了审美这一维度,甚至进而发展为审美文化。如何引导人去体验文化创造的审美价值,应是审美教育题中应有之义。

大自然亦可成为审美对象,而且在中国的美学传统中,自然审美受到了更大的重视,自然之美超过了人工之物的审美价值。对大自然的审美体验,可以把人文境界从"道德境界"提升到"天地境界"。在生态环境日益恶化的当今世界,我们更应重视自然审美。通过自然审美的教育,让我们热爱祖国的大好河山,进而爱惜整个地球的生态环境。

艺术审美当然是审美教育的主要领域。艺术把人类从文化审美、自然审美中获得的审美体验集中起来,经过反思,予以符号化,把审美体验凝聚在艺术符号中。因此,艺术有不同于其他文化的独特的审美价值,艺术审美是文化审美中的一种集中而凝练的形式。

文化审美、自然审美、艺术审美互辅互补,审美教育如何酌而用之,本身就是艺术。

审美教育的多样性,乃是为了适应人类的需要的丰富性。"人以其需要的无限性和广泛性区别于其他一切动物。"①人不仅具有自然性需要,还有社会性需要,更有精神性需要。审美需要属精神性需要,但为了满足丰富多样的审美需要,也需要丰富多彩的审美对象,天地自然之象、人文创造之象、人心营构之象,都在其内。这些天地自然之象、人文创造之象、人心营构之象,正就是审美教育可用的丰富资源。

关于美的多样性,法国启蒙美学家狄德罗的思考对我们颇有启发。在他看来,美在关系,"美总是由关系构成的。"但关系也有各种各样,所以要作具体分析。他把美首先分成两大类:现实中的美和艺术中的美。艺术中的美是"虚构的美"或"想象的美"。这是虚构或想象的关系,"由人的悟性放进事物里去的关系",达到的是"情理的真实"而不是"事实的真实"。现实中的美不同于艺术中的美,"我的悟性不往物体里加进任何东西,也不从它那里取走任何东西"。现实中的美也有两种。一种是"真实的美",这是"外在于我的美",由外在于我的客观关系构成,"不管有人还是没有人,它并不因此减其美"。另有一种是"见到的美",这是"关系到我的美"②。我觉得,我们的美学尚可对此作进一步探索。

2012年春,望海书斋

---

① [德]马克思、恩格斯:《马克思恩格斯全集》第49卷,人民出版社,北京,1974年,第130页。
② [法]狄德罗:《狄德罗美学论文选》,张冠尧等译,人民文学出版社,北京,1984年,第25页。

为了人的完善

呼唤了20年,美育终于被重新纳入国家的教育方针之中。我们越来越认识到,为了社会的全面进步,必须促进人的德智体美劳的全面发展,实施素质教育。美育,在推动全面发展的素质教育中,具有独特的功能,发挥特殊的作用。

一

人来到这世界上,既要生存,又要发展,更要完善。人当然首先得活着,但不能仅仅为活着。人不能像一般动物活着,甚至不能只成为经济动物、政治动物,以及能运用符号的动物,而是不断发展,超越过去和现在,优化自我,提升境界,全面发展,成为"完整的人"。

但是,人不可能只依凭本能,自发地成为全面发展"完整的人",这需要教育。面对现实,看到人在不时异化,片面发展,成为单面人,甚至异化为动物,席勒吁倡美育,想通过审美教育培养出"审美的人",以克服人的异化。无疑,席勒的美育思想乃是人类的宝贵精神财富,给后人以很大启发。然而,脱离了社会的整体实践,孤立地进行审美教育,真能克服人类的异化吗?是否会陷入审美的乌托邦?

我国在新文化启蒙时代,有幸出现了以蔡元培为代表的一批教育家、思想家、美学家,高举"完全之教育"的旗帜,把美育和德、智、体三育放在同等地位。当时,美育的倡导,既不把美育孤立,又突出了美育的独特功能,促进了我国的美学在20世纪二三十年代有了蓬勃发展。但是,随着社会环境的巨大变化,在变乱不断的恶劣环境下,美育难有长足的发展。新中国成立之初,我们也曾把美育列入教育方针之内。但是,由于后来对美育的认识有偏差,政治斗争把审美教育吞没了,发展到"文化大革命",革掉了文化,更革掉了美育。

改革开放不仅解放了物质生产力,而且也促进了精神生产力,使美育得到了发展。经过了近20年的美育实践,美育又重新被国家纳入教育方针之中。美育的发展将进入一个新的历史阶段,美育将担负新的时代使命,也将更加具有自觉意识。

二

先不说我们的理想,而从现实出发:我们正在走向现代化。当然,我们寻求的是社会主义现代化,但"财富"也显得越来越重要了,问题是如何理解"财富"。难道"财富"只是指物,不也包括人吗?其实,人,是世界上所有财富中最宝贵的财富。马克思说得好:

> 财富不就是充分发展人类支配自然的能力,既要支配普通所说的自然,又要支配人类自身的那种自然么?不就是……发挥人类一切方面的能力,发展到不能拿任何一种旧有尺度去衡量的那种地步?不就是不在某个特殊方面再生产人,而要生产完整的人么?[①]

人类为了自身的生存和发展,既要进行物质生产和精神生产,也必须进行人的再生产。但是,这不能只是一种简单再生产,而是一种必须不断提高整体水平的复杂的再生产:必须生产完整的人,能够不断创新,发挥自己的潜能,使人的本性得到自由而全面的发展。

然而,人的本性和潜能怎样才能获得自由而全面的发展,怎样才能生产出完整的人呢?这需要教育。但这教育却不是脱离社会实践的抽象的说教,而是要和活生生的社会实践密切结合。教育的根本,是要充分发展人类自身的智慧,调控自己和世界的关系,和周围环境建立一种动态平衡的关系,在和自然、社会的和谐关系中获得自由而全

[①] [德]马克思:《政治经济学批判大纲》(草稿)第3分册,人民出版社,北京,1963年,第105页。

面的发展。为此,人必须发展自己的创新实践能力。这种创新实践的能力,需要德、智、体、美、劳等各种教育的相互作用,共同培育。其中,美育有其特殊的作用。人类需要创新实践,但这种创新必须按照美的规律进行。人类的创造,必须创新而又创美。只有按美的规律来创造,才能创美。美育的作用,不仅在于培育人的创新实践能力,而且还要培养人的创美实践能力,学会按照美的规律来创造,学会按照美的规律来安排这个世界。

因此,审美教育离不开社会实践,不能脱离对象世界孤立进行。人必须在和对象世界的交往中,按照美的规律,由主体和客体的对立,走向统一,在审美中主客合而为一。人和世界应建立一种自由和谐、动态平衡的关系——审美关系。

依我看来,社会主义的现代化,不是要建构一个审美的乌托邦,而是要按照美的规律来安排,创造出一个真的、善的、美的世界,使得人人得以自由而全面地发展。创造这个真实的世界,既是我们的社会目标,又是我们的审美理想。

三

这个能"创美"的人,亦应是"审美"的人。

社会的进步,乃是追求美的结晶。美的理想,鼓舞着人类前进。

然而,这个世界并不都美好。人类的社会实践,包括生产实践、交往实践和生活实践,既创造了真、善、美,也带来了假、恶、丑。新的不断在被制造出来,但新的是否一定都美?旧的是否都一定不美?新的困惑不时袭来。而由于人和对象世界的关系不时异化,价值关系发生了断裂甚至颠倒,弄得真、善、美和假、恶、丑都混淆不清了。我们的审美教育是否应该更多地关注现实?我想,当务之急,应该通过审美教育帮助大家学会审辨真、善、美和假、恶、丑,从而采取正确的审美态度,对美好事物产生审美快感,对丑恶事物产生审丑反感。

当前,我们特别要重视在交往实践中进行审美教育,构建人与人之间的审美关系。日本著名教育哲学家池田大作一向呼吁"教育要以完善人格为目标"，但这只有在社会关系中才能实现，正如他所说："人，是'个体'的同时，也是'人伦'中的一个因素。'个体'要成为真正的'个体'，即为了完善人格，只能在'人伦'关系中实现。为形成'人伦'，必须抑制幼稚的利己主义。"人和人应该建立动态的自由和谐关系。"人只有通过与他人的'联结'，才能活得像人，才能感受到真正的充实、幸福。"只有把个人融入社会，"使之升华为应有的'联结'关系，那么，自己的个性与人格也将同增光辉"。(《21世纪：建设"为教育的社会"》)

我们的审美领域是一个广泛的世界。尽管大自然并不都美，但随着人类实践对象的不断扩大，越来越多自然之美展现在我们面前。自然不断在人化，但人化了的自然必然都美吗？我看未必。劫夺自然、暴殄天物、违背美的规律的盲目开发，不仅破坏了自然美，而且扼杀人类本性。我们的审美教育，不能不关注自然，教育大家应对自然采取什么态度。我们更不能不关注社会现实。我们的审美教育，应该呼唤真、善、美，鞭挞假、恶、丑，让大家学会和社会、别人建立自由和谐、动态平衡的关系，方能在这个世界诗意地栖居。

审美教育远比艺术教育广阔。但艺术教育在审美教育中具有独特的地位。艺术的创造，融内容和形式的二度创造为一体，形成模型，以特殊的符号传达了特殊的信息：创造者对世界的审美体验和感悟。这正是人和世界的审美关系的反映。因此，通过艺术教育，不仅使人享受到形式、符号之美，而且直接感受到内容、意蕴之美，从而引发自己对人生的体验、感悟。

然而，艺术和生活虽不同而又相通。在当代，不仅生活的审美化、审美的生活化日益加速，而且，生活的艺术化、艺术的生活化这种趋向也日渐明显。因此，我们的审美教育应把生活的审美和艺术的审美纳入一个整体，并且和创美连接起来。

1999年冬，深大新村

精神文化与审美教育

随着人类文明的发展、精神文化的提高,审美教育的地位和作用在今天显得越来越重要。

社会在进步,经济要繁荣,政治要昌明,文化要发达,但这一切都是为了服务于人民。人民,不仅应该成为自然的主人,也应该成为社会的主人。而人自身,应该成为全面发展的自由个性,为此,必须发展审美教育。

审美教育,是对人进行审辨美丑的情感教育,最终目的是为了培养完美的个性。它与智育、体育相互渗透而又相互补充,自成特色。

为了人的全面发展需要审美教育

人,不能只成为经济动物,也不能只成为政治动物,而应成为全面发展的个性。

人,是社会财富中最宝贵的财富。马克思说得好:

> 财富不就是充分发展人类支配自然的能力,既要支配普遍所说的自然,又要支配人类自身的那种自然么?不就是无限地发掘人类创造的天赋,全面地发挥,也就是发挥人类一切方面的能力,发展到不能拿任何一种旧有尺度去衡量的那种地步么?不就是不在某个特殊方面再生产人,而要生产完整的人么?①

人之所以是社会最宝贵的财富,乃是因为人不仅可以改造自然,也可以调控社会,还能支配人自身。人按照美的规律再生产自身,培

---

① [德]马克思:《政治经济学批判大纲》(草稿)第3分册,人民出版社,北京,1963年,第105页。

育出"完整的人"。理想的社会,能再生产"完整的人"的社会,以"每个人的全面而自由的发展为基本原则的社会形式"①。

"完整的人",不是片面发展的人,乃是全面发展的人。但是,要造就"完整的人",需要多种条件,其中最重要的有二:一是环境,二是教育。

要造就"完整的人",需要有个人得以全面和自由发展的环境。

人是社会关系的总和,人要得到全面而自由的发展,必须和周围环境建立全面的、丰富的关系。可是,人与环境的关系却受到历史的制约而在变化。

在以自然经济为标志的农业社会中,人与自然环境有着密切的联系。自给自足的生产方式和生活方式,迫使每个劳动者必须通晓所从事的生产的全过程,必须经常和自然打交道,人与自然建立了直接和密切的关系。在大自然面前,人对大自然的感受比较丰富。然而,农业社会中人与自然的关系,只是属于"原始的丰富"。自足自给的经济,造成了个人只是在有限的地域同自然发生关系,这种关系是封闭的、狭隘的。人与人的关系更局限在狭隘的范围之中,"日出而作,日入而息","鸡犬相闻,老死不相往来"。在这样的环境中,"无论个人还是社会,都不能想象会有自由而充分的发展"②。

随着以商品经济为标志的工业社会的到来,这种自给自足、自我圆满的"原始的丰富"被打破了。原始丰富的个人被分工所裂解,自我创造被分工所撕破。生产已不是以人为目的,人被降低为手段,片面的分工造成了人的片面发展。一些人只能劳动,不能享受;另一些人则只管享受,不事劳动。专事劳动的人,也被撕成了碎片,成为畸形的人。"它人为地培养工人的片面的生产技能,并且压抑他的生产志向和才能。"③劳动者成了机器的奴隶,结果,造成了这样的恶果:"工

---

① [德]马克思、恩格斯:《马克思恩格斯全集》第23卷,人民出版社,北京,1974年,第649页。
② [德]马克思、恩格斯:《马克思恩格斯全集》第46卷(上),人民出版社,北京,2003年,第485页。
③ [德]马克思、恩格斯:《马克思恩格斯全集》第28卷,人民出版社,北京,1955年,第373页。

人创造的对象越文明,工人自己越野蛮。"①不仅是工人,从事其他活动的人,也都因分工而被自己活动的工具所奴役,片面地发展,丧失了个性的完整。恩格斯说得好:"一切'有教养的等级'都为各式各样的地方局限性和片面性所奴役,为他们自己的肉体上和精神上的近视所奴役,为他们由于受专门教育和终身束缚于这一专门技能本身而造成的畸形发展所奴役。"②

工业社会的分工,以牺牲人的全面发展为代价,促进了社会生产力的发展。但是,社会生产力的巨大发展,却为人们提供了全面发展的一些条件,优裕的生活和更多的自由时间,将使人的全面发展成为可能。社会主义将使社会生产力控制在社会手中,可以按照人民的意愿,在保证社会劳动生产力极高发展的同时,又保证人类最全面的发展,人的自由而全面的发展就成了目的本身。

但是,合适的环境只为人的全面发展开辟了可能,却不能自动造就"完整的人"。要使人的全面发展由可能变为现实,需要通过教育的途径。教育,正如马克思所说,"它不仅是提高社会生产的一种方法,而且是造就全面发展的人的唯一方法"③。

审美教育直接培育人的心灵,使人的个性得到和谐而完美的发展。通过审美教育,唤醒人在现实生活中受到束缚而沉睡着的潜在性能,激活这种潜能,从而在新的实践中得到发挥。审美教育不能直接影响实践,不可能直接去创造美的环境,而只能直接塑造美的心灵,而且它是逐步改变人的心理结构才能做到这一点的。通过审美教育,人的心灵受到潜移默化的影响,不知不觉,心理结构发生了变化,多种心理因素发生了变化,得到和谐的发展,走向完美个性。

经由审美教育,在人的心灵世界中建造了审美心理结构。这个心理结构的构成因素,包括了人的审美理想、审美需要、审美能力、审美

---

① [德]马克思、恩格斯:《马克思恩格斯全集》第42卷,人民出版社,北京,1974年,第92页。
② [德]马克思、恩格斯:《马克思恩格斯全集》第3卷,人民出版社,北京,1960年,第331页。
③ [德]马克思、恩格斯:《马克思恩格斯全集》第23卷,人民出版社,北京,1974年,第530页。

感情、审美观念、审美趣味，综合起来，标志一个人或一个社会的精神风貌。

审美心理结构是人类长期历史发展的结果，是人类心理长期发展的积淀，是人类集体共同积筑起来的一种深层结构，它表现在人类的审美活动中，集中物化于文学艺术珍品中。

人类审美心理结构在个体心灵中的形成，更是一个意味深长的复杂过程。它深深植根于人的实践活动之中，以实践为基础，而以审美教育为中介，逐渐内化，熏陶性灵。审美教育超越了人的实践活动的外化形式，进入人类自身审美心理内化，建构宏伟工程。因此，它标志着人的文化教养和文明程度，并随时代、社会的发展而不断地演进。作为个体的人，无须重演人类漫长的建构过程，他只需经过一定的教育，就可以尽快地获得这种重要的心理文化结构。总之，人的审美心理结构（以及智力、伦理结构）的建构过程，就是那些蛰伏于胎胞中的种种要素逐渐得到伸展、生长的过程。

作为人的心理结构这个总结构中关涉情感的某种子结构是审美。如黑格尔所说，"审美带有令人解放的性质"。审美活动，担负着创造美的对象和创造主体的审美意识的双重职能。这是人类按照"任何物种尺度"和"内在固有尺度"这两个尺度去塑造物体的伟大实践。马克思从哲学——美学角度出发，把创造性视为与"自由活动"等价的范畴，创造在双重意义上体现了自由：它体现了主体对外在必需的摆脱；同时，又体现了主体对客观的必然性、对象的尺度的掌握和驾驭。"创造"所体现出人类的自由，最为充分地表现在人的审美活动中。从根本上说，人是一种处在不断创造和不断自我创造实践过程中的活动存在物。美的创造（双重超越）是人的全面发展趋向的最高目标。而人的审美活动作为创造精神价值的活动，同样也是人类创造自身的伟大实践。

审美心理结构中的重要部分是人的审美需要。人的审美需要决定于社会实践的发展，人的需要是社会创造出来的。马克思说："需要的形成是由于人类社会中生产着需要的对象；而因此也就生产着需要本身。"[①]人的审美需要,是人类全面伸张自己本质力量的要求和心理积淀物(在长期的历史实践中形成的),在审美过程中由潜意识转化为自觉意识,与以往审美经验、观念相结合而形成审美理想。在这个意义上,人类美化、创造自身的目的是被意识到了的人的需要,是主体对全面伸张自己本质力量,形成人的审美价值定向,发展人的审美创造能力的自觉追求。而这种对美的需要和追求,又是通过克服外在世界的疏远性(即通过"创造")来实现的。

人类创造了美,创造了艺术,同时又以"消费"的形式占有人类物质和精神文化的全部成果和全部对象化世界。审美(欣赏)是一种享受,美的创造则是一种具有很高价值的精神生产。"生产直接是消费","消费直接是生产"——生产了具有升华了审美意识的人。在这种审美过程中享受转变为生产的过程,实际上也就是目的变为手段的过程。艺术是人类审美创造的集中体现。人对艺术的欣赏(享受)并不是一种线性因果关系的链式反应,而是能动的反映,是一个丰富而深刻的审美体验过程,一个复杂的内化建构动态过程。这包含着两个方向相反的过程:一是文艺作品(对象)的美学特性心灵化的过程;一是欣赏者(主体)审美能力外化的过程。这是一种在审美实践中发出的主客体之间的相互作用,是"从客体到主体"和"从主体到客体"这样一种双向运动。

从信息的角度看,一个人的审美能力与其大脑的信息储存密切相关,换言之,他的美感能力取决于他的信息储存。具有了丰富的审美信息,他就能对审美对象进行信息选择,使自己与审美对象构成一定的审美关系,进入审美心理结构之中。这种所谓审美信息选择表现为将自己的审美趣味(判断力)指向真正具有审美价值(美的信息量丰富)的审美对象。只有通过审美教育和审美活动,个体才可能获得这种审美文化信息选择能力,而成为多向度的人。没有这一审美能力(或这一审美能力不充分)的人则是单向度的人。今天,人类已经进

[①] [德]马克思、恩格斯:《马克思恩格斯全集》第12卷,人民出版社,北京,1962年,第740页。

入信息时代,信息是囊括了一切人类智慧的产物。对人类而言,信息是扮演了负熵的角色,在一个耗散结构中它意味着反抗无序,增进系统的组织化程度。①因而,人类处理信息(其中当然包括审美信息)成为人类文明程度的测度,也是人类发展的重要标志。审美所具有的自由自觉的创造性质,所表现出的"判断力"(选择信息)的形式,无疑在人类发展中,将对人脑的发展和进一步完善起到巨大的推动作用。因为我们知道,脑是负熵之源,是创造力之源。大脑的全部价值就在于它的创造性,有创造才有负熵。②

审美教育把美的价值和人的价值统一起来。这是因为人的审美心理结构诸要素,即人的审美需要、人类的审美理想、人类的审美创造能力等的培育,都是人的价值的提高。审美教育直接以发展人的全面的潜能为目的,旨在培育全面发展的"整体的人",它把人提升到"审美的人"的高度,人由"必然的王国"进入"自由的王国",人本身的价值越来越提高了。因此,我们可以说,审美教育是人获得全面发展的必要途径。

审美教育是精神文明的必要因素

人类社会的发展经历了漫长而艰苦的历程。"人类经过蒙昧时代和野蛮时代而达到文明时代"③,社会进入文明时代已有几千年历史了。今天,人类已经进入以电子计算机为标志的现代化科学社会。历史表明,由落后到进步,从低级到高级,从不文明到文明,再向更高的文明的发展,是社会发展的规律。

人类社会总是依靠物质文明和精神文明这两个时代车轮的推进而发展的。文明是进步、开化的意思,具善的、美的含义。它与蒙昧、野蛮、丑恶相对立,标志着人类社会历史的一种进步,象征着人类的

---

① 热力学第二定律。熵与热寂学说。
② 参阅黎鸣:《论信息》,见《中国社会科学》,1984年第4期,第26页。
③ [德]马克思、恩格斯:《马克思恩格斯全集》第4卷,人民出版社,北京,1965年,第23页。

光明。物质文明一般是指社会的生产技术、生产关系、经济状况、生活水平诸方面;精神文明既包括教育、科学、文化知识等文化方面,同时又包括理想、道德、纪律观念等思想方面。社会主义的精神文明建设,是人类文明发展的一个崭新的历史阶段的产物,它的内容比以往任何时代的精神文明都要丰富和高尚。

在社会主义精神文明建设中,审美教育有其不可低估的价值和作用。审美教育,是通过培养人对自然美、社会美、艺术美的审美观和鉴赏力的教育,建立起人对现实的审美关系,掌握美的本质和规律,提高人们的审美能力和审美情操。从某种意义上说,美育是把审美活动变为群众改造物质世界的积极实践,是社会主义精神文明中的一项重要建设;同时,也是按照马克思所说的从"美的尺度"来造就一代新人的重要途径。

精神文明与审美教育关系十分密切,有着内在的不可分割的联系。社会主义精神文明有其特有的内涵,主要涉及社会主义社会中人的意识、思维和心理方面的文明,在很大程度上,主要表现了人的"精神美":对全体人民来说,就是社会的"风气";对我们民族而言,就是民族"气节";对我们每一个人来说,就是一种精神风貌。人类自身的生产,就要如马克思指出的"按照美的规律"来塑造,所以,我们的教育需要美学。不仅仅是为了揭示客观存在的美的规律,认识和把握美的形态,更重要的是让人类自觉按照美的规律,从事改造世界的伟大实践。因此,我们可以说,美是推动社会主义精神文明发展的一种力量,是人的本质力量在对象中的形象体现。审美教育,是建设社会主义精神文明的重要因素,同时,美育的程度又成为社会文明的一个显著标志。

审美教育是同文明一起产生的,美育是人类历史的产物。它的出现,可以追溯到学校组织形式出现以前的原始社会教育中。

早在虞舜之时,就有"夔典乐而教胄子以九德"的传说。奴隶社会对"六艺"的美育作用尤其重视,礼乐被置于首位。孔子说:"兴于诗,立于礼,成于乐。"(《论语·泰伯》)荀子说:"夫声乐之入人也深,其化人也速","移风易俗,天下皆宁,美善相乐"(《乐论》)。自春秋战国以来，重视诗乐的审美教育作用已为儒家的教育传统而延续下来。古代希腊雅典学校提出了"身心既美且善"和谐发展的思想。柏拉图和亚里士多德都注意到艺术的美育作用。欧洲资产阶级文艺复兴时期的人文主义思想家、教育家维多利诺、蒙田、拉伯雷，以及18世纪的狄德罗、卢梭、席勒等都十分重视审美教育。19世纪俄国革命民主主义者别林斯基和车尔尼雪夫斯基，要求把美育同智育、伦理教育和政治教育联系起来，反映出一种全新的审美教育的思想。20世纪初，西方资产阶级美学思想影响渗透进来，中国传统的封建主义美育思想发生了很大变化。五四运动时期，蔡元培从"教育救国"的宗旨出发，提出"教育上应特别注意美育"的主张。他在《文化运动不要忘了美育》《美育实施的方法》等文章中，把美育同体育、智育、德育并列为四育。他认为："美育者，应用美学之理论于教育，以陶冶感情为目的者也。"[1]鲁迅也曾指出："美伟强力"的艺术力量，足以达到"美善吾人之性情，崇大吾人之思理"（《摩罗诗力说》）的目的。同时，他还看到了美育与德育的关系："美术可以辅翼道德。"（《拟播布美术意见书》）鲁迅的美学思想，在今天仍有其现实意义。

在社会主义精神文明建设中，美育与其他三育（德、智、体，特别是德育）的关系究竟应该怎样看？这是一个长期争论、尚未澄清的问题。如果我们以马克思主义的辩证唯物主义观点去考察、分析、研究它们之间的关系，是不难作出实事求是的结论的。美育与德育、智育、体育的关系是既有联系，更有区别；既有共同性，也有特殊性。美育中若干因素或职能是可以在其他三育中完成的，但美育有它的独特职能，这就不是其他各育所能完成的。

"美"和"善"之间有着辩证的联系，但是，"美"并非必然依赖"善"而存在，它有其相对独立性。一般说来，德育的主要目的，是培养学生对"善"与"恶"的辨别力和正确处理自己与别人、集体的关系等等，属于伦理道德范畴。这当中，对善与恶的分析主要是诉之于逻辑思维，是晓之以理，以理服人（当然，也不排除有时具有一定的感

---

[1] 顾明远：《教育大辞典》下册，上海教育出版社，上海，1998年，第7页。

情成分)。而美育的目的在于培养学生鉴别美与丑,其方式首先是通过形象思维,动之以情,在美的欣赏中,使人陶醉入神。其次,用各种美的形象去触动人的情感,以情动人,以情化人,使人情感激动,啼喜俱来。通过这种耳濡目染,收到潜移默化、以情育人的效果。这往往是说理教育所难以达到的。可以说,审美教育的一个重要特点,就是把思想品德教育寓于美的形象之中,它不像德育是以"概念"进行说理,教育人们不干坏事。而是通过对审美趣味的培养,使人们对坏事根本就不感兴趣或引发反感。一个人的审美情感永远是同他的世界感和道德感相联系的。别林斯基有句名言:"道德和美是亲姐妹。"这是指美和善的同一性。对于道德的行为认为不但是好(善)的,而且是美的;对于那些不道德的行为认为不但是恶的,而且是丑的。所以高尚的道德情操和道德行为,往往与追求美的理想统一起来,密不可分。

　　智育和美育是互相渗透、密切联系的,但并不能互相代替。智育传授文化科学知识,主要是认知的问题。而美育固然有认识的因素,但更重要的,是诉诸情感的问题。智育在增加审美知识和艺术创作能力的培养上有帮助,但不能完成审美情感和能力的培养。事实证明,科学知识水平和文化修养越高,审美能力也会越高。除了艺术作为美的教育主要对象外,科学知识中也充满着美的因素,各门学科都可以发掘出美的因素。从另一方面看,美的鉴赏过程具有丰富的想象和联想,这种能力的培养,对于敏捷地思考问题,解决科学方面的难题,形成空间想象力和形象思维力,无疑具有重要作用。正如列宁所说,甚至在数学上也是需要幻想的,没有它就不可能发明微积分。随着科学技术事业的飞跃发展,随着量子力学、相对论、分子物理学、控制论广泛运用,对美育的要求越来越高。在这个意义上说,脱离智育的美育失之于淡薄,脱离美育的智育失之于僵滞。因此,美育同时兼有智育和德育的作用,它在情感教育的同时,又负有思想品德教育、传授知识等特点。它与德、智、体三育密切相联,处于协调各方面的地位。至于体育,亦含有美育的成分:运动员的健美。青春勃发造型美、动态美等等,都是美的体现。但是,显然,体育也是不能代替美育的。

总之,德育、智育、体育含有美育的内蕴和因素,但均不能代替美育。这是因为审美知识的传授、审美意识的养成、审美能力和创作能力的提高,都需要由特殊的教育措施和美学课程来承担,并经过教师和学生的长期努力,通过各种美育途径来完成。这样,在培养教育一代新人时,既晓之以理,又动之以情;既从概念、推理、判断上提出问题,引人猛省,又以新鲜生动的艺术形象去感染学生,拨动他们美的心弦,在他们心中树立起一座美的丰碑,从而收到十分可喜的教育效果。实践证明,品德的培养和审美的教育是完全可以紧密相契、相得益彰的。

美育不同于德育、智育、体育,除了思维方式不同,情感化、形象化不同以外,另一重要之处就在于它的对象不同。即美是鉴赏的对象,而不是认知的对象(真),或道德实践的对象(善)。但真、善、美既相互区别又紧密联系。概言之,美是自由运用客观规律(真)以保证实现社会目的(善)的中介结构形式。明乎此,就能正确认识社会主义审美教育的特点,把美育同人们的道德行为、知识技能、身体锻炼、社会实践、日常生活联系起来,以审美教育引导人们自觉地依照美的规律创造社会的物质文明与精神文明,并在实践活动中进行审美教育,从而达到智、德、体与真、善、美的统一。

我国的美育研究者认为,美育的作用,应充分重视发挥美和崇高的作用。这是由美育的性质(即体现美的性质)所决定了的。一个人对美的欣赏和创造的能力、高尚的道德情操和整个社会良好的风尚,不是自然而然地形成的。它有赖于长期的有意识的培养和教育,并在和庸俗、低级趣味相斗争中形成。审美教育培养人的高尚审美情趣,帮助人们区别美丑妍媸,从而趋善避恶。现实生活中那些行为放荡、不良习气比较严重的人,往往是缺乏文化素养、生活情趣庸俗的人。反之,一个人有了高尚的审美趣味,对艺术具有较高的修养,就会很容易嗅出低级、庸俗的艺术作品,进而产生反感厌恶之情。艺术作品揭示的丑恶现象,就成为他生活中的最好的反面教材,他就能把自己的兴趣和注意力集中在事业或某种艺术上面,他的精神和生活情趣就呈现出一种崭新的风貌。从这个意义上说,优美的、崇高的艺术形象总是能够鼓舞人们产生一种向上的意愿。艺术美能雕塑一个人的美的灵魂。美育的作用正在于它能充分发挥美那种震荡人心的力量,对社会生活产生巨大而深刻、广泛而持久的影响,积淀多种美的因素,形成人们的感情、思想、心理、意志和道德品质。对于可塑性极强的青少年来说,美感教育的作用更是不可忽视。

美育作用的充分发挥,在于美育任务的完成,而美育任务的完成,又在于美育地位的确定。翻开人类历史的画页,可以看到,凡是一个社会处在上升时期,文化教育事业越昌盛繁荣,美育就越受到重视,地位也就越高。可以说,美育在整个教育体系中的地位直接反映出一个时代的文明发展水平,特别是反映出一个国家、民族的精神文明的程度。美育随人们生活需要而产生,也随社会历史的发展而发展。那种夸大美育的作用,抬高美育的地位,把美育与德育、智育对立起来的作法,实质上是取消了美育;同样,忽略美育的作用,降低美育的地位,也是错误的。美育在社会主义精神文明中不是包容一切的核心部分,它的任务、作用,决定了它的地位只能是有机的组成部分。当然,随着社会文明化程度的提高,它的地位、作用将愈加显著。

审美教育的独特过程

审美教育的领域甚为广阔,并不只是艺术教育。在生产活动、社会交往、日常生活领域中,都可以进行审美教育。但无可否认,通过文学艺术来进行审美教育,确是最好的途径。艺术教育是审美教育的集中而典型的形式。为此,我们将以艺术教育作为重心,来考察审美教育过程的独特性。

审美教育作为一个过程,与审美创造正好走着相反的路径。

艺术的创造,如果说是走着"顺内进程",即现实美(物)→艺术家的审美体验(心)→艺术作品(心的物化),那么,艺术的审美教育,却是朝着"反向进程"发展,由读者、听众或观众的感受(心)出发,通过艺术作品(物),激发审美体验,影响心灵。

为了弄清审美教育过程的独特性,我们将从静力学和动力学两个方面,考察它的"静力学上的状态"和"动力学上的状态",然后再作结合。先作静态考察,分别从审美教育过程中的客体(作品)和主体(读者、听众或观众)两个方面分析。

就客体说,艺术作品自身有其特点。巴尔扎克说:"艺术作品就是用最小的面积,惊人地集中了最大量的思想。"①它是物化了的作者审美意识的"集成块"。作品,凝结着作者的个性、独特的内心世界。但当它还只在静止时,在尚未与审美主体构成审美关系时,它只是以"符号"的形式储存着多种审美信息,仅是一个"文本"②,仅仅具有审美教育的"潜能",要实现其"审美教育效应",有待进入审美活动这一过程之中。

就审美主体(读者或听众、观众)分析,一个审美主体是一个由生理、心理、经历、修养等因素构成的包含了多系统的复杂系统整体。他必须具有审美能力,对艺术作品持有一种审美态度(而非科学态度或伦理态度),在面对艺术形象时,能唤起自己的审美表象和想象,来建立一个独立的审美世界,达到审美情感与审美认识的统一。总之,作为审美主体的审美心理结构功能状态与文艺作品的信息状态应该具有一种微妙的对应关系。

再作动态分析(审美主体与审美客体的关系)。

静态分析,仅仅解决了文艺作品对有审美信息"接收"能力的审美主体所具有的审美感染可能性和陶冶教育潜在能量而已。要使"文本"还原为"作品",使审美信息流激活主体审美感受中的感知功能、想象功能、情感功能、理解因素,使审美教育"潜能"化为现实"美感教育"的巨大心理能量,还必须依赖于主体的审美实践的不断运动。主体借助于一定的手段,运用一定的实际动作使审美主客体交互作用,作品的美学结构与主体的审美心理结构(图式)达到默契相合,这时,就产生文艺作品的"美感效应"③。

首先,作品的符号的"破译",使作品外形式(色、形、音等美的

---

① [法]巴尔扎克:《论艺术家》,见《古典文艺理论译丛》第10期,人民文艺出版社,北京,1965年。
② 西方接受美学认为,未进入审美关系中的作品只是"文本",有待"实现"。
③ 参阅林兴宅:《论文学艺术的魅力》,见《中国社会科学》,1984年第4期。

形式)"直觉"地引起人的"悦目悦耳"的初级美感,美感效应将这一先导形式叫做"诱导效应"——用形象的展示,把读者的注意力和思维引向预定的路线,这是一种巧妙的宣传效果。然后,作品以情节、意境、气韵等与主体心灵(审美情感、审美想象、审美理想)交融,达到"悦心悦意"的中级美感,美感效应称这阶段为"启迪效应"、"震惊效应"和"感染效应"。此时读者对作品思想的深刻的领悟和启迪,情感产生强烈共鸣,染上作品的情感色调。这既是理智的接受,又是情感的渗透,是思想教育与情感陶冶统一的综合效果。最后整个作品释放出全部审美刺激丛(多种美学因素的综合体),主体更是充分发挥审美能动性,对作品的言外之意、意外之境进行总体把握,达到"超以象外,得其环中"(《二十四诗品》)的境界,呈现出对客观事物必然性的瞬间感悟和对人生、理想的执着追求。此时就进入了"悦志悦神"的高级美感①,似乎灵魂受到震撼和洗涤。"美感效应"称此为"净化效应"——艺术的情感弥漫着读者的心灵,从而引起读者的欲念升华和功利观念的中止。这种活动已经深入到人的潜意识领域,是艺术潜移默化特点的集中表现,它在塑造人的灵魂上发挥了最深刻的作用。

审美活动与审美教育是一个进程的两个方面,这是一个完整的系统,一个变量参数众多的复杂系统,它所具有的系统性、多因性和动态性等特征,很难作定性、定量的分析,只能借助多值逻辑思维进行总体把握。但我们通过粗略的分析,已经窥到审美教育过程这一"黑箱"的某些奥秘。

第一,审美教育是以审美系统活动的结果形式出现的,即以美的诱导(愉悦)为先导,以审美情感为内驱力(中介),最后获得深入人的潜意识深层领域的陶冶净化效应。换言之,这教育之果是在审美这一过程中开花的,是由对形式美的愉悦进入到对人生、理想的使命感、神圣感的感悟的;是由初级美感向高级美感升华的。它表现为沉淀了理性的直觉,融合了理性的感性形象,把握了一般的个别——

---

① 李泽厚:《中国美学及其它》,《美学述林》第1辑,武汉大学出版社,武汉,1983年,第27页。

达到真、善、美的统一。这种灵魂震撼中的陶冶,与智育、德育的用概念、推理以认识真、善不同,显示出审美教育的独特的本质特征。

第二,审美教育的作用,是精神的、社会的、整体性的。这是一种作用于心灵情感的强效应。正如高尔基所说:"文学艺术的教育作用是巨大的,因为它以同样的强度既作用于思想,又作用于感情。"[1]但我们也应看到,美育的作用不是无限的,审美教育的实现,关涉审美对象的美育潜能的储藏量(所以选择优秀的艺术品为美育对象有方法论的意义),以及审美主体的深层审美心理、智力结构和伦理结构,审美趣味个性以及审美心境和时代的审美心理"场",现时审美心理流以及政治经济斗争的形势等多种因素。那种认为或期望仅仅需美育一育之功就可以使人全面发展的想法是不切实际的。

第三,审美教育是一种自由自觉的教育过程,是在倾心赏美中表现出的乐意受教。审美教育活动这一逆向过程(作家审美意识←作品←读者)使得读者能通过艺术形象直接同作者对话。通过这一主客体反复运动,读者可以在潜移默化中将自己的审美意识升华到作者的审美意识高度。经过不断努力,就将以审美趣味的方式表征出自己的精神文明面貌。在审美教育过程中,读者不再是受教师支配的教育对象(客体),而是能动地去获得教育的主体。这是一种由"教"达到"不教"的高度的精神自觉,是充分唤醒主体自我意识的情感思想自我运动,以获得审美教育价值潜能的实现。正是基于这种广阔的审美教育观,我们认为美应当是进行自我教育的重要手段。优秀的艺术就是这样一位催人自我教育、自我完善的"审美教员"。

我们知道,审美教育是通过对美的认识、理解,即在美的观念的满足中感到愉快。它往往是寓教于乐,使人在愉悦中受到教育。这是一种潜移默化的过程,是审美者内心的愿望和要求,采取自由的方式进行的,表现为审美主体观照审美客体时的一种感性上的倾心赏美的积极反映,达到对美的肯定与摄取,对丑的否定与抵制,从而受到

---

[1] [波兰]卓菲娅·丽莎:《论音乐的特殊性》,于润洋译,上海文艺出版社,上海,1980年,第172页。

感化，而不是通过硬性灌输的被动接受。美育的特点，一般认为是形象性、情感性、个性显示性和综合性。

审美教育是实现精神文明的中介和桥梁，这就决定了它有如下几方面任务：

（一）树立正确的审美价值观

所谓审美价值观就是人的世界观在审美实践中的具体体现。它是世界观的组成部分，制约着人们的审美方向。树立革命的审美价值观，也就是运用马克思主义哲学观点和美学理论，正确地看待文学艺术和生活中的美，恰当地把握美的本质和认识形式美与内容美的关系，泾渭分明地辨别什么是真、善、美，什么是假、恶、丑。为此，需对以下几个问题有较清醒的认识。

1. 同社会主义精神文明与封建主义、资本主义的所谓文明有着本质区别一样，无产阶级的审美价值观同资产阶级的审美价值观也存在本质的区别。无产阶级审美价值观认为，凡是违背历史发展趋势、损害广大人民利益的思想和行为，都是与社会主义精神文明相悖的，都是不美的，都是对美的破坏，而资产阶级的腐朽的世界观决定他们的审美观是畸形的。他们那种一切为自己的所谓文明，必然导致他们美丑难分，以丑为美。无产阶级的美丑观同资产阶级的美丑观，有着高下之分、真假之分、善恶之分、美丑之分。

2. 马克思主义美学观认为，美是由"劳动创造"的，是人的本质力量的肯定。这就说明，美的本源是劳动，是人类的物质生产和人自身的生产实践。人的劳动实践具有自由自觉的特点，在合规律性与合目的性的实践过程中，造成了人的本质力量对象化，达到对象中人的本质的肯定而产生了美。任何美的事物都直接地或间接地与劳动相联系。美的规律是人的整个实践规律的一个组成部分，只有那些符合美的规律的事物才是美的。人如何把自己的本质力量运用到对象上去，作为完整的人占有自己的全面的本质，这是马克思主义所谓的"美的规律"的精髓所在。

3. 美感是通过主观心理活动方式对审美对象中人的本质力量的观照。在马克思主义美学看来，美感来源于客观世界中属于各种审美范畴之内的客观事物。同时,它又是人的实践的产物。人在其劳动实践中,"那些能感受人的快乐和确证自己是属人的本质力量的感受,才或者发展起来,或者产生出来"[①]。审美感是深深地受社会制约的,它反映社会的审美意识,随时代的变化而变化,随时代的发展而发展,但同时也带有人的个性的特征。审美感受是共性和个性的统一。总之,只有对以上几个问题有了比较正确的认识,才能树立正确的革命审美价值观。

(二)培养和提高审美能力

1. 审美感受能力的培养。它培养人们这样一种特殊能力:能够感觉其周围事物形式、颜色、乐音的美,辨别现实生活中的美与丑、悲与喜、崇高与卑下,形成"有音乐感的耳朵,能感受形式美的眼睛"[②],以对审美对象有敏捷的感知,更好地获得美的享受,促使审美观念、审美趣味正确发展。

2. 审美鉴赏能力的培养。在审美感受能力的基础上进一步发展审美鉴赏能力,使审美者凭审美趣味、艺术修养和生活经验,对审美对象进行观察和审美体验,从中获得美感和教育的一种能力。在对艺术作品的欣赏、鉴别中,使鉴赏能力逐步由初级的鉴赏达到复杂的高级鉴赏。这种鉴赏能力,是靠后天培养的。这是深化审美感受必须具备的能力。提高人们的艺术修养和审美趣味,是培养鉴赏能力的重要方法。

3. 审美判断能力的培养。在培养鉴赏力的基础上,提高对审美对象的性质、价值进行分析评价的能力。审美判断用以进行判断的是在审美知觉中所形成的事物形象,具有相当浓烈的主观因素,这是与逻辑判断以概念进行判断、排斥主观因素的不同之处。但是,实践是检验其判断的真理性标准。这一原则,都同样适合于审美判断和逻辑判断。审美判断受每一个人的文化修养、道德观念和审美能力影响,不正确的判断,往往会颠倒美丑,这就是需要培养人们对美丑的正确分析、综合评价等判断能力的原因所在。

---

① [德]马克思:《1844年经济学哲学手稿》,人民出版社,北京,1979年,第79页。
② [德]马克思、恩格斯:《马克思恩格斯全集》第42卷,人民出版社,北京,1974年,第126页。

(三)造就能创造美的完美个性

审美者在具备了审美感受力、鉴赏力、判断力的基础上,就需要把培养人们表现美、创造美的能力作为一项重要任务来完成。

人的生命活动是有意识的,能思维,会想象,能审美,会创造。人既要能精神生产又需要有精神生活,"人却懂得按照任何一个种的尺度来进行生产,并且懂得怎样处处都把内在的尺度运用到对象上去;因此,人也按照美的规律来建造"①。这深刻地展示了美的本质总是与人的本质相联系,美的规律与人的精神需要相联系,并同人的本质力量对象化在根本上是一致的。实质上,审美教育活动,是人类"按照美的规律"来创造的历史在教育领域中的缩影。

美学研究人类审美活动的规律,根本目的正是为帮助人们掌握和运用这些规律,按照美的规律改造客观世界,也改造主观世界。审美教育的根本使命,也正在于,一方面,教育人们如何去美化周围环境,创造更美好的社会;另一方面,教育人们如何美化自己的心灵,发展全面发展的个性,造就完美的人本身。而这两者又相辅相成,相互促进。

审美教育直接以人为对象,以培育和造就人的完美个性为己任。马克思主义创始人说得好:"培养社会的人的一切属性,并且把他作为具有尽可能丰富的属性和联系的人,因而具有尽可能广泛需要的人生产出来——把他作为尽可能完整的和全面的社会产品生产出来(因为要多方面享受,他就必须有享受的能力,因此他必须是具有高度文明的人)。"②审美教育这个"灰姑娘",将随着时代的发展,愈加焕发出光辉,显示出动人的魅力,在人类文明中,创造出最高的价值——全面发展的社会新人。

1989年春,深大海涛楼

(原载《深圳大学学报》,1989年第2期)

---

① [德]马克思、恩格斯:《马克思恩格斯全集》第42卷,人民出版社,北京,1974年,第97页。
② [德]马克思、恩格斯:《马克思恩格斯全集》第46卷(上),人民出版社,北京,1974年,第392页。

教育自身亦求美

从事语文教育已有数十年的陈吉庆,三年前和我说起,他想结合自己的教育经验,从美学上探讨一下教育如何按照美的规律进行。我觉得他这想法颇有新意,值得下功夫作些研究。

如今,吉庆的这部书稿《教育美学》已经写就,我得以先睹为快。吉庆在改革开放之初攻读研究生时,研究的就是美学。马克思说,动物和人类都进行生产,但人类和动物不同,人类能够按照美的规律来创造。吉庆对此说极为欣赏。他在撰写《胡经之美学生涯》一书的过程中,和我有过多次交谈。我曾经说起过,不仅物质生产,而且人类的其他活动,都应该而且能够按照美的规律来进行,精神生产和人自身的生产也是如此;而且,物质生产和精神生产都是为人自身的生产服务的,教育本身就更需要遵循美的规律。对此他深表赞同,觉得对人的培育也要按美的规律进行。在这部书稿中,吉庆从教学的目的、教学的设计、教学的过程、教学的方法到教学的效果各个方面,全方位地展开论述,中心都在阐明教学如何按照美的规律进行。

教书育人,教书是手段,育人是目的。按照马克思的理想,人应该具有全面而自由发展的自由个性。当代教育学说的共识,是要把德育、智育、体育和美育结合在一起,培育出德、智、体、劳、美全面发展的人,崇高的、美好的、健康的人。这样的人,当然不是只靠教书这一途径就能培育出来。但是,教书在育人中的重大作用绝不能轻视。人类的在世经验凝集在书本中,为后人提供了宝贵的间接经验,后人吸收了这宝贵经验,和自己的直接经验相结合,才能有新的创造。教学是有规律的,教学相长就是最基本的规律。但教学如何相长?我们的老祖宗孔老夫子早就说过:"知之者不如好之者,好之者不如乐之者",授教者必须"寓教于乐",受教者必须"乐得其受"。只有教学双方都能体验到乐趣,才能激发出各自的潜能,全身地投入。从今天的眼光来看,其实就是在按照美的规律进行教学。

尽管我国古代的贵族教育已实施"礼、乐、射、御、书、数"的六艺教育,并且把"礼、乐"置于首位;但倡导美育并把美育列入国家教育方针,这要等到蔡元培在1912年当了教育总长后才开始。蔡元培的美育精神先是在北京大学得到了发扬,后来又扩展到江南,并逐步影响到中小学。在蔡元培的推动下,那个时代的教材编写就渗透着审美精神。我小时读的开明书店的语文课本,不仅富有诗意,还配上了丰子恺的画,充盈着诗情画意。有些我至今还记得:"菜花黄,菜花香,蝴蝶飞进墙。"音乐家黎锦熙赞之为:叶公之文格,丰子恺之画品,珠联璧合。李叔同写"长亭外",被谱入曲。收进小学课本的还有:"星期天,天气明,大家去游春,过了一村又一村,到处是美景。"我这人,一辈子和书打交道,读书、教书、编书、写书、藏书,只和书打交道的人成不了教育家。但我从师辈那里却能感受到美育精神渗透到教学之中,会产生什么样的效应。

就我个人所经历,我最先感受到的乃是通过教育美学,可以更好彰显民族精神、家国情怀。我从小读过私塾,也进过教会学校。但我真正接触到教育美育,要到我10岁到梅村高小读书之时。这梅村高小兴起于蔡元培倡导新学之后,校址却还在泰伯庙之中。当时的语文教学主要是讲古文,请的教师是附近鸿声里人钱穆。钱穆那时还不到20岁,乘着航船来回于梅村、荡口之间,教了3年古文。3年后,钱穆觉得乘船奔波太费时光,就只在荡口教书,不来梅村了。接替他的是一位刚从无锡师范毕业的陈友梅。陈友梅比钱穆小几岁,属同辈好友,常相互来往。后来钱穆到燕京、北大任教讲国学,1947年又回到无锡,在荣德生所办的江南大学当文学院院长,陈友梅就常到荣巷和钱穆喝茶、聊天。我生也晚,要在1943年才进入梅村高小,没有赶上听钱穆讲课的机缘。但是,陈友梅的语文教学给我留下了深刻印象。他教语文,已不仅讲文言文,也开始讲白话文,为我们选读了鲁迅、郭沫若、茅盾的作品。但他讲得最好的还是古典诗词,在这里真体现了寓教于乐的教育精神。他讲诗词,真可称得上声情并茂。先是吟咏,抑扬顿挫,铿锵有力;吟咏到最动人处,禁不住会呜咽无声,默然泪下;随之而来的精彩分析,使我们感染在诗境之中,提升了精神境界。那时梅村还在日军统治之下,镇上就驻扎着日本宪兵。但陈友梅却在课堂上为我们讲陆游的《示儿》、岳飞的《满江红》、文天祥的《正气歌》。他讲解到陆游的"死去原知万事空,但悲不见九州同。王师北定中原日,家祭无忘告乃翁"时,忍不住流下了眼泪。这样的讲课场景,自小就刻印在我的心灵中,终身难忘。

更进一层,教育美学对培养新一代人的审美趣味,具有不可替代的独特作用。我一直庆幸,在高小时遇到了陈友梅这样的老师,而入初中时,又逢到了另一位老师何阡陌,使我慢慢懂得一个人要培育高尚的审美趣味。我在梅村高小毕业后,就近在梅村本地进了中华中学读初中。那年正逢抗战胜利,新四军的影响在梅村迅速扩大。这中华中学的校长潘超是地下共产党员,他在校长办公室堂而皇之地挂着穿着军装的蒋介石肖像,使人畏而远之。实际上,他只是以此为掩护,却在课余组织我们成立学生会、读书会,争和平,反内战。他请来的老师,都有进步倾向,有的就是共产党员,1949年春无锡解放时,他们中有的去了杭州当军区政委,有的到上海当工会领袖,还有的到南京做接收大员。这何阡陌不是共产党员,无党无派,抗日时毕业于武汉大学中文系,去了重庆教中学,抗日胜利后就到江南来想做学问。我这初中3年,都是何阡陌在教语文。他接受的是五四以来的新文学传统,为我们讲胡适、巴金、冰心,细细道来,娓娓动听。最使我倾倒的是他讲解朱自清的《背影》,饱含深情,以生动形象的语言,把其中蕴含的父子亲情为我们揭示出来,刻骨铭心。我从来没有如此体验到文学的艺术魅力可以达到如此神奇的境地,从此深深爱上了文学,甚至也学写起散文来,给《开明少年》投稿。也正是在何阡陌的直接熏陶下,我开始接触美学。我父亲胡定一在苏州教书,为我买来了朱光潜的《给青年的十二封信》,何阡陌进而为我推荐了第十三封信《谈美》,从此,我知道世界上还有这么一门学问叫美学。何阡陌的审美趣味并不仅限于文学,而是广及美术、音乐各个领域。他去无锡城里买回来一尊石膏像,放在书桌上,这是我有生以来第一次看到并知道这叫维纳斯雕像,百看不厌。我也去无锡买了这尊石膏像,放在我苏州家里的书桌上。1952年,我考入北京大学,就把这雕像带到了北京,一直保留着。1984年,我从那最古老的最高学府来到最年轻的新型大学,这雕像也随我而来,如今仍放在书橱上,想不到,岁月已过去了60多年。

在我所认识的老师中,何阡陌是一个最崇信并实践了梁启超倡导的"趣味教育"的人。他是武汉人,但到了江南后,就深深爱上了江南丝竹乐、江南吴歌、苏州评弹、苏州园林和太湖山水。他当时年已40岁,却不结婚,而是痴迷江南文化。我在1948年读完中华中学,准备进入无锡师范读书当教师。我毕业那年,何阡陌居然作出了一个令我吃惊的决定。他知道我苏州家里有十间房,他要我和父亲商量,能否借给他一间房,他要向中华中学辞职,专门住到苏州城里,集中精力研究苏州园林、苏州评弹、江南丝竹,写一本书。我为他这设想所震惊,也为之感动,我父亲也慨然相助,腾出了一间房供他研究、写作。不到一年,他完成了写作,正好无锡解放,他就进了无锡当时最好的中学无锡一中当教师。他告诉我,下一步,他想去见见在无锡城里沿街乞讨的瞎子阿炳(华彦钧),很想探索一下这位民间艺术家怎么能奏出《二泉映月》这样的神妙乐章。我去北大后,和何阡陌的联系少了,但每次回梅村老家,我都会去无锡城里看望他。他仍然从他的审美趣味出发,兴致勃勃地谈论他所看到的种种人生。他在近50岁时才结婚成家,过了90岁,无疾而终,以无锡特级教师的荣耀,受到了市民的爱戴。

再进一层,我要说,教育美育不仅能培植人的审美趣味,而且还能提高人的审美水平,向审美人格的培育这方向发展。

初中三年,我尚能安心读书,逐步培植了自己的审美趣味。1948年,我考进了无锡师范,一度曾痴迷于弹风琴、学钢琴。但国民党日益腐败,发动内战,使我们这些学生已无法安下心来关门读书。我也投身于反内战、反征兵、反饥饿的学生运动之中,参加了新民主主义青年团。两年之后,我心中燃起了想做学者专家的梦,就在1952年回苏州投考,选择了进北京大学中文系,好去追寻我那已发生了兴趣的文艺学、美学。可是,我进了北大,方知道,尽管朱光潜、宗白华、蔡仪这几位著名美学家都在这里，却都不开美学课，只有杨晦在开"文学概论"，我只能向几位登门求教。从1953年起，我就自己去读蔡元培、梁启超、王国维的书。幸而，全国高校院系调整之后，人文学科的名师云集北大，仅为我们讲授文学的著名教授，就使我们叹为观止。曹靖华讲苏俄文学，冯至讲德国文学，季羡林讲印度文学，闻家驷讲法国文学，李赋宁讲英国文学，而讲中国文学史的就更多，有游国恩、林庚、吴组缃、浦江清、王瑶几位，从古到今，一路讲下来，整整四年。那时北大教授讲课，没有统一的教材，真可称得上各显神通，自成风格。给我印象最深的是林庚和吴组缃两位的教学方法，别具一格，自成特色，突出了美学分析，把讲授文学变成了一种审美鉴赏，使我在听课时就得到了审美享受，尔后又提高了审美水平。

　　林庚是诗人，而且是具有浓烈的浪漫主义气息的诗人。他给我们谈赋论诗，从容潇洒，神采飞扬，当场就能把我们引进美妙诗境。他对"大漠孤烟直，长河落日圆"这样的诗句，津津乐道，花了整整一堂课来作美学分析，使我们听得如痴如醉，跟着他一起走向了边关塞外，如临其境。他讲到杜甫的名句"无边落木萧萧下，不尽长江滚滚来"，把我们一下引进了诗境，然后又跳出眼前之景，从分析"落木"着手，把我们引向更为广阔的世界。他说这"落木"，不是有什么"树木"掉了下来，而是一片片的"树叶"萧萧落下。但这又不是抽象化了的"树叶"，而是秋天时已老了、木质化了的"树叶"，这就是在《楚辞》中已出现了的"木叶"。《楚辞》里的"洞庭波兮木叶下"，就是写的秋风中的橘黄的树叶。他从这"木叶"的美学分析出发，广泛联系了诗歌史上描写"落木"的意象，为我们呈现出了木叶意象的历史发展，使我们拓展了广阔的视野。后来，他写出了《说木叶》一文并发表，被收进高中语文课本，和中学生共享。我衷心敬佩他，后来与他成了忘年交。我这一生中，交谈最多的老师是导师杨晦。我在燕东园他住的独栋小楼下的会客厅里住过两年，交谈甚多。第二位就是林庚了。在改革开放之前的艰难岁月里，难得有如此机缘，约有两年时光，我和他、魏建功三人，差不多每天都要集中到未名湖畔的红三楼（均斋），共处一室，读书谈天。三人中，林庚谈兴最浓，常常是他抽起一支烟,开启了话匣子。魏建功沉默寡言,偶尔在接触到诗歌之美这话题时,从他的老本行出发,也会说一说音韵之美,但说话不多,只听我们两个人的对谈。林庚的话题甚广,从清华读书,到厦门教书,又回燕京教书,包括燕南园的三次迁居,都有所涉及。说得最多的还是文学艺术,从诗歌创作一直说到新疆的民族音乐。他的第一爱好是写诗、赏诗,第二爱好就是欣赏音乐,他夫人擅长弹钢琴,女儿就专攻音乐。在他所有的谈话中,我印象最深的是他对文学艺术的独到见解。依他之见,文学艺术就是人类生命之美的显示,它本身就应自成一种美趣,用这美的情趣去感染人。诗歌和音乐最能体现文学艺术的本质,就是要教你用一种美的眼光去看周围的世界,不断地去发现世界的新的美。那时,我正读过台湾学者王梦鸥所写的一本小册子,书名叫《文艺美学》,开始了我新的学术探索。林庚的独到见解,启发我去对文学艺术作更进一步的思考。他在对美的生命的不懈追寻中,活到了97岁,是我中文系师辈中年纪最大的。魏公却不到两年,就在1980年79岁时与我们永别了。

吴组缃的教育美育却把我们带进了另一种境界。他和林庚、季羡林、李长之被称为"清华四剑客",但他和林庚的风格各异。吴组缃是一位小说家,而且是严肃的现实主义小说家。他分析文学作品就像他创作小说一样,对社会生活作形象的分析。他开始时并不是教我们文学史,后来才给我们讲明清小说,开《红楼梦》专题研究等课程。我们刚入学时,中文系开设了两门引导我们跨入文学之门的课。一是"文学写作"课,由章廷谦(川岛)来教,我们必须实际操作,写小说、散文。还有一门是"作品选读"课,由吴组缃来教。这门课也像"文学写作"一样,必须交作业。他的教法很独特,先是指定我们必须先读作品,如魏巍的《谁是最可爱的人》,或孙犁的《荷花淀》,或茅盾的《春蚕》。然后,要每一个人自己写一篇读后感,说出自己的真实感受。他把这些读书报告仔细阅读后,归纳成几个大家最感兴趣的问题,有针对性地作出形象的分析。和林庚的谈笑风生不一样,他讲课严肃认真,每次都有讲稿,而且,除有时偶尔停顿一下加以发挥外,一般都是照章念稿。但是,他对作品的形象分析,由表及里,由浅入深,由象及义，层层剥笋，丝丝入扣，一步步地深挖出作品的审美意义和历史意义，说的是真知灼见、深切体会，使我敬佩得五体投地。吴组缃分析文学作品，能从自己的生活经验和审美体验出发，把历史的分析和美学的分析紧密结合起来，引导我们既能入乎其内，进入作品的境界，又能出乎其外，审辨出作品的优劣。他分析《春蚕》，尽管茅盾是公认的小说大家、文化部长，但他能客观地指出其中的老通宝这一形象不大真实，根源在茅盾对农村生活缺乏深切的体验。这样的精辟分析，使我们懂得，欣赏文学，不能只看作家的身份，而要从作品的形象本身来作分析，这就使我们的审美水平得以真正提高。吴组缃在86岁时去世，而在去世前不久，还在对《金瓶梅》作精辟分析，令人赞叹。

这里我所说的都是我亲身经历的教育美育中实际发生的"事件"。当然，实现美育的途径并不只限于课堂教学，走向大自然、亲近自然之美，也是重要途径。后来我接触较多的王朝闻、宗白华、蔡仪是我认识的美学家中最看重自然审美的三位，我从他们对自然美的探索中，受到很多启发。我之所以要在这里介绍这些我所亲历过的美育"事件"，乃是我觉得我们现在的审美教育，抽象说理的多，感性教育的少，这就很难提高人的审美水平，培育人的审美情趣，更难培养出蔡元培所说的"美的人格"了。我希冀我们的教育美学要更重视解剖一些典型的"事件"，以提升美育水平。

美学，向来被认为是研究"感性"之学。但依我看来，美学不是要空泛地研究人类的感性现象，而是通过感性现象研究如何提升到"美"的水平，所以，美学应是研究感性现象的价值科学。审美活动、创美活动、育美活动，从精神生产、物质生产、人的生产中生成。审美、创美、育美三大价值活动相互促进、推动，才能生成更美好的世界。教育美学将在培育"美的人格"中发挥巨大作用。

为《教育美学》所作序
2013年4月10日，望海书斋

人文学科及时修

今年春天,去了几次北京,和一些好友有了重叙的机会。在和叶朗教授叙旧交谈中,不由自主地就集中到"人文教育"这个话题上。

这是有感而发。中国社会科学院副院长江蓝生在全国人大全体会议上发表了一个意见:要重视社会科学研究,社会科学和自然科学同等重要。可现实如何?不仅社会科学研究的经费不足,而且从事社会科学的人,社会地位远低于自然科学工作者,两院院士已有数千人,而社会科学工作者,至今不设院士。对此,叶朗和我均有同感和共鸣,而且他比江蓝生有了更进一层的说法。他告诉我,他在全国政协会议上发表了这样的意见:比起自然科学工作者,社会科学工作者低人一头;但人文科学工作者又比社会科学工作者更低一头。现在,政治学、经济学、法学等都很吃香,都成了"显学",这些社会科学工作者的社会地位都不低。可是人文科学呢?仍不受社会关注。以前我听汝信说起过,他们正在积极提出方案,要在中国社会科学院实行学部委员制,我举双手赞成,盼能早日实现。

对于叶朗的看法,我更有同感。我是20世纪50年代初期的大学生,他是50年代中期的大学生,那时的北大,人文科学地位甚高,考文科的,文史哲成为首选。而政经法乃是冷门,万不得已,才入此门,我们都亲身经历和体验到了。改革开放以后,政经法逐渐热起来,至今已成显学,这是社会发展的急需,很好理解。但是,人文教育却忽视不得,越是改革开放就越要重视人文精神,不然,经济上去了,人格下来了。所以,我在北大讲堂上竭力鼓励文科学生:"学好数理化,走遍天下都不怕;通晓文史哲,腹有诗书气自华。"对此,叶朗感触更深,所以在北大,他一直在呼吁重视人文科学,亲自主掌哲学系,兼任艺术系主任。现在，他正在竭力奔走，要在北大建立艺术学院。在我们叙旧交谈的第二天，金开诚、王岳川就在北大组建了北京大学书法艺术研究所，这将是未来艺术学院中的一个机构。改革开放之初曾到深圳大学来创办国学研究所的汤一介，早在北京创建了中国文化书院，倡导国学研究，尽力想把优秀的中华文化送向世界，精神可嘉。我的同辈师兄弟袁行霈、乐黛云、严家炎、程毅中、刘学锴、张少康、刘烜、陈熙中等也都在孜孜不倦地做学问，令人敬佩。

我很敬服这些人文学者在北大为人文科学奔走呼号的精神，回深圳后，常启发我的一些思考。

所谓人文精神，就是对人的价值、意义的关注和重视。人，本来就是生活在世界之中，人生在世，离不开世界这个大环境。"人"，作为一个具有灵明之物，原先是和自然融为一体的，和世界上的其他"物"无本质上的区别。但"人"在学会制造和使用工具之后，通过劳动而和世界上的其他"物"区别了开来，产生了对象意识和自我意识。对象意识发达了，产生了科学精神，自我意识发达了，发展为人文精神。个人本是在群体之中，但随着社会的发展，个人也从群体中逐渐独立，发展了个人意识，于是，在个人面前，呈现两类环境：一是自然环境；二是社会环境。人要认识我们周围环境，就发展了两门科学：自然科学、社会科学。可是，人不仅要认识对象，更要了解自己，既要知彼，还要知己。于是，在自我意识发展的基础上，有了人文科学。

人文科学和社会科学关系密切，但不能混同。社会科学的对象是社会现象。社会现象是由人和人的相互作用造成的，是人的活动的结果，有客观规律可循。因此，社会科学研究的是社会现象发展的规律：研究经济规律是经济学，研究政治规律是政治学，研究法治规律是法学等。人文科学却把目光投向人的"自我"本身，研究"自我"和周围环境的关系，探究周围环境（自然和社会）对"自我"有什么价值、意义，"自我"应如何对待周围环境（自然和社会）。这里至少包含三个方面：一、"自我"和自然的关系；二、"自我"和社会的关系；三、"自我"本身，"客我"和"主我"的关系。所以，人文科学乃是研究人自身的科学,研究对象是人文自身,而不是周围环境,但又不能脱离周围环境。哲学、文学、艺术、道德、宗教等都是人文现象,是社会现象中的一些特殊领域,需用一些特殊方法来研究(体验、领悟)。

在人文教育已日益衰落的今天,再来呼唤重视人文科学,能有什么意义?

只有意识到"自我"应成为什么样的人,才会知道自己应该需要什么,应和周围环境建立什么样的关系,什么样的人生才有意义和价值。早在古希腊,哲人就已呼唤,人应"认识自己",如今,我们对"自我"已认识了多少?了解自己比认识对象,我们还落后得多。人,生活在世界上,既要生存,又要发展,更要完善,然而,人对怎样才能生存得好,向哪里发展,如何完善自我,还缺乏清醒的认识。我们在加快科技发展、加紧经济建设,很好,只有这样,生产力发展了,人民的物质生活迅速提高,皆大欢喜,其乐融融。然而,我们今后应发展什么样的科技,经济结构怎样才合理,这都要以人为本,要从人文发展如何才算好出发,如果科技、经济和人文的发展背道而驰,那么,这种发展有什么意义和价值?人不仅要生存,还要向自我完善这个方面发展,按马克思的理想,人应得到自由而全面的发展,向自由个性这个方向前进。我们常说的要提高人的全面素质,其方向也正是向德智体美劳的全面发展方向努力。这当然是一个长期的历史过程,在前现代社会,由于科技、经济不发达,少数人垄断财富,人只能依附于人,才能勉强得以生存。到现代社会,科技、经济发展了,个人从人依附人的环境中解放出来,成为独立个体,然而却又依赖于物,成为物的奴隶,为追求物而营营苟苟,为物所役,只是片面的个性。我们正在为现代化而斗争,不少地方还处在前现代,但我们已看到西方现代化过程,能否从中作些反思,能不能避免一些弊端?比如说,在一个人口如此众多而又资源不甚丰富的国度,是否要鼓励个人物欲的无限膨胀?究竟什么样的物欲是符合人的真实需要、合理需要,什么样的是虚假的、不合理的需要?又比如,在一个十分缺乏水的地方,仅仅为了眼前开发的需要而随便破坏水源,把仅有的清水河变成臭水沟,不要说在经济上得不偿失,更重要的是,这违反了人道,是对人的犯罪。这样的开发,不符合人文精神。因此,科技发展、经济开发都不能忘了"人的尺度",都必须以人文精神这一更高的尺度来衡量。科技、经济越发展,我们就越要人文科学,并更清楚地认识人自己。

人类的一切实践活动,都应以人为本。物质生产也好,精神生产也好,都应围绕着人自身的生存、发展、完善而行进。就是生态文明,也仍然应以人为本。我们的教育,就是要造就人的全面发展的自由个性。马克思主义创始人说得好:"培养社会的人的一切属性,并且把他作为具有尽可能丰富的属性和联系的人,因而具有尽可能广泛需要的人生产出来——把他作为尽可能完整的和全面的社会产品生产出来(因为要多方面享受,他就必须有享受的能力,因而他必须是具有高度文明的人)。"①

人自身再生产,不是在某一种规定性上再生产自己,而是再生产出人的全面性。人的全面性,首先表现在人的需要的丰富多样,"人以其需要的无限性和广泛性区别于其他一切动物"②。人的需要丰富多样,不仅有自然性的需要,还有社会性的需要,更有精神性的需要,并且随着历史实践活动的发展还在不断扩展。为了满足人类不断增长的需要,人类就要与时俱进,不断发展物质生产和精神生产,从而又生产出新的社会关系。"个人的全面性,不是想象的或设想的全面性,而是他的现实关系和观念关系的全面性③。"人类社会就正是在需要—活动—关系的相互促进下,以人为本,向前发展。

人的全面发展造就了自由个性,因而自由个性又不能脱离社会关系而孤立存在。个人的自由要不违背社会规范,"从心所欲不逾矩"。但所谓的"矩",我如今的解读不能只局限于孔子心目中的"礼",而

---

① [德]马克思、恩格斯:《马克思恩格斯全集》第46卷(上),人民出版社,北京,1974年,第392页。
② [德]马克思、恩格斯:《马克思恩格斯全集》第49卷,人民出版社,北京,1974年,第130页。
③ [德]马克思、恩格斯:《马克思恩格斯全集》第46卷(下),人民出版社,北京,1974年,第36页。

应扩及天理、人道、良心。所以,个人自由、自由个性奠基于人和自然、社会的和谐关系。从心所欲不逾矩,自由和谐应天下,这才是人生在世的应持之道。我愿随诸位学友之后,承袭着由蔡元培在北大所竭力倡导的人文精神,在深圳发扬光大。

1999年秋,深大新村

人的价值与使命

问：胡先生，请您首先谈一谈对人文素养教育的一些看法。

答：研究生人文方面的教育过去并不太注意，那时的人文教育，并不是有意为之，而是潜移默化。我读研究生的时候，那时候学苏联叫副博士。一个老师带几个学生已经了不得了，上课也没有教材，就在杨晦老师的家里交谈。那时的研究生、助教和导师的关系，就像清华大学国学门里的师生关系一样，还带有中国文化传统中的师徒关系的意味。等到我在北大带研究生的时候还没有博士生，只带硕士生，学生也不多，上课方式跟我老师的也差不多，上课基本不用教室，都是到我家里来，上课就围绕一个话题，讲我的研究心得，或者由研究生提问，我谈看法，师生对话。后来就只带博士生，也不多，20世纪90年代后每年就带几个博士生，我先后培养了十多个。那时师生关系都很融洽。其实，这种师生相互提问、对话、解惑的学习方式早在孔子时就在用了，《论语》就记录了孔子师生的课堂对话。现在学校怎么上课的我不大清楚，但现在招的学生多了，问题就慢慢出来了。有的学校，一个导师一年就招了好几十个研究生，有些学生直接告诉我说连导师都很难见到。

我一直倡导应该给研究生开一门课，叫人学，马克思主义人学。主要研究人来到世界上，使命是什么，怎么实现人的价值。这方面的书我看了不少。关于人学课，我觉得首先应该跟学生讲清楚人在这个世界，与世界是个什么关系。中心问题就是讲人的价值。这方面的研究从马斯洛的需要层次理论开始，成果也越来越多了。人不光有对象意识，还有自我意识，动物则没有自我意识。人来到这世上，既要了解这个世界，又要了解自己，最后才能和周围世界建立起和谐协调的关系，个人的价值也才能得到实现。人不光是在适应社会，还有对环境的改造。那么人自身的发展有没有规律与目的,也就是有没有他独特的价值?我觉得这个问题每个研究生都要搞清楚,这是人学课程的基本出发点。

我的归纳是三个层次,即人的需要有三个层次。人,首先有生存的需要,衣、食、住、行等基本的物质要求。其次,是发展的需要,这就需要社会的人与人的帮助。最后,人要不断地完善自我。用马克思的观点就是人要得到自由和全面的发展。所谓的共产主义就是要创造一个人人都能得到自由和全面发展的社会。一方面,物质极度发达;另一方面,人的精神层次也很高,从精神上得到解放。这些我们以前不注意,现在注意到了,社会发展还是要以人为本,这与马克思主义讲的是一致的。

问:关于人学有很多人也讲过,但像您这样把人学与人的自然欲求和需要结合起来还比较少,那么具体到个人应该怎么做呢?

答:人的时间可以分为三部分:三分之一是睡觉,三分之一是工作,三分之一就是自由时间。当社会越发达的时候,花在必要劳动的时间逐步减少,自由时间就越多,这个自由时间应该是用于发展自我的。自由时间可以从兴趣出发,用来做艺术、读书、旅游等。当然,首先还是要满足人的基本需要,当生存需要满足了,就要思考自身还能不能获得提升,有没有这样的意识是很重要的。人类三大生产,有物质生产、精神生产,但最终还是为了人类自身的生产。人自身要发展成为全面发展的自由个性。对人生究竟是怎么回事,心中要有个数,再根据实际情况一步步向这目标前进。

要讲发展的话,一定要处理好三个方面的关系。第一个就是人和社会的关系。现在中国经济发展了,但贫富差距问题却加剧了,我认为这不完全是技术问题,而是一个人学问题。生产为了什么?以前老说人家资本主义的毛病,生产过剩,卖不出去的东西就毁掉。中国现在也发生了这种情况,盲目发展,廉价外销,现在人家反倾销了,但国内老百姓又消化不了。物质生产出现了结构性过剩。贫富问题是人与社会的问题,富人忘记了回报社会,不知道赚钱是为了什么。

第二个就是人和自然的关系。现在这个问题逐渐暴露出来了,到处都污染是不行的。中国成为世界第二大经济体，实际上是以牺牲环境为代价的，这个成本非常高。欧洲两三百年的时间才把环境破坏掉，而中国30年就已经这样了。环境的破坏有些是无法弥补的，好的环境是无价之宝，很多资源是不可再生的。

第三，就是要处理与自我的关系问题。到深圳来之后，我明显感觉到人们的物质生活越来越好，自由也越来越多。但对自我的调控和反思却很少了，商品化的东西把我们与他人、自然都隔绝起来。我们不少人受不了诱惑，跑出去大吃大喝，其实这好吗？对自己、对他人的健康都不利，可是还是经不住诱惑。因此，我觉得人要懂得科学的生活，就应该学会调控自己与外界的关系，也要学会调控自己。我们的先师孔老夫子到70岁以后对自己的一生作了反思，总结出人生的最高境界是"从心所欲不逾矩"。个人要获得最大自由，但这自由绝不能"逾矩"。这"矩"，我要作宽泛的解读，天理、人道、良心，主观世界要和客观世界建立自由而和谐的关系。所以，真正的自由，不仅要在自己的内心世界达到自由和谐，而且，客观世界也要自由和谐，为人民大众创造一个人人都能得到自由和谐的社会。我的人生信念是：从心所欲不逾矩，自由和谐报天下。这其实就是人文精神和科学精神的和谐统一，也是我刚才讲的人学的主要内容。当今社会，应该高扬科学精神和人文精神的结合和交融。

问：现在的教育比较少关注人文这方面，在制度层面比较忽略，大学有比较充裕的自由时间，但是学生却意识不到，整个教育在这方面是缺失的。除了这三个方面，您还有什么建议？

答：现在整个高等教育都是在进行一种知识性的教育，它的缺失在于没有让学生体会到应该怎么处理自身和世界的关系，应是一种什么样的价值关系。知识教育和素质教育的矛盾就在这里。知识当然很重要，是人类认识周围世界的成果。如果缺失了这些知识，我们就不能认识周围的世界。问题是我们怎么处理和世界的关系呢？这是人文要解决的问题，其核心就是价值观。这是最近30年教育的缺失，就是教会了科学知识，而忘记了科学伦理，科学伦理就是教人们处理人与科学知识之间关系的。科学伦理是价值理性，而科学知识是工具理性。我们经过了"文化大革命",那时候太穷了,经济到了崩溃的边缘。但"文革"带给我们另一个重要损失就是价值与精神的损失,我们传统的价值观念基本上被扫平了。因此,现在很多人富起来了,却越来越空虚,越来越失去方向。这是可悲的。

问:对年轻人来讲,审美素质也是个人素质重要的一部分,您是搞文艺美学的,您对年轻人的审美教育有何指教?

答:首先,审美的培养不属于知识的教育,而是一种价值观的教育,你觉得美不美,这是一种评价,由价值评价才产生感情和兴趣。托尔斯泰说,审美是感情问题,是同情、厌恶还是反对,属于价值评价的范畴,审美属于人文的范围。但是艺术与审美还不大一样,这里有艺术趣味的问题。社会上有些现象本来应该遭人厌恶,有些人反而觉得有趣并津津乐道,这就是审美情趣存在问题,表现在艺术作品中,就是艺术境界低下。有些恶意炒作就是这么个问题。明显的例子还有《红楼梦》和《金瓶梅》。如今有些人对《金瓶梅》捧得很高,其实应该作些深入的分析。我们对《红楼梦》的评价高,因为它对封建社会的没落现象是批判的,对生活上美好的东西是赞扬的,对丑恶持否定态度是在作诗意的裁判。而《金瓶梅》呢,认识价值是高的,作品中描写到当时社会的丑恶现象,作者对有些人是持否定的态度,比如对西门庆,总的给予否定。但是很多细节描写缺乏节制,又给人印象好像在欣赏一样。我们现在很多作品就是这种情况,审美趣味有问题。

问:您在一开头就提出了研究生要懂得马克思主义的人学,能不能对此作个简明的概括说明?

答:好,马克思的价值学说,不仅精辟分析了"物"的价值,包括了劳动创造的人工之物和未经人加工的天然之物的价值,而且,还进而高度重视和突出了"人"的价值。"物"之所以有价值,正是因为"物"对"人"具有这样或那样的效应、意义。马克思说得好:"物对于人的使用价值,表示物的对人有用或使人愉快等的属性。"可见,"物"是因为对"人"有意义才有价值。那么,人的价值何在呢?人的价值其实表现在两个方面。一是人作为个体,如何在社会中得到自我实现,亦即所谓的自我价值或人格价值,也就是你这个人要成为什么样的人。二是作为社会的人,自我对于社会的使命,能对社会作出什么贡献,这就是人的社会价值或人生价值。这两个方面要协调发展,统一起来,才能成为全面发展的自由个性。马克思在中学时代就思索过这个问题,提出了他一生都信奉的"人生信条":"我们应该遵循的主要方针是,人类的幸福和我们自身的完善。不应认为,这两种利益是敌对的,相互冲突的,一种利益必须消灭别一种的;人类的天性本来就是这样:人们只有为同时代人的完善,为他们的幸福而工作,才能使自己也达到完美。"马克思在这里说得多好!他一生都是这么做的。

其实,许多在科学上作出了贡献的科学家也是这样做的。爱因斯坦就说:"一个人对社会的价值首先取决于他的感情、思想和行动对人类利益有多大作用。"他又说:"一个人的价值,应该看他贡献什么,而不应该看他取得什么。"

当然,个人也要在社会中得到自我实现,把自己的潜能充分发挥出来,奉献社会,同时获得自我完善。但这是德、智、体、美、劳的全面发展,而不是片面的畸形发展。马克思严厉批判了当时社会上有些人,"把人的本质力量的实现,仅仅看作自己放纵的欲望、古怪的癖好和离奇的念头的实现"。这种现象在当今社会也存在着,值得我们警惕。

问:我最后提一个问题。目前国学正在兴起,中华民族的传统教育对我们如今有何启示?

答:启示很多,我这里只说一点,那就是传统教育从小就教人如何做人,重视整体教育,如何修身养性。育人必读的四书之一《大学》,就教人循序渐进,做到:格物、致知、诚意、正心、修身、齐家、治国、平天下,止于至善。近人南怀瑾的解读,这里包含了"内养的功夫和外用的知识"。但我的领会,在《大学》中,内明之学和外用之学具连贯一体性:"物格而后知至,知至而后意诚,意诚而后心正,心正而后家齐,家齐而后国治,国治而后天下平。"每一环节都连着另外的环节,环环相扣,但最关键的环节是修身养性,所以《大学》在最后这样归结:"自天子以至于庶人,一是皆以修身为本。"这对我们今天的教育应有启发——如何把专业教育和素质教育紧密结合起来。

如今我们的教育要造就全面发展的自由个性,但自由个性又不能违背社会规范。孔夫子说的"从心所欲不逾矩",是个人自由不逾越他当时的社会规范,到了今天,这个"矩"就应是如今的社会规范,我看应包括天理、人道和良心,"从心所欲"而又要合情合理合法。不仅主观世界自身要自由和谐,客观世界也要自由和谐,从而主观世界和客观世界的关系也能达到自由和谐。所以,我的人生追求是:从心所欲不逾矩,自由和谐报天下。

答《研究生教育》问
2013年冬,望海书斋

文明治家好举措

我国的现代化进程正在加快,个体在社会发展中所发挥的作用越来越明显。但个人只能生活在社会中,离不开一定的社会关系。家庭,是社会的细胞,联结个人和社会的中介,人类最基本的社会关系。家庭的文明程度如何,综合地反映了社会的文明水平。

我们追求现代化,但我们的目的是要实现社会主义现代化,因此,对精神文明会有更高的要求。深圳要以5年的时间,在全国率先基本实现社会主义现代化,不仅要在物质文明程度上达到更高水平,更要在精神文明程度上适度超前。建设"廉洁文明家庭",就是深圳提升精神文明水平的一个重要举措。

为了推进"廉洁文明家庭"教育活动,深圳市向社会广泛征集"治家格言"。此举得到了国内18个省、市诸多热心人的响应,寄来了1700多条格言。组委会从中精心挑选了200余条,编辑成《治家格言》一书,向社会传播,让这些格言走进千家万户,使之家喻户晓。这是深圳市精神文明建设的又一创新之举。

这本《治家格言》小书,篇幅不长,简明扼要,但图文并茂,内涵丰富,引人深思,给人启发。

治家必先自律,共创文明家庭,必须从"我"做起。"守住自己才守得住家",全书就从这一句铿锵有声的格言开始。只有从"我"这个个体的自我把握着手,才能由己及人,施及家庭,这就像另一格言所说:"自知则明,自爱则尊,自立则强,自制则荣。"如果人不能自重、自持、自律,为贪婪所累,就会一失足成千古恨,坠向罪恶的万丈深渊。这句格言说得好:"别让一刻的贪婪毁了幸福的一生"。

每个人都处在一定的社会关系之中,对己之外,如何待人,又如何接物,都是如何文明治家的重要标志。与人相处,不要损人利己,

而要助人为乐,

这就要"心中装着老百姓,走遍天下有亲人"。是人民养育了个人,"生我者父母,教我者人民;立我者清廉,毁我者贪婪"。对于物,不要贪心不足,更不能掠夺"公物":"莫让公物变私物,不让家门当后门。"做人,就要清清白白、堂堂正正,如格言所说:"做人一身正气,为官两袖清风,办事三思而行,阖家四季平安。"

中国人的传统美德,所追求的人格理想,乃是"达则兼济天下,穷则独善其身"。要为社会作贡献,个人又要人格完美。所以儒家的教育,既重"外用之学",又重"内明之学"。"内明之学"教育人如何"格物、致知、诚意、正心";"外用之学"则教育人如何"修身、齐家、治国、平天下"。而家庭则是个人安身立命的最直接的场所,要"治国平天下",必先做到"文明治家"。所以,古人称道"修身齐家治国平天下",把"齐家"放在"修身"之后,先要"齐家",方能去"治国平天下"。廉洁治家,是文明治家的关键,"一廉可保千家和,家和方得万事兴"。所以,文明治家,要和依法治国、以德治国相互协调、相互配合、相互促进,而以反腐倡廉为根本。"治国齐家德为先,反腐肃贪法为本。廉洁纯朴育家风,文明高尚启后人",诚哉,此言。"清廉赢得万众景仰,腐败落得家破人亡",这确是警世之理,应如有的格言旗帜鲜明地提出的:"好门好户好家庭,反腐倡廉讲文明。"

人有人格,国有国格,党有党风,家有家风。伟大的中国共产党在经过了80年风雨历程之后,在历史的更高阶段,又鲜明地提出了党风建设问题,进一步落实和推进"三个代表"的伟大实践。深圳市高度重视文明治家,这是对"依法治国"、"以德治国"的进一步深化。在党风建设的推动下,深圳市及时地推进了"家风"建设,这是与时俱进、开拓创新的明智之举,值得称道。

读了这些治家格言,受益颇多,这里只是说了一些感受,特向广大读者推荐,和大家共享。

为深圳市《治家格言》所作序
2001年夏,深大新村

第三辑

向人而生自然美

珍重天地自然美

都说"天塌不下来"。古人曾嘲笑"杞人忧天"是瞎操心,以后谁再要说"天"真的要塌下来,肯定要被人说是天方夜谭,贻笑大方。然而,英国科学家最近证实,就在近30年中,地球上方的大气层顶部,距地面的高度已经降低了8公里多,而且会离地面越来越近。科学家惊呼:天正在从我们头顶上塌下来!

之所以会这样,那是因为全球的环境正在恶化,大气污染加剧,气候变暖,温度上升,而大气层上反而变冷,导致大气压减弱,天空顶端高度就降低。于是,人类的天空变得越来越小。

然而,全球的海洋却正在渐渐上升,使得我们的天地变得越来越窄。也是因为全球环境的恶化,气候变暖,冰川融化,海洋本身也因增温而膨胀,彼此互动,促使海面上升。目前全球海平面已上升18厘米,预测未来将上升20厘米。无怪威尼斯水城正在不断下沉,人们担心这座历史古城什么时候会沉没海底。

天塌,海涨,这都是自然现象,不能全怪人类,然而,其中确有人类活动的影响。人口的急遽膨胀,对大地、海洋的开发,无序无限地增长,有害气体不断排放,气温连续上升,气压反而降低,冰川却日渐融化。于是,天空在缩小,海水在上升。

这就不能不引起我们的审视:人和自然的关系究竟怎么了?进而引起我们的反思:人和自然应该建立什么样的关系?

我们的母亲河长江,遭受百年不遇的洪水,这当然是天公不作美,不帮咱们人类。然而,咱们也要扪心自问:咱们究竟如何对待了长江?不说别的,就说长江上游保护水土的森林地带,连年受到乱砍滥伐。过度的树木砍伐,使长江上游的森林覆盖率仅有10%,致使水土大量流失。接着是连锁反应:滚滚泥沙,自上而下,流入中原,经过九曲十八弯,沉积下来,堆成滩地民垸。于是水涨堤高,不仅长江大堤不得不向上提升,洞庭湖底也在不断淤积,洪水一来,哪里还能正常泄导?

这不禁使我想起了100多年前恩格斯的一番语重心长的话。他在《自然辩证法》一书中说到了这样的事例:美索不达米亚、希腊、小亚细亚以及其他各地的居民,为了想得到耕地,把森林都砍完了。但是他们却想不到,这些地方今天竟因此成为荒芜的不毛之地,因为他们使这些地方失去了森林,也失去了积聚和贮存水分的中心。阿尔卑斯山的意大利人,在山南砍光了松林。他们没有预料到这样一来,就把高山畜牧业的基础给摧毁了;他们更没有预料到,他们这样做,竟使山泉在一年中大部分时间枯竭了,而在雨季又使更加凶猛的洪水倾泻到平原上。

这些砍伐森林的人,也许原意是要为本地居民谋福利,求发展,但其后果则是给大家带来了灾难,受到了大自然的惩罚。这是因为,这些人并不了解自然本身的规律,不知道物与物之间有着怎样的联系,更不知人与物之间有怎样的关联,相互有着什么样的制约和作用,只从眼前的直接利益出发去任意改变自然,以为征服了自然。然而,这却遭到了大自然的报复,人类自己倒了霉,害了自己。所以,恩格斯语重心长地告诫人类:

因此,我们必须时时记住:我们统治自然界,绝不像站在自然界以外的人一样——相反地,我们连同我们的血、肉和头脑都是属于自然界,存在于自然界的;我们对自然界的统治,是在于我们比其他一切动物强,能够认识和正确运用自然规律。①

是的,人属于自然界,永远是自然这个大系统的一部分,离不开大自然。尽管,人由于劳动而从大自然中提升为万物之灵,而与其他的物有了区别,但仍然归属于这个世界。比起其他的物,人这个特殊的物极为复杂,人类活动已不是简单的物与物的相互关系,而是人与物的相互作用,还有人与人的相互交往,因而人类活动还要遵循社会规律,但这并非取消了自然规律。随着人类活动的发展,不仅要重视社会规律,更要重视自然规律,在实践中达到人与自然的动态平衡,建立人和自然的和谐关系。恩格斯说得好,人类应该过着"同已被认识的自然规律和谐一致的生活"。只有人和自然和谐一致,才能"诗意地栖居"。

可惜,生活于自然界这个大系统中的人类,却常常遗忘了大自然的养育之恩,不是珍重自然、善待自然,反而把自然当作可以任人宰割的征服对象、随意杀伐的猎物。有时,为了一点微小的利益,竟然破坏了大片森林。有的地方,为了生产一次用完就丢弃的木筷,一年就要砍伐600多亩的森林。一亩森林可产的木筷也仅8箱,只值2400元;可是光一亩树林所"呼"出的氧气,加以利用,就值近8000美元,即6万元人民币。这样的生产,不仅是得不偿失,而且是贻害无穷。精明的日本人绝不会在自己土地上干这种蠢事,而是到中国的土地上来廉价购买,难道这不应引起我们自己的深刻反思?

珍重自然、善待自然,这不是要像古人那样俯伏在自然脚下,做自然的奴隶,顶礼膜拜,祈求恩赐。人类需要控制自然,不让自然加害于人,要避害趋利,求得适应自然。人在这世界上,一要生存,二要发展,三要完善。当世界不能满足人类的生存、发展和完善时,人类也需要改造世界。但是,这种改造,既要顾及自然的生态平衡,又要顾及人类自身的协调一致,使人类和自然达到动态平衡。人类的实践活动,是一种价值活动,人类和自然的价值关系,应该既有利于自然本

---

① [德]恩格斯:《自然辩证法》,人民出版社,北京,1971年,第159页。

身的优化,又符合人类的共同利益。马克思说得好,社会化的人,联合起来的生产者,应该:

> 合理地调节他们之间的物质变换,把它置于他们的共同控制之下,而不让它作为盲目的力量来统治自己;靠消耗最小的力量,在最无愧于和最适合于他们的人类本性的条件下来进行这种物质交换。①

改造自然,应该使自然更加优化,又使人类自身更加完善。但是无序的开发,盲目的生产,常常是竭泽而渔、杀鸡取卵、暴殄天物,花了极高的成本,不仅破坏了自然本身,而且戕害了人的本性。淮河两岸,不少个体和集体,在几年中一拥而上,抢建了不少小型造纸厂,污水横流,裹着砒霜,直泄淮河,流进巢湖,不仅鱼虾遭殃,而且居民倒霉。国家为此必须付出巨大代价,治理污染的支出,远远高于那些纸厂得来的蝇头小利。而更令人惋惜的是,要想淮河、巢湖再回到那水清湖秀的时代,难矣!

人改造自然,应是自觉的自由活动,从心所欲而又不逾矩。所谓"从心",就是要依从马克思所说的"人类本性"或"人类应有的合乎人性的准则"来改造;而不逾矩,则是不能违背自然规律。人类的最伟大创造,也不能违背内在和外在的两个尺度,必须按照美的规律来进行,这正是人类实践活动的特点。动物也能生产,蜜蜂、海狸、蚂蚁也能为自己营造巢穴。但是,动物只能按本能生产,永远只能按自己的那个种的尺度,重复生产出那种巢穴。"而人却懂得按照任何一个尺度和需要来进行生产,并且懂得处处都把内在的尺度运用到对象上去;因此,人也按照美的规律建造。"②这最后一句,著名美学家朱光潜把它翻译成:"人还按照美的规律来创造。"我觉得更为精当。

人类对自然的改造,也应按照美的规律进行。这就要把自然的外

---

① [德]马克思、恩格斯:《马克思恩格斯全集》第25卷,人民出版社,北京,1974年,第927页。
② [德]马克思、恩格斯:《马克思恩格斯全集》第42卷,人民出版社,北京,1974年,第97页。

在尺度和人类的内在尺度两者统一起来,按照美的规律来改造自然,使自然和人类都得到优化,人和自然达到动态平衡,建立起人和自然的和谐关系。西方发达国家曾经走过了先污染、后治理的现代化道路,终于懂得,还是要按美的规律来发展。我们是后进国家,应该避免走上先污染、后治理的现代化道路,一开始就注意按美的规律来发展。可惜,有些地方没有来得及早些具有这种自我意识,盲目、无序地开发,使太湖、滇池这样风景如画的湖泊遭受了不应有的污染。亡羊补牢,犹未为晚,期待这些地方能按美的规律及早得到治理,重现美丽的湖光山色。也希望像苍山洱海、青海湖、九寨沟、张家界这样的美景,永远不要遭受破坏。

不错,人类劳动可以而且应该创造出美。但是,可悲的是,劳动创造了美,却也产生了丑。人类生产着各种各样的物品,当然大多是有益于人类的;但人们哪里知道,就是在不少有益于人类的产品中,可能也存在着有害的因素。比如,在我们生产出来的塑料制品、农用药物、食物添加剂、化妆用品、装饰器材中,就有一些扰乱人体的化学激素,被国际上称为环境荷尔蒙。这些激素,可以通过空气、土地和水,直接影响人体;也可以通过动物、植物被人体摄入,间接影响人体。这种激素,不仅破坏生态平衡,使动植物受害,例如使青蛙多腿、海豚死亡、鱼类雌雄同体、鸟类发育畸形;而且威胁人类存亡,使人的机能异常、行为失控、神经紊乱、婴儿畸形。

由此而迫使我们不得不反省:我们平日孜孜以求的那些物品,究竟对我们人类自身有多大利,又有多少弊?被滥捕乱捉而送到餐桌上供人享用的奇珍异兽,究竟对人有益还是有害?狂饮暴食、纵欲无度,不正是在伤害自我?

其实,并不是人类生产出来的物品都对人自身有益。即使对人有益,但盲目的、过度的物质享受,也会不利于人自身的健康发展。一些人的物欲可能是无限的,所谓欲壑难填,但物欲所得来的愉快不仅是短暂的,而且是有限的。人应该更多地注重精神的追求,精神享受带来的愉悦不仅是长久的,而且是无限的。人类应该更加注重对真、善、美的追求。

就是人类的精神追求，也离不开大自然。马克思说得好：

> 人（和动物一样）靠无机界生活，而人比动物越有普遍性，人赖以生活的无机界的范围越广阔。从理论领域来说，植物、动物、石头、空气、光等等，一方面作为自然科学的对象，一方面作为艺术的对象，都是人的意识的一部分，是人的精神的无机界，是人必须事先进行加工以便享用和消化的精神食粮。①

阳光、空气和水，是道道地地的天生自然，没有经过人工改造，不是"第二自然"，但却具有天然之美。这是因为阳光、空气和水已经进入人类生活之中，和人客观上存在着对象性关系，对于人类的发展、完善具有肯定意义，客观上存在着审美价值。因此，这天然之美，就成为人的审美对象和艺术对象，为人类提供精神食粮。自然景色的美，自然矿物的美，都是大自然中客观存在着的。只是，忧心忡忡的穷人对美丽的景色无动于衷；而贩卖矿物的商人只看到矿物的商业价值，看不到矿物的美。那是穷人和商人，或者缺乏审美兴趣，或者缺少审美能力，因而面对天然之美，无从审美，却不能因此而否定大自然中客观存在着天然之美：它是对人的一种价值，对人的本质力量的感性肯定。马克思曾对金银等天然物的"美学属性"作过精彩分析，甚至还谈到了珍珠、金刚石。他在《剩余价值理论》第三册中说道："珍珠或金刚石所以有价值，是因为它们是珍珠或金刚石，也就是由于它们的属性，由于它们对人有使用价值。"马克思对自然物的使用价值作了清晰的说明，"使用价值虽然是社会需要的对象，因而处在社会联系之中，但是并不反映任何社会生产关系。"大自然只有在和人类发生关系，在人和自然的关系中显示出它的使用价值，但是，使用价值只是"表示物和人之间的自然关系"，而不是社会关系。作为使用价值之一种，大自然的审美价值也是如此，只是审美价值是满足人类的精神需要，是虚用，而不是实用。

---

① [德]马克思、恩格斯：《马克思恩格斯全集》第42卷，人民出版社，北京，1974年，第95页。

既然大自然中有着天然之美,那么,人类在改造自然时,应该尽量保持和发展这种天然之美,不要为了急功近利而牺牲自然之美。

欧美一些发达国家较早觉悟到,在发展经济的同时,应该保护自然之美,把环境美化也纳入开发的视野之中。城市建设尽量和原有环境相统一,尽可能保持原来的优美景色,充分发挥生态环境的优势,使城市依山傍水、绿地如茵,房屋掩映在树丛之中。就像华盛顿、波恩这样的城市,人口也控制在数十万,有着结合得很完美的人文环境和自然环境,从城市的整体中展示出它的美。像澳大利亚、新西兰这些较晚发展的国家,吸取了别国之长,后来居上,在优化自然环境上,做得更好,使人能更多地享受到自然之美。

经过一些周折之后,我们的许多城市也开始觉醒,意识到经济发展不能牺牲自然环境。在海南、厦门、苏州、杭州、大连、青岛、烟台、威海等地,我都看到,那里都在关注着自然环境,研究如何使环境更优化。令人兴奋的是,深圳,在我生活的这块土地上,对于如何优化自然环境,终于有了高度自觉的自我意识,并且采取坚定有力的实际行动,尽力净化、绿化、美化这个城市。本来,深圳自有一些自然优势,东部有长长的海岸线,西部有即将入海的珠江,北部有连绵的山林,南部还有和香港接连的深圳河。如何安排我们这一块乐土,使它更加美好,大家都在关注。如今,深圳有了一个令人满意的发展方略,对东西部都作了规划,要使深圳这地方,"天更蓝,水更清,地更绿,花更多,城更美,风更正,气更顺,命更长",令人鼓舞。我期望,在实践过程中,这种发展能得到不断完善。比如,南部的深圳河如何得到更加完美的发展?能不能继续拓宽,并和后海湾打通,接连到沙头角、盐田港,成为旅游一景?比如,西部田园风光地带,千万别忘了要在鱼塘周围多多植树。我常想起我故乡苏州靠近阳澄湖边的鱼池弄。那里,有连绵不断的鱼塘,塘边都种上了柳树,看过去葱茏一片,意境深远,唤起无穷的美感,使人永远不忘。如今是在岭南,常是烈日炎炎,如果没有树荫覆盖,要去观赏烈日下的鱼塘,恐怕就要令人扫兴了。不知然否?

自从以关注人类前景为目标的罗马俱乐部成立以来,30年间,以研究人与自然关系为中心的自然生态学、社会生态学、文化生态学、生态哲学、生态心理学、生态伦理学、生态美学等新兴学科陆续崛起,人和自然的关系,已成为全球共同关注的重大问题。如何处理好人与自然的关系,不仅决定我们的经济能否得到持续的发展,而且直接关系到人类能否继续生存、发展和完善。依我之见,人和自然的关系,应是以人为本,动态平衡;既不是人类中心主义,又不走向自然中心主义,而是寻求有利于人类和自由和谐的动态平衡。我们向往能诗意地栖居,那就首先必须如恩格斯所说:"同已被认识的自然规律和谐一致地生活。"

我因研究美学的需要,一直在关注着人和周围环境的关系这一人类根本问题。人应和自然建立一种什么样的关系,我常从美学角度进行思考。人和大自然不只是实践关系,在实践关系的基础上还产生了认识关系,并且更应提升到审美关系。人和大自然在实践中达到和谐平衡,才会产生审美关系。因此,当海天出版社邀我一起参与《人与自然丛书》的编审工作时,我欣然应允。我希望通过这套丛书,能唤起更多人来关注人与自然的关系问题,珍视大自然,善待大自然。

为《人与自然丛书》所作总序
1999年初春,深大新村

生态之美究何在

生态，既可作广义，又可作狭义来理解。生态，既可是物的生存状态，又可是人的生存状态。而人的生存状态，既有人文的、精神的，又有自然的维度。人文状态、精神状态和自然状态，都反映出人的生存状态。所谓人的生存危机，即有人文危机、精神危机和自然危机。我这里且不说人文的、精神的，而只说自然的生存状态。

当今，自然生态之美越来越受到社会的关注，这是时代发展的必然。

物以稀为贵。当这个地球上的人口越来越多（到2005年年初，全球人口已达60亿，而中国就占了13亿）、经济高速膨胀、自然环境日益恶化、人类的生存空间越来越小的时候，我们生活于其中的生态还能美吗？

审美品味的转移，流行艺术的非美化趋势日益发展，大众文化中的反美学倾向大行其道，这使得过去主要从艺术欣赏中获得审美享受的人们只好弃此而去，转而移向大自然，从自然中获得美的享受。

审美的生活化和生活的审美化，促使自然审美更显重要。随着生活水平的提高，小康之家、中产阶层在享受到衣食住行等日常生活的乐趣之后，已不满足于日常生活的审美，而想走出家居，远离尘嚣，面向自然，走向名山大川、汪洋大海，游山玩水，甚至走向渺无人烟的原始森林、荒山僻壤，去体验那和文化审美情趣各异的自然之美。

自然之美和文化之美、艺术之美相比，其独特之处究竟在哪里？

首先，自然生态之美，乃天造地设，自然生成，并非人力而致，不像文化之美、艺术之美都是人的创造，属人造之物。大自然广阔无垠，无边无际，无始无终，时空无限，所以自然生态之美乃是"大美"，古人所追求的"天地境界"，乃是在审美中体验到的最高境界。且不说中国古典美学早就把自然审美放在最高位置，就是那把自然美贬得很低的黑格尔,暂时忘却他那价值理念而置身现实,在大海面前,也不得不赞叹:"大海给了我们茫茫无穷、浩浩无际和渺渺无限的观念;人类在大海的无限里感到他自己的有限的时候,他们就激起了勇气,要去超越有限的一切。"人,不过是大自然浩瀚万物中之一物,虽然是万绿丛中一点红,但有始有终,有生有灭,只占有限时空。人从大自然中来,最后还要回到大自然中去。由于人的实践活动,创造了一个人的世界——社会。在这里,人和人相互作用,结成错综复杂的社会关系,涌现出无数人间奇迹。但人的世界还是建立在物的世界的基础上,大自然是人的世界的根基、源泉。人是大自然之子,人和自然的关系,是最基本的本源性关系,是最亲和的关系,是和谐社会之本。所以,自然生态之美,应是人类最根本的审美对象,尽管在过度"人化"的社会中,常被遮蔽着。现在该是去蔽返魅的时候了。在社会的发展过程中,自然不断在被人化;虽然已有广阔的领域,已被人类觉察而成为已知自然,但还未来得及去人化;而大自然中还未为人类觉察到的领域,就更为广大。所以,自然生态之美随着人类实践的不断扩大和提升,必将不断地被人类所觉察和体验到。

其次,自然是个有机整体,每个人都生活在大自然之中,和自然密不可分。作为人的环境,大自然环绕在"人的周围"。空气、阳光和水,永远在养育着人。自然,如马克思所说,是人的"无机的身体"。人以自己的劳动创造了人的世界,但无论是生活资料还是生产资料,都要依赖自然,直接或间接地来自大自然。马克思在《资本论》的开篇中就曾突出阐明了自然在人类劳动中的地位和作用,依他之见,人类创造的商品,"都是自然物质和劳动这两个要素的结合",人在生产劳动中,"只能和自然一道来进行工作"。所以,"劳动不是它所生产的使用价值即物质财富的唯一源泉"。马克思称赞当时的一位经济学家配第说得好:"劳动是它的父,土地是它的母。"马克思甚至还说,天然物自身也可能对人类具有使用价值:"一物可以是使用价值而不是价值。只要它对人类的效用不是由于劳动,情况就是这样。例如空气、处女地、自然草地、野生林木等等。"这些未曾经过人类劳动、未经人化的天然物,可以不具交换价值,但却有使用价值,对人类有用,或是实用,或是虚用,在想象中满足精神需要。

尽管我们可以在意识中把自然和人分开,区别为主体和客体,但在生活实践中,人和物融为一体,很难两分。人若要体验到自然的美,只有投向大自然的怀抱,亲自目睹、亲身感受。山水的独特之美,只有投身自然怀抱才能感受得到,黄山之奇、泰山之雄、峨嵋之秀、华山之险、青城之幽,也只有身历其境,才能从真山水中获得真切的审美知觉。在大自然中,我们面对的是一个实在真切的世界,不是一个象征其他之物的符号,无论是艺术符号还是其他文化符号。自然之美就在已和人类发生了关联的自然之中,而不是在人造的符号之中。自然审美,给人的是三维空间的全方位的享受。大自然动静交错,声色共在,形美、声美、色香味等相互交融,迎面扑来,调动着人的听觉、视觉、动觉、触觉、嗅觉等,多种感觉都被大自然激活,给人以全身心的审美享受。自然审美,既可成为一种世俗的享受,又可成为一种高雅的享受(达到天地境界),真可谓雅俗共赏,旅游已成为人类的世界性的行为就是明证。自然审美乃旅游的题中应有之义。因此,自然审美,绝不能由文化审美、艺术审美所代替。艺术符号或其他文化符号,诚然也能再现自然,但相比之下,其中的自然映象,就要比真山真水相形见绌,正如前人早已指明的那样,最高明的画家,所用的色调要比自然色调狭窄得多:"无论他所用的色调多么黝暗或多么灿烂,但和辉煌夺目的阳光或柔和朦胧的月光相比都无可企及。"(李斯特威尔:《近代美学史评述》)没有去过雪山、天池、九寨沟、张家界的人,可以在摄像中见到那里的映象,也许也能获得一些美感。但这已不是直接的自然审美,这里的自然审美已是间接的,眼前见到的不是真山真水。只有亲临其境,才能真正体验到这些真山水之美,这是艺术符号不能替代的。

再次,自然之美具有自在性,并无意向性。大自然自由自在,不是人造,又非符号,本身并不具有人工作品、文化符号的意向性。由人的劳动所创造出来的物品,或多或少都体现了制作者的意向,像艺术作品,创造出来的艺术符号,更是体现了艺术家对人生的体验,以至被现象学家称为纯粹的意向性对象。马克思主义更把艺术归属为审美的意识形态。艺术生产是以符号为手段、工具的精神生产。艺术生产用符号做工具、手段创造出来的是一个由心营构出来的意象世界,一个心构的天地,表现了艺术家的意向。所以,艺术之美和自然之美不同,自然之美并无人的意向性,只有自在性。朱光潜先生一再说美具有意识形态性,这只适用于艺术美。自然美就并无意识性,所以他否认自然有美,对此,我一直心存困惑。在我看来,只要大自然和人发生了关系,自然现象一旦进入社会联系之中,人和自然就有可能发生审美关系。自然之美就会在审美关系中呈现出来。但自然美绝不是意识形态。大自然在人的面前只是自在地呈现出自己的形象,乃"天地自然之象",而非"人心营构之象"。这"天地自然之象"和人发生社会联系,本身就客观地存在着对人的意义、价值。人能否体会和如何理解自然的意义、价值,关键在人,大自然本身并不评价,又无意向,不像在艺术作品中,艺术家不仅对审美对象做出了评价,而且还时常直接表现出艺术家自己的态度。正因为大自然没有人的意向性,缺乏确定的涵义而具有更大的普泛性,面对大自然的审美,也就有了更大的自由。

如此突出生态之美的自在性、天然性、普泛性,意在阐明我们人类不要去随意破坏生态之美,不要破坏生态系统本身的动态平衡。要吸引更多的人去体验大自然的美,从而激发出珍惜大自然、生态环境的热忱。但是,由此不能引申出这样的结论:自然全美,生态必美。

现代化的实践已证明,自然的人化,可以创造美,却也可以毁灭美、制造丑。人类的实践活动,为社会创造了无数美好的事物,却也制造出多少污秽、丑恶!人类的生命活动本身,既有美好的,也有丑恶的。人类的三大生产,物质生产、精神生产和人自身的生产,并非都能生产出真、善、美。所以,人化自然才美之说,已为人类的实践本身所否定。实践活动也好,生命活动也好,只有按美的规律进行的,才能是美好的,才能创造美。

大自然并非人的创造,没有经过人化,本身也可能有美,那是因为自然对象客观上符合了人的尺度,巧合了美的规律。但是,自然也并非全美、必美。大自然自有规律,生态系统在自我调节、自我组织、自我平衡,弱肉强食,适者生存,在世界上留下来的动物、植物、无机物都是生态系统中不可缺少的成分。大自然在走着自己的路,并不都符合人类发展的文化规律。大自然中也存在着危害人类、对人类具有否定意义的客观现象，穷山恶水、洪水猛兽、火山爆发、海啸地震不时侵袭着人类。所以人类不能不对自然做些改造，使得危害人类的那些自然现象得到控制，人和自然保持动态平衡，使自然向符合人类的利益这个方向发展，促使自然的发展，也能符合美的规律。正因为大自然不全美，也不必然美，所以人类才能发挥主观能动性，使自然人化：这"人化"不是"劣化"，而是"优化"，促使大自然向人类优化，符合人类向真、善、美的方向发展。

如今，在对自然人化时碰到最大的问题是：对自然大加"人化"的同时，破坏了大自然向人而生的美，这"人化"变成了"劣化"；而对那些危害人类的自然现象，却又不去经心"人化"，或对此无能为力，大自然得不到"优化"。这为我们的生态美学提出了难题：既要马儿少吃草，又要马儿跑得快，我们的社会既然要现代化，自然生态究竟应如何发展？这世界怎样才能变得更美？

自20世纪70年代以来，我一直把美丑看作是一种价值。苏联审美学派的斯托洛维奇受马克思的价值学说的启发，写出《审美价值的本质》。马克思的《剩余价值理论》三卷，要到20世纪70年代才从苏联翻译到中国，使我最感兴趣的，还是其中对使用价值和交换价值两者关系的阐发。依他之见，人类通过劳动而生产出来的物品对人类具有价值，但价值有两种，"价值的第一个形式是使用价值，是反映个人对自然的关系"；"价值的第二个形式是与使用价值并存的交换价值，是个人支配他人的使用价值的权力，是个人的社会关系"。但是，大自然不是劳动的产物，可以不具有交换价值，却具有使用价值，空气、处女地、天然草地、野生森林等等，都能满足人类的需要，供人使用。观赏大自然也是一种使用，不过这不是实用，而是虚用，满足人的精神需要。自然之美，存在于人和自然的关系之中，只在审美关系中才向人展示出来。但是，"使用价值表示物和人之间的自然关系"，并不反映人与人之间的社会关系。自然之美离不开大自然本身。马克思说得好："一物之所以是使用价值，因而对人说来是财富的要素，正是由于它本身的属性。如果去掉使葡萄成为葡萄的那些属性，那么，它作为葡萄对人使用的价值就消失了；它就不再（作为葡萄）是财富的要素了。作为与使用价值等同的东西的财富，它是人们所利用的并表现了对人的需要的关系的物的属性。"自然之美，就是在人和自然的关系中表现出来的价值属性，它对人客观存在着。马克思对使用价值的多样性曾说过："物对于人的使用价值，表示物的对人有用或使人愉快等的属性。"自然之美，应是自然之物"使人愉快"的价值属性。

天地有大美，自然本无言。但人有灵明，学会了赏识自然之美。我从小受大自然的熏陶，对天地之大美，情有独钟。自古稀之年始，我常爱站在高楼阳台，独赏后海湾上的夕阳西下，观山海的变幻，念天地之悠悠。此刻，天地人融为一体，我就更领悟到古人的心灵，与之一脉相通："腐儒心事呼天问，大地山河跨海来。"我辈渴求能诗意地栖居，这首先就要如恩格斯所说："同已被认识的自然规律和谐一致地生活。"在这有生之年，我别无奢望，只求天公作美，为我们留住蓝天白云、青山红树，仍能让我直面天地自然之象，亲近大自然。

为首届生态美学国际研讨会在青岛召开而作
2005年春，望海书斋

天地大美有奥妙

人从大自然中来，最后又要回到大自然中去。人生在世，不过百年左右，虽生活在社会中，却也离不开自然。大千世界，包罗万象，人要在这世上生存和发展，就不仅要对人自身以及周围世界，而且要对人和世界的关系都能有所认识和体验，从而活得更有意义。

为了弄清审美现象的究竟，我的阅读视野逐渐扩展到精神现象学、脑神经学、人类现象学，乃至宇宙现象学。我终于明白，我们这个大千世界，乃是历史地生成的，并非历来如此。不仅人类现象、精神现象在一定的历史阶段的时空中生成，就是地球乃至宇宙都是在漫长的历史发展中才生成。大千世界，历史生成，确实如此，但究竟是如何生成的，还有待细细探明。大千世界已发展到如今，呈现在我们面前的种种现象，形形色色，错综复杂，使人眼花缭乱，这时就极需有人为我们理出一个头绪，告诉我们，这个大千世界是如何一步一步地生成的。

我敬佩青年学者卢永利，他不辞艰难，花了十多年时间的心血，写出了一部大书《拨动宇宙的琴弦》，揭示了这个大千世界究竟是怎样历史地生成的。他在此书中，吸收了新近数十年来自然科学的先进成果，融入自己的独立研究，对宇宙现象、生物现象、人类现象、精神现象、审美现象等都作出了深入的阐释，一扫老生常谈，使人耳目一新。

"天地有大美而不言"，宇宙天地向我们人类"现"出它的"象"，呈现出它的"大美"，但是它不会言说，只是默默不语。只有人类，不仅会赏识而且还会言说这"大美"，那是因为人类在与这世界的互动中萌生了意识，不仅有对象意识，而且有自我意识，更有把自我和对象连接起来，结成一体的关系意识乃至系统意识，从而能认识和体验到人和世界的关系。卢永利既深切体验而又清醒认识到我们这个大千世界之美,进而在《拨动宇宙的琴弦》中向我们述说了这"大美"。在这里,不仅"天—地—人"连结成一体,而且人的"心"(意识)以及心之"符"(符号)都和"天—地—人"联系起来,被容纳在"天—地—人—心—符"这个更宏大的巨系统中,为我们更全面而立体地呈现出这个大千世界的"大美"。在这部书中,他巧妙地把整个宇宙比喻成能奏出美妙音乐的琴,这张琴乃由八根琴弦构成,拨动琴弦,交相奏鸣,生成美妙乐曲。

书中为我们理出的那几根琴弦,都是在历史中逐渐生成的。卢永利写此书的目的,就是要"原天地之美,而达万物之理",揭示出这个大千世界历史地生成的奥秘。他在"后记"中这样写道:这部《拨动宇宙的琴弦》,就是一部宇宙物质的演化史。

就连最原初的宇宙也是历史地生成的。在第一根弦"宇宙之法"中揭示了宇宙原来混沌一片,万物不分,处在原始高密状态。等到宇宙发生了大爆炸(约200亿年前),物质和能量向外膨胀,才生成各种各样的星系。古人云:"天地四方谓之宇,古往今来是为宙。"时间和空间既是无限的,又是永恒的。宇宙甚至还可能是多重的,德国学者写了《多重宇宙》这样的书对此作了论证。虽然,如今的宇宙学还不可能完全穷尽宇宙万物之理,但当我们在地球上仰望星空之际,还是能体验到宇宙之大美。对宇宙的崇高之感,油然而生,连康德这样的思辨哲学家也为之赞叹不已。

地球在宇宙中历史地生成,成为宇宙这张琴的第二根弦。约在50亿年前的宇宙爆炸中,才生成了地球。在苍茫宇宙中,地球虽只是苍海中之一粟,但在卢永利看来,地球之美却要胜过其他星空,这在那些宇航员进入太空看地球后的感受中得到了证实。这是因为地球是人类的家园,它与人类的关系最密切,人到目前为止,只能生于兹,死于兹。我们只有一个地球,它生机勃发,生意盎然,地球之美胜过天堂。正是在这地球上,生成了宇宙的第三根弦:生命之弦。

地球最初只是一团气体,并无生命,更不要说人类。在地球上生成了无机物和有机物,在生命有机物中才生成了植物和动物。约在35亿年前地球上才有微生物蓝藻出现,才有了生命的出现。从生命的出现到人类的生成，还需要漫长的历史过程，约在300万年前，人类才从动物进化而来。人类的生成，为大千世界开拓了一个崭新的时代，成为宇宙的第五根弦。人类的发展，把高等动物已具有的大脑神经系统提升到了更高的水平，从而生成了人类特有的精神世界。卢永利在书中用了两章的篇幅，分别阐释了"心理之弦"（第五根弦）和"意识之弦"（第六根弦）。书中告诉我们，精神乃由物质演化而来。人的精神，就是人的内物质（神经系统）和外物质（体外刺激物）相互作用的结果，是内物质对外物质所作出的应激反应。外界刺激在人的神经系统中留了痕迹，而内物质（神经系统）自身的各种元素相互作用，从而在脑海中构筑起了错综复杂的精神世界，于是，艺术、科学、宗教等等也由此生成。

书中最令我感兴趣的当然是他在最后两章中所阐释的第七弦（审美之弦）和第八弦（文艺之弦），因为这触及了我较为熟悉的审美学和文艺学的领域。

人类在脑海中构筑起来的精神世界极为复杂。如果把人的精神世界本身比作一棵枝叶茂盛的花树，那么，人的审美世界和艺术创造就是这棵树上所开的花，它能给人带来无比的快乐。卢永利在这部著作中，不是孤立地来谈论审美活动和艺术创造，而是把审美活动和艺术创造放在整个人类的历史发展中来考察其如何生成，从而真正揭示出审美活动和艺术创造成为推动人类追求更美好未来的精神动力，激励人类向着更美好的世界迈进。

多年前，我读过法国古生物学家德日进所写的《人的现象》，给我留下了深刻印象。这位和丁文江、裴文中、赫胥黎同辈的学者，把人类放进整个宇宙世界中来考察，着重谈论了人类的进化。他把世界的历史发展区分为"前生圈"、"生物圈"和"精神圈"三个层次，逐层提升。第一卷《生命之前》专说宇宙和地球的生成，第二卷《生命》说的是生命如何生成，第三卷《思想》则论说了人类思想如何生成，从而怎样改变了世界。这部半个世纪前所写的著作之所以给我留下深刻印象，乃是因为书中阐明了人的现象，包括精神现象都是历史地生成的。但是，作为神父的德日进却把未来世界的希望完全寄托在科学和宗教的结合上,最后在尾声《基督现象》中,更加突出了宗教在未来的作用,这使我感到十分失望。相比之下,《拨动宇宙的琴弦》一书,不仅站在更高的科学水平上对这个世界的历史生成作了更全面而深入的探索,更从美学的高度对这世界丰富多彩的美作了比较符合实际的阐发,鼓舞人类持续焕发审美精神,追求更加美好的未来。

爱美之心,人皆有之。在人类生活中,美不可或缺而又无所不有。人的身体和心灵、行动和表情都可能是美的,人的自然环境和人文环境也可能是美的。在我们面前呈现出来的,既有天地自然之象,又有人文创造之象,还有人心营构之象,这些象并非都美,但美亦在其中。美,既可以在对象,也可以在体验过程和体验结果中,美的对象、美的体验、美的感情都是美的,是美的多样性的体现。我常喜以郑板桥的赏竹和画竹为例,来说明美的多样性。园中之竹乃物象之美,眼中之竹是形象之美,而胸中之竹乃意象之美,手中之竹则是艺象之美,在这不同的"象"中都呈现出来。张潮在《幽梦影》中以山水为例,阐明了同样的道理:"有地上之山水,有画中之山水,有梦中之山水,有胸中之山水。"不同的山水各有其美,妙处不同:"地上者妙在丘壑深邃,画上者妙在笔墨淋漓,梦中者妙在景象变幻,胸中者妙在位置自如。"美可以在意象,也可以在艺象,更多的还是存在于现实生活中的对象上。我固然也欣赏黄公望《富春山居图》中的山水,但我更喜爱那实实在在地存在着的富春江的真山真水,必欲去亲身体验那山水之美而后快。正是这样,我也就特别重视卢永利对审美对象的探索。

在他看来,美并不神秘。美就存在于那些我们可以看得见、听得到、摸得着的万事万物中。不过,这大千世界中存在着的事物并不都美,必须是对人的生存和发展有用的,而且能使人愉快的对象才美。他对事物于人是否有用作了较为深入的阐发:事物对人不仅具有直接功利性,而且也有间接功利性。美的事物对人可以有直接功利,也可以有间接功利,但必须对人有用。他坚决否定康德关于美无功利性的说法。他呼唤我们的美学必须回归实际生活,研究分析具体的审美现象,然后才能探究到美的本质、美的规律。大千世界中的万事万物都可能是美的,美景、美物、美事、美人、美居、美颜、美饰、美食等等,都是对人具有直接功利或间接功利的事物。鲁迅说得好:"在一切人类所认为美的东西,就是于他有用——于为了生存而和自然以及别的社会人生的斗争上有意义的东西。"当然,什么叫有意义,什么叫间接功利,在美学上尚可作更深入的探索,美学研究尚有广阔的天地可以开拓。

为《拨动宇宙的琴弦》所作序
2011年初冬,望海书斋

人文论丛

第一辑

构筑共同家园

热闹过后求宁静

(1989年新年心愿)

特区发展快,弹指已九年。平日无暇回想,今天由此触发,忽然想起,我到特区来也已进入第五个年头了,不由得浮想联翩,思绪不断。

记得1984年春我第一次来特区,在深圳大学正好碰上美学家李泽厚、蒋孔阳、刘纲纪等也来访问。熟人在此相聚,自然就谈起深圳印象。他们谨慎地说,刚起步,还看不出什么样子,但靠近香港,有地理优势,前景看好。那时的深圳,还没有多少像样的高楼,只要花上半天,全市的街道就都可以转悠一遍。初次到特区报社访老友许兆焕,周围空旷冷清,一片黄土。市府建筑还算像样,别处多是泥路坑地,一下雨就泥泞一片。夏天,深圳大学迁入后海湾新校,中文系正式成立,请来饶宗颐、罗亢烈、程祥徽等数位港澳学者参加开学典礼,客人很有礼貌地说,香港在20世纪50年代也是深圳这个样子。那时,校园的主要建筑就是一座教学大楼。一天夜晚,一起从北京大学来的汤一介、乐黛云等教授由教学楼走向海边宿舍,路上一片漆黑,只有月光冷照文山湖。乐黛云忽然发出一声感叹:我怎么感觉像回到了鲤鱼洲！我一听，不禁愕然发愣。啊，鲤鱼洲？那是鄱阳湖边上围垦出来的荒草地，20多年前，北大、清华的"臭老九"被送到这地方来接受劳动改造再教育，我差一点被葬送在这块土地上。这后海湾，怎么能是鲤鱼洲？我内心犹豫，生出一种凄凉之感。然而，在凄凉之中又生出一种兴奋。不，这不可能是鲤鱼洲，这荒滩上虽然人烟稀少，但终究已矗立起现代大厦，暂时孤零，却充满希望。这就是我当年的感受，正是这种感受的延伸，让我毅然留在了深圳。

如今，四年多过去了，这后海湾一带已经高楼林立，大厦四起，更不要说热闹的盛况了。荒凉感早已消失，我反而越来越感到，深圳这地方，人已经太多，街道已太拥挤，城市已太喧闹，她，正在失去花园城市应有的宁静，却还未创造出文明城市应有的文化气氛。于是，我在为深圳的发展而高兴之余，内心也随之产生出一种淡淡的忧愁。不过，只是忧愁，于事无补，该作思考的倒是：作为深圳人，应该并可以为特区做什么？

说来惭愧，虽然年少时曾有壮志，想学得美育知识好报国，但在北京住了30多年，却渐渐染上惰性。过"知天命"之年不久，就痴想退出历史漩涡。当了教授万事休，早想离退逍遥游，好无牵无挂、自由自在地读一些喜爱的书，写一点自己愿写的文。但到深圳数年，却为这里的喧腾的生活热流所激动，不由得萌生了新的心愿：50多岁不算老，该为特区添砖瓦。我在北京的终点，恰正是我在深圳的起点。在这里应做的和可做的事很多很多，应该着力耕耘。

我在大学教了数十年书，本职是教师，当然要先花心血办好教育。为适应特区外向型经济发展需要，我们已把深圳大学的中文系扩建成为国际文化系，新设国际文化交流、新闻传播、旅游文化等专业，并吸收海外留学生来学中国文化。今后，我们将遵循"中西融合、应用为主"的方针，努力扩大国际交往，使我们的教育面向社会、面向世界、面向未来，以适应特区向国际化城市发展的需要。

我的专业研究是文艺美学、文化美学。但我深感到，美学应从学术殿堂中走向社会，和特区建设结合起来，为建设和发展特区文化贡献力量。所以，我想在国际文化系办一个特区文化研究所，关注特区文化的研究,为特区培养文化建设的人才。

特区的文学艺术事业已取得可喜的成绩,为迎接特区创办10年而设的大鹏文艺奖的评奖准备工作正在进行。我想,深圳的文艺界应加强同社会各界的合作,文艺创作应该更多样(比如,报告文学应受更多注意),文艺评论则应快步伐跟上,依托特区报的《文艺评论》专版,积极扶持特区文学艺术的发展。文艺评论和文艺创作应双翼齐飞。

希望有更多的人来共同关切,在特区创造出一种具有现代气息的(它既不单纯是传统的,又不纯粹是西方的)文化气氛,这是我的心愿。《深圳特区报》应该而且可以在这方面做出更大的贡献,这也是我对《深圳特区报》的新年祝愿。

为《深圳特区报》所作新年(1989)贺辞
1988年年底在深大校园
海涛楼

文化引领向未来

深圳创造了经济奇迹,从一个边陲小镇发展成为一座现代化大城市,举世瞩目。可我一向更为关注这里的文化,一直盼望有人能对这里做些文化研究,对深圳文化30年的历程有个梳理。所以,当吴俊忠把他主编的《深圳文化读本》书稿送我浏览时,不由使我感到一阵欣慰,心存感激。

我在"知天命"之年落脚深圳时,正值特区初创,有缘亲自目睹了这里的文化发展。所以,在读这部书稿时,不时引发起我的今昔对比,浮想联翩,感慨万千。

过去,虽常有人把深圳贬为"蛮夷之地",但我到这里后,觉得不能轻易说是文化沙漠。这里也有历史文化的积淀,大鹏湾畔发现了7000年前人类活动的遗迹,600年前这里就建有海防哨所。岭南文化、客家文化在这里留下了深深的痕迹,大鹏所城、南头古城、赤湾皇岗等,反映着中华民族的历史沧桑。水围村里,庄子的子孙后代,一直在延续着自己的文脉;凤凰山麓,文天祥的后裔,仍在高扬着先辈的浩然正气。

但也不能否认,相较于传统文明而言,深圳起飞时的现代文明基础确实较为薄弱。1984年初夏我来时,深圳大学刚筹建,就在原宝安县政府住下,到东门老街一走,只消半天就把全城转完。那时,深圳给我的印象,就像我在1952年年初到北大去过的海淀一样,只是一个小镇,比我老家苏州周边古镇,如同里、荡口、甪直等差远了。稍像样的设施也就是寥寥数家:深圳戏院、南国影院、工人文化宫、新安酒家、华侨旅社,还有一家是新华书店。我听老深圳人说,这里的主要文化生活,就是到戏院听粤剧,到影院看电影,到文化宫跳舞、学画,到书店买书,还有就是看香港电视台播放的粤语节目。

我亲身感受到深圳初创时期文化生活的贫乏。有8年时光,我都住在后海湾的校园里。虽然有歌舞厅最早在深圳兴起,但我并不适应那种喧闹,就只能偶尔去蛇口,在黄宗英创办的碧涛影院看过电影。那时,深圳电视台初建,祝希娟从上海来参与创建,但没有什么文化节目。于是,漫长的夜晚,除了看书、著文,就只能看香港几家电视台播放的电影。幸好,所放的影片,大多是历年获得奥斯卡金像奖或其他国际大奖的名片,配有中文字幕。那几年,一晚上可以连看两三个影片,这就几乎把所有得过国际奖的著名电影都看过了。看多了,也就知道好莱坞影片的一些基本模式,渐渐也就觉得乏味,不再看了。那时,想多接触深圳本地的文化,但能看到的,也就是特区报的《文艺评论》和《文艺副刊》,以及《特区文学》这样为数不多的报纸杂志而已。

在第一次创业时期,深圳就已意识到了要重视文化,所以在当时经济实力还很薄弱的情况下,就立志要建起八大文化设施,这力度可谓十分了得。但在这最初10年,文化发展的力度还是跟不上经济发展的力度,文化力量在整体上还很薄弱。我清楚记得,20世纪90年代初,深圳首次举办大鹏文艺奖,邀我参加评审。特区报副总编辑许兆焕用车把我和周乐群等七八个评委拉到大鹏湾畔的东山上,找个地方住下来。山上孤零零的一座茅草屋,里面安放了近10张双层旧木床。我们这些五十上下年岁的评委就住在这里看作品、写评语,热烈讨论着。这是个什么地方?原来这里是改革开放前那些知识青年上山开荒时的落脚之地。想不到深圳建市10年之后,我们这些文人还要住到这里来评奖,虽说倒也别有风味,却也反映出当时深圳的"文化力"也就是这个样子。

深圳的第二次创业,提出要建设国际化城市、现代文化名城,随之也加大了文化发展的力度,努力提升这个城市的"文化力"。在新的文化理念的引领下,文化发展的方式也发生了变革,从而在深圳形成了新的文化格局。这本《深圳文化读本》,收入有关深圳文化研究的论著超过百篇,对深圳文化发展30年的重大事件作了述略,全面反映了这个城市的文化发展历程。主编对深圳文化30年十大焦点的评述,更使我们感受到了深圳文化创新的丰富多彩和突出成就。

综观全书,所论深圳的文化发展,给我留下深刻印象的有三:

一是文化理念的不断创新。初创时期,深圳人胆大敢闯、实干兴邦,"时间就是金钱,效率就是生命"是当时最突出的理念。深圳以"只争朝夕"的精神来拼经济,杀出一条血路,使特区得以生存、发展。这时,文化只是为了经济,"文化搭台,经济唱戏"成为初创时期的文化理念。到第二次创业,深圳开始思考如何建设国际化城市,就出现了建设现代文化名城的文化理念,文化在城市中的地位、作用日益提升。发展到新世纪初,深圳更进而确立了文化立市的重大方略,在国内率先倡导要实现公民的文化权利,逐步提升城市文化软实力,加强对学术文化的建设。新的文化理念引领深圳文化迅速提升,赢得了"设计之都"、"知识城市"的美誉。

二是文化发展方式的巨大变革。新世纪以来,深圳不仅加快建设新的现代化文化设施(音乐厅、书城等),大力发展文化产业,举办文博会等,而且竭力发展社会文化,致力于构建公共文化服务体系,通过开展读书月活动、市民文化大讲堂、创意设计月、社会科学普及周等多种方式,推进深圳的文化发展和品位提升。

三是形成文化发展新格局。大众文化在深圳发展得最早,像我这样一向关在书斋的书生,也都读过琼瑶、亦舒、梁凤仪的通俗小说,听过邓丽君的歌,看过梅艳芳、汪明荃的表演,这些都曾使我感到耳目一新。深圳的大家乐、歌舞厅早就有声有色,并逐渐形成深圳特色。但深圳很快意识到,这里也要发展高雅文化,于是大剧院、音乐厅、歌舞团都在想方设法促进高雅文化向大众普及。而高扬主旋律的主流文化,在深圳更是蒸蒸日上,这使得深圳的文化和香港的文化有了区别。

此外,书中还收有国内一些文化名人和深圳本地人对深圳文化现象所发的文化感言和文化思考。这些文章,有感而发,生动具体,显示出深圳文化的丰富多彩,增色不少。

《深圳文化读本》为这座城市的文化发展勾画出了历史全貌,从而可以启发我们更好地反思过去,有助于我们设计未来,引领我们走向更美好的未来。

我相信,文化在深圳的未来发展中,越来越起到更重要的作用。一位加拿大著名学者谢弗写了一本学术专著《文化引导未来》,在分析了世界所面临的各种危机,如环境破坏、人口膨胀、贫富悬殊等之后,他鲜明地提出,人类需要重新寻找"未来的灯塔",引导我们的新的未来,"只有文化提供了这个灯塔"。因此,他呼吁人类要比过去任何时候更要重视文化引导未来的作用。对此,我深有同感。

只是,我觉得尚需对文化自身做更进一层的分析研究。依我看来,文化自身是一个多层次的价值体系,至少具有三大层次。一是物质文化层次,属表层。这是为了满足人的物质生活需要而创造的物质环境,乃"器物"文化。二是社会文化层次,属中层。这是为了满足人的社会生活需要而创造的人文环境,既有人的行为文化,又有社会的制度文化。三是精神文化层次,属深层。这是为了满足人的精神生活而创造的精神文明,其核心是价值理念、精神追求。正是这种价值理念、精神追求引导我们走向未来。回顾深圳过去的发展历程,我们的物质文化层次发展得最快,随后我们努力促进社会文化的发展,继而不断推动精神文化的发展。深圳的物质文化,真可说得上飞跃发展。"东南西北中,发财到广东",孔雀东南飞,首选到深圳,在这里创造了巨大的物质财富。在以前,我每次去海外经香港归来,从飞机上看到香港夜晚灯火辉煌,而一到深圳就感到全城昏暗,心有戚戚。而如今,深圳的夜晚竟和香港一样辉煌,物质文化已渐赶上香港,值得自豪。但应清醒看到,比起物质文化来说,我们的社会文化、精神文化的发展就较为滞后。一些发了家的室内装修,奢侈豪华,攀比欧洲;可是一出家门,周边环境还是脏乱差,又如走入了非洲。我看深圳的今后发展,应在继续提升物质文化水平之上,加快社会文化的发展,更重视精神文化的建设,才能使"文化立市"的方略真正实现。

文化需要创新,只有不断创新才能把我们引向新的未来,但创新的核心还是价值取向。国际著名创新生态学家德弗尔说得好:"创新是将知识和想法转变为价值的过程。"城市的创新设计,本身就是

"美学和文化价值的一种表达"。文化发展的根本目的是什么？固然，文化能推动经济的发展，但这只是外在目的，它的内在目的不是为经济唱戏搭台，而是如英国著名文化学者阿诺德所说："文化是或应当是一种对完美的探索和追求。"

人类之所以需要文化，乃是为了追求人类的完美，使我们的未来更美好的。这里的文化，不只是人文文化，也包含科学文化。人类应致力于把人文文化和科学文化结合为一体，既按照人的尺度，又按照物的尺度来创造。这就如马克思所说，人和动物不一样，"懂得按照任何一个种的尺度来进行生产，并且懂得怎样处处都把内在的尺度运用到对象上去；因此，人也按照美的规律来创造"。我相信，深圳的未来发展，既重视科学理性，更重视价值理性，将会把人文精神和科学精神密切融合起来，创造美好的未来。

俊忠早在20世纪80年代就从北京来深圳大学任教，和我一起创建特区文化研究所，开办特区文化研究生班，并开始了特区文化研究，近年更扩展到城市文化研究。他对深圳的文化发展，不仅有深切的感受，而且有深入的思考。《深圳文化读本》凝聚了他的感受和思考。这个文化读本和去年出版的由姜威主编的《深圳读本》各有特色。姜威的《深圳读本》，受流传甚广的《美国读本——感动一个国家的文字》一书的启发，所收的是对深圳有所感动，而且感动过深圳人的文字，所以副题为"感动一个城市的文字"，全书按照散文、诗歌、歌词、小说、报告文学等分类，多为文字作品。而俊忠主编的这本《深圳文化读本》，所收的乃是曾对深圳文化30年发展有过影响的对深圳文化的感受和思考，记录的是"文化记忆"。这两个读本，各有千秋，交相辉映，从不同侧面反映了深圳的文化发展，我都为他们高兴。

深圳是个好地方，依山傍海，得天独厚。最南端的深圳河，紧邻香港；北部为连绵不断的山脉；东西狭长，从最东的南澳半岛东端的海柴角到西边沙井的西海堤纵横近160公里。20世纪80年代深圳第一次创业时，我来这里的原初印象，就是一块正要开发的处女地。但经30年的开发，在这不到2000平方公里的土地上，深圳人口已从30万左右激增至1400万。深圳已成世界上移民最多的移民城市,97%以上人口是外来移民。不过,和纽约不一样的是,深圳移民大多来自国内(包括港、澳、台),少量乃为海归(深圳和北京、上海乃海归最多的城市),而纽约人口800多万,国际移民达45%。深圳的移民带来了不同的文化,各种文化在这里相遇、融合,必将提升为一种自成特色的崭新文化——洋溢时代精神,富有创新智慧,人民喜闻乐见。

祝愿深圳的文化发展增创优势,更上一层楼,为深圳人真正构建一个能在此"诗意栖居"的美好的精神家园。

为《深圳文化读本》所作序
2012年春,望海书斋

海滨特色国际城

我来深圳已近20年,当初是别人的小镇,如今已成为我们共同的家园。我当然盼望我们这个城市越来越精彩,如能发展成为具有滨海特色的国际城,那就最好不过了。

深圳正在日益现代化,但现代化不一定都能国际化,国际化却一定要现代化。国际化城市的现代化应有更高的要求。不论经济环境、人文环境,还是生态环境,都要适宜人的完美发展和国际交往。

以人为本

国际化城市当然要经济发达,经济不发展,谁来?经济是基础,然后才有种种上层建筑耸立其上,这是马克思主义基本原理,已成尽人皆知的普通常识。

但是,深圳适合发展什么样的经济,如何发展经济,发展经济用于什么,这仍然要不时引起我们的深思。在马克思那里,发展经济只是推动社会发展全面进步的手段,而不是目的本身。而社会发展的全面进步,又和个人的自由而全面的发展互为因果,相互推进,马克思的社会理想,就是要创造出一个人人得以全面而自由发展的社会条件。

发展是硬道理,经济要发展,社会要进步,都必须以人为本。深圳要向国际化城市方向发展,更需要高扬人文精神。人文精神,乃是一个城市的灵魂、发展的精神动力。

经济发展是为了让更多人获得更大的自由,这思想已越来越深入人心。我惊异地发现,任教于哈佛、剑桥的印度经济学家阿马蒂亚·森的名著就叫《从自由看待发展》,该书深入论证了人类应该为了让越来越多的人获得更多实在的自由而发展适合这一根本目的的经济,从而获得了1998年的诺贝尔奖。

　　发展经济既然是为了人民幸福，就不能以牺牲生态环境为代价。这就必须如马克思所说，要学会"合理地调节"生产，"把它置于他们的共同控制之下，而不让它作为盲目的力量来统治自己；靠消耗最小的力量，在最无愧于和最适合于他们的人类本性的条件下来进行这种物质交换"。深圳在进行第二次创业之时，眼看所有河道已变黑发臭，数百山头已被削秃，一些海湾也已被污染，终于觉悟到，深圳不应再发展污染严重、危害人类的劳动密集型经济，而应向高科技绿色经济转型。经过多年奋斗，电子信息、生物工程等正成为深圳的主导产业，令人鼓舞。

　　依靠毗邻香港的地缘优势，深圳正在逐步成为我国南方的物流中心，这为创建国际化城市打下了坚实基础。随着深港跨海大桥的建成，深圳河两岸的合作开发，必将进一步推动国际交往的扩大。目前，深圳已是全国最大的陆路口岸，物流之外，人流方面，每年已超一亿人次出入。随着内地和香港之间开放个人自由旅行，经由深圳出入的人将越来越多，客运的发展还方兴未艾，大有可为。特别是深圳的海上客运还未得到应有的发展，开拓出海游轮的航运值得高度重视。如果抓住此次机缘，能把一亿人次中的五分之一到三分之一吸引在深圳停留几天，必将促使深圳向国际化城市迈进。

　　当今世界，许多国际化城市都在追求成为"最适宜人类居住的地方"。这确非易事，除了发展经济之外，生态环境、人文环境都要达到优化。深圳的发展，如何突出滨海的优势，深圳的文化、教育、卫生、环保、科技的力量如何增强，都需要我们高扬深圳精神，在发展中求得解决。数年前，全国各地曾有不少"流民"拥入深圳，荔枝林丛、红树林旁、山上坡下、菜园地间，都有"流浪部落"出现。有友人为深圳担忧：你们这里气候适宜，冻不死人，就是穷人在这里也很容易生活，会不会变成"流民"的天下？幸好，随着改革开放步伐的加快，国人逐步走向小康，不必再向一处挤。但在20年间，深圳人口由数十万迅猛发展到700多万，形成了一个金字塔结构，称得上富人的只是极少数，在塔顶，其中有些暴富者的整体素质又极低，塔底是庞大的打工者阶层,塔中间的"中产"、"小资"也为数不多,还谈不到壮实。而在发达国家,社会结构的中层,应成为大多数,构成社会的最稳定因素,而贫、富阶层都只是少数,人口结构呈橄榄状。依我看来,如何将经济结构的调整和人口结构的变革密切结合起来,相互配合、相互促进,逐步改善社会结构,将是深圳走向国际化城市的关键。

文化创新

国际化城市需要发达的、先进的文化,让来自五湖四海的各种人构筑起精神家园,才能具有吸引人的凝聚力,在国际交往中也才具有辐射力。不能设想,没有发达的、先进的文化而竟能成为国际化城市。

在第二次创业伊始,深圳就逐渐意识到文化建设的重要。还在20世纪90年代,深圳就和文化部合作,成立了特区文化研究中心,较早就开展了特区文化研究。深圳的文化积累稀薄,犹如一张白纸,由自己自由勾画。但究竟要发展什么样的文化,就必须更费些心力,早些规划,舍得投入,种瓜得瓜,种豆得豆,要早作考虑。深圳并非文化沙漠,宝安的传统文化,由来已久。改革开放以来,多地移民蜂拥而至,带来了各色文化,在这里相互激荡。本土文化和移民文化的多元发展,各自成溪,五彩缤纷。但是,我们如何因势利导、吸取众长,然后进行文化创新,从中建构起一种新的主导文化。这,至今尚无有重大突破,也许,仍需待以时日。

深圳的物质文化发展迅速,这里高楼大厦林立,已可和纽约、旧金山、洛杉矶等媲美。对精神文化的硬件建设也在加紧进行,莲花山前新的文化中心即将出现。但是,文化设施只是精神意蕴的载体,精神文化的真实内涵,还在于我们的文化渗透了什么样的精神。

要发展精神文化,当然要汲取既有的文化资源并进行文化创新。电影《钢铁是怎样炼成的》是对原有小说的文化创新,《花季·雨季》的艺术系列利用了既有小说作文化资源,《新风歌》则是对广东音乐的文化创新,这些都为深圳的文化发展提供文化创新的经验。我们不妨进一步拓宽思路,可以在更广的文化领域,更广泛地吸收各种文化资源，进行文化创新。上海本来就是一个真正的文化沙滩，在20世纪三四十年代吸收了附近的地域文化，让不同的地域文化百花齐放，苏州评弹、无锡滩簧、扬州小调、绍兴戏等等，各显神通。在各自的发展中，越剧、沪剧占了主导地位。越剧《梁山伯与祝英台》被发挥到了极致，以此为基调，发展成了芭蕾舞、小提琴协奏曲、交响大合唱等艺术品种，成为越来越精致的文化。无锡阿炳的《二泉映月》也不产生于上海，但在上海，它也被发展成了芭蕾舞、交响乐。这颇可启发我们深思，在深圳的移民文化中，是否也有可以用来进行文化创新的资源？听过《新风歌》后，我感觉良好，常发遐想，这首在传统粤曲上发展起来的新粤曲，是否也能发展为协奏曲、交响乐、大合唱呢？我无作曲的才能，只能自己在钢琴上弹奏这优美旋律，自得其乐。

现在正处在文化产业可以大发展的时候，不同层次的文化得到发展机遇。深圳仍要发扬移民文化的各自特长，通俗文化、地域文化充分展示自己的风采，因此，广场文化、大家乐舞台等仍然要有所发展。同时要扩大国际文化交流，充分发挥先进文化设施的功能，经常组织国际著名的文化表演，最好能在深圳举办国际性的音乐节，提高艺术水平，和城市的国际化相适应。更要努力发展适合于中间阶层文化需要的文化艺术，培育更多有更高文化修养的读者、听众、观众。为此，深圳需要加强文化调查和文化研究，吸收国内外优秀文化成果，发展文化产业，多办些音乐茶座、文化咖啡厅、国际酒吧街，让深圳的中间阶层有更多的文化去处，得到更多的文化享受，营造出国际城市化的文化氛围。

旅游文化

深圳要加快文化建设，不妨以发展旅游文化为突破口，反过来再带动文化的提升。

10多年前，当深圳还被称为"文化沙漠"之时，华侨城还是一片荒滩。但马志民就在此地"突破"，先是修起"锦绣中华"，后又建成"中国民俗文化村"、"世界之窗"等，掀起文化旅游之风。当时，"特区究竟能办多久"的怀疑弥漫甚久,想在深圳捞一把就走的心态很普遍。1990年春节,我和郁龙余去看望章必功等老师,大街上竟空无一人,只好徒步去园岭。但不久,"锦绣中华"开张,出人意料,香港游客蜂拥而至,争着来一睹中华大地的精华。旅游文化一下使这座城市恢复了人气,一年就收回了建设成本。旅游文化对深圳的发展,功不可没。如今,深圳的文化要进一步发展和提高,仍然需要以旅游文化来突破,进行文化创新。

深圳应更加重视旅游事业对深圳发展的意义。深圳有很好的生态环境,不但有青山绿水,而且东部还有很好的海洋。从20世纪80年代起,我因和北大陈传康教授一起参加旅游资源考察、旅游景点评奖而数次亲历过深圳东部海岸周边,深感这里的青山、海湾并不比国外许多旅游胜地差,深圳若能更加重视旅游事业的发展,就既能更好地保持优美的生态环境,又能持续发展经济,更能推动文化发展,既立功于当代,又能施惠于后世,何乐而不为!

如今,东部海岸的开发已在逐步实施,深圳作为海滨城市的特色将越来越凸显。依我多年观察,其实从处于珠江入海口的蛇口,沿着海滨大道,再沿红树林到深圳河口,都可以建起靠海的步行路,在一些地段(如福荣路)还可以建些国际友谊酒吧街,以吸引国际友人、海外来客在这个城市休闲。若能把深圳河发展成巴黎塞纳河那样可以开游艇的游览胜地,那就更有了国际城的特色。上海能改造苏州河,进而又改造黄浦江,深圳为什么不能改造深圳河,使她成为深圳的骄傲?发源于梧桐山的深圳河,原本叫罗溪,风景优美,历史悠久,明人袁百良有诗句"罗溪水长渔歌晚,梧岭峰高月吐迟",令人神往。英国强借港岛、九龙后,又进而伸展到新界,罗溪成了和香港的分界河,才改名为深圳河。这样富有历史意韵、文化内涵的深圳最大的河流,难道不值得我们后人来精心经营,把她建成富有特色的游览胜地?每当我从高处远眺这条深圳河之时,常为我们后人没有足够重视她而叹息。

2002年秋,从深大新村迁益田,于望海书斋

心灵安处方为家

深圳要建成高品位的文化—生态城市,令人欢欣鼓舞,我由衷地感到高兴。营造一个可以诗意栖居、令人向往的新都市,这不正好也是我终身的审美追求?

对此,我不想作抽象的议论,而想从我个人在深圳20年的真实生命体验出发来倾诉我对文化—生态城市的向往和追求。

一

虽说"天涯何处无芳草",但真能寻找到一个可以诗意地栖居的地方,却实在不易。50多年前,我离开苏州去北京读书,我父亲就劝我:上有天堂,下有苏杭,哪里都没有故乡好,何必远去?我那时天真地以为,中国这地方,也许都和江南老家差不多,不以为意;何况,出去可以见见更大的世面,于是,毅然北去。在那湖光山色的未名湖畔,虽然还能享受到江南的风光,30多载的燕园生活也颇可留恋,但我还是以为,北京并非是最适合我居住的地方。

改革开放的暖风吹来之初,清华大学副校长张维院士受梁湘之邀,赴深圳大学任创校校长。小平首次视察深圳之际,张维院士劝我和汤一介去深圳,也许能找到最适合我们栖居的地方。就在20年前的那个国际劳动节,我先到了厦门大学,然后又飞汕头大学,再由广州到深圳。那时的深圳,虽然被列为市,却还只是个边陲小镇,就像我在20世纪50年代初去北京大学时的海淀,转一圈只消半天。深圳大学当时还只是蔡屋围小山坡下的一栋两层楼,是原来宝安县政府的办公所在地。在用铁皮临时搭建起来的饭堂里,正逢蒋孔阳、李泽厚、刘纲纪等几位美学同行亦在考察,交谈中都说这里颇具活力,生机勃发,且是国际文化交流的前沿，未来充满希望。当时的北大副校长季羡林希望能在这里搭建一个国际文化交流的平台，和北大相互呼应。

我在小镇转了一圈，去深圳特区报社特地看望了从光明日报社调来任副总编的老朋友许兆焕，他劝我当机立断，快些来深大参与建设。我回到北大，和汤一介商定，一起答允到深大来试一试，看能否在这里发展人文学科。就在1984年的夏天，李赋宁（北大副教务长、外文系主任）、汤一介、乐黛云和我，一起跟着张维校长从北京飞广州，再从广州乘汽车到南山区粤海门的新校舍，分别参与中文系、英语系的创建。就在从广州到深大的半天多路途中，我第一次真正感受了一下南粤风光。那时，从广州到深圳的公路虽很狭窄，但汽车不多，树却不少，两边时常露出荔枝林、柑橘树、香蕉田，青山绿水，时隐时现，白云蓝天，总是相随。路过东莞的东江，车要开到渡轮上，得以亲近一下那滔滔不绝的东江水。这一带，还没有后来出现的那种厂房林立、人车密集的熙攘景象，人烟稀少，山多地旷，呈现出一派山水自然本色，使我涌起了一股对南粤颇有好感的愉悦心情。

这往后八九年住在深大校园的日子里，我一直沐浴在美好的生态环境中。

这是一片正在开发的处女地。一平方公里，大多是丘陵。北侧是大片荔枝林，中心高坡刚盖起两座六层楼——办公大楼和教学大楼，中心广场之南，有杜鹃山和文山湖，南边就是后海湾、粤海门，对面就是香港的落马洲和流浮山。无论在教学楼还是在办公楼，我们都能看到后海湾，远眺落马洲，心旷神怡。

在教学大楼底座大楼举行的开学典礼上，张维校长请来了时任市长梁湘、副市长邹尔康，还有香港著名学者、国学大师饶宗颐，介绍我们这些从北大来的教师和他们见面。梁湘爽朗地对我们说："在你们面前，我是学生。深圳要改革开放，一定要多请像饶宗颐先生这样的学者来讲学，介绍先进国家经验，我要争取来听。"这给我留下了深刻印象，觉得在深大要多开展国际文化交流活动。在此后几年中，我曾参与举办过数次国际学术会议：由乐黛云主持的中国比较文学学会成立大会（1985年）；由我和徐葆煜主持的海外华文文学国际研讨会（1986年）；以后还在深圳大学举办过国内首次国际美学研讨会。在海外华文文学研讨会上，香港作家曾敏之等提出要见见市长。我们求助于主管文教的副市长邹尔康，想不到真把梁湘和邹尔康请来了。那时，粤海门客舍刚建成，研讨会就在这里开，校长陪着他们二人直奔会议厅，和我、徐中玉先生坐在同一排听讲席上，静静地聆听陈若曦在演讲台上介绍美国华人作家情况。那时开学术会议，不设主席台，只有演讲台，梁湘、邹尔康都坐在听众席上。我坚持请梁湘发言，梁湘才从听众席上站起来向大家谦逊地说："我是学生，真的想听大家多讲些外面的情况，请海外的专家、学者多来深圳看看，多为深圳出主意，我们会感激不尽。"会后，上海来的徐中玉先生对我说："你们深圳开学术会议有新风尚，没有官气。"其实，这只是回到学术会议的本真，学术会议的主题是学术，而主角则是学者，人们想知道学者究竟说了些什么。但如今的传媒，在媒介上只宣扬什么官员出席了哪个学术会议，却看不见、听不到主角是谁，说了些什么。

　　在中文系成立大会上，国际著名的国学大师饶宗颐作了热情洋溢的讲话，为他的家乡汕头和近邻深圳都创办了大学而欢欣鼓舞，表示愿为促进内外的文化、学术交流而奔走。次年，我和时任北大中文系主任的季镇淮和冯钟芸教授应邀去内蒙古大学，又在内蒙古草原和饶宗颐先生见了面。1986年过了春节，我就应邀去香港中文大学，过了一段访问学者的生活，得以和饶宗颐、袁鹤翔、李达三等多次交谈，并和金耀基等见了面。这是我有生以来第一次跨过深圳河去境外，在吐露港旁山顶上的新亚书院会友楼无忧无虑地度过了一段美好的时光，远眺大海、群山，呼吸新鲜空气。当时香港还只有两所大学：香港大学、中文大学；正在筹建第三所大学：科技大学，其他如岭南、浸会等还只是学院。我在中文大学、香港大学的图书馆复印了大量内地见不着的文艺学、美学资料，认识了不少同行学者，初尝学术文化交流的好处，开拓了新的学术视野。这以后，市政府为我办了可自由来去的赴港通行证，香港有什么使我感兴趣的学术文化活动，随时都可以去，就像从北大到王府井一样方便。就这样，我相识的香港朋友越来越多，学者专家之外，作家、诗人也有不少，使我对香港的文化有了更多的了解。

香港不愧为国际文化交流的好地方,在这里和香港学者文友交往中,又能见到不少东南亚、欧美的学者专家和作家文友。于是,由此开始,学术文化交流也就逐渐扩大,我差不多每年都能出去一次,见识更大的世面。我先是去新加坡、泰国、马来西亚一带,然后去欧洲、美洲,近数年又去西伯利亚、日本、韩国等地考察。到海外,吸引我的是两大方面:自然环境和人文环境。随着经济的发展,生产出来的物品越来越多,物质生产发达了,可是精神生产却仍落后。此时,我脑海里老盘旋着一个问题:城市富裕起来了,可自然环境和人文环境怎样才能同步发展,使人还能诗意地栖居在城市里?

不过,这个问题太"宏大",还不切合深圳的实际。深圳在20世纪80年代还没有富起来,现代化进程刚起步,当务之急是发展工业,而且还只能从劳动密集型的低水平开始,深圳的大片土地,还处在前现代,得天独厚的生态环境还未及遭到破坏。而我在这正在逐步开发的校园里,能做的就是想方设法如何进行学科改革,以适应深圳发展的需要,赶快培养深圳向国际化方向发展所需的人才。这样,我就不能把北大那套照搬过来,而需通过国际学术文化交流学习国外先进经验。

依我30多年的亲身感受,深知北大的中文系最重的是古典文学、古典文献、古代汉语这些古老的传统学科,新学科很难发展。改革开放之初,1981年秋,时任北大副校长的季羡林和杨周翰(英语系)带头筹建北京大学比较文学研究会,我也参与了筹建,还在《光明日报》发表了《比较文艺学漫说》一文,鼓吹中外文学艺术的比较研究。张隆溪(杨周翰先生的博士生)、俄语系的岳凤麟和西语系的孙凤城等都积极参与了活动,我们开始和海外学者开展学术交流,先后在临湖轩接待了叶维廉、刘若愚、李达三等国际著名学者。当时乐黛云还在美国,后回到北大,就决定一起去深大。她觉得,要在中、东、英、西、俄几个系里整合出一支比较文学的力量,难度极大,不如先带几个年轻教师、研究生去深大,从空地上建一片新天地,再慢慢在北大建立比较文学的研究中心,南北相互呼应。所以,当初我们来深大时,确曾想尝试把中文系建成一个比较文学的研究基地、国际文化交流的平台。

但是，我们经过3年的尝试，觉得深圳大学还年轻，专业不能分得过细，比较文学这一学科在这里一时还很难得到发展。乐黛云回到北大，集中精力在中文系建设比较文学研究所，我则留在深大，想作新的探索。我慢慢懂得，在深圳办中文系，必须面向特区的实际，适应特区文化建设的需要。专业不能太狭窄，不能只限于文学的研究，而应扩及更广的文化领域，社会文化、特区文化、旅游文化都应在我们的视野之内。深圳此时已提出了向国际性城市发展的意向，深大也应有超前意识，关注培养国际文化交流人才，既了解中国文化，又掌握外语、电脑，能在国际对话，传播中国文化，吸收国际文化。所以，我当机立断，把传统的中文系，改建成新的国际文化系。这在当时国内，实属首创，《光明日报》在1988年曾为此作了专门的介绍，国际文化系，过去没有过，这是一次新的尝试。此后，国内许多高校都陆续出现了国际文化系，甚至有了国际文化学院。

我为国际文化系提出了这样的办系方针："中西交融，应用为主。"我自己为本科生开设文艺美学、西文文论等课程外，还抓紧深圳发展的大好时机，开拓了几个领域：

一是开展对外文化教育。从招收港澳学生，扩展到吸引外国留学生来深大就读，学习中国文化和汉语，以推进国际文化交流。

二是提高教学层次，开始研究生教育。先是按硕士学位标准，招收少量研究生，如宫瑞华、黎珍宇、张木荣等，培养文艺学的专门人才。后来，我又和吴俊忠主持办了特区文化研究班，为深圳加快培养急需的文化高级人才数十人，姜忠、苏伟光、杨宏海、梁兆松等都曾在这里研读过。到了20世纪90年代，我又开始培养文艺学博士生，直到现在仍在进行。

三是创建特区文化研究所，倡导文化研究。由此，我的思考逐步和特区的文化实践相结合。

栖居在深大校园的八九年间，可说是沐浴在前现代的自然生态美好环境中，却在做现代化教育的探索，由此缓慢地体验到我的生命正在渐渐融入这块土地，也许将在这里终老。20世纪90年代初，北京一

位老报人到深圳来采访我,写了一篇特写,写后要定题。我建言,可从这两句中选一作标题,这两句颇可显示我当时心境:

安居未必返故乡
乐业亦可去天涯

二

时代在急遽变化。在时代激流中,不仅人的命运,而且周围的环境都在变化,不只是生态环境,人文环境更甚。

眼看即将步入花甲之年,要做退出历史舞台的准备,我在1992年年底迁出深大校园,移居市中心皇岗路的深大新村,从此告别了8年半的校园生活,离开了那个生态环境和人文环境。

我本可以在1993年就退休养老了。但就在60岁这一年,国务院学位委员会通过我为文艺学这一学科的博士生导师。时任深圳大学校长的蔡德麟坚决要我留任不退,再三向市里申说:这是深圳大学由国务院学位委员会通过的第一位博士生导师,还没有招生就要让他退休,岂不成天大的笑话?于是我又被深大延聘了下来,只是不担任系主任了,只带博士生,从事学科建设。后来又要我担任深圳大学的学术委员会副主任、人文和社会科学委员会主任。这样,我虽不住校园,却还要乘车去学校,从事教学和研究。

正是在这种频繁来往的鲜明对比中,我深切体验到了环境变异的巨大反差。

从幽静的校园移居靠近市中心的新村,我和这个城市的交往密切了起来,对这块土地有了更多的亲近感。初来的那几年,因为远离市区,只在校园里过着宁静生活,不大关切城市的发展。但在20世纪80年代末,这座新城发生了急遽变化。我永远不会忘记在20世纪90年代初那个春节的情景。我和郁龙余(郁秀之父)一起从深大校园出发,要到市内园岭一带去看望中文系的章必功等几位教师。当时从深大到市区,尚无公交车,只有中巴。我们乘着那颤动不停的中巴,被它拉着拐弯抹角地到处转,想从那冷清的街上多拉几个乘客,结果花了近两个小时才把我们抛在特区报社东侧的红岭路口,让我们自己走着去园岭。我们两人走到十字路口一看,心里凉了半截,这里竟无一人,更别想再转乘什么车了。走在那空旷的红岭路上,直到园岭,我们竟没有逢到一个人。这时我心里一种丢失了家园的孤独感油然而生:这里是我的家园吗?在这里能找到家园吗?而我和龙余这样的书生却要在这里建立自己的家园,这是不是有些可悲?行走在这空无一人的红岭路上,不禁引发了我的一丝悲凉。幸而,在这冷落情景发生的两年之后,小平第二次来深圳,又激活了特区,时代的脉搏加快了跳动,人气又聚深圳,这个城市更富有了活力。原先住在校园里的我,因离市区太远,来往就得花三四个小时,也就难得和这个城市亲近,只能在校园里享受那宁静的愉悦。如今,我搬到了新村,和这座城市的交往多了,常从家里出发,沿着深南大道步行到市府中心去参加活动,亲身体验到城市的动感和欢乐。于是,我消除了和城市的距离感,深圳对我有了亲和力。栖居深大新村的最初几年,使我对深圳加深了家园感。

可是,好景不长,不消五年时光,环境的变异竟使一个当初设想为高校教工而建的"高尚小区",退化为一个不适合人居住的市井之地。先是开发商为了私利,侵占了原应建花园、泳池的空间,竟在南面筑起了30多层的高楼,不仅挡住了夏日吹来的东南风,而且盖住了冬日的阳光,使广大教工见不到天日,更何谈散步、游泳!接踵而来的是那个近邻——著名的"城中村"岗厦不时地压挤深大新村,侵占了出入通道不说,周边都已建起八层、九层、十几层的村屋,把只有六层高的"高尚小区"团团围困于中。而那菜市场散发出来的臭气和喧闹的噪声,每天都在袭击着新村。更使人不能忍受的是那皇岗路上整日不断的巨型货柜车发出的轰鸣声、扬起的滚滚尘埃和连续不断排出的废气。随着深港交易的扩大,物流的兴盛,皇岗路上的货车越来越多,24小时不断,半夜里沉睡中突发的轰鸣声更使人难以忍受,弄得人心惊胆战,惊醒后再也无法入睡。

这是我要来深圳寻求的家园?难道这就是我要在这里终老的最后家园?我困惑、怀疑、求索。在深大新村的近10年中,环境的变异时常引发我对人生的反思,时而沉浸在对过去的美好回忆,时而积极投身新的实践,时而向往新的未来。

近几年,深大校园是越来越亮丽了。原先使人有着荒凉感的文山湖,死水成了活水,草木葱葱、欣欣向荣,成了散心的好去处。文山湖的那座荒山(杜鹃山),在建校时大家亲手种下的小苗也已长成大树,郁郁葱葱,成为一片绿林。在校园东北角的不毛之地上,耸立起雄伟的体育馆、游泳池、高尔夫球场,崭新的科技大楼已经矗立,还将陆续建起文科大楼、研究生大楼。深大校园亦将越来越现代化。

然而,在我们的生活中,也在丧失一些前现代早已存在的美。当初,我所住的海涛楼就紧靠着后海湾,站在阳台上,每天都能体验到潮涨潮落的乐趣。我曾从家门口出发,沿着后海湾的岸边沙堤一直往前走,经过正在开发的南油大楼旁,漫步到蛇口,想找一个地方,试探一下能不能下海去游泳。尽管我没有找到一块可以游泳之地,但这种在海边徘徊而得的乐趣使我终生难忘。这后海湾,虽不是真正的大海,潮退时变成一片湿地,但潮涨时,却能给人海洋的感觉,隔岸远眺香港的群山,别有一番野趣。有时是东边日出西边雨,有时是日出水边红胜火,有时是黑云翻墨未遮山,有时是横风吹雨入楼斜,好多回体味到好似置身于杭州西湖的雨景中,给我留下了无数美好的回忆。那时,走出家门向东走,就有一片湿地,在海、地交接处,长了大片像冬青一样的树,后来知道那就是被联合国教科文组织列为珍稀物种的珍贵植物群红树林。美国著名美学家布洛克夫妇来深圳大学访问,住了几天,我特地请他俩到这红树林边散步,引起了他俩的兴趣。1986年,我接中华美学会会长王朝闻、解驭珍夫妇在粤海门客舍住了好几天,也陪他俩来看红树林。王朝闻当时已近八十高龄,看到这从未见过的植物,兴致勃勃,直往前走,想看个究竟。不料他一脚踏进湿地那烂泥中,我赶快走过去拉他手,还是拔不出来,幸而解驭珍又在后边拉着我,我借她的力才把王朝闻拉出来。王朝闻幽默地把这叫做一次小小的"历险",有惊而无险,也称是一种审美体验。他回北京后,还为此写了篇短文在报上发表,给我发了来,信里说此行给他留下了深刻印象。可是,不过两三年,因为填海,从深大到沙河这一带的红树林都无声无息地消失了。再过几年,靠近深大、南油的大片湿地、浅海也被填掉,层层高楼拔地而起。如今,在深大校园已没法再见到海了。

迁入深大新村,丧失了校园的宁静,远离了大自然的美,然而却获得了一种补偿。除了和社会的接触增多,而且还逐步融入了正在成长起来的新都市文化之中,有了一种参与感。

说来可笑,蛰居深大八九年,我记得只进城看过一次电影,那时南国影院刚开张,文化局请去观摩,什么影片也不记得了。后来和姜忠、苏伟光、宣惠良、彭建、邢凤麟、祝希娟等熟起来,才偶尔进城参加一些有关文化发展问题的讨论。有些好心人曾劝我到市文联去当主席,也有人动员我去筹建社科联。但我留恋校园的宁静,更主要的是,人过了五十以后,深感人生有限,只能做些自己喜爱的而且力所能及的事了,还是专心当教书匠吧。再说,学校也不放,深大第二任校长罗征启夸口说:"别去,我要在海滨给教授盖别墅!"虽蒙文学艺术界的朋友们不弃,选我当了作家协会主席、文联副主席,但我仍住深大校园,不到城里去管事。

搬到市区以后,我就有机会更多地参加市里的文化活动了,心灵上也得到补偿。读深圳作家的作品多了起来,心有所感,就不时写些评论;看到一些文化现象,有感而发,就写些美学随笔;想起一些往事,情不自禁,又不免写些怀旧散文。10年下来,在世纪末作个小结,在作家出版社结集为《胡经之文丛》,所收美学随笔、文艺评论、忆旧散文有30多万字,都是我到深圳来的20年之所作,大多是我在深大新村的10年中写成、发表的。在深大校园的八九年间,我写的主要是学术著作和编高校教材,诸如《文艺美学》《文艺学美学方法论》《文艺美学论》《西方文艺理论名著教程》《西方二十世纪文论史》等,围着学科建设转。而从《胡经之文丛》始,我的写作就围着深圳的文化建设转了。一些熟识的文友衷心劝我,以后就沿着这条路走,多写些随笔、散文、短评,面向深圳的文化实践。为了能吸引更多人来作文艺评论,市里还在前几年专门成立文艺评论家协会,让我当这个协会的主席。1999年,在深圳特区成立20年之际,文联要我主编了《深圳文艺二十年》一书。我写了《深圳艺术之路》,尝试对深圳文艺的发展之路作些探索,中国作家协会的《文艺报》在头版以一整版作了介绍。北京的不少文友、学者,在花甲之年就很少参加文化活动了,见我在近古稀之年仍活跃在文坛,一面说我"老当益壮",同时又劝我要"悠着点"。

多参加文化活动,能使人思维活跃、精神饱满,增添人的生命活力。在市内一些美术展览、书法展览会上,我和刘波见面时常谈到这点,这位曾在建市之初当过市委组织部部长、后又当过市委副书记和政协副主席的书法家一直在坚持练书法,参加书画展。他告诉我,他看到他的不少老部下,平日缺乏文化训练,离退休后,又不参加文化活动,只关在家里看电视,人的精神萎靡了,人生还有什么意义!有鉴于此,他说尽可能多参加些文化活动。86岁的老作家柯蓝,至今还在主持不少文化活动,常热情邀我参与。对他们我都甚感敬佩。多读些作品,多看些艺术表演,多参加些文化评审活动,不仅增长了自己的见识,也在精神上引发反思,不时思考,深圳这个城市,怎样才能把她从"别人的城市",转变为"自己的家园",使得人生更有意义。反思自己,刚来深大的那几年,把自己关在书斋,夜晚看的只是香港明珠台放映的奥斯卡金像奖影片。这些虽然开阔了我的视野,一些优秀影片如《金色池塘》《走出非洲》《克莱默夫妇》《沉默的羔羊》等给予了我们美的享受,也给我们以启发,但看多了,也就觉得那套模式化的创作日显平庸,走向低俗,于是人和现实的距离反而扩大,增添了人和社会的距离感。多关注深圳本土的文化艺术,在心灵上拉近了我和深圳的距离,有了一种归属感,丰富了内心世界,使生命更加充实。

三

在我即将跨入古稀之年的前几个月,2002年的秋天,我终于告别住了10年的深大新村,移居皇岗公园西南角靠近深圳河、新洲河的高层建筑里。

正好我在暨南大学培养的最后两届博士生,就还有一个尚未毕业,其他的几个,攻读古典文艺学的李健、张家梅,研究音乐美学的黄汉华,研究现象学美学的田春等都已取得博士学位,找到了理想岗位。从2004年始,我和陈继会教授将转向中山大学,在那里培养新的博士生,开始新的征程。

就在我70岁这一年,深圳大学为我举办了学术生涯30年的学术研讨活动,不远千里而来的有同辈学者张炯、钱中文、曾繁仁、陆贵山、童庆炳、王元骧、饶芃子等,我的学生王岳川、王一川、陈伟、张黎明、王坤等,以及我市的彭立勋、吴忠、王廉运、杨宏海、侯军、宫瑞华、李华、安裴智等,济济一堂,共叙友情,互道珍重,实乃难得。我意识到,我这人生将跨入新的转折,走向新的境地。

我的学术关注,已从文艺美学扩及更广的文化美学和生态美学。一介书生,做不了什么大事,也办不成什么实事,却可以时常反思。"反思往昔"当然比不上"超前预测",更比不上"当下实践",但反思对将来的实践还是可以作为参照,知道历史的教训也总比无知无觉好些。我有了更多的自由时间和更大的自由空间,读书、写作、弹琴、游泳之外,可以站在宽敞的阳台远眺香港的落马洲、红树林,感受后海湾的落日余晖,引发无限遐想,反思我们这个城市的发展历程,思索我们的生态环境和人文环境怎样才能和谐协调。

我们都知道,发展是硬道理。但向哪里发展,发展什么,如何发展,还有很多软道理在。我们大家是在摸着石头过河,边摸索边总结经验。如今,我们已有了新的发展观,懂得发展要向知识经济提升,而且不仅是发展经济,还要向社会发展的全面进步这个方向前进。发展也要以人为本,人文环境和生态环境要协调发展,人和自然要在发展中建立动态平衡的和谐关系。若能用这种发展观来规划、设计和建造这座城市,就能真正把深圳建成国际性的现代新都市。我很庆幸能迁到靠近深圳河、新洲河的这块较为空旷的地方来。两年前来挑选这个地方时,前面一览无余,深圳河、后海湾尽入眼底,视野之广阔,不仅能看到蛇口,还能远眺南山一带。当时我高兴得写了"海上白鹭挥手去,岸边红树入眼来"之句。但迁入不到一年,西南角靠红树林一片,不少高层建筑拔地而起。红树林自然保护区的人们惊呼:珍贵鸟类被惊走了,不能再建高楼!我在高楼上眼看着,视域已越来越小,已见不到新洲河西边的红树、白鹭。才过不久,忽又从深圳河那边传来沉重的机器打夯声,抬头一看,使我大惊失色,就在那深圳河边又在建厂房,不消半年,那深圳河和新洲河相接的那一块珍贵的绿地,成片地变成了楼群,再也看不见深圳河了。深圳河南面的香港米埔红树林也被遮挡,这使我十分纳闷,为什么香港那边的红树林保护得那么好,无人去侵占,而在深圳河这边,咱们自己的红树林却不断地被蚕食?这且不说,更使人担忧的是,从去冬以来,天气老是阴阴沉沉,霾不时发生,今年入春,却更厉害了,以前一直清晰可见的落马洲、灯火辉煌的边界灯也都被遮掩在烟雾弥漫之中,看不见了。

  冰冻三尺,非一日之寒。产生这些令人担忧的现象,原因是复杂的、多方面的,但有一个很重要的原因是在一段时间内,我们对我们这个城市缺少一种既符合科学精神又符合人文精神的整体设计,不懂得如何按照美的规律来建设,也就是没有用新的发展观来做指导。

  其实,西方发达国家在城市现代化过程中也出现过不少教训,也有一些摸索建立现代新城市甚至生态城市的经验。我们中国人到美国的大城市纽约、旧金山去参观,都为这些大都会的繁华和汽车的稠密所惊叹,纷纷要步这些大都会的后尘。但是,美国不少生态学家、城市设计家却早已意识到,汽车的毫无控制的发展,不仅"浪费资源和时间,污染土地、空气和水",而且使城市像摊饼似的蔓延,"破坏了传统城市、城镇和乡村合理并且令人愉快的结构",使城市畸形化发展。有的城市设计家,如瑞吉斯特还分析了20世纪50年代美国发生汽车热的历史动因,那是汽车、石油等财团合谋垄断的结果。战争结束,美国有1000万军人要转业,汽车、石油财团抓紧机会吸纳了这些廉价劳动力去制造汽车、修筑道路,高速公路迅猛发展,汽车猛增,城市迅速蔓延。随之而来的是噪声、空气污染,石油短缺,于是向外扩张,寻找新的贸易。一些先知先觉者身在其中,有切身体验,早在20世纪60年代就开始意识到城市不能如此发展,陆续提出了花园城市、空中花园、绿色城市、生态城市等设想。20世纪80年代初,美国还出现了新城市主义,致力于建设和纽约、旧金山不同的新都市。

  我们深圳人要到2002年在深圳召开的第五届国际生态城市大会上,才知道国际上为争取创建生态城市的历史。但晚知总比不知好,可以让我们知道新城市的建设,既要符合人类本性,又要遵循自然规律。哪个城市破坏生态环境,必然要受到大自然的报复。深圳人在坚定不移地发展汽车:为什么美国人能享受的,深圳人就不能享受!就在生态城市大会开过的第二年,2003年,深圳汽车猛增12万辆,深圳街道上已有70万辆车在滚动,光这些汽车排起来不动,已长达2300公里。可深圳在拼命筑路,至今也还只有公路2800公里。于是,只有继续加快公路修建。可是,深圳还有多少土地?再说,汽车尾气又往哪儿排放?于是,我们就见到了深圳上空久久不散的霾,霾挡住了我们的视野还是小事,汽车的尾气可是有毒的啊!再发展下去怎么办?

"中国正逐渐融入由美国主导的全球经济秩序,作为整个经济链中至关重要的一环。"这是美国著名的《华尔街日报》在今年1月下旬在头版头条发表的评论文章中所说的话。此话当然是夸大,显得扬扬自得,但这可触发我们警觉和反思。美国的人口只占世界的6%,汽车却占世界总量的50%,国内的石油远远跟不上,要从中东进口60%以上,所以要去征服伊拉克。中国的人口远超过美国,若要无限制发展汽车,能源从哪里来?……不过,这已超出生态问题,只能把困惑留着吧!

我喜爱旅游,国内许多自然生态较好的地方差不多都去过了,比较之下,我发现深圳的自然生态虽比不上海南,但在国内亦应属前列。从20世纪80年代中期开始,我就随北大的地质学家陈传康教授去周边做过旅游资源考察,后来又和摄影家何湟友一起去东部海岸参加旅游景点评审,我越来越觉得,那里的自然风光并不比夏威夷、芭堤雅等差,完全可以发展成旅游胜地。深圳2000平方公里左右的土地,有山、有海、有河、有湿地、有红树林,构成一个独特的生态结构。深圳的地势很独特,东西狭长,最东是南澳半岛上的海柴角,一片洪洋大海;最西边是沙井的西海堤,堤外是珠江入海口和伶仃洋;东西长达150多公里,而从深圳河始,南北只有数公里,北边都是山。依我之见,城市建设应和这美好的生态环境融成一片,顺势而为,构建自成特色的新都市。如果说,深圳特区的建设初期,为了生存,不能不全力以赴搞经济,但在二次创业中求发展,就不能不在发展经济的同时,更多关注自然生态，从整体上来重新规划，精心设计，按照美的规律来建设新都市。精神家园何处是？乐在诗意栖居中。若有美景常相伴，应是人间好时光。

可惜，由于只从经济利益出发，不顾整体生态环境，深圳竟先后砍了600多个山头，"移山倒海"，势不可当，到1995年遍地"疮伤"，已有600个秃山头待治。可砍山容易治山难，就是努力治理，预计到2005年还要治好249个，这要付出的高昂代价，当初大概不会想到。虽然深圳有大海，淡水却极稀少，深圳的河道可能是深圳最珍贵的资源。可是，也就10年光景，深圳的河道都变成了排泄污水的臭水沟，而且多年治不好。不少河道的污泥浊水还在源源不断地流向后海湾，这样下去，深圳湾会变成什么样，会不会也成为一个污水池？这着实令人担忧。深圳市区唯一东西向的深圳河，是处在香港和深圳之间最宽阔的河道，如果早些认识到她的作用和地位，本可以发展为一条体现国际性都市特色的标志河，就像巴黎的塞纳河、波恩的莱茵河、布达佩斯的多瑙河、广州的珠江等等，让国内外的旅客可以乘船遨游，观赏深圳、香港两岸风光。这条河的西头流入后海湾，通红树林，在和新洲河入口处，有一片可以发展为红树林公园的难得的湿地，十分可贵。可是，就是深圳河北侧这样一块难得的珍贵之地，竟交给保税区去大盖厂房了，车声隆隆、车尘滚滚。眼看深圳河入后海湾口的那块宝地亦在不断受蚕食，如不及早交给红树林自然保护区去开发成生态公园，这里的海滩湿地亦将不复存在。想到此处，不禁令人感叹！

反思起来，深圳若要按美的规律来建造，创意设计是十分重要的一环。深圳的整体开发需要有统一的规划，分成不同的功能区域，如今这国土规划正在逐步完善。但规划之外，还必须按不同功能区域作精心设计，把科学精神和人文精神融入设计中。中心区要设计（已在付诸实践），各个社区也要设计，公共场所要设计，私人住宅也要设计，文化教育就更要设计。深圳要发展成设计之都，这，不仅是平面设计——它只是整个设计事业的一小部分，而是在各个领域都要讲究设计。发展图书事业要作整体设计，钢琴教育就更要精心设计。国内建筑设计界的一些有识之士已经开始注意深圳的发展动向,建筑确实应更关注建筑的整体设计。更进一层,我们更需要这个城市的整体设计。

深圳在超常发展的20年中,虽然已经把大部分土地开发完了,但她还有可以继续发展的潜能,问题是要精心设计,不断完善,特别要在生态环境和人文环境的相互补足和相互促进上多花心思,真正建成一个高品位的文化—生态城市。曾有好心人劝我去珠海养老,北大也有学者退休后到三亚购房,劝我也去那里安居,但我还是没有选择离开深圳。那些地方生态环境确实好,但现代化的水平以及人文环境都比深圳差远。综合来看,深圳还是目前较为适宜人居住的地方,反思的目的,还是盼望她更好、更美。古人说,爱而知其丑,正是因为我深深爱上了深圳,所以对发展中的有些欠缺就较为敏感,以引起今后的警觉。我这已过了古稀之年的一介书生,越来越体会到孔老夫子所说的"从心所欲不逾矩"实乃人生的最高境界。但要达到这样的境地实在不容易,孔子也要到70岁以后方才领悟到。我如今首先要做到的是,如恩格斯所说的,要过一种"同已被认识的自然规律和谐一致的生活"。所以,我特别关注自然生态,"腐儒心事呼天问,大地山河跨海来"。诗意栖居何处是?岭南唱晚应无悔。

2004年2月20日,望海书斋

深圳精神善创新

深圳精神,应是深圳的灵魂。跨入新世纪后,大家正在热议,深圳精神如何充实、提高。这里,从我个人的体验和感受出发,略说一下我的领会。

1984年春,我来到深圳的第一感觉就是:虽然还是个边陲小镇,百废待兴,但洋溢着勃发生机,朝气蓬勃。所以,尽管北京大学一再催我回去,我还是留在了深圳大学,参与中文系的创建之后,又继续为国际文化系的建设而不懈奋斗。

这以后,北京、上海的朋友陆续来访,谈起对深圳的印象,最突出的就是"敢闯"。小平同志说办特区是要"杀出一条血路",这是"开路",真的是"筚路蓝缕",从无到有,"敢为天下先",建立一种新的社会样式。如果没有敢闯肯干、吃苦耐劳的精神,这特区如何办得成?我从个人在深圳18年的体验和感受出发,觉得以"开拓、创新、团结、奉献"来称道深圳精神,提纲挈领,抓住了要点,很有概括性。

如今,血路杀出来了,崭新的城市建起来了,正在向更高的目标前进,"增创新优势,更上一层楼"。深圳精神不可丢,需要更加发扬光大,但也要与时俱进,充实提高。

深圳精神的精髓是"创新",充实和提升还是要围绕"创新"二字下功夫,对"创新"内涵作更科学的阐发。

深圳开始第一次创业时,还是一片有待开垦的处女地,就像画图,可以任你在白纸上画。可是当时我们刚开始睁眼看世界,对世界所知不多,外面的世界真精彩,对我们来说,一切都是新的。

但是,若要从整个世界的眼光来审视,究竟什么才是真正先进的,什么早已是落后的,这里就有深而广的学问。引进劳动密集型的设备乃当时之必需,对我们是新的,但在世界上却已是落后的,被淘汰到我们这里来了。深圳发行股票对我们也是新的,是创举,那时,只要"敢"买,就一定能赚钱,不敢买就失去时机。但不到几年,凡"敢"买的,就必被套,因为股票发行的那套规矩不是先进的,还渗透着权钱交易的落后一面。当新世纪来临,我们即将进入世界贸易的轨道,我们如何与时俱进、不断创新,这就不只是一个"敢",更需进一步提升,突出"善"。

所以,围绕着"创新",我们必须致力三个方面的问题:一是要创什么样的新;二是创新是为了什么;三是怎样才能创新。

我们要创的新是具有先进性的新,创新就是创先进,是要创优,而不是一般的新颖。落后的反而也常常装扮成新的姿态出现,像时下的有些行为艺术,标榜着新,实际上是张扬暴力、色情、迷信,目的在骗钱。创新,创新,为的是创造先进,要从这个高度来衡量,这就要求既要有科学精神,又要有人文精神。马克思非常重视生产,但生产可以是旧的重复,也可以是新的创造。蜜蜂、海狸、蚂蚁等动物也能生产,为自己建造住所,但是"动物只是按照它所属的那个种的尺度和需要来建造,而人却懂得按照任何一个种的尺度来进行生产,并且懂得怎样处处都把内在的尺度运用到对象上去;因此,人也按照美的规律来建造"[①]。深圳若要继续创新,就既要重视科学研究,又要了解人民需要,把人的尺度和物的尺度统一起来。若从这个高度来反思,我们过去曾做过的有些事,就不符合创新精神。比如说,深圳最适合人类诗意地栖居的地方在东部沿海,那里的风光不亚于夏威夷、芭堤雅这样的世界著名旅游胜地。但是,我们却竟在葵涌沿海建了不少污染海洋的工厂,当时还有人以为这是创新,在偏僻的地方居然也有了工业,其实这是愚蠢。深圳依山傍海,可为了眼前的短暂利益,竟到处开山,炸砍山头建密集型工业,使这方乐土,伤痕累累。特别是深圳有许多河道,本可把它治理得四通八达,又利交通,更能美化,可是,我们

[①] [德]马克思、恩格斯:《马克思恩格斯全集》第42卷,人民出版社,北京,1974年,第97页。

非但不加保护，反而在河边大建工厂、住宅、商铺、饭馆，把非常宝贵的河道变成了排污渠。到后来才逐渐认识到，海、河、山对深圳是多么重要，多么宝贵！亡羊补牢，尚未为晚，现在再治理总比不治理好，要学上海人治苏州河、黄浦江，苏州人治太湖。但若早些觉悟，防患于未然，岂不更好！

深圳已经长成二十出头的"青年"，我看，除了要继续发扬"敢闯"的精神，更重要的是要突出"善于创新"。我以为深圳精神要充实提高，要更多在"善于创新"上下功夫，"善于创新"要以"敢闯"为前提，但"敢闯"并不就能"善创"。"善于创新"是更高的要求，是深圳精神的更上一层楼。"善于创新"比"敢闯"更难，既得求真守信，又要用心奉献，必须有高度的科学精神和人文精神的结合。为此，我以为，深圳精神在新世纪的充实、提高，应表述为：

求真守信善创新
团结奉献民为本

改为两句，容易记住。但若要分为四句，则又表述为：

求真守信　善于创新
团结奉献　以民为本

求真突出的是科学精神，守信是人文规范，善于创新是关键，最后都是为了人民，以民为本。

2005年春，望海书斋

文化立市人为本

深圳是中国当今最大的移民城市。改革开放之初,宝安原地人口只有30万左右,其中的深圳,特区初建时的边陲小镇,还不到3万人。如今深圳市的人口,实际居住的已有1000多万,来自全国各地,港澳台来的也日益多起来,还有些来自世界各地。但深圳和纽约不同,纽约是世界上最大的移民城市,主要乃国际移民,而深圳主要是国内移民。来到深圳的各地移民,带来了各自的文化。在这不到2000平方公里的土地上,一下拥来了如此众多的人,成为国内人口密度最高的地方之一。而来自五湖四海的众多人口中,文化落差巨大,价值观念多异,实际需要多样,这就形成了这里的文化,多元杂处,自发成长。正是这样,深圳就更要有文化的自觉,要在逐渐发展的过程中,在主流文化的导引下,高扬主旋律,向不同层次的文化格局渐进。

特区初创,一穷二白,白手起家,物质匮乏,生活艰辛。那时来投身创业的最初移民,过着紧张而简朴的生活,吃大锅饭,住铁皮房,心无旁骛,一心建设,团结奉献,开拓创新,这种特区精神就是在那时形成的。我在1984年5月初到深圳,就住在那宝安县政府旧址的简陋房中,亲身感受到了那种热火朝天、朝气蓬勃的特区精神,精神为之一振。这种感受,使我又回到了新中国成立之初那种精神振奋的年代,产生了渴望再次投身火热生活的激情,从而又一次焕发了青春。

人生活在社会中,而社会发展自有其规律和轨迹。深圳初起,百业待举,当务之急是先需发展经济,建立自己的物质基础。对物质的追求,被置于首要地位。移民的密集劳动推动了资本的原始积累,而在资本追逐利润的刺激下,金钱的力量不断被放大,物质文化最先在深圳兴旺起来。依我的观察,深圳最早发展起来的是"衣"的文化。20世纪80年代后期,内地亲友开始陆续来访,最感兴趣的是到沙头角一睹中英街，然后买上好几块香港的布料，带到北京转送别人，那时能得到这港货，就如获至宝。到了20世纪90年代中期，深圳的服饰文化开始发展起来了。各种时髦服饰，就由出口转内销，先在深圳兴起服装展销，在香港要数千元一套的服装，在深圳只要数百元甚至数十元即可买到。"时装模特"也开始兴起。我来深圳不久，就不时被一些时装模特大赛请去当评委。随后就出现了"世界小姐"、"环球小姐"一类的跨国比赛，逐渐超越了"时装模特"的范围。深圳发展到20世纪90年代中期，"饮食"文化也逐渐兴旺起来，粤菜之外，许多菜系，如川菜、湘菜、鄂菜、浙菜、沪菜，甚至东北、西北、蒙古的菜都来深圳抢滩。国外餐饮也迅速跟进，请客吃饭逐渐成了家常便饭，万元一桌的吃喝也不稀罕了。之后，"住"的文化也在兴起，一开始受关注的还只是普通住房，面积不大，但装修却讲究，纷纷依照豪华酒店的居室布置。跨入新世纪，豪华住宅、花园别墅受到追捧，先富起来的人群蜂拥争购数百平方米的豪宅。深圳的社区等级迅速拉开，豪宅迅速向后海湾、东海岸最好的地段扩展，不禁令人惊叹：这里的富人真多！汽车的发展虽然较晚，但买豪华车的热潮已愈演愈烈。在新世纪到来的最初几年，深圳人没有多少小车。我那时第三次去泰国曼谷，突然发现曼谷已陷入"车灾"之中，那旅游大巴常被阻塞在众多的车辆之中，前进不了，也退不回去，动弹不得，只能在车里忍受那污浊的气味，有时超过一个小时。那时，我脑里不时涌出这样的疑惑：难道现代化的结果就是这个样子？那还不如不要。此后，我就再也没有兴致去曼谷。但是，不由我的意志愿望为转移，不到五年，深圳的"车"文化也发展起来了。如今，那堵塞程度，正在向曼谷靠拢，空气污染的程度正在迅速加剧。随着污染升级，深圳富豪已经把兴趣转向海上游艇。我看，目前这世上最费钱的消费，亦将在深圳兴旺起来了。

深圳的物质成就令人赞叹，深圳的物质文化还将持续发展，衣食住行、生老病死，都需物质生产来支撑。但在发展物质文化的同时，我看还需发展社会文化以处理错综复杂的社会关系，更需发展精神文化以提升人的精神世界。人，不能只满足于物质生活，还需参与社会生活，丰富精神生活。在香港回归之前，深圳人很羡慕港人的物质生活。在回归之前的一两年,深圳市特区文化研究中心举办了一次深港文化的学术研讨会,我在北大时的一位老同学,以《大学春秋》而著名的康式昭,正在文化部主持文化政策的研究,这次他也来实地考察,参与研讨。那时深圳的物质生活逐渐半富起来了,他也为此高兴。但他以为,一个城市的发展应该文化先行,旗帜鲜明地要优先发展先进文化,用文化来推动社会发展。发展文化,要有超前意识,越早越好,越晚越被动。我当时虽还未及深思,但凭我直觉,这思路很对:社会发展,文化先行,好处多多。经济有了一定基础,就更应加大文化发展力度。"文化搭台,经济唱戏"乃颠倒了关系,社会发展应是"经济搭台,文化唱戏",这才是正途。正是此次受康式昭的启发,我开始关注起精神生产和物质生产以及人自身的生产这三大生产的关系来,并追溯到马克思、恩格斯的思考。

我在1984年初到深圳,深切感受到这里在改革开放之初,其实已是文化先行。在经济还很薄弱、人口还只有20多万的初创时期,就"勒紧裤带"超前建设八大文化设施。到小平第二次深圳视察,深圳在掀起两次创业的热潮声中,又投入建设新的八大文化设施,要朝现代文化名城方向发展。进入新世纪后,深圳文化自觉更高,在日本、韩国提出"文化立国"之后,深圳也确立了"文化立市"的战略,实属难能可贵。但是,由于深圳的人口发展过快,迅速从数十万猛增到1000多万,社会文化和精神文化的建设,很难一时跟上。更重要的是,当深圳已确定要向国际化城市发展之时,我们当如何吸引和培养国际化人才,如何建设与此相适应的高端文化,尚缺乏实际的措施。初创之时,办起了深圳大学,但二次创业时期,深圳已富起来,却仍只有一所大学,而且极少人文学科。近邻香港只数百万人口,我在20世纪80年代初访时,还只有香港大学、中文大学两所大学,正在筹建第三所——香港科技大学;而在香港回归前夕,岭南、浸会、理工等学院都提升为大学,发展到八所。更令人惊叹的是,香港科技大学只办了10多年,就跨入世界名校之列。香港友人告我,香港世俗社会,大众文化乃主流。但香港有这么多大学,不断培养出国际化人才,成为这个国际化城市的智力支撑。香港的文化教育发展经验,很值得深圳借鉴。深圳发展了30年,如今已深切感受到了学术文化的滞后,应有深入的反思。所幸,深圳如今正在建设第二所大学——南方科技大学。听说,深圳今后还想从海外引进更多的名牌大学,在这里联合办学。这给了我们更多的期盼:希望深圳有更多的人文学科发展起来,希望有更多的人来深入研究一下深圳的今后发展,如何才能以人为本?

在一、二次创业期间,我和先后主管宣传文化的杨广慧、邵汉青等曾有多次交谈,探讨深圳的文化究竟有何特色,我能说的也只是移民文化的一般特点,多元、开放、杂交等等。就是到今天我也只能认识到,深圳的文化还未定型,正在发展,流动多变,开放包容,多元杂处。这是一个自由宽松的人文环境,束缚较少,自由度大,个人可以特立独行,想过什么样的生活,悉听自便,很少有外力来干涉。但这里也难有亲朋好友、贴己知音,少有个人交往,不大容易构筑精神家园。那时,我这一辈超过古稀之年的在这里不多,却在跨入新世纪后,来了不少退休朋友,他们一辈子都在大学教书,子女在深圳发了家,为父母买了豪宅,接来养老,过起"从心所欲不逾矩"的生活来了。友人都称道这里住宅宽敞,生活方便,气候也好。但是,他们一年中只在这里住半年,秋来春去;还有半年仍在老家住,感觉这里没有根,缺少精神家园。还有一位山东老友,女儿为之买了上好豪宅,老两口只住了一个冬天,再也不来,说是不习惯,融不进这座城市。这也难怪,我自己在北京停留了30多年,都没能融入京都文化,那京韵大鼓、评书、琴书、评剧等北方曲艺都引不起我的兴趣,就是听京剧,也只是欣赏其中的音乐曲调。我不留恋那里,所以最终远离京都,但我却永远怀念着我的故乡苏州无锡,古老的吴文化的发源地,我整个少年时代都在受着吴文化的熏陶,它深深渗透在我的血肉中,永世难忘,那才是我的精神家园。想起水乡风光、江南丝竹乐、苏州评弹、嵊州越剧、锡剧,就不由得心向往之,真个是游子只合江南老。怪不得画家苏东天教授在新世纪到来之际,在深大办完退休手续,马上打道回府,在西湖边上安了一个舒适的家,面湖作画,其乐融融,优哉游哉!中国最早走向现代化之路的上海,也正是在古老深厚的吴越文化的哺育下生长,在20世纪三四十年代成熟、兴盛,被称为"东方巴黎",替代了日本东京,成为当时东方的国际大都会。这样看来,深圳要想成为国际性城市,在文化建设上还应下更多功夫,不仅要有国际视野,把世界上最先进的文化吸收进来,而且要扎根中华民族自己的文化传统中,吸取营养,然后才能创新,形成深圳自己原创的特色文化。

文化是一个相对独立的系统,其核心是价值观念,决定未来发展的价值取向。三十而立,深圳的文化会向哪里发展呢?依我个人之见,深圳的文化要自成特色,今后的发展应突出三性:

一是创新性。深圳起家靠开拓创新,要持续发展,更得靠开拓创新。不过,这已不是从无到有,而是要从有到优,要在百尺竿头,更上一筹,是在更高阶段、更高水平上的创新。如今全国都在倡导创新。深圳的创新应在"创优"上下功夫,不仅是新,而且还要优。卓越超群应是我们更高的目标。我们的物质生活自然要继续提升,但更应提升社会生活、精神生活的水平,这就要促进物质文化、社会文化和精神文化三者的互动,形成良性循环,协调发展。就精神文化领域来说,主流文化、大众文化、精英文化之间也要相互促进,提升水平。深圳的大众文化发展得很早,已成深圳文化不可或缺的一部分。深圳的公共文化事业发展很快,已成深圳文化的主流(群艺馆、文化站已有62处,文化广场381处,图书馆609处,博物馆25处,受益者达500万人)。近几年文化产业也在迅猛发展。高雅文化虽然也受到关注,但在深圳却是最薄弱的环节,我们还刚处于普及高雅的初级阶段,深圳自己还没有把目光放在创造自己的高雅这一层面,文化产业和文化事业这两股力量,如何相互补足、相互促进、协调发展,尚待深入探索。

二是智慧性。30年的高速发展,深圳的土地资源,分割完毕,所剩无几了,已在向海洋进军。深圳已成为全国人口密度和汽车密度最高的喧闹城市,我估计,这里的建筑密度可能也在全国前列。地少人多,今后我们如何发展?这就越来越需要高度的智慧,要有所为,有所不为。物质生产不能再只求量不求质,精神生产应有更好的发展,但不论是物质生产还是精神生产,都应服务于人自身的生产,更关注教育、卫生等事业的发展和提升。当务之急,必须高度重视生态文明,促进经济发展、社会发展和自然生态的协调发展。这当然要依靠高科技,但高科技这工具理性,必须服从价值理性,不能再以牺牲自然环境为代价来发展经济。深圳今后的发展,既要马儿跑得快,又要马儿少吃草,这就需要深圳人自己得有高度的智慧才能做到,使科学文明和生态文明融合起来,把深圳建设成最适合人居住的海滨城市。这就需要加快学术文化建设,加强科学研究,建立可靠的智库。

三是和美性。来自五湖四海的外来移民,团结奉献,共同建起了深圳这个现代化城市。深圳要发展,更要高扬团结奉献的精神,才能把大家凝聚在一起。实际存在的贫富差距已越来越大,如何缩小贫富差距,乃世纪难题。深圳应在实现全面小康的基础上,壮大中间阶层,向中等富裕水平发展。这个社会的上层正在迅速攀升,在深圳最美丽的地方建起了豪华别墅、绿色社区、空中花园、高级会所,甚至已向东部海湾抢占,建起游艇俱乐部及形形色色的娱乐场所。所幸,深圳的破旧屋村也在推进升级改造,每改造一村,就会涌现一批亿万资产的富豪。更多的小康之家和中等人家则居住在普通社区,如何关注这些小康之家、中等人家,应提到日程上来,应旗帜鲜明地提倡建设"和美社区"。高级、中等、低层的社区已不可能绝对一样,但都应提倡"和美",和而不同,各得其所,自赏其美,相安无事。不要依势压人,也不要恃财欺人,要平等待人。富人要有感恩之心,是深圳这块乐土让你步入青云,不要趾高气扬、颐指气使,而要眼睛向下,与人为善,多作奉献。中国的传统文化,向来推崇和而不同,以和为美。早在春秋时代,楚国大夫伍举就劝楚灵王不要大兴土木营建楼堂馆所,而是要关心民间疾苦,处理好社会关系。他最后说道:"夫美也者,上下、内外、大小、远近皆无害焉,故曰美。"只有先从底层做起,建设和美社区,才能使这个城市和谐起来。

新世纪跨入第一个十年之新春,有感建言
为深圳社科界新春年会而作
2010年4月10日,望海书斋

共同家园精经营

在北京住了30多年，很难体会到这里的春天有什么美妙之处，风沙蔽天，雾霾迷漫，行路都难，更不要说赏景了。

深圳初春，最为宜人。阳光和煦，空气清新，木棉花开，万物竞生。一年之计在于春，诚哉斯言！

春意乍来，兴致勃发。市旅游文化局的总管池雄标请了我们几个人组成一个"深圳八景"评选终审团，先在华侨城聚会。然后，我同李灏、秦文俊、李伟彦等一行数人要去亲身体察一下鹏城八景，好对这次全市人民评八景作出最后的评审。我们去的第一站就是莲花山。可天公不作美，到山顶已近10点，天色还是昏暗朦胧，不见阳光。站在小平铜像前俯视新市中心，只能看到市政大厅大鹏展翅的那一片，周围已是模糊，那更远的建筑，却都淹没在那浓浓的阴霾里了。

我不由得发出了一声感叹："深圳的天气怎么会变成这样？什么美景都看不见了，真是大煞风景！"我这话立即引起了我身边秦文俊的一番感慨。他在深圳立市之初就来这里当开荒牛，曾任市委副书记，在香港当过新华社副社长，一直把深圳当作自己的家园，有很深的感情。他深情回忆当初来到深圳，突出印象是这里空气特别清新，夜晚是"满天星斗"。晚上看星星，天上有无数个，数也数不清，真是令人难忘。香港回归，回到深圳家里再看星星，发现变了，那天空怎么只能看到五颗星了？今年，他又发现，能见到的只有两颗星了。站在我另一旁的李伟彦也加入了谈说。他说他初来深圳时，感到这里的空气真新鲜，比广州好多了。他最爱上荔枝公园去深呼吸，如今已大不如前。李伟彦是深圳立市时最早的市委宣传部部长、市文联主席，堪称特区文化的开荒牛。

那天，我的心情就像被阴霾笼罩着，高兴不起来。直到驱车东部海岸,又乘汽艇在海上转了一圈,亲近了大海,心情才稍为舒展。由霾,我想到了咱们深圳的空气、阳光和水,痛惜咱们这个城市的发展,以环境污染作代价的损失太大,还是走了"先污染,后治理"的老路。

造成环境污染的原因是各种各样的,具体问题必须具体分析。但忽视环境保护的深层根源还得到文化理念中去寻找:我们这个城市,"共同家园"的意识稀薄。有些有识之士早已觉察到,"文化具有作出经济选择的能力"(福山)。文化应对经济发展的选择起价值导向的作用。出于"城市应是花园"的文化理念,美国在20世纪70年代已出现了"建立生态城市"的呼声,后来又有"新城市主义"运动,反对"汽车社会"的蔓延。在《生态城市——建设与自然平衡的人居环境》一书中,美国学者瑞杰斯特抨击了美国在20世纪60年代发展起来的"汽车社会"。那是当时的军事—工业联合体利用了1000万军人在战后要转业的时机,竭力发展了汽车制造业,鼓动大家买车,其结果是城市蔓延,扩展成"汽车社会",占世界人口6%的美国竟拥有世界50%的汽车,石油废气急增,"污染土地、空气和水"。他认为"汽车社会"的出现乃是历史的错误,后发国家不要再走入歧途。2002年在深圳召开的第五届国际生态城市大会上,这位学者还在劝中国:"要选择一条可持续发展的新路","在别人发展汽车社会的同时另辟路径"。我们还没有来得及理会,在咱们深圳荣获"世界花园城市"称号的次年,也就是2003年这一年,汽车一下子就猛增了10多万辆,天气变化也立竿见影,深圳有霾的日子也骤然增多;深圳人死于交通事故的数目也急剧增加,2003年死于车下的达1000人,高于癌症,雄居首位,占死亡率的60%。而据法国公布,八成至九成的癌症,竟都是由环境污染所造成。呜呼,哀哉!

当然,亡羊补牢,犹未为晚,如今深圳,已更重视公共交通的作用了,并在努力建设公共文化。但治标更需治本,需要以人为本,树立"共同家园"观念,从共建美好家园出发,寻找发展新思路。我们不妨反思一下我们这个城市的结构—功能,使城市车辆降至最低数而又充分发挥汽车的作用。更进一步,我们更需考虑我们如何更好地发展公共事业、公共空间。看来,深圳的交通可能还需要向地下发展。我很高兴地看到,我们的税收在日益增长,这是我们共建美好家园的坚实基础。市政府准备加大对社会发展、公益事业的投入,不低于财政投资的65%,对全市1100平方公里土地作了新的规划,把二分之一的土地定为"基本生态控制线",保持自然生态,这都令人欣慰。我看,税收政策也可与时俱进,向公益文化、慈善事业、环保产业等做优惠倾斜,为共建咱们的美好家园做更大贡献。

此次"深圳八景"终审,乃由市旅游文化局局长池雄标主持组织,在全市热心人推选的基础上,做最后决定。经由三天的考察,我写下了我对"深圳八景"的评语,记下来为我自己做个纪念。

莲山春早

莲花山处于新中心,形似莲花,面积达166公顷。绿草如茵,山水秀灵,曲径通幽,景色迷人。山顶屹立邓小平铜像,俯视中心区全貌,市政府、博物馆、图书馆、音乐厅、水晶岛、艺术中心、会展中心、少年宫等,错落有致,尽入眼底。赞曰:伟人屹立气如虹,俯视前景仍从容;莲花山上春来早,催人奋进莫放松。

深南路长

横贯市中心的深南大道,是最繁华的深圳第一路,全长17.2公里。大道两旁,高楼林立,集中了深圳建筑精华,因功能分布不同而各显特色,是国内少有的具有现代化特征的景观大道。夜幕降临,灯火辉煌,形成优美的夜景。赞曰:大路绵延贯东西,阳光夜景俱绚丽;走向国际新都市,任重道远不停歇。

侨城锦绣

享有盛誉的华侨城,拥有"锦绣中华"、"中国民俗文化村"、"世界之窗"和"欢乐谷"等主题公园,集中华传统文化、民俗文化、世界文化之精华于一体,熔自然、人文之景观于一炉,更用声光电现代科技表现手段,配之以东方特色的歌舞演出,令人留连忘返。赞曰:新都市里第一村,开发最早常出新;中外交融设计巧,动静结合好风景。

梧桐仙境

梧桐山主峰高近千米,为珠三角第一峰,挺拔壮丽,飞云缭绕,涧溪幽远,古木苍劲。极目远眺,大鹏湾、盐田港、沙头角和香港群山,尽显眼前。山下仙湖植物园,湖光山色,树木葱茏,犹入仙境。赞云:天上人间交相融,珠江流域第一峰;仙湖岸边景独好,小平手植高山榕。

梅沙踏浪

大、小梅沙海滩位于大鹏湾畔,沙白细腻,平坦柔软,犹如一弯新月嵌在苍山碧海之间,堪称"东方夏威夷",成为全市度假、休闲、踏浪、健身的好去处。赞云:梅沙连绵如新月,镶在青山碧海间;风光不输夏威夷,踏浪遥看水天接。

羊台登山

宝安北侧羊台山,雨量充沛,气候宜人,是多条河流的发源地。山涧溪谷,水流入十多个水库。云烟缥缈,变幻莫测,山下乃客家人聚居之地。曾从日寇占领下的香港,接出以茅盾、邹韬奋、何香凝等为首的数百爱国志士、文化名人,转移到此山,故有"英雄山"美誉。赞云:羊台山上烟雨多,山涧溪谷自成流;不愧美誉英雄山,宜去寻梦多探幽。

一街两制

沙头角上中英街,由梧桐山流向大鹏湾的河沙淤积而成,古称"鹭鹚径"。街中心有界碑,乃1898年(光绪二十四年)所刻立的中英边界线,从此,东侧为华界,西侧为英界,沙头角因此而被称为中英街。历经百年,香港在1997年回归祖国,但界碑犹存,成为"一街两制"的标志。赞云:历经沧桑百余年,回归祖国换新颜;往日辛酸成追忆,一国两制分界线。

大鹏古城

大鹏镇上的"大鹏守御千户所城",乃始建于明洪武年间(1394年),是抗击倭寇的海防前哨指挥地,也是深圳目前唯一的国家重点文物保护单位。城内四条街道,清式建筑保存完好。鸦片战争抗英名将的"将军第",规模宏大,气势不凡,实乃访古凭吊、领略古风的好地方。赞云:大鹏湾畔立古城,海防前哨多功勋;明清文脉今犹存,忆古思旧好寻根。

为"深圳八景"终评而作
2004年春,望海书斋

发展有赖新思维

我看,新发展观是关于发展的新思维,反映了时代精神、历史发展要求,符合广大人民长期利益。所以,在此次全国人大、政协会议上,在深圳市人大、政协和文化立市战略工作会议上,都有广泛而热烈的反应,围绕新发展观来重新思考,为今后发展献计献策。

发展是硬道理,社会要发展,这是第一要务。但是,发展向哪个方向发展,发展什么,如何发展等等,还有许多软道理,必须在实践过程中不时探索和反思。从建立特区到现在,深圳发展已有20多年了,如今正处在一个十字路口。深圳创造的经济奇迹,有目共睹,世人瞩目,深圳人均生产总值已到6500美元,这超出了1000美元的全国平均水平。但是,深圳的土地资源也就2000平方公里,这20年几乎已把可开发的大多开发掉了,人口急剧增到1000万(有些流动人口还未计在内)。咱们的邻居香港,弹丸之地,也就1000多平方公里,经营了100多年,却还留有很大空间,暂不开发。咱们深圳,还有多少发展的余地?对此,就应有清醒的头脑、科学的估计。我感到很大欣慰的是,深圳领导最高层已经有了新思路,坚决贯彻新发展观,要以民为本,寻求经济、政治、文化协调发展、全面进步的新路:"求佳不求大,求优不求多,求特不求全。"(李鸿忠)

沿着这条新思路,我觉得深圳的发展,今后要有三个"更加重视":

一是要更加重视文化和生态的亲密结合,按"美的规律"加快高品位文化——生态城市的规划和建设。

深圳是好地方,依山傍海,得天独厚,在中华大地上已属稀有。深圳的南北空间不大,但东西的跨度甚大。从最东端的南澳半岛海柴角,到宝安沙井的西海堤,约160公里。在这狭长地带,东部是汪洋大海,西部是珠江入海口,南边是香港,隔着一条深圳河,北边群山绵延,多好的自然生态。在这块土地上建起来的这座城市,确实有着崭新的面貌。但这座城市的发展和生态环境是否和谐、协调,还值得咱们自己进行反思。葵涌海岸一带竟建起了印染、化工厂,令人叹惜,市区的数百个山头都被砍削,使人费解。但木已成舟,要改已难,现在反思,前车之鉴,引以为戒。

令人振奋的是,市里已邀请了中国科学院的10位院士来为深圳出谋划策,如何建设生态城市。我想,深圳要想成为国际化新都市,一定要按照"美的规律"(马克思语)来建造,这就必须把生态、人文结合起来。这既要有科学精神,又要有人文精神。城市是由人建造而且是为人而建的,要在最大程度上适合人的居住和活动,达致天人和合。城市内的各个要素相互配置要和谐一致,社区、街市、道路、景观、河流等形成一个有机整体。现在,很多已开发的地方,尚是粗放式的发展,还需完善。城市若要按"美的规律"来建造,在做好国土规划的基础上,必须对城市做精心设计,发展创意文化,这样才能使城市既有多样性,又有完整性。社区、道路、景观等各种城市要素都要有既合科学精神,又合人文精神的设计,有了好的创意,才能使建造符合"美的规律"。深圳要成为设计之都,远远不限于平面设计,还需要发展各种立体设计;也不只是建筑设计,社区的设计、景观的设计,还有公共设施的设计,都需要有立体模型,让公众能了解这种设计,吸收大家的智慧。因此,要让深圳的设计事业蓬勃发展起来。城市是一个完整的有机体,自成系统,城市之美是系统美。城市系统内的布局合理、功能完善、设计精美,才能创造出城市系统的美,成为真正现代化的新都市。

第二个更加重视的是要突出海滨的特色和优势,把深圳建成一个具有海滨特色的国际旅游城。

20年前,我第一次踏上这块土地,就为这里的自然之美所吸引。后来,在华侨城掌门人马志民的支持下,我曾和北大研究地理景观的陈传康教授一起到东部作过旅游资源考察,又和深圳摄影家、作家、诗人等去黄金海岸数度采风,愈来愈觉得,那海岸实在是深圳的骄傲,并不比夏威夷、芭堤雅、长滩等逊色,在国内也可和青岛、大连、厦门等比美，可惜离城市太远，不像三亚那样，城市就在海边。随着经济发展的提升，深圳已越来越意识到，如今已发展到"再次现代化"的时代，经济发展已不能停留在"初次现代化"水平，要发展知识经济、循环经济、绿色经济，人的消费也要提升，走向绿色消费，更重精神享受、审美愉悦。于是旅游这一无烟工业必然要发展起来，自然之美的价值会愈加突显起来。

发展旅游文化有利于生态保护，也有利于经济文化发展，何乐不为？

这样，东部海域的开发就势所必然，问题是如何开发，需要按"美的规律"来精心设计。如何将天然之美和人文之美和谐结合，当是设计的关键。不少人提出要控制住房建筑，防止砍伐树林，这都是良策。前辈诗人柯蓝提出，不妨在盐田附近建造碑林，使诗艺和雕刻结合起来，又和周围树林相匹配，当为海山增色。我相信，这要集思广益、精心设计，东部海域才能成为吸引海内外来客的旅游胜地。

我的思路现在又回过头来，思索城市本身如何按"美的规律"来"改进"的问题。深圳本是由一块块周围都是山和水的小沟滩连接起来的不平坦之地，就像以前的那个"水围村"，本就在水中央，还有不少村，像皇岗村就在山脚下。要建成新都市，不能不砍山填滩，但是，这要"适度"，如今砍了数百个山头，实在有些"过度"开发了。如今，新的国土规划，要把已砍了的山头改造为公园，实属良策，总算能给人一些慰藉。

最令人关切的是城里的水，这里我禁不住要多说几句。

水，是人得以生存的最基本元素之一，空气、阳光和水，人人都离不开。一个城市原有河道，那是自然的恩赐，使得这个城市富有活力和生气，就像血液在血管中流动，给人动感。国际上许多环境学家称水是景观中"最典型的元素"（卡伦）。如果巴黎没有塞纳河，波恩没有莱茵河，布达佩斯没有多瑙河，这些城市还能那样具有吸引人的魅力吗？汉城如果没有那条汉江，城市也就变得索然无味。我们那条和香港分界的深圳河，经历了百年沧桑，具有丰富的历史文化内涵，本可打造成一条标志性的旅游之河。像上海改造苏州河，像广州把珠江改造成的那样,如果设计得很好,肯定又可以成为深圳的独特美景。深圳河发源于梧桐山,全长30多公里,流入深圳湾,古称罗溪。古人对罗溪一往情深,称道"罗溪峻岭水还深,上有乔松百尺阴。何必更寻幽曲处,一竿明月可长吟"。英国强租新界后,罗溪才称为深圳河,成了香港和深圳之间的界河。可惜,这样一条河,却交给保税区,开发了大片货物仓库,近年又在开发房地产,任由经济法则去支配了。如今要下决心治理深圳河,大家拍手称好。亡羊补牢,犹未为晚,但视界要高远,不能头疼治头、脚疼医脚,要标本兼治。深圳河流入后海湾,和新洲河入海湾口相合,在深圳河、新洲河的共同入海湾口冲积成一大片湿地,本是红树林最佳生长地。隔河是香港的米埔红树林保护区,大片红树林郁郁葱葱,白鸥翱翔,可是咱们这块湿地,杂乱无章,垃圾满地,而且,违建、垃圾还在不断蚕食这块宝地。为什么不把这块红树林湿地也划为保护区保护起来?甚至,我想,可以把这建成一个美丽的海滨公园,和那15里长的滨海步行小道连接起来,成为深圳的又一旅游胜景,更突显海滨城市的特色。

最后,第三个更加重视是要以扩大国际文化交流来带动深圳的文化发展,促进深圳成为国际化新都市。

深圳要以文化立市,必然要加快发展文化事业和文化产业,用什么来带动文化事业、产业的发展?我想还是要通过国际文化交流来带动文化的内需和外需。

文化发展当然要满足深圳人的文化需要,这是内需。我们的精神生产要大力生产深圳人喜闻乐见、雅俗共赏的文化艺术,提高深圳人的精神境界、审美趣味。主导文化、高雅文化、大众文化相互补充、相互促进、协调发展,都应向高品位发展。高品位并不只是对高雅文化的要求,也是对主流文化、大众文化的要求。要提高文化品位,不仅要发展民族文化,也要吸收国际上的先进文化、优秀文化,这就要发展国际文化交流。

国际文化交流是双向的,既要从国外"拿进来",又要从国内"送出去"。10多年前,为了向深圳成为国际化城市方向前进,我曾在深圳大学把中文系改建成国际文化系,不仅吸收港澳学生,而且接收国外留学生,学习中国文化。现在,深圳进而明确要发展成为国际化城市,那就更应扩大国际文化交流的力度,我看深圳大学要赶快成立国际文化交流学院。艺术交流活动也应扩大,深圳的合唱艺术、钢琴艺术、美术等等,都在走向国际舞台。我看,今后还应大力发展出版、音像、影视等用高科技为手段的文化事业和产业,想方设法把中国文化"送出去"。我在前年写过一篇论文《中华文化如何走向世界》就着眼于如何把中华文化送出去。我在北大的同行王岳川最近几年也在努力,主张要更重视"输出文化",要让世人都能"发现东方"。我的忘年交王鲁湘也在从事这个工作,播送《文化大观园》。我以为这是我们文化发展不能忽视的一个重要方向。但这需要我们在深圳组织人力,对全国的文化艺术做些深入的研究,弄清楚我们的精神生产究竟出了一些什么好东西,然后挑选一些艺术精品,通过高科技的手段向世界输送。此事大有可为,值得深圳重视。

在"深圳学派"学术研讨会上的发言
2004年3月8日,望海书斋

文化精品求质美

文化立市,要依新的发展观来调整发展思路,在重视物的现代化时,更要重视人的现代化。发展文化事业,拓展文化产业,繁荣文学艺术,都要以人为本,高扬人文精神。这些,已有了不少谈论。

我想换一个角度,从构筑精神家园的意义出发,说一下文学艺术应起的作用和我对深圳文学的期盼。

一

我这个人,于物质生活无多大奢求,因此能以四海为家,随遇而安,安居何必回故乡,乐业亦可去天涯,但在精神需求上却比较挑剔,很难入乡随俗。所以,在北京读书、教书、写书30多年,却从未融入京派文化,很难以此为基石来构筑自己的精神家园,倒是时常想念起太湖之畔江南老家。

20年前,随张维院士到深圳大学来参与创办中文系,来往于北京、深圳、香港。当时,我和汤一介、乐黛云只是想借香港之便,在深圳开展国际文化交流,并未留意深圳本地的人文环境,更无在此寻找精神家园的意向。只是,在宁静的校园里进入自己的美学研究,真称得上是一种精神享受。夜晚也不寂寞,香港明珠台的"9.30",把我引进了一个新的艺术世界,像《金色池塘》《走出非洲》《克莱默夫妇》等得了奥斯卡金像奖的影片都在我面前展现,补了我数十年之所缺。在美国的一些优秀影片中,我感受到了在开发西部中焕发出来的美国精神,引发联想,使我对深圳的开荒牛精神有了更深的体验。然而,美国人为自己构筑的精神家园,终非我的追求,很难欣然接受,不久,也就懒得再看。

倒是一次难得的电影观摩在我心灵上留下了深刻的印象。在黄宗英创办的都乐影院看到一部俄罗斯影片，记不清是否叫《宁静湖畔》。主人公是乡村教师，故事有些类似后来才有的《廊桥遗梦》，但影片并未渲染教师和农妇的恋情，而是着眼于展示人与人的淳朴关系，人与自然的和谐相处，人如何在此诗意地栖居。影片充溢着诗情和画意，配上了英国名曲《宁静的湖水》，动人心弦，令人陶醉，我当时就记住了她的旋律，至今仍能在琴上弹出。每当回想起影片的意境，一种亲切的家园感就油然而生，理想的家园不正该是这样！精神家园何处有？深圳能有这样的地方吗？

二

来往奔波了3年，我终于决心在深圳停留下来，家，就从北大畅春园移到深大校园后海湾畔的海涛楼。

既然在这里安家，就不能像匆匆过客，漂泊不定，而要把目光转向这里，注视生态环境和人文环境，在这块土地上寻觅和构筑新的精神家园。于是，我开始接触深圳的文艺，参加大鹏文艺的评审，感受这个城市的心灵脉动。文友最早推荐我阅读的是刘西鸿那篇《你不可改变我》，使我感受到了新的一代冲出固有家园，渴望创造新生活的开放心态。西鸿那种以四海为家的豁达和开朗给我留下深刻印象，她曾找我探询，有没有可能到深大教书。此路不通有他路，她后来终于离开深圳，远去欧洲。这也难怪，当初跟我和汤一介、乐黛云先后来这里的一些年轻教师、研究生，在数年之后，不是也有三分之一的人也去了海外！对他（她）们说来，深圳不过是走向世界的"青春驿站"，要在别处寻找自己的家园，这，我很能理解。近20年，我不时关注着海外华人作家写的新移民小说，看他（她）们如何构筑自己的精神家园，特别想了解从深圳出去的海外作家，在走向世界过程中的人生经历和个人体验。

真要感激那些在本土发展的本地作家，把我引入了一个使我既感到新奇而又似曾相识的世界。在黎珍宇、张黎明、李兰妮的笔下，还在变革中的边陲小镇,水围的渔村,古风犹存的老街,朴素的风土人情,还有那还未遭污染的青山绿水,令人神往。她们那种对于家园的深沉的爱,使我感动。耐人寻味的是,她们中有些人曾不安于本土,也曾去加拿大、澳大利亚闯荡过,寻找新的家园,但终究没有觅到可以安放灵魂的寓所,又回到深圳,守住自己的家园,不时呼吁:还我青山绿水!这引发了我的共鸣,更增添了几分家园之感。

我不会忘记那充溢着生活气息的打工文学。这本不是自己的城市,来自五湖四海的打工者离井背乡来到异地他乡,"东家不打打西家,勇敢走向下一站"(张伟明),为建造这座新都市做出了贡献。谁没有自己的梦想?来到这里,"在别人的城市里而构筑自己的精神家园"(林坚),不断激励着自己继续向前走。如今,越来越多的海内外新移民不断来到这崛起的新都市,看着米兰·昆德拉的《生活在别处》,在这里继续构筑着自己的精神家园。我当然盼望能见到更多新移民的佳作。最近,我见到《花季·雨季》的作者郁秀又出了《美国旅店》,我倒很希望她能在一定时候换一角度,不妨写写海外华人眼中的深圳,探讨一下深圳如何走向国际化。

三

深圳的发展有过起伏,20世纪80年代末的春节,我和龙余从校园去市区看望教师,在空旷的红岭路上,竟无一个行人。这是我的家园吗?深圳会是我的最后家园吗?

幸而,小平再次视察深圳,特区还要办下去,激励了更多的外来人拥向深圳,深圳人有了更多的故事。陆续读到了彭名燕、吴启泰的小说,钟永华、许兆焕、冯永杰、祁念曾、李晃等的诗文,使我感受到,深圳有越来越多的人在把这个城市看作自己的家园而爱护、关心,更增添了我对这家园的亲近之感。

在都市的急遽发展过程中也出现了人性的裂变。一些有良心的作家为了保护家园的纯洁,开始抨击假、丑、恶。田升写出了他的"办公室主任"三部曲,辛辣讽刺了商界种种人性的畸形。林祖基则以杂文的形式抨击了官场中的诸多不正。报告文学家杨黎光更深入挖掘那失去了家园的灵魂,那失去了归属感、家园情的漂泊者如何一步步走向沉沦。这些揭露,发人深省,从反面证实寻找自己的精神家园是何等重要!自《特区文学》标举"新都市文学"以来,发表了不少在发展热潮中拥来深圳圆淘金梦的故事,在追求物欲、肉欲中迷失了家园,丧失了灵魂,但有的良心发现,迷途知返,终于驶出欲望的港湾,重拾自我,寻找精神家园。

跨入新世纪,有缘陆续读到两位刚步入中年的作家燕子、亚威的作品,使我的视野一下拓展了许多,让我知道了在这家园里发生了什么变化,引发了我对家园的进一步思索。燕子的"新都市风情系列",以写女人的故事为主,但通过情爱、婚嫁的变故,展示出了都市风情、时代变迁,富有时代气息。亚威的影视剧作《深圳故事》第一集,写了深圳百姓的故事,没有惊心动魄的宏大叙事,没有呼天抢地的壮烈场面,而是像她拉小提琴曲一样,娓娓道来,倾诉着凡人的喜怒哀乐,抒写着自己的人生体验。从她们的作品中,我感受到我们生活在这个共同家园中应有的一种人文关怀精神。她们在深圳生活都已在10年以上,和深圳共命运、同呼吸,对这个新都市有着切身的体验,创作激情澎湃,在创作上尚有很大发展潜力,应能有更好的发展。

四

随着日常生活的日益"审美化",我们的文学艺术也在走向"日常生活化"。文学艺术和日常生活更加贴近,走向寻常百姓家,这当然好,应该高兴。随着日常生活的日益"审美化",我们的文学艺术也在走向"日常生活化"。文学艺术和日常生活更加贴近,走向寻常百姓家,昔人只有文人雅士才能享受的琴棋书画诗也在进入普通人的日常生活中,这有什么不好?日常生活自有价值和魅力,使人热爱生活,关怀家园。但在"躲避崇高"、"消解美丑"的影响下,有些作品只在争艳猎奇上下功夫,把生活中的一切都加以娱乐化,调侃一番,一笑了之,这就不足取了。

消解一切，什么都行，这种玩世态度曾被捧成"后现代"的时髦思潮，其实这是一种误解。后现代主义作为一种思潮，复杂多变，较早时期曾有过解构性、否定性、破坏性的反现代倾向。但后来又发展出建设性、重构性、修整性的后现代主义，批判现代化中的弊端，而又超越现代，进行修整、重构。在建设性后现代主义看来，"世界的形象既不是一个有待挖掘的资源库，也不是一个避之不及的荒原，而是一个有待照料、关心、收获和爱护的大花园"（费雷）。世界应是一个大花园，说得好！那么，我们共同出力建造的深圳，更是我们直接生活于此的共同家园。我们的作家、艺术家应从这个共同家园的爱心出发，鞭挞假、恶、丑，颂扬真、善、美，构筑我们的精神家园，鼓舞大家为共建美好家园而继续奋进。

因此，我希望深圳的文学艺术在走向日常生活化的同时，要把握时代发展脉搏，促进日常生活的审美，朝着提升人文境界的方向发展，从大众化中提炼艺术精品。在文学艺术多样化的同时，我们也不能忘了主旋律。深圳发展到现在，时代还是要呼唤崇高和壮美。不是要我们的文学艺术都去重拾宏大叙事，也不是要所有作家都去写《深圳的斯芬克司之谜》或政治叙事长诗，但我还是盼望深圳能出现反映我们这个新都市的时代变迁的史诗性长篇，把深圳人在建设这个共同家园中体验到的集体意识和集体无意识概括进来，艺术地表现出来。这当然很难，这需要作家、艺术家的亲身体验做基础，把个人体验和时代体验融合起来，化为具有典型意义的几个人物（外来和本土的）的命运展示和心路历程，反映出时代精神。艺术精品，不在量而在质，不在多而在精，不在大而在佳，这就需精心策划、潜心构思，难度很大，却是深圳人的必需。

2004年秋，望海书斋

文化品位待提升

我在深圳初创时期从北大到深大来参与创办中文系,亲自经历了深圳30年的文艺发展历程。近10年,我特别关切深圳的自然环境和人文环境。苏州是我第一故乡,北京是我第二故乡,深圳是我第三故乡,而且要在这里终老,深圳如何变化和我息息相关。深圳要向国际化城市发展,我当然欢欣鼓舞,作为深圳人的自豪感油然而生。但是,我也清醒地认识到,真要达到这一目标,需要加倍努力做超越式发展才行。这一阵,自然环境的治理,力度加大,市长能向公众明确提出污染难点,追究责任,表明政府决心很大,令人鼓舞。人文环境的建设也要有大手笔。文化立市,要把深圳建成文化强市,这个战略方针已定,现在的问题是如何采取坚决有力的措施来实施。

发展文化,当然要制订文化规划,也要发展文化产业,都很重要。但最关键、最核心的问题还是:咱们深圳究竟应产生出什么样的文化产品来?咱们的作家、艺术家能为大家创作出什么样的艺术精品来?文联的任务,就是要让作家、艺术家的创造积极性发挥出来,创作出更多更好的思想性、艺术性、娱乐性结合的艺术作品,以满足深圳人的文化需要,并进一步提升深圳的文化品位,向国际化城市的方向前进。

应该说,深圳在近10年文化发展速度也很快,但主要是发展了大众文化。国际著名的文化学者李欧梵来过几次深圳,一起说起过深圳的文化,依他之见,这里基本还是沿着向"通俗城市"这个模式在发展,缺乏自己的"灵魂"。我的一些关注深圳文化发展的熟人,有些是北大清华的文化学者,有的是文艺界著名评论家,感觉也类似,深圳虽然有些作品产生过全国影响,如《春天的故事》《走进新时代》等,但整体印象,还是觉得深圳的文化主要是大众文化、通俗文艺、打工文学。所以,有的学者就说,那你们深圳就去发展大众文化吧,做出自己的品牌。但也有学者认为,只搞大众文化是不行的,深圳应从大处着想,看得远些,就更需发展高雅文化,也只有这样才能带动大众文化提升品位。深圳人自己怎么看?好多年前,深圳本地的文化人倒常有争论,但最近几年反而听不到这种声音了,各忙各的事。我以为,深圳的文化如何发展,应在深圳本土上进行一次广泛的讨论,像讨论"深圳精神"那样,引起了全市人的关注,效果很好。深圳文艺要发展,必须两手都抓:一手抓创作,一手抓评论。创作和评论是相互促进的互动关系。我很希望在这次文代会开过之后,文艺评论家协会应组织一次研讨会,讨论深圳文艺如何向先进文化方向发展。可以请一些一向关切深圳文艺的专家、学者,如抓影视的李准、仲呈祥,抓文学的陈建功、雷达、张炯,以及年轻的文化学者王岳川(北大)、王一川(北师大)、肖鹰(清华)、金元浦(人大)、上海的陈思和(复旦)等,来深圳和本地的专家、学者坐在一起对话、交流,讨论如何发展有深圳自己的特色的文艺,如何向先进文化方向发展。要听多种意见,不能只听一种声音,只有经过交流、比较,才能找到最佳途径。

以我之见,深圳的大众文艺,确实应有更好的发展,形成自己的特色,成为深圳文化的品牌之一。深圳文化的发展,是以旅游文化为突破口的,华侨城最早兴旺起来,之后,广场文化、社区文化、企业文化、歌舞厅艺术、打工文学、校园文化、青春文学等纷纷兴起。深圳要发展文化产业,也仍然需要以旅游文化为突破口,在开发东部海滨时,带动其他文化。但是,大众文艺要在发展中提高,提升品位,同时,也要发展以高扬主旋律为特色的主导文化,具有更高艺术水平、审美趣味的高雅文化。许多文化学者已有共识,如今的文化格局已形成大众文化、主导文化、高雅文化三足鼎立之势。我在前不久写了篇论文叫《焕发新审美精神》,专讨论这三者乃是相互补足、相互促进的关系,只有互补互促才能推动整体文化的良性发展。此文原本是在学术刊物上发表,但《辽宁日报》用了整版转载,说明这个问题又有现实意义。深圳的大众文化是发达,但不能只满足于此,而是也要发展主导文化、高雅文化,互补互促,不然,就像香港那样,倒是大众文化成了主流,这是典型的"通俗城市",深圳是不是也要这样?值得探讨。当然,在文化结构内部,深圳的大众文化,比重可以高些,但绝不能无视主导文化、高雅文化。从文化的发展规律看,以娱乐性为特色的大众文化,最容易走向市场化,它和经济的关系最密切。华侨城当初建"锦绣中华",正是深圳经济低迷之时,香港人都不来深圳玩了;但建成后,港澳人又蜂拥而来,一年就收回了成本。所以,要让大众文化自行走向市场,政府只消做宏观调整。但带有意识形态生产性质的主导文化以及为满足更高审美需求、艺术水平更高的高雅文化,却就不那么容易走向市场了,所以更需要政府的重点关注和扶持,这在国外也是如此。像《特区文学》这样的刊物还是要给予扶持。

我自己一向是提倡在深圳发展旅游文化的积极鼓吹者,认为大力发展旅游文化既能保护生态环境又能提升文化品位。但我也要在此反映一下我周围一些白领阶层的心声。我接触到一些院士、教授、作家、艺术家,有从国外来的,也有从内地到此养老的,说起深圳的文化,感到深圳的大家乐舞台、文化广场、歌舞厅到处都是,这当然很好,但却缺少适合知识阶层需要的活动场所。比如,我们的那个小区,文化活动热火朝天。周六、日都在那里放大喇叭,唱歌跳舞,但参加者大多是家属、孩子,知识分子们就不想参加,只好把门窗关起来。咱们文联的剧作家从容,应属年青一代,有次也大发感慨,说深圳缺少她喜爱的文化场所。深圳的大众文化兴旺,也不缺乏金领阶层自己的娱乐场所,各类豪华的内部高级俱乐部不少,但最缺乏的是白领阶层喜爱的文化场所。如今,按照新的社会结构学说,要实现现代化,应该竭力壮大中间阶层,白领应为多数,社会结构呈橄榄形两头小、中间大,这是社会稳定的牢固基础。可如今的中国,还是金字塔状,中间阶层不发达;要全面发展,就要加快城市化并逐步扩大中间阶层。深圳要率先实现现代化,就要提升大众文化,发展主导文化、高雅文化,壮大中间阶层喜爱的文化。主导文化、高雅文化得到发展,反过来又能提升大众文化。古人说,取法乎上,仅得其中,我们的文化若不取法乎"上",就连"中"也发展不起来。

除了文化结构,还有个文化特色的问题:我们这里的文化艺术的独特性何在？无论是大众文化还是主导文化、高雅文化，都要有深圳自己的特色，需要有我们为之奋斗的共同追求。

多年前，当大众文化兴起之时，各地纷纷树出自己的旗帜：新写实、新市民、新状态、新乡土、黄土文化、海洋文化等等。广东也有新岭南、朝阳文化等的说法，也有人为深圳提出要标举青春文化。我倾向于用新都市文化作为我们的旗帜，这是深圳在第二次创业时自己提出来的，那时曾有积极的争论。现在，我觉得应根据深圳近10年的实践，做一次新的讨论和诠释。那时，深圳周边还是乡村、小镇，城市化程度不高，"新都市"的特色还不明显；如今，深圳正在加快城市化，而且要发展成为国际化城市，正可以用"新都市文化"来推动城市化进程，提升城市的文化品位。青春、朝阳等可以用来形容我们这新都市的状态，我们的文化要在"新"字上下功夫，鼓励文化的创新，要大力发展现代艺术，使新都市文化站在时代前列，如省委书记张德江所说，要在文化上引领时代新潮流。所谓"新"，不仅要在形式上新，充分利用现代高科技手段来创新形式，而且，反映时代变化，敢于鞭挞假、丑、恶，善于高扬真、善、美。精品不在多，而在于能动人心魄、鼓舞人心。深圳缺少史诗性的艺术杰作，能真实反映出深圳人的创业步伐和心灵历程，鼓舞深圳人继续前进。深圳应积极鼓励并重点扶植这些直面当下、反映现实的艺术精品，宣传文化基金不要撒胡椒面，要有重点倾斜。

作家、艺术家应是人类灵魂工程师。也许有的侧重在大众文化，有的倾心主导文化或高雅文化，可以各显神通，但其创作都在这样或那样影响人的精神世界，塑造人的心灵。文联，应该是作家、艺术家之家，是党和人民联系的纽带。深圳的文联会员有3000多人，文联就是要团结大家，为促进深圳的创作和评论的繁荣而进行工作，是为作家、艺术家的创作、评论做服务的机构，不应成为官僚衙门。前几年，文联内耗，精力没有放在为繁荣创作、评论的服务上，脱离了广大作家、艺术家。老董（小明）、小谢（君心）、宏海等主持工作以后，扭转局面，有了很好的开局，现在需要乘胜前进。要为作家、艺术家的创作、评论创造更好的条件。文联的场所和深圳这个现代都市太不相称了。市委李意珍到此考察后说深圳到处已是五星级,而文联还是大排档,说得非常形象。文联地处闹市中心,对面是荔枝公园、青少年活动中心、大家乐舞台,周边还有大剧院、图书馆、小平画像,我们能不能好好利用这一块热土,就像改造旧屋村那样,把文联打造成一个高尚文化区,成为深圳高雅文化的一个标志性建筑,和周围的文化环境协调一致,一来就给人留下深刻印象。我清楚记得,三年困难时期,当时的中国文联大楼在王府井大街北口,也在闹市区,楼里就办了音乐茶座、电影观摩厅等,让作家、艺术家可以在这里进行艺术交流,那时我就感受到了这种温馨。艺术是需要交流的,这交流本来就在营造一种高尚的文化。现在已是21世纪了,咱们的文联应创造比以前更好的条件,让大家在这里作艺术交流,听听音乐弹弹琴,看看美术作品,甚至不妨再拓宽思路,真正把文联建设成作家、艺术家的精神家园。总之,要想方设法,吸引广大会员团结在文联周围,拧成一股绳,为繁荣深圳的文学艺术而共同奋斗。

在深圳市文艺座谈会上的发言
2003年11月20日

学术文化应先导

去年,我读到了一本学术著作,名叫《文化引导未来》,给我留下了深刻印象。作者是加拿大著名学者保罗·谢弗,曾在联合国教科文组织从事实际工作多年,因而此书不是在书斋中苦思冥想而得,而是有丰富的社会实践经验,有感而发。他在分析了环境危机、人口膨胀、贫富不均等现实状况之后,鲜明地提出,人类自己必须深刻反思,我们的航向是否错了?人类需要重新寻找"未来的灯塔",让它发出光芒,对未来发展的方向给予引导。依他之见,"只有文化提供了这个灯塔",文化是新世纪的曙光。

仔细一想,觉得真是。难怪日本、韩国早在新世纪到来之前好几年就已提出,要以文化立国。深圳觉醒得也早,很快提出了文化立市,要以文化引导深圳走向未来。

文化怎么能把人引向未来?这是因为文化是一个价值系统,具有意向性,能使人在进行活动之前,就有超前意识,进行创意设计,树立了目标。马克思曾用建筑师建房和蜜蜂造巢的活动作对比,说明在建房之前,已在头脑中把它建成了。"劳动过程结束时得到的结果,在这个过程开始时已经在劳动者的表象中存在着,即已经观念地存在着。"创意设计就是把我们引向未来的超前意识,是文化的核心。越是复杂的人类活动,就越需要有高超的创意设计。人类不仅需要服装设计、室内设计、平面设计、工业设计、建筑设计,更需要比这些还复杂的社区设计、景观设计和城市设计。要成为真正的设计之都,这城市本身就要有城市设计。于是,深圳就有了图书之城、钢琴之城这样的创意设计,并且在付诸实现。市里最近提出要以城市规划统领深圳发展,令人振奋。

如果我们要做进一步追问:怎样才能有高超的创意设计?这就

不能不说，必须进行科学研究。高超的创意设计，也许需要心血来潮、灵机一动，但却必须全力以赴、精心思考才能奏效，这就必须以科学研究为基础。没有以科学研究为基础的创意设计，就只是空想、妄想或谬想，只能把我们引向歧途，不可能引领我们走向美好的未来。符合科学发展的道路，才是康庄大道；违反了科学发展的正道，就会把我们引向灾难。所以，当今社会必须竭力倡导科学研究，发展学术文化。学术文化不仅要面向错综复杂的现象进行科学分析，而且要反思我们的既有文化，探索解决难题的最佳方法，寻找到科学发展的道路，这需要高度的智慧。所以，学术文化乃是整个文化中的尖端部分，是软实力中的内核，软中之软。学术文化为一个国家、一个城市提供智慧之库。西方发达国家非常重视智库的作用，国家的重大决策，都要参考许多智库的研究成果。我国在现代化的发展过程中，也愈来愈感到智库的重要，学术文化也日益受到重视。

当然，我们的学术文化并不仅限于为决策层提供智库，而且要让人类了解自己和世界，懂得人和世界应是一种什么样的关系，为的是好让我们知道人在这世界上应如何生存、发展和完善。所以我们既要研究物与物的关系，又要研究人和人的关系，更需要研究人和物的关系以及人本身的身心关系，这就有了自然科学、社会科学和人文科学。我们当然期待学术文化的全面发展，我自己是做基础理论研究的，兴趣也在这里。但是，在跨入新世纪以来，我逐渐深切认识到，学术研究应该关注这个现实，当务之急乃是要回答我们这个时代中出现的重大问题。因此，我除了继续研究我自己感兴趣的美学之外，大量阅读的却是有关世界的自然生态、社会生态和文化生态的书籍，在脑海中不断涌现的也是这些问题。我每年都有一次或两次到北京，除了参加学术会议，还要花两三天时间去学术书店、图书大厦、风入松、第三极、万圣书园等，搜集最新的学术著作，去上海也是这样。我感到学术文化不能抱残守缺，也必须与时俱进，不断创新。就此，谈三点想法。

一、要有世界视野，解决自己的问题

我越来越感到，我们的学术研究，一定要有世界视野，但要解决的，却要放在我们自己的问题上。前年，国家社会科学基金会负责课题设计的张炯、陆贵山两位学者到深圳来，要听听我的看法。我就直率地说，今后的研究课题，一定要突出这个思想，那就是"世界视野，中国问题"。具体到深圳，我以为深圳的学术研究，要突出"世界视野，深圳问题"。

为什么要有世界视野？这是因为随着全球经济的一体化，中国的发展已经离不开世界的整体格局，若不知道世界发生了什么变化，我们就会盲目掉入陷阱而还不自知。苏联解体之后，西方世界一片欢呼，美国的发展模式迅速向不发达国家传播，美国的生产方式、消费方式、生活方式向世界扩散。尽管早已有有识之士提醒，世界潜伏着危机，粮食危机、能源危机、生态危机，但一般人并不理解，仍沉醉在美国式生活方式之中。历史常使人费解，难以捉摸，那个较早倡导环境保护的副总统戈尔，并未获选，而那个以反恐为名对伊拉克发动战争的布什，反而获得连任。当世界上许多国家都已认识到温室效应导致生态危机时，美国却拒绝承认《京都议定书》，找出的理由是：排放废气和温室效应之间的关系，还没有得到科学论证。直到这次哥本哈根会议前夕，美国的环保署才肯承认温室效应和排放废气有关。这是因为世界的科学研究已达成共识，美国才松了口。比美国早发达的欧洲，有些有识之士在好几年前就写了《欧洲梦》这样的学术著作，提醒欧洲人不要去做美国梦，而要构筑欧洲梦，走欧洲自己的路。最近几年，美国的一些有识之士做了科学研究，反思美国的发展模式，认为不能再走过去的路，要跳出"后现代"，跨入一个新时代。从我看到的一些学术著作来说，这个新时代，确实不是前几年常说到的要解构这、解构那的"后现代"，而是极富建设性的生态文明时代。

我们这个世界已经拥挤不堪。1955年，世界人口才30亿，半个世纪之后就翻了一番，如今，已有68亿人口。据科学预测，到2050年，世界人口将达93亿。在目前的68亿人口中，能过上美国式生活的人口约有10亿,还在向这种生活前进的人口约有20亿,还有30多亿的人口离此还差得太远,姑且不计。那么,如果那20亿人口都能过上美国式生活,这个地球的资源就远远不够,而是需要3个地球。如果还有30多亿人口也要过上美国式生活,那就需要7个地球。如果93亿人口呢?真是不堪设想。所以,美国的不少有识之士呼吁,要改变美国的生产方式、消费方式、生活方式。

从世界视野转向我们深圳,会对我们有什么启发?我来深圳时,这里还是正开始开发的处女地,使我亲自目睹和亲身体验到了这里的世界奇迹并为此而感到骄傲。但回顾这30年的发展历程,是否还有可以引起我们的反思之处?深圳这块乐土,陆地面积近20万公顷,1991平方公里,其中农地将近一半,只有一半不到可供建设。仅只花了近30年,我们已经差不多把这些土地都开发掉了,还剩不到4360公顷,即只剩下2%了。这和香港不一样,那里的开发比我们早很多,但留了发展的很大余地。我们再下去怎么发展?再平山头?多少山头已经削平,建了高楼大厦,如帝王大厦。再砍就只能砍公园了。再填海?可填的也已不多。还是要致力于"地尽其利",根本的出路,恐怕也在于要赶快改变我们的发展模式,变高污染、高耗能、低效益的粗放经济为低污染、低耗能、高效益的绿色经济。在2008年,我市每平方公里生产总值为4亿元,高于国内其他城市,但是却远远落后于新加坡、香港10多亿元的水平。我们需要改变的,恐怕不仅是生产方式,还有消费方式,整个的生活方式。在世界视野中来考察深圳,我们的学术文化需要研究的问题还有很多,如果我们的学术研究能解决深圳自己的问题,这不就是深圳学派!

二、既要有科学理论,更要有价值理性

我们的学术研究,既要发扬科学精神,又要高举人文精神,既要重科学理性,更要重价值理性。我一直记着马克思在说到人类生产时所说的话:动物虽然也会生产,但是,"动物只是按照它所属的那个种的尺度和需要来建造,而人却懂得按照任何一个种的尺度来进行生

产,并且懂得怎样处处都把内在的尺度运用到对象上去;因此,人也按照美的规律来创造"。人能把人的尺度和物的尺度结合起来,所以才能创造出美好的事物,这就是既要有科学精神,又要有人文精神。

深圳已在向国际化大都市发展,生产出来的价廉物美的商品并不都是供深圳人享用的,而是漂洋过海,输送到美国、欧洲,并逐渐向世界其他地方输出,供世人享用,这是深圳人在向世界做贡献。但是,如今深圳向世界贡献了价廉物美的商品,而正当不少人为自己成为世界工厂而自我陶醉之际,美国金融危机发生了,深圳还不为之惊醒?我们高速发展了经济,却也在一些地方毁坏了家园,那就如马克思所说,发生了异化现象。我们既要为世界贡献商品,又要建设好自己的家园,使深圳成为最适合人居住的地方,这也是深圳自己的难题,只能靠我们自己来解决。

我到深圳来时,已过"知天命"之年。人生难得几回搏,我在北大30多年,终于有了到深圳的机缘,再求一搏。到深圳后,我很快喜欢上了这个地方,青山绿水、蓝天白云,令人心旷神怡。到此心安方是家,我一直把深圳当作最后的家园。古人云,爱而知其丑,爱到深处更知丑,我感觉到有些事应该可以做得更好,比如,我们的自然环境。大前年,我和李灏、秦文俊、李伟彦等几位参加"深圳八景"评选终审,从红树林始,又爬上莲花山,一路考察。站在莲花山顶,看到周围都已高楼林立,但再想远眺自然风光则已经不可能了,阴霾密布,模模糊糊,难再极目远眺。我不由得向旁边的秦文俊发出一点感慨,说我初住深大海滩边时,还有一片红树林,远眺香港,清清爽爽。不料,这却也引发了他的美好回忆,他说初来深圳时,印象最深的是夜晚的星星特别明亮,感觉特别美好。可是,他到香港新华社好几年,再回深圳定居时,却很难见到这样的情景了。

阳光、空气和水,乃是大自然恩赐给人类的最基本也是最珍贵的礼物,赖此人类才能生存,我们应像爱护自己的眼珠一样好好爱护。可是,我们的空气被污染了,阴霾又挡住了阳光,水污染更严重,发黑发臭。我们不得不花巨资回过头来治理,至今还未得到满意的解决。如要反思,就会更感到科学理性和价值理性是多么重要。就说深圳河,这可说是深圳的一个重要的标志,历经沧桑,它已成为深圳和香港之间的一条界河,对面是香港的自然保护区红树林、鱼塘,不仅自然风光好,而且具有重要的人文价值,如果好好设计,可以把它打造成吸引中外友人都要来一睹为快的深圳标志之地。可是,我们却在重走20世纪二三十年代上海的苏州河老路。苏州河本来是一条从苏州通到黄浦江的清澈河道,我们小时从苏州到上海,乘乌篷船顺流而下,河水已开始浑浊,但尚无恶臭。但在20世纪三四十年代,苏州河污染就加快了,两岸尽是工厂和仓库,污水横流,恶臭难闻。但在20世纪90年代,上海下决心治理,真正是大手笔,把两岸的工厂、仓库拆迁,改造成园林、画廊、美好的社区。可是,我们的深圳河却在重走苏州河20世纪二三十年代的老路,保税区的工厂、仓库还在不断发展。我曾经有过幻想:能不能彻底治理深圳河,把它向东延伸、打通,接上盐田的海港,这样就通过深圳河把后海湾和盐田港连接成一体,深圳河上就可以开通游艇,岂不更好?但幻想不是科学,我很盼望深圳能展开这样的科学研究。

三、既要不断创新,更要不时完善

深圳是一个不断创新的城市,但不少创新还嫌粗糙,需要不断完善。更有一些是深圳的薄弱环节,必须奋起直追,学习先进,再加以创新完善。深圳创造了经济奇迹,但社会发展远落后于经济发展。

社区建设,特别是老年养老,深圳应是给予足够重视的时候了。深圳比较早学习香港建养老院,只是,当时深圳年轻人多,老年问题还不突出,所以养老服务没有得到足够重视。可是30年过去了,最早一代来深圳创业的人已渐渐老了,养老问题就突出起来。老人较多的北京、上海已逐渐建立了自己的养老模式,分成三个层次:90%是居家养老,6~7%是社区养老,3~4%才进养老机构。可是深圳还没有自己的模式,至今,深圳老人在机构养老的只有1.5%,居家养老的只占12%多,八成以上的老人还住在社区,却还没有社区的服务。有个别社区开始探索,在社区办老年日托,应是创新,但还需继续完善、成熟。以创新闻名的深圳,在这些薄弱环节必须奋起直追,做深入研究。

高等教育的薄弱，也是深圳的一根软肋，现在已在采取各种办法来发展。南方科技大学校长朱清时坦言，要破除高校的官僚化、行政化，这确是创新，我也很赞成。但当初深圳大学初建时，首任校长张维院士也曾作过重大改革，一再要求我们这些系主任，要紧抓学科创新、学术建设，这才是高校的核心价值。可是随着高等学校的大众化，这个方向渐渐模糊起来。最近，中央教育科学研究所对中央直属的72所高校做了一次绩效考评，把学术水平作为考评的主要标准。考评的结果说，在过去3年，竟有近半数高校"投入多，产出少"，属"高耗低产"，只有不到30所"产出高于投入"。这倒提醒我们，高等学校应更加重视学术建设，提高学术水平。

最后我要说一点，这次深圳首次举办学术年会，为本地学者进行学术交流提供了一个很好的平台。"旧学商量加邃密，新知培养转深沉"，深圳学者相互交流，这将对深圳的学术研究、提升学术水平起推动作用，希望今后能坚持下去。祝首次年会成功。

在深圳学术首届年会上做学术演讲
2009年12月15日，五洲宾馆

文化设计要先行

很是高兴,深圳文化艺术大发展,去年出现了两个突出事件。一是深圳获得了设计之都的殊荣,十分可贵。二是围绕着改革开放30年文学论坛展开的文学系统工程取得了巨大成功。铁凝、金炳华、陈建功,以及许多著名的文艺评论家如雷达、李敬泽等都来深圳谈艺论道,《文艺报》用了好几版来做报道和评价,产生了全国性影响,具有深圳特色的都市文学、打工文学、青春写作也得到了介绍,深圳的文化形象正在日益凸显。

之所以能取得如此的成功,当然是因为有深圳自己长期奋斗的结果,实绩是基础,但最为直接的,乃是有一个很好的设计。这不仅是有很好的设想,而且还有周密的计划,具体的步骤,使这项系统工程得以逐步展示。文学艺术贵创新,最需要创新设计,这样才能按照美的规律来创造。文联应是深圳最有创新设计的地方。

如今,深圳的文化艺术发展面临着一个关键问题,即如何发挥更大的后劲,以更好地持续发展。深圳在20世纪八九十年代特引进艺术人才,在座许多人,搞影视的、音乐的、舞蹈的、评论的,都是那时来的。我和祝希娟、王子武、姚关荣来得早些,后来蒋开儒、彭名燕等也来了,现在都在向六七十岁甚至80岁迈进了。今后还是要持续引进新的,但更要立足本土,培养新人,自主创新,形成特色。这就需要对今后的发展有一个好的设计。在此,我提出三点建议:

一是重视文艺评论的作用。要为文艺评论提供舆论平台,在特区报恢复"文艺评论"版。20世纪八九十年代特区报还有"文艺评论"版,到了新世纪反而没有了,而"娱乐"版却大大发展了。改革开放30年,建国60年,现在许多传媒都在反思过去的文学艺术发展道路,我们的特区报、商报是否也需要鼓励我们自己来反思文化发展的经验、教训呢？我甚至还进一步希望，报纸上可以展开全民讨论，深圳怎样才能文化立市，深圳的文化今后应如何发展，既吸引全民参与，又能受到教育。

二是恢复深圳自己的文艺评奖制度。20世纪八九十年代曾设有大鹏文艺奖，到了新世纪反而没有了。文艺评奖不单单是给点小钱，而是一种文化导向，鼓励大家去干什么。

三是及早成立深圳自己的文学艺术院，大力扶持和培育深圳自己的作家、艺术家，后续有人，后劲更足。

最后，我再说几句，我们深圳的文化艺术，既要融入国家的整体，又要自成特色，鼓励有自己的流派，自己的学派。新任文化部部长蔡武20世纪80年代在北大国际政治系毕业，上任后，很重视国家的文化发展战略，已在组织文化战略的研究，探索中华文化如何走向世界。文化发展战略，其实就是文化的整体设计。我盼望深圳也应有自己的文化发展战略，希望深圳应有不同于京派文化、海派文化的思路，既要有宏观目标，也要有近期指标，以及如何实现的步骤，这需要能有人做些深入研究。

祝深圳的文化艺术欣欣向荣，蒸蒸日上。

在深圳市新春文艺座谈上的即兴发言
2009年2月3日，五洲宾馆

第二辑

探索艺术之路

深圳艺术之路

深圳,这个不时出现奇迹的地方,迎来了特区成立20周年。这里的文学艺术,也在逐渐形成自己的特点,因而引人关注。深圳的文学艺术,走了一条什么样的发展道路,为祖国文艺百花园奉献了一些什么?今后又应如何发展?颇可作些反思。

一

深圳在成立特区之前,长期受岭南文化的熏陶,早就有自己的文学艺术。这个只有两万多人口的边陲小镇,早就有了深圳戏院。这里的粤剧团,在1974年就已成立,五六年间就上演了10多台戏,在省内已有一定声誉。这里的报告文学也有一定基础。

但是,随着改革开放,移民的大量拥入,确实要到1984年,深圳才出现了长篇小说(谭日超的《爱的复苏》)。美术,差不多也在此时才有坚实的起步(第一次有了画展,虽然还是街头的)。文艺评论的发展,更加滞后,刘西鸿的短篇小说《你不可改变我》发表后,开始引起国内文坛的反响,1986年在广州举行研讨会,参与者大多为广州的评论家。数年之后,才逐渐有深圳的评论家参与深圳作家、艺术家的作品研讨。

深圳毗邻香港,受外来文化的冲击,这里是首当其冲。从港台传过来的流行音乐,琼瑶、亦舒、梁凤仪、陈娟等的小说,在深圳都曾风靡一时。但是,随着深圳人的自我意识日益增长,文化积累的逐渐丰厚,深圳的文学艺术在20世纪90年代有了飞跃式的发展。

当许多人心存疑虑,怀疑特区还能办多久,深圳将向何处去的这一紧要关头,不仅港台商人纷纷离去,而且内地人也在陆续撤退。突然,出乎大家的意料,由深圳组织拍摄的政论片《世纪行》却响彻大江南北。具有民族特色的大众文化在华侨城首先崛起,"锦绣中华"一下就吸引住了香港人和深圳人。随之陆续而起的"中国民俗文化村"和"世界之窗",将中华民族文化和世界艺术宝库中的一些精粹,连同自创的《蓝月亮》《绿宝石》《创世纪》等表演艺术,一起集中展示给大众。这对于要想了解中国和走向世界的人们来说,无疑是一种精神享受。这种文化创新,堪称深圳的一个文化奇迹,其艺术魅力,至今犹存,长盛不衰。

与此相呼应,各种文化广场、文化活动中心、大家乐舞台、歌舞厅,也纷纷兴起了大众艺术。具有中国特色的大众艺术日益兴旺起来,为深圳增添了另一道风景线。

大众文化,在香港被称为主流文化。深圳的主流,却非大众文化。然而,高扬主旋律的深圳的主流文化,却在形成、发展过程中,受大众文化的影响,很早就在探索走雅俗共赏的新路。随着主流文化的初具雏形,深圳的文学艺术在后10年间走向了全面开花,呈现出欣欣向荣的态势。

继长篇报告文学《深圳的斯芬克司之谜》在20世纪90年代初问世之后,深圳文学的许多部类都逐渐发展起来,10年间,涌出了长篇小说60多部,中篇小说50多部,报告文学百多部,诗集百多部,散、杂文集60多部,影视文学、儿童文学也有近百部。一批作品已在国内产生了较为广泛的影响。林祖基的杂文《微言集》,朱崇山的小说《风中灯》，张俊彪的小说《幻化》三部曲，彭名燕的小说《世纪贵族》，吴启泰的小说《千年等一回》，李兰妮的小说《他们要干什么》，黎珍宇的长篇"三部曲"，张黎明的小说《走出边缘》，钟永华的诗歌《梦回相思林》，关飞、林晓东、晓籁、程学源的诗歌《百年期待》，杨黎光的报告文学《没有家园的灵魂》，郁秀的小说《花季·雨季》，杨继仁的小说《活法》，田升的讽刺系列"办公室主任"三部曲等，都有各自的特色，分别获得好评。

深圳的绘画、雕塑、建筑、摄影、书法等艺术，也有了飞跃式的发展。随着深圳美术馆、画院、雕塑院、关山月美术馆、何香凝美术馆等的相继创立，摄影大厦的建成，为艺术家们舒展才华提供了广阔场所，吸引了众多艺术家参与各种艺术活动。通过"国际水墨展"、"国际摄影展"，倡导"深圳人画深圳"、"都市山水画"，雕塑"深圳人的一天"等丰富多彩的活动，深圳的艺术家发挥了自己的艺术才华，创作和展示了众多艺术精品。建筑艺术，尽管模仿香港、欧美较多，还未自成特色，不够雅致，但我们不能不惊叹它的发展的飞速。

深圳的音乐、舞蹈在这10年间有着突破性的发展。特别在最近数年间，深圳为乐坛奉献了《春天的故事》《走进新时代》这一类脍炙人口的歌曲，在全国响彻了时代强音。在短短几年内，深圳创作和演出了6部舞剧，在国内引起了广泛关注。《深圳故事·追求》更在国内开创了编演现代舞剧的先河。它和《一样的月光》《长长的红背带》等，都获得了国家奖励。年轻钢琴家李云迪的出现，更引起了世人关注，举世瞩目。

深圳的戏剧、电影、电视艺术，更具有开拓性的发展。20世纪90年代的戏剧，改变了只由粤剧单脉相传、一枝独秀的局面，先后出现了小剧场话剧《泥巴人》《我爱莫扎特》，荒诞剧《希望》等。发展到近几年，更有质的变化，不仅出现了现代舞剧，更有了音乐剧《新白蛇传》《杨贵妃传奇》，轻喜剧《窗外有片红树林》，多幕话剧《贺方军》，广播连续剧《水暖香港》《抬头一片天》。戏剧由此而提升到一个新的层次。深圳的电影、电视艺术，更是从无到有，或独拍，或合制，在20世纪90年代出现了《深圳人》《泥腿子大亨》《你好,太平洋》《魂系哈军工》《花季·雨季》《昨日的承诺》《琴童的遭遇》《过年》《兰陵王》《钢铁是怎样炼成的》等影片、电视片。

经过10多年的积聚,深圳已经形成有3000多人参与的文学艺术力量,来自五湖四海,聚在一起,却又分散在不同行业,为了一个共同的文化目标而在这块热土上从事艺术创造。

二

出于对特区文化的关爱,一些热心人很早就在探索和思考深圳的文学艺术具有什么特色,走了一条什么样的路。

还在20世纪80年代中期,深圳的文学艺术初显锋芒,才露曙光,文坛就已出现特区文化要"特"起来的呼唤,希冀深圳的文学艺术要敢于创造,走自己的路。

经过10多年的摸索,深圳的文学艺术逐渐走出了自己的路。面向当下现实,关注人的命运,成了艺术创作的主流。

在20世纪90年代有一段时光,戏说历史、调侃人生、纵情声色、迷恋暴力,曾在一些地方的艺术制作中热起来。深圳虽也受过影响,但文学艺术的主流却在坚定地走着自己的路:面向当下现实,关注人的命运。

特区开拓初期,最先活跃的是报告文学、纪实影视、散文特写,从开始起就密切关注现实,及时反映当下,鼓舞深圳开荒牛开拓进取,勇往直前,产生了重大社会影响。从今天看来,也许艺术加工不够,或着力于宏观鸟瞰,粗线勾画,或拘泥于真人真事,几近实录,未能在艺术构思和形象塑造上多下功夫。但这是艺术发展过程中不可避免的现象。到了20世纪90年代中期,影剧艺术、中长篇小说、雕塑、绘画、音乐、舞蹈等等,在面向现实的时候,重视艺术构思,注意形象塑造,逐渐跳出真人真事的局限,转向性格的塑造、内在心灵的刻画,揭示深圳人的生活和命运。蓝领人、白领人、粉领人、黑领人,各种艺术形象,纷纷在文学艺术中出现,深圳人的人生道路、社会遭遇、悲欢离合、喜怒哀乐,逐渐在文学艺术中得到反映,五彩缤纷,引人入胜。

深圳文学艺术的主流,之所以会走上面向当下现实、关注人的命运这条道路,并非偶然,而是社会多种因素相互作用的结果。

一是文化碰撞。

深圳是个典型的移民城市。深圳人来自五湖四海,各自带来了不同地域的文化。各种文化在这里相互碰撞,但还没有形成较为稳定的文化模式。因此,文学艺术的创造,不可能在一种文化模式的主宰下进行,而是要直面人生,从活生生的实际生活出发,自走新路。

从历史传承来说,深圳的前身宝安,传统上属岭南,有着悠久的历史,因而这里并非文化沙漠。但是,现代深圳人中受岭南文化熏陶的却并不多。受到不同地域文化熏陶的现代深圳人,可能是怀着各种梦想而走到这块土地上来。但是为了生存和发展,不能不面向活生生的当下现实,不能活在梦想中,而是要在现实中寻找自己的出路,安排自己的人生。

这种鲜活的生命活动,必然要反映到文学艺术中,要求文学艺术面向当下现实,更关注人的命运,超越各自的地域文化,自觉或不自觉地追求一种新的文化——从活生生的现实中孕育、在新的土壤上滋生的一种文化。在深圳本土成长起来的一些作家、艺术家,如黎珍宇、张黎明、李兰妮、廖虹雷,也曾写过沙头角、西乡、老街的故事,一些童年的回忆,弥漫着岭南文化气息。但随着生活的变迁,本土作家、艺术家的艺术追求也在变化,逐渐也在面向当下现实,关注人的命运。当一些作家走向更大的世界,足迹不仅遍及台、港、澳、东南亚,而且还见识了美、欧、澳,艺术视野更为广阔,写出的新著,尽管散发着浓烈的岭南气息,但已远非传统的岭南文化所能笼括。

就是传统的岭南文化,粤剧面向新的观众,也必须不断创新。于是出现了《情系中英街》这类面向当下现实、关注人的命运的现代粤剧,从而使传统粤剧获得了新的生命。

深圳又是个中外文化交流的窗口,东西方文化也在这里碰撞,从而使深圳的文学艺术喷发出新的火花。

当打工仔、外来妹蜂拥而来之时,深圳曾崛起"打工文学"。作者大多是打工者,诉说着打工的甜酸苦辣、喜怒哀乐,深圳这个"别人的城市",怎样变成了"自己的家园"。这常使我联想起美国开发西部时出现的牛仔文学,尽管两者在内容风格上的差别十分巨大。如今,"打工文学"已在这里生根,并生长出新的嫩芽:一些艺术家在中外文化交流中学得了一些新的艺术形式,开始尝试用更为现代的形式来表现打工仔、外来妹,例如现代舞剧《深圳故事·追求》《一样的月光》,电影《外来妹》,美术创作中也出现了"打工系列"。《窗外有片红树林》以现代手法表现了义工对红树林的关爱。这些,在深圳过去都未出现过,成为深圳文学艺术的新亮点。

面对深圳的第二次创业,深圳唯一的文学刊物《特区文学》敏感察觉到特区正向现代都市发展,深圳的文学也渐自成特色。深圳文艺评论界为和"新写实"、"新市民"、"新状态"等文学旗帜相区别,不失时机地在深圳倡导"新都市文学"。这种倡导,促进了文学创作面向当下现实,更关注人的命运,更加深入反映特区生活的丰富多彩。在深圳这块热土上,短短的10多年,就急促走完了别人要花200多年的路程,迅速完成了资本的原始积累,又匆忙走向了现代化。在这里,从前现代的原始、野蛮,一直到后现代的空虚、失落,什么不会出现呢!从海外和内地不断拥来的人流中,有着各种各样的追求和梦想,从崇高的一直到卑鄙的;有着各种各样的经历,从喜剧的一直到悲剧的,无所不有。也有人怀着日益膨胀的物质欲望、发财致富的梦想,驶进了"欲望街",经受了各种欲望的折腾,最后觉得精神空虚,了无意义,然后又驶出了"欲望街",寻求另一种生活。《特区文学》发表了不少反映这种人生变幻的文学佳作,做出了"诗意的裁判",使人耳目一新。

二是市场选择。

深圳是我国市场经济最早发达起来的地方。文化产业在这里最早兴起,文化产品在这里很快成了商品,走向市场,也就必然要按市场规律来运行:优胜劣汰,适者生存。

最早按市场规律而获得成功的,应数华侨城的文化产业。华侨城在20世纪80年代后期决定花亿元来建"锦绣中华",但在20世纪80年代末、90年代初,深圳街上已稀有行人,谁来观赏?出乎意料,等到正式开园,海外人士就蜂拥而来,只一年光景,就收回了亿元成本。华侨城很快就闻名于世,既弘扬了中华文化,又带动了深圳复苏,还为文化创新做出了榜样。

但是,艺术规律和市场规律并不都能一致。艺术要按美的规律来创造,追求的是审美价值;而市场规律却围绕着剩余价值来运转,追逐的是交换价值。如何将两者统一起来,这是现代化过程中文化发展的最大难题。只为了利润而牺牲艺术,艺术精品就无从产生。但生产出来的艺术产品若无人问津,束之高阁,那也成了白费劳动,发挥不了艺术的社会作用。所以,文化产业要寻找最佳选择,取得双赢。万科文化公司曾经拍摄影片《过年》《找乐》,受到国际影坛青睐,得以在境内外传播。后来摄制了《兰陵王》,虽然制作精美,画面、音乐都很有气势,得到行家的赞誉,被列为精英文化;但是,此片题材古老,内容冷僻,广大观众很难欣赏,少有知音,难以雅俗共赏。沉寂了数年之后,制片人一眼看中了小说《钢铁是怎样炼成的》,在文化宣传部门主管的支持下,组织了力量,把它改编成了长篇电视连续剧。这部电视连续剧经中外艺术家的共同合作,精心制作,满足了广大观众的需要,雅俗共赏,因而风行神州,获得了成功。

艺术终究是艺术。艺术虽然也是商品,但这是一种特殊的商品,是为了满足人的精神需要而生产的精神产品,其最高价值是追求真、善、美。郑板桥尽管也明码标价出卖自己的书画,但他的书画是真正的艺术珍品,绝不违背艺术规律。可现在有些名为"艺术"的产品,粗制滥造,以贩卖色情、暴力为能事,虽一时也会蒙骗一些人,有短暂的票房价值,却缺乏艺术价值,终究要被人唾弃。

三是宏观调控。

艺术生产应是人类一种自觉的自由活动,但在市场运作中常陷于盲目。为了使艺术生产不时优化,将真正的艺术精品推向市场,遏制艺术赝品、伪劣产品的生长,就必须对艺术生产进行宏观调控。

对艺术生产的宏观调控,并不是如过去那样,违反艺术规律、不顾市场规律,一切听命于政治律令,而是要将各种因素协调起来,保证艺术生产能真正按照美的规律来进行。因此,如何对艺术生产进行宏观调控,本身就是一种高超的艺术。

当台港吹来通俗文艺之风之时,深圳曾经倡导过高雅艺术,以抵制其中的庸俗。但是,因为咱们自身尚未推出创新之作,献出的仍是一些"古雅"之作,虽雅而难以打动喜爱新潮之人。图书出版当时也在追逐台港的通俗小说。所以当《花季·雨季》初稿出来,出版社并不青睐,迟迟不出,主观以为,市场不会有销路。但当这部书稿推荐给文化宣传部门的主管时,一下就被发现,这是一部20世纪80年代的青春之歌,很适合新一代青少年阅读,应向这一广大阶层推出。于是,这部出于中学少年之手的反映特区校园生活的好书,终于出现在全国广大读者面前,成了畅销书。出版社不仅再三重印,而且还以这一品牌,出版了系列丛书,办起了面向广大青少年的杂志,在国内产生广泛影响。随着小说的出版,还引发了其他艺术门类的联动,电影、电视剧、音乐、图画,都以此为蓝本,创作出了《花季·雨季》的艺术系列,为深圳赢得了光荣。

这是深圳对文学艺术进行宏观调控的一个成功实例。这种宏观调控,既遵循了市场规律,又符合艺术规律;既有经济效益,又有社会效益;既推进了艺术优化,又促进了社会进步,何乐而不为?

三

20年辛苦不寻常,回首乃为向前闯。深圳现正处在第二次创业的高潮之中,再奋斗5年,要在全国率先基本实现社会主义现代化,向现代国际园林城市、现代文化名城这一方向发展。

深圳的文学艺术要和这一目标相适应,就亟待提高整体艺术水平、提升艺术品位,创造出更多更好的艺术精品。深圳应该而且可以给作家、艺术家创造更好的人文环境、生态环境;而作家、艺术家也应更加优化自我意识,提升精神境界,潜心于精品创作。

艺术创造是个复杂、微妙的过程,要能创造出艺术精品,是否也有些规律可循?我们应该尝试探索。

1. 使自我感受和体验时代统一起来

真正的艺术创造，必须对生活有真实的感受、深切的体验，没有对生活的感受和体验，无从进行艺术创造。但是，如果一个作家、艺术家只能感受、体验到个人狭小的天地，不能感受、体验到时代发展的洪流，还是创作不出艺术精品，只能陷入小女人或小男人的私人化写作。面对时代的滚滚洪流，而自己无动于衷，产生不了真实而深切的感受，自然创作不出艺术精品。只有当作家、艺术家将个人的独特感受和对时代的深切体验统一起来，化为活生生的艺术形象，才能创作出艺术精品。

《春天的故事》《走进新时代》的词作者蒋开儒，之所以能在深圳这方土地上创作出这样的艺术精品，正是因为他在这里真实而深切地感受、体验到了改革开放的伟大，对社会主义现代化有了真情实感，因而从内心深处喊出了广大人民共同的心声。他的这种感受和体验，既和人民相通，又是自己内心的自然流露，也许是在清晨漫步时引发，也许是在夜晚月色中萌生，也许是在泳池中眼望天空时激起，都是内心深处由衷的生发。

《世纪贵族》作者彭名燕在20世纪90年代初来到深圳，一下就被火热、鲜活的特区生活吸引住了。她深切地感受到，"特区生活五彩斑斓，只要你肯进来，到处都可抓到大把在内地听不到也见不到的鲜活生猛事物。……特区是作家驰骋的好天地"。于是，她决定在这里沉下来，把眼光转向当时还不大为人注目的白领阶层，捕捉这些人的灵魂律动，创造了一些新的人物形象，富于时代气息，给人留下深刻印象。

2. 把审美理想和观照现实融为一体

文学艺术反映生活，要从审美理想出发，观照现实，审视人生，弘扬真、善、美，鞭挞假、丑、恶，为的是使我们的人生更美好，人性更优化。

因此，真正的艺术，必然带有意向性。过去，曾经只突出了政治倾向性,不懂得文学艺术中的审美倾向性,因而不在政治倾向性和审美倾向性的统一和整合上下功夫。其实,审美倾向性更接近人类的本性,其范围远比政治倾向性广阔。人对社会现象、自然现象,都有自己的审美倾向,不时做出审美评价,表现审美态度。只是,在文学艺术中,审美倾向寓于对现实的观照之中,从情节、场面、故事中自然流露出来。文学艺术可以而且应该揭示假、丑、恶。贪污腐化、欺压善良、暴殄天物、破坏环境,人民痛恨生活中这种种丑恶现象。作家、艺术家应和广大人民同呼吸、共命运,爱人民之所爱,恨人民之所恨。文学艺术应从崇高的审美理想出发,鞭挞假、丑、恶,在对假、丑、恶的否定中,肯定真、善、美,提高人生境界。田升的讽刺小说,常在笑声中嘲弄实际生活中的许多陋习恶俗,切中时弊,不知不觉也使读者人格得到提升。读杨黎光的《没有家园的灵魂》,使我们的灵魂也受到震撼。即使是写杂文,也要避免标语口号式的语言,不要故作惊人之语,所以林祖基把自己的杂文集称作《微言集》,用艺术的语言,娓娓道来,在微言中阐发人生大义。

现在的创作中的确还有些创作,也想伸张正义、鞭挞邪恶,但义不及意,言不由衷,不是发自肺腑之言,因而难以感人。但更使人担忧的是,很多艺术创作,言不及义,不揭示人生的意义,只是展示假、丑、恶,不作价值评判;甚至,颠倒价值关系,对假、丑、恶津津乐道,垂涎欲滴,这就不仅歪曲了生活,而且表现出自我格调的低下、品位的低俗。

提升自我的人格品位,树立高尚的审美理想,然后融化到艺术创造之中,这是提高艺术品位的必由之路。苏联著名作家索尔仁尼琴曾说,只有上层人写下层人最有可能创作出伟大作品,而上层人写上层人、下层人写上层人、下层人写下层人,都不大可能成功。我却觉得,不管作家、艺术家是上层人还是下层人,如果人格高尚、胸有理想,对所写生活(不管上层还是下层)有真切体验,具有艺术才能,能对生活做出诗意的裁判,就有可能创作出艺术精品。

3. 高屋建瓴和精心构思相结合

艺术创造切忌闭关自守、故步自封,作家、艺术家应该高瞻远瞩,放眼世界,吸取世界艺术优秀成果。

为此,深圳正在研究论证如何扩大中外文化交流,可否在深圳定期举办国际文化艺术节。如果可行,这将为深圳提升艺术水平开辟一条新的途径。

但是,放眼世界、高屋建瓴,还需要和潜下心来、精心构思相结合。

深圳的生活节奏太快,人人来去匆匆。有些艺术创作,基础不差,但来不及精雕细琢,本来可以多听些意见和建议,修改再出。但还没有开研讨会,产品就已出炉了,别人如何再去提什么建设性建议?《昨日的承诺》热情歌颂了一个反贪局长的浩然正气,剧本基础很好,若在艺术构思、人物刻画上再花些心血,应可改得更好。但却要等拍摄完要放演了才开研讨会,已无从再听意见修改了,只能留下深深的遗憾。

深圳的建筑,发展飞速,有目共睹。但在前10年主要模仿香港,后10年又一窝蜂模仿欧美,缺少我们自己的艺术风格。不少社区,只是学了一些国外建筑的外壳皮毛,追求表面的豪华,却未掌握文化意蕴,华而不实,缺少雅致。更使人焦虑的是,全市建筑,缺少整体布局,各个社区,画地为牢,各自为政,只管局部,不顾整体。豪华的摩天大楼,全市不少,但却不规则地分散在各个群落,矗立在喧嚣拥挤的闹市之中。高楼布局不尽合理,因而显得凌乱,缺少和谐之感。有些小区,号称豪华,但建筑拥挤,少空间舒展,给人压迫感,少了大家气派,多了小家子气。看过青岛、威海的建筑,觉得那里很注意顺其自然,依势而为,尽量保持原有的生态环境,不去破坏自然之美,使建筑和周围环境和谐统一,很值得深圳借鉴。再放眼看看欧美的一些园林式城市,白壁红瓦,优美的建筑掩映在林荫树丛之中,真是一种艺术享受。深圳的城市绿化做得很好,但甚少林荫大道,大多是阳光大道。看来,深圳的建筑如何更具艺术意味,整个城市如何按照美的规律来建设,还有待进一步探索。

  令人欣慰的是,这几年,深圳的城市建设已在调整规划。建筑界也正在探索"新都市风格"。关于文学艺术如何发展,也准备成立艺术委员会或学术委员会,征询各方专家,再广泛听取市民意见,广开言路,集思广益,以利发展。

  面向现实,放眼世界,关注未来,开拓创新,深圳的文学艺术必将更上一层楼,迎来新的辉煌。

为《深圳文艺二十年》所作序

曾在《文艺报》发表

2000年夏,深大新村

重在参与求创新

为探索深圳文学艺术20年的发展道路和实践经验,深圳市文学艺术家联合会和文艺评论家协会组织力量,编出了《深圳文艺二十年》一书,献给已成立20年的特区。此书,不仅约请了各个文学艺术部门的专家学者,探讨不同艺术部类的实践经验;而且,还约请深圳20年中获得国家奖励的作家、艺术家,写出自己的创作体会。因此,可以说,这本书反映了深圳文学艺术20年的基本面貌。

交给我的任务是,要为全书写一个序言,概括地评论一下深圳文学艺术的发展道路。我犹豫了一阵,觉得这很难写,不像评一个作家或一部作品,说的是自己个人的感受,不必涉及别人的看法。但最后我还是动笔做了尝试。这不仅是因为我来特区较早,已快17年了,亲自目睹了这里文学艺术的发展,而且,我也亲自参与了不少文化艺术活动,有些切身的感受和体验,也思考过一些问题,有些自己的看法。于是,我试着结合深圳的文学艺术实践写出我的一些个人看法。

深圳,这名字现今已声震中外,但在改革开放之前,我寡陋孤闻,却没听说过,更谈不上见过了。1979年,深圳,由宝安县的所在地变成了市。不久,1980年又成了特区,这我才知道,在香港边上还有这么一个地方。1984年年初,我在清华园里见到清华大学副校长张维院士。他告诉我,深圳要创建一所新型大学,受梁湘市长之邀,他就任首届校长,建议请北京大学的人来创建中文系。他约见汤一介和我,希望我和汤一介、乐黛云一起去深圳。他劝我到深圳去直接察看一下,不妨一试。

我有点心动,就在次年初春,一个人跑到深圳来了。那时,深圳虽然已成了特区,算是一个市,但确确实实还只是个边陲小镇。住在原宝安县县府所在地(深圳大学就在这里筹备),跑去市里转一转,像样的就只有一条东门老街,一个多小时就绕全市一周。我心里估摸,这城市也就像北京大学旁边的海淀镇一样大,都是个小镇,差别就在一个处京都,一个在边陲。深圳这块地方,原是宝安县中的一个小村镇,北边都是山,东边靠海,西南是伶仃洋,珠江入海口,只有南边和香港一河之隔,有罗湖桥相通。深圳河两边都是铁丝网。这里原是深埋在山野之中的一片水沟和沟滩,所以叫做深圳。这不是边陲小镇是什么?而在这里改革开放最早的蛇口,就是一个典型的海边渔村,渔民靠捕鱼、养蚝为生。所以20年前的深圳,名副其实是一个边陲小镇。

但是,我在这里感受到一股迎面扑来的新鲜空气,心里为之振奋。这是一块正有待开发的处女地,一切都有待新的开始,自由气息中孕育勃勃生机。这是可以进行国际文化交流的好地方,在各种文化的相互碰撞中,可能促成文化创新,孕育出一种崭新文化。真巧,就在深大那简陋的铁皮棚食堂里,我碰见了正在这里考察的美学同行蒋孔阳、李泽厚、刘纲纪等几位学长,他们异口同声劝我和汤一介、乐黛云不妨到这里一试身手。我去刚创办不久的深圳特区报社拜访老朋友许兆焕(他从光明日报社调来这里任副总编),认识了戴木胜等几位新朋友,他们也都鼓动我到深圳来,参与特区的文化教育事业。

从深圳回到北大,和汤一介一商量(那时乐黛云尚在美国未归),就一起去张维校长的家里,答允赴深大参与创办中文系。当年夏天,我们就跟着张维校长来到深圳大学在后海湾粤海门的新校舍,宣布中文系成立。那天梁湘市长和邹尔康副市长亲自到场,香港中文大学的著名教授饶宗颐也特来祝贺。

从此,我和特区的文化教育结下了不解之缘。开始,我致力于文化艺术的国际交流。1985年,我们在深圳大学举行了中国比较文学学会成立大会,同时举办了比较文学国际研讨会,著名学者季羡林、杨周翰、叶维廉、刘若愚等与会,还迎来了国际比较文学学会主席佛克马和英、美、日、德等国家的比较文学学会主席。1986年,我们又在深圳大学举办了港澳台暨海外华文文学的国际研讨会,海外的著名华人作家、学者刘以鬯、曾敏之、施叔青、杜国清,海内的秦牧、黄秋耘、徐中玉、吴调公等都在这里相聚。

那时，也许深圳的文学艺术活动还不多，也许深圳的决策者一开始就高度重视文化教育，每当深圳大学有什么重要学术活动，市长梁湘和副市长邹尔康不仅给予经济支持，还欣然莅临，和学者、教授们一起坐在演讲台下，聆听台上的专家发表关于文化建设的高论，那专心致志的情景和虚怀若谷的神情，使国内外的专家学者对深圳增添了不少敬重，也使我至今还记忆犹新、难以忘怀。我珍藏着反映这种场景的动人照片。

受这种精神的鼓舞，我终于在深圳这块土地上沉淀了下来。我们本来和张维校长说好，每年里，有半年在北大，还有半年在深圳，两边轮换，试上3年，合则来，不合则去，重回北大书斋。但试了3年之后，我还是下了决心，辞别北大，融入深圳。一介书生，能在特区做什么？教书是本行，我能做的是尽量及早为特区培养文化建设的高级人才。在20世纪80年代中期，我们成立了特区文化研究所，办起了特区文化研究生班，培养出来的不少优秀人才现已成为特区文化建设的重要力量。再有就是，多请一些文化学者、专家来讲学，著名美学家王朝闻、文学史家王瑶、语言学家王力、美国美学家布洛克等都曾来过。

但我真正有了融入深圳的感受，还是因为我直接参与了特区的文化实践活动。文化局邀请我参与特区文化发展战略的研讨，引发了我对特区文化的思考。作家协会选我为主席，从而给了我参与深圳作家相互交往的机会。文学艺术家联合会选我为副主席，使我和更多的艺术家有了相互了解的机会。于是，我对深圳文化的感受，就不只是旁观者，而且有了参与感。我曾陪王瑶教授去看过华侨城在海边的游乐场，那时只有孤零零的几个过山车、秋千，无甚可玩。后来马志民另辟蹊径，想创建中华特色的微观景区，曾打算和深圳大学合作，在校园建雕塑园。他要我约了时任校长的罗征启在粤海门客舍一起见面商谈。虽然后来因时势的变化而合作未能实践，但我看到华侨城的迅速崛起、欣欣向荣，我也由衷地感到高兴。

其实，深圳虽是小镇，却原本并非边陲。它前身属宝安县。早在汉代，宝安就已建县，县治所在地就在现今的南头镇。宝安县在汉代属于东官郡。这东官郡的领地甚为广大，宝安之外，现在的香港、澳门、中山、东莞、惠州、梅州、潮州、汕头以及福建的云霄所在的地区均包括在内。深圳这地方虽小，但那时并非边陲，香港、澳门才是当时的海防前线。就是到了明代万历元年，从东莞县（现东莞市）划出一个新县——新安，她也包括了现在的深圳、九龙、新界、港岛这样广阔的地区，深圳仍处在腹地，属于岭南文化的范围。而岭南文化源远流长，自成系统。深圳的文化当然离不开岭南文化的传统，有自己的文化历史。

不过，深圳这20年的文化艺术，发生了崭新的变化，恐难笼统以岭南文化名之。关注深圳文化艺术的学者专家，不时在探索为她命名，或称她为经济特区文化，或称之为朝阳文化，或名之为移民文化，或呼之新都市文化。也许将来会有更多的其他命名。但我向来以为，特区的文化艺术，尚在形成、发展之中，还未定型。从20年来已经呈现的现象看，深圳的文化艺术，自成特色：一是面向当下现实；二是关注人的命运；三是趋向雅俗共赏。但这只是我个人看法，实际是否如此，我很希望有别种概括。

深圳很早就重视科技，深圳有今天的高速发展，全赖高科技。但一个城市要真正实现现代化，想成为国际性大都市，没有高度的文化教育，恐亦不成。科技和文化必须双翼齐飞，科学精神和人文精神都需高扬，鹏城才能凌空高升。20年来，在内地从事文化艺术而到深圳来"闯"世界的人不少，但在这里大多不在文化岗位从事专业。"藏文于民"的好处是平日可以各干各的，一旦需要，招之即来，可以集中完成一项文化使命。但文学艺术非一日之功，必须勤学苦练，方能有所作为，不时创新。音乐家协会的合唱团的获胜，给了我们深刻启示，艺术必须坚持不懈。

更重要的是，我们必须更加重视为深圳自己培养艺术新人。在特区成立20周年庆祝大会上听江泽民讲话，在场我认识了邻座的李云迪，他等艺校毕业，就将去德国深造。会前和但昭义、董小明等在一起，我们不约而同地谈起了一个话题，那就是，特区在社会发展的全面进步中，如何高度关注深圳自身人才的培养。未来的竞争是人才的竞争，上海、苏州等地已响亮地喊出：人才是生产力中的第一因素，国家资源中的第一资源,社会发展的第一动力。深圳也在加紧吸纳和培养人才。李岚清不久前在接见李云迪等人时说,深圳有能力为国家培养出更多的优秀人才。我亦相信,事在人为,只要经心,采取措施,就有希望。愿经济特区的新人辈出,文学艺术更加辉煌。

2001年初春,深大新村

文化尤待着意栽

文化,是社会发展的产物,人类进步的标志。

深圳,要向多功能、现代化国际城市迈进,就不能不特别关注文化的发展。没有高度发展的文化,所谓"现代化"就成了幻想或空话,"多功能"就更不名副其实。

10多年辛苦耕耘,深圳人以自己的实践早已否定了这里是文化沙漠之说。在这块土地上,本来就有源远流长的岭南文化,广大移民又带来了各地的地域文化,还由海外传入了外来文化,各种文化在这里相互渗透、碰撞、交融,逐渐形成多声部的特区文化。但在发展中特区文化将具有什么样的特质,这却取决于特区发展的需要,也与深圳人自己是否有意栽培有关。

万幢高楼平地起,我们已有了大剧院、博物馆、图书馆这样现代化的文化设施。在荒滩上建起了"锦绣中华"、"民俗文化村",弘扬民族文化,赢得中外赞赏。马不停蹄,现在又在创建"世界之窗",规划新的中心区,以扩大文化交流,拓展新的境界。我们的"大家乐"、歌舞厅文化,也颇引人注目,深圳人以此为豪。

但是,在欢欣鼓舞的同时,我们是否应该冷静审视:我们是否注意到精神文化的更深层内涵?深圳人的内心世界、精神面貌有了些什么样的变化?

如果视野进一步扩大,扫描社会更多的角落,我们就会发现,一些反文化、负文化的消极现象正在这新兴城市迅速滋长,吃喝嫖赌、坑骗偷抢还在蔓延,侵蚀着这新兴城市的肌体。这不能不使善良的人们担忧:经济的高速发展是否会以文化的沉沦作代价?物质的富裕难道必然伴随着精神的堕落?反文化、负文化的蔓延会不会把优秀文化淹没而走向文化的倒退?

这恐非杞人忧天，而是面对现实的真实焦虑。若不清醒而未雨绸缪，及早研究对策，任由不良之风自由泛滥，终将铸成大错。

毋庸置疑，深圳要更加紧发展经济。但深圳人不能只成为经济动物，而应成为既创造物质文化又掌握精神文化的全面发展的人，这需要整体素质的提高。物质文化建设和精神文明建设，目的都在提高人的整体素质，所以要以人为本。也只有提高人的整体素质，才能适应特区进一步发展的需要。

因此，深圳的第二个10年应在发展物质文化的同时，更重视精神文化的建设。物质文化是精神文化的土壤，但精神文化这枝从土壤上长成的花，会使这块土地更显其丰美。所以我说，深圳若要上一层楼，文化应需着力栽。

为了促进特区的发展，必须重视对特区文化的研究。在特区市场经济较为发达的条件下，如何发展社会主义的特区文化？如何形成特区文化自己的特点？在通俗文化发展的情况下，特区文化如何更上一层楼，向更高层次提高？这都需要我们总结经验，及早探索发展战略，加强文化发展的宏观调控。深圳已经有了发展市场经济的宝贵经验，能不能在第二个10年拿出在市场经济条件下发展社会主义文化、繁荣文化市场的经验？这是对深圳更严峻的考验。

深圳市专家联谊会回顾特区成立座谈会
1993年秋，深大新村

促成文化合力

深圳人的文化自觉正在提高,"文化广场"正吸引越来越多的文化人关注深圳文化,并逐渐思考一些问题。来深圳的文化人不少,但大多不在文化专业岗位,而是散布在各个实践领域,难有文化沟通。"文化广场"为大家提供了一个抒发文化情怀的场所,使外来文化对深圳渐生出精神家园之感。百尺竿头,如何更上一层楼?我感到,不妨从以下三个方面作些尝试。

扩大文化信息

深圳人来自四面八方,从内地带来了本土文化,很关注故乡的文化,也想不时知道京、沪、穗等大城市和其他地区的文化信息。深圳还要向国际性城市发展,不能闭目塞耳,也应更多地知悉世界上不同文化地区的文化信息。香港是我们的近邻,对其更应有广泛而深入的了解。"文化广场"应该有意识、有计划地登载些国内外的文化信息。

当然,也不是什么信息都登,要有价值导向。

引导思考问题

对深圳的文化现象做出描述,当然必要;但在做总体把握的同时,亦应思考文化现象背后的深层次问题。

比如文化的引进和创新问题。深圳是个移民城市,大家带来了各自的文化,香港文化的影响更大。随之而来的问题是:能否在此基础上创造出自己独特的东西,形成自己的特色?其实,这正是整个深圳文化面临的问题。10年前,我邀美国著名的美学家布洛克来过深圳,前不久他再次来访,对深圳的发展之快感到惊异。但他又坦言,深圳有太多港化的东西。这颇可引起我们深思。如果深圳没有自己的文化特色,外国人到了香港,何必再跑到深圳来看和香港一样的东西?

和这问题相关的,还有发展深圳文化的模式、结构、机制的问题,通俗文化如何提高、高雅文化如何普及,这都是在文化实践中出现的深层问题,应该吸引广大文化人参与思考。我看,华盛顿和纽约的文化模式就不一样,波恩和香港的文化模式也不同。说实话,我比较喜欢华盛顿、波恩的模式。我去美国、加拿大边境的一些小城,如水牛城、爱德蒙,感觉极好。日本人开的小旅馆,无豪华之气,却宁静舒适,吃的不怎么样,没留下印象,但小餐厅充满温馨清新的气氛,播放着柔和优美的音乐,既有古典气息,又有现代情调,使人心旷神怡,留连忘返。我回深圳后不时向文化娱乐界的朋友打听,深圳能不能找到这样的场所?深圳的歌舞厅、酒家、食肆林林总总,熙熙攘攘、吵吵闹闹,可惜就是找不到这样宁静清新的地方,是不是应该做结构性的调整?

促成文化合力

深圳的文化人日渐多起来,并且渐渐在形成一些文化圈。深圳要发展文化,既需要不同文化力量的独立发展,又需要相互配合,形成文化合力。文化人和学者也应多沟通。我在北京30多年,就感到学者和文化人不大沟通,学者关在书斋里做学问,和文化界不搭界。

说到这里,我想起一事,从中更能体会到多沟通的好处。前不久,《南方周末》发表了一篇谈论我的文章,作者到发表后才打电话告诉我。事先我未看过,少了沟通。我拿来一看,文章说我从北大到深圳来是在做人生实验,举的例子还是两年前的情况,这两年早有变化。再说,人生道路是不可重来的,自然形成,哪里是在有意做实验!作者意在为学者说话,是好意。其实,我到深圳来是想实现"读万卷书,行万里路"的梦想。

在"文化广场"座谈会上发言
1996年冬,深大新村

感悟人生价值

优秀的文学艺术,以活生生的艺术形象感动人,鼓舞人们热爱生活,向往未来,为人们充实精神动力,提高思想境界。著名教育家蔡元培倡导要以美育代宗教,正是看到了文学艺术具有那种潜移默化而又不可估量的人生价值定向、高尚人格塑造的巨大作用。

深圳的文学艺术,在近几年有较大的发展。通过此次(第二届)[1]大鹏文艺奖评审可以看到,参评的作品不仅数量多、品种齐,而且质量好、水平高。深圳的文学艺术在进步,中长篇小说、影视艺术的成就尤为突出,给我的印象更为深刻。

曾经在数年前活跃的报告文学、纪实影视,发生过较大的社会影响,起过应有的作用。但从今天来看,艺术加工不够,艺术概括欠缺,或拘泥于真人真事,太近实录;或着力于宏观鸟瞰,粗线勾画,不在艺术形象上下功夫,自然就难以生动感人。而近几年有较大发展的中长篇小说、影视艺术,逐渐跳出真人真事,转向人物性格的塑造、人物关系的刻画,展示深圳人的社会遭遇、人生命运。这些艺术形象既有蓝领,又有白领、粉领,五彩缤纷。关注当下现实,探索人的命运,已成为深圳中长篇小说、影视艺术的主流。不少作品深入人物的内心世界,剖析人物在社会中经历的悲欢离合、甜酸苦辣、喜怒哀乐,因而引人入胜。

当戏说历史、调侃人生、纵情声色曾在一些地方热起来的时候,深圳的文学艺术却在走自己的路:以人为本,面向现实。在我看来,这是文学艺术发展的正道。沿着这条道路发展下去,深圳的文学艺术必将形成自己的特色。

---

[1] 第一届大鹏文艺奖在1990年举办。

然而，我们的道路还刚开始，步伐也还不够坚实。深圳正在第二次创业，向现代化国际性城市的目标前进，文学艺术如何跟上步伐？全国的文学艺术也在迈开新的步伐，踏上新的台阶，深圳如何更上一层楼？这不能不引起我们的深思。艺术贵创新，不仅是形式，更要紧的是内容，两者都需要创新。国内文坛纷纷在倡导新人文、新都市、新市民、新体验，突出一个"新"，这没有什么不好。自《特区文学》倡导"新都市文学"以来，描写新都市人命运和心态的小说逐渐增多，佳作迭出，可读性强，令人有耳目一新之感。如果坚持下去，不断创新，继续提高思想艺术水平，可以预期，"新都市文学"必将自成特色，独树一帜。深圳的文学艺术，需要继续关注当下现实，探索人的命运，反映时代新面貌、新精神。现在要着重努力的是，在提高文学艺术整体水平的同时，精心扶持培育上乘精品。创作是关键，我以为要重视以下三个问题：

价值和真实统一

特区生活五彩缤纷、丰富多样，艺术创造的源泉丰富得很。海阔凭鱼跃，作家、艺术家在这里可以自由驰骋，大显身手。但生活不等于艺术。从生活转化为艺术，必先对生活有真实而深切的体验和感悟，然后才会创造出感人的艺术形象。艺术创造缘起于要把对生活的体验、感悟表达出来。对生活缺乏真切的体验、感悟，只能无病呻吟或图解概念，胡编乱造，谈不上真正的艺术创造，只是伪艺术。但是，在对生活的体验、感悟中，蕴含着对人生意义的价值评判；作家、艺术家的人生态度、审美情趣，也必然要表现在艺术创作中。文学艺术，按其本性和根本的使命来说，就是要肯定真、善、美，否定假、恶、丑。关注当下现实，探索人生的命运，题中应有之义，亦该包涵对人生价值的思考。只有感悟时代精神，高屋建瓴，高瞻远瞩，从审美理想高度来看待人生，才能分清真善美与假丑恶。自己有了美好的心灵，才能去弘扬真善美，鞭挞假丑恶。费尔巴哈说得好："如果我的灵魂的审美力是坏的，我怎么能感受到一幅美的图画是美的呢？……有审美的感觉、审美的理智,所以我才感觉到外面的美。"①对庸俗、虚假、丑恶的津津乐道,是对生活中无价值、负价值的肯定,只能表现出自我品位的低俗。从真切的体验、感悟出发,按照自己的高尚理想、审美情操来提炼、加工,揭示人生的真正价值,这是提高艺术品位的必由之路。我们对此应有清醒认识和足够重视。

形式和内容适应

文学艺术创造的是一个活生生的形象世界。可是,要把创作意图化为艺术形象,必须经过二度形式化。先是通过"意象经营",精心构思,然后将体验生活、感受人生中积累起来的印象,编织成多种多样的意象,构筑成一个由人物、情节、场面等意象相互作用的艺术世界。但这艺术世界还只存在于作家、艺术家的内心,还只是腹稿,尚未外化。只有经过"意匠经营",掌握一定的物质手段,把内心的构思物化为一定的符号,或是语言符号,或是非语言符号(声、色、形等),方成艺术作品。在我们这个物质生产迅猛发展的世界里,艺术生产常常沦为一般的物质生产,只注重物化、外化,却忽略了对意象的精心构思。越是长篇巨著,就越需要精密的构思,把人物、情节、场面等做巧妙的安排,意蕴也就从这些意象中自然流露出来。我们的影视艺术,有的摄制水平颇高,但脚本缺乏精巧的构思,很难感人肺腑、动人心魄。电影大师爱森斯坦所说的蒙太奇组接,并不只是技巧,而是涉及艺术的构思。如果艺术构思失败,脚本不好,上台的明星再多,亦无济于事。影视舞台上已有不少教训,要提高影视创作的艺术水平,应特别重视艺术构思这一环节。不妨采取一些有力的措施,鼓励作家和编剧合作,在艺术构思上多下功夫。

---

① 北京大学哲学系外国哲学史教研室编译:《十八世纪末—十九世纪初德国哲学》,商务印书馆,北京,1975年,第571页。

百花齐放　雅俗共赏

文学艺术应该讴歌改革开放，高扬时代精神。这是社会发展的要求，应当内化为作家、艺术家自己的心灵律动。

时代呼唤崇高，我们需要歌颂崇高的艺术。但是，同时也需要有悲的艺术、喜的艺术，以及诙谐、幽默、壮美等多种风格的百花齐放。悲剧是将有价值的东西毁灭给人看，喜剧是将无价值的东西撕破给人看，但根本目的都在肯定真善美（包括崇高），否定假恶丑（包括卑鄙）。揭露、嘲笑社会中的腐败、黑暗、丑恶，为的是肯定生活的真善美，有利于改革开放，推动历史前进。我看田升的讽刺小说，不仅窥见了社会角落的丑陋，而且在笑声中感悟到生活应该可以更美好。这样风格的作品，在深圳不是太多，而是太少。

经过10多年的实践，我们越来越明白，改革开放的目的并不仅仅是为了经济的发展（这是基础），而且是为了社会的全面进步，其中包括精神文明的建设。如何建设深圳的现代文化？台湾陈澄雄在谈深圳交响乐发展时，强调要从深圳的实际出发，我亦有同感。深圳的文化土壤较为疏松，尚未板结，可自由灌溉，可塑性大。港澳的流行文化在深圳风光了好一阵，究其根由，也要怪自己内囊空虚，人家乘虚而入。后来，意识到了，倡导高雅文化，当然好。交响乐、芭蕾舞、京剧等传统艺术开始在深圳活跃起来。这些古典高雅艺术，借用王国维的话，称之为"古雅"。推广、普及"古雅"，这本身就是文明的标志，何况，在此基础上，将"古雅"推陈出新，萌发出"新雅"，这更是建设现代化文化的重要途径。

但是，我们在倡导高雅的同时，千万别忽略了通俗。对通俗文化要一分为二。通俗文化有优秀、庸俗之别。对优秀的通俗要发扬，对低俗的要提高，对庸俗的要剔除。华侨城文化建设之所以既能吸引国外游客又能吸引国内游客，就因为它不仅移植了西方高雅文化中的精华，而且挖掘出中国民俗文化中的精华。常听人说，高雅与通俗，泾渭分明，势不两立，只能你走你的阳关道，我过我的独木桥。我却觉得，并不尽然。高雅与通俗本来就是相对的，可以互相转化。为什么不能促进高雅和通俗的相融和互动,鼓励多创造出为大众所喜闻乐见、雅俗共赏的文学艺术呢?

普及古雅,鼓励新雅,优化通俗,清除庸俗,促求喜闻乐见,雅俗共赏,深圳的文化建设必能更上一层楼。

为深圳市第二届大鹏文艺奖而作
1998年初,深大新村

提升人文精神

深圳特区成立20年,因为尊重知识、崇尚科学,能高瞻远瞩及早发展高科技,从而使经济得到快速而持续的发展,快步走向现代化。这是深圳特区之幸。

若问推动科技进步、持续发展经济又是为了什么?经济发展如何以人为本,科技如何服务人民?这就从必然要超越科学而走向人文。深圳特区若要更上一层楼,向更高层次发展,这就不仅需要继续弘扬科学精神,而且也要高度重视人文精神。

社会进步呼唤人文精神

经济发展、科技进步,本身不是目的,而是服务于社会发展的全面进步。

一个国家、一个城市,若要真正实现现代化,不能只有经济发展、科技进步,尽管这是一个社会的基础;而且,还要有社会发展的全面进步。这是现代化发展的必然要求。

对于社会主义现代化来说,社会发展的全面进步还有更进一步的要求,那就是要创造人人都能得到自由而全面发展的条件。这就不仅要有发达的物质文明,更要有高度的精神文明;不仅要发展工具理性,更要发展价值理性;不仅要弘扬科学精神,更要呼唤人文精神。

人文精神为社会发展提供精神动力。深圳,由岭南文化哺育成长的边陲小镇,能在20年间发展成为初具规模的现代化城市,有赖于一种新的人文精神的推动。在改革开放的时代精神的激励下,来自五湖四海的创业者身上喷发出来的"开荒牛"精神,推动大家艰苦奋斗、团结奉献、开拓创新、共创辉煌。

如今，深圳已摆脱了经济贫困，达到了小康水平，正在向中等富裕迈进。再过5年，深圳将在国内率先基本实现社会主义现代化。但这还只是初级的现代化，今后还将进行更高层次的现代化。"致富思源，富而思进"，这就不仅要继续发扬"开荒牛"精神，而且还要在更高层次上提升人文精神，以适应社会发展的全面进步，向现代化国际性城市、现代文化名城这一目标迈进。

深圳是个移民城市，人口九成以上是来自四面八方的内地移民。这就更紧迫需要多些人文关怀，高扬人文精神，营造精神家园，凝聚各方人士，形成牢固合力，同心同德，再创辉煌。深圳移民主要来自大陆本身，不像美国移民主要来自海外不同国家，因而承续的还是中华人文精神。但是，中国人口众多，地域辽阔，不同地域的人文各成特色。来自不同地域的移民，给深圳带来了不同地域的人文。在不同地域人文的碰撞、交流、相融中，终将提升出一种新的人文精神，凝聚移民心灵，把这个"别人的城市"转为"自己的城市"。从居无定所到安居乐业的移民已越来越多，如何构筑我们自己的精神家园，已日显重要，这就更需呼唤人文关怀，提升人文精神。

中华文化的传统，向来高度关注人文精神。我们今天高扬人文精神，当然要吸收古代人文精神的精华，但不是简单重复古代人文精神。我国古代最重视人与人的关系，以"仁"为本的儒学，至今仍有可借鉴之处。但就是在新加坡一向力主儒学治国的李光耀，最近也承认，儒学不能完全适应现代化的要求。同样，我们也不能原样移植西方发达国家的个人人本主义。我们要做的，乃是依据我们自己的社会主义现代化的实际需要，吸取国内外文化传统中的合理因素，重铸现代人文精神。

按人类本性安排世界

人文精神的根本，就是要在社会生活中以人为本，尊重个性，在实践活动中，完善自我，优化人性。人文精神如何提升？就是要使人向着个性自由全面发展的方向前进。

人类绝不能忘记必须自我完善。但是,个性自由的发展离不开自己的环境,其中直接的是社会历史条件。个体不能离开社会,社会发展也有赖于个体参与。"只有在共同体中才可能有个人自由",反之,"每个人的自由发展是一切人的自由发展的条件"(马克思)。因此,个性自由全面发展,要和"社会自觉协调的发展"相互促进,相互适应。

一个人的价值,不仅在于个人的自我完善,而且还在于个人对社会的贡献。人生的价值追求,应是把两者结合起来。马克思说得好:"人类的幸福和我们自身的完善。不应认为,这两种利益是敌对的,互相冲突的,一种利益必须消灭另一种的;人类的天性本来就是这样:人们只有为同时代人的完善、为他们的幸福而工作,才能使自己也达到完美。"①

我为人人,人人为我,这是我们的理想。但在目前社会主义初级阶段,个人处在国内外激烈竞争之中,我们如何调节社会和个人,这就需要凭借人文价值的标准。而人文价值的首要标准,就是评价个人对社会所做贡献的大小和水平。一个人对社会所做的贡献越大、水平越高,社会应给予的回报就越大、越高。大公无私、公而忘私,甚至为社会牺牲自我,这是人的崇高境界,应该得到社会的崇敬。先公后私、亦公亦私,这是目前社会中的常态,应按个人对社会所做的贡献,按劳付酬,尊重个人的选择。但不劳而获、少劳多得,甚至损公肥私、损人利己,则应受到社会的谴责、唾弃,或应得的制裁。依法制裁和道德谴责,都贯穿着人文精神,不这样,就不能保证善良人们的个性自由和社会的全面进步。

提升人文精神,当然也包括个人的自我完善、人性的优化。一个人,来到这世界上,不只是求生存,还要发展,更要完善。人不仅要活着,而且还要活得好。然而,什么才算活得好,各人有各人的理解和追求,从而有不同的活法,这里就有人文价值的不同标准。

个人的需要是多方面的,美国心理学家马斯洛把人的丰富多样的

---

① [德]马克思、恩格斯:《马克思恩格斯全集》第40卷,人民出版社,北京,1975年,第7页。

需要分成两大类型:一是基本需要。如为了生存而必需的生理需要、安全的需要等。二是超越性需要。这是对基本要求满足后的超越,例如对爱、自由、真、善、美的追求。人必须对自我的需要做合理的调控,在基本需要满足之后,不应沉溺在感官享受的无限膨胀之中,而应发展超越性需要,追求精神享受。但是,正如美国政治学家布热津斯基在《大失控与大混乱》一书中所说的那样:"在先进的、富裕的和政治上民主的社会里,物质享受上的纵欲无度越来越主宰和界定着个人生存的内容和目标。"他把这种现象称为"丰饶中的纵欲无度"[1]。依他看来,对这种现象,既要有社会的调控,也应有个人的"自我克制"。反思深圳,即将在5年后要在全国率先基本实现社会主义的初级现代化,物质已在高度丰富,虽然那丰饶程度还没有达到欧美水平,但也在滋长着一些富裕后的病症。这就提醒我们:我们是否也应未雨绸缪,也防患于未然,及早制止那种现象的出现和蔓延?

物欲的无限膨胀,必然引发对自然的过度索取;宰割自然、暴殄天物,导致生态失衡。因此,我们不仅应提高对象意识,对周围环境有更清晰的认识,而且更应提高我们的自我意识,正如马克思所说,人类应"了解自己本身,使自己成为衡量一切生活关系的尺度,按照自己的本质去估价这些关系,真正依照人的方式,根据自己本性的需要,来安排世界"[2]。人和环境的关系,应是以人为本,动态平衡。

精神文明亦需两手抓

物质文明是一个城市的躯体,而精神文明则是一个城市的灵魂。对此,深圳早已有了自觉意识,所以两手都在抓紧。

现在,我需要进一步说的是精神文明亦应两手抓,两手都要硬:科学精神和人文精神,乃是精神文明的双翼。科学精神和人文精神,

---

[1] [美]布热津斯基:《大失控与大混乱》,潘嘉玲、刘瑞祥译,中国社会科学出版社,北京,1995年,第75页。
[2] [德]马克思、恩格斯:《马克思恩格斯全集》第1卷,人民出版社,北京,1976年,第651页。

相互补足，相互促进，只有比翼双飞，大鹏才能展翅高升，凌空而上。对此，我们必须增强自觉意识。

我们的社会主义现代化，始终要牢牢把握住以经济建设为中心，这不能动摇。但社会主义现代化不能只顾经济速度，而要推进社会发展的全面进步，这也已成了国人的共识。但推动社会发展的全面进步，既须弘扬科学精神，又须重视人文精神。江泽民在南岭村提出的共产党既要代表先进生产力，又要代表广大人民的利益和先进文化方向，就体现了科学精神和人文精神的统一。他最近又提出，我们既要依法治国，又要以德治国。这更突出了人文精神，使人文精神具体化，付诸具体实践，体现时代精神，又具民族特色。前不久，他还具体提出，当前要高扬这样的精神：解放思想，实事求是；紧跟时代，勇于创新；知难而进，一往无前；艰苦奋斗，务求实效；淡泊名利，无私奉献。在这里，洋溢着科学精神，也饱含了人文精神，相互渗透，彼此融合。

深圳注意到了社会发展的全面进步，也意识到了发展中的不足。人口增长过快，土地开发过度，经济结构尚要调整，这都需要既从科学精神，又从人文精神的高度来审视和解决。

深圳依山傍海，也有多条河流，生态环境甚好，为国内所少见，应可建成国内最适宜人居住的优美城市。深圳为此做了努力，获得了国际花园城市的殊荣。但若虚心反思，我们是否可以做得更好？为了眼前需要，过度开发，竟使600多个山头，伤痕累累；多条河流，都遭污染；一些海滩，亦受破坏。正是在最近数年，既重视了科学精神，又注意了人文精神，从整体生态环境出发，以人为本，对2000平方公里做了重新规划，才逐渐使这里的海山优势显示出来。

人口增长过快所带来的弊病已日益显露出来。问题在于过多并非深圳急需的人才；而深圳急需的人才又显不足。这是一种人才结构的缺失。随着精神文明的提高，我们既需要大量引进高科技人才，也需要更多地引进必要的人文学科人才。我们需要更多的但昭义教授这样的人文专家，也需要培养出更多的"李云迪"。我们重视了教育，但高等教育仍然是深圳发展的一个瓶颈。我们需要引进虚拟大学，也需要办好本地的大学。我们的近邻香港，600多万人口却有8所综合大学,其中像香港科技大学比深圳大学晚了好几年才开办,但不到10年,已经发展成国际著名大学。为什么深圳不能下决心把自己的大学也办成和自己城市相称的出色名校呢?这应是深圳是否实现社会发展的全面进步、社会主义现代化水平的一个重要标志。

人文精神、科学精神也应贯穿于经济结构的调整。深圳当然要保证信息技术、生物工程、新材料开发等新兴高科技重点发展,成为深圳的经济命脉。我也盼望深圳能更好发展旅游、环保产业,既要展示城市风光之美,也要充分展现深圳的自然风光之美。此外,对文化、教育应有更多的投入,并吸引更多的人来关注,让社会共同来发展文化、教育,办更多的大学,生产更多的文化精品,既激发,又满足深圳人的更多超越性的需要。马克思期望未来社会,"社会化的人,联合起来的生产者,将合理地调节他们和自然之间的物质交换,把它置于他们的共同控制之下,而不让它作为盲目的力量来统治自己;靠消耗最小的力量,在最无愧于和最适合于他们的人类本性的条件下来进行的这种物质变换"①。我们还处在社会主义初级阶段,还刚将基本实现社会主义现代化,还不可能由全社会自觉而自由地控制生产力,但我们难道不应该像恩格斯一再说的那样,努力把我们的生产,尽可能"合乎人所应有的发展",符合"人类应有的合乎人性的准则"?我不赞成"人类中心"论,但也不能陷入"自然中心"论,还是要以人为本,寻求人和环境的动态平衡。

深圳市专家联谊会新春茶话会
2001年春节后,深大新村

---

① [德]马克思、恩格斯:《马克思恩格斯全集》第25卷,人民出版社,北京,1975年,第927页。

重视人文教育

深圳若要在2005年就率先基本实现社会主义现代化,当然要着力发展高科技,保持经济的持续良性发展;更要促进社会发展的全面进步,特别要重视人文教育这个薄弱环节,对文化教育应有特别的关注。

由于及早重视了高科技,深圳的经济得以高速发展,年人均产值已达4327美元,人均可支配收入2438美元。预计再奋斗5年,年人均产值可达7600美元,人均可支配收入4000美元,可以达到国际基本标准。

但是,一个城市的现代化,不只是要达到一定经济指标,即常说的生产总值,而且还要达到一定的人文指标,简称HDR,更要达到社会发展全面进步的系列指标,人口素质、生活质量、环境保护、基础设施都要达到一定水平。我们所追求的,不只是物的现代化,更重要的是人的现代化,两者相辅相成,相互促进。我们切不能"见物不见人"。若综合起来衡量,我们就不能不承认,我们在文化教育水平、医疗卫生条件、生态环境保护等方面,尚和国际标准相差甚远,需要花大力气、下大功夫才行。

依我看,影响深圳发展的一个最大瓶颈乃是高等教育的落后。也许是杞人忧天,我真有点担心,这高等教育会不会拖了深圳现代化的后腿?

好几年前,内地人蜂拥而来。一些人自我感觉良好,以为中国人有的是,都求着到深圳,人力不用发愁,可以招手即来。可是,现在突然发现,外地人仍然源源不断而来,但却并非都是这个城市之所需;而真正急需的,却不来了,而是去了别处。现在大家都已懂得,人才的竞争已成了现代化的关键。深圳20年,人口剧增,从几万迅速上升到

400多万。最近一次普查,突然发现,猛然已过700万。看一下1999年的就业人口(更不要说大量的"三无"人员了),大专以上的人才只占10.4%,其中高级技师更少,只占1.23%,而国际标准应为30%。一个现代化城市,每万人中应有医生40个以上,像巴黎,早在1992年就已达到91个,可咱们这座城市,还只有17个,远低于国际标准。深圳缺少高素质的各类专业人才,更缺直接从事服务于人的素质提高的人文教育和研究人才。

高素质人才从哪里来?要靠高等教育的培养。深圳大力提倡办虚拟大学,借助清华、北大等名校来为深圳培养研究生,这很好,我赞成。但这只是一条腿,还需要迈另一条腿——办好自己的高等教育。一个城市的高等教育发达不发达,到什么水平,这不仅是高素质人才的重要来源,而且也是现代化的重要标志,反映这个城市的现代化(特别是人的现代化)的水平。小小香港,弹丸之地,人口600多万,可是大学就有8所,还不算那些专业程度很高的大专院校(如演艺学院)。其中,像香港科技大学,比深圳大学还要晚建好几年,但已很快进入世界一流百所名校之列。

深圳无名校,只有一所被归入"第三世界"的地方性大学。可深圳大学创办之初,却主要也是由名校——清华、北大、人大来人参与的啊!而现在,高等教育的滞后,已和深圳发展极不平衡,反过来必然会影响深圳的全面进步。因此,如何为高等教育"增创新优势,更上一层楼",成为深圳的当务之急,不能再掉以轻心。

市政府、人大、政协都已经意识到,高等教育是深圳发展中的一个薄弱环节。于幼军市长在此次人大会上已明确提出要加强高等教育,会后常务副市长李德成和庄心一、卓钦锐副市长等到深圳大学现场办公,研究大学如何发展。事在人为,只要抓住关键,予以重视,我看高等教育必会有新的发展。

高等教育要发展,必然要加大投入。1999年深圳投入教育事业的经费,约为生产总值的2.1%,而国际标准至少应占5%。今年的投入,会有较大增长,期望会对高等教育作重点关注。为了扩大高等教育规模,当前自然要增加教育设施,扩大校舍,但是,恐怕现在就要及早关注对人才和科研的投入。

我想借从上海复旦大学应聘去英国担任诺丁汉大学校长的杨福家院士的例子来说明。他在最近回答《光明日报》记者所问"建世界一流大学靠什么"时,说了一番发人深省的话。他说,国内大学要想进入一流,"关键是要看科研上有没有重大突破……不看房子,人才是最重要的"。他以著名的剑桥大学为例,说明吸引人才的重要。剑桥每年有一亿多英镑的教育投入,相当于人民币十多亿。但是实投入仪器设备等的只有十分之一,相当于复旦大学的投入(每年也有一亿三千元人民币)。在仪器设备的投入上,剑桥和复旦几乎一样。那么,钱花到哪里去了?剑桥有十分之九的经费可用来吸引最好的人才到剑桥来从事教学、研究,所以成了一流大学。我们和世界一流大学的差距就在于此。因此杨福家院士大声疾呼:咱们国家对高等教育的投入,千万"别拿钱去搞什么形象工程、标志性工程,而要用于攻克科研项目,建设一流专业"。

如果说,杨福家院士这里说的主要是理工学科,那么,对于人文学科就更是如此。人文学科在图书资料的投入上,远低于理工学科,但应更重视人才的吸引。深圳大学要为深圳多培养高科技人才,必然要花大力气发展新兴学科,对于基础设施当然要有大的投入。但人文学科的投入,更应向人才投资方面倾斜,以便吸引一流人才向这里流动。依我看,人文社会科学的投入少、成本低,但社会效果却可以很大,能为深圳的人文建设做很大贡献。更何况,人文社会科学的建设可以迅速提升大学自身的学术水平和社会地位。

对此,清华大学较早就有了超前的认识。还在20世纪80年代,清华大学就决策要发展人文、社会科学,陆续办起了中文系、外语系、传播系、社会学系、艺术中心等等;到了20世纪90年代,更建起了人文社会科学院,关注学术前沿,探索学科交叉。有一事给我留下深刻的印象。王大中院士任清华校长那年,我正在德国和女儿胡苏薇、女婿张作义(王大中的学生)一起休假。王大中任职不久后就电话敦促,要我女婿、女儿及早回到清华。女婿张作义征求我意见。我劝他还是回到国内,赶快回清华。1994年,他们回清华不久,我去北京参加学术会议,在清华园住了几天。忽然有一天,王大中夫妇告诉我,女婿作义说要来看望我。我正在纳闷,他夫妇俩就登上八层楼来了。一谈,原来他婉言劝我,要我放弃动员女儿、女婿去深圳的念头(我本有此意,想让女婿去大亚湾)。然后,他告诉我,清华准备加快发展人文社会科学,希望我这个老北大给他出点主意。我虚长他几岁,也就坦率说了我的看法,劝他不必再要清华回到国学门时代,古代文化研究还是让北大去发展,清华则应探索人文社会科学如何和先进科技相结合,发挥清华优势,关注人文社科前沿。他亦深以为然。我高兴地看到,近几年,清华大学的人文社会科学有了迅速发展。它主要不是靠硬件(北大的人文图书资料比清华要多),而是靠软件——吸引国内一流人才,着力培养学有专长的人文大家。当年,清华老校长梅贻琦早就说过:"所谓大学者,非谓有大楼之谓也,有大师之谓也。"诚哉,此言!我这个在北大浸了30多年的文科教师,凭我的经验判断,在人文学科的一些前沿学科上(如媒体传播),清华会很快超过北大。

人文科学、社会科学和自然技术科学都同样重要,都是社会综合实力中不可缺少的因素。深圳若要做跨越式发展,不仅需要越来越多的高科技人才,也需要更多的人文、社会科学人才。随着精神文明建设的日显重要,政治体制改革的加快步伐,依法治国和以德治国方针的确立,深圳比以往任何时候更迫切需要人文、社科人才。深圳要率先基本实现社会主义现代化,第三产业应有更大的发展,文化事业和文化产业更应优先发展。文化事业的发展,文化产业的兴起,呼唤更多人文社会科学人才的到来。深圳需要大量的人才,从事人文策划、人文设计、人文管理、人文经纪、文化交流、文化创作、文化评论、文化研究等等人文事业。深圳大学应该更加重视人文教育,在人文社会科学领域,抓一些重点专业,大力发展,及早为深圳培养高素质的人文专业人才。人文教育,成本不需太大,但效益却能可观。

社会主义现代化,不只是物的现代化,更重要的是人的现代化。人的现代化可能比物的现代化更难。人的现代化的核心是要培育现代人格,而现代人格的建构,既不能忽视科学精神,更不能忽略人文精神。西方学者也已意识到:"现代化的人,产生现代化的国家。一个国家只有当它的人民是现代人,它的国民从心理和行为上都转变为现代的人格,它的现代政治、经济和文化管理中的工作人员都获得了某种与现代化发展相适应的现代性,这样的国家才可以真正称之为现代化的国家。否则,调整稳定的经济发展和有效的管理,都不会得以实现。即使经济已经开始起飞,也不会持续长久。"①

深圳市社科界新春座谈会
2001年春,深大新村

---

①[美]英格尔斯:《人的现代化》,殷陆君译,四川人民出版社,成都,1985年,第10页。

新都市需新文学

一

当初,我面前的深圳确还是一个边陲小镇。但这像是刚开始勾画的一张白纸,具有广阔的空间,可以画出最新最美的图画,因而给人无限遐想。如今,20年过去,我眼前的这幅画,基本轮廓已经呈现。一个初步现代化的新都市矗立起来,正在向高品位的人文和科技并重型的国际化城市迈进。

说真的,初来深圳之时,我根本没有留意这里的"人文",而只关注"地缘"的独特。我到深圳的第一天就巧遇蒋孔阳、李泽厚、刘纲纪等几位美学同行,都称赞这里是国际文化交流的好场所,值得在此一试。于是,乐黛云和我在第二年就把季羡林、杨周翰请来深圳,在这里成立了中国比较文学学会,把英、德、法、日和国际比较文学学会的主席先生们也邀来了。1986年,我又参与举办了"台港澳暨海外华文文学"的国际研讨会,第一次把"海外华文文学"纳入学术研讨视域。以后,我又陆续参与举办"国际美学"等的学术研讨会,着眼点都在于想在深圳进行国际文化交流,吸引国内外人文学者到深圳来做学术国际文化交流。所以,当初我特别看重这里的独特地缘的"国际性"。深圳在提出第二次创业的目标时,已意识到了,要向国际化城市方向发展。当时我就颇受鼓舞,当机立断,很快把中文系改建成国际文化系,办系的方针是"融合中西,应用为主"。

可是,深圳自身是一个什么样的人文天地,我并不了解。而随着国际文化交流的扩大,必须了解深圳自身。

二

正是在文化交流过程中,我也逐渐接近深圳本地的文化、艺术、文学。1986年,我做客香港中文大学,香港文友就告我,有些香港作家每年都要去深圳参加文化活动。果然,我邀美学家王朝闻到深圳大学做客,市文联闻风而来,接他到市里和艺术家们见面畅谈艺术美学,热心人还真不少。后来,我请台湾作家陈映真来做台湾文学的学术演讲,市里不少文化人也赶来听讲,《特区文学》杂志还要我帮忙,让我女儿燕菘把陈映真演讲整理成一篇论文,在杂志上全文发表。在相互交往中,深圳的人文天地在我面前逐渐清晰起来。

我发现,正在迅速成长中的深圳文化,在逐渐形成自己的特点:一是开放性。这里不是文化沙漠,原本就有悠久的文化传承。从新安古城、大鹏新城、客家围村中折射出来的传统文化,还在现实生活中焕发光辉,锲而不舍、坚韧不拔的传统精神在改革开放的实践中仍在发扬光大。但随着移民的猛增,来自五湖四海的新客家人蜂拥而入,也就带来各色各样的移民文化。文化的开放、开放的文化,成了深圳的一个显著特色。二是包容性。海纳百川,有容乃大。文化的发展也需有包容性。深圳年轻人多,喜爱新潮。当初,港台文学、通俗艺术的热风就是先在深圳兴起,然后又刮向内地。尽管深圳电视艺术发展迟缓,但香港的电视娱乐早已风靡深圳,不愿看粤语武侠片、搞笑剧的,尽可去欣赏那虽说英语,但打中文字幕的"奥斯卡"影片,这在当时内地却甚难见到。如今,世界魔术、国际舞蹈、交响乐舞剧等也不时莅临深圳,可供深圳人赏心悦目、悦耳畅神。若是有钱有闲,兴致更高,甚至还可去邻近的香港、澳门、广州观摩国际演出。三是多元性。文化的开放、包容,促成深圳的文化向多元发展。广东音乐、粤剧、潮汕民间艺术等传统岭南文化继续在发光,西部乐舞、北方曲艺、中原杂技也在这里不时展现,在有些茶艺馆里,我甚至还能听到我家乡的苏州评弹、苏南民歌,不禁为之叫好。深圳的旅游文化、广场文化、社区文化、企业文化、歌舞厅、音乐茶座等都很发达,各得其所,各行其道。

三

在文化的多元发展中,大众文化发展得最快。大众文化,既有公益性的,也有营业性的,都在做大,这是好事。深圳的文化事业和文化产业都还没有赶上"文化立市"的发展需要,急需做好做大,发展自己的特色,提升自己的品位。所以,发展和提高大众文化,实在大有可为。

但是,深圳是否更需要注意发展高雅文化?不管别人怎么看,反正我自己还是在不时说,深圳的公益性文化和营业性文化都应更多扶植高雅文化。深圳的文化积淀比较薄弱,高雅文化较难发展,所以更应着意栽培、扶植。不妨先从普及既有的高雅文化着手,让交响乐、芭蕾舞、歌剧、舞剧、音乐剧、京剧等向大众普及,国内已经把经典改编成功或把民间艺术提升为经典的艺术精品,也应向大众普及。

所以,深圳在大力发展文化事业和文化产业之时,经常应做的:一是要提升大众文化;二是要普及高雅文化。提高和普及互补,相互结合,良性互动,才能不断提升这个城市的文化品位。

这里的关键是:我们这个城市能不能源源不断地创造出更多更美的文化精品来。为此,深圳应着力发展自具特色的新都市文学。

四

深圳从特区成立到现在,将近四分之一个世纪,已发展为一座崭新的城市,称她为"新都市",我看最为贴切。她不是北京、西安那样的历史文化名城,也不像上海、广州有过那么多的商业辉煌,要说文化也比不上苏州、杭州的高尚、典雅。这新都市更像香港,但国际化的水平还相差甚远,还仅是初步现代化。但这个城市给人的第一印象是"新"。

想在这里创业的人们从四面八方拥来,生活着、体验着这个新都市,盼望在这里建造起自己的家园。家园,不仅是一个生活的空间,而且还是安放心灵的寓所。生活在这里的作家、艺术家从自己的体验出发,为自己也为别人构筑着精神家园,文学艺术在构筑精神家园中应起重要作用。但是,作家、艺术家给我们构筑了一个什么样的精神家园,其中蕴含着什么样的意义,这都决定于作家、艺术家对这新都市会有什么样的体验,从中领悟到什么样的意义。不同的人在这里过着不同的生活,每个人都从自己的实际生活出发,从不同的角度体验着这个新都市,白领、金领、蓝领、灰领、粉领,各种不同人群对这新都市的体验,都带着不同的色彩。但有一点是共同的,那都是在面对这个新都市,体验着这个新都市。对这个新都市没有自己的体验,如何来构筑自己的精神家园!

我自己每天都在体验着这个新都市,但我也很想感受一下别人是怎样的体验,所以我愿去看一些对这新都市有真切体验的作品,看看别人如何体验这新都市。

五

艺术需要创造,自然也就需要技巧。作家、艺术家若要把自己的真切体验转化成作品,不仅需要反思和整合自己的体验,而且要予以符号化,建构成艺术形象,使人看得见、听得到。像影视、音乐这类艺术,不仅需要有人来构思、设计,还需要很多人来参与制作。拍电影,深圳自己缺少行家里手,还得到京城甚至国外去请导演、主演,甚至舞美、作曲、灯光、化妆都要从外请人,真个是"借鸡下蛋"。当然,最后的商标一定得是"深圳制造",要不,岂不白辛苦一场!这种艺术的组装,亦是艺术生产的一种方式,别处也有用此法的,但长此以往就此一法,这新都市岂不可悲!所以,深圳还需要继续创新,开拓些新的艺术之路。但无论如何创新,仍然需要对这新都市有自己独特而新颖的体验,这是我们艺术创新的基础。

文学应是最自由的艺术,所运用的符号是语言,受其他物质材料的束缚少,创意、构思的自由变大,可以自由地把自己的体验,通过自由想象而化为艺术形象,较易有原创性。深圳以文学创作为专业的作家并不多,但分散在各个领域从事业余创作的人却不少,本土的,外来的，写诗歌、散文的，写小说的，写报告文学的，活跃在深圳的文坛，写出了对这新都市的体验。依我看，这都说得上是新都市文学。

六

新都市文学并非只能写这个新都市，而是要能体现出对这新都市的体验。一个作家，视野越广阔，经验越丰富，创作的道路就越宽广。就是写深圳，也需要去体验别的城市，把丰富的经验和对深圳的体验融合起来，才能创造出丰富的艺术形象。但如果没有对这新都市的真切而深刻的体验，称得上是深圳作家吗？

就我这个外来人来说，我当然乐意看到本土作家写深圳，也想看看外地作家如何体验深圳。如今，我更想看到深圳人在北京、在上海、在贵州，甚至在华盛顿、伦敦、波恩等等，如何生活着，体验着。问题是，深圳的文学要有自己的特色，并不只是"深圳制造"，还要有深圳特色的"深圳创造"。

反顾深圳文学发展的历程，文学创作也在不断创新，并日益显露出自己的特色。一是面向当下现实。当戏说历史、古装泛滥之时，深圳文学却不去跟风，而是及时反映现实，高扬开荒牛精神。二是关注人的命运。当一些作家热衷于调侃人生、迷恋暴力之时，深圳的文学却一直在追踪普通人的命运，写出了丰富多彩的深圳故事。三是寻求雅俗共赏。深圳的高雅文化不发达，大众文化则很兴旺，深圳的文学则致力于寻求雅俗共赏之路，促进"雅"与"俗"之间的沟通。依我看来，深圳的主流文化，今后应更加发展新都市文化之长，鼓励深圳的文学艺术向雅俗共赏之路发展，从而带动大众文化的提升，促进高雅文化的兴旺。

七

文联是党联系作家、艺术家的桥梁，是作家、艺术家之家，她要团结广大作家、艺术家为繁荣深圳的文学艺术而做出贡献，创造出更多更美的艺术精品。

深圳的文学艺术发展到现在，已不能只注意量的增长，尽管我们的文化事业、文化产业还远远不够；但更应重视质的提高，不求最大，但求最佳。

随着现代化的推进，我们这个新都市的日常生活也在加速审美化，在日常生活中也在生长出越来越多的审美体验。掌握了语言表达能力的人很快就会把自己的体验写出来，所以，文学艺术并不因为日常生活的审美化而消失；相反，以日常生活的审美体验转为生长点，可以创作出越来越多的文学艺术作品。但是，个人的独特的审美体验如何能提升，成为深圳人对新都市的共同体验，而又保存了个人的独创性，这是当前文艺创作中的一个难题。如果文学艺术只是体现极端私人化的个人体验，只是让人猎奇，窥视一下你的"绝对隐私"，那你那体验与我何干？只有在个人对这新都市的独特体验中，也蕴含着更广泛的共同体验，才能引起别人的同感共鸣。这就是说，个人体验要和时代精神相通。

我很盼望新都市文学能出现反映深圳人精神成长、心灵历程的史诗性的作品，不是说些空话大话，不只描述几个历史事件，而是通过对人物命运的深入刻画，写出深圳人的灵魂，表现出这新都市的时代精神。

为深圳市第四届文代会作
2004年5月25日，望海书斋

文学创新三十春

作为中国改革开放的"试验田"和"窗口",深圳以其近30年的发展,创造了城市发展史上有目共睹的成就。深圳文学作为对深圳社会生活的动态反映和艺术观照,紧跟时代脉搏,大胆开拓创新,以多样化的艺术手法反映伟大的社会变革,创造了深圳文学多元共存、众声喧哗的繁荣局面。

创新是艺术的本质,也是深圳的灵魂。二者在深圳的聚合助推30年来深圳文学走过一条辉煌的创新之路。开放的环境极大地激发了作家的创造力,瞬息万变的改革现场为这种创造力的发挥注入了丰富的内涵。

回顾深圳文学30年来的发展历程,我们可以发现如下几条清晰的脉络:不管哪一题材,无论何种文体,作家们都在艺术创新的道路上留下了左冲右突的身影。在题材的选择方面,深圳作家突破陈规,大胆地将视野投向轰轰烈烈的改革开放事业,率先塑造改革者的典型形象,为中国当代文学贡献了"深圳新观念",形成了一道极富冲击力的文学景观。在这座鼓励创新、宽容失败的移民新城,一些富有创造力的作家本能地尝试一些先锋、前卫、纯粹的文体实验,其作品从内容到形式都体现出一定的先锋意识,形成了一道另类而经典的文学景观。

题材的创新

社会生活的伟大变革促使文学的题材首先发生新变。作为改革开放以来最先撬动经济杠杆的城市,改革开放和深圳题材一直以来就是文学和影视创作领域的"富矿"。长期以来,中国当代文学史上,直接以改革开放为表现题材的成功作品并不多。全国范围内的"改革文学"在中国经济体制改革真正全面展开后逐渐消减了锋芒毕露的改革锐气,作家们重新回到比较平和的表现方式,文学思潮意义上的改革文学遂告终结,但以此为题材的作品依然时不时冒出来。"改革文学"的昙花一现原因何在?在表现大时代与塑造小人物之间,作家们没有很好地把握艺术规律。宏大的家国叙事一定要通过鲜活的人物形象去实现,通过小人物的悲欢离合折射出大时代的波澜壮阔,方能获得应有的艺术效果。单纯只是就事论事、肤浅浮泛地对改革的热闹场景和推进过程作一番描述和烘托,或者重温几句家喻户晓的标语口号是无济于事的。当国内许多作家知难而退之时,深圳作家依然执着地将视线锁定火热的改革现场,发挥天时地利优势,推出了一部部改革文学作品,为深圳也为中国变革的时代留下了一份珍贵的文学记忆。

深圳文学敢于直面改革开放,它与改革开放历史进程几乎同步发展。无论是深圳文学的发生之初,还是在近10年进一步推进改革开放的大环境下,很多深圳文学作品都是直接以改革开放为表现对象的。有些未直接切入改革开放的作品,其人物思想、创作观念也是深受改革开放的影响。早期深圳文学对改革开放的书写主要表现在为其欢呼鼓舞、创造舆论氛围方面。新世纪以来,一些关注深圳命运的作家、学者着力于通过梳理城市历史,为改革开放树碑立传。同时,一些具有忧患意识的作家洞察改革遇到的阻力及其带来的相关社会问题,以锐利的笔触对问题的症结所在做出了及时而深刻的反思。

一、为改革开放欢欣鼓舞

作为改革开放的前沿阵地,深圳曾经每天都发生着有别于内地、引领着时代风潮的故事,从中拾掇一些诉诸笔墨并不困难。深圳经济社会一日千里的巨变和转型、深圳人机遇与挑战同在的丰富经历,为文学艺术提供了常读常新的创作素材。而深圳文学也把反映特区社会转型和特区人在转型期的人生变革、人性嬗变作为自己的美学选择。因为这种对改革开放题材的挖掘和对特区社会的关注,深圳文学一度成为中国内地关注的焦点。

20世纪八九十年代,深圳曾出现一批以改革开放为主题、塑造改革人物形象、为改革开放鸣锣助威的作品,改革开放一度成为深圳文化界的主流叙事。对改革开放进程产生直接而巨大影响的作品应首推陈锡添的《东方风来满眼春》。该作品被称作"新中国历史上具有标志性意义的新闻报道",它创造了一个宣传贯彻小平南方谈话、加快改革开放进程的生机勃勃的舆论环境[①]。彭名燕的《世纪贵族》以深圳特区的国企改革为表现对象,从80年代初的百废待兴写到90年代的风云激荡,揭示了特区走改革之路的历史必然性。作品主人公的人生经历为展示特区的改革进程提供了鲜活的素材。朱崇山的《淡绿色的窗幔》塑造了一位大胆革故鼎新、开创工业区一流创业氛围的改革者形象;工业区外聘的美国厂长以及几位青年技术骨干形象也令读者感受到特区锐意改革的青春活力。这些作品不仅激荡着长风浩荡的改革气象,而且洋溢着小桥流水的生活气息,数年后的今天读来依然感觉新鲜。这类作品还有丹圣的《小姐同志》、杨群的《酒店》、李兰妮的《夜,在深圳》等。它们真实地呈现了特区开创之初的社会历史状态,让我们切实体会到深圳并非传说中的一夜之城,改革开放成果确实来之不易。

二、为改革开放树碑立传

深圳文学在早期迅速发展,并很快在全国产生影响的体裁是报告文学。这批作品真实地记录了特区创立初期开荒牛们不畏艰辛的创业精神。吴启泰、段亚兵发表于1986年的报告文学《深圳两万人的苦痛与尊严》,以大量生动的事例详细地披露了1979年南下深圳建设特区的2万年轻工程兵就地转业后的种种生活上的艰辛和精神上的痛苦。满怀热情、满身力气的士兵们找不到活干、没有工资,甚至吃不饱肚子;热爱长跑的"业余冠军"连维持生命的热能也不能保证;指望到特区能过上好日子的士兵家属饿得上火车站要饭……众多鲜为人

[①] 王世安:《〈东方风来满眼春〉诞生记》,《新闻采编》,2000年第2期,第8~10页。

知的细节让人们对这批最早的建设者肃然起敬。

倪元辂、陈秉安等人的长篇报告文学《深圳的斯芬克司之谜》，采用文学与经济理论嫁接的写作手法，通过展示深圳经济特区建立10年来的发展历程，表现市场经济最早在深圳实践的宏观背景，阐明了特区在改革开放进程中的特殊作用。除了披露当年轰动全国的"土地出租"、"深圳速度"、"一物多价"、"卖地"、"住房改革"和1984年邓小平视察深圳等重大事件，深圳在改革发展过程中遇到的新旧经济体制、价值观念的矛盾冲突都得到了真实而生动的反映。

进入新世纪以来，一些关注深圳命运的作家、学者应和着历史的步伐拉长关注时段，通过梳理城市历史为改革开放树碑立传。陈宏的《1979~2000深圳重大决策和事件民间观察》以1979年以来在深圳发生的重大历史事件和典型人物命运为物质外壳，探究了深圳的精神内核。作者历时6年，遍访港深穗三地文献和154名深圳发展史上的重大决策和事件亲历者，获得了大量可信度较高的资料，为读者了解真实的深圳历史提供了一扇窗口。该书截取的典型事件和典型人物曾是中国社会的热点和焦点，揭示了袁庚、梁湘等深圳风云人物的政治命运，分析了他们的功过是非、成败得失，其历史价值自不待言。作品还披露了一些曾经影响了深圳命脉乃至中国改革开放事业前进速度的重大决策的真相。

深圳蛇口是中国改革开放的第一块试验田，而袁庚就是在这个"特区中的特区"进行实际运作的第一人。这位改革开放的马前卒，是很多人想起改革开放就会同时想起的人物。因此，多年来他一直是众多试图揭开"蛇口模式"谜底的文人贤士追访的热门人物。2005年，陈禹山推出了人物传记《袁庚之谜》，作品以翔实的史料、权威的资料记录了袁庚具有传奇色彩的人生经历。2008年，曾以"卧底女侠"身份报道"二奶村"、艾滋病等敏感题材引起公众关注的女作家涂俏，历时3年，采访了156位相关人士之后重力推出了《袁庚传：1978~1984改革现场》。作品以袁庚的人生经历为线索，从大历史与经济史结合的角度出发，全方位地展示了深圳改革开放30年来经济、政治等各个层面的发展变化，对"改革从何处来？改革要往何处去"

等争论进行了形象的诠释,让读者感受到改革开放的必要性、必然性及其艰巨性。许多震撼人心的观念和不为人知的细节让读者感觉好像回到了深圳当年的改革现场。

财经作家徐明天凭借他10多年商业记者的人生经历和对深圳历史、城市秉性的深入研究,于2008年4月推出了纪念改革开放30周年的献礼之作——《春天的故事——深圳创业史1979~2009》(上)。作品以编年体的形式,讲述了深圳30年间在经济、社会、制度、产业等方面的深刻变迁和腾飞过程,以众多感召人心的创业故事和真实可靠的史料论据揭示了深圳经济快速增长的秘密。

彭名燕、娄荔的《清华园到深圳湾》将笔触扩展到清华大学一批科技精英在深圳创业的历程,深圳精神和清华气韵在书中得到完美的融合。

除了上述纪实性的跨文体写作,更多纯文学作家以独特的视角细腻地表达着时代喧嚣中的个体经验,写出了改革开放的个人史。深圳本土作家谢宏是其中的一名优秀代表。他与深圳一同成长,不仅见证了深圳物质形态的巨变,也经历了深圳人思想观念的嬗变和精神世界的震荡。他的小说擅长表现物质需求满足后都市人的精神建设。其新近出版的长篇小说《深圳往事》则将关注的视线直接投向一群与特区一起长大的年轻人,通过记述他们的读书就业、成家立业等看似平凡的人生经历,表现他们在改革开放大潮冲击下的生活变迁与精神状态,用一群人的成长见证一座城市的崛起。此外,彭名燕、孙向学的《岭南烟云》、张友高的《深圳大道》、丁力的《深圳河》等长篇小说直接锁定深圳改革开放的宏大主题,为读者献上了一幅幅波澜壮阔的历史画卷。

三、反思改革艰难的症结所在

中国的改革开放事业已经进行了30年,它在各个领域取得的广泛成就不言而喻,但改革遇到的阻力及其带来的相关社会问题必须进行深刻的反思。历史的发展已经清楚地证明了这一点,如果没有20世纪80年代初的"反思",就没有后来蓬勃发展的市场经济。对改革进行反思是保证改革持续稳妥进行的手段,也是建设和谐社会、落实科学发展观的保障。在这个问题上,先知先觉的深圳作家勇敢地做出了自己的探索性思考。

深圳在发展的早期就曾出现过一些不和谐现象。田升的讽刺系列"办公室主任"三部曲就以喜剧手法鞭挞了社会不正之风;林祖基的《微言集》以杂文形式讽刺了官场丑相,文章都是有感而发,有的放矢,引人深思,发人深省。

南翔的创作无论是直陈时弊还是影射现实,无不体现作家对当下现实问题的警觉与抗拒。他的长篇小说《海南的大陆女人》《南方的爱》以触摸得到的南方气息表现了改革开放情境中特区男女的生存样态。《大学轶事》通过揭示时代大潮冲击下的校园景观,体现了作家对当下社会风气和大学制度的忧思。《铁壳船》反映了经济开发热潮导致的环境污染和人性变异。

曹征路则以系列"底层叙事"中篇小说对改革的方式和成本提出质疑。他高扬"现实主义"的理论大旗,以冷峻悲愤的笔锋直刺社会变革对弱势群体的伤害,为他们受损害的权益呐喊疾呼,向他们惨烈的生活境遇发出了铿锵有力的不平之声,在全国引起了较大反响。2004年,他在《当代》杂志发表中篇小说《那儿》,后被评论界看作2005年以来中国文坛兴起的"底层文学"的肇始之作和代表作。该作品通过塑造为民请命、最终绝望殉命的悲剧英雄"小舅"的形象,呈现了国企改革中国有资产流失、工人生活悲惨的触目现实,上演了一场荡气回肠的现实主义悲歌。作品引发了文学界关于"现实主义"的讨论,还引起了经济界、思想界的关注,较好地发挥了现实主义文学的社会批判功能。他的另一部中篇小说《霓虹》则塑造了一位正直善良却命运多舛的下岗女工形象。作家以满腔激愤质疑改革的代价,表达了对工人兄弟姐妹的深切同情。面对当下中国城乡性工作者大量半公开存在的严峻事实,他并不回避现实中的社会矛盾,而是敏锐地发现了这一群体的权益维护问题。《霓虹》中妓女们的成功维权,展现了弱势群体团结起来抗争的强大力量。另外,他的《真相》《天堂》《请好人举手》等中篇小说都传达出对时代弊病的批判和反思。阿多尔诺在《美学原理》中说过,艺术只有"拒绝与社会的认同",成为"社会的反论",才能体现出它的真理价值,成为"自由的象征"。曹征路以自己的作品,艺术地唱出了"社会的反论",实现了自己对时代疾患的反抗,他的作品也因此体现出特立独行的思想和艺术价值。

面对发展太快、太滥导致的厂多人多、污染严重、国有资产流失、不可再生资源毁灭等严峻现实,李春俊以艺术的方式做出了有力的指陈。他的长篇小说《谁比谁坏》、中篇小说《工厂里的稻田》等作品充溢对经济发展速度过快的忧思。他不仅指陈了"不该怎样",而且指出了"应该怎样":必须提高引进外资质量,提高环保水平,而走西方工业国家破坏—治理的老路将会得不偿失!小说中文叔(《工厂里的稻田》)办工厂破产的遭遇,正是"三来一补"非深圳发展长久之计的预言。羊笛镇(《谁比谁坏》)最先发展的村子缺少规划,污染严重,迅速败落,再也没有可持续发展的空间,正是违背科学发展观带来的恶果。另外,李春俊为庆祝深圳经济特区成立25周年而作的长诗《深圳之名》,也对过度工业化带来的诸如环境污染、"人肉机器"等负面效应做出了犀利的批判。形象凝练的诗句传神地描摹出一种不容忽视的社会现象:某些利益集团为追求利益最大化,导致工业污染严重、外来工权益受到侵犯。这些惨不忍睹的场景是高度写意的文学意象,同时又是高度写实的社会现象,它与我们"以人为本"、"和谐社会"的城市理念背道而驰,让人再也不能熟视无睹。

深圳文学曾靠题材的新异性、现代性引起外界广泛的关注。但遗憾的是,文学不是新闻,单纯地讲述深圳、介绍深圳的写作方式不会产生持久的艺术生命力,一度耀眼的题材创新优势很快成为过眼云烟。

观念的创新

直接诞生于改革开放时代,使得深圳作家能够不受旧有的意识形态桎梏而得以轻装上阵"说真话",深圳文学的创作主体一开始就找准了历史定位。不论是政治观念形态还是文化观念形态的创新性,在深圳文学中都体现得比较突出。由于科学技术的迅猛发展,城市化进程的日新月异,深圳人的生存环境和生存状态急速改变,相应地,人们的思想观念也不断发展,社会上出现了很多与启蒙运动以来的现代理性根本对立的人生观和价值观。应时而生的文学敏锐地反映了这些与现代理性和主流价值观冲突的"新"观念。这种文学中反映的观念现代性与深圳社会中"特别能改革、特别能开放和特别能创新"的现实氛围完全吻合,体现了深圳文化的现代性。具体来说,深圳文学的观念现代性体现为它在表现"深圳题材"时不着意于一般性地表现特区社会状貌,而是纵笔探究特区社会变革对人们的观念、价值体系造成的极大冲击。

早在1993年,《特区文学》杂志社就打出"新都市文学"的旗帜,并在此后集中推出了一批反映崭新城市经验的优秀作品,这是深圳文艺界人所共知的事实。而较少为人所知的是,在此之前,深圳文学就已明显地体现出题材和观念的"城市化"倾向。当大多数作家还在执着地传达"都市美,乡村恶"的乡土理念,津津乐道于那点"咱村里的事儿"时,深圳文学就已经别无选择地走上了一条将城市作为审美观照对象,努力探寻人与城的生态关系的现代化道路。可以说,由于产生于社会现代化的宏伟潮流中,深圳文学自发端便以崭新的文学观念指引着前进的方向。

在过去的近30年里,深圳文坛产生了一些在全国具有首发性的文学现象和对人们的思想观念形成较强冲击力的文学作品。20世纪80年代中期,当北京的作家还在慨叹"你别无选择",还处于理想幻灭、价值失落、个体无法自由言说的迷茫情绪之中时,以刘西鸿为代表的一些深圳作家就已经在以特立独行的艺术姿态为人性的自由舒张而呼喊。刘西鸿1986年发表的《你不可改变我》,以文化观念上的陌生感与现代性引起了中国文坛的瞩目。作品率先打破主流意识形态话语,开创了个性十足的话语风格,反映了特区文化氛围中时尚青年的时代情绪,引发了广泛的"刘西鸿现象"讨论,一时名噪全国。作品中的女主人公在面临人生选择时,放弃了考研读博的机会,而选择去当模特。她的宣言是:"我已经决定了,你不能再改变我。告诉你是尊重你。你不能改变我的。"①"10年20年后这个世界上博士、硕士俯首可拾,而大牌模特儿是天生的,不是人人可以。"②女主人公鲜明的主体意识和独立的人格气质令人耳目一新,她那种及时展示并且发挥自己长处的人生选择让人不得不佩服她的独到眼光。支配她做出这种选择的思想武器则是20世纪80年代初期改革开放环境下国民价值观转型的时代氛围。

1981年,深圳作家廖虹雷发表了一批反映深圳特区发展变化的散文;1982年,李伟彦发表报告文学《深圳湾的驾浪者》;朱崇山发表《温暖的深圳河》《门庭若市》等中、短篇小说;黎珍宇发表《中国ANGEL》、张黎明发表《朗·策史葛舅舅》等短篇小说;韦丘发表诗歌《边城赋》;等等。这些深圳文学史上的开山之作以高昂的热情讴歌深圳社会的改革志士,宣扬与主流意识形态和社会发展进程完全一致的价值观念,记录了一个时代的社会风情。

20世纪90年代中后期,深圳文学作品中频繁出现了妓女、包妹、二奶等改革开放以后出现或复苏的事物。比如文夕的《野兰花系列》、缪永的《我的生活与你无关》等。与传统妓女题材的苦难叙事、血泪控诉不同的是,女主人公往往都是在经过了利害权衡后平静地做出这种选择的,无关廉耻,不谈伦理。她们像接受一种普通工作一样接受了"性工作者"这个"新工种"。这类题材通过女主人公闯荡城市的生存经验,形象地演绎出转型期社会混杂的伦理观念和道德风尚。遗憾的是批判力度不够,内涵挖掘不深。在缪永的《驶出欲望街》中,主人公迫于生活的困窘和物质的诱惑,貌似平静地接受了"包妹"身份,但内心依然残存传统伦理的影响和独立女性的尊严。正是这种新旧混杂的伦理经验使得她与渴望中的爱情擦身而过,最后以决绝的姿态告别屈辱,走向自立。

此外,张黎明的中篇小说《李察·黑尔》、李兰妮的中篇小说《他们要干什么》等作品都彰显了超前的观念意识。《李察·黑尔》创造了

---

① 刘西鸿:《你不可改变我》,《人民文学》,1986年第9期,第8页。
② 同上书,第13页。

一个多主题交织、多线索并进的多义性的文本空间。作品中女主人公阿莉强烈的女性意识、种族意识和国家意识都给人留下了深刻的印象。而文中表现得尤为动人的是她与外国勘探专家的跨国爱情。在20世纪80年代中期深圳的文化氛围中，这种感情经过勘探现场自然风雨的严峻考验，又经受了中西文化冲突的风雨摧折，最后以忧伤和失落收场。作品以主人公痛苦的个人体验传达出文化鸿沟的不可逾越，这种文化反思在20世纪80年代中期出现于深圳文坛，体现了深圳文学在文化观念上的超前性。李兰妮的《他们要干什么》宣扬了"不是强者莫到深圳来"的竞争意识和拼搏精神。文中主人公洒脱的现代爱情、婚姻观念也令人咋舌。

1986年9月，刘学强有关特区青年更新观念的散文集《红尘新潮：深圳青年观念更新录》出版后曾经引发全国青年展开对"深圳新观念"的讨论，很多内地青年读后毅然南下投奔深圳。1986年10月，由深圳著名诗人、诗歌批评家徐敬亚策划发起，《深圳青年报》和安徽《诗歌报》联合推出了"中国诗坛'86现代诗群体大展"。诗展大规模呈现了中国现代诗歌的艺术力量，体现了中国诗歌界先声夺人的生机，是一场震动中国当代诗坛的诗歌运动，也是一次可以写入中国诗歌史的划时代的文学事件。此次大展推出了数百家诗歌流派，总结了数百种宣言旗号，造就了全新的诗歌观念，推动当代诗歌超越朦胧派，进入新的发展时期。"大展"的另一重要贡献在于发掘了中国现代诗史上重要的"第三代诗人"，这些诗人以后现代文化理论作为文化底蕴，力图超越价值规范和理性束缚，反叛传统的文化意识和艺术理念。徐敬亚本人以及王小妮、客人、胡冈、贝岭等深圳诗人都以自己的艺术实践参与了这场现代诗歌运动，显示出20世纪80年代中期深圳诗歌界的现代性求索。

1996年，少女郁秀创作的长篇小说《花季·雨季》一经出版即风靡全国，后被改编成电影、广播剧等多种艺术形式，获得多项大奖。如今，"花季·雨季"已成为中国学生中学时代的代名词，其影响至今犹在。郁秀被看作"首开少年写作风气之先"的代表作家，她走红数年后才有韩寒、张悦然、李傻傻等少年作家的登台亮相，之后发展成一种众说纷纭的文学现象——"80后写作"。2004年,深圳成立了全国首家以中学生为主体的文学组织——深圳中学生文联,蓬勃发展的中学生写作现象倍显这座年轻城市"阳光写作"的未来前景。"青春文学"成为深圳文坛一道蕴含无限生机的风景线。

谭甫成的中篇小说《小个子马波利》发表于1988年,作品背景是1987年前后的深圳。小说揭示了特区开创之初贫富不均、知识分子待遇菲薄的事实,同时也深层次揭示了物质主义盛行时代特区人的精神真相。作家前瞻性地意识到经济发展后人的精神问题亟待解决,艺术地传递出特区人"富了口袋要富脑袋"的精神诉求。小说中知识分子马波利尽管其貌不扬、收入菲薄、生活穷困,但他执着地关注着人的灵魂问题。"我所在意的,使我十分苦恼而又无能为力的,是这城市几十万人的灵魂。这几十万人每日每时急急遑遑飞蛾扑火一样扑向金钱、扑向商场、扑向灯红酒绿的大街,毫不顾惜自己的灵魂。"[1]他激动地呼吁"使这个城市健全合理地发展,而不仅仅是经济实验样板,不仅仅是某种工具和手段"。[2]这种远见卓识不正是20年后的今天深圳人上下同心苦苦求索的价值取向吗?谢宏的长篇小说《文身师》是一个具有超前观念的现代文本,作品体现了一种从快感文化向痛感文化过渡的当代审美新趋向,展示了作家在体察现代都市人精神疾患方面的超前意识。在传媒发达、物质充裕的条件下,人们从丰富的物质景观中感受到的已经不再是审美快感而是审美疲劳。快感已经不能调动人的激情,唯有痛感还可以暂时刺激一下神经,让人获得一种短暂的麻醉。《文身师》除了被动地呈现痛感刺激对都市人的精神冲击之外,还主动地建构起"病人"自我拯救的途径,通过这种拯救展示了人性的复杂和深刻。

---

[1]《特区文学百期精选》小说卷二,第13页。
[2] 同上书,第40页。

艺术的创新

如果说题材和观念的创新更多反映的是社会心理的超前,那么艺术的创新更直接地反映出审美趣味的提升。纵观深圳文学发展史,我们会发现,在这个年轻人云集、知识分子荟萃、本应最具先锋质素的城市,先锋文学的因子却萌发得十分缓慢,特别是先锋文学的物质外壳——文体实验意识在深圳作家笔下呈现得还不够充分,作为文体形式意义层面的现代性体现得不甚明显。当国内外文坛大兴先锋、实验等新思潮、新文本时,深圳文坛却表现得相对平寂。但也有一些作家勇敢地尝试一些先锋、前卫、纯粹的文学实验,其作品体现出一定的先锋质素,在文学圈内备受推崇,而一些圈外人却敬而远之。这批作家以薛忆沩、李兰妮、郁秀等人为代表。他们以深层次精神问题的探究为旨归,以一种小众化的路径,充分发挥文学的审美功能,挑战读者的阅读智慧,满足高层次的精神需求。

薛忆沩是深圳文坛上一个传奇式另类作家,一个总是走在时代前列的实力派人物。这位"孤独而才华横溢的'抵抗战士'"、"对当代生活的陈词滥调有自觉反抗意识的作家","一个人远离尘嚣,与热闹的文坛始终无涉而迷恋于写作虚构故事的宿命"。[1]他曾与王小波同时获得台湾《联合报》第13届小说奖,也曾与王朔等"当时最出名的作家'同时'在当时最耀眼的文学刊物上出现"。[2]虽然他至今还未曾获得与王小波、王朔等作家相当的知名度,但这丝毫无损于他在深圳文坛的地位。正如他《流动的房间》里两个漂亮的子目录所示,他的小说城市里面还有城市,历史之外还有历史。他得心应手地采用多重叙事驾驭各类题材,并娴熟地将人生感悟穿插在那一个个灵动的词语之间,推动文本直抵存在的真相。读者必须反复阅读、用心品咂方能得其真味,这种"慢些,再慢些"的阅读节奏挑战着读者的阅读耐心和文学智慧,也带给读者少有的思维乐趣和鉴赏愉悦。他作品的

---

[1] 林岗:《智者的魔法》,《读书》,2006年第11期,第108~109页。
[2] 薛忆沩:《我不"时"待的向往——不太严肃的谢幕》,《深圳商报》,2007-9-6。

意义和价值总是在发表或出版一段时间后才会被人们意识到。长篇小说《遗弃》1989年3月由湖南文艺出版社首次出版,作家本人说这本小说"真正的读者只有17人"。但有知名学者认为,它不同凡响,没有人读并不会影响它的价值。果然,8年之后它突然成为知识界的"话题",并于1999年8月再次出版;《流动的房间》集结了他18年间创作的最重要的中短篇小说,出版前迟迟找不到"婆家",上市后却很快被抢购一空,创造了图书市场上的一个小小的"神话"。他的短篇小说《出租车司机》1997年在《人民文学》杂志发表后,没有被人注意;后来被香港《纯文学》杂志刊登出来,仍然没有人注意;2000年秋天,它再次被《天涯》杂志刊登出来,被包括《新华文摘》和《读者》在内的"几乎所有选刊"转载,成为一时雅俗共赏的"名作"和2000年度中国最引人注目的短篇小说。他的短篇小说《通往天堂的最后那一段路程》是一篇经久耐读的艺术佳构。小说以加拿大医生白求恩的故事为原型,通过怀特大夫在支援中国解放事业的辗转流离途中写给前妻的一封长信,展现了一段具体历史之外的一个"另外的"人,一个有别于我们在传统文献中看到的白求恩形象——穿白大褂、紧张地穿梭于手术台、毫不利己、专门利人的国际共产主义战士形象。在作家优雅诗意、节奏感强却又节制理性的语言指引下,我们见识了怀特大夫情感的丰富、情怀的浪漫、人性的高贵和精神的博大。小说塑造的人物形象超凡脱俗,却又真实可信;作家在作品中谈艺术、宗教,谈生命的本质,但它们却毫无概念化、类型化的嫌疑,它们都那么驯服地归顺在简洁优雅的文字统摄之下。小说呈现出多重文体相互整合的特征,读起来像诗歌,像散文,也像哲理小品。从中我们可以看出作家对小说形式空间及审美内涵的用心经营。

《旷野无人——一个抑郁症患者的精神档案》是李兰妮的一部具有创新性的跨文体写作。该书由四部分组成:认知日记、随笔、链接、补白。写"认知日记"是作者根据医生的建议而进行的一种辅助治疗手段,它如实地记录了作者患病期间的情感状态、意识及潜意识状态,其中作者的潜意识是通过大量的梦境体现的;"随笔"部分以理性的分析告诉读者,自己是如何一步步战胜抑郁走出心灵困境的;

"链接"部分摘录了国内外不少知名心理学家、心理医生以及抑郁症患者对抑郁症的研究文字。这是作者在与抑郁症斗争的5年中，从遍读的有关抑郁症的书籍中摘录出来的，有最权威的研究文字，也有最新的学界动念，可看作是关于抑郁症的普及教育和健康启蒙。这部分还包括作者回忆童年生活的一些自况性散文和小说，这些文字描摹出作者被压抑的童年伤痛，由此可以看出作者试图从早年生活、家族经历、工作状态等方面对自己的抑郁根源来一次"全面清扫"。这本积聚着作者生命精气神的文本最大的意义在于它以解剖自我的壮举，试图唤醒人们探究"精神黑洞"、拯救精神家园的建设意识。这本独特的启蒙教材，为那些还在饱受抑郁症折磨的病友减轻了置身旷野的孤独，为尚在黑暗中摸索的抑郁症专家们提供了连贯的病历。它的文学意义和社会价值也由此得以超越个体经验的偏狭而融汇于人类拯救自我的伟大事业。

青年郁秀的长篇小说《不会游泳的鱼》也创造了一种开放式的情节结构。小说为故事情节设计了两种结局：一种是主人公董海自杀未遂，最后考取名校，找到理想的工作，与一位贤淑的女子结婚，两人正平静安详地期待孩子的降生，对少年恋人雯妮莎则已经完全淡忘。而雯妮莎最后以在咖啡馆做侍应生维持生活。另一种结局是董海自杀身亡，雯妮莎与他人结婚并有了自己的孩子，某一天来到墓前悼念她的少年恋人。两种结局为不同文化背景下的读者提供了两种选择的可能。第一种结局完全符合中国传统文化对一个年轻人的期待；第二种结局反映了美国时尚文化中道德堕落的一面导致的残酷现实，衬托出这个移民故事的悲剧性质。从阅读接受的角度来看，这种选择性的情节安排能够满足不同心态阅读者的心理需求，也为探究东西方文化冲突问题开拓了广阔的文本空间，不失为一种有意义的形式探索。

深圳文化评论家王绍培和胡野秋在多家媒体开设个人随笔专栏，可称为深圳的"专栏作家"。他们都属于文学精神纯粹、文学功底扎实、文学视野开阔的20世纪60年代代表。深厚的哲学功底、扎实的文学训练、丰富的人生经验加上媒体的锤炼打磨，使得他们的随笔思想深邃，结构精巧，笔力精悍，文字灵动，有些篇章可谓是字字珠玑。他们的取材紧跟时代前沿,关注热门话题,但又不落俗套,常有创见,且以轻快机智的风格呈现,因此拥有大量的读者。而且,他们的文字往往能对深圳发生的文化事件做出快捷而有深度的回应,比如在深圳荣膺联合国教科文组织创意城市网络授予的世界"设计之都"称号的次日,王绍培的藏头文《设计的哲学》就及时见报。他那理性的观察、智性的省思和诗性的表达令人耳目一新。王绍培的写作立足深圳而又不拘囿于深圳,而是心忧天下事,打通文史哲,及时地对全球范围内的文化事件、社会问题做出智慧的解读,别出心裁却又自成一家。他总能通过自己的思维历险发现"人人眼中有,人人笔下无"的诗意或者哲理。比如在谈到文化人能够赋予城市以生动的灵魂时,王绍培高屋建瓴地做出自己的判断:"一个城市,总是先以建筑的形式建设一遍,然后,还需要用文本的形式再建一遍。一个没有被文本重建的城市,不能说它已经完成。"在众多国人为中国足球焦虑时,王绍培却为中国人迟迟不能获得诺贝尔科学类奖而焦虑。"中国足球未来100年不能进入世界杯决赛圈不是一件多么了不起的事情。但如果在未来的20年内,本土的中国人如果还不能获得诺贝尔奖,那就不是一件小事情,那时候,请任何人都不要再说自己或者自己所属的这个民族有智慧。"片言只语,犹如醍醐灌顶,令人警觉。

胡野秋的随笔往往先以不按常理出牌的跳脱文题吸引眼球,比如《格调是块不干胶》《网络好了歌》《金庸是文人的照妖镜》等,在行文中嬉笑怒骂、举重若轻,读后令人大感痛快。尤其可贵的是,他以自己的文化实践探究着深圳的文化出路问题,《我们如何培育"文化细胞"》《深圳的人口之患》《城中村应该消失吗》等随笔篇章虽小,分量却不轻。其见解若非在深圳文化中浸淫经年,着实不易炼就。

打工文学是深圳文艺界自主创新的一大文学品牌,目前在全国已经形成较大的知名度。它的出现是历史的必然,是文学界应社会发展的体现,它的发展成熟则体现了深圳文艺界的创新意识。打工文学的出现首先是题材创新的结果。20世纪90年代以前,文坛表现乡下人闯荡城市的作品并不多见,而以进城农民工为主人公的作品更是少见。打工文学的出现拓展了当代文学的题材领域,使得"向城求生"、"底层叙事"成为20世纪90年代以来中国当代文坛的重要景观之一,并在21世纪初期成为产生重要影响的学术话题。20多年来,打工文学打破传统的文学生产模式,由写实到虚构、由单一到多元、由幼稚到成熟的文体演变线索,体现了深圳作家的艺术创新:从朴拙写实的报告文学出发,经虚构提炼的小说阶段,发展到高度凝练的诗歌形态。成熟的艺术形态使中国当代文学获得了一种从未表现过的文本经验,增强了文学对现实生活的言说能力,同时也让读者得以窥见一个久被忽视和漠视的社会群体真实的生活状态。

多方面的创新使得深圳文学在30年这样一个相当有限的时间段里迅速从一穷二白的"沙漠"发展为生机盎然的"绿洲"。改革开放之前,深圳无长篇小说,直到1984年才出现第一部长篇小说——谭日超的《爱的复苏》。特区成立之前,深圳只有一本小小的《宝安文艺》;1982年,《特区文学》创刊,文学阵地的建设在一定程度上激发了文学生产力。据不完全统计,30年间,深圳产生了令人目不暇接的文学作品,单是2007年一年,深圳作家在全国重要文学期刊发表的文学作品就有100多篇,长篇小说、诗集、作品文集、选集、文学评论专著50多部。①深圳开放的管理体制造就了多样化的文学生态。这种多样化首先体现在创作队伍的庞大多元上。而且,深圳"藏艺于民"的文化个性在文学界表现得十分明显。很多今天名不见经传的作者明天可能就获得某项大奖。比如青年作家谯楼获2006年度"我与深圳"网络文学拉力赛金奖,宋唯唯2008年获此殊荣,千夫长的长篇小说《长调》入选"2007年中国小说学会年度小说排行榜",更有厚圃获台湾联合文学大奖。被文艺管理部门时常提及的王十月、曾楚桥、毕亮等人多次在《人民文学》《收获》等大刊发表作品,并被《新华文摘》转载,一定程度上提升了深圳文学的整体创作水平。除此之外,深圳还呈现出老中青三代同城写作的创作景观,除了前文提及的中青年作家,深圳还有不少官员、干部、农民,如田青、陈浩、黄萍这样一些痴迷文学的热

---

①深圳文艺年鉴编委会编:《2008深圳文艺年鉴》,海天出版社,深圳,2009年,第23页。

心人,退休后仍勤奋笔耕,安享晚年的同时绽放出灿烂的文学之花。其次,深圳多样化的文学生态表现为创作类型的全面开花:报告文学在全国占有一席之地,小说硕果累累,诗歌繁花满枝,更有无数尚未浮出水面的网络写手不断推出点击率居高不下的网络文学。再次,深圳文学的创作风格多姿多彩,既有以魄力慑服人的直接反映重大社会问题的现实主义力作,也有以魅力吸引人的注重艺术形式创新的探索性杰作。尽管它现有的成就还难以完全满足国人的期待视野和精神需求,但它正呈现出以下几种具有无可限量未来的发展趋向。

创作焦点正在由物质向精神层面提升

进入新世纪以来,深圳文坛涌现了很多充满想象力、充满对当下生活独特发现、具有现实主义精神或浪漫主义情志的好作品。与过往相比,深圳作家的创作心境更加淡定,创作动机更加纯粹,创作技巧更加娴熟,对文学的思考更加深入,更加接近文学的本性。很多作家已经能够娴熟地从人生价值上来反思我们正在经历的生活,并且艺术地表达出对时代真相的发现。

具体来说,近年来的深圳文学作品在创作内容上有一种明晰的转向。作家们由着力于物质层面问题的探索转向专注于精神层面问题的揣度,由最初的关注物质生存状态,转而关注其精神和灵魂状态。这种趋向与深圳社会发展的阶段紧密呼应,物质需求得到基本满足之后的深圳人意识到精神的贫困远比物质的贫困更为可怕,于是他们着意于建设自己的精神家园,追求心灵生态和自然生态的和谐统一。这种现象再次印证了文学策应社会改革的现实功能。早期的深圳文学作品较多着眼于人们的衣食住行、城市的基础建设、经济改革等物质层面的问题探索。进入新世纪以来,作家们更多专注于对精神层面诸多问题的揣度。他们深入生活的腹地,倾听深圳人的心声,探究他们的情感状态和精神立场,探索物质需求基本满足后的深圳人如何在焦虑和困惑中重建自己的精神生活,实现自己的文化需求。这方面的作家有以谢宏、央歌儿为代表的都市作家群,有以宋唯唯、吴君、阿芳等为代表的女性作家群,有以谯楼、毕亮、厚圃等为代表的新锐力量。纵观这些作家的作品,会发现深圳作家已经成功地完成了由纪实类表达到艺术化演绎的蜕变,他们已经能够将自己捕捉到的社会现象、生存经验、生命体验成功地转换成具有普遍意义和典型特征的文学经验并艺术地把握。这种转变表明作家们对人的生命意识、生存状态的揭示更深刻,他们的艺术追求更接近艺术规律和文学内涵。他们已经自觉或不自觉地进入生存的深处、人性的敏感处、历史的罅隙,在努力寻找和建构着大写的"人",体现了深圳作家的一种可贵的文学自觉和自我超越。

主旋律文学屡结硕果

"主旋律"是一种任何时代都存在的理论形态和艺术原则,它不仅要有深刻的思想蕴含,也要有精湛的艺术表现,要兼具历史的合理性和现实的必然性。由于特定的社会历史原因和特殊的政治文化语境,深圳文坛一度出现报告文学和政治抒情诗等主旋律文学兴盛的局面。在报告文学《深圳的维纳斯之谜》《天地男儿》《鏖兵西北》《青春的城市:深圳》,以及政治抒情诗《春天的故事》《走进新时代》《又见西柏坡》《望香港》《边城赋》《百年期待》等作品中,作家、诗人们以高昂的政治热情感应时代脉搏,提炼个体经验,针对政治主题进行精细的审美提炼,再用个性化的艺术形式传达出来,使得作品带有强烈的情感冲击力和鲜明的意识形态色彩。虽然有些作品存在"主题先行"、"形象大于思想"等缺陷,但大多数深圳出产的主旋律作品在全国范围内获得了一定的影响,广泛地宣传了特区的改革开放事业,展示了特区城市的文化个性。

其实,主旋律与文学性并非对立的概念,只要艺术家用心去找,总能找到那根接通主旋律与文学性的心意之弦,创作出政治家喜笑颜开、老百姓喜闻乐见的艺术佳构。比如陈慧中的话剧《窗外有片红树林》便可算作这样一类"叫好又叫座"的主旋律作品。作品探讨了中学生的素质教育问题,也歌颂了深圳义工。但作家没有直奔严肃的社会政治主题,而是以"人"为核心,以生动的戏剧场景和鲜活的生活语言建构起一个多义性的艺术空间,不仅激起了中小学生的强烈共鸣,也引发了广泛的社会关注。

大型本土原创话剧《深圳靓汤》是一部为纪念深圳改革开放30周年而量身定制的主旋律作品,但它同样是一部艺术成熟、反响较好的作品。作品以深圳一家老火靓汤餐馆为"取景框",截取了四个历史性的时代坐标,通过人物的曲折命运展示了深圳特区改革开放的奋斗历程以及时代大潮冲击下人们思想观念的巨变。20世纪70年代的逃港潮、1992年的抢购股票风潮、1997年的香港回归、2008年的抗震救灾与喜迎奥运……这些深圳人无比熟悉的场景有力地牵引出时代的沧海桑田以及深圳人的爱恨歌哭。

蒋巍、徐华的长篇报告文学《丛飞震撼》的及时出版更是震撼了读者,为解读"丛飞现象"、宣传"丛飞精神"提供了一部教材;也为人们追随丛飞足迹、真情回馈社会提供了一个榜样,体现了一定的社会历史价值。同时,该作品资料翔实,细节生动,情节跌宕起伏,人物形象鲜活,具有强烈的艺术感染力;而且作者饱满激越的感情抒发、文采飞扬的描写烘托、爱憎分明的价值立场,极大地增强了作品的文学色彩和思想力量,克服了以往纪实作品有"报告"无"文学"、只做客观陈述、不做价值判断的弊病。

燕子的长篇报告文学《苍生大医》是一部融真实性、新闻性和文学性为一体、具有较高文学品位的作品。作家通过在深圳、郑州、洛阳等地深入采访,与数十名郭春园的亲属、弟子和医护人员倾心交谈,用大量的一手素材,真实、准确、立体地塑造了郭春园的大医形象。作品把郭春园放在广阔的历史背景和文化土壤中来观照,放在洛阳平乐郭氏骨科产生以来200多年风云历史的长河中来描述,做到了历史与现实的有机结合,使人物形象具有历史的纵深感,达到了一定的历史深度和艺术高度。最可贵的是作者并没有回避一些鲜为人知、有可能影响郭春园"光辉形象"的历史事实,从而写出了一个真实可信、可亲可感的大医形象。

在艺术创新中探求深圳特色

30年来,深圳文学紧扣改革开放的关键词,与深圳经济和社会建设一样,筚路蓝缕,风雨兼程,走过了一条由萌生经拓展奔繁荣的发展之路,在样式的完备、题材的开拓、主题的提炼和艺术手法的创新等方面都取得了一些突破。但深圳文学存在的问题也是显而易见的:30年了,能全面深刻地反映时代变革、彰显深圳精神、体现深圳风格的精品力作尚在期待之中。摩拳擦掌的深圳作家正为"精品情结"所困扰:怎样才能反映深圳特质、形成深圳特色呢?

在我国,不仅京派文学、海派文学各有特色,而且文学陕军、鄂军、湘军等创作群体势头强劲,作家们将地域文化的滋养化作个性鲜明的作品。深圳的文学艺术也要探求自己的艺术道路,逐步形成深圳特色。文学规律告诉我们,作家应该写自己最熟悉、最擅长、最动情的部分,任何人都无权干涉作家"写什么"和"怎么写"的问题。百花齐放,百家争鸣,各路好汉,各抒己见,各显其长,开创题材风格多样化、艺术风格多元化的局面才有助于文艺的繁荣。但在文学基础薄弱、文学传统尚未形成、文学优势还未显现的情况下,创作主体又置身改革开放的前沿城市,深圳作家就必须既在写什么,又在如何写两方面深下功夫。

自主创新是深圳的立市之本,创建国家创新型城市是深圳的当下目标。在这一新形势下,文化创新、文学创新必将作为重要的精神动力而被推向前台。既然改革创新已经成为深圳的灵魂,要写出这座城市的文化个性和精神禀赋自然不应放过这一题材富矿。改革开放的历史进程风起云涌,改革氛围下人们的心灵世界波澜起伏,改革开放题材天然地蕴含了丰富的生活内容和情感资源,为创作出具有中国气派、充满时代气息的扛鼎之作创造了良好的条件。"在深圳,倡导文艺反映改革开放现实生活,这既是时代的呼唤,符合时代的特征,又是深圳的创作优势,是这座城市精神的本然外烁。我们所处的时代,是一个改革开放的时代;我们所处的城市,是一个改革开放的试验地,也应该是一个改革开放文学的梦工厂。"①

在深圳城市发展早期,受创业激情的感召和全国性的"改革文学"风潮的影响,深圳产生了一些在全国范围内有一定影响的宣传改革开放的作品。此后,随着全国范围内的"改革文学"匆匆退场,深圳也再没出现改革开放题材的厚重之作。直到新世纪以来,出于总结发展经验的需要,深圳产生了几部树碑立传式的纪实类作品。与此同时,一些纯文学作家及时地洞察到,改革开放在极大地改善了人们物质生活条件的同时,也带来了一些不容忽视的社会问题,他们的作品对这些问题做出了艺术的反思。

20世纪90年代以来,以经济建设为中心的主流话语为深圳商业文化的发展,提供了生长的空间和存在的合法性。纪实文学、通俗小说等文体形式与深圳这座商业城市的成长几乎同步。市民工作压力大,需要文学来慰藉心灵,安顿灵魂。但由于生活压力大、节奏快,他们不大有时间和心情阅读所谓高雅文学,于是大量的通俗读物、畅销书应运而生,深圳的通俗文学得到了较快的发展,满足了市民一时的精神文化需求。目前,经过急速发展的喘息,深圳已进入物质文明建设与精神文明建设齐头并进的和谐发展期。品位越来越高雅、次数越来越频繁、参与度越来越高的文化产业博览会、市民文化大讲堂、高雅音乐会、城市人文精神辩论赛等文化活动,正有力地表述着当下市民的精神诉求。深圳文学理应对这种转变做出及时的反映和挖潜,努力提升通俗文学,大力普及高雅文学,使雅俗共赏的文学状态成为深圳的主流文化,在此基础上形成自己的特色。

总的来看,深圳作家在改革开放题材这块最能闯出特色、超越平庸的创作领地里取得了一定的成绩,但也留下了一个等待重新耕耘、深度创造的艺术空间。今天,在改革开放日益深化、特区重整旗鼓第二次创业、进一步解放思想的宏伟潮流中,深圳作家有必要将创作触角伸向这一领地,艺术地反映改革风云,揭示改革的必然趋势,表现

---

① 李华:《深圳文艺繁荣发展中的八个问题》,《不甘悬置》,海天出版社,深圳,2007年,第217页。

改革时代人们心灵的震荡、观念的变更以及精神的重建,能够彰显深圳精神、体现深圳风格的精品力作可望脱胎于这一领地。

"对外开放的大门从深圳打开,深圳生活,可以说高度浓缩了中国改革开放的整个时代。反过来说,深圳的生活是时代的一面镜子,无所不包。我们的文艺工作者为什么要放弃如此生动如此鲜活的生活内容,而去'追奇猎艳'①呢?"在不断深入生活的同时,也要在如何表现上多作探索,不断提升思想境界和写作水平,创作出更多富有时代精神、饱含生活气息而又能雅俗共赏的文学精品。

2008年冬,望海书斋
(原载《特区文学》,2009年3月,和黄玉蓉博士合撰)

---

①杨媚:《"文化立市"重在创新——访作家、编剧张友高》,《深圳特区报》,2004-3-20。

第三辑

倡导文艺批评

文艺批评重意蕴

在这个突出个性的时代,文艺批评越趋个性化,样式也不时翻新,各显神通。各人心目中的文艺批评,其实并不一样,理解也并非一律。我并不要求别人和我有一样的理解,但我还是欣赏俄国古典作家普希金的一句话,简明扼要,一语中的。他在《论批评》一文中谈到文学批评时说道:"批评是揭示文学作品的美和缺点的科学。"

什么?在这物欲横流、寻求刺激的时代,还要到文学艺术中去感受美,这是不是陈旧过时了?或者是不是又回归到唯美主义、形式主义?不,我不这么看。正是物欲横流、险恶丛生,人和周围环境的失衡在加快发展,我们就越需要追求真、善、美,以求在更高阶段复归人和环境的动态平衡。文学艺术并非万能,不能在实践上改变人和环境的关系。文学艺术也要触及假、恶、丑。但优秀的文学艺术确实能发挥审美的作用,鼓舞人们在精神上追求真、善、美,鞭挞假、恶、丑。依马克思之见,艺术的使命就在于"创造出懂得艺术和具有审美能力的大众"。文学艺术的创作,面对错综复杂的社会现象,必须把这些深切体验到的社会现象反映出来,按美的规律来构思和创造,对这些社会现象（历史的、文化的、政治的、道德的）做出"诗意的裁判"。所以恩格斯认为，应从美学的和历史的观点来评价文学艺术，这是对文学艺术的很高的要求。

不过，我们不能把文学之美、艺术之美像形式主义、唯美主义理解得那么狭隘，仅仅归结为形式之美（语言或其他符号之美）。文学艺术更重要的还在那意蕴之美，形式需完美地表达那内在的意蕴之美。

文艺批评，按我的理解，就是从美学的、历史的观点（美丑理念也是历史的，随时代变化而发展）来揭示文学艺术的美和缺点，看它是符合还是违反美的规律。尽管文学艺术的内容和形式结合在一起，但正如黑格尔所说："遇到一件艺术作品，我们首先见到的是客观存在直接呈现给我们的东西，然后再追究他的意蕴或内容。"

从美学的、历史的观点出发进行文艺批评，并不是不要文化批评、道德批评，甚至也不能否定政治批评，具体作品需要具体分析。但在文学艺术中，社会的、政治的、文化的、历史的、道德的因素已融入艺术整体，所以，社会的、历史的、政治的、道德的、文化的批评不能脱离文学艺术作品的整体，不能置总体艺术构思于不顾。文化批评也好，社会批评也好，政治批评也好，不应离开审美批评孤立进行。文学艺术的创作是把这些要素融为一体，按美的规律建构出来的。所以，对文艺批评来说，美学的分析更为基本，它不仅触及形式，更渗透到内容：究竟把什么感受为美的，把什么感受为丑的，从而自然流露出作家、艺术家的审美意向，表现出作家、艺术家的审美人格的品位。在文学艺术中，作家、艺术家对社会现象应作"诗意的裁判"。

现今的文艺批评，广告式的推销盛行。这种所谓的文艺批评不仅不触及文艺作品的缺点，而且，也揭示不出文艺作品之美。有的甚至反而把肉麻当有趣，对色情、暴力、黑幕、隐私津津乐道，垂涎欲滴，这是价值评价的观念混乱和颠倒。

我们呼唤真正的文艺批评。这是一个需要文艺批评的时代。20世纪90年代以来，特别是最近几年，文学艺术的生产数量突飞猛进，仅长篇小说就年产好几百部（有时达到1000部），而电视剧竟年产万余集。究竟什么是精品？什么是次品、伪劣品？普通老百姓连看都看不过来，更何谈分精华、糟粕。就是有些文化人，也就干脆不看，宁愿走向自然，去欣赏天然之美了。因此，加强文艺批评不仅是促进文学艺术向更高层次提升的有力措施，也是提高广大受众（观众、听众、读者）审美能力的重要途径。

最后，我忍不住还想说一下，文艺批评既然是写给作者和受众看的，说理当然要深刻透辟，但表达还是要通俗易懂，没有必要故作深奥。我很信服陶行知的话：深入浅出为通俗，浅入浅出是庸俗；深入深出犹可恕，浅入深出最可恶。高水平的应是深入浅出，水平最差的浅入深出，故弄玄虚。

在文艺评论座谈会上的发言
2000年冬，深大新村

文艺评论求创新

文艺评论乃应文艺创作的发展需要而产生,但一旦产生,反过来也可以对文艺创作起促进作用,具有相对独立性。文艺评论和文艺创作,犹如鸟之双翼,车之双轮,必不可少。

深圳在成为经济特区之前,虽然只是一个2万多人口的边陲小镇,但早已受岭南文化传统的哺育,有着自己的文学艺术。我清楚记得,20多年前我初来深圳,就已见识到东门老街上的电影院、粤剧团和新华书店,也感受到深圳本土的古朴民风。随着改革开放的步伐加快,大量移民的涌入,外来文化和本土文化相互碰撞和融合,促使深圳的文化艺术进入新时代。1984年深圳开始有了长篇小说,也首次出现了画展,《特区文学》杂志也诞生了。但文艺评论滞后于文艺创作,好几年后,《深圳特区报》开辟文艺副刊,文艺评论才有了发表的机会,但一时也很难活跃起来。

在深圳经济特区成立的最初10年,文艺创作发展较快,但文艺评论发展较慢。深圳不仅有了专业作家,而且业余作家不断涌现。文艺评论却没有专业人士,只有业余爱好者,也为数不多。从粤北闯入深圳的青年作家刘西鸿发表了短篇小说《你不可改变我》,引起国内文坛的关注,1986年在广州为她召开作品研讨会,出席的大多为广州的评论家,听不到深圳的评论之声。要在好几年后,才逐渐有深圳自己的评论爱好者,在深圳参与本土作家、艺术家的作品研讨会。

等到跨入20世纪90年代之后,深圳开始反思文艺10年的得失,逐渐意识到文艺评论对于文艺创作发展具有巨大作用,迫切需要文艺评论。若要培育既具有时代精神又有深圳特色的文艺精品,就必须发展文艺评论。于是,好几个报刊上陆续开辟了《文艺评论》《文化广场》的专版或专栏,为文艺评论提供了阵地,文艺评论逐渐活跃起来。1992年,海天出版社出版了深圳自己的第一本文艺评论集,名叫《文艺评论选:1980~1992》。接着,在1994年,文联举办了一个规模较大的"深圳文艺发展理论研讨会",深圳本地和外地的文艺评论家共聚一堂,为深圳的文学艺术发展献计献策。在论文集《春华秋实》一书中,不仅对深圳今后文艺发展的未来作了展望,而且对文艺评论的作用作了进一步阐发。

深圳是座年轻的移民城市,人口来自五湖四海,人口突然急增数百万,文化底蕴不足,历史积淀不深。怎样在这张纸上画出更好更美的画来,这需要理论的思考,深圳比别的地方更需要文艺评论来对复杂的文艺现象进行探索,引导文艺的发展方向。为了推动文艺评论的进一步发展,文联在1995年11月促成了深圳市文艺评论家协会的建立。在深圳从事文艺评论的多为业余作者,分散在各个文化、教育岗位,有的在深圳教书,有的从事其他文化工作,有的在报刊当编辑、记者,并不以文艺评论为专业,互不通气。文艺评论家协会的成立,使分散于各处、蕴藏于民间的评论爱好者得以互通信息,进行交流,并推动了大家和作家、艺术家的沟通。目前,文艺评论家协会已有会员88人,所撰文艺评论著作(文学、美术、音乐、影视等类)已超过100余种,各自在自己的岗位上著书立说,各显神通。

深圳市文艺评论家协会成立10年来,先后对本土作家、艺术家的艺术创作如《花季·雨季》《家风》等优秀作品举办过研讨会50多次,协助中国作家协会在深圳举办了一次全国性的"中国当代文艺批评研究会"。在跨入新世纪之前,协会先是出版了一本文艺评论集《圈点与追问》,内容涉及深圳的文学、美术、摄影、影视等各个艺术领域。在深圳市成立20周年之际,文艺评论家协会又主编出版了《深圳文艺二十年》,对深圳20年来的文艺发展历程作了反思,对深圳文艺发展道路从理论上作了探讨,中心是文艺发展怎样既能围绕主旋律,又能符合多样化。文学、美术、影视、戏剧、舞蹈、书法等各个艺术协会的负责人都撰有专文,探讨涉及各个艺术领域。这种对文学艺术全面的理论探索,在深圳尚属首次。全书的序言《深圳艺术之路》在2000年的《文艺报》头版发表后,曾引起了国内文艺界的广泛关注,使国内文艺界对深圳的文学艺术发展历程有了较全面的了解。

文艺评论和文艺创作，这是深圳文艺事业不可缺少的两个环节，两者相互促进，共同繁荣，才能符合时代发展、文化立市的要求。俄国曾在19世纪创造了文学艺术的高度辉煌，文艺评论和文艺创作相互推动，形成了共同繁荣的局面。著名诗人普希金认为：看一个地方的文学水平，只要看那个地方的文学评论所达到的水平就可以了。一个以"文化立市"为目标的现代化城市，不仅要创作出许多具有自己特色的艺术精品，也要树立起自己的理论航标。为了进一步促进文艺评论的发展，深圳市文艺评论家协会在走过第一个10年，跨入第二个10年之际，主编出版这套《深圳文艺理论批评丛书》，选编了深圳文艺评论工作者所写的文艺评论著作10部，从一个侧面反映了文艺评论伴随文化立市的发展历程，体现了文艺批评关注深圳文艺的最新成果。

收入丛书的这10部书稿，有的专论深圳的文学艺术，有的在论及深圳文艺现象的同时，也涉猎了深圳的许多文化现象，甚至，还涉及国内其他地域和海外的文学艺术，但一个共同的特点，就是都有着对深圳文艺的关注和论说。作者都是在深圳工作而且熟悉深圳文艺的评论工作者，对深圳文艺现象，都有过思考。最令人注目的是李小甘，改革开放之初就来到深圳，长期从事深圳的文艺发展规划工作，熟悉深圳文艺发展历程。他不仅直接参与创作实践，出版了《红场白雪》《莲花山夜话》等，还积极从事文艺评论。他的文艺评论集《三文集》及以前的《思想树》等，不仅反映了深圳这座城市的文学、电影、电视、舞蹈、美术等文化艺术的发展轨迹，而且对文化艺术发展中的许多重大问题，提出了自己的真知灼见。倪鹤琴则将深圳的文化艺术放在世界文化视野中来考察，对深圳提出"文化立市"以来的文化艺术走向提出了精辟的见解，这本题名《文化致远》的专著，颇具学术的独创性。李华的《不甘悬置》把笔力集中于深圳文学艺术，作出了富有特色的探索和批评，不仅勾画出深圳文艺的发展历程，而且洋溢着浓郁的"深圳情结"，进而探讨深圳文艺评论本身的"本土性"。其他几位作者，侯军、钱超英、周思明、刘子建、黄永健、安装智等，也都分别对文学、美术、影视、戏剧等作了重点探讨,各有所长,自成特色。这些文艺评论,大都是面向文艺创作而作,编委会鼓励文艺评论本身的多样化,希望有人能对深圳的一些作家、艺术家和评论家的创作经历也做些研究和探讨。研究美学的陈吉庆对一位评论工作者的美学生涯感兴趣,写出了一本专著。这是推广本土艺术家、特别是老一辈有成就的艺术家的一次尝试,编委会觉得可以作为一个开头,希望今后能有更多类似的本土文艺家专论著作出现,文艺评论也要自主创新,逐渐多样化。

文学艺术的根本使命就在于遵循先进文化的价值取向,高扬真、善、美,鞭挞假、恶、丑,"按照美的规律"来创造。文艺评论就是要把"美学观点和历史观点"结合和统一起来,对文艺创作进行美学评价和历史评价,推动文学艺术向先进文化方向发展。10多年来,文艺评论曾对移民文学、打工文学、青春写作、都市文化、大众文化、都市山水画等重大问题进行理论探讨;跨入新世纪以来,在"文化立市"的推动下,深圳的文化蓬勃发展,更趋向于多元化,形成深圳文化的新格局:弘扬时代主旋律的主流文化,正在稳健地往前推进;高雅文化的普及,正在加大力度,渐成气候;大众文化遍地开花,蓬勃发展,正在渐具深圳特色。文学艺术,作为精神文化的重要部分,在文化新格局中亦在发生着变化。由于日常生活正在日益向审美化发展,文学艺术和日常生活的差别正在缩小,那么,文学艺术还能起什么作用,还需要发展吗?又由于科学技术的急速发展,电影、电视、电脑的技术不断创新,已在和新的文学艺术相融合,使得传统的文学艺术相形失色,过去主要依靠文学语言为手段的文学艺术将走向何方?再由于消费时代的迅速来临,文化的产业化批量生产,创意产业、体验经济、审美文化的迅猛崛起,文学艺术也成了商品,为消费大众快速消费,那么,消费时代还要去创造艺术精品吗?我们究竟应怎样看待艺术生产的交换价值和审美价值,是否还需要"按照美的规律"来创造?等等新问题出现在我们面前。

在文学艺术发展急遽变化的时代,我们更需要文艺评论,不能回避发展中涌现出来的新问题。深圳文艺评论在今后发展中,需要面向现实，与时俱进，研究新现象，解决新问题。这就促使文艺评论本身要不断创新，不仅文化视野要更加广阔，了解世界文化发生了什么变动，更要研究我们自己文艺实践中的新问题，深挖下去，抓住矛盾。这样，文艺评论必然要和文化研究结合起来，把美学观点和历史观点紧密结合，促进高雅文化的更加普及，促使主流文化向雅俗共赏的方向发展，让大众文化不时得到提升，让不同层次的文学艺术都能"按照美的规律"来发展，各得其所，相得益彰。

祝愿深圳的文艺评论，与时俱进，不断创新。

为《深圳文艺理论批评丛书》所作总序
2006年9月于望海书斋

文艺评论要发展

改革开放之风,把我从北大燕园吹到了南国深圳。1984年,我和汤一介、乐黛云应清华大学副校长张维院士之邀来深圳大学参与创办中文系、比较文学研究所和国学研究所。后来,我把中文系扩建为国际文化系,新建了特区文化研究所。当时,深圳的文学艺术正在蓬勃兴起,我有幸适逢其时,也投身于文学艺术的热潮,被推为深圳市作家协会主席。10年过去,我和时任深圳市文联主席的张俊彪,都深感深圳需要发展文艺评论,因而发起成立了深圳市文艺评论家协会。

深圳市文艺评论家协会成立于1995年11月。2002年8月召开第二次大会,实现顺利换届。我担任了两届主席,12年过去了,已在向高龄迈进,下一届不能再做了,希望由年轻学者来接任。从我的主观愿望来说,文艺评论家要以邓小平理论和"三个代表"重要思想为指导,始终把握住正确的批评导向;认真落实科学发展观,积极推动和谐文化建设和文艺理论创新;弘扬主旋律,提倡多样化;致力打造文艺研讨活动品牌,催生文艺精品生产,为促进深圳文艺大发展大繁荣做出更大贡献。我们以协会为学术大本营,集结了一支思想活跃、学术层次较高的精干队伍,一批具有教授、副教授等高级专业技术职称和博士、硕士学位的评论家不断加入进来,成为深圳文艺评论工作者的骨干力量。多年来,文艺批评幸逢我市比较宽松和谐的文化环境,我们这个在市场经济和大众文化下最容易流于边缘、受到冷落的协会,却仍然顽强呈现出旺盛生机:评论队伍不断壮大,会员人数稳步增长,研究成果硕果累累,人际关系平等和睦,评论风气健康活跃。可以说,深圳的文艺评论整体上了一个新的台阶,对内增强了凝聚力,对外具有了影响力,文艺批评在建设高品位文化城市中发挥出了越来越重要作用,已经为深圳发展学术文化、形成文艺批评的深圳学派打下了一定的基础。

为了推进深圳的文艺评论有更好的发展,我这里要回顾一下近几年文艺评论的进展,并作反思。

探讨和谐文化

在跨入新世纪后,我国提出了"建设和谐社会"的历史目标。接着在2006年11月,胡锦涛又提出了"和谐文化"建设的命题,并称这"是现阶段我国文化工作的主题",也"是我国广大文艺工作者的庄严使命"。为了探讨这一文艺发展的新课题,深圳市文艺评论家协会联合广东省文联、深圳市文联、广东省文艺批评家协会,迅速策划,并于2007年元月25日在深圳举办了"和谐文化建设与文艺工作创新研讨会",在全国文艺界率先提出和探讨了文艺与公共文化服务的关系问题。这次会议吸引了来自北京、上海、广州和本市的40多位专家学者与会,并向大会提交了30多篇论文。选题涉及和谐文化建设,公共文化服务,文艺体制创新,政府、市场、人民团体职能关系探讨等内容,皆为新形势下我国文化艺术事业发展亟待解决的理论和实践的前沿课题。《文艺报》在头版头条对该会作了大幅专题报道,《中国艺术报》和本市媒体也做了大量报道。会议在筹备期间,就受到了广东省委的高度重视,被省委宣传部纳入"建设广东和谐文化系列活动"之一,并为这个系列的第一个活动。这次会议也得到了全国文艺界的关注,中国文联党组书记胡振民亲自过问会议情况,并要了详细汇报……后来,中共中央办公厅和国务院办公厅在8月21日出台的《关于加强公共文化服务体系建设的若干意见》中,明确了"党政统一领导,职能部门分工负责,工、青、妇、文联、作协积极参与"的工作机制。目前,"和谐文化建设与文艺工作创新"已成为引领新形势下文艺发展的一面旗帜,产生了较大的社会效应。

"新都市文学"是"深圳制造"的一个文艺品牌。自从由特区本地评论家提出这一创作旗号后,深圳文艺批评界一直试图以理论创新来擦亮这块品牌。2005年,借第三届中国鲁迅文学奖在深颁奖的契机,市评论家协会促成中国作协创研部、人民文学杂志社、深圳市文联联合举办了"中国当代都市文学研讨会",并承担了该会的全部策划、组织、举办工作。我们从3月份开始就启动了研讨会论文组织工作,并于4月20日召集本地专家召开了"论文选题研究会"。6月26日,来自北京、上海、沈阳、广州及深圳等地百余名专家、学者出席了研讨会,中国作协副主席陈建功、张炯分别主持了会议。会议第一次站在当代中国文学研究的平台上,对中国都市文学的现状、问题及未来走向进行了系统的探讨。会议共收到论文40余篇,于会后编辑成《全球化语境下的当代都市文学》一书,由中国社科文献出版社出版。会议受到了《人民日报》《文艺报》《文学报》等全国媒体的高度关注,发表报道达30多篇,在文坛产生了广泛的影响。

"打工文学",也是由深圳评论家命名的一个文艺品牌,目前已与"底层写作"、"农民工题材"一道,受到了国内外文坛的普遍关注。市评论家协会长期扶持、推介打工文学,参与筹办了第一、二、三届"全国打工文学论坛",其中第三届于2007年11月和今年年头分别在深圳宝安区和北京举行。深圳论坛邀请了来自全国各地的10余位著名文学家及三代打工文学作家代表60多人出席。北京论坛邀请了中国作协领导和全国近50多名著名专家、学者、文学期刊负责人以及我市10位打工文学优秀作家出席。论坛探讨了和谐文化建设与打工文学发展的关系,展示了深圳打工文学创作成果。新华社、人民日报、中央电视台、光明日报等全国重要媒体都作了宣传报道。市评论家协会又加强了与国内外打工文学研究团体的交流,如应日本御茶之水女子大学李莹博士之邀,于2007年6月6日召开了"打工文学现状与发展前景"座谈会。市评论家协会还编选了《打工文学作品精选集》和《打工文学备忘录》,为全国文学批评界进一步关注和提升打工文学提供了比较权威的蓝本。

2004年我市成立了全国首个中学生文联,从而推动深圳青少年创作进一步活跃,在全国校园文学中突显出一种"深圳现象"。市评论家协会一直负责指导和跟踪中学生文联的各种大型活动,逐步打造出"阳光写作"、"生态阅读"等青春文学品牌,已在全国校园文学和艺术教育中形成了广泛影响。我们先后参与筹办了"首届全国校园文学论坛"、"首届全国未成年人阅读文化论坛"及深圳读书人口大型问卷调查、深圳青春文学精品工程等系列活动。全国校园文学论坛是新世纪中国校园文学的一次盛会,于2005年11月18日至22日,以中国作家协会、全国中学语文学会、深圳市教育局、深圳市文联的名义在深举行。来自全国文学界、教育界的200多名专家、学者、文学教育工作者出席了这次论坛。在这次论坛上,深圳评论界打造了"阳光写作"的闪亮品牌。"青春文学与创意未来"也是一次非常有创意的活动,论坛邀请英国创意产业之父霍金斯就创意理念和青少年创意教育发表主题演讲,并介绍了他与深圳东湖中学学生赵荔合著长篇小说《如何创造》的创作过程。深圳腾龙堂动漫公司还与深圳翠园中学学生袁博签订了动画改编协议书,拟将他创作的长篇《大漠落日——一个鸵鸟家族的故事》拍成动画片。

深圳文艺评论还围绕对"红色经典"、"城市水墨"、"原创歌曲"等文艺样式的探讨,形成了诸艺术门类的研讨活动品牌,并产生了一定的品牌效应。

走向深圳学派

自2002年文艺评论家协会换届以来,会员们积极响应号召,克服当前消费社会和大众文化背景下浮躁和轻浮的学术风气,甘于寂寞,淡于名利,勤奋耕耘,锐意创新,坚守了批评这块精神阵地,终于迎来了又一个硕果累累的秋天。广大会员、特别是学院派会员潜心学术研究,出版了一批颇有分量的文艺理论成果。还有一批作者在省内外各种文艺评奖中获奖。在不少学科研究领域,例如文艺美学、乡土和都市文学、后现代文学、华文文学、印度文学和犹太文学等研究领域,还有传统和实验水墨批评、雕塑史、实验话剧等艺术研究领域,都保持和发扬了过去的学术强势,并在全国取得了一定的话语地位。协会对会员的理论批评成果视如家珍,每年都要摸底调查,发表统计,每年都有令我们引以欣喜和自豪的新成果。例如,单从2006年不完全的统计来看,就涌现出了如《西方美学史》《在现代和后现代之间》《中国印度诗学比较》《20世纪中国版画论评》《中国书画分类鉴定图说》《越界——中国先锋艺术》等一大批有学术分量的专著。在这一年里,还有专著《"诗人"之"死":一个时代的隐喻》获广东省第七届鲁迅文艺奖;《梵典与华章:印度两大史诗及氏族核心价值观研究》获中国高校第四届社科研究优秀成果二等奖;论文《试论高师"钢琴文献与教法"》获全国首届钢琴教学优秀论文二等奖;《纹象山水画艺术》获中国文艺杰出成就奖书画艺术金奖等。

协会大力扶植本土文艺理论和批评,按照上届工作报告提出的努力目标,开始着手培育文艺批评的"深圳学派"。经过连续三年的不懈努力,通过在全体会员中的征稿,于2007年出版了我市有史以来的首套《深圳文艺理论批评丛书》。这套丛书汇集了我市文艺评论家协会10位评论家近年来探索深圳文化现象、研究深圳文艺理论、评介本土文艺作品的最新成果,代表了本土文艺批评目前实力和整体水平,形成了本土文艺批评的声势和合力。我市首套文艺理论批评丛书的推出,标志着深圳本土文艺理论和批评的规模和组织形式,都迈上了一个新的台阶。

推进文艺创作

多年来,我们一直配合市重点创作项目的实施,积极推进改革开放30周年文学工程,以宣传推介"五个一工程"等奖的参评作品为核心,带动推广本土作者作品的研讨活动日趋活跃。

协会先后组织会员开展了对电视连续剧《林海雪原》《恰同学少年》,电影《夜·明》《茉莉花开》的评论。2004年6月,我们按照全市的统一部署,组织部分作家、评论家在互联网上开辟专栏、发表文章,对所谓"妖魔化深圳"现象展开正面讨论和批评。2005年2月11日,我们承办了由中国作家协会、中共深圳市委宣传部联合主办的"长篇报告文学《丛飞震撼》研讨会"。2005年2月28日,我们又协办了由梅州市委宣传部和华南理工大学联合编纂、国家"十五"重点图书出版项目《客家研究文丛·客家与梅州书系》的研讨会。

协会对获得"广东第十四届新人新作奖"的五位深圳青年作者的作品,给予长期跟踪评论。开展了关于深圳自由撰稿人创作情况和组织方式的课题调查,并完成调研报告写作工作。还先后主办了本土作家、作品研讨、推广活动十多次,如"电视连续剧《家风》研讨会",并参与策划了《家风》的北京研讨会,还参与主办了张黎明"纪实文学《东纵的抗战岁月》研讨会"、"王世红长篇小说作品研讨会"、"李宜高作品研讨会"、"深圳'80后写作'新秀——陈静诗歌散文创作座谈会"等。

此外,协会还关注新民俗文化建构,参与社区文化、校园文化建设,注重发现和催生新的城市文化现象,如介入到华侨城旅游文化的项目研究,组织评论家参与"文艺讲座下基层"和"市民文化大讲堂"的讲座等等。这些社会活动,为文艺评论提供了广阔的学术活动空间,大大推动了深圳文艺和学术文化的普及与提高。目前,协会还在牵头组织开展"推动深圳文艺事业繁荣发展课题调研",策划组织了7个调研选题,召开了多次课题研究和选题讨论会,调研和写作工作正在铺开。文艺评论家协会的工作千头万绪,但最根本的一条就是要推进深圳文艺评论的发展。我们为会员出版的首套《深圳文艺理论批评丛书》十卷,是对深圳文艺评论的一次检阅,在国内产生了一定影响。这在深圳历史上是第一次,希望以后能继续推进,延接下去。

此外,我们进行了市评论家协会会员加入广东省文艺批评家协会的会员重新登记工作,市级协会全体会员一次性加入省级协会,这是本会不同于其他协会的一个集体荣誉。我们组织会员的作品先后参加了第六届中国文联文艺评论奖、中国人口文化奖、第七届广东省鲁迅文学奖理论评论作品奖、广东省文联文艺评论奖等评奖活动的推荐、报送、参评工作。

文艺评论家协会目前存在的困难和问题主要在两个方面:一是在市场经济条件下,我们与其他文艺协会相比,活动性质更多仍停留在单纯的学术、人文和纯精神交往的层面,较难引起广泛的社会效应,较难产生社会的凝聚力,所以特别需要文艺主管部门的支持和关注。二是这是全文联唯一一个没有专职驻会干部的协会,长期由其他干部义务兼职,责权利得不到落实,工作力量得不到保证。

在未来的几年里,文艺评论家协会将以高等学府为主要依托,以本土文艺现象为突破点,推动深圳"学术文化"氛围的形成,培育文艺批评的"深圳学派",提升深圳文艺与当下中国文艺的对话能力。同时通过文艺评论对公共文化服务的介入,推动广大市民提高审美鉴赏水平。

我相信,深圳文艺事业的未来越来越离不开文艺评论,文艺评论在推动深圳文艺事业大发展大繁荣中将起到越来越重要的作用。

在深圳市文艺评论家协会第3届
大会上的主题报告,和李华合撰
2008年秋,文联大楼

好书多读更需评

深圳的读书月活动办得好,内容丰富,气氛热烈,参与者众,反映极佳。虽然是首届,但开了一个好头,坚持下去,必将进一步推动特区的读书风气向更高层次发展。这本身就是一项造福人民、深得民心的精神文明活动。

一个城市的精神文明水平如何,好读书的人多不多,就是一个重要标志。如果一个城市连普通百姓都好读书,蔚然成风,那是这个城市的骄傲。我看这次读书征文,不少写到深圳人"好读书",有的背着女儿去书城,有的开着"奔驰"忙购书,还有的,一有空就去书城、图书馆,把那里当成自己的大书斋,情景十分感人。我既为这些读者能享受到读书之乐而感到高兴,也为咱们深圳充溢着好读书之风而感到自豪。

这次读书月活动还有一个更大的作用,那就是不仅鼓励"好读书",而且还突出倡导"读好书"。如今这世上,信息爆炸,书出得越来越多。但并非都是好书,文化垃圾也层出不穷。鱼目混珠,如何辨别?这次读书月,成立了一个由牛憨笨院士为首的深圳读书月读书指导委员会,我有幸也参与了这个行列,一起向读者推荐了一批好书。也有不少读者主动向书城推荐好书,受到了大家的欢迎。这种专家和读者相结合共同倡导"读好书"的方式,值得我们总结经验,不断改进和推广。

最后,这次读书月征文活动,收到了那么多征文,实出意料,令人振奋。参与征文的不仅有大量深圳读者,还有不少来自五湖四海,远的寄自美国。广大读者谈读书的感受,情真意切,十分投入。此次征文,大多谈自己的"好读书"和体验到了"读书好"。我看了全部来稿,稍觉不足的是,写得还不够具体,究竟读了一些什么好书,有什么更深切的感受,还不太多。盼望下次读书征文,能在"读好书"上多做文章,写出读了一本或几本好书后的具体感受。好书,既有科学著作,又有人文书籍。评好书,既弘扬科学精神,又光大人文精神。这样,读书月活动就能促进大家进一步营造书香社会,弘扬读书之风,不仅读好书,还要评好书,推动咱们深圳的书评也能得到健康发展,让科学精神和人文精神在这块热土上发扬光大。

为深圳首届读书月而作
2000年秋,深大新村

行走都市体悟深

从海参崴回来，第二天就翻开宫瑞华即将付梓的《都市行走》这部书稿。

我一眼就看到了《八月长白》，他在大学时代写的散文。我兴致勃勃地从这篇读起。也就在10天前，我刚去过长白山，在天池逗留了半个多小时，却经历了瞬息之间的风云变幻，脑海里还保留着新鲜的感受。我很想知道，瑞华在这神秘的天池会有什么样的体验。

《八月长白》一下子又把我的思绪带回了长白山，我似乎又像他一样穿越长长的美人松林，在黑风口转弯，攀上长白主峰。只见一汪天池水，深藏在16座山峰之中。咫尺断崖之下，深蓝的池水，莹澈寂静，微波不兴。水，这样深蓝清澈，多年前我只在青海湖看到过。但我在青海湖的感受，就像在海滨徜徉一样，亲切而宁静。而在这长白主峰上俯视天池，却感到神奇而肃穆。法国启蒙哲学家卢梭说得好："在高山上，我们的思想具有伟大而崇高的目标，和周围的事物是相适应的。""离开了人类蜗居之处，向高处走，我们就好像放下了一切卑鄙的感情和世俗的思想。当我们越接近苍穹的时候，我们的心情仿佛为它们不变的情绪所感染。"身临长白主峰下的千尺深地，我深深地感受到了大自然的崇高和雄伟。这种审美感受，瑞华还在吉林大学读书的时候就体验到了，并在这篇散文中表达出来。今天读来，仍然令人感动，引起我的共鸣，从而更加深了这种体验。瑞华在他的大学时代（20世纪70年代后期）就表现出了文学才华，在写文艺评论、学术论文之外，既写散文、随笔，也写短篇小说、报告文学，日渐拓展自己的视野。

特别是到深圳以后，他的才能得到了多方面发展。

就在80年代中期，跟我攻读研究生课程的同时，他写出了长篇报告文学《走出忧患》，热情讴歌深圳大学初创时期的改革创新。他的报告文学《在未来历史地理的刀刃上》，反映了沙头角中英街的百年沧桑、历史变迁。这些作品在深圳第一次创业中，都起到过积极的作用，至今仍对我们有所启发。

也许出于我对文艺学的特殊爱好，我更加关注瑞华的文艺评论。

最使我感兴趣的是他倡导"新都市文学"的一组评论。

开放改革以来，我国的文学空前活跃，新老文学期刊竞相争雄，各种文学流派层出不穷，但各领风骚三五天，标新立异又再变。发展到20世纪90年代初，文学解构成为时尚，反传统、反文化成为风气，文学的一切要素，主题、情节、人物、结构、形式都被消解。文学要向何处去？不少地区都在探索，并纷纷打出自己的旗帜，"新状态"、"新体验"、"新乡土"、"新市民"等，不一而足。深圳特区正面临着第二次创业，我们的文学向哪个方向前进，可以发展什么样的特色？

富有文学敏感的瑞华，提出了"新都市文学"这一全新的概念。他敏锐地觉察到"新都市文学"具有无限的发展潜力，并且可以形成自己的特点。"新都市文学"不仅和写"黄土高坡"、"东北黑土"等乡土文学有别，而且也不同于旧城市文学。深圳是一个新兴城市，正在向现代化国际性城市发展。在这块土地上，生长出来的完全是一种崭新的文学。这不仅是题材的新，更是观念的新和形式的新，这里正在萌生着一种用现代审美观念审视现代生活并用新的话语说出来的"新都市文学"。这种文学有着崭新的面貌：新观念、新题材、新话语。

在瑞华的积极倡导下，《特区文学》1994年举出了自己的旗帜：发展"新都市文学"。

我亲自目睹了深圳经济特区改革开放以来的文学艺术发展历程。我一直以为，深圳的文学艺术在走着自己的路，和别的地方不同。特别是在90年代，当戏说历史、调侃人生、纵情声色、崇拜暴力在一些地方"热销"起来的时候，深圳的文学艺术却在寻找自己的路。关注当下现实，探索人的命运，追求雅俗共赏成了文学艺术的主流。深圳的文学艺术面向当下的特区生活，深入人物的内心世界，淋漓尽致地展示出各种人物在闯特区过程中的悲欢离合、酸甜苦辣、喜怒哀乐，展示了蓝领人、白领人、粉领人、灰领人、金领人的社会遭遇、人生命运，五彩缤纷，引人入胜。这当然是深圳文化人共同实践的结果。但《特区文学》的倡导和探索，功不可没。

　　瑞华不仅对"新都市文学"作了理论探索，而且还以文艺讨论的方式，鼓励"新都市文学"的发展。他对"打工文学"有过特别的关注，评价了林坚的中篇小说《别人的城市》和《阳光地带》，后来又对林坚的长篇《股市大炒家》作过评论。在我看来，深圳在20世纪80年代兴盛起来的"打工文学"是在城市现代化过程中出现的特有的文化现象，是在"新都市"中孕育出来的"新都市文学"的一个重要领域，应称之为"新都市打工文学"，以区别于其他文化现象。瑞华关注"打工文学"正和倡导"新都市文学"相呼应。

　　瑞华对美学保持着持续的兴趣。他对摄影、服饰、装帧的审美修养都很高，并有过不少审美评价。在读大学和攻读研究生课程时，还曾对美学问题有过较广泛的思考。收入这部书稿中的最长的一篇论文《美感的历史起源和发展》，就比较系统地论述了他的美学见解。

　　依我看来，美学乃是研究求美现象之学。求美现象是人类社会的一种独特的存在，是人类一种独特的生命活动。人生活在世界上，并不仅只求生存，而且还要发展和完善。人类在不断追求优化自身，获得全面自由的发展，力求按照美的规律来安排人生。人类正是通过自己的实践活动，不断把自己的生命活动，提升到审美活动的水平，和对象世界建立起审美关系。因此，审美活动、审美关系日益成为美学研究的中心。但是审美活动、审美关系却离不开审美感受、审美经验。美感又是审美活动中最重要的一种审美感受（崇高感、悲剧感、喜剧感、荒诞感等都是），正如美是审美对象中的最重要的一种（悲喜、崇高、卑下都可成为审美对象）。

　　瑞华把美学研究的目光凝聚在美感问题上，想解开美感之谜。在他看来，审美活动是人类基本的活动之一，而审美感受力也是人的基本能力的一种。美感是由审美对象所引导起主体（人）的一种主观感受。马克思说"五官感觉的形成是以往全部世界史的产物"。美感是历史发展的产物,并随历史的发展而发展。美感最早产生于对自然的审美,后来才发展为对社会的审美,正如人是先具有对象意识,后来才发展为自我意识。

从自身切身的审美感受出发,瑞华觉得对自然的审美特别值得珍惜。随着社会的发展,人类创造了比以往任何时代更优裕的生活条件,然而人与自然的关系也被疏远了,于是就出现了这样的悖论:"人越是不断征服自然,也就越觉得是在失去自然。"因此,回归自然,自然审美,对于面对物的压力的现代人,就越发显得珍贵。对此,我深有同感。随着现代化进程的加快,人们正在加大对自然的改造,但正如马克思所说,怎样按"美的规律"来进行,是一个不容忽视的问题。所以,近年来,我在《珍重大自然》等文中,提出要重新研究"自然之美"的奥秘,探索如何使自然更加"宜人"的美的规律。

瑞华来深圳已经16年了,他把自己最好的年华献给了特区文学事业。我看着他从年轻走向成熟,心里由衷地感到高兴。他在这新都市里还将继续向前行走,对人生将会有更广更深的体悟。希望他百尺竿头,更进一步。他还正在壮年,我相信,瑞华必将为特区的文化事业做出更大的贡献。

为《都市行走》所作序
2000年夏,深大新村

特区自有情义在

特区文学日益引人注目，不同文学门类各有成就，但给我印象最深的却还是报告文学。

特区发展的艰辛历程，商海股潮的风云变幻，新旧人物的兴衰浮沉，都在报告文学里得到了较迅速的反映，所以能较快打动人心。但是，深圳的报告文学，写商界、企业界的多，写知识界、文化界的少。当竞争还只是处于起始、粗糙的阶段，知识贬值，文化冷落，知识分子显得无足轻重，少有人写。

王向同的文学成就，主要也在创作报告文学。但向同的报告文学，独辟蹊径，别开新路，集中笔力，专写那些呕心沥血、献身特区的知识分子，从而形成了自己的创作特色，在深圳的文学之林中独树一帜，广受称道。

向同熟悉知识分子。他长期生活在文化教育界，从20世纪60年代初走出武汉大学的校园，经过10多年的编辑生涯，20世纪70年代又在广西大学任教十载，接触过各种各样的知识分子，积累了丰富的生活经验。到了20世纪80年代，向同来到了深圳，投身于特区建设，为这里的火热生活所感染，引发了创作热情，就写起报告文学、散文和杂文来了。成功的创作，来源于对生活的真切感受和深切体验。向同亲眼看到不少从内地来到深圳的优秀知识分子，经过改革开放的洗礼，在特区好似凤凰涅槃，重又焕发了新的青春，把自己的聪明才智，血汗和生命，全部献给了深圳。

向同先是写出了《笔架山药神》，发表于1988年。这篇报告文学写的是人称"药神"的赵新先带领战友在特区艰苦创业的事迹。这位军中药学家，抛开大城市的安乐生活，毅然来到深圳，住窝棚，当开荒牛，倾注自己的心血，创制新药，办起了赫赫有名的南方制药厂，成为全军楷模。这篇作品,虽然主要还是写了主人公的创业事迹,尚未注意深入刻画人物内心,但作者的讴歌,热情至诚,仍能感人。

《火中飞起的凤凰》在1990年发表。这是向同文学创作的里程碑,标志其创作到了一个新水平,受到社会的好评,获得了深圳市的大鹏文艺奖。这篇报告文学写了两对教授夫妇,向同赞之为"特区四君子"。从事教学事业数十年的周乐群、陈道林这对夫妇积劳成疾,50多岁先后都得了不治之症。面对癌魔侵袭,将何以处之?他们临危不惧,处事不惊。一方面,积极向病魔斗争,决不低头;另一方面,为争取时间,加倍献身,让短暂的生命,放出更光亮的火花。生命不息,自强不止,心里想的还是为国报效,多做贡献。替乐群夫妇治病的郭文兴大夫和夫人王雪圃,为了病人,忘了自己,把自己的爱心献给大家,竭力尽心,救死扶伤。围绕着对病魔的斗争,向同的笔触深入到四君子的心灵,不仅再现了特区知识分子的生态,而且表现出了他们的心态,平凡而崇高的品性。在向同的笔下,知识分子的形象日见丰满了。

在1991年,向同创作了《特区三女性》。这篇报告文学写的是三位献身特区建设事业的知识女性。向同着力于描写三女性的美好心灵,不仅写出了她们的共性,而且写出了各自的个性。"空中欢乐园"电台节目主持沈先,歌舞厅青年舞蹈家高玲,芒果专家、退休副教授杨一雪,都是从外地来到深圳的普通知识女性,她们有同样美好的心灵。对事业,对生活,对深圳的爱,刻骨铭心之深,使向同深深激动,忍不住把自己的感受、体验倾注于报告文学。一颗善良的心,洒向人间都是爱。这是她们的共性。然而,她们各自又都有个性。不同的人生道路、生活经历,造就了不同的性格爱好,爱心也有了不同的表现。沈先通过空中电波把欢乐送给听众,献上自己的爱心。为了拯救痛不欲生要去自尽的不幸打工少女,沈先立即找到少女送医院,又接回自己家里疗养。沈先的爱心,终于治好了从不相识的不幸少女的内心创伤。高玲的爱心则倾注于舞蹈事业。为了给深圳观众献上更多更美的舞蹈艺术,她用自己挣来的血汗钱举办独舞晚会。杨一雪的爱心则倾注于为深圳培育新的芒果良种,一心扑在芒果事业上。向同对知识三女性的刻画，为我们展示了特区优秀女性的精神风范。

《命运交响曲》是向同和倪鹤琴合写的报告文学新篇，写的是特区青年知识分子魏达志。魏达志的感人事迹，在深圳已近家喻户晓。正当年轻有为，突然身患绝症，双肾肾衰竭。医生预判，死亡将临，来日无多。面对种种折磨，他却从不向命运低头，更加顽强拼搏。忍着病痛，呕心沥血，为特区献上自己的多种著作。作者不是停留在事迹的叙述上，而是把笔锋转向主人公的内心深处，触及深层的处世态度、人生哲学：生命不息，奉献不止；躯体易逝，浩气长存。这确是一首可歌可泣的命运交响曲。我看过魏达志送我的文集，读后深为他的精神所感动。我曾在给达志的回信中说过：中国传统文人所奉行的"达则兼济天下，穷则独善其身"，真要做到，已是不易。要进入更高的精神境界，"人生自古谁无死，留取丹心照汗青"，这就更难了。魏达志自觉地把有限的个人生命，融入无限的历史长河，争取为人类做出自己最大的贡献，留下一点精神财富。这种精神境界，也是中国文人传统美德的继承和发扬。

向同的报告文学，为我们塑造了光彩夺目的特区知识分子的形象，热忱讴歌了中国知识分子身上的宝贵品格和崇高精神：对事业的执着，对人生的热爱，对未来的乐观。无论是三女性、四君子，还是魏达志、赵新先，对事业是那样执着，对人生是那样热爱。这不是一般的、普通的、泛泛的感情，而是人类一种高贵的感情，深沉持久、刻骨铭心的感情，使我永生难忘。这种对事业和人生的感情，是同对社会未来的充满信心和乐观密切联系着的。向同所写的周乐群，我和他相识较早，在北大时就已相识，来深圳后和他交往较多，深知他的为人，真正是一位敬业而且乐群的谦谦君子。不管身处逆境还是顺境，他总是保持着一种社会责任感，一种历史使命感，国家兴亡，匹夫有责。有时，受到历史的嘲弄，他的赤诚之心，仍未泯灭。对于特区发展中已逐渐暴露出来的丑恶、腐败，他有抨击，也发牢骚，但对于未来却还是充满希望，相信真、善、美一定会战胜假、恶、丑，未来一定会更加美好。这究竟是知识分子的美德，还是病态？向同和我都相信前者。如果人类不是走向更加美好，那么我们今天的一切努力会有什么意义？如今，乐群虽早已逝去，但他的那种乐观精神，仍激励着我们前进。

言为心声，文如其人。向同报告文学对人生、事业和未来的热情讴歌，还反映了向同的平日为人。我和向同交往多年，觉得他是个很有个性的人：待人真诚，充满爱心，永远乐观。和他相交，无须客套，可以坦诚相见，无所不谈，交谈本身就成了一种审美享受。心里无私充满爱：爱事业，爱人生，爱深圳，爱朋友，所以生活饶有乐趣。大家说他活得真潇洒。但什么是潇洒？向同自有解释，曾对我说了这么一番话：

"我所说的潇洒，就是要乐观、进取，永远向前看。要自我营造一块绿色的快乐园地，这块园地就在我心中，可以抗拒任何狂风暴雨的侵袭。我想，我的写作也是带着这些乐观精神。即使揭露丑恶，叙述苦难，但归根到底，最后还是要向着光明，向着快乐，为光明和快乐而奋斗。这也是我写作中的主线。"

达观而又乐观，正是向同这种人生态度，决定了他的创作风格基调是讴歌崇高，而不是去写知识分子的悲剧或喜剧。显然，向同报告文学之所以要热忱讴歌知识分子的崇高品性和美好心灵，乃是期待和呼唤中华传统美德能在特区发扬光大，永世长存。

都说到世上来要潇洒走一回，我倒希望有更多的人有向同那样的潇洒。

特区自有情义在，商潮声中更生辉；敬业乐群多奉献，不枉世上走一回。这，正是向同报告文学给我们的主要启示。

为《特区三女性·四君子》所作序
1993年秋，深大新村

特区依然觅诗魂

大约在5年前,祁念曾刚调入深圳不久就来访我,想多接触一些文化艺术界人士,准备写一本以文化艺术家为采访对象的散文通讯集。

他一来深圳,面对汹涌澎湃的商潮,却把注视的目光投向文化艺术。这种关注文化艺术的执着精神,使我不由得敬佩。

果然,以后不时在《文艺报》《光明日报》《深圳晚报》上看到他采访文化艺术人士所写的散文、通讯。前不久,念曾带着他的书稿来找我。我一看,他所写的散文、通讯已经超过百篇,准备由花城出版社结集出版,集名为《艺术家的脚步》。我真为他高兴,不由得欣然写下点滴感受。

念曾接触文化艺术界人士不少,但真要写得好,却不仅要热心,而且需有恒心,长期关注,持之以恒。对文化艺术,念曾确是热心人。20世纪60年代在北大中文系读书时,他就积极参加"五四"文学社的文学活动,关注当代作家、诗人,和贺敬之等时有交往。以后,在内地高校长期任教,讲授中国现代文学。作为研究现代文学的教授,念曾对一些重要的作家有着特殊的关注,曾先后采访过冰心、刘白羽、魏巍、林默涵、张贤亮、贾平凹、陈忠实等,写出了这些作家的文学风采和美学追求。这些文章曾分别在《光明日报》《文艺报》《文学报》等发表过,为我们留下了珍贵的文学资料。今天读来,仍感生意盎然。

改革开放的暖风,也把念曾从北方吹到了深圳,而且从校园走向了社会,专门从事新闻采访,这就使他有更多的机会接触文化艺术界人士,视野更为广阔。不少文化艺术界人士,也都想到深圳这个改革开放的窗口来看一看,走一走。一般人并不关注来了些什么人,但念曾却密切注意,紧跟采访。于是,徐迟、张锲、柯蓝、王愿坚、雁翼、郑小瑛、刘文西、王酩、蒋大为、王铁成、关牧村、刘长瑜,甚至台湾的张香华,都在他的笔下出现了,有的还摄有照片。由于念曾热心宣传文化艺术,数年下来,他已成为文化艺术界人士的"记者朋友"。无论是本地的还是外来的艺术家在深圳举办书画展、音乐会、歌舞表演,他都常被邀参加。在新闻报道之外,念曾也常造访一些名家,作些特写。这些通讯和特写,不仅使深圳人更多地了解这些艺术家和艺术作品,并为深圳营造了一种文化气氛,使深圳人在这种文化氛围中,潜移默化,渐生出精神家园之感。

念曾不仅对写艺术家有热心、恒心,而且颇具匠心,对意象经营十分经心。要以极少篇幅写出每个艺术家的风采,不仅要掌握艺术家的整体,而且要抓住每个人的特征。念曾访刘白羽,突出了他的"激流勇进";写冰心,突出"一片冰心在玉壶",对人充满爱心;访徐迟,写他"并非迟开的花朵";写魏巍,说"延河在他心中流";写王愿坚,"重走长征路";都抓住了各人的特征。全书百多篇,分成《诗书篇》《翰墨篇》《管弦篇》《遐思篇》四辑。读来,觉得丰富多彩,既为我们提供了文化艺术的珍贵资料,本身又是优美的散文,直接给予我们美的享受。

平生读书逐文心,特区依然觅诗魂。念曾在内地一直关注文化艺术,到特区依然执着于文化艺术,倾注着他的爱心。念曾写艺术家,不是应付差事,也不是冷漠照相,而是渗透了他对文化艺术的真挚感受,对艺术家的热爱。在所有艺术部类中,念曾对音乐情有独钟,因为音乐是所有艺术中最富感情性的。他采访王酩、郑小瑛、姚关荣、关牧村、邓韵等,文中都浸透着作者的深厚感情,使我们读后深受感染。

深圳人来自四面八方,各自带来了过去所受的文化熏陶。只是埋怨深圳的文化积累不深不广,这无补于事,不如面向实际,为文化发展做些实事。念曾写出了那么多的散文通讯,把"艺术家的脚步"留在了深圳,供我们回味,引发我们反思,激励我们前进,这不正是对深圳文化建设的一份贡献吗!

为《艺术家的脚步》所作序
1997年夏,深大新村

商潮声喧犹著文

从四面八方来到深圳的文化人真不少，但来后真正专心从事文化事业的却不多。来自浙东会稽的任宝根，笔名玉艮，到深圳后就一头扎进了宣传出版行列，为别人审改文章，自己又执着笔耕，5年中写了好几本书，实在难能可贵。

玉艮编著的书，涉猎甚广，政治的、历史的、经济的、社会的等，视野开阔。但对文化，却是情有独钟，时有谈论。近年，他把谈及文化的文章作了梳理，分类成集出版。日前，他把与人合著的一部书稿《文化咏叹录》送来，我得以先睹为快，略抒己见。

这是一本谈论祖国文化的散文、随笔、杂感的选集，共收入百篇，约20万字。其中，有些篇文还得过全国、省、市的颁奖。他把百篇文章分为四辑，涵盖了文化评论、说文解字、文史知识、文苑览胜诸方面。

浏览一下全书，给我的印象是：作者文化底蕴厚实，知识面甚广。中国汉字知多少？千年古桥何处寻？中国的历史文化名城有多少？中国有哪些名山、石窟、名寺、文庙、古塔、金殿……书中都有所阐发，饶有意趣，引人入胜，吸引人要入乎其内，弄明究竟。

然而，对我说来，最使我感兴趣的，还是那几篇谈论深圳文化的文章，颇能引发我们的思考。

作者借三文友元旦聚首而大侃深圳当下的文化。一个说，深圳十大文化设施拔地而起，电台、电视台、剧团、报刊、出版社相继设立，比内地的大城市毫不逊色；大中小学幼儿园、各色歌舞厅也算上乘，真是多姿多彩，斑斓夺目，哪里是文化沙漠？一个则说，深圳文化拥有些硬件，却缺软件，深圳还是没有自己的文化。回顾一下，香港人来的时候，带来了对岸的居住文化、饮食文化、服饰文化，在高楼广厦的上面,透过钢筋水泥筑成的森林,夜夜输送莺歌燕舞的空中文化;在层层高楼下面,用港币铺了一条光明灿烂的"钱途",催出千街万巷梨花开的街头文化。然而,深圳自己的文化呢?而另一文友又进了一步,说深圳还是有自己的文化,那就是杂文化,文化博览。深圳文化还处在流变和发展之中,还没有定型;"杂"也是一种特色,至于将来如何发展,就需要深圳人自己用心去栽培了。这三文友的议论,颇能反映出深圳人对深圳文化的不同看法,启发我们作深层次的思索。

有时,作者对深圳的文化现象直接发表自己的见解,有自己精辟独到的评论:深圳人买书量居全国第一,深圳图书馆读者之众为全国之首,深圳文化市场创新亦为全国之最,但文化精品却逊于内地的文化名城。有论者云:只因为没有文化大师落户。玉艮对此,不表苟同:引来文化大师,深圳就能出文化精品?不见得。大师出精品,除个人主观努力外,还有客观环境、外部条件的制约,社会、人文、政治、生活的条件都在起作用。生活是文化的土壤,即使引进文化大师,对深圳的生活土壤也有个适应、熟悉、充实、积累的过程,也不一定立竿见影。深圳倒不如靠自己,在自己的土壤上培养自己的人才。这就要在深圳真正尊重人才,做一些实际的工作,抓一些实事,诸如津贴、福利、住房等,为培养自己的文化大师多创造一些条件。千万不要让有用人才,一进特区,就不再关注,无人过问,任其自流了……

这都是从实际出发的议论,有感而发,颇有见地。

此外,书中还有尖锐抨击"伪文化"、"吃文化"、"叵测之'礼'"等短文,揭露了披着文化外衣的假、丑、恶,一针见血,切中时弊,读来使人感到正义凛然,回肠荡气。

玉艮从小就在文化气氛甚浓的浙东历史文化名城长大,深受传统文化的熏陶。少年从军,却并未投笔,辗转十多个省市,文化视野更加广阔。转业后又入高等学校执教、编书,更加专注于文化教育。就是到了深圳,也坚持读书、写作。商潮喧闹,深圳的诱惑多多,然而玉艮夫妇以"淡泊名利,不虚度光阴"自勉,执着于读书著文,为特区的文化建设贡献自己的一份力量。

商潮声喧犹著文。这种对文化的执着精神,令人敬佩,不正应引起我们的珍视吗?

       为《文化咏叹录》所作序
       1997年深秋,深大新村

青春多美妙

郁秀的《花季·雨季》是一部饶有兴味的小说。它把我们吸引到一个生气勃勃、年少青春的世界中,让我们深深感受、体验到新一代人的青春年华和平常心态。

这使我们自然而然地联想起王蒙当年的《青春万岁》,充满理想的青春气息扑面而来。《花季·雨季》展现了青春的美妙,带来了新一代的青春理想。然而,世界毕竟已从20世纪50年代发展到90年代,新时代的创作有了不同于过去的时代特色。同样闪耀着青春的光芒,《花季·雨季》不像《青春万岁》那样慷慨激昂,奔放高亢,而是像涓涓细流,缓缓而来。

细细体味小说,感到有如下三点特色:

一是朴实。

小说没有波澜壮阔的场面、起伏跌宕的情节、曲折离奇的故事,而是朴实无华地展示了一群来自祖国四面八方的特区少男少女的普通日常生活:听课、自修、讨论、考试、郊游、军训、勤工俭学、社会实习等等。平淡无奇,语不惊人。但作者对同龄人的内心世界有着深切而丰富的体验,所以在这些生活情景的描写中,能深入人物的精神世界,展示少男少女的心灵历程、精神面貌,烘托出特区少年特有的生活气氛。郊游梧桐山、军训伶仃岛、知识竞赛等场面的描写,都给我们留下了深刻印象。

全书虽没有集中笔力写出主要人物,但通过少年群象的心灵展现、生活气氛的烘托,使我们感受到:这新一代,不是迷惘的一代、失落的一代,更不是垮掉的一代,而是独立思索、充满希望的一代。

二是真诚。

作者自童心看世界,从少年特有的纯真心灵出发看待周围事物。

全书洋溢着热爱生活的真挚感情。志高才大、一心要奔清华的陈明，深沉稳重准备回上海读书的欣然，多愁善感、想当作家的晓旭，能歌善舞、想当演员的刘夏，胸怀宽广、助人为乐的萧遥，对这些众多人物，作者都倾注了深情。就是对那无心读书、一心想发财的余华，作者也看到了他心灵的闪光，善良的本性。即使对那只知背诵条文、枯燥无味的"马列老太"，当她在菜市为生存而奔忙时，作者也表示出深切的同情。

小说向我们展示了生活的美好，并让人真诚地相信未来会更加美好。结尾，同学们在海边聚会，高唱"明天会更好"，洋溢着青春的欢乐，对未来的憧憬，流露出一片真诚，令人感动。

三是清新。

这部小说，写得像一首散文诗，诗意盎然，爽朗清新。小说没有回避生活中也有的烦恼，诸如学生的早恋，父母的婚变，出国的失败，但却以一种乐观的心态，泰然处之，给人以生活的启示。学生早恋，令人担忧。但书中不是简单指责，而是以一种平常心坦然相对，把它转化为一种美好的心灵体验。晓旭暗恋班主任，萧遥暗恋肖竹，欣然暗恋萧遥，都是早恋，但他们都只是把爱慕珍藏心底，顶多通过日记、书画而加以诗化、升华。这不是粗俗的情欲，而是纯真、美好的感情。出于对异性的崇敬、敬佩之情，默默注视着对方，悄然而生爱慕之心，引发出一种精神力量，鞭策自己，自我完善，朝真善美的方向发展。书中描写一个爱情讨论会，热烈、真诚、坦然，带着幼稚和偏激，但决不流入粗俗，耐人深思。课堂讨论上，大家热烈谈论流行爱情小说，畅所欲言。他们抨击琼瑶小说，才子佳人，大同小异，落入俗套。他们肯定三毛的作品，既有生活的和风细雨，又有人生的大起大落；既有生活的感性认识，又有人生的理性探讨。这些议论，都给人以清新之感。

写及婚变，小说也有独到之见。活泼开朗的刘夏，面临父母婚变，却能以平常心处之。她觉得父亲和任姨的酷爱艺术，情投意合，没什么不好，反倒劝自己的母亲主动离开，好说好散，顺其自然。柳清的姐姐，为追求享乐，抛开好友，到国外投向洋人怀抱，结果被人抛弃，最后醒悟："什么都是假的，只有正正经经读几本书是真的。"人生尽管有烦恼和忧伤,但生活还是充满了希望。整部小说充溢了这种清新的诗意。

　　作者郁秀在创作这部小说时是20世纪90年代初,还不到18岁。从20世纪70年代到90年代,我看着她长大。先是在北大时,在她父亲郁龙余那里常见到这对双胞胎姐妹,那时郁秀还小。改革开放之初,龙余和我一起来到了深圳大学。郁秀那时10岁左右,就跟着父母一起来到深圳大学,从小学、中学一直到大学,10多年在深圳度过,和特区一起成长。后来才到美国去求学,没有留在国内。但她年少时的这10多年,深圳正处在伟大的变革之中。特区第一次创业的新鲜生活,激发了她的创作冲动。正是生活使她感动,小说表达了这种感动,使我们亦受感动。尽管在艺术上还有待进一步成熟,然而,小说里所表达的这种对生活的真切体验和感受,不正是艺术之所以成为艺术的根本所在吗?

为《花季·雨季》而作
1998年初,深大新村

追寻心灵自由

特区成立没几年，也和内地城市一样，有了专业作家。那时深圳，有5个专业作家，全是女的，被大家称为"五朵金花"。彭名燕是老大，李兰妮最小，夹在中间的两个，年龄相仿，都是深圳本地人，我认识得较早，一个叫黎珍宇，一个叫张黎明。那是20世纪80年代初期，黎珍宇还不到30岁，张黎明也才30岁多些，风华正茂，我参加过她们的创作研讨会。但我在20世纪八九十年代都在忙教学，写的也是理论教材。她们的作品很多，来不及细读，更顾不上撰文评论，因此，我内心总觉得有些抱憾，想找一个机会能够补上。

我和黎珍宇更熟些。她在20世纪80年代末到90年代初，曾跟随我读过3年研究生，攻读文艺学、美学课程。后来全力投入文学创作，不时还和我联系，谈一下她的创作状况。但在1999年，我就不知她的去向，一年多失去了联系。去年秋天，珍宇打来了一个电话，告诉我说：她去加拿大走了一阵，又去欧洲转了一番，看了看欧美世界，最近回到深圳。千好万好，不如家好。加拿大亲友劝她留在那里，但她觉得，那里可以短期住住，却不能久留，更不能定居，还是要回到这里，才有家园之感，灵魂方得安宁，心才踏实。这次远行回来，哪儿也不去了，要潜下心来，安心写作。

我一听，心里感到这是她人生路上的一个转折关头。一向在追求心灵自由的她，那颗心，终于落了下来。无论在香港还是在海外，她都有不少亲朋好友，对她的人生抉择时常发生着影响。这次她去加拿大，是她走得最远的地方，靠美国最近。在体验、观察、感受了一番那里的生活之后，很快就断定，还是深圳才是她最适合久居之地。她终于回到这里，要精心经营自己的精神家园，我当然为她高兴。就在她回来不久，她和张黎明携手合作，着手写一部两人对话录《种金花》。一写完,黎珍宇就把这部书稿送到我手里,使我得以先睹为快,并且写下一些我的感受,也了却我的一个心愿。

珍宇、黎明的《种金花》,以两人通信对话的方式,道出了这两位女作家的成长过程、创作道路和人生探索。从垦荒岁月到寻根求源,从小荷尖尖到跨越黄河,从扎根本土到漂洋过海,从用脚书写到体验世界,从封笔危机到金花烂漫,两个人的对话,敞开心扉,无所不谈,充分展示了她们的内心世界、心路历程:追寻心灵自由,提升精神境界。

这是两个经历相似而又个性各异的女性作家。她们的创作都扎根本土却又异彩纷呈,各自为特区的文学做出了独特的贡献。

她们风雨同舟20年,最早相识在特区成立前一年的秋天。那时,深圳还只是宝安县的所在地,处在前现代的一个边陲小镇,没什么像样的街道,深圳戏院、新安酒家、华侨旅行社并称是镇上的三大建筑了。珍宇、黎明当时是两个业余作者,在文化馆初次相聚。珍宇在卫生院从医,推行计划生育,却醉心于写作。黎明则从佛山调到宝安,在建材局当秘书,也在业余写作。两个人一见如故,情投意合,从此成了知心朋友。她们是特区文化事业的开荒牛。特区成立后,决定筹创《深圳特区报》,她们就一起参与了筹建,从事采编。等特区报大楼建成,黎明却又转移阵地到《特区文学》去拓荒了。1985年,深圳市文联成立文学创作室,她们又加盟这里,从事专业写作。就在20年前,她们两人首次合作,以"黎黎"的笔名,合写了《新年舞会》一文,由此展开了她们各自的丰富多彩的文学创作活动。

从事专业写作之前,她们两人都只是写短篇小说、报告文学、散文。但在成为专业作家之后,她们就都转向中、长篇小说的创作。珍宇开始了长篇三部曲中的第一部《再见,船长》,黎明则写了《我的一只眼睛没有流泪》。进入20世纪90年代,她们两人都进入了创作的高峰期。珍宇出版了三部曲中的第二部《生命的湖》、第三部《无土流浪》,发表了《这里没有红灯区》《女子公寓》《高楼净土》等六部中篇小说。在香港回归前夕,她又出版了长篇小说《界河儿女》。黎明在澳门回归前后,一鼓作气,连续出版了好几部长篇小说:《走出边缘》

《濠镜是家》《阿木夫人》。

珍宇从小在深圳长大。黎明祖籍深圳,虽在广州、佛山成长,但在20多岁就又回到深圳。因此,她们两人都很熟悉深圳的风土人情、山河城镇,写来都栩栩如生。她们的创作,洋溢着浓烈鲜活的本土气息,渗透着历史悠久的岭南文化特色。她们热爱生活,直面人生,对家乡充满了感情,钟情于文学创作。但她们的创作有着不同的风格,具有不同的创作个性。珍宇生性好动感情,黎明却习惯冷静观察。珍宇的创作,充满激情,慷慨陈词,而黎明却善客观叙述,徐徐道来。珍宇的创作风格,奔放热情,黎明却刻画细腻。这种差异,在这本《种金花》中,也有着鲜明表现。

珍宇一向心高气盛,一心要为本土作家争气,曾热烈响应过文艺"粤"军"跨黄河、过长江"的号召,一鼓作气,在1985年初的《小说界》发表了《石上藤》,接着又在北京的《人民文学》发表《异形鸟》,然后又在鲁迅文学院研修时奋笔疾书,"亡命写作"三个月,一举完成第一部长篇小说《再见,船长》。按她自己的说法,她的"天真激情"喷发而出,不可遏止。但黎明对"跨黄河、过长江"的号召并无热情,冷静处之,尽管她在1984年已于上海《萌芽》发表过《旋》,1987年又在北京的《当代》发表过《驼背鲸的歌声》。她很镇静,知道"真正的好文章不在乎发在何处",发在上海、北京的也不一定好。她自己坦陈:"我写作的冲动和热情不在乎一个很有鼓动性的口号。"她也不在意有些人贬低"土著作家",听后只是付之一笑,不放在心上。

她们两人在特区都经历了许多"第一次人生体验",感受到不少"第一次心灵震撼",有感而发,都把自己的"体验"和"震撼"在自己的创作中表达出来了。但珍宇的表达,热情洋溢,直抒胸臆,充满了对人生的美好期盼。她对生活一直抱有理想,始终不渝地相信,作家应该是"人类灵魂的工程师"。因此,"在任何情况下,都不丢弃我们的精神追求,用我们的头脑和手,写下我们的所见所想,这是很现实的理想与生命的实在追求"。她快人快语,实话实说,在她笔下,一直流淌着心中的这股热情。但黎明却说,她和珍宇不一样,能保持着"冷",对这世上的一切,喜欢"冷冷的比较"。她对珍宇直率地说:

"我们这两个人,人们常常把我和你弄混。其实,我们两人心里都清楚,我们多么不一样。你不怕矛盾冲突,常常把问题挑明了说,你的观点好像一把刀子,一刀子下去就要出血,二刀子下去就要砍成两半,砍成肉酱。我表达能力比你差多了,想好了也说不出的时候很多,心里不同意你,也懒得说,回避矛盾。"

她们两人都珍惜人生、重视自我,早在改革开放之初,就以一种女性的敏感,开始探索人生,寻找自我。黎明比珍宇大5岁,她的"自我骚动"要比珍宇来得早。还在1987年,黎明就去了澳大利亚寻找"自我":"我什么都没有明白就开始寻找了,国外是一个幻想,好像那里真有一个'自我'等着我去寻找。"可是,她在澳大利亚住了半年,心里若有所悟:"我其实在做一个梦,可自己并不知道自己在做梦。"澳大利亚已很现代化,朋友夫妇开动了活动游车,带她在海岸漫游,亲身感受了这个现代化的世界。这里,"个人"、"生命"受到了高度重视,珍惜生命、尊重个性,给她留下了印象。她在这里亲眼看到从孩提时代就进行的"生命教育",也去老人院感受到老人晚年"无限舒展的生命活力"。但是,黎明懂得了:这些"个人"、"生命"终究是"他者",并非"自我"。她在异国他乡还是没有找到"自我":"我一直都很迷惑。我满怀希望来到这个别人的国家,不停地走,不停地看……很多新奇的地方、很新奇的感受。不过是走罢了,新奇罢了,还是没有找到我以为可以找到的东西。那个我还是我,心里的困惑并没有减少。我并没有找到一根定海神针,把自己的困惑定住。"她住在一个远房亲戚家里。一个20世纪50年代的中国大学生,开国初期因出身不好,夫妇俩远走他乡,来到澳大利亚定居,开了个中餐馆。苦苦经营30年,尝了无数艰难辛酸,心里却还怀念着祖国,不忘文化之根,家里珍藏着四书五经、文化书籍。这倒好,黎明在这异国他乡,反而有了机会读起在国内没有读过的中华典籍来。这一来,却唤起了灵魂深处深埋着的民族感情。而从那深圳寄来的亲友书信,更激起了归去来兮的迫切心情。当初,黎明和珍宇告别时,珍宇问她:"还回不回?"黎明真诚相告:她自己也不知道。如今,半年不到,她心里已经明白:"我知道我要回去,我的心想回来。"终于,黎明回到了她思念的深圳,心静似水。她深深体会到，异国他乡虽好，但这里没有"自我"落脚之地。"自我"不在别处，"自我"只在自己心里。于是，黎明在深圳安下了自己的家，静心写自己的作品，营造自己的精神家园。正如她自己所说："回来以后，我不再躁动不安……从1987年开始，我终于停下来了，安静地看书看人看事。"

珍宇也在寻找自我，却一直在中国大地上发展自我。要到20世纪末，她才跑到欧美去体察一下那个世界。那时，她已过了不惑之年，比黎明晚了10多年。在改革开放的火潮中，她和深圳一起成长，扎根本土，诗情满怀，全身心投入了文学创作，在创作中发现自我，以作品实现自我，没有想过去海外寻找自我。她的第一本诗集，就叫《女性的发现》。20世纪90年代初，她的创作业绩已得到国内文艺界的认可，被广东推举到北京参加全国青年作家会议。次年，又曾浪迹西北，花了数个月的时间去河西走廊、戈壁沙漠、喀喇昆仑、交河古城，行走于青海湖畔、天山脚下。回来后，诗兴勃发，不仅完成了《无土流浪》，而且献出了诗集《拥抱自由》，抒发了内心深处的"真实欢欣"，享受着本真的心灵自由。她也去过几次香港，那是在香港回归之前，为了创作长篇小说《界河儿女》而去体验生活、搜集材料。这是部浓烈散发深圳乡土味的新乡土小说，诉说着深圳儿女的历史。但因写小说，珍宇却也熟悉了香港，这东方之珠，现代化国际大都会。在那里，儿时的许多朋友又得重逢，相互诉说着自己的人生道路。于是，珍宇写下了广受好评的中篇小说《你我相逢在香港》。在这里，她坦陈了对这现代化都市的真实感受："我明白了我们这一群人与香港那一群人的差距。有钱人的精神及时间都被金钱利益及长远目标占据了，他们不可能剩下什么时间和心灵的空间给友谊与情感；而我们，准确点儿来说，是穷人们对将来不抱什么希望，所以比较看重曾经拥有的一切。我们除了这时的友谊还拥有什么呢？真的一无所有。"流露出来的，虽也不无有些自嘲，但对这五光十色的"购物天堂"，并无多少向往。她不想为物欲所累，甘愿在深圳安贫乐道，抒怀写作，享受那心灵的自由。

然而，过了不惑之年的珍宇，面对现实中的一些矛盾，不免又困惑起来。正在走向富裕之路的这个边陲小镇,在向现代化迅猛奔跑的路途中,诸多西方的"现代病症"却已悄然袭来,再添上中国特色。资本原始积累初期的那种争斗、狂热、欺骗、贪婪、浮躁、庸俗,都扑面而来,打破了她心灵的宁静,激起灵魂的颤动。世界究竟怎么了?难道现代化必然要以精神的堕落为代价?于是,她要像德国哲人尼采那样,"不仅用手,也用脚书写",亲身跑到外面的世界多看几眼。1996年,她先是跨过鸭绿江,来到朝鲜,感受了一下那个民族的吃苦耐劳精神。然后,在1999年远渡重洋,飞到加拿大去探望亲友,体会一下中西文化的差异。她享受到了大洋彼岸的新鲜空气、物质富饶和人烟稀少的乐趣,然而,却也体验到了内心深处的一种远离他乡的孤独,文化隔离的困惑。她在那里,就像断了根的浮萍,灵魂没有着落。她深深地感悟到,自己的根在深圳,是那生她养她的家乡。尽管海外的亲友早已向她招手,要她去异国定居,但她始终没有动心。她这次远行反而懂得了,"留在中国不是滞留,而是为了根深叶茂的扎根行为。中国的土地和中华民族虽然创痕累累,但她自有修复创伤的能力"。于是,她回到了深圳。次年,她又去了一趟欧洲,绕了大半个地球,登上了巴黎铁塔,回来后纵声歌唱,写了一首《巴黎的晚霞》,呼唤出:"不再期待,不再彷徨,这不是麻木后的冷漠,而是扎扎实实的坚强。"经过这番"灵魂的挣扎",珍宇不再困惑,不再犹豫,真正潜下心来,"扎实地活,沉稳地写,平静地叙述"。她要"好好地认识世界,探索人性和理性",创作激情又再焕发,从此再也不言封笔。

　　作为女人,珍宇和黎明都不约而同地异常关注着女性的命运。对她们说来,发现自我,就是发现女性。她俩都乐于把自己的创作归入女性文学。也是,珍宇的许多中篇小说,几乎都是在探讨女性的自尊、自爱、自立、自主、自强。《这里没有红灯区》《面对破碎的妻子们》《独行女人》《宇宙从不解释》《恕我不陪你洒脱》《亮丽而暗淡的游荡》《再生禁忌》等等,都在诉说着女人的命运。她的长篇三部曲,则更是充分展示了女主人公争得自由的心路历程。蓁儿在遭受婚姻重创之后,和男人平静分手,不去仇视男人,也不憎恨世界,而是平静地走向独立自主,走自己的路,"守住本土,守住自己,守住一点灵魂的纯真"。

从黎明笔下的人物看，黎明最熟悉的也还是女人。她周围有很多相识的女人，她们的种种命运，常引发自己的创作热情，"我内心深处常常有一种诉说的冲动"。她的小说《我拥抱太阳》《如果我不是女人》，都是在思考女人如何获得精神自由。她那富有时代气息、表现特区初期创业精神的长篇小说《走出边缘》，也不时出现女性形象。她的《濠镜是家》，更是通过三个渔家女李娘、银娣、阿娇的三代人的命运，围绕"家"的变迁展开故事，反映了澳门的百年沧桑。对女性形象的刻画，细腻如丝，悲愤似潮，引人入胜。前年出版的长篇小说《阿木夫人》，则干脆集中笔力，专写女人的命运，发人深省。女主人公泊儿，一个现代社会的女性，有丈夫，有孩子，有房子，有物质享受，有现代生活的一切。可是，一股什么都没有的那种痛苦，却无声无息地渗透全身。她不甘心一辈子就窝在男人的硬翅下讨生，仰仗鼻息，听任摆布，当个阿木夫人。好不容易离了婚，找到了一个可以相爱的男人，生了孩子，可又失去了工作，只能整天在家侍候当经理的男人，和男人的情妇、妓女打麻将打发光阴，用男人的钱赌输赢。她终于不能忍受这醉死梦生的生活，最后走出这个生活圈子，和少年女友筠一起开了一个小小的"女人书屋"，可以在这里读书，又可自己看书。这小小书店，就像为自己点燃的一盏灯，盼望能明亮自己的心灵，获得精神的自救。

她们俩都写女性，但女主人公的命运，在她们的笔下，却有不同的安排。黎明笔下的女人，常常在内心憎恨男人，但又无可奈何。泊儿去开了书店，却并没有彻底冲出婚姻，完全逃出家庭，而只是在家庭之外，另找书店这一场所，求得精神慰藉。可在家里，她还是"阿木夫人"、"经理太太"。而在珍宇笔下，女主人公却是冲出了家庭重围，逃出了婚姻圈子，独自走向社会，寻找自己的新的独立之路。这反映了珍宇、黎明在女性、婚姻、家庭问题上的观念差异。

在黎明看来，女性虽有弱势，但"女性的生理弱势蕴藏着男性不可企及的优势"。只要女性真正能在精神上独立，意识到自己在这世上具有男人不可替代的优势，就能以"自己的独特方式和男人并驾齐驱，由此与男性构成了强弱交替的生命格局"。而现代女性的真正弱势，恰恰正在于女性意识的弱化，不能自尊、自重。所以黎明呼吁，女性要在精神上坚强起来。在这世上，"最美丽的无疑是一个站立的女人"。女人能孕育新的生命，这是女人最宝贵的财富。黎明自豪地说：如果下一辈还让她选择，"我依旧会自然而然指着一个孕育过生命的女人"。"生命令一个女人成为真正的女人，还有什么作品比这一生命的作品更值得骄傲？我认可这样的生存事实，然后欣然接受它。"黎明以为，女人有做女人的乐趣："身为女人的我，有种种的痛苦，可我从来没有羡慕男人。"

可珍宇有时却会发出愤慨，为什么自己生为女儿身，而不是个小子。在这个世上，受损害最多最大的是女人，甚至，现代女性也被爱情逼进了困境。因此，她以为现代女性不要太相信爱情、婚姻和家庭。"唯一的出路是：女人们觉醒罢，和男人同步前进，对爱情一视同仁地把它看作是随意的、自然的产物。"在她看来，婚姻更是迟早要退出历史的社会现象，谁也挽救不了。她劝告世上女子："如果你们谁想满足生育本能，满足成为伟大的母亲的愿望，那么你就必须认真地结一次婚，因为，只有这样才能提供给一个后代正当的生存理由。"但是，"如果你准备为爱情结婚，那就必须抱定必死的、凤凰扑火般的决心，而且还要准备好自我救生的方法，一旦婚姻触礁，及时逃生，在体无完肤加上拖儿带女的悲惨状态中，保护好美丽的心态和健康的身体"。在这"单身贵族"、"单亲家庭"越来越多的深圳，珍宇之说，恐非奇谈怪论，说不定还是超前意识。但是，在现实生活之中，真正以爱情为基础的，或根本没有爱情的婚姻和家庭，仍然会存在，这就是历史的真实。

她们二人创作的女性文学，富有深圳的本土特色，也在不断触及现代生活中的矛盾，因而在文坛独树一帜，为特区文学做出重要的贡献。女性文学，如珍宇所说，"也许是比较沉稳的一块艺术的审美保留地"，值得继续挖掘。但她们在继续探索女性命运的同时，也在不断超越女性世界，关注男性和女性一起生活着的共同世界。从加拿大归来，珍宇再接再厉，完成了一部长篇《中国的珍珠玫瑰》，写三个人（两男一女）的人生道路，从多伦多之夏、北京的冬天，再到春天的回归，把个人的命运和时代的变迁紧密联系起来，反映出历史的巨大变化。还在1997年，她就曾想构思一部百万字的长篇《猎鱼之城》三部曲，反映深圳在现代化过程中各种人物的命运。如今，她正想作进一步的思索，完善这部长篇。黎明则想构思新的长篇，通过数个客家家族的兴衰，反映出深圳的百年沧桑，怎样从古老的岭南小镇，发展成今天的现代化都市。她说："不急功近利，不浮躁，慢慢地酝酿，有目的地搜集素材，一旦成熟就动笔。"

随着现代化进程的加快，精神生产也越来越走向商品化，为金钱而写作的写书人越来越多，而为生命而写作的人还有多少？珍宇、黎明仍然执着于文学创作，为了自己的生命更美丽而写，想把人间的真、善、美的根留住。这精神令人敬佩。珍宇说她之所以坚持写作，是要把"灵魂打造出美丽光芒"。黎明说她坚持创作20年，绝不是为了"玩"一把，而是出于她内心的需要，像呼吸一样，自然而然，是生命的自然流露。因此，她的创作，绝不"偏离人性"。这种为生命的呼唤、心灵的自由而写的态度，值得珍视。不错，作家、艺术家也要生活，必须有钱。但写作不能只为了钱。马克思说到英国作家弥尔顿，他的《失乐园》可以在市场上出卖五磅钱，但弥尔顿之所以创作，乃是"出乎同春蚕吐丝一样的必要而创作《失乐园》。那是他的天性的能动表现"。作家、艺术家要面对现实世界，只有对这个世界有着真实而深切的感受、体验，才转化为内心世界的有机成分，创作时才成为天性的能动表现。我衷心期待珍宇、黎明既能深切体察世界，又能完善把握自我，把自己对这世界的感受和体验，作出诗意的裁判，按照美的规律表现出来，为特区文坛做出更大的贡献。

为《种金花》所作序
2001年夏，深大新村

细语娓娓阐大义

我虽然也偶写散文,但常看的还是人文论著和中篇小说。我不喜欢那些卖弄典故、故作高深的"雅文"。只有对生活有深切感受的作品,才能引起我的兴趣。

收到林祖基送的《微言集》,我先看序言、篇目,顺着次序读下去。不料,一读就不可收拾,思路不知不觉就跟着走了。我的心扉被打开,深深地激起了共鸣。

读完后的第一印象,感到《微言集》要比作者的前两本书《海边絮语》《窗外世界》更加精彩,凝结了他对人生的领悟,赞扬了可贵的人文精神。

书中收入了祖基到深圳后10多年来所发表的杂文、随感,还有一些政论。他1981年年末从海南来深圳,从事政务,当过主管文化教育的副市长,以后又任市政协主席,却笔耕不辍,后又参加了中国作家协会。我要比他晚两三年才从北京到这里,当时文人不多,我和他以文会友,所以较早就相识了。他为人平易近人,和蔼可亲,谈笑风生,颇有文人的风度。文如其人,他的杂文朴实无华,语不惊人,细细道来,娓娓动人。微言,本是他的笔名。此次用"微言"来命名自己的杂文集,乃因自感言微,影响微弱。其实,这是自谦之辞。我倒觉得,这"微言"二字,却道出了自己的艺术风格:平易近人。

然而,就在这"微言"之中,作者却释发了"大义":鞭挞邪恶,伸张正义。细语涓涓,娓娓动人,引向一个总主题:否定假丑恶,肯定真善美,从而,使人提升到一个高尚的思想境界。

全书78篇,有的漫话人生,有的管窥世事,有的辨析是非,有些是圆梦拾零。作者生活在特区,和大家同呼吸、共命运,密切关注着现实的发展,如他自己所说:"风声雨声笛声铃声声声惊心","焦点难点冷点热点点点费神"。有深切的体验和感受，有感而才发，所以言之有物，有的放矢。给我印象最深的是他对不正之风的抨击，文化教育的关切，人生世事的感悟。

对于屡禁不止的不正之风，平民百姓深恶痛绝，愤愤不平。但义愤只是人民意愿的表征，必须采取实际措施，才能解决问题。人民的公仆是怎么想的呢？平民百姓自然很想知道。

书中有很多篇抨击不正之风，旗帜鲜明，且有中肯剖析，显然比义愤多了许多理性的思考。

作者区别了不同情况，分析根由，对症下药，逐步解决。在社会上发生的丑恶现象，诈骗盗抢、奸淫宿娼之类，自然要坚决清除，同时要花大力气刹住党内歪风，铲除腐败。割除毒痛，务须坚决，绝不能以"下不为例"来搪塞，刮骨才能疗毒。腐败并非绝症，关键要下决心，治标更兼治本。从根本上来说，要建立有效机制，教育大家真正树立"为人民服务"的观念。"当官不为民做主，不如回家卖红薯"，过去的清官，还懂得当官"为民"。可是现今有些当官者，自以为当官就高人一等，可以享受特权，作威作福；而人民只是"子民"，只能靠当官者施恩。对此，作者鲜明地提出：官贵民贱、官为本位的特权思想，亟待破除。作者自己长居官位，而能道出如此精辟的见解，足见其胸襟胆识，实为可贵。

为官不正，常犯二忌，一曰弄权，二曰恃势。对此，书中有一针见血的分析，入木三分的抨击。弄权，就是玩弄权术，以权谋利，利用手中的权力，变换手法，窃利抢权。恃势，就是仗势欺人，以官压人，凭借权势，欺压平民。作者深刻指出，弄权，恃势，可能得逞于一时，但大浪淘沙，终究要被历史所淘汰。他当时还处高位，就为自己规定了座右铭，用于鞭策自己，那就是："得势莫仗势，失势莫附势，为富莫不仁，贫贱莫移志。"

深圳是一个机遇、诱惑、陷阱同时并存的地方，为官者如何自律、自持，不受尘埃半点侵，千万要谨慎小心。稍一疏忽，一失足成千古恨，悔之晚矣。从长远考虑，还是要全面提高干部素质，作者在半年多前就提议：实施一项"干部形象"工程，如何？把全面提高干部素质作为一项系统工程来建设。这实在是既有针对性又有预见性的明智之举。

提高人的全面素质，核心当然是树立正确的世界观、人生观、价值观，但这要从提高教育水平、加强文化建设着手。作者自己从事过文化教育工作，在深圳又曾主管文化教育事业，所以，对特区文化教育有着特殊的关切。

书中不时谈及德育、智育、美育等问题。他指出教育有自己的规律，与经济规律不同，必须尊重教育规律。深圳不少家庭已由小康而富裕，可是对后代越来越娇生惯养。针对时弊，作者提出，有必要搞点磨难教育，磨练意志，使后代茁壮成长。"梅花香自苦寒来"，坎坷，也是一笔财富，经历磨难，愈挫愈强，反而能百炼成钢。但教育的内容、方式、途径丰富多样，音乐、美术都应发展。作者常听音乐，就感受到了音乐的潜移默化的巨大力量。音乐，不仅陶冶情性，净化灵魂，而且可使人相互协调，目标一致。各个乐器各异，演奏相互配合，却能浑然一体。这种感受，比常人又深了一层。作者看过不少国画，感到千篇一律的多，大多是松鹤梅菊、山水仕女、奔马猛虎，当然也能给人美的享受。但作者进一步，提出自己的困惑：国画能不能有更多的创新，反映当代生活？作者的敏感，一下子就触及了国画创新的难点。真是当局者迷，旁观者清。

"鼓励读书，崇尚进步"。作者自己爱读书，更鼓励大家读好书。他推崇好书是"人类进步的结晶"、"攀登知识高峰的阶梯"、"通往成功彼岸的桥梁"。正是这样，作者称赞深圳的读书月，读书俱乐部为推广好书所作的努力，肯定"传播文化，服务读者、鼓励读书、崇尚进步"的宗旨。

也许是我自己爱好哲理，所以对作者因感悟人生而发的人生哲理最感兴趣。我以为，这是书中最精彩之处。

人生在世，不仅要生存，还要发展，更要完善。社会要完美，个体也要完美。作者先从个体生命说起。生命在于运动，但运动也要自我协调，求得动态平衡，个体生命失去平衡，身心就要受损。作者从切身体验中悟得：生命在于运动，健康在于平衡。依我说，不仅养身如此，修性亦需平衡。推而广之，处世治国也都需要和周围世界求得动态平衡，人和人要建立和谐关系。

人要活动，又要平衡，求得协调发展，就必须掌握好"度"。作者以为，凡事有变，要掌握好度，这是为人处世的一种学问。有度，就是要尊重规律，实事求是，把握分寸，恰到好处。人是有理性的动物，要懂得自我调节、身心和谐。若无节制，片面追求享受，暴殄天物，挥霍无度，反而害了自己。凡事都要适度，过犹不及，甚至走向反面，"真理再往前一步，就成了谬误"。其实，人和环境要建立和谐关系，也要掌握"度"，盲目开发，砍伐过度，浪费资源，破坏环境，人与自然关系失衡，受自然惩罚的还是人自身。由此，作者又对人们常谈的"心想事成"这一说法作了分析：若是"心想"的，不符合事物的发展规律，不符合人民的意愿，那"事"就不可能"成"。我们心里应多想对人民有利、符合社会发展规律的事。

人从大自然中来，又回大自然中去，长寿虽也能活过百岁，但在社会上活动，也只有数十年时光。世事纷繁，人生有限，只能有所为，有所不为。对于世上有些事，就要糊涂些了。郑板桥说难得糊涂，淡泊名利，超然物外，这种糊涂难得。但是，人生在世却不能一味糊涂，对有些事，就要是非分明，不能糊涂。作者鲜明地指出：为人要处世有度，该糊涂时且糊涂，应分明时得分明。难得糊涂和是非分明是一种既对立又统一的辩证关系。那么，什么该糊涂，什么应分明呢？作者明确指出：明大义、识大体，大事不能糊涂，小事则应糊涂。涉及国家、人民的大是大非，决不能糊涂；而对那些鸡毛蒜皮，生活琐事则应糊涂些好，不必斤斤计较，小题大做。

这些精到之论，确是从作者自己大半生人生经历中感悟出来的人生哲理，也是作者所追求的人生境界。

由这种精神境界出发，祖基一直珍视中华民族优良的人文精神，在特区发展过程中，十分重视人文建设。当深圳要向现代化国际性城市这一目标前进时，他响亮地提出：开拓、创新、团结、奉献这一深圳精神,乃是二次创业的精神动力和源泉。对此,我深有同感。精神文明建设,不仅只是社会主义现代化的必要手段,而且是社会主义现代化的目的和表征。高扬深圳精神,这不正是二次创业的精神动力和力量源泉!

为《微言集》而作
1997年春,深大新村

鞭辟入里发人省

我和文友相识,大多是先见其人,后读其文。但我与田升,却是先见其文,后识其人。

一年多前,看到田升的长篇小说《办公室主任轶事》,就被深深吸引,一口气读完,感到深圳文坛正需要有这样的讽刺作家。到见面,没有想到,他给我的印象,却是个文质彬彬、敦厚豁达的长者。真是一见如故,倍感亲切。

今冬,我读到了他的讽刺新作《办公室主任咏叹调》。这是田升的"办公室主任"三部曲中的第二部。从他对假、丑、恶的鞭挞中,我又一次看到了那颗执着追求真、善、美的善良的心。

我理解作者的心。正当有些作家耐不住寒窗的寂寞而弃文"下海"之时,久在商潮的田升反而闭门提笔,写起讽刺小说来。而其笔锋所指,竟是鞭挞商界、官场中的歪风邪气。这需要足够的胆识,无私才能无畏,支持着这种胆识的,是作者那颗渗透着社会良知的"公心"。对于社会上的不正之风,作者深有痛切之感,犹如骨鲠在喉,不吐不快,形诸笔墨,乃成讽刺。中国向来有为鲁迅称道的"以公心讽世"之作,田升的讽刺作品,正是这种优秀文学传统的发扬。

要把生活中得来的深切感受用艺术形象表现出来,胆识之外,还需要有才情,善于把生活转化为艺术。田升熟悉商界和官场的生活,但他能入乎其内而又出乎其外,进行反思。因而,他的作品,并不是真人真事的实录,而是经过了艺术概括、夸张,通过典型化进行艺术的创造。田升在自序中说得好:"我从办公室主任的视角出发,竭力猎取那些相关联的、习以为常的、以至于司空见惯而又极易被忽视的事件,加以充分地提炼,表现我要表现的主题。我认为这是个独特的视角,至今尚未被作家们正儿八经地开拓和挖掘。我确信,通过这视角让人们看到的将是一个广阔的世界。"

真的,我们在生活中已经熟视无睹、习以为常的一些现象,经过作者的艺术点化,就为我们展现出了五彩缤纷的艺术世界。就说开会成灾,这在生活中已是司空见惯。列宁时代,著名诗人马雅可夫斯基就辛辣讽刺过开会迷,受到列宁的高度赞扬。半个多世纪过去了,咱们中国也曾三令五申,号召精简会议。但开会之风仍然没有刹住,有时还愈演愈烈。田升新作有好多篇讽刺开会成风,从办公室主任的视角出发,揭示开会成灾:"会海"浪费了人的精力,消耗了宝贵光阴,消磨了人的意志,扭曲了人的本性。真是鞭辟入里,发人深省。

尤使人感到精彩的是那为开幕式摆座位而绞尽脑汁的篇章。部里下令要在特区召开一个学术研讨会,将有100多人参加,清一色局级以上干部。这可忙坏了办公室的人员,上上下下,从早到晚,安排接待,忙到半夜,筋疲力尽。但最伤脑筋的还在后头:为明早开幕式摆座位。这摆座位非同小可,已成了专门学问:座次学。办公室主任从切身经验中悟到:"座位是身份和权力的象征,只有排好了座位方能显现官级和尊严,方能心安理得,理直气壮,方能一好百好,大家都好,方能各就各位,秩序井然。"可是,上面开出的名单,需在主席台上就座的就有70多人,怎么安排得开!难怪那个大学数学系毕业、对高等数学驾轻就熟的刘秘书,愁眉不展,煞费苦心,剪了数十张纸片模型,不时组合排比,换了几次座形,熬到天亮,才弄出个眉目。

读到这里,我忍不住拍案叫绝!写得真是淋漓尽致,入木三分。这不仅触动人心,而且引人深思。文山会海排座次,乃由形式主义作怪,自不待言。更深一层,这也是官僚习气渗透和扩展的结果。使人哭笑不得的是,"官本位"向各个角落渗透,连学术研讨也不能幸免。既是学术研讨,自当尊重学术,请学者、专家当主角,洋溢学术气氛,树立学术权威。开起会来,学者、专家围桌而坐,相互切磋。若需上台,也只是参与学术主持、学术发言、学术评议的少数几个人而已,其他人等,尽可坐在台下倾听。这本已形成国际惯例。但这样一来,是不是丢了中国"特色"?政要大员岂不掉了身价?这倒未必。我永远记得,20世纪80年代前期特区草创之初,曾在深圳大学开过几次国际学术会议,均未有过摆座位的苦恼。1986年在海外华人文学国际研讨会上,我陪着市长、副市长梁湘、邹尔康坐在台下听国际著名学者、作家发言,只是学术主持人在会上介绍时,他们才站起来向大家致意。市长梁湘说自己只是爱好文学艺术,并无研究,来听会只是学习,听专家、学者对文化艺术发表意见。他的话却赢得了来自美、英、法和中国台、港、澳许多著名学者、作家的真诚而热烈的掌声,会后成为美谈。可惜,只过去数年,这种场面就难得再见。常见的却是主席台上黑压压的一片,按官阶大小密密排列,电视、报纸上出现的,亦只是达到一定官阶的政要大员。我想古人所说的礼贤下士、不耻下问,不管是出于真意还是故意标榜,是不是要比那尊官卑学、居高临下者的文明程度要高些?因无研究,不敢妄断,只是想及至此,乘便一提。

田升新作中能触发我们深思的,还不止这些篇章。他笔锋所向,公款吃喝、挥霍浪费、弄权徇私、争名夺利,都有触及,而且耐人寻味,新意迭起,在笑声中不断引发读者深省和反思。

这39个独立的篇章,相互呼应,贯通一气,构成一个艺术整体,有着统一的风格,那就是寓庄于谐,幽默风趣。对该鞭挞的,辛辣讽刺,不留情面。但也是对事不对人,不涉个人恩怨,透露出与人为善的真诚,使人读来亲切温馨,感人至深。这需要作者有高尚的精神境界。面对人生,作者不仅严肃认真,而且达观洒脱,相信人间的卑下、丑恶必将制服,世界定会更加美好。

深圳文坛并不寂寞。但深圳人忙忙碌碌,熙熙攘攘,能静下心来构思长篇的不多。田升却能忙里偷闲,精心构思,创作他的长篇小说"办公室主任"三部曲,实为难能可贵。更令人高兴的是,已经问世的第一、第二部,田升以其幽默、诙谐的风格而独树一帜,自成一家,为深圳文坛增添了光彩。只要再接再厉,扬其所长,我相信他的第三部必能更上一层楼,取得更大成功。

为《办公室主任咏叹调》而作
1994年初,深大新村

艺术人生何所求

彭名燕这几年常去香港体验生活，我以为她的《大腕》要写香港了。不料她说：不是。她写的是北京影视大腕的生活。我心里为她既喜又忧。喜的是，这是她最为熟悉、感受最深的生活。她入乎其内又而出乎其外，必会写出引人注目的新意。忧的是，那些影视大腕，早已把自己，或被别人炒得沸沸扬扬，连"绝对隐私"也已公之于众，现在还能写出什么新鲜来？

但是，我看完她的《大腕》后，这种担忧就烟消云散了。读着读着，我就沉浸在她所创造的艺术世界之中。这又一次证明了这样的艺术规律：艺术的成功，并不仅决定于写什么，更重要的在于如何写。

《大腕》并不是影视大腕个人私事的实录，而是艺术的创造，其中有作者的艺术概括和人生思考。在这部长篇小说中，名燕仍然发挥了过去那种善于写人物和故事的艺术才华，在艺术上精益求精。首先，小说刻画了一群活灵活现的人物，有老一代的电影大腕陈轶夫，有中年一代的许巍、曾凡、于飞飞，有一代新秀妮子以及更年轻一代的钱梅莹，他们都给我留下了印象。其次，小说中不时出现一些颇为精彩的故事，引发我要看个究竟的兴味。比如，妮子和丁光明、许巍和白丽云、钱梅莹和汪美霞、曾凡、于飞飞都有一些吸引人读下去的故事。

这里，我要着重提出的是第三点：正是在这部长篇小说中，名燕在艺术构思上花了更多的匠心，比以前更多注意了"意象经营"。她下了功夫，努力把这些人物、故事织成一个艺术整体，按照艺术法则、美的规律做出艺术的概括和诗意的裁判，从而展示了新时代影视大腕们的不同人生追求，叩问了艺术人生的意义，对人生的价值作了新的阐释。正是这样，《大腕》的艺术境界得以提升。

小说不是泛泛地描说大腕，而是在特定的时代背景下，围绕着"下岗"这一特定的历史事件，展开影视大腕们的人生追求。随着艺术市场的兴起，艺术大锅饭再也吃不下去了。人们奔向电视剧、歌舞厅，摇滚乐，大众文化兴盛起来，电影却萎缩下去。堂堂京都电影厂没钱拍片，一年只有10部拍片指标，干脆把厂标卖给香港人、台湾人、外国人去折腾，靠着厂标拍卖和发行分成，养活着泱泱大厂的2000多人。谁有什么本领，谁能另找生路，那就各奔东西，各显神通罢了！于是，一向吃惯了大锅饭的电影演员，纷纷走出大门，另谋生路。说来也奇，没有几年，到了20世纪80年代末，演艺界刮起了一股买车热、别墅热。北京三四十岁的电影演员差不多都有了车，电影厂大院里的车辆琳琅满目，都快装不下了。一些老演员们不由得睁大眼睛惊呼：哪来的钱？后来才慢慢弄懂："年轻人鬼得很，上得了天，下得了地，演员可以当场记，可以当剧务，可以到外地打工，可以到企业蹭活，可以单打，也可以双打，可以当爷爷，可以当孙子，只要肯干不怕掉价。"

　　等到老一辈大腕觉悟，也就立即投入行动。早负盛名的电影大腕陈轶夫，过去参演过50多部电影，演谁像谁，个个精彩，一句"猪尾巴的功能"著名台词，轰动全国，家喻户晓。如今电影不景气，风光不再，难道艺术生命从此结束？他不甘心。虽然已六十有八，他带着中年骨干许巍、曾凡，还没有成名的青年妮子，拉住一个投资商，决心要拍一部电视剧《下岗大腕》，重新焕发自己的艺术生命。不料这是圈套，奸商圈了钱就逃之夭夭。无奈，陈轶夫被《恩怨父子》剧组请去要和自己出了名的儿子陈超夫合作。偏偏，名声已盖过父亲的这位名腕和自己的父亲合演，怎么也入不了戏。导演为了赚钱，宁愿舍弃父亲而换了别人。于是，陈轶夫被丁光明请去歌舞厅和妮子等一样去当客串。但是，大腕不死心，不服老，不时在寻找新的机会，想把《下岗大腕》拍出来。经过多少波折，大腕终于抓到了一位大款，暴发起来的农夫赵万山出资，总算实现了陈轶夫的这个梦想。但是，当这一鸣惊人的电视剧要送到深圳参加国际电视剧交易会的比赛时，陈轶夫却把自己主演的两集抽了下来，为的是能保证年轻一代妮子、钱梅莹得奖。当他的妻子颇不理解而责问他时，这位艺术大腕平静地说："最后的晚餐如果只有一片面包,我吃了别人吃什么?"他把这最后晚餐的一片面包让给了年轻人。

他要在艺术中实现自我,焕发新的艺术生命;然而,他又愿为培育新人而牺牲自我,使得人类的艺术生命之火,燃烧得更旺。这,就是名燕眼中的老一代艺术大腕的人生追求。

这种对艺术和人生的执着精神,不仅在老一代,而且也在中年一代的艺术大腕中发扬光大。梦寐以求早买好车的许巍和他的嗜车如命的妻子,得到加拿大华裔富婆的白丽云的馈赠,对名车爱不释手。但是,当白丽云向许巍表明爱意,要许巍跟她去加拿大做3年伙伴和情夫,许巍内心波澜起伏,无所适从。最后许巍还是如实告诉了妻子,把名车还给了白丽云,自我得到了解脱。他还是陪着自己的妻子过着平静的生活,跟着陈轶夫拍摄《下岗大腕》,为艺术而涓涓流出生命。另一个中年大腕曾凡,一向以演英雄人物著称的正派人,为了《下岗大腕》的成功,甘愿牺牲一头美发,剃成光头。在拍摄中,被冷水淋,遭热水烫,受伤卧床也不叫苦。那个演女主角的台商之女,不愿与他配戏,拼命挤对他。曾凡从剧组的整体利益出发,还是主动引退,牺牲自我。名燕对这些人物形象,既写出了他们的可笑,又写出了他们的可敬,没有简单化。

我忍不住还要说一说妮子这个人物形象,因她写得比较丰满。《下岗大腕》刚要上马时,妮子还是一个只想有个配角当当的小人物,谨小慎微,受人欺侮。是已经出了名的丁光明帮她进了歌舞厅,在老前辈陈轶夫的支持下,发奋图强,以自己的艺术实力战胜了对手"野猫",很快成了当红歌星。可是,当她再次投入《下岗大腕》担当重要角色时,就显得趾高气扬,不可一世,对于后起的钱梅莹更是颐指气使,不屑一顾。屡弱退让的钱梅莹忍无可忍,终于在深圳参赛的酒店里觉醒:文艺界的大腕是什么?"是大众情人,说得俗气点是大众宠物。来纠缠妮子的人,特别是几个爱她崇拜她的男人,眼睛里流露的神情就像在欣赏一只美丽的波斯猫。大腕的可悲就在于,一半是人,一半是商品。"于是,她起来反抗妮子。在陈轶夫的教育下,高傲的妮子终于反思,觉悟到"真正的大腕不仅仅是要戏演得好,更重要的是人要做得好","如果没有诚实的品行,没有博大的爱心,你戏演得再好,也只是个不完美的明星"。最后,她和钱梅莹握手言欢。这是妮子的新的人生感悟,也是整部小说的灵魂所在。

  为了艺术的进步,高扬人与人的和谐相处,这是《大腕》的基调,因而作者的笔力不是放在暴露影视界的黑幕。即使是在讽嘲于飞飞这种大腕的荒唐生活时,名燕也露出了微笑,写出了于飞飞对妹妹的爱,以及对前夫和丈夫的宽容和解:和为贵。这是否也是彭名燕自己做人为艺的基本准则?我看,她所真诚追求的,正是和世界建立自由和谐的关系,笑对人生,乐此不疲。

为《大腕》而作
1999年秋,深大新村

千载难逢只一回

百年沧桑，香港回归，多少人的历史命运发生了变化，牵动了多少人的心。

已在深圳生活了10多年的吴启泰，根据他的切身感受，把香港回归这一历史巨变看作是一件百年的盛事。在他看来，这样的事，一个世纪难遇到一次，真是千载难逢，非大写特写不可。于是，就在回归前夕，他为文坛献上了一部50万字的长篇巨著《千年等一回》。和小说同名的电视剧，亦在同时推出，引人注目。

我先看到了电视剧，觉得感人。然后又看了启泰送来的小说，仍然被小说所深深吸引。

小说着力描写的是一对恋人的悲欢离合，生死爱恨，故事曲折动人，一波三折，本身就感人肺腑。但启泰并不满足于构筑故事本身，而从故事引发，拓展意蕴，使艺术境界升华。突出的印象有二。

一是把人物的命运和社会历史的变化紧密结合起来，从而使这动人的故事有了宽广、深厚的社会历史内容。

一条小小的河流，深圳河，流过一小村庄。河上一座小桥，把两旁的村落连成一片，世代都是一村人。英国用武力强租了河南边的那片土地。于是，以河为界，一个村庄分成了两片，河的北边成了红泥村，河的南边成了黄泥村。但是，河流割不断两边情。这里有那边的人和地，那边也有这边的地和人；那边的女人嫁到这里来，这边的女人嫁到那里去。村民、亲友常来往，于是就有了故事。北村的木根，南村的阿秀，从小一块放牛玩爬荔树，红树林里捉迷藏，青梅竹马，两情相悦，本应成为一家人。却不料在那艰苦岁月，两边关系紧张，阿秀不由自主被迫嫁给了同村的江家老大。此人丑怪不说，人品更差，吃喝嫖赌，为非作歹，走私贩毒，抢杀警察，远逃东南亚。阿秀受尽欺凌，幸有木根不时越境过来相会,才坚持活下来。一天,江家老大偷渡回港,发现木根、阿秀相好,就拔出砍刀,要杀木根。情急之中,阿秀一棒,失手打死了那个烂仔。本要入狱,当局意外发现,她已怀有身孕,得以免予入狱。但她的命运又落入江家老二这个香港毒枭的魔掌之中,历尽磨难,几经周折,才从香港逃到美国,流落他乡。

小说始终把人物的命运放在特定时代中来展开,因而具有社会、时代特征。阿秀怀的是木根的骨肉,但生在那个时代,骨肉三口,流离四散。木根不知阿秀的去向,不知自己的儿子是谁,见了亦不相识。在三年困难时期,木根参了军,复员回村,已是"文化大革命"的灾难来临,等待他的是坎坷的命运。只有迎来了改革开放的新时代,才有了崭新的命运。

小说给我的另一印象,作者在展示人物命运时,将对人生意义的思索紧密结合起来,从而可以发人深省,进而领悟人生的哲理,给人启示。

阿秀在美国帮厨打工,历尽艰辛,好人得了好报,继承了华裔丈夫的事业,拥有了财富。但她始终忘不了在祖国的木根和不知流落何方的儿子。欣逢改革开放,她就回到香港,想到家乡投资。木根在村里,也为村民办起了股份公司,经常出入深港。历经20年沧桑,这对恋人又见面了,双方有了事业上的合作。阿秀已成了亿万富豪,但她始终以为,这是身外之物。使她梦萦魂牵的,还是要找到失散的儿子,和木根一起过一种平静安逸的日子。唯有真情才最可宝贵,然而,要获得真情是多么不容易!木根的父亲说得好:"人就是这么怪。过去穷得不能再穷,也有许多乐趣;现在富了,富得不能再富,却仍然有许多说不出的烦心。"

最后,阿秀和木根终于生活在一起,儿子也相认了,可是,阿秀却患了白血病。木根的儿子全心全意为她奔走,她总算活下来了。从此一家人过着宁静的、平常的生活,圆了年少时代的青春梦。

启泰为这种真挚的爱情深深激动,在小说的卷首诗中这样歌颂:

等你等你等着你,
等你千年,天荒地老心不死,
等你万年,血枯泪尽女人河。

为《千年等一回》而作
1998年夏,深大新村

有感而发诗常新

我和钟永华在同一年到深圳,和特区同呼吸、共命运16年,因而,读他的诗,感到特别亲切。这位军旅诗人一踏上这块热土,就诗兴勃发,诗思连绵,好诗不断涌现,诗集一本接一本。所出8本诗集,约千首诗篇,大多乃来特区后所作。

在20世纪即将过去,钟永华亦近花甲之时,他对旧作加以精选,加上近几年的新作,共200首诗篇,编成《梦回相思林》两卷,由花城出版社出版。这就使我得以全面体验一下诗人数十年来的心路历程,对他的诗歌的艺术特色也就有了一番整体感受。

真情自然流

世上写诗人真不少,但真正视写诗如生命的却并不那么多。永华是那种视写诗为生命的诗人。对于他,写诗决非可有可无的摆设、卖弄语言的玩意。写诗,是他必不可少的生命活动,生命的一种存在方式。正如他在《自序》中所说,他的这些诗"伴随着我在一条革命的人生道路上跋涉着,探索着,追求着,前进着"。他把"整个身心和灵魂,都渗透在由自己构筑的精神大厦里"了。

正因为他写诗是生命的真诚投入,因而,他的诗是他对人生的真实体验,真情的自然流露。

钟永华生命中最美好的青春年华,从20世纪60年代初期到80年代初期,22年过的都是戎马生涯。收在"戎马走笔"和"伟人风范"中的诗篇,留下了他生命中的第一串脚印。

他的诗,是以追求崇高、雄伟起步。1962年夏,他在海南入伍当海防哨兵写的第一首诗《海湾》,面对滔滔南海,心潮澎湃,豪情满怀地写道:"我怀抱大海进入梦境/梦中,我遨游海天/呵,我变成了一只鹰。"诗人像雄鹰一样,飞翔在海南、西沙、广西、云南,又越过洞庭湖、大别山,最后落在特区。边关、海防、丛林、山寨,栉风沐雨,历经沧桑,激昂的战斗生活激发出来的诗篇,洋溢着对于崇高、雄伟、壮美的追求和向往,今天读来,仍然令人振奋不已。35年之后,当钟永华重返海南三亚参加世界华文诗人笔会时,就情不自禁地在《寻找》中写道:"我又回来/回到这庄严的哨位/我静静地回味着,寻觅着/寻回了我生命里的第一行脚印/寻回了我作为战士的歌手/的崇高、尊严和忠贞。"读到此时的诗,我不知不觉也产生了共鸣和同感。

这种来自生活的炽热的激情,在到特区以后的许多诗篇中,仍然在自然流淌着。一到这块他所熟悉而又陌生的地方,他就放声歌唱:"新城,我来了,向你致敬!"当夜晚来临,"我站在五十层大厦上眺望",过去的边防小镇,在他面前展现出另一番景象:"望不尽呵,灯的花海,灯的波浪,我的心升腾着扬起高高的风帆/我的歌颤动着像梦幻却又豪放。"18年前,诗人曾在此站过岗放过哨,如今,一夜间崭新的城市横空崛起,"当我跃上云霄展眉远眺呵/眼前铺开了多么壮阔的前景"。

但是,随着岁月增长,钟永华来特区后,诗风正在悄悄地发生变化,逐渐由激昂奔放转向厚重深沉。诗人愈益重视对特区生活的独特体验和对人生的感悟,更多关注透视特区人的心灵世界,多了对于人的命运的思索。钟永华在回忆为何会在特区写出那么多的诗篇时说道:"因为这块土地上的丰富多彩的斗争生活,以及建设者们的憧憬、悲欢,以至于金色的梦在感染着我。……我随他们一起,在一条风风雨雨、坎坎坷坷的路上走着,和他们一起痛苦过、悲伤过、欢乐过,也和他们一起思考过、渴盼过、祈祷过。……置身其间,常常有一些东西在触动着和撞击着我。又常常在夜深人静闭目孤坐时,冥思中会有一些场景、色彩和好朋友的音容在眼前浮动着。"诗人密切关注着特区拓展者、开荒牛的足迹和命运,不管是从军营中跑来的,山谷中出来的,还是从天涯海角走来的,"推着板车,挥着铁镐/踏着夯声,驾着吊塔／踩着泥泞,披着云彩／一步一步地走着,走了三千多个／尘沙与血汗、云雨和阳光、迷雾／和昱月交织的昼夜"。来自四面八方,五湖四海,在这里搏斗了10年。"而今,你在哪里? 是在低洼的／山岩? 还是寥廓蓝空?"(《生命的诗行》)诗人心中有着深深的牵挂。

作为特区人,诗人和普通人心连着心,为别人的乐而乐,为别人的忧而忧,心灵相应。在《舵》一诗中,他对在特区几起几落的拓荒者表达了崇敬之情:"在云烟雾海,在波峰浪岩中／抛来抛去已伤痕累累,却更显得突兀和峥嵘,你始终没有沉没也不会沉没／是你始终把生命的舵／掌握在自己的手中。"一群来自海南的黎族姑娘,在这里搏斗了好几年,又要回到那天涯海角了,诗人为她们送别:"街上的每棵／小树都轻摇着淡淡的忧伤。"

意蕴求深广

在特区,生活越深入,感受越丰富,钟永华的诗路越来越宽广,诗的意蕴也越趋深广。

读万卷书,行万里路,这也一直是钟永华的追求。读万卷书是为获得间接经验,而行万里路则是取得直接经验,直接经验和间接经验两相融合、相互碰撞,迸发出艺术火花,意蕴才能深广。钟永华在戎马生涯中一直不放弃这种追求,到了《特区文学》当副主编,就更孜孜以求。他读了更多中外名著、诗论美学,而且走的地方越来越多,不仅遍访名山大川,感受大好河山,而且跨出国门,走向世界。见多识广,视野开阔,使他的诗界大为拓展,写下了不少山水风情诗和海外风情诗,有了另一番气象,进入了另一种境界。

还在20世纪七八十年代,钟永华虽在军旅,已为祖国河山所倾倒,写过不少山水风情诗。花溪、黄果树瀑布、三峡、武夷山、太湖、惠山,所到之处,有感而发,都留下不少诗篇。在特区经历了数年紧张生活,一旦逃离樊笼,就更体会到山光水色、宁静生活的可贵。于是,赞美祖国风光的诗,如泉而涌,越写越多,1992年就已成集《梦笔生花》。此后,又写了不少,笔中意象,遍及石林、澜沧、金陵、北国、姑苏、扬州,诗情也更浓了。

在这些山水风情诗中,钟永华特别追求美的意境。他在《梦笔生花》中说过:在写这些山水风情诗时,和以前写军旅生活、特区生活的诗,心境有所不同。以前写诗,"胸中时常会卷起一层层涌动的波澜,有时会兴奋得彻夜难眠。而写这些山水风情诗的时候,心境却显得非常轻松宁静,缕缕云丝,潺潺溪水,蒙蒙烟雨,以及那些绿树、云崖、奇花、异草、曲道、陡径会伴随着我"。诗人暂时逃离开那喧闹嚣尘,回归大自然,"沐浴在那些山光水色,不仅会净化你的灰尘,充实你的心灵,且会还给你青春的活力,优美的情思"。诗人既向往崇高,又追求优美,他的诗也就日益丰富多彩。

我饶有兴味地注意到,钟永华在近几年又创作了不少海外风情诗,我读到的就有近50篇,仅稍少于讴歌特区之作。而这些诗篇的笔触所及,也都是我曾去亲自体察过的地方,因而特别引起了我的兴趣。

钟永华来特区后的第一次出境就是到香港。他那时是怎样一种心情?第一步跨过深圳河,"我的心抽搐着,抽搐不停","惶恐?欢愉?疑惑?还是兴奋?/难以言表呵,只觉得眼前飘忽不定"。对于诗人说来,那是神秘的世界。以后,诗人又去过泰国、新加坡,诗里的感受逐渐发生变化。10年之后,诗人的足迹走得越来越远,先是到欧洲,法国、德国、荷兰、比利时都去体察过了;后来,又去感受美国、加拿大。在诗人面前呈现了另一个世界,感悟万千,浮想联翩,诗意不断,于是写下了不少新的诗篇。

诗人初次踏上欧洲土地,"已是暮色苍茫/苍茫里,看不清山光水色",古老的莱茵河,如梦如幻,诗人此时"只觉得远山烟雾缥缈处/有隐隐的教堂钟声"。这钟声唤起了诗人的想象,文学大师歌德的意象,贝多芬的名曲《月光》《命运》《田园》都浮现在脑海中,和莱茵河的美景融成一片。诗人深情写道:"而今,我来到大师身边/掬几滴水珠呵,触到了一颗/跳动在滴滴里的灼热的灵魂。"走一趟欧洲,不只是一次美的享受,更是一次灵魂的洗礼,使自我的灵魂得到升华。

诗人深有感触地说:"而今,当我话别你的时候／顿觉得／灵魂里有新的源流奔涌／生命里有新的血液搏动／……胸壑豁然宽阔而亮远。"(《梦般的莱茵河》)

读着钟永华的这些海外风情诗,一股暖流在我心里淌过。诗人的那些感受,我在走过那些地方时也曾体验过,因而深深激起我的共鸣。可惜,很多感受,我当时未曾来得及细细写下,只留下断断续续的一些散记,聊供今后追忆。钟永华的诗使我重新体验到了这种感受,再次获得独特的审美享受。

构思更精美

当我读完钟永华的诗集,心里突然感到一阵惊异,感叹人的心路历程,有时竟会那样惊人的近似。经历了大半人生,体验了人生艰辛,在跨入"知天命"之年,虽然还在密切关注当下现实,继续扩展自己的视野,体察更大的世界,同时,不知不觉地会越来越回忆起过去。岁月匆匆,故乡变得越来越遥远,然而,童年、故乡在心中的分量,却反而变得越来越重。

钟永华的故乡情结,随着年岁的增长越来越浓重。还在1992年就开始写"故国纪事",到1995年就出版了诗歌专集《故园魂》,回忆童年、故乡。钟永华是从粤东出来的,他在自序中写道:"离开故乡36年了,离别的时间愈长,家园的影子却愈加清晰。"依我看,对童年和故乡的回忆,不只是缅怀过去,更是对人生自我的一次新的审视,在回忆中对人生的意义有着新的感悟,恰如钟永华所说,"感受得到一些恒久的人间价值和生命真谛"。所以他十分珍视"故园纪事",从《故园魂》中精选了32首,放置在全书的最前列。

我看完《故园纪事》,再和《特区早春》《山光水色》《海外风情》等系列联系起来思考,我更深切地感到,钟永华的诗,是他人生道路的真实反映,又是按照美的规律的创造。他写诗是诗人天性的自然表现,但要写得好,却必定要经过辛勤的劳动。钟永华写诗,既是真情流露,又经精心经营,两者紧密结合,浑然不分,宛若自然天成。

怎样才能把自己的丰富的人生感受转化为优美的诗篇,这需要精湛的语言,更需要精心的构思。钟永华深深懂得,有了读万卷书、行万里路的功底,还需要不断耕耘、精益求精、创新求美。

钟永华写诗,一直注意追求能创造出优美的境界,写景和抒情力求和谐统一。后来,更善于将叙事和写景、抒情融为一体,开拓新的诗境。当诗人漫步在特区花圃为眼前美景陶醉时,笔锋一转,很自然地转向花圃的主人,过去的军旅老友、特区的开荒牛,禁不住赞叹他,"浑身燃烧着滚滚热血的壮汉,怎能流溢出如此优美的诗情?"(《花一样的青春》)情、景、人融成一片,构成完整的意境。当诗人在异国他乡遨游,不论是在汉堡、巴黎、康城,还是在布鲁塞尔、纽约、华盛顿,面前展现的是异国风情,心里想起罗丹、歌德、雨果、贝多芬,唤起的却是思念祖国之情,众多意象融合为一种独特的意境。正是经过诗人的精心构思,诗的境界扩展了,蕴含了深厚的历史文化意蕴。而对祖国挚爱之情,溢于言表。漫步比利时幽静小镇,看到这里也有乌篷船,立即,"使我想起了祖国的江南"。徜徉在地中海岸黄昏,传来粤曲"雨打芭蕉"声,一下就唤起了诗人的悠悠故乡情。

我喜爱他那些赞美我江南故乡的诗篇,写太湖、蠡园、惠泉,不仅再现了湖光、山色之美,而且表现出丰富的历史文化意蕴。但是,我更喜爱他"故园纪事"中的许多诗篇。在这里,过去事、故乡景和心中情,交织一起,融成一片,拓展成另一种独特的诗境,深深吸引了我。山泉、河湾、古榕、垂柳、春牛,点点滴滴融心头;祖父、父亲、养母、姐姐、乡亲,更激起无限思念。但是,"故园纪事"并不只是停留在缅怀过去、不能自拔。诗人对童年、故乡的缅怀,更加激发大家更勇敢地走向未来。在《登高》一诗中,诗人回忆少年首次登上村上最高峰,第一次体验到山外有山,天外有天,于是"就从这里启程/跋涉于水水山山",开始了人生旅程。五十而知天命的诗人重返故乡,再登山峰,感慨万千:"七月嶂峰少所游/似梦似醉一瞬间。"如今,征程仍未停顿,"我仍在登攀着/重抖少年气盛/向着更高亮点"。

钟永华以诗为生命,写诗成为终身事业。不管商界如何喧闹,他都能静下心来，笔耕不辍。他的诗，早年受惠特曼、聂鲁达的影响，又不断从古典诗词汲取营养，不忘艺术创新。更重要的是，他始终扎根生活，关切人民。为有源头活水来，有感而发诗常新。

为《梦回相思林》而作
2000年春节，深大新村

人生变幻何本真

张俊彪的长篇小说《幻化》写了三个省委书记的不同人生。它运用了许多新的艺术手法,诸如心理分析、自由联想、内心独白、时空倒错、追忆梦幻等,使人物立体化起来。而给我印象更为突出的是:小说在对人物作心理分析的同时,充分展开了人生哲理的抒写,深入揭示了不同人生的价值意义,从而使小说具有了深层意蕴。

整部小说,把这三个层面的叙述结合起来,融为一体:一是人物的当下活动;二是人物的大量回忆;三是对人物的心理分析。无论是在不同层面的描写中,还是在对不同人生的整体审视中,都在表现着人生哲理,引发人们对人生意义的思考。《幻化》之所以要大量运用新的艺术手法,正是为了能更深入地揭示人生意义。

人生的变幻

《幻化》并未回避政治斗争。都是省府要员的霍士斌和何人杰的争权夺利,真说得上是你死我活,惊心动魄。但小说写这些,意在揭示人生的曲折,人性的变异,从而做出诗意的裁判。

作者张俊彪在谈到他为什么把三部长篇小说定名为《幻化》三部曲时说道:数年前看古典哲学《易经》,突然领悟,人世间的一切,都不是一成不变。或者在进化,或者在异化,或者在退化,都是在"化"。这"化",既有物质上的,又有精神上的,所以应称之为"幻化",既有形而下的意蕴,又有形而上的意味。整个人生就是一个"幻化"的过程,人性也在发生变化。人的生命活动,时而进化,时而异化,时而退化,那就要看在什么样的历史条件下幻化了。

小说《幻化》三部曲就为我们生动地展示了三个省委书记的人生

变幻。

都是西北同乡的霍士斌、何人杰、黎可夫，都是在一个小学读书，年纪也只各相差两三岁，从小就结拜了兄弟。在老师的影响下，他们又一起参加进步学生运动，然后又加入了红军，在枪林弹雨中一起成长，在流血流汗中走向胜利。那时，志同道合，亲如手足，虽不能同年同日生，但愿同年同日死。这中间，虽然相互间也时有矛盾，但面对共同的敌人，也都不时自我化解，不失去朋友之情。黎可夫年长，为人又豁达，从不和人计较，和大家相处得最好。霍士斌、何人杰喜好女色，二人还争风吃醋，但一当大敌当前，还是同仇敌忾，把疙瘩藏在心里，不破友情。

这些农民的子弟，在人民中间转辗战斗了20年，和人民同甘苦，共命运，和人民保持了血肉联系，因而能保持着朴素纯真的本色，人性向着善的方向发展。

可是，当历史条件发生了变化，这些农民子弟的人生又会发生什么样的变幻？

正是依靠了人民，经过漫长的人民战争，流淌了无数战友的鲜血，方才打下了江山，建立了人民政权。这些农民的子弟进了城，当上了省长、书记，成了封疆大吏，执掌了全省大权。他们将如何运用自己的权力为人民服务，报答人民？小说在第一卷就尖锐地提出了这个问题："在全国大大小小的数以万计的执政者当中，十有八九都是工农出身的文盲或者准文盲，进城后不少人换上了官服洋装，配备了警卫小车，也更新了身边的妻子，娶回可以给他们在许多方面做先生的妙龄娇妻，他们将如何掌管偌大的一个泱泱大国的命运呢？"

本来，这些农民的子弟在掌握权力后本不该忘记人民，牢记着是人民的牺牲、战友的鲜血才造就了他们的地位。为了人民的利益，国家的兴盛，他们应该赶快提高自己的整体素质，完善自我，适应时代发展的需要，做出新的贡献。然而，这些农民的子弟在新中国成立初期虽也为农民打土豪、分田地，为国家恢复经济而作过奋斗，逐渐，却和人民的联系越来越少，为国为民之心日益淡薄，反而相互间围绕着权力中心而展开了内部的争夺。于是，人性发生了扭曲，人生走向了变异。

已经当上省委第一把手的霍士斌，因生性固执，不识时务，得罪了两个已当上中央部长的老战友，一个姓安，一个姓杨。这两位部长不满意这个老战友，想联手除掉霍士斌，一解心头之恨，又可以对此边缘省份实现遥控。正好机缘来了，20世纪50年代末要展开反对修正主义路线的斗争，两位部长巧妙地假公济私，拉拢省里的第二把手何人杰，共同策划，虚报材料，夸大事实，把霍士斌定罪为反革命修正主义分子。因此，早在"文化大革命"之前的好几年，霍士斌已被打翻在地，削职为民，发落到平民大杂院，过着平民生活。在战火纷飞年代有点贪生怕死的何人杰，在权欲的煽动下，想从第三把手跳上第一把手的宝座，胆子陡然大了起来，竟昧了良心，为两位部长出谋划策，主动配合，把第一把手拉下了马。为避嫌疑，何人杰又故作谦让，假惺惺地把黎可夫这个不愿管事的第二把手升了上来。不到一年，早已把实权掌握在自己手中的何人杰，又巧妙地让老好人黎可夫自动离位，把自己捧上了省委书记的宝座。

有两位部长做靠山，又有夫人梅静亚的直接参政，何人杰竟能在这宝座上坐稳了20年，穿越了"文化大革命"。随着地位的变化，人性日益变异，人生不断扭曲。他在政治上越来越依赖夫人梅静亚，但在情感上去越来越疏远，只有倒在情妇华馨薇的怀抱，才感到少许安宁。而一离开华馨薇，就又为名利、权欲所驱使而无法平静。正如小说在分析何人杰的精神状态时所说："官与权，势与利，钱与色，如同鸦片，人一旦染上，便身不由己，只能沿着一条欲望的黑道滑向罪恶的深渊。"

灵魂的拷问

《幻化》在写人生的变幻时，不时深入人物的内心，对灵魂作深层的拷问。

全书着墨最多的人物是霍士斌，对他的灵魂的拷问最多也最深。

这个被打倒在地过了20年屈辱生活的原省委书记，在那平民大杂院里虽然也愤恨不平，但终究对过去有了闭门思过之心，生了愧对人民之情。所以，霍士斌在1979年初夏预感到时势将发生重大变化之前，三次走出家门，回到他农村老家，早年投身武装斗争的地方，以及因他牵连而倒闭的那个工厂。在与平民、乡亲的直接交往中，不时激发出对人民的感激之情，对过去当官时的疏远，也有了更多的自责。正如小说所写，此时，他倒也能"用一种虔诚的心态、忏悔个人在那已经成为往昔的时代里，由于私心杂念或愚昧过失所铸就的大错"。

然而，当霍士斌平反复出，重新夺回省委书记的宝座，地位发生了变化，心态也就有了变异："人性中劣质的灰色恶念逐渐啃噬着优质的亮丽善念。"当他从平民大杂院搬回首长小高楼，"内心深处沉睡了十几年的人性中恶之野兽也几乎同时纷纷出笼了，而且是在他不知不觉无意识之中出笼的。高傲的自满，空虚的自负，狭隘的恨仇，盲目的炫耀，一个农人初进城市急切享受的畸形心态，使他渐渐与周围的人们离心"。

一朝权在手，便把令来行。霍士斌先要复仇，然后是夺回一切权力和享受。他把何人杰扫地出门，赶到平民大杂院。进而把何人杰、华馨薇声名搞臭，然后把二人投入牢狱，必欲置之死地而后快。为了巩固自己的地位，霍士斌抓了两件大事：一是彻底清理队伍，把一切和何人杰黑线有牵连的人，毫不留情全部清洗出去；二是把和自己站在一起、受过委屈的人，马上起用提升。为了炫耀霍士斌再振雄风的阔气排场，在新年到来之际，他亲自安排了一个在这边疆省城空前规模的千人宴会。这千人宴会，座无虚席，大多是重新起用、提拔的老部下。"这些被霍士斌第二次从政治生命线上重新解放出来的人们，几乎都接近人生该安排后事的老境了。他们真像一群刚从山坡上走下来的还未收拾过的庄稼人，头上飘着高粱花，衣上沾着黄土，脚下糊满泥巴……凭实而言，他们的确是一群从未走进过学堂大门的人。"宴席上也安排了几个受过教育的人，作为科技、文艺界的代表。但那只是用来装点门面的陪衬，他"此生骨子眼里看不起这种人，从灵魂深处都在厌恶他们"，背地里，他骂这些人"骨髓里头都散发着一种酸臭味"。

在对这些人物作心理分析时，《幻化》并未忘记从客观上找原因:我们这个社会"忽略了社会制度的不断变革与完善,从而导致僵化,像铁锈一样在不知不觉中锈蚀了共和国的机器,束缚或梗阻着社会链环的协调运转"。我们还没有找到一种方法可以防止权力的腐败,"若没有别的方法可以将人类导入一种文明有序的良好生活状态时,人就会为了生活而损害、侵占、甚至杀戮"。但是,《幻化》的着眼点,并非从机制上探索如何改进,还是从主观上挖掘人性的弱点,作灵魂的拷问。

没有对权力的监督,霍士斌就可以为所欲为,心里的贪欲无限膨胀,开始寻找新的猎物。霍士斌刚重登宝座,和他共同生活了多年、进城才换的妻子就告别人世。大年三十不甘寂寞,他就一个人走到大杂院去找刚和何人杰离异的梅静亚。他想霸占比他小40岁的艾尼娅,没有得逞,就迫不及待地占有了40岁的梅静亚。这个歌舞演员出身而惯于官场生活的官太太,为了维护自己的权势和荣耀,竟又投向曾是前夫政敌的怀抱。从此梅静亚借助霍士斌的权势,又和他的女儿霍婵娟相勾结,利用改革开放的时机,走上了以权谋私,权钱交易的罪恶道路。霍士斌在这个"贤"内助的张罗下,全家搬进了豪华别墅,欲望越来越大。"他在世俗的欲望之海中走失了方向,迷失了心性,他却丝毫没有觉察。"

更为可悲的是,在霍士斌的心目中,江山是靠自己打出来的,理应成为这片疆土的主人,理所当然应受到最高的待遇。而站在最高位的人,当然要最受尊敬。他把高位与人格、权力与才华等同了起来,心安理得地享受着荣华富贵。《幻化》在拷问这样灵魂时说:"他个性的真正悲剧,在于他们空虚懦弱,文化知识少得可怜。"他虽然很早参加红军,但那是因为无路可走,迫不得已,只好铤而走险,投笔从戎。"在他灵魂深层的基因中,不是民族的最高利益,人民的最高愿望,而是打倒土豪地主,自己也过一回土豪地主的生活;把皇帝拉下台,自己也登一回九龙宝座的高位。"

人性的升华

人生沧桑，几多浮沉，变化莫测，何为本真？读完《幻化》，我不由自主地被带进了小说对人生哲理的思索之中。

我想起了小说中一位善良百姓宋伟告诫女儿的一番话："人世间，许多东西都是些迷惑人的浮光虚影，人应当追求真实。"他举出了财富、荣耀、权势都是虚无缥缈的过眼烟云，不值得追求。

如何评说那风云变幻的不同人生，其实普通人心中都有自己的一杆秤。《幻化》告诉我们，要用一种普通人应该持有的平静心态来看人生。在这人生舞台上，"愈是竭尽全力扮演角色的人，愈是失真；愈是淡泊、宁静、自然进入角色的人，得到的意外收获愈是丰厚"。

以普通人、平常心来看霍士斌的人生，他大半生都在追求那虚假的东西。他的"人性深层潜伏着欲望，特别面对金钱、权势、美色等等的诱惑时，常常会突然失去理智而变得利令智昏"。他相信，有权就有一切，终身都在享受着"按需分配"的当时最好供给，怎能轻易退出历史舞台？他结过好几次婚，每结一次，就要把自己年龄改小几岁，想要越活越年轻。因此，霍士斌的实际年龄已到了80岁，却还能坐在封疆大吏的位子上岿然不动，20年不变。直到自己选好了能听他使唤的中意接班人，才肯退居二线。离休以后的霍士斌，除了继续追逐年轻姑娘、修书法、练气功，以求延年益寿，还有便是舞文弄墨，附庸风雅，为自己树碑立传，请人写回忆录，出诗词选，修纪念馆，以求身后声名不朽了。霍士斌活过了90岁，去了香港，在女儿海滨别墅住了一阵。回来后对过去的人生也有了些许自我反思，带着一种孤独的忧伤，在医院中悄然死去。死时只有梅静亚、霍婵娟在身旁，其他子女都已离他而去。

那个被霍士斌打倒了的何人杰，后半生却走上了另一种人生道路。被隔离审查在囚牢中度过了4年光景，他对人生有了深刻反思，对人生有了大彻大悟。于是，何人杰离开了这个喧嚣的城市，去农村寻找他的真爱华馨薇。从此，他远离官场，重新回到人民中间，过着普通人的生活。他俩把自己的全部积蓄数万元，都献给了乡村小学。他信了禅宗,抛弃名利,走向大自然,在内心取得了和谐平衡。在年近九旬时,已在美国定居的女儿女婿接他到各大城市走了一圈,见识了西方世界。然后,他又重返故乡,在大自然中宁静地离开人世。乡里百姓没有忘记他,纷纷为他送葬。

一直不卷入漩涡的黎可夫,却有了另一种人生。身居高位的他,站在岸边石岩上冷眼旁观,躲开权力斗争的漩涡,任凭潮起潮落,你夺我争,自己从不卷入,保持中庸之道。何人杰打倒霍士斌,霍士斌又起来打倒何人杰,黎可夫心里都不以为然,但自己又能怎样呢?还是洁身自好,不去落井下石就是了。《幻化》在分析这种心态时写道:"也许,这种道家外壳儒家内核的风范,才使他稳坐钓鱼台,成了数朝元老,被人戏称不倒翁。"黎可夫处世,一切任其自然。他不像那二人,进城后就忙着换老婆,找情妇,而是和结发妻子、乡下的小脚女人平平淡淡过日子,生儿育女。老伴死后,80岁的他,娶了年轻他40岁的穆静。这个爱好哲学、艺术的终身未嫁的单身医生,被霍士斌苦苦追求而未得,却像爱父亲、又像爱恋人那样,对他付出了真心,悉心照料黎可夫走完了人生旅程。黎可夫比霍士斌、何人杰都活得长,到99岁才在穆静的照料下平静逝去。

三个人物三样人生。三种人生道路,既曲折反映了时代的历史发展,又表现了不同个体的人生追求,不同程度的人性升华。

当然,人生不是只有这三种道路。《幻化》告诉我们,这三人虽都是高官,但都不是真正的马克思主义者,并不真正懂得马克思主义,所以走了这样的人生道路。这些抱持儒、道、佛传统处世态度的农民革命家,怎样来改造这个世界,如何安排自己的生活,这在《幻化》中已有生动刻画。但是,这样的人物会如何对待社会主义现代化?黎可夫、何人杰置身事外,而霍士斌享受到了现代化的物质生活,还让妻女乘改革开放之机捞了一把。但这部小说对此只是匆匆带过,未曾着意展开,使人读后,感到时代气息稀薄,少了些时代感。在老一辈革命家中,不乏真正的马克思主义者,真诚为着共产主义理想,为了人民和民族的利益而奋斗终生。我个人当然希冀文学艺术能反映这种更高的人生,塑造出崇高的形象。但这已不是这部《幻化》所要阐释的课题。为补缺憾,只能寄希望于俊彪将来再创新作。

  《幻化》之所以能有这样深入人物内心世界的剖析,从而阐发出深层的人生哲理,这和作者张俊彪的亲身经历和学识修养密不可分。作者长期在西北生活,从部队转业后一直在省政府从事调查研究、新闻写作、领导秘书的工作,熟悉封疆大吏这一阶层的生活。正是扎根生活,熟悉人物,又有自己的真实和深切的体验,有感而发,才能写出这样的人物形象。作者入乎其内而又能出乎其外,从更高的视角来俯视人生,作者广泛接触过哲学、美学、文艺学等理论,引发起对人生作进一层的思索,对人生的体验提升为对人生的哲理思考,于是就构思了《幻化》。

  在和作者的多年交往中,我不时听得作者和我说起,艺术的创造,要沉得住气,不能浮躁,要安得下心,精心构思,方才出得艺术精品。长篇小说怎样才算精品?依作者之见:一是要有深刻的思想内涵,要有博大的思想,深刻的哲理真切的体验;二是要有丰富的人文内涵,要有厚重的历史感,广博的知识面;三是要关注人类的重大命题,诸如人性如何得到优化,亲情、友情、爱情如何得到升华。我看到,作者正在以自己的创作努力实践着。即使在8年前来到充满着各种诱惑的深圳,他也忍得住气,安得下心,终于花了16年的心血,写出了这引人深思的《幻化》三部曲。

为《幻化》而作
2000年初春,深大新村

意象俱足气韵生

著名画家王子武，久闻大名，但我在20世纪80年代到深圳来后方才见到。我们属于同辈，一见如故，相识恨晚，很快相契。谈起齐白石、王朝闻、吴冠中等名家来，话题就多了。那时，到深圳来的文人，只有数得清的几个，我俩都担着文联副主席的虚衔，倒有机缘不时见面，就熟识了。我一直尊称他为子武兄，他在赠我的画幅上，则叫我道长。其实，我只虚长他两岁，道行则愧不如他。

在北京时，我见过他画的齐白石、曹雪芹的像，真个是栩栩如生，感觉甚好，极为敬佩。那时，我写了一些谈《红楼梦》的文章，子武兄画的曹雪芹像，一下子就吸引了我，留下了深刻印象。他画的一幅97岁时的齐白石像，蜚声中外，众口赞誉。

来深圳后，我有缘看到了子武兄更多的画，对他的画也就有了更多的了解。我感到，随着年岁的增长，子武兄的画路越来越宽，题材越来越广，构思愈加精深，画品越发高超。

子武兄在北京、西安，虽然也画松柏梅竹、蛙鹊鹰鹤，但以人物画居多，成就突出。南来10年，在那碧波花园"无冬山屋"里，子武兄除画人物、松竹花鸟之外，笔锋更多接近山野林石，走向大自然的意味越来越浓。

他的画，形神兼备，意象俱足，深得国画精髓；又重素描写生，汲取油画之长，融合中西，雅俗共赏。正因为他的国画底蕴、素描功夫都极深厚，加之意匠经营，精心点染，所画的人物，形象逼真，惟妙惟肖，神态毕至，栩栩如生。子武兄的人物画甚多，仅《荣宝斋画谱》收刊的《王子武人物画》就有42幅精品。他画传说中人物，如钟馗、驱魔大师；画历史文化名人，如曹雪芹、李白、杜甫、沈括、晁衡。他画现代文化名人也不少，如齐白石、张大千、徐悲鸿、蒋兆和、黄宾虹。还画普通平民、陕北老乡、南海渔民、长安老农、凉山妇女、渔家姑娘、彝族少女、海外归侨等等，都在他笔下呈现。笔触所及，生动传神，呼之欲出。

从他的画中，我不仅感受到历史的深厚，而且体验到人生的丰富。他画李白，表现出诗人的独特气质，潇洒自如，傲然独立。一幅《李白出山》，洋溢着"落笔惊风雨，诗来泣鬼神"的气势。一幅《沈括》，表现了宋代科学家夜观天象、专心天文的敬业精神。一幅《悼红轩主》，配上题诗"有志归完璞，无才去补天，不求邀众赏，潇洒做顽仙"，使大文豪曹雪芹的精神气质跃然纸上。

子武兄作画，追求"致广大，尽精微"，画任何题材，都尽其精微，且又达致广大——视野、胸襟的广大。只有尽其精微，形象才生动逼真；只有心致广大，意蕴才深远无穷。子武兄无论是画绿竹、梅花、石松，还是画鹊鸟、雄鹰、鹳鹤，都力求形象尽其精微，而蕴涵深远广大，所以使人玩味无穷。

子武兄对绘画热爱执着，视为生命。他早年在题画诗中云："惨淡经营愧无能，枉费衣食哭无声；画不出奇画到死，不负此生了此生。"现在看来，他所说"枉费衣食"、"画不出奇"均为自谦；但精心经营、"不负此生"却是实情。子武兄为人严肃认真，不苟言笑，但谈及绘画艺术，则滔滔不绝，处处有精到之见，令人叹服。

画如其人，明心见性。"淡泊明志，宁静致远"，这是子武兄遵信的为人之道。他淡泊名利，超然物外，勿为物役，不以物累。他爱自然而然，讨厌矫揉造作，繁文缛节，所以很少出门应酬。他在一幅齐白石像上题词"越无人识越安闲"，实是自况自勉。他喜独自在家，闭门作画，在淡泊、宁静中参悟人生，寻求理想，通过艺术的创造，和世界沟通。

透过他的画，我们可以感受到世界的浩大、人生的无限。看他1972年作于西安神禾原画室的那幅《关中道上》，我也情不自禁地进入那意境之中。秋高气爽，远空鸟飞，三匹骏马，一辆粮车，两个老农，高坐粮堆，欢笑疾驰，一派丰收老农喜送公粮的壮美气势。在这里，人物、骏马、飞鸟、天空、大地，建构成一个完美整体，意境深远，韵味无穷。我以为,子武兄的这一种画路,还没有进一步拓展,尚可继续发挥,定会有广阔前景。

也许因为自己越发趋于回归自然,所以,我特别重视子武兄所作与大自然有关的画,觉得饶有兴味。传统国画,分工甚细,花鸟画和山水画早已分流。画山水者,不大画花鸟;画花鸟者,又不能画山水。子武兄擅花鸟,却能将花鸟、山水融为一体,扩大了艺术天地。《未肯平原浅草飞》的画中,一只雄鹰,高踞山巅石上,欲冲天高飞,给人壮美之感。《鹊声穿竹织新晴》的画中,一鹊居于画之中央,为特写镜头,尽其精微。但鹊非孤立,而是站立山石之上,周围则是翠竹、野草,相映成趣,建构成一种令人心醉的优美意境。《长春》画中,两只长脚鹳傲然独立,但配上树木、青草,一片生意盎然的长春景象,使人心旷神怡。就是画青蛙,他都衬以草木背景。这种画,花鸟虽然还是主体,但有山水作背景,不仅丰富了艺术世界,而且表现出更深远的人生意蕴。

我深信,子武兄如在山水画上作新的开拓,创作潜力一定很大,前途无限。数年前,在长江大坝开建之前,我们曾一起,和苏州画家亚明,上海画家陈大雨、朱青霞、夏荷英等,共登长江游轮,有好几天在游轮上共游长江三峡。一路上,子武兄不时赞叹大自然之美,画了不少素描。我走的名山大川要比他多,可惜我只会摄影,不会作画。天山脚下、西双版纳、苍山洱海、张家界、九寨沟我都去过。子武兄不大爱动,去的地方不多。这次共游三峡得以畅谈,听我说好,子武兄心有所动,说要找机会到那里写生。我想,凭子武兄那样高的品性和悟性,那样丰富的创作经验和精深的功夫,必会画出更多的惊世之作。它既是民族的,又是世界的。

为王子武画展而作
1997年春,深大新村

神采飞扬意境深

鉴赏陈士修的水彩画，真是难得的审美享受，我一下子就被深深吸引住，陶醉在他所创造的艺术世界之中，心旷神怡，流连忘返。

对我来说，士修的水彩艺术具有独特的魅力，感到特别的亲切。这不仅是因为我和他一样，对美妙的大自然情有独钟，一往情深；而且还因为，他所画的正是我很熟悉的、饶感兴趣的山水风情。在他笔下的江南水乡、湘西风情、南粤风光、荷兰街景、德国古堡、巴黎广场、西欧民居……我也都曾亲眼看见、真切体察过。那小桥流水，那渔歌水鸦，那柳林榕树，一下子就拨动了我的心弦，禁不住怦然心动。

这一切，都不是直观的再现，而是艺术的创造。士修用水彩创造出了神采飞扬的艺术世界，因而具有难以说尽的艺术魅力。

他的画，情景交融，情真意浓。他画景色，不仅画出了对象的美，而且表现出了他自己的真切体验和感受。在画面中渗透着他对大自然的热爱，流露出发自内心的真诚感情。画家自云："我酷爱大自然，它带给我灵感和欢乐。芳香的农田、盛开的小花、嫩绿的野草……将我带入一个令人神往的梦幻世界。"大自然令他魂牵梦绕，在他笔下的自然美景，也就深深染上了他的感情体验。欣赏他的《盼》《乡情》《垂钓》《江畔》，不能不为其中流露出来的真挚而深沉的情感所感染，真是一草一木总关情。

他的画，形神俱足，气韵生动。他作画，善于紧紧捕捉住对象的神韵，以形写神，用色彩来表现力度和节奏。胸有浩然正气，气足神畅，顺势而为，一气呵成。于是，那优美的形象、和谐的构图、高超的笔法，融为浑然整体，神采飞扬，气势不凡。看他的《群鹤》《老树》《早春》《深秋》，都使人感到生意盎然，韵味无穷。

他的画，虚实相生，意境深远。他的写真功底，深厚扎实，因而信笔写来，皆成妙趣。但他作画，不仅能体察入微，而且能入乎其内，出乎其外，高屋建瓴，生发开去，扩大境界。士修胸襟宽广，视野开阔，因而作画能以小见大，以实带虚，创造出来的艺术世界，意境深远。他说得好："我一生执着地追求真、善、美，也竭尽全力将这三个字融入我的水彩艺术创作中。"读他的《泊》《渔歌》《希望之光》《竹林深处有人家》，会不由自主地引发出许多遐想，使心灵净化，境界升华。

士修的画，融合中西，博采众长，而又自成一格，独树一帜。中国自有水彩画的传统，源远流长。6世纪南北朝的"没骨画"，已是水彩画的雏形，突出色彩的渲染，不留笔迹线痕。发展到明，水彩画成熟，水色交融，挥洒自如，极尽自由写意之能事。西洋水彩画则自成一体，更重光、色的自由组合，追求立体、透视，在英国有长足的发展。西方水彩画在百年前传入中国，和中国画互遇、相吸而融合，逐渐形成自有特色的中国当代水彩画。士修沿着前辈水彩画家融合中西的道路，博采众长，得国画之妙、取西画之佳，融会贯通。他努力追求，欲将水彩和水墨的笔法巧妙结合，发展创新，使水彩画湿而有骨，柔中有刚，出神入化，更臻佳境。

士修一生钟情水彩画，钻研甚深，达40年。然而，他的功夫不仅只在画内，而且还在画外。行万里路、读万卷书，士修真正身体力行，持之以恒。为了体验生活，作画写生，他的足迹遍及大江南北、海外欧陆。厚积而薄发，他的画就出手不凡，卓然一家，具有大家气派。他的画蜚声中外，已远布美、加、英、法、意、日等地，日益受到广泛的注意。作为中国水彩画的艺术大家，士修仍在不断辛勤探索，艺术发展的潜力仍然很大。凭他那股对艺术的执着精神和深厚的艺术功底，他的水彩画成就必将更加辉煌，为发展中国特色的水彩画做出更加卓越的贡献。

为陈士修水彩画展（英国）而作
1998年春节，深大新村

寄情山水创新境

著名画家周凯送我《周凯画选》，甚是精美。赏阅他自选的56幅精品，不禁为之深深吸引，更觉精彩。

周凯的画，很有独特风格，卓然自成一家，他善于吸取中西绘画之长，大胆创新，使强烈的时代感和浓烈的民族性结合在一起。因而，他的画意境奇特，富于幻想，蕴涵深沉，色彩浓烈，使人耳目为之一新。

这是周凯在艺术之路不断探索的结果。

20世纪60年代，周凯在上海学的是油画，受过严格的绘画基础训练，素描、构图、用色，都曾下过功夫。经10年磨炼，他又钻研中国书法，师从国画大师陆俨少学山水画，潜心于山水笔墨、传统技法，遍赏历代名画，又是10年。

有了中西两方面的绘画基础，周凯开始在20世纪80年代探索艺术新路。他先在浙江美术学院当中国画研究生，一方面揣摩中西现代名画，一方面饱览祖国大好江山。然后，他尝试吸取中西绘画之长，创造新的风格。最初两三年，他探索把水墨和色彩相融，如《唐常建诗意图》《峰回路转》，但基调仍是传统笔墨，变化不甚大。1984年，周凯来到了深圳大学，深切感受到开放改革的浪潮，形之于画，风格有了明显的变化。到了20世纪90年代初，又有新的发展。

在笔墨技法上，周凯把西洋画的用色和中国画的泼墨结合在一起，使泼墨和重彩相互交融。或是以色破墨，或是以墨破色，更多是一层墨添一层色，层层叠加，形成深层次结构，使画面出现一种中国文人画所缺少的凝重深厚的意味，具有特殊格调。

1985年的《青绿三号》《帝裔之乡》，1986年的《丙寅二月》《六气之辩》，泼墨和重彩和谐交融，给人留下深刻印象。《双马》一画，双峰之间,流水横贯,把西画的团块结构和国画的线状结构融为一体,山中双拓印双马、屋宇,真是独辟蹊径,别开生面。

在意象经营上,周凯把山水形象和精神幻象相配合,创造一种超越现实的幻觉意境。他画山水,并不直接摹写现实中的具体对象,而是画出自己心灵中的世界。为此,他在继承中国画的传统基础上,吸收了西方超现实主义、抽象、立体主义一些手法。他在1989年作的《玄牝之灵》《分裂的山》,把山水和幻影融为一体,历史和现实相互渗透,扩展了空间和时间,意境深远,引人入胜。

在构思立意上,周凯务求独特新颖,力图把自己对于人生的独特体验和憧憬寓于画中。周凯作画,并不追求"意在笔先",而是随感而发,即兴而作。著名画家刘国松说他"画若布弈",像下棋一样,随遇而触发。但周凯的人生憧憬,是以人与自然的和谐统一为最高理想,所以在画中追求天人合一、物我应和,意与境偕。看他的《秋景山水》《墨荷》,使人心旷神怡,陶醉于大自然,物我两忘,融成一体。

当代人所希冀的中国画,既是吸取传统的,又是现代创新的;既是表现个人的,又是属于人民的;既具中国特色,又能沟通世界。这需要几代人的共同努力。前辈艺术大师徐悲鸿、李可染、林风眠、程十发、吴冠中、黄永玉等都曾努力将中西绘画予以融合,探索艺术新路。周凯沿着前辈艺术家的这条道路,继续前进,取得了不小的成果。周凯的艺术探索,不仅得到了国内的首肯,而且受到了国外的赞赏。美国、日本、加拿大、澳大利亚,都有人收藏他的画。

为《周凯画选》而作
1995年春,深大新村

豪情长寄诗书画

在母校梅村中学60周年校庆即将来临之际，年近八旬的俞坚平师，不辞劳苦，从所做的诗、书、画中挑出百多件，结集成册，献给母校，了却一件心事。我为他高兴，也为母校庆幸。所以，当他要我为他画册写序，我欣然接受。

坚平师早年学画，曾就读于著名的苏州美专国画系，有很深的国画功底。只是后来长期献身于教育事业，无暇专事书画，但一直未忘情于艺术。他那热情奔放的艺术气质，时常表露出来。20世纪50年代初期，我在无锡县师范就读，是学生会主席。坚平师是我的老师，也是领导，既是学校的教导主任，又是新民主主义青年团的总支书记，因而不仅相识，而且经常交往。他当时风华正茂，意气风发，诲人不倦，热情开朗，给我留下深刻的印象。后来，我去北大，久居燕园，坚平师曾来见过。我也到无锡教师进修学校访过时任校长的他，知道他将在离休后，专心致志地写字作画，以遂一生心愿。没有想到，别后的10多年间，他竟会有那么丰硕的成果，真是可敬可贺。

坚平师的诗、书、画，凝结了他的心血，表现了他的真性情。他一生奔波，半世坎坷，但对生活充满着希望，对祖国总满怀深情。他淡泊名利，寄情山水，画中所写，都是祖国大好河山。观赏他的山水画，身不由己地被它吸引，忍不住会发出由衷的赞叹：江山如此多娇，人生多么美好！

坚平师作画，不受外在因素支配，不为名，不为利，由内心驱使，为的是抒发自己的真实感受。在离休后，作画不停留在"师古人"，而是竭力"师造化"，以便创新。除了"读万卷书"，他还走出家门，"行万里路"，遍游名山大川，历览名胜古迹。他去黄山就有两次，而访武陵源（张家界、天子山、索溪峪）就有三次。离家不远的太湖，更是他足迹常到之处。每到一地,不是走马观花,而是深入体味。不仅摄像留影,而且对景写生。更重要的是用"心"去感受,有了深切的体验,牢记于心。回来后,细心琢磨,在心中重新唤起亲历过、体验过的景象和感受,进入意境之中。因为胸中已有丘壑,心中已有意境,所以落笔顺畅,一气呵成,活泼泼地,写出了真山水,真性情,如行云流水,给人以气韵生动之感。

坚平师的画,形象逼真,寓情于景,情景交融,饶有意蕴,因而使人感到意味无穷,浮想联翩。每幅画都是他自己独特的创造,赋予他自己的心灵。他笔下的太湖、黄山、天子山,形象都不重复,而有自己的个性,因而给人以新鲜、独特的感受,令人心旷神怡,流连忘返。

坚平师的画,继承了国画之长,但又不拘泥于陈法,力求有所创新。他作画,中锋运笔,皴擦多变。墨法力求用笔而不晕染,笔笔见功力。皴法灵活,善用墨法,深淡明暗,立体感强。构图完整,焦点透视和散点透视灵活运用,不拘一格而又相得益彰,构成浑然整体。

画之外,坚平师的诗、书也有特色。他写的字幅,偶录宋词,却从不抄唐诗,不去跟随时尚。他有时也在画幅上作诗题词,这是诗、书、画三结合了,颇具郑板桥之风,更是丰富多彩。

坚平师一生,写过不少字体,正、草、隶、篆等均有,但他的志趣,最后集中在行草,下了不少功夫。他曾总结自己的艺术经验,概括为八句真言:

> 参差俯仰欹侧,内擫外拓借让。
> 中偏逆顺方圆,大小粗细干湿。
> 提按妍拙变化,凝重险稳顺畅。
> 抒情含蓄奔放,气势磅礴潇洒。

坚平师的诗、书、画,不故求深奥,但也决不媚俗,而是追求雅俗共赏,能让更多人喜闻乐见。这需要作者自己能厚积而薄发,深入而浅出,更需功力。他深知艺无止境,虽年近八旬,仍笔耕不止,兴之所至,有时会连续画下数幅,意足方止。诗、书、画已成了他生命中不可缺少的东西,正如他在《离休述怀》中所说:离休不忘日日新,书诗画里了此身。生命不止,追求不停,精益求精,此种精神,令人敬佩。

我看坚平师的诗、书、画,不由得引发我常回忆起年少时在梅村的那段时光,脑海中浮现太湖的风光,也想起坚平师在县师时那充满青春活力的形象……但那已是另一个话题了,就此打住。

为《俞坚平诗书画集》所作序
1999年夏,深大新村

创造一个新世界

嘹亮的歌声,"我们的队伍向太阳"响了起来。乍一听,还以为是要把我们带回那战火纷飞的过往年代。但接着,一个叫燕子的说了起来:她是在1982年夏天,随着老爸的工程兵部队,两万多人开进了当时的边陲小镇——深圳。

于是,广播剧《我们的队伍向太阳》把我们带进了深圳开放改革之初的艰苦岁月里。

面对广播剧,我们只能听其声,不能见其形。但这一艺术品种可以充分发挥自己的特长,达到声情并茂。不过,广播剧又不是朗诵诗,必须寓情于人、寓情于境。这就不仅需借助于音响烘托人的环境、时代气氛,而且还要使用语言塑造人物个性,展开戏剧冲突,难度甚大。

这个广播剧充分发挥了自己的特长,用语言、音响塑造了以田海为代表的特区开荒牛形象,展示了特区第一次创业的艰苦历程,高扬了深圳人的创业精神。

一个电闪雷鸣、暴风雨即将来临的日子,遍地荒草,低矮工棚里的工程兵紧急集合。团长田海沉重宣告:从五湖四海来到这里的全部工程兵,奉命立即在这里就地转业,脱下军装,组建为地方企业,建设特区。

于是,团长转为经理,军人成了百姓,自力更生,自谋生路。可是,那时这边陲小镇,市场落后,尚未规范。建筑工程由私人包工垄断,不给"特殊报酬",没有"特殊服务",就别想揽到工程。但田海一身正气,不走邪路,依靠大家,凭借诚实、智慧、勤奋,和港商夏宝丽真诚合作,优势互补,取得了一个个工程的成功,创造了深圳速度,最后争取发行股票上市。经过四年的拼搏,田海带领大家,终于在这块刚被开垦的处女地上站立起来,由工程兵到开荒牛,成长为真正的深圳人。

全剧节奏紧凑,戏剧冲突不断,一波未平,一波又起,环环相扣,紧追不舍,吸引人步步深入,使人应接不暇。听完后,余味不尽。振奋之余,更有一种亲切之感油然而生。

我虽没有赶上特区初建时那样最艰苦的时刻,要在一年多后才来深圳,但在1984年春我刚来这里,住在原宝安县政府所在地,眼看蔡屋围一带往西,还是一片荒野,更不要说当时工程兵较为集中的住地竹子林了。我亲眼看见了这个现代化城市是怎样起来的。那时的深圳大学还刚在后海湾、粤海门的荒地上破土动工,市长梁湘陪邓小平去蛇口,路过这片荒地,告诉小平说半年之后就要在这里建起深圳大学。这不是梁湘的虚张夸口。果然,在这荒地上半年工夫就建起了办公室大楼、教学大楼、图书馆,创造了深圳速度。但周围还是一片荒凉。我们几个从北大燕园来的教师,在秋月下的文山湖散步,忽然,我竟在脑海中浮现出了鄱阳湖畔的鲤鱼洲的意象。那是20世纪70年代初,我们北大、清华的"臭老九"被遣送到那里,围湖造田,种稻种菜,自食其力,那荒凉,永世难忘。想不到,14年后,又来到了这另一块荒凉的土地上。

但这不是历史的重复。由工程兵开始的深圳大开发,并不仅仅只是像过去开荒那样,又新垦了一块处女地,而是开创了一个新时代,创造了一个新世界。这段历史,将永远不会忘记。

为《我们的队伍向太阳》而作
2001年初,深大新村

夕阳岁月亦风采

人人都从大自然中来,最后又要回到大自然中去。人生短暂,生命宝贵。人这一辈子,怎样珍惜人生,活得怎样才有意义?一个人忙碌了一生,然后走向晚年路程,回顾往昔,反思人生,感到无愧,写下自己的人生历程,这不仅是晚年的最大慰藉,也是为后人留下的精神财富,可以启迪后人。

20世纪即将过去,新的世纪即将来临。在这世纪之交,出现了不少世纪回忆。老一辈人的回忆录已经出得很多了,和我同辈人的回忆录也正在陆续出来。在新中国成立后成长起来的第一辈人,如今大都从历史舞台中渐渐淡出,开始回忆往昔的峥嵘岁月,重新感悟人生的意义。

北大百年校庆时,我已读过北大一些同辈人所写的关于五六十年代的回忆,都是我很熟悉的校园生活。读得多了,感到缺少了一些新鲜感。最近,当我读了已从深圳大学离休的张莹的《岁月叙事》手稿后,却有了耳目一新之感。在她这部书稿中,虽然也依着历史顺序,回顾了她一生的经历,但是,她把注视的中心放到了改革开放后的这一段人生,抒写了她对人生的新的体验和感悟。这种对人生的新的感悟和体验,对我来说,既是熟悉的,又是新鲜的,因而既能引起我的共鸣,又能激发我的思考。

张莹,1933年冬出生在鸭绿江边一个小村的平常百姓家,兄弟姐妹有5人,但她从小就有趋向于独立的倔强个性。1947年家乡解放不久,就自己做主去了烟草工厂当女工。1948年,才14岁半的她,就在通化参了军,在宣传队做文工团员。她随解放大军过关南下,跨黄河、过长江,到了武汉,1950年参加了中国共产党。早在1953年,她就转入广东边防部队公安10师从事边防工作。1954年正式转业,到华南工学院从事学生工作,经常和青年接触,带学生实习,总是身先士卒,吃苦在前。在大家心目中,她是个"老革命"。

流动了多年的张莹,终于在学校中安定下来,竟在华南工学院工作了30年。1957年,她和忠厚老实的梁树屏结成夫妻,组织了一个稳定牢固的和睦家庭,生下两个女儿、一个儿子,体验到了养儿育女的痛苦与喜悦,家庭生活的艰辛和幸福。虽然也经历了"文化大革命"的波折和下放干校的变奏,但一切又归于平静,和大家一样,过着平常人的生活,朴实而又安定。也许,一辈子就这样自然而然地过去。

然而,改革开放的东风,吹走了往日的宁静。就在广州外围边缘,深圳经济特区崛起了。张莹先是鼓励梁树屏来深圳参与深圳大学的创建工作,当"开荒牛"。接着,她自己也在1984年辞别华南工学院来到了深圳大学,走上了新的人生路程。她先是在管理系办公室,后又在系资料室工作,为深圳大学创建初期尽了心,出了力,然后在1989年办了离休手续。本应在家里安度晚年了,但由于工作需要,系里又返聘她工作了2年。

没有想到,离休以后的生活竟会那样精彩。在她面前,展现了一个新天地。她不仅走出家门,去过内地不少地方,而且还跨出国门,去过东南亚,更3次去了美国居住,感受新的世界,体验新的人生。在异国他乡,张莹不仅深切感受到了对儿女的纯真亲情,也际遇了古老而又崭新的文化冲突——婆媳矛盾。正是在这里,益发显现出了张莹的鲜明个性。

张莹膝下3个子女,只有小女儿留在内地,儿子和大女儿都在改革开放后先后去了美国,安居下来了。先是儿子梁磊1986年从中山大学去美国攻读硕士学位,然后留在底特律的美国公司任职,成了家。新的一代即将出生了。1991年春,张莹从香港经东京到底特律,在儿子家里住了下来,为儿媳分娩准备一切。梁磊是她最疼爱的儿子,从小精心培育,长大出类拔萃,当母亲的喜悦心情,真是难以表达。为了梁磊出国赴美,她和梁树屏都倾注了自己的心力,盼望他事业有成。如今,经过了5年奋斗,梁磊的事业、家庭都取得了成功,孙儿即将降生了,张莹怎能不高兴呢?她全神贯注,把全部精力都用在料理家务上。孙女生下来,她又精心侍候儿媳、孙女。可就在这时,她渐渐感到了不快,一种中国传统的婆媳矛盾在新的国土上萌发了。

这位获得美国硕士学位的儿媳原是一位上海小姐。在张莹的笔下,这位儿媳高傲、蛮横、任性,动不动就要使唤梁磊,不高兴时,还会把梁磊关在门外,不让进屋。更使她气愤的是,对她这个年近六旬的婆婆,竟也颐指气使,发号施令。张莹觉得难以容忍,就不时和这位儿媳展开舌战,讲道理。

张莹在底特律住了半年,其间,由儿子陪着,开车去了芝加哥、克里富兰、水牛城,还去了加拿大的多伦多。她感到美国虽好,但非久居之地,婆媳之间更难相处,不如归去。于是,在1991年秋,张莹离别底特律,又回到了深圳。

世事纷繁,不少本可以眼不见为净处之。但张莹眼里容不得沙子。她心疼在美国的儿子,又为儿媳的任性而担忧,心有郁结。回国不久,她就得了轻度脑血管梗死,虽经治疗好转,但脑海里仍然盘旋着那个老问题:要改变儿媳的态度,促使儿媳的反思。她时而给梁磊写信,要儿子配合教育儿媳。时而又直接给儿媳写信,要儿媳关爱丈夫,尊敬长辈,真正是动之以情,晓之以理。在这部书的后几章中,张莹摘录了自1992年以来寄儿子、儿媳的大量信件,表现了她那不达目的、誓不罢休的鲜明个性,读来,给我留下了深刻印象。

皇天不负有心人,到了1994年,硕士媳妇终于给张莹、梁树屏寄来了一封表示歉意的信,对于过去发生的不愉快,做了反思,告别过去,迎接未来。乌云已经驱散,阳光更加明媚。大女儿梁晶也已带了儿子在1992年去了美国和女婿团聚。于是,就在1994年冬,张莹和梁树屏一起,又去了美国。

这一次赴美,自由自在,轻松自如,浏览了异国风光,享尽了天伦之乐,一住就是9个月。她和梁树屏先到洛杉矶、拉斯维加斯、旧金山等地作了畅游;再到底特律,在儿子宽敞的新居里,和儿子、儿媳、孙女一起,欢天喜地地共同过了圣诞节;然后,女儿、女婿、外孙从得克萨斯州赶来聚会,驱车去纽约、水车城、华盛顿、大西洋赌城观光。到了1995年春,张莹和梁树屏离开冰天雪地的底特律,飞往已是春意盎然的得克萨斯州,在女儿居住的达拉斯附近小镇上又安静地度过了几个月,才假道西雅图飞回香港,心里充满了快乐和美好的回忆。

两年之后,1997年夏,张莹和梁树屏又一次赴美,在这里住了整整1年。这次是由香港飞经东京,直奔得克萨斯州的达拉斯,赶上了大女儿39岁生日;然后在女儿宽敞住所尽情享受天伦之乐。老夫妻俩天天在后院的家庭泳池中游水、按摩,教育外孙,整理家务。过完春节,张莹和梁树屏又飞抵底特律,在儿子家住了近半年,1998年夏愉快地回到了深圳。

张莹在回顾了自己的大半生之后,她为自己做了这样的概括:"清澈晶莹,光明磊落。儿辈孝顺,孙辈聪慧。晚年生活,安详幸福。"她对自己的一生,感到心满意足。她说,他们还会去美国看望儿孙,但他们不会定居在那里。在深圳还有小女儿、小女婿,还有不少战友、同窗,亲情之外还有友情,更有中国的文化传统。她和梁树屏会在这里安度晚年,也不会忘怀美国的儿孙。

我也是1984年来深圳大学的,先是认识了梁树屏,后又认识了张莹。看了张莹的《岁月叙事》,我感到亲切,不由自主地跟着她的足迹,重温了她的一遍人生。她的经历,也许没有多少轰轰烈烈,并无惊天动地,然而,却反映了我们这一代人的历史命运。在我们这一代人中,无论在北京、上海,还是在广州、深圳,我都认识这样一些人,或者是勤勤恳恳的行政人员,或者是兢兢业业的知识分子,大半辈子都在为国家贡献自己的精力,把自己的一生奉献给了集体。然而,一旦改革开放,受了高等教育的子女,不少走出了国门,在国外学到了先进技术,然后在那里找到了自己的位置,施展自己的专业技能。这一代人只是到了离休或快要退休之时,才有机会因探望子女而去国外见识世界,在异国他乡重叙天伦之乐。然而,受了传统文化熏陶的这一代人,已经很难再融入异域文化的生活之中,还是要回到祖国安度晚年。老两口相依为命,又不时怀念着国外的儿孙。我在北大的许多老熟人,到了晚年,也几乎都是这样的命运。

这种现象是不是中国历史发展的特定产物?我不敢妄断。但我敢肯定,比起过去长期封闭、闭关自守的时代来说,这毕竟是一种历史的进步。虽然老了,也要远涉重洋才能重叙天伦之乐,但毕竟见了更大的世界,感受了新的人生。张莹、梁树屏赶上了这个时代,我从心底为他们高兴:你们这辈子,已是不虚此生,人生无憾了,为你们深深祝福!

为《岁月叙事》所作序
1999年夏,深大新村

人生能有几回搏

20世纪90年代过了第一春,特区十周年行将来临。十年诞辰,弘扬特区开拓、创新、进取、奉献的精神,深圳市作家协会和深圳特区报等联合决定,要隆重举办深圳特区十周年文学征文,向海内外征稿。这样的好事,实在令人鼓舞,作为作家协会主席,我忍不住为之呼唤几声。

十年,在漫长的历史进程中,可能只是短暂的一瞬。然而,在历史长河中,有各种各样不同的瞬间,有的熠熠发光,有的暗淡无色,有的龙腾虎跃,有的沉寂无声。特区的建立,是划时代的历史创举。在这里,正在尝试着进行有中国特色的社会主义现代化的伟大探索。十年辛苦不寻常,人间奇迹喷涌出。特区十年,生机勃发,充满活力,业绩辉煌,光彩照人。十年历程,给我们留了许多难忘的记忆。美好的回忆将激发我们向更美好的未来奋进,我们把它写下来,成为妙文,这不是对特区的最好纪念么?

人的一生,能有几个十年?对于一些人来说,这十年,也许是人生中最难得、最珍贵的时光。人生难得几回搏!有些人也许在一生中只在特区才获得了"搏"的机遇,在这里才得以一显身手,充分发挥。有些人也许只有在特区才亲尝到了需有大半生才能体验到的人生况味。有些在别处连一生也不一定能体验到,甜酸苦辣,倾盆而来,喜怒哀乐,齐涌心头。对特区生活有着丰富感受、深刻体验的人,应该提起笔来,有感而发,把自己的真情实感写出来,奉献给大家。写作,不只是心灵历程的显示,而且是心灵的净化和升华,使心灵更美好、更崇高,给人以教益。

不只是特区(包括宝安)人,曾到过特区来的广大海内外人士,若有所见所闻,有感而发,都可形之于文。新鲜的感受可以萌发出新颖的构思。数年前,我邀著名美学家、雕刻家王朝闻来粤海门住了几天,他无意中获得不少新鲜感受,回京后写了数则随笔寄我,我就觉得妙趣横生,饶有兴味。美国著名美学教授布洛克自香港来访我,在后海湾盘桓数日,回国后写了散文,从一个美国文化人的眼中看深圳,另有一番情趣。美国华人新闻学家赵浩生不时来深圳,每来都有新鲜感受。香港的学者、作家、诗人从深圳回去后写出散文、诗歌,乃至小说,就更屡见不鲜了。张诗剑、陈娟夫妇就写了不少感受深圳的诗歌、散文,别有一番滋味。著名诗人犁青夫妇去秋来访,诗兴勃发,欲罢不能,写成诗篇,才恋恋不舍而去。我想,来过深圳的海内外朋友,如果都能动笔写下自己的感受和体验,那将极大扩展我们的视野,为征文增添光辉。

只有真情实感,才能动情感人。长住深圳的人,感受多,体验深,当能写出妙文,希望多来应征。虽不久居深圳,但如来过深圳而有真情实感,仍能写出好的作品。文不在长,而在于精。一见一闻,一人一事,只要真有所感,都可以写成两千字左右的随笔、散文,从一个侧面、一个角度反映特区风貌。

海内存知己,天涯若比邻。特区的发展,需要海内外各方人士都来关注。愿特区人,海内外到过特区的朋友们,都来为"深圳十年"写点随笔、散文,用心血来为特区灌溉、耕耘。

为深圳特区十周年文学征文而作
1990年初夏,后海湾海涛楼

情系特区笔底真

严冬渐去,鸡年将过,首届特区文学征文奖已经揭晓。读了数十篇征文,不觉喜上眉梢,写下一些感受。

深圳人尽管都在东奔西走,忙忙碌碌,很少能坐下来潜心于构思长篇巨著。但深圳文苑并不冷清,新人不时涌现,短篇常有佳作。这次入选佳作,不少出自文学新人之手。由于扎根生活底层,对特区的变化有着真切的体验、感受,深情满怀,有感而发,通过真人真事的描写,抒发了真情实感,笔墨不多,却引人入胜,感人至深。

文学征文活动,不仅促进文学新人的成长,而且有利文学创作水准的提高。此次征文,有三个方面值得一说。

文学视野拓展

在深圳这块神奇的土地上,有什么事不能发生?白手起家,艰苦创业,动人事迹,比比皆是。这,仍然是众多作者关注的热点。令人高兴的是,此类题材还在向更深一层挖掘,因而立意常新。

十年前,从遥远东北集体转业到这边陲小镇来当开荒牛的基建工程兵,眼看着自己的部队,已经发展成了实力雄厚的集团公司,回味起初来时的那份甜酸苦辣,不禁感慨万千而又令人振奋。龚礼勇以极有限的篇幅,为我们写下了这一草创历程(《802团今昔》),激励后人,继续奋进。

如今深圳,高楼林立,华厦如云。人们已不大关切,建造了这些高楼大厦的人怎样了。高正润却为我们写出了这样一个人物:从事建筑十年,已入小康阶层,却还住在建筑工棚,坐着低矮粗陋的狗儿凳,过着艰苦生活。不是没有钱,十年下来,也有20万积蓄,但全部捐献给了家乡办学校。"孩子,是我们的未来",为了未来而牺牲自己,这不令人肃然起敬?

视野的不断拓展,使得不少作者的笔触已经扩及教育、科技以及服务行业等领域。科技伯乐的惊人举措,南山教育的蓬勃气象,初为人师的欢欣心情,养老院的崇高奉献,邮电所的服务热忱……在征文里都有生动展现,使我们真有目不暇接之感。

黄开林的笔触,深入到了那行将消失的特区农村,写出了动人的《西乡恋》,尤使人难以忘怀。开放改革浪潮卷来,西乡的偏僻渔村,顿时变成了黄金海岸。从远方来了个年轻外来客,叩开了一个年轻姑娘的门,为她扫院看门,毕恭毕敬。他吃苦耐劳,善良勤奋,经过一年多的拼搏,终于在此成家立业。她,奉了父母兄长之命,却去了香港,准备定居。可是,西乡的土屋珠江的潮,令她日夜梦魂萦绕,无比眷恋。那个为她扫院守门的年轻外来客,更是越来越使她怀念。苦苦熬了一年,她毅然从香港回到西乡,准备向他表白自己的爱心。他仍然微笑迎接着她,可是,他已经有了与之同甘共苦、一起搏斗的女伴。于是,她怔住了。没有最后的结局,然而这故事却耐人寻味,发人深思。在这动人的事迹里,是否也能悟出一点人生哲理?

时代气息浓郁

开放改革,特区先行。这不仅使特区文学视野更为广阔,而且赋予特区文学浓郁的时代气息。

环境制约人。但是,人有主观能动性,是否能造就自己成为自由独立的个性,还需主观努力。张黎明笔下的雷,将及成年,从内地来到了特区。父亲不希望她成为温室花蕾,鼓励她直接投身社会,独立创造新天地。十年过去,雷果真成长为一个献身事业、视野广阔、清雅大方的现代女性。她自己、父亲以及作者,都因她成为"一个经济独立、精神也不依赖男人的女人"而感到骄傲。全篇都充满了一股浓烈的时代气息。

改革开放促进了特区和世界的交往,传统文化和现代文化相碰撞,迸发出新的火花。廖虹雷的《海峡祭母》,就写了融合中西文化的这一家。台商吴董,早已过了"知天命"之年,听从八旬老母的教诲,转移到深圳开拓,儿媳在香港接单,女儿在美国营销,孙子也在域外读书,只有老母留在台湾。守真是志在四方,四海为家。但是吴董和老母,灵魂深处,还是心系中华。老母日夜思念早日迁居深圳。不幸,未曾遂愿就于台湾病故。吴董赶回新竹,遵奉老母遗志,虔诚捧了她的遗像,从罗湖开始,专车绕深圳一周,然后再到石岩湖,为的是让老母死后有知,深圳这几年发生了什么样的变化。在这里,时代气息,民族精神如此紧密地交融在一起,都融化在血肉中了。

艺术风格多彩

不少佳作,短小精悍,但艺术风格,丰富多样,颇有风采。

有的像抒情散文,没有什么动人的情节,但优美动人。少时不知离家愁,少女怀着想看一看世界的喜悦,别离深圳去北京上大学。相隔千里,方体会到父爱的珍贵。数年后学成归来深圳,一声"爸爸,我回来了",使父亲老泪纵横。这是父亲最喜欢听的话,胜过世上最美妙的音乐。可是,父亲久劳成疾,已是一病不起,终于与世长辞。

有的写出了短小的悲剧场面,充满了悲壮气氛。那个一心想来深圳拼搏的年青外省人,身患绝症,临死前还热心推荐不相识的病友去应聘,留下了永远的微笑。"人生就是寻求奋斗的道路",他临终前说的这句话,激励着后人。

陈少鹏别出新感,写出了一篇喜剧性的短文,幽默风趣,自成一格,令人耳目一新。在宝安任教的一位年青诗人,本是名校高材生,才华洋溢,教学出众,受人爱戴,大家称他为老孙头。不料,执教三年,却离特区而去,回归潮州故里,弃教从政,弃文习武,当了武警队长,活得潇洒滋润。但他的这番举措,也自有苦衷。在官本位的体制下,教师地位日益低下,若无切实可行的实际措施,要提高教师的经济、政治、社会的地位,难上加难。世风既是如此,何必自找苦吃,于是下决心,突围而出,解脱自我。不过,他虽在武场,却还情系教育,鼓励被困在围城中的教师同仁,不要离开教育阵地。总会有那么一天,国家会有实际措施提高教育地位,"我劝魁星重焕彩,校服得似警服威"。大家当然不想希望落空,受点鼓舞也好。全篇笔调,幽默诙谐,使人哑然失笑;但笑过之后,又使人反思:在特区,教育真能上升到应有的地位吗?寄希望于深化改革,但愿成功。

为《首届特区文学征文奖》而作
1990年,后海湾海涛楼

浩然正气贯《汉魂》

张一平酷爱祖国艺文,满怀民族精神。数年前,曾撰精湛短文,专说汉魂,言简意赅,主旨鲜明,就是要伸张民族正气,寄寓爱国深情。意犹未尽,继而挥笔,采用汉隶书体,融合汉简、甲骨、篆书、行草书法之长,书成巨型书幅:《汉魂》。在香港即将回归之时,由香港海峰出版社精印出版,在海内外广为发行。

书幅一出,惊人心魄,激起世上多少华人的民族奋发精神!中华汉魂,华夏之灵,民族之魂。中华文化,源远流长,民族精神,博大精深。巍巍《汉魂》,高扬中华文化,标举民族精神,气魄宏大,意深义伟,浩然正气,扑面而来,启人深思,催人奋进。

《汉魂》全幅,500多字,字字珠玑,一字一奇,精彩纷呈。仅一"汉"字,就有数十多写法,同中有异,各有韵味。但整幅构思,一气呵成,浑然一体,形成自己独特风格。雄浑苍劲,气势豪放,而又潇洒飘逸;气韵生动,气势非凡,显示出了一手的艺术功力。赏视良久,不忍离去,实乃千古奇篇,惊世精品。

如此艺术珍宝,就在香港回归前夕,一平毅然奉献,把它作为珍贵礼物赠送给了香港民众。这是作为一个深圳人对香港近邻所表达的深情厚谊,情意深长,意味无穷。深圳,香港,虽是两侧,却属一国,两边都是炎黄子孙,山海相依,互补共进。中华文化,民族精神,将使我们永结同心。

浩然正气贯《汉魂》,联结深港两地情。

为书法集《汉魂》而作
1997年香港回归前夕,深大新村

野趣横生真逸品

我在读无锡师范时的老师朱枫先生88高龄，仍潜心美术，笔耕不辍，艺术不时创新，境界逐步提升。他所做的画，其笔墨的精湛、艺境的高妙，令我惊叹：我们被带进了一个出神入化的天地境界。

真是野趣横生，我看画后的直觉印象就是这样。朱枫先生倾心自然，对花草瓜藤、鸟兽虫鱼情有独钟。兰草、蜡梅、夏莲、秋荷、野菊、疏竹、紫藤、葫芦、丝瓜，不少无名野花，频频出现在他的笔下，生意盎然，生机勃发。他画鸟兽虫鱼，也总是把这些小动物置放在空旷的大自然中，生发出无限的天然野趣。跃跃欲跳的青蛙，水中浮游的小蝌蚪，自得其乐的游鱼，树上跃动的松鼠，山巅鸣叫的小鸟，潺潺而下的泉水，相对而戏的雏鸡，一切都显得那样富有生机，生生不息，可亲可爱。还有不少佳作，画的是树外落日，疏林余晖，风中芦苇，田园篱笆，枯槁放青，直接表现出了大自然的无限生命力，进入了不尽的天地境界。

朱枫先生对大自然充满了无限深情，对世界万物投入了无限爱意，全身心都融入了大自然，物我两忘，融为一体。但他对世界万物，既能入乎其内，又能出乎其外，所以在他画中隐约散发出一种超越物外的"野逸"之气。这使我想起了也是无锡的一位先辈大画家倪云林。这位自称为风云主人的大画家擅长画太湖山水，气势磅礴，超越不凡，但他说他自己的画，"不过逸笔草草，不求形似，聊以自娱耳"。他也画竹子，但说："余之竹聊以写胸中逸气耳。"所谓逸气，就是高逸、超逸、野逸之气。有此逸气，使画达到自我高妙、超凡脱俗的境界。

宋元评画，已开始把"逸品"视为最高境界，超越于"神品"和"妙品"，之上。倪云林以后，青藤道人徐文长更进一步，在花鸟画领域大胆创新，"不求形似求生韵"，超越了传统工笔花鸟画，变小写意为大写意，纵横恣肆，气韵生动，使一草一木均能显现出广阔的天地境界。

朱枫先生发扬了这种优秀传统，在新的历史条件下不断创新，继续拓展和提升了艺境，使花鸟画向大写意的发展有了更大的推进。

许多艺术大师，越到晚年，越在艺术上追求返璞归真。我看朱枫先生的画，深感他的笔是越来越精炼，可说是我所见到的画家中笔墨最精炼的一个。但透过那有限的笔墨，却让我们感受了无限深意，意味无穷。他的画，笔力刚劲，酣畅奔放，如行云流水，寥寥数笔，一草一木，均成一片心灵世界。有时，甚至还以狂草入画，一笔草书，一气呵成，却构成一个艺术境界，精气神俱足。朱枫先生的画，真正做到了苦瓜和尚石涛所说，"墨之溅笔也以灵，笔之运墨也以神"。石涛论画，以"一画"说著称，所谓"一画之法立，而万物著矣"。其实，这"一画"说的要义，就是要用最简洁的笔墨写出天地万物，正乃石涛自己所说，"借笔墨以写天地万物而陶泳乎我也"。但要写出天地万物，需要画家本身的"元气淋漓"，如郑板桥所说，"天之所生，即吾之所画，总需一块元气团结而成"。我观朱枫先生的画，也深切感受到了他那内心深处的"元气淋漓"，从而深深引起了心灵的共鸣。

喜读《朱枫画选》
2006年国庆，望海书斋

文化情结解不开

苏伟光出了新书，题名《文化情缘》。这真是个好书名，颇有诗意，引发了我对深圳文化的许多回忆和无限遐想。周巍峙、刘德忠、高占祥等在书中均有题词，王蒙的题词说得好："结缘文化，人生大幸，与生俱在，与时俱荣。"伟光的一生，与文化结下了不解之缘，养就了一腔文化情怀。他的夫人孙京，任职于闻名的深圳艺术学校，女儿苏圆，深圳大学毕业后，从事文化传播，都和文化结缘，真称得上是文化之家。

我在20世纪80年代初期来深圳后才认识伟光。在此之前，我一直在北大。伟光在中山大学毕业后，也一直在北京，辗转于国家的好几个文化部门之间，既任职文化行政，又从事文艺创作。在北京，伟光受了20多年的文化熏陶，和朱穆之、贺敬之、吴雪、林默涵、华君武、马少波、吴祖光、乔羽等相识，和文化结下了深深的情缘。1986年春，这个出生在粤西的文化热心人终于来到深圳，先是在文化局当副局长，后来又任局长。

那时，深圳的文化正处在拓荒时期，伟光正值壮年，意气风发，充分舒展他的才华，一边从事文化行政，一边仍挥笔写作，既作歌词，又写理论、评论。去年出版了他的词作集《春绿南岭》，今年又出了这本《文化情缘》，主要收入了他的"理论思考"和"文化评论"，我一看，竟有30万言。

缘于我的专业爱好，我最感兴趣的自然是他的理论思考。和长期关在书斋里讨生活的书生不一样，伟光的理论思考始终和文化实践相结合，从文化实践的活的现实出发思考问题，理论分析也联系着文化实践，最后要对文化实践中的问题从理论上予以解决。我看他的近30篇理论思考文章，都面向深圳的文化现实，密切结合文化实践，不作虚妄空论,使人感到亲切。

特区成立之后,文化应如何发展?我们应有怎样的文化自觉?我一向以为,不能说深圳是文化沙漠,在特区成立之前,这里早就有历史的文脉延续下来,岭南文化在这里源远流长,如今保留下来的大鹏所城、新安古城、鹤湖新居等都在诉说着自己的历史沧桑,文化变迁。但深圳的确只是一个边陲小镇,处在岭南文化的边缘,现代文化甚为薄弱,特区成立之初,称得上是文化设施的,只有一个深圳戏院,一个文化宫,还有一个新华书店,面积不到百平方米。特区成立不久,深圳就意识到必须加快文化建设,"勒紧裤带,也要大搞文化设施"。所以在20世纪80年代初期,就先后投入了近7亿元建设图书馆、博物馆、大剧院等八大文化设施,这在"百业待兴"的拓荒时期,实是超前的创举。伟光来深圳时,正是文化建设刚启动之时,便积极投入了文化创业。

然而,深圳的人口增长实在太快,一个只有两万多人口的边陲小镇,突然涌来了几十万人,10年时光变成了几百万人的大城市,那八大文化设施早就不够用了。这还只是文化的"硬件",更重要的还要考虑如何发展文化的"软件",在这文化设施中开展什么文化活动,提供什么文化产品,等等。熟悉艺术规律的伟光深知,文化发展必须要有一个长远打算,要从战略上审视和规划,才能有序地前进。文化发展不仅要抓"硬件",更需抓"软件",但究竟如何抓,这当然要靠文化行政的正确决策和付诸实践。但战略决策之前,应听取广大人民的呼声和文化专家的论证,集思广益,共同努力,才能真正适应这个新都市发展的需要。伟光对深圳文化的发展有着超前意识,在深圳提出二次创业之后,广大市民参与的书市,逐渐形成广大市民喜闻乐见的新形式。三是着力培育深圳自己创作和制造的文化艺术精品。

重读伟光《文化情缘》中的一些文章,感到伟光不仅是深圳文化建设的身体力行的拓荒牛,又是深圳文化理论思考的探索者。他的理论思考贴近深圳的文化实践,符合深圳文化发展的趋向。如今,深圳的文化"硬件"有了更大的拓展和提升,新的市民中心文化设施已投入40多亿元,远超过特区初创时期,呈现出崭新的面貌。那么,我们的文化"软件"如何迅速跟上?这仍然是困惑我们而必须面对的实际问题。"文化立市"的方针确定之后,大家都在献计献策,我看,我们仍然需要发挥伟光这种拓荒者的创新精神,既高瞻远瞩,又求真务实,身体力行,开创深圳文化新局面:普及高雅文化,提升大众文化,力创艺术精品,发展深圳自具特色的雅俗共赏的新文化。

为《文化情缘》而作
2000年秋,深大新村

文化研究热心人

深圳,这座在改革开放中崛起的新兴城市,转眼已经走过了17年的历程。时至今日,对深圳的经济建设做理论研究的著述,可谓洋洋洒洒,蔚为大观;而对深圳文化做较系统的研究与探讨的论著,却如凤毛麟角,甚难见到。正因为如此,《文化深圳》一书的出版,给我们带来了喜悦,引发我们的思考。这是作者杨宏海在深圳市特区文化研究中心(和文化部共创)多年辛勤劳动的结晶,是对特区文化研究的可贵探索。对此,我为他感到高兴。

说起对深圳文化的研究,宏海可是个热心的"开拓者"。1985年宏海从内地高校调入深圳,参与文化建设,至今已有12年了。在这十多年中,深圳的发展,真说得上是日新月异、瞬息万变。从荒凉的边陲小镇转眼成了高楼林立的现代都市,想必从中过来的人,都会有一种岁月匆忙之感。急剧的变化给来到这片热土上"闯世界"的人们,以太多的机遇、多样的选择。可宏海愣是坚守着文化这一相对寂寞的岗位,而拒绝了外界的种种诱惑。"板凳一坐十年冷",文化工作特别是文化研究工作,需要的也许正是这种甘于寂寞的"坐功"。

深圳创办经济特区后,如何在改革开放和市场经济条件下,探索经济特区的文化建设的发展道路和规律,是时代赋予我们的一个全新课题。宏海十多年来正是在这方面做了大量的努力。从他最早提出"特区文化"这一全新的概念起,他就一直置身在这一学科的前沿。他曾经在深圳大学的特区文化研究所攻读研究生课程,主攻方向也是"特区文化"。我比他早一年来特区,深感特区应早些关注文化。作为他的指导老师,我们彼此交往较多,早就感觉到他对特区文化研究的执着,也很赞赏他理论联系实际的文风和严谨细致的学术态度。他的那篇《深圳特区文化特点及发展走向》,对特区文化的理论探索,就具有开创意义。他从深圳文化实践出发,呼唤"'特区文化'特起来",同时又对"特区文化'特'在何处"的问题率先做出了阐发。这些探讨就是今天看来,也仍能启发我们做进一步的深思。

以"文化深圳"作为本书的书名,颇含新意,又寄深情。这既点明了当下的现实走向,更寄寓了对未来发展的期望。一段时间以来,深圳经济特区在经济上的超越式发展,引起海内外的瞩目,但它的文化发展成就,却往往被轻视或忽视了。或许正因为如此,它曾被斥之为"文化沙漠"。记得当初我从北京来深圳的时候,就听到对深圳文化的种种议论。有人曾预言,深圳适合商业而不适合文化的发展,未来的深圳文化是没有希望的。而从今天深圳文化蓬勃发展的格局来看,这些议论并不符合实际,至少缺乏分析。宏海的研究成果不仅在于他提出了"文化深圳"的说法,而且在于他能立足深圳的实际,把经济特区的文化风貌放在整个中国社会转型的时代背景中进行观照,从而提出具有超前意味的评判文化标准。他在《深圳文化解忧录》《文化深圳的大众广场》等文中提出,在社会文化急剧变革和转型的条件下,评判文化的有无,评判文化成就的高低,既要看其历时性,即历史积淀,也要看其共时性,即现实创造。而对于深圳这样一个新兴城市来说,能否看到文化的十几年实践的共时性——现实创造之处,就显得尤为重要。正因为有人眼睛只盯着历史的沉淀,没有看到这些创造,所以才把深圳文化说得一无是处,说成是"文化沙漠"和"物化深圳"。其实,只要用这一评判标准对十几年来深圳文化发展的历程进行实事求是的评估,就不难认同深圳是中国改革开放新文化蓬勃的生长点,认同深圳在"物化"过程中同时也在"文化",两个文明都在得到发展。

文化是需要积淀的。要建设有深圳特色的特区文化,不能不对深圳过去的本土文化有所了解。宏海并不忽视历史积淀,很注重对深圳地域文化的研究,在挖掘深圳传统文化方面花费了不少工夫。他带动一批民间文艺爱好者经常下基层采风问俗,搜辑深圳地方文献与民间文艺资料。由他参与主编出版的《深圳民间歌谣》,挖掘并精选了许多鲜为人知的颇有价值的民间歌谣。其中抢救了一批深圳哭嫁歌、东江纵队歌谣等丰富而珍贵的文化史料,使这些地方文化史料不至于因得不到挖掘整理而失传。这是一项很有意义的工作。可贵的是,他搜集、整理地方文化史料不仅仅为了展现历史,而是能从古老沧桑的资料中追寻历史与现实鲜活的文化气息,揭示出深圳文化的历史演变过程。在《深圳与海洋文化》《应该重视挖掘深圳人文历史资源》等文中,借助深圳地方文献资料,他率先提出应充分评价深圳在近代以来中国社会变革历程中的区位作用:这里曾打响鸦片战争抗英侵略的第一仗,辛亥革命前武装推翻封建帝制第一枪,当代中国改革开放的第一炮,而且成为"九七"香港回归实施"一国两制"的第一站。他呼吁深圳史学界、文化界重视挖掘人文历史资源,以丰富发展社会主义特区的新文化。这些观点都值得我们重视。正是由于对本土文化有较真切的了解,这使他对深圳文化的研究更具有历史内涵和文化底蕴。这可能正是他与一般只着眼于"现代"特区文化研究者有所不同之处。

在开展特区文化研究中,尤为难能可贵的是:他以更充沛的热情和精力,对改革开放与市场经济条件下特区新文化进行广泛而深入的调研,以超前的眼光、创新的意识及科学的态度,对"特区文化的特点及走向"、大家乐"广场文化"、沙都"歌舞厅文化"、华侨城"旅游文化"等新的文化现象进行跟踪调研,撰写了一系列文章。其中《试论深圳新民俗文化》一文,对市场经济下深圳文化的变迁及发展走向做了较全面的阐述——此文发表后全国有不少报刊转载,荣获广东省"鲁迅文艺奖"等奖项。同时,他还参与主编《深圳特区文化初探》《市场经济与特区文化》《深圳文化十五年》等书,率先对"现代文化名城与深圳文化发展模式"等课题进行研讨,其成果被深圳市文化决策部门所吸纳。这些研究对深圳特区的文化建设具有积极推进作用,对理论和实践都有积极意义。

宏海曾在高校中文系任教,文学是他情有独钟的领域。他从文化研究的整体视野出发,对深圳文学发展实践提出过诸多有理论价值的见解。此书下篇所收集的文学批评文章,就集中体现了他对文学的积极思考。他最早关注"打工文学",参与主编《打工文学系列丛书》,并在"打工文学"评介和研究方面,做出了可贵的探讨。他并不因为"打工文学"的"俗"而忽视它。相反,他热情扶持这一新兴的文学现象,并促使它由俗到雅,走上雅俗共赏的路子。诚如广东省作家协会主席陈国凯对他评价的那样:"你以评论家的敏感,把目光投向劳工阶层,注视着'打工文学'现象,注视着一批致力于反映这个阶层的作家,并热情地支持他们。这种精神弥足珍贵。"今天当打工文学的成就得到了文学界的充分肯定时,我们不应该忘记宏海为此做出的不懈努力。

这部论著研究的内容极为丰富,涉及深圳民俗文化、广场文化、旅游文化、打工文化、企业文化等诸多方面,既有对深圳本土传统的追溯和发掘,又有对深圳成立经济特区之后文化嬗变进行的研究和阐释。它对探索深圳的文化发展道路和规律提供了诸多有理论价值的东西,为了解深圳文化提供了一个"窗口"。

深圳是一个典型的移民城市,十多年光景,从五湖四海竟涌来了上千万人。大家从四面八方带来了各自的文化熏陶。最初是岭南文化、港澳文化,以后又有吴越文化、京津文化、湘楚文化、巴蜀文化……内陆文化源源不断而来,欧美文化、东南亚文化也接踵而至。东西文化都在这块热土上交汇、碰撞,展示风光,各显神通。这对于想要建成国际性城市和现代文化名城的深圳来说,无疑创造了一些有利条件。各种文化的交汇,必然会产生一种新的文化格局。这,可以是自发形成,也可以是自觉建构。问题在于:这是一种什么样的格局,是不是大家所希望的格局?时世发展到今日,国际文化交流日益发展,香港亦已回归,大众文化日渐兴盛,我们恐怕已不能不考虑:深圳的文化能形成什么样的特色和会有什么样的结构?没有自觉意识,缺乏远见卓识,将来恐怕要吃亏。在一片"全球文化一体化"的吆喝声中,西方的强势文化借助于高科技工具会不会吞没了还处于弱势的文化?因此,我们不能没有文化的自觉,必须早有自己的文化策略。当然文化策略还是要从实际出发,因势利导,顺势而为。但这并不意味着我们在文化建设上可以没有战略眼光。我们应在掌握特区文化发展道路和规律的基础上,自觉建构一种新的文化模式,形成新的文化格局。因此,特区文化研究，应该说大有可为。

　　面向21世纪，深圳文化要在二次创业中，增创新优势，更上一层楼，逐步迈向"现代文化名城"的目标，还有很多路要走，正所谓"任重而道远"。文化实践的发展始终离不开文化理论的指导，而文化理论要指导文化实践，就必须要走在实践的前头。未来深圳文化实践要大发展，需要文化理论的大发展。宏海作为深圳市特区文化研究中心的负责人，承担着全市文化理论研究的组织、协调工作，带领一支由博士、硕士等年轻科研人员组成的专业研究队伍，正在对特区文化做进一步的深入研究。这对深圳文化的发展，无疑起着推动作用。展望未来，作为正在向现代化国际性城市、现代文化名城这一目标前进的深圳，将以海纳百川之势去铸建独具特色的文化大厦。深圳的文化研究工作，既面临着更大的希望，也面临着更大的挑战。我希望宏海把视野放得更远更大些，把理论概括能力提升得更高更广些，在未来的研究工作中取得更多更好的成果，继续为"文化深圳"的发展贡献智慧和力量。

为《文化深圳》所作序
1997年初秋，深大新村

为深圳文化献身心

今年是深圳经济特区建立30周年。沧海桑田,岁月如歌,这是激情燃烧的30年,是实现梦想和创造奇迹的30年。从20世纪80年代一个落后贫瘠的边陲小镇,发展为举世瞩目的现代化大都市,深圳创造的经济奇迹,引来世人赞扬的目光。庆祝特区华诞30周年晚会上那一簇簇绽放在深南大道上的璀璨焰火,向世人骄傲地展示,今日的深圳已今非昔比,一派绚丽辉煌之景,耀眼夺目。

经济的繁荣,带来的是文化的兴盛。遥想特区创建之初,曾被称为"经济的旺区,文化的沙漠"。然而,经过30年来特区文化人的不懈努力,深圳城市文化竞争力在全国大城市中排名第一。深圳还被联合国教科文组织授予"设计之都"称号,被授予"杰出的发展中的知识城市"称号,被评为全国文化体制改革先进单位。音乐厅、图书馆、中心书城、美术馆、大剧院,一座座秀丽俊美的文化大厦拔地而起,文博会、读书月、市民文化大讲堂、创意十二月、社科普及周、国际钢琴协奏曲大赛、设计论坛,一个个文化的盛宴,使深圳人每天都在过着文化的狂欢节。文学艺术创作成绩斐然,文化产业发展更是异军突起,成为岭南的新文化重镇。所以,在特区"而立"之年,除了盘点它在经济领域取得的骄人成就外,我更乐意看到纪录这座年轻城市在文化领域里一步步跋涉、发展从而腾飞,创造了文化奇迹的有代表意义的研究读本。总结深圳文化30年的成绩与不足,梳理深圳文化创新的宝贵经验,当是纪念特区建立30周年有关活动的题中应有之义。

在这方面,已经有多部著作不断问世。这些选本多是从"文化记忆"的视角,收录了在深圳文化30年发展历程中有代表性的各类文章,是对30年深圳文化现象与文化个案的宏观的选录,是民间视野中的深圳文化读本,即"多人眼中的深圳文化"。而我手里这本由深圳文化学者杨宏海编著的厚厚两大卷的《我与深圳文化》，则是从一个"单个人"的视角来透视深圳30年文化的历史变迁。将一个人的文化实践与一座城市30年的文化发展联系起来，从一个人的学术研究与艺术创作的历程来见证与展示这座城市30年的文化发展轨迹，也不失为盘点与回眸深圳文化30年历史的一个新颖视角。"一个人眼中的深圳文化"，必须要能"窥一斑而知全豹"。由于宏海调入深圳的时间较早，他进入特区文化的"场"也比较早，所以，要谈起深圳30年文化史上的许多重要的有标志性的文化事件，都不能绕开杨宏海。比如，"特区文化"、"打工文学"、"现代文化名城"、"文化产业"、"深圳精神"、"深圳文化大讨论"、"深圳读书月"、"市民文化大讲堂"、"客家文化"、"阳光写作"等等。可以说，通过杨宏海的《我与深圳文化》，我们基本上可以粗线条地整体把握深圳文化这30年来的律动与变迁。虽然宏海在深圳的工作只有26年，接近30年，但这26年，是深圳文化发展最为重要的年份。可以说，杨宏海既是深圳文化30年发展历程的重要见证人，也是30年深圳文化的主要参与者与实践者之一，还是许多深圳重要的文化活动与文化品牌的策划者，更是30年深圳文化现象与文化理论的研究家，这四重身份集于一身的特点，决定了他这部70万字的《我与深圳文化》在深圳文化史上的一种史学意义和典型意义。《我与深圳文化》这部书稿集杨宏海26年研究深圳文化现象的文章之大成，从理论与创作两方面精心构筑起一座深圳文化的大厦，具有典型性和代表性，从中可以窥见深圳文化从筚路蓝缕的艰辛拓荒，成长为一片郁郁葱葱的广袤绿林的灿烂历程，这样的选本可以成为深圳文化的另一个具有特殊地标意义和时代价值的文本。

　　我是"知天命"之年南迁深圳的。宏海比我晚一年，是1985年。之前，他在家乡梅州的一所高校任教。宏海是客家人，客家文化传统向来"崇文重教"，注重"诗礼传家"。他的父亲杨冀岳先生就曾是一位学养颇深的古典文学学者、诗人。书香门第的家庭熏陶，使他培养了丰厚的学养。所以，当年深圳市文化局就是看中杨宏海长于理论研究的优势而将他调入特区。他告别内地讲坛，是授命专门奔赴深圳来研究"特区文化"的。在深圳上班第一天，文化局局长交给他一项历史性的研究任务——为深圳文化寻找方向,研究什么是特区文化以及特区文化应走什么样的道路。特区虽然已经办了五年,但特区文化研究领域还是一片空白。市文化部门急于要从理论上寻找答案,于是,历史的机遇就这样落在了杨宏海的身上。自此,他的生命便与深圳特区这片热土连在了一起。他最早提出"特区文化"的概念,初到深圳,便以《深圳,呼唤特区文化"特"起来》的论文而一鸣惊人,在全国文化事业发展战略研讨会上,引起文化部常务副部长高占祥的关注与有关专家的好评。自此,他一发而不可收,接连发表了《深圳特区文化的特点及发展走向》《深圳观念文化的精神解读》《论"深圳精神"》《香港回归与文化引桥》等系列学术论文,从文化理论的高度,赋予特区文化以美学内涵,全方位构建了特区文化的理论大厦。他还热情参与20世纪90年代中期展开的关于深圳文化的大讨论,发表《深圳文化解忧录》,为迷惑中的深圳文化释疑解惑。尤其是20世纪90年代初,他受命与文化部政策法规司合作创办了中国第一家"特区文化研究中心"并被任命为第一任的中心主任以后,更是将自己的全部心血倾注在特区文化研究的事业上。多次奔赴北京、上海、广州等地高校,选挑优秀人才,开始一草一木的搭建与一兵一卒的招揽。于是,一批全国优秀的博士、硕士,在他的带领下,深入特区经济建设的第一线,像当年社会学家费孝通先生为了研究而展开田野调查一样,亲自参加深圳的文化实践,在实践中升华理论体系。宏海不仅参与深圳一些文化产业的重大活动,而且从理论上引导深圳文化产业的发展方向。比如,他最早带领"中心"研究人员对华侨城旅游文化产业进行专题调研,率先探讨旅游文化产业的先进经验,实地考察,较早对特区的文化产业展开研究。1992年,他写出的《关于深圳文化产业的调查与思考》,是深圳特区第一篇关于发展文化产业的专业论文,堪称开山之作。后来,文化产业成为"特区文化研究中心"的研究方向,也成为深圳经济发展的重要方向和支柱产业,宏海的功劳不可不提。

这本《我与深圳文化》是杨宏海对自己26年特区文化研究的一个总结与回顾,全书分为"特区文化篇"、"深圳文论篇"、"打工文学篇"、"青春文学篇"、"文化产业篇"、"客家文化篇"、"艺术创作篇"七部分,正是杨宏海在深圳特区从事文化研究、文艺创作的最值得一提的七个方面。其中,"特区文化篇"是其整个文化研究的理论基石,杨宏海第一个在国内率先展开对"特区文化"这一新型文化的研究,并卓有建树,早在20世纪90年代即出版了《文化深圳》的理论专著,他对深圳领先于全国的观念文化、广场文化、移民文化、新民俗文化以及深圳的人文历史资源非常重视,进行了多方面的精深研究,提出深圳文化既有岭南文化的传统,也同时具有浓郁的移民文化的性格特征,是移民文化与窗口文化、引桥文化与岭南文化相融合的一种多元文化。这样的定位,无疑是立足于深圳虽地处岭南,却是中国改革开放的前沿阵地、中国迈向现代化的试验场、中国新兴的移民城市与国人寻梦闯世界的特区这样的特殊地位。正在上海举行的世博会上,深圳用"中国梦想试验场"为自己展区命名。宏海26年的文化研究,正是充分考虑到深圳"试验场"的这种特殊身份,是立足于深圳文化生动的实践之中,也是基于建设文化大省的高度,是从文化强省与"文化立市"的总体格局中思考、探寻深圳文化的未来发展走向,体现了一种严谨的体制内文化研究的特点。正是这种政府视野与学术功力的高度融合,使其文化研究自觉地成为政府文化行为的一部分。实际上,"特区文化研究中心",已经成为政府文化部门的"智囊团",因而,宏海的许多文化研究的成果,直接被政府文化部门采纳,如其率先提出深圳文化建设的目标是"现代文化名城",就被市委、市政府采纳,并在当年的深圳文化工作会上,由李容根副市长正式提出。他发起创办"深圳读书月",参与策划"市民文化大讲堂",举行"深圳人文精神大讨论",都体现了他那种关心深圳文化发展、积极参与文化实践的文化热情。

  宏海对特区文化的痴情是出了名的。比如,他对"打工文学"与"客家文化"的持久关注与研究,是他26年特区文化研究中不可或缺的两大板块。他最早提出"打工文学"的概念,关注外来劳务工的精神生活,为实现外来劳务工的文化权利而鼓与呼。正是在他的努力下,打工文学成为深圳文化风景中的一个亮丽品牌,到现在,深圳已经成功地举办了六届"全国打工文学论坛",他还编辑出版了《打工世界:

青春的涌动》《打工文学纵横谈》《打工文学备忘录》《打工文学作品精选集》等有关打工文学的著作，为打工作家提升文学修养举办多种文学培训班，举行体制外作家欧洲游，开阔他们的视野。而身为客家人，宏海对客家文化的研究，也自有其特色。他从粤东客家人的民俗特色着手，对别具风采的深圳民间歌谣、客家山歌、客家民居的移民文化特征进行了全新的文化阐释，认为应当让中华精神的支脉——客家精神赓续绵延，薪火相传，以便创建"活的文化"、承接"新的传统"。他对客家文化个案，如"黄遵宪与民俗学"、"丘逢甲的军事思想"、张资平、李金发的小说等，都进行了深入的研究，编纂了《客家诗文》与《客家艺韵》等著作，在深圳创办"客家文化节"，连办四届，刮起一阵客家文化旋风，深得各界好评。现在，客家文化节也已成为深圳文化的一大亮点，并在每年十一月的"深圳读书月"中举行。正是因为他对客家文化的精深钻研，"杨宏海客家文化艺术工作室"终于挂牌，我相信，今后他的客家文化研究会更加开花结果。

杨宏海对深圳青春文学的关注，也是有目共睹的。他较早对中国青春文学的开山之作——郁秀的《花季·雨季》给予扶持评介，认为此作是第二代深圳人的文化标识，具有"深圳制造"的鲜明特色。他与市教育部门联袂发起创办全国第一个"中学生文联"，打造"阳光写作"特色品牌，为特区的青春文学创作提供理论支持与美学引导。对全市的中学生文学社团和校园文学创作，他肯定为"植根热土的文学新苗"，认为深圳具有培育"青春文学"的沃土，所以，要让"阳光写作"照亮莘莘学子的内心世界，并与著名作家曹文轩、评论家白烨等人进行学术对话，尽力建构"阳光写作"的理论形态，被称为"阳光写作与生态阅读的理论旗手"。杨宏海较早提出关注特区青少年的生态阅读，提出要让青春文学融入城市人文精神建设之中。经他呵护、扶持过的深圳青春文学写手，如郁秀、妞妞、张悉妮、韩淑娴、袁博、赵荔、李墨白、李梦、陈静等，都在文学创作上有可喜的收获。宏海还将富有人文意义的文学活动延伸到中学校园，如多次到翠园中学、育才中学等校参加"图书漂流"与"当代作家与中学生面对面"等活动，组织"深圳读书人群大型调查"、"深圳市中学生读书状况调查"、"深圳市外来青工读书调查",开展"深圳青春文学季"等富有创意的人文教育活动,指导中学生文联在改革开放28周年之际,编辑推出"深圳青春文学精品工程",为中学生的素质教育创造良好的氛围;他还与中国作协创研部联合举办"首届全国未成年人阅读文化论坛",创新未成年人阅读文化活动的形式,倡导一种审美、人文、经典,符合青少年特点的阅读形式,使之成为未成年人读书与成长的精神家园。宏海还在文博会期间大胆邀请英国创意大师霍金斯前来深圳,参加"青春写作与创意未来"论坛,让创意大师与创意少年对话。在宏海与市教育部门领导的关心指导下,深圳市的青春文学创作呈现出一派繁荣茂盛的可喜景象。

宏海多年在内地高校讲授中国当代文学,这是他的本行。来到深圳后,他也没有放弃关注当下活生生的深圳文学创作的现状。他认为,深圳文学呈现出一种开放窗口的特点,表现出青春城市与移民城市的景观,因而他常常用文化视野探寻深圳文学的魅力。在"深圳文论篇",既有对市场经济背景下深圳文学发展的宏观论述,如《改革开放与深圳文学》,也有关于深圳文学发展的学术对话,他提出深圳文学要抒写变革时代的精神史,从而对都市文学、特区文学的品格与深圳网络文学的发展、深港文学艺术交流等,都进行了详细的文化阐释。更有对深圳不同历史时期的一些有代表性的作家,如陈国凯、李兰妮、杨黎光、林雨纯、彭名燕、杨争光、曹征路、丁力、谢宏、厚圃、刘元举等人的文学新作的微观研究。他的评论学风严谨,既有理论高度,又能结合作品本身,形成了自己的特点。

宏海在2001年冬天,调入深圳市文联,担任专职副主席,分管文艺创作与文艺评论工作。这个时期,他仍然没有放弃理论研究,同样写下了大量的研究文章。但是,难能可贵的是,宏海不仅是一位长于理论思辨的学者,他也是一位多才多艺的作家。他热爱艺术,曾多次上台进行文艺表演,有着表演的才华,同时也具备创作的才华。收在这本书第七篇的"艺术创作篇",就反映了宏海艺术创作的天赋与成果。比如,在深圳经济特区建立20周年之际,他与著名舞蹈家岳世果等人合作编写了《祖国,深圳对您说》的大型歌舞剧,获得国家"五个一工程奖"。在深圳经济特区建立30周年华诞前夕,他独立创作了客家风情新创歌舞剧《月照围楼》,并与深圳大学师范学院联袂将之搬上舞台,获得了各方好评,《文艺报》发表整版评论,评价这是一部融音、舞、诗、画等要素为一体的客家风情歌舞剧,以"月亮"与"围楼"为意象,以"创新原生态"的艺术形式,通过主人公阿楼与月儿从少年到老年的人生经历这根线索,串起客家文化的颗颗珍珠,展现了客家人民珍爱生活、质朴热情的民风,不惧磨难、坚韧拼搏的精神,以及"情系中原,根在华夏"的血缘记忆,是一部"深圳原创舞台精品"。宏海还创作了《土楼回响》歌剧与《中华儿女共婵娟》《民族精神传万年》等客家山歌。这样,26年来,宏海能够融理论研究与艺术创作于一体,使得他的著作,既有理论的厚重,又散发着艺术想象力的芳香,十分难能可贵。

中国经济特区创办30年,是"摸着石头过河"的30年。特区人不辱使命,以"杀出一条血路"的敢闯敢干的创新气概,筚路蓝缕,一往无前,为全国的改革开放和实行市场经济发挥了重要的"试验田"作用,在中国迈向现代化的历史进程中,发挥了重要的示范、辐射和领头雁的作用。30年,对深圳来说,已进入了一个重要的发展的节点之上。所谓"节点",正是一个历史的转折点,是承上启下的里程碑。"三十而立",特区已经告别了稚嫩的童年与青年时期,开始迈入人生的中年,性格渐趋成熟,开始形成自己的城市风格。从文化上说,深圳经过30年的发展,也基本形成了相对稳定的文化性格。这一点,宏海在这两大卷中,也都做了详细的论述。从字里行间可以看出,宏海与特区文化有着血肉一样的感情与联系,他离不开深圳文化,而30年深圳文化里也浸润着他太多的心血。宏海的文化研究,带有很大程度的探索与创新的色彩。这正是深圳这座城市最动人之处。30年中,深圳先行一步的探索书写了无数发展的传奇,未来30年,科学发展的梦想还将在这里激情燃烧地试验下去,深圳也将从过去的"速度深圳"与"效益深圳"转变为更加注重建设"创意深圳"与"人文深圳"。建设"创意深圳"与"人文深圳",更需要特区人葆有理想主义的情怀,展开文化想象力,培育浓厚的适合人居住的诗意文化氛围。30年中,宏海参加了第五次"全国文代会",被评为"广东省优秀中青年专家"、"广东省百名优秀中青年文艺家",荣获"广东省鲁迅文艺奖",可以说,很圆满地完成了深圳特区第一个30年的"理论拓荒"工作。这两本书也是宏海对自己近30年深圳文化工作的一个梳理与总结。相信读者在打开这两卷著作时,会呵着油墨清香,随着宏海的生动论述,一同回味与沉浸在那有点青涩却很辉煌的30载深圳文化的动态岁月中。

为《我与深圳文化》所作序
2010年秋于望海书斋

打工文学留脚印

我在深圳20多年,亲眼看见了改革开放以来打工文学的兴起。杨宏海不仅密切关注着打工文学的发展过程,而且紧密跟进,追踪研究、评论之外,还搜集丰富的研究资料,为我们铺下了打工文学发展的轨迹,值得称道。

在当代中国文坛里,"打工文学"是伴随改革开放与市场经济应运而生的。可以说,改革开放催生了"打工潮"的兴起,这是20世纪重要的社会变革,是非常壮丽的社会景观。作为"打工文学"发源地的深圳,早在20世纪八九十年代,就涌现出许多"打工文学"作品,真切地反映了这一庞大社会群体的生存状态、情感世界与理想追求,以形象、鲜活的文字,记载了中国改革开放与发展市场经济的历史。时至今日,打工文学渐趋为国内文坛所瞩目,也引起了日本、韩国、荷兰等不少国家与地区学者的关注,为当代文学积累了新鲜丰富的中国经验。

打工文学是中国工业化、城市化进程中必然出现的文化现象,它体现了打工群体"自我关怀"和渴望"社会关怀"的精神诉求。在我的印象中,打工文学最吸引人的地方是通过打工去实现"梦想"。记得2000年在深圳宝安举办的"全国打工文学研讨会"上,王京生就已指出:"特区建立20年来,一批又一批闯世界的年轻人汇聚到深圳这片热土上,开始了漂泊、动荡然而又是充满理想主义精神的打工生活。打工文学正是从打工生活中孕育出来的。它记录着打工者的故事,又承载着打工者的梦想。在那些朴素到有些稚嫩的文字中,我们不难看出,跨世纪的一代中国青年,是如何经历着从乡村到城市,从农业文明到工业文明的巨大的变迁。"的确,当代打工者是承载梦想南下创业的,是梦想使他们对生活怀有信念;是梦想使他们对奋斗一往无前,是梦想使他们对世界怀有一份坚定和乐观。

事实上,打工者不仅仅怀有梦想,而且具有实现梦想的勇气和智慧。林坚、张伟明、安子、周崇贤、王十月、戴斌、郑小琼、柳东妩……为数众多的打工者心怀梦想,通过拼搏、奋斗,不仅在打工文学方面写出了力作,而且在改革大潮中不断发展成长,他们或仍然在打工第一线,或当了企业老板,或变为专业作家、记者……都能在不同岗位上干出业绩,实现个人的价值。在"2010年世界大学生运动会"广告词征集过程中,全国有很多专家名流参与投标,最后选中的是来自深圳一位打工妹的作品:"深圳,与世界没有距离"。许多事实证明,打工群体中有丰厚的人才资源和创造活力,他们是当代文化建设不可忽视的力量。

谈到打工文学,人们自然就会想起最早的研究者杨宏海。大家清楚记得,当打工文学刚刚冒头之际,宏海就以极大的热情予以关注、热心扶持,勤于浇灌、促其成长。宏海认为,打工文学是打工者发自"心灵的呐喊",是打工者实现他们文化权益的重要平台,它为市场经济挤迫之下的打工群体提供了舒缓紧张压力的精神食粮,也为人们理解当代中国的社会转型提供了第一手材料,既然时代造就了这么一种文学景观,就应该有人将其记录下来,作为当代文学发展过程中不可或缺的人文资源。有感于此,宏海先后主编出版了《打工文学系列丛书》、《打工世界》(作品评论集)、《打工文学作品精选集》,参与策划举办了三次全国打工文学研讨会,20年来孜孜不倦,获得打工群体与业界人士的好评。诚如广东省作家协会主席陈国凯对他评价的那样:"你以评论家的敏感,把目光投向劳工阶层,注视着打工文学现象,注视着一批致力于反映这个阶层的作家,并热情地支持他们。这种精神弥足珍贵。"今天当打工文学的成就得到文学界的充分肯定时,我们不应该忘记宏海为此做出的不懈努力。

宏海曾就学于我,在读研究生时他就非常注重对资料的搜集、整理,从而获得"特区文化资料库"的美名,对此我甚为赞赏,任何研究都需以资料为基础,不然就空说无凭。这次他在原有的基础上,将长期搜集积累的资料重新梳理,选编这本《打工文学研究备忘录》。

全书共分四个部分：第一部分以宏观视角，着重对打工文学作整体研究；第二部分主要对打工文学作品进行文本解读，也涉及具体作家作品引发相关问题的研究；第三部分选取部分媒体对打工文学的跟踪报道，从中可窥见舆论界对打工文学的观照视点；第四部分是"附录"，选取了可供读者参考的相关批评文章、问卷分析与图书编目。全书突出文献资料性，兼顾全面性，给读者与研究者提供了不可多得的宝贵文本。

宏海自1985年从内地高校移居深圳，长期在政府文化部门从事研究工作。在多年的文化研究中，形成了他个人鲜明的研究特色，就是"两结合"：一是政府视野和学者视野的结合，既能从文化运作的组织者和管理者角度提出问题，又能以学理化的方式对社会文化实践进行阐释。二是精英意识与民间意识的结合，既坚持精英文化的专业立场，又善于从平民文化中挖掘有价值的东西，贴近现实去进行理论创新，有效地缩短学者与政府、与民众的距离，使其文化智慧既能渗透到政府决策中去，又能对大众的文化生活产生影响。这也许是宏海能将打工文学不断推进发展的主要原因。

转眼之间，深圳即将迎来30年的华诞，打工文学也风雨兼程走过了20多年的历程。深圳市委、市政府已形成共识，要努力实现包括打工群体在内的市民文化权利；而深圳市委宣传部、市文联也将打工文学纳入"文学创作工程"之中。时代在发展，文学在进步，我衷心祝愿宏海在新的历史条件下继续努力，不断取得新的成果。

为《打工文学研究备忘录》所作序
2007年秋于望海书斋

着意文化优建构

特区已过20岁,我很盼望有人能对发展中的深圳文化实践进行较为全面的研究和阐发:在社会主义现代化过程中,当代文化如何建构,深圳怎样才能建成现代文化名城。

前不久,读到宏海主编的《深圳文化研究》,使我对深圳20年来的文化发展历程有了更清晰的认识。现在,又见到了鹤琴即将付梓的这部书稿《审美视野中的城市风景》,更启发了我对深圳文化的理论思考。这是一部研究深圳在迈向现代化过程中当代文化如何建构的专著。深圳的当代文化建构,被放到了世界文化格局中来探索,使人豁然开朗,似有"柳暗花明又一村"之感。

深圳正在加快现代化进程,推进社会发展的全面进步,建设现代文化名城,人的现代化问题就显得更为突出。人的现代化比起物的现代化,难度要大得多。如何加紧文化发展,推进人的现代化,应是文化研究的关注中心。

作者一直关注着深圳的文化发展。作者在特区第一次创业时期就已来到深圳,既写文艺评论,也写随笔散文,而且积极参与文艺界的策划、组织等活动。随着"二次创业"的推进,文化艺术的迅猛发展,作者在积极参与文化实践的同时,较早就在思考当代文化建构问题。作者在攻读博士学位过程中,就着手研究文化的当代建构,开始发表有关论文。现在见到的这部书稿,正是作者全面思考文化建构问题的一个理论概括。

读完书稿,一个突出的印象:理论和实践结合,着眼于理论创新。作者对深圳的文化实践比较熟悉,又去过西方不少发达国家考察过异国文化,掌握了不少文化实践资料,文化视野广阔。作者又钻研过文化理论(特别是文艺理论),涉猎过多种文化学说。因此,作者在探索深圳的文化建构时,能紧密联系深圳的文化实践和国内外的文化实践,又能启发我们作深层思考。

文化实践,在现代化过程中经历了商品经济再到知识经济时代,已经变得越来越复杂,不再像在自然经济时代那样单纯明了、容易捉摸了。在文化生产和文化消费这起点和终点之间,中介环节越来越多,越来越复杂,文化传播、文化流通、文化交换的过程越来越复杂曲折,常常会模糊了文化的目的,消解了文化的价值取向,而只看到了手段本身。

文化生产,是文化实践的重要环节、必要组成。但文化生产是为了什么,人类为什么要进行这种生产?生产为了消费,而文化消费本身,乃是为了满足人类的一种特殊的需要而生的一种特殊消费。因此,文化生产、文化消费的目的,最终都是为了满足人的需要,都应以人为本。文化生产,作为精神生产之一,理应服务于人类自身的生产。

然而,人的需要多种多样,错综复杂。文化生产、文化消费是为了满足人的何种需要?抽象地说,当然是为满足文化需要。但是,什么是文化?这却歧义丛生,有着200多种解释。

依我看来,必须区别三种不同层次的"文化"。

一是最广义的文化,那就是"人化"。凡经人加工过的予以"人化"之事物,都属文化,物质文化、制度文化、精神文化都在其内。人类之所以要"人化"自然,乃是为了人类自身的要求,越来越优化自己,在人和世界的动态平衡中不断进步。

二是特指精神文化。把精神文化和物质文化加以区分,把文化和经济、政治相区别,专把精神文化称为文化。这样,文化生产,就特指精神生产,即马克思所说的"思想、观念、意识的生产"。精神生产也要运用物质材料作为自己的生产手段,但那是一种特殊的物质——符号(语言的和非语言的)。这种"符号",不同于物质生产所用的"工具"。用"符号"生产由来的精神产品,虽然也有物质载体,但那仍是满足人们精神需要的"符号"。

三是最狭义的文化,乃是和科学相区别的文化。我们常把文化和科学并称,那么,这"文化"就不包括科学,而是指人文。文学艺术就是这种狭义文化——人文意识的最典型的形态。当然,艺术、科学都有共同性,如马克思所说,"科学、艺术等等,都不过是生产的一些特殊形态"。都需要有一定的物质载体,"一切艺术和科学的产品,书籍、绘画、雕塑等等,只要表现为物,就都包括在这些物质产品中"。①但是,科学著作和人文作品即使在使用符号方面都有很大不同,更不要说内容上的巨大差别了。

文化的层次虽有不同。但文化的内核,却包含了两个方面:价值观念和工具技术,其中,价值观念更是核心。文化活动是一种价值活动,文化产品是一种价值载体。文化,无论作为一种活动,还是作为产品,它的作用,是使人们在享受文化的同时,不知不觉接受了价值定向。因此,文化研究,真正有价值的,最终还是要促进先进文化的发展,提升人类自身的价值。所以,对于人类来说,"文化上的每一进步,都是迈向自由的一步"②。

如今的文化研究,主要在考察精神文化的过程中注重狭义的文化,和经济、政治、道德、科学相区别的文化,现在有些人把它称为审美文化,例如,广播影视、艺术表演、文学出版等。但她不是脱离了社会的文化实践来独立作文本研究,而是把文化活动既作为事业又作为产业来审视,把文化产品既作为精神创造又作为生产劳动的结果来研究,在文化生产和文化消费的双向互动张力关系中来探索文化的当代建构。

文化实践,作为人类重要活动之一,本身就是一个动态过程,从文化生产到文化消费,经过社会的系列中介,才为接受者(观众、听众、读者)所消费。但无疑,生产和消费乃是文化实践的起始与终点,是最重要的两环。没有文化生产,就没有文化消费;没有文化消费,也不会有文化生产,生产和消费,互为因果,相互促进。"生产不仅是消费的手段,消费不仅是生产的目的,就是说,每一方都为对方提供对

---

① [德]马克思、恩格斯:《马克思恩格斯全集》第26卷第1册,人民出版社,北京,1975年,第165页。
② [德]马克思、恩格斯:《马克思恩格斯全集》第3卷,人民出版社,北京,1975年,第154页。

象,生产为消费提供外在对象,消费为生产提供想象的对象";"两者的每一方当自己实现时,也就创造对方,把对方当作对方创造出来"。①当代文化,也只能在文化生产和文化消费的相互作用、张力关系中逐步建构起来。

文化生产不仅为主体生产出文化对象,而且也为文化对象生产主体。"艺术对象创造出懂得艺术和能够欣赏美的大众。"②文化生产的结果,可能以两种方式存在。一种是静态存在的文化产品:"如书、画以及一切脱离艺术家的艺术活动而单独存在的艺术产品。"一种是动态存在的文化行为:"产品同生产行为不能分离,如一切表演艺术家、演说家、演员、教员、医生、牧师等等的情况。"③文化生产的结果,乃是使文化产品、文化行为具有了使用价值。只是这使用价值不是物质生产所要的实用价值(物质的使用价值),而是精神价值(精神的使用价值)。我们不妨把这称作虚用价值,以区别于实用价值。作为文化生产之一的艺术生产。更是以生产精神价值之一的审美价值为主要目的。"一个歌唱家为我提供的服务,满足了我的审美的需要;但是,我所享受的,只是同歌唱家本身分不开的活动,他的劳动即歌唱一停止,我的享受也就结束;我所享受的是活动本身,是它引起的我的听觉的反应"。④

无论是文化产品还是文化行为,在商品生产条件下,都可能成为商品,因而具有交换价值。商品是使用价值和交换价值的统一体,但在文化实践中,却时常发生矛盾。文化建构,就是尽力使交换价值和使用价值在一定的价值目的的支配下,达致统一。文化生产可以而且应该重视交换价值,甚至,可以通过文化生产获取一定的剩余价值。上海的国际艺术节、"欧洲文化之都"、深圳华侨城等的文化活动,不

---

① [德]马克思、恩格斯:《马克思恩格斯全集》第2卷,人民出版社,北京,1975年,第96页。
② 同上。
③ [德]马克思、恩格斯:《马克思恩格斯全集》第26卷第1册,人民出版社,北京,1975年,第443页。
④ 同上书,第436页。

乏成功之例。但是，这不应以牺牲文化本身的精神价值为代价。文化生产的根本目的，还是要提升人类自身，高扬人文精神。

文化是为人自身而作的人的创造，也是人类自身的存在方式，生命形式。真正的艺术，都是作家、艺术家的生命的自然流露、天性的能动表现，"弥尔顿出于春蚕吐丝一样的必要而创作《失乐园》。那是他的天性的能动表现。后来，他把作品卖了5镑"。①英国作家弥尔顿卖出了自己的作品，成了商品。交换价值被大大贬低了，但它的精神价值却永垂千秋。郑板桥作画，有的是为自娱，既不卖，又不送；有的是作为馈赠，送给别人了；更多的，特别是晚年，乃是明码标价，作为商品，卖给商人。但是，他的画始终不去媚俗，而是表现着独立的自由个性，坚持自由的精神生产，显示出自己的独特的人格魅力。

文化实践要服从人民的需要，文化建构要以人民的需要做导向。人民的需要是多方面的，要生存，要发展，要完善，个人得到自由而全面的发展，社会得到全面发展和进步，人和世界达到动态平衡。按马斯洛的"需要层次"的看法，人类需要从低层到高层，约有七个层次：生理需要——安全需要——相属关系和爱的需要——自尊的需要——认知的需要——美的需要——自我实现的需要。在这多种需要中，可以分成两大类：一是基本需要，二是超越性需要（参阅马斯洛的《动机与人格》）。还有些学者，把这称之为绝对需要和优越需要："人类的需要可能是没有边际的，但大体以分作两种，一种是人们在任何情况下都会感到必不可缺的绝对需要，另一种是相对意义上的，能使我们超过他人，感到优越自尊那一类需求。第二种需求，即满足人的优越的需要，很可能就无止境。"②美国心理学家克雷奇等更进而认为："人的基本动机就是以其最有效而最完整的方式表现他的潜力，即自我实现的需要。"所谓"自我实现"，也就是"人类把自我中潜在的东西变成现实的基本倾向，也就是把个人的潜力作最大的

---

① [德]马克思、恩格斯：《马克思恩格斯全集》第26卷第1册，人民出版社，北京，1975年，第432页。
② [美]丹尼尔·贝尔：《资本主义文化矛盾》，生活·读书·新知三联书店，北京，1976年，第22页。

实现"。①按马斯洛的理论,基本需要是指物质需要,而超越性需要乃精神需要,对真、善、美的追求更是超越性的需要,是迈向自我实现的更高阶段。

我们正在走向社会主义现代化。但现代化是一个漫长的道路,我们目前还在第一次现代化的路途中,以发展工业经济为基础的经典现代化,也还只实现了七成多,水平还不高。而以发展知识经济为基础的第二次现代化已在世界兴起,逼迫我们必须在第一次现代化还未完成之时立即要做跨越性发展。就是这样,我国经过努力,也许要到50年后才可能基本实现第二次现代化,远落在瑞典、美国、芬兰、澳大利亚、瑞士、挪威、日本、丹麦、德国、荷兰之后。中国人口众多,土地辽阔,发展又极不平衡,广大地区还正从前现代向现代化转向,才达小康水平,而个别地方温饱还未完全解决。因此,我们还要为实现全面小康而奋斗,就是物质文明的现代化,也还尚需继续努力。走在现代化前列的深圳,要争取5年之后在全国率先基本实现现代化,走向中等富裕水平。物质文明也尚需发展。但是,我们应有超前意识,及早注意调控我们自己的"物欲",更加重视精神文明,发展"超越性需要",追求真、善、美。

我们要特别重视培育和激励先进文化的需要,及早防患于未然,不要在现代化过程中,堕入"丰饶中的纵欲无度"。美国著名政治家布热津斯基在多年前就已写道:"在先进的、富裕和政治上民主的社会里,物质享受上的纵欲无度越来越主宰和界定着个人生存的内容和目标。"个人自由被理解为随心所欲,挥霍无度。"贪欲就是好",成了主宰的信条,"没有必要实施强制;也没有必要进行自我克制"。②看来,在我们国家,既要依法治国,制止违法乱纪,暴殄天物、挥霍浪费;又要以德治国,对自己的物质需要,进行自我调控,防止纵欲无度,损害别人,又害自己。

最近,著名教育家、哲学家池田大作在反思20世纪的教育时所

---

① [美]克雷奇等:《心理学纲要》下册,文化教育出版社,北京,1980年,第384、388页。
② [美]布热津斯基:《大失控与大动乱》,中国社会科学出版社,北京,1995年,第77页。

说的一番话,颇可引起我们的深思。在他看来,教育的目的,就是培育"完善人格"。由这原点出发,教育就要把社会的目的观、价值观置于首位。"丧失目的观、价值观的社会,必然招致拜金主义等的猖狂横行。"他鲜明地提出:"把'享乐'误解为'幸福',我认为是战后日本社会的最大错误。这种张冠李戴的误解,使'自由'堕落为'放纵'、'为所欲为'。"所以,他大声疾呼:要重视"价值基准",要让全社会都正确地掌握教育塑人的本源活动。要教育大家永远不要脱离人和人、人和社会、人和自然的密切联系,"一旦切断这种'联结',人的灵魂只能毫无目的地徘徊在孤独的黑暗中"[①]。

我们的文化建构,应该超越物质享受,寻求精神超越,筑构精神家园。这种文化建构必须包括这两大方面:一是高扬人文精神,构建新的人文观念,确定人生价值新目标;二是高扬科学精神,不断探索无穷的自然奥秘。人文精神和科学精神的融合,价值理性和工具理性的统一,才是我们的合理的文化建构。两年前,欧盟文化部长们在一次会议上达成了这样的共识:"如果没有价值的内容,技术的未来发展是没有意义的。"这对我们的先进文化的建构,不无启发。

深圳特区文化的发展已历经20年,在历史悠久的岭南文化的基础上,各地移民文化在这块热土上相互碰撞、融合,正在生发和建构着一种现代新文化。特区文化在逐渐形成自己的特色。以人为本,关注人的命运;面向现实,重视务实精神;开拓新路,寻求雅俗共赏,也都给我留下了深刻印象。随着文化实践的发展,关注深圳文化的人越来越多了。我希望此书的出版能触发更多人文学者对深圳文化建构的关注,会引起更多的专家学者关心深圳的文化研究,以促进深圳文化的当代建构和文化实践的健康发展。

为《审美视野中的城市风景》所做的"前言"
2001年初,深大新村

[①] 参见《东方文化》,2001年第3期。

诗意栖居何处是

数年前,在和台湾诗人洛夫见面的聚会上,青年诗人李晃热诚地为我和洛夫照了不少合影,在他主编的《深圳诗人》报上大幅刊登。我看他照的相片十分出色,给我留下深刻印象,从此由相识而交往。他不时为我寄他的诗作和诗刊,我们成为忘年之交。

李晃才思敏捷,写作勤快,到深圳十多年,已出了《深圳放牛》《鹿回头》《湘西牧羊》等四部诗集,马上就要出他的第五本诗集《饮马江南》,将他感受江南的诗篇,集中在一起。他知道我是江南人,特地把他这些咏吟江南的诗作送给我,希望我能把我读这些诗篇的感受写下来给他,作为序言。

江南,我亲爱的故乡,时常为她梦萦魂牵的地方,一听到我故乡的名字,就不由得为之心动,引发起无数的回忆和想象。我倒很想体味一下,这位湘西青年面对江南又会有什么样的体验。于是,我把这些诗篇全部读了一遍,读着读着,不知不觉地走进了诗境,引起了我的兴趣,有感而发,信笔写来,聊以为序。

具有一定生活经验的人都能体会得到,面对同一个对象,由于生活经历的不同,不同人之间,既会有相似的体验,更会有不同的体验,似,而又不同。世界上没有绝对相同的树叶,更不会有绝对相同的体验。同中有异,异中有同,这是一切事物存在的普遍规律。对于江南,李晃有着自己独特的感受和领悟。

李晃初次去江南虽晚,要在这个新世纪初的春天才第一次亲近江南;但在五年中,他却连续去了三次。他走遍苏州、杭州、扬州、镇江、南京、湖州等江南名城,诗兴勃发,写下了近70首诗篇。如果加上2006年登庐山而作的20多首恋歌,这册《饮马江南》所收的诗就将近百首。只要听听所说的诗名,就不禁令人神往:西湖写意、江南寻梦、苏州怀古、金陵感怀、雪落扬州、瓜洲古渡、亲近太湖、感受运河……

李晃出生于湘西,和沈从文、洛夫同乡,从小在湖南长大,然后闯天下到深圳,打工、写诗、编报、评论,涉猎甚广,但写得最多的还是诗。将入而立之年,他有机缘初访江南。一到苏州,他就为江南美景深深吸引,为之陶醉。他在那首《江南寻梦》中如痴如醉地写道:

> 为寻找梦中的桃花源
> 在一个春暖花开的夜晚
> 摇一艘乌篷船
> 潜入古典的江南
> ……
> 从沧浪亭、莫邪路到观前街
> 从狮山桥、寒山寺到拙政园
> 有谁
> 听懂了我
> 细雨中呼喊

我们的城市在现代化过程中,"古典"大都已经消失。苏州这座历史已过千年的古典名城,乃"古典"保存得最多的一个,李晃正是先从苏州感受到了"古典江南"的风韵。听到那悠然动听的江南丝竹乐,他引发联想,把这丝竹比作水乡乌篷船上的那支橹:

> 我只想将船儿撑到荷花深处
> 轻轻抚弄江南这把月琴
> 在运河那把弦上
> 太湖和西湖如歌如泣

他在苏州沧浪亭边的一间出租屋里住下,在雨夜中,"听千年的吴语温柔地拍打窗户"(《江南听雨》)。在采茶园中,看采茶少女,"像蝴蝶一样飞在花丛之间"(《江南采茶》)。在荷花池畔,观采茶少女,"渴饮溪水,卧采莲蓬,热了,撑一把荷叶做的遮阳伞"(《江南采莲》)。

面对江南美景,这位湘西青年,深深爱上了这"古典江南",不忍离去。在《暂住江南》中,诗人这样写道:

> 谁与我荡舟太湖,同船把盏
> 听我把长江这支竹笛轻吹
> 怕什么,明月伴我入睡
> 共枕一片波澜

在苏杭度过了一段美好的时光,李晃流连忘返。但为了营生,他又不能不回到深圳,为生存而搏斗,却又割舍不断对江南的情思,于是,写下了那首《痛别苏州》:

> 再回首
> 人间天堂景色幽
> 古城春色山清秀
> 小桥流水泛轻舟
> 园林美景不胜收
> 亭台楼阁相辉映
> 犹如人在画中游

虽不能在这人间天堂久留,那就只能寄希望于未来:

> 美丽的苏州啊
> 不用你用古典的衣袖挽留
> 也不用寒山寺的钟声打湿头发
> 我也想与你长厮守
> 无奈生活的奔波
> 让我的诗心无法承受
> 待到人老珠黄日
> 葬我于斯又如何

李晃对古典的江南,真是一往情深,首次到苏州,就不愿离去,想与她长相厮守,即使暂时不能不离去,还想老了再来。古人早就有"游人只合江南老"之叹，李晃则更进一层，就是死了，也想葬到江南，可见爱江南之深。

李晃对江南的感受，并未只停止在看得见、听得到的直觉。由眼前实景的抒写，还引发出对历史的沉思，领悟到那历史深层的文化意蕴，从而提升了诗的境界。他到姑苏，就联想起了吴王夫差、越王勾践、美女西施、大夫范蠡、伍子胥的历史命运，感慨系之；在拙政园，他想起了柳如是；在桃花坞，他想起了唐伯虎。在金陵黄昏、秦淮河畔、莫愁湖旁、乌衣巷中、雨花台上、燕子矶头，更有多少历史故事浮现在他脑海中，一齐涌上心头，诗兴勃发，感慨万千，一下就倾泻到笔下。

在登上南京凤凰台时，李晃想起了唐代诗人李白的《登凤凰台歌》，不觉心有所动，信笔就写下：

　　千年之前月照你
　　千年之后月映我
　　……
　　凤凰台上凤凰游
　　名又如何，利又如何
　　天地之大，谁人知我，谁人能和

登上凤凰台，心和李白的心接通起来，然后发出了李晃自己的感叹：名和利不过是身外之物，追名逐利又有什么意义！许多历史古迹，都触发了李晃对过去的反思，领悟到历史的教诲和人生的哲理。在扬州，他在看琼花时想起了隋炀帝杨广的遭遇，写下了：

　　琼花观里琼花香
　　龙舟行宫作乐忙
　　……
　　只可惜一代帝王
　　专修了酒色性欲
　　至死都没记得一句

"得民心者得天下"

可以看得出来,李晃初下江南,留下的回忆几乎都是美好的印象,并且在诗中寄托着他的梦想,对于自己未来的美好憧憬。但是,当他后来接二连三又去江南之后,就开始发现,在江南水乡里也有许多不和谐,从而发出了一种当今的慨叹。

在初下江南之后的三四年光景,李晃又来到太湖边上的另一座城市湖州。他敏感地发现,那个古典的江南正在发生急遽的变异,那古色古香的江南正在走向消失。李晃在《又见江南》一诗中这样写道:"我流着一身汗赶往江南／又见江南,又见江南。"这次见到的江南又是个什么样的情景?只见粗大的打桩机遍地轰响,"粗暴地插入江南的腹地"。以种桑养蚕为生的蚕农已经洗脚上地,盖起了小洋楼,用上了互联网,可是"遍地桑麻无人看管"。接着,诗这样写道:

又见江南,又见江南
杏黄酒旗迎风摇曳
酒水里兑了太湖的水
找回的钱里有假币
摇着橹的敞篷船娘
跟游客争起价钱

商业的浪潮已经席卷江南,金钱的力量已经渗透到水乡,诗人再见到的江南腹地,已经在散发出铜臭气味,诗中这样叹道:

又见江南,又见江南
苕溪河畔灯火阑珊
是发廊,是妓院,是赌馆
古典的江南也快守不住
最后一道防线

这首写于2005年夏的诗篇,最后痛心疾首地发出警示:

牧笛吹不出悠悠牧歌

> 煤气灶吐不出袅袅炊烟
> 只有那粉墙黛瓦的老屋
> 蹲在臭水河的柳岸边
> 默默无言,誓守千年

就在当年冬天,李晃从南京乘飞机回深圳,看着窗外飞雪,心情沉重,写下了《再别江南》。诗里这样写道:

> 别了,你青草的喘息,静静的河湾
> 别了,美丽的雕栏,缓缓的游船
> 别了,你屋檐下乳燕的呢喃。江南
> 我不敢回望你那太湖与西湖幽怨的双眼

在这首诗中,我不仅感受到了诗人对江南的叹息,也体会到,太湖和西湖都在默默地哭泣,诉说着人类对她们的蹂躏和摧残。

李晃的《饮马江南》拨动了我的心弦,把我带回了江南故乡,重温水乡旧梦,又把我引向对现实的反思,给我以启示,引发我的共鸣。

我已有三年没有再去故乡,读《饮马江南》,唤起了我对故乡的回忆和思念,使我重新沉浸到江南水乡的意境之中。

李晃笔下的江南水乡,太湖、西湖、运河一带的那些文化名城,苏州、杭州、扬州、南京、无锡、镇江等等,都是我从小就熟悉的地方。我老家在苏州城里,出生在苏州、无锡之交的"江南第一古镇"梅村,这是比周庄还要古老的吴泰伯最初定居之地。我从小在苏州长大,在这里上了小学,但却在梅村上了中学,参加学生运动,所以常行走于太湖周边地方。寒暑假内,我则必定要回苏州家里度过,所以,我对苏州的印象自然最深。19岁那年,正赶上高校院系调整,全国统一招生,我就在苏州原东吴大学应试,考进了北京大学,从此离开家乡。在20世纪五六十年代,虽多次回过苏州老家,但每次都来去匆匆,未能安下心来重温故乡旧梦。随着年岁的增长,对故乡的思念也在与日俱增。少小离家,年幼无知,尽管当教师的父亲劝我不要远离江南,但我以为，北京首都，大概不会比江南差多少，于是毅然离家北去。多年之后，我才真正体会到江南的美好，但我已不能再回归老家，只能一路向前，匆忙间已在燕园居留了30余载。要到改革开放之初，我回江南讲学，才得以从容地沿着苏州、杭州、南京、无锡等地走了一走。在苏州停留得最久，我一个人沿着大街小巷，徐徐步行，寻找我小时住过的地方：学前街、蒋庙前、花轿巷、临顿路、相门……一路走来，感慨万千。承蒙苏州大学、南京大学、浙江大学盛情相邀，我也曾产生过"落叶归根"的念头，回归家乡任教。终因我的体质发生了变化，无法适应家乡水土，最后选定了到南海之滨来定居。但我永远不会忘记我的江南故乡，一有机会，就还往苏杭一带走动。

跟从李晃的诗踪，我仿佛又重回苏州。上有天堂，下有苏杭。早在七个多世纪前，欧人马可·波罗就深深为之吸引，把苏杭尊之为人间天堂。根据我少年时的切身体验，苏杭确是当时最适合人居的地方，我少时对苏州印象最深的有三：这个人口不多的古城，一是小桥流水，粉墙黛瓦，二是私家园林精致文雅，三是特色文化，雅俗共赏。在城区出行，进入公共空间，实在是一件赏心乐事，令人乐而忘返。一出家门就是清静小巷，巷和街之间，小桥流水，旁枕粉墙黛瓦，一派清新。街道乃由小方块石精密铺成，无汽车的喧嚣，出走的只是马车、人力车和三轮车。马蹄嘚嘚，喇叭嘀嗒，铃声叮当，偶尔还伴有河边白鹅发出的嘎嘎声，组成一曲交响乐。茶肆书坊是当时最大众化的公共空间，从早进去一直可以享受到半夜，喝茶、用餐，都可足不出户。而那苏州评弹、昆曲越剧，吴侬软语，优美曲调，更令人心旷神怡。更有那苏州园林，在那时已有好几家免费开放。我的住所，离拙政园、狮子林、北寺塔都只有几千步之遥，就近游园，也就成了常事。我至今还清楚地记得，抗战胜利那年的"双十节"，我和父母一起在狮子林看放烟花，那烟花呈现的就是园林中的亭台楼阁，这才是真正的"烟花"，而不是如今所放的"烟火"，但是我至今仍然不解的是，那种再现亭台楼阁式的"烟花"，以后就再也没有见到过。直到如今，我还心存悬念，究竟何故？

感谢李晃的《饮马江南》，引发了我如许美好的回忆。但不仅仅如此，读到他的《又见江南》《再别江南》等诗篇，他在诗中表露出来的反思性体验，对现代江南中出现的一些不和谐发出了叹息之声，不禁引起了我的共鸣，启发我的一些思索。

改革开放以来，我们在加速现代化的道路上快速奔跑，希冀赶上发达国家。现代化为了什么？经过了近30年的拼搏，许多人终于懂得了，我们所希望的，还是要能诗意地栖居在这大地上。人从大自然中来，最后还是要回到大自然中去。可是，人既然来到了这个世界上，就不仅要生存，而且要发展，往哪里发展？人生在世，就要往完善方面去发展，人人都能得到自由而全面的发展，到达真善美的境界。所以，人生在世，一要生存，二要发展，三要完善。在这世上，适者生存，善者优存，美者乐存。个人要达到完美境地，当然要靠自己，自我奋斗，自我实现，自我完善，但是，除了主观努力，还需要客观条件。人的生存、发展、完善都离不开客观环境，既有自然环境，又有人文环境，这是人得以提升自己的现实土壤。有了合适的人文环境、自然环境，人才能在这土壤上生根、发芽、开花、结果。人要能诗意地栖居在大地上，就要需要日益优化自然环境和人文环境。

号称"人间天堂"的苏杭，今天仍然是堪称国内最适合人居的少数城市之一，她和厦门、青岛、烟台、威海、大连、成都、三亚、珠海等其他适合人居的城市相比，还保留了更多的"古典"特色。苏州不像有些历史名城那样摧毁了旧城，而是对旧城做了维护、改造，保留了旧城风格。在旧城郊外，东边向金鸡湖发展新加坡工业园，西边向太湖发展，把东山、西山开发成旅游胜景，使新旧互补，交相辉映。但在旧城改造中，也仍留下些许遗憾。水，乃江南水乡的生命之源，活力所在。可是，由于太湖蓝藻的泛滥，再次向我们敲起警钟，呼唤大家要从根本上解决水的问题。苏州的小桥流水，不少地方流着的还是臭水。苏州举办国际旅游节，我去盘门水城乘船，观赏这千年古城特有的古代水关，船上的评弹小调倒还悦耳，但河水却发出阵阵臭气，扑鼻而来，使人大煞风景，从此再也不敢光临。许多古典园林中的流水，也已浑浊不堪，大多成了死水，风光不再。苏州园林，明清盛期，曾有数百座之多。新中国成立之初，我在南京工学院建筑系的一位同学，曾参加了那时的普查,当时还有190余座。多次劫难之后幸存的只有20多座了,但能向公众开放的,为数不多了,像柴园、慕园、鹤园等被一些单位所占有,遂园、畅园等又因经费不足,无法修复开放。就是那些已经开放的名园,却也不堪重负。那个最大的拙政园,每天容量最多只能接待两千人次,但到黄金季节,游客高度集中,涌到园里的人群,竟超出了好几倍。这古典园林,旧时乃私家花园,一家人居住,时或邀三五知己,文人雅士,赋诗弹琴,吟唱赏月,但求悦耳悦目畅神,修身养性。而今,游园者众,闯进园林的已是千军万马,连个停脚的地方也没有,如何去静观赏目?所以,最近几次回故乡,只能在早晨还未开园或在傍晚即将闭园之际,匆忙去园内一转,就随车去太湖边更辽阔的地方,那才使你心胸开阔、乐而忘忧。

　　诗歌,和其他美好的艺术一样,既要高扬人性的美好、美好的人性,也要呼唤美好的环境、环境的优美。李晃的《饮马江南》正就是在发挥着这样的功能。

为《饮马江南》所作序
2008年3月10日于望海书斋

回归家园安精神

在当代中国文坛上,最活跃的深圳作家当是杨黎光。他写的长篇小说、报告文学、电视剧本,一部接着一部,连续不断面世,而且屡获国家大奖。他的文集已出到八卷,令人赞叹。

黎光也写散文,虽然数量不多,但也很精彩。翻开他新送我的散文集《日记上的时代印痕》,我一口气就把40篇散文全读完了。感动之外,更使我敬佩。黎光在报社担负着重要的编审重任,写了那么多长篇,竟还写了这么多散文。他自己说,这些散文,有的是在编审过程中"对某一件事随手记下来的感慨",有的是在"采访和写作中的感叹",还有一些是在生活中为"某件事触动后有感而发"。因为这些散文不是有意策划,而是随时、随地、随事、随感而发,长短不一,结构多异,黎光自己说道:"如今一看,我的散文风格十分不统一。"但是,从这些散文的思想轨迹中,却可以看出他的"心路历程"。

为文之道,风格可以不一,但都应有感而发,言之有物,体验真切,感悟深刻,价值趋向最后归于对真善美的追求。我看黎光的散文,大致有三种类型:一是以"情"为主的抒情散文,二是以"事"为主的叙事散文,三是以"思"为主的说理散文。但不管哪种类型,读后都使人感到情真意切,真挚动人,浩然正气,扑面而来,叩动我们的心扉,提升我们的灵魂。

书中的第一篇就是那脍炙人口的《走不出外婆的目光》。我以前在报上读到时,就深深为"我"和外婆的亲情所感动,这次重读,更感到这样的真切深情在当今世上已很难得。"我"从小由外婆抚养长大,"人生几十年,我也没有走出外婆的目光"。精通中医的外公英年早逝,缠过脚的外婆,瘦小孱弱,守寡一辈子,坚强的慈爱,从不诉苦,把"我"的母亲、舅舅一辈抱大,又抱大了"我"。"我"在外婆无微不至的关爱中长大,"在我记忆深处,找不到被母亲抱过的感觉,却深藏着外婆抱我的温暖"。"我"离开家乡南下深圳,外婆已是86岁老人,"我"心中牵挂着她,一有时间就回家看望她,每次都要为她洗一次脚。"我"把已走不动的外婆,抱起来放在一张藤椅里,脱下鞋袜,解开缠脚布,把她那已萎缩成拳头样的小脚放在温水中浸泡。最后一次回家,外婆已经痴呆,躺在床上。"我将外婆抱起,然后像孩子一样轻轻地摇。外婆把头靠在我的胸前,安静得像一个熟睡的婴儿。""我"在小时候,外婆也正是这样抱着"我"入睡的。不到一年,外婆去世了,在安葬的那天晚上,"我"做了一个梦,"梦见我抱着外婆,消瘦的外婆躺在我怀中,一动也不动"。这个意象,成了"我"对外婆永久思念的一个象征。在这只有两千左右的短文中,真切而深刻地写出了"我"和外婆之间隔代的亲情,多么珍贵而诚挚的人间真情。这篇散文在前年获得了"首届冰心散文奖",真乃众望所归。黎光一直以为,若要敬老,不如多给长辈一些心灵上的关爱,常回家看看,为老人洗洗脚。后来,他又写过一篇短文,献给母亲节,题名就叫"送花不如洗脚"。对此,我也深有同感。

写亲情的还有《父亲的手》,也很感人。亲情之外,黎光还写友情、爱情、乡情,满怀深情地歌颂这些人间真情,希望人间充满了爱。与此同时,黎光又无情揭露和鞭挞了出没于欢场、情场的那些爱情骗子,斥之为人世败类。在《有一个男人叫"情种"》中,对演艺圈中的一个旧友到深圳来到处卖弄风情、玩弄女性的丑行做了辛辣讽刺。而对内地一位同学的表嫂到深圳来后沦落为欢场女郎,作者感到痛心疾首,深为惋惜,有感而发,写来作为警示。

黎光还写了不少说理散文,但不是在抽象议论,说些空道理、大道理,而是面向深圳的当下现实,对一些具体的人、物、事,有感而发,引出许多"思"。这些"思"和"情"密切融合在一起,所以写出来既引人入胜,又发人深省。在《清贫是金》里,写受贿百万的中信银行行长高森祥临死前回忆老家山区的清苦,作者议论说:悔已晚矣,如果他早懂得"清贫是金"这个朴素的真理,就不致沦为死囚。在《不干净的钱最不安全》等好几篇散文中,黎光就结合深圳的一些社会现象来评说人自身的异化,拷问异化了的灵魂:究竟人生的意义何在?什么是人的最大财富?既不是权力,也不是金钱。黎光在审视了他见到的多种多样的人物命运之后,终于发觉:"人们在遍尝诱惑之苦后,又在寻找着自己的精神家园",只有追寻精神家园,人生才获意义。他在好几篇散文中,把这个精神家园物化成一个"枕头",能安稳地入睡的"枕头"。黎光希望每人都能拥有这样一个可以宁静入睡的"枕头"——精神家园。

  黎光写得更多的是叙事散文。在这些散文中,也有情和思,但却以"事"为主,在叙事中渗透情和思。事,是人做的,是人的活动,是人和人、人和物的相互作用,所以写事,就要写人,也要写到物。《秋的私语》主要就写内地到深圳来闯荡的一位女歌星、"问题小姐"所经历的"事":高中毕业就去歌舞团,很早结了婚,生了儿子;丈夫文化不高,好吃懒做,堕落变化,染上怪病,又传给了她。她一气之下,闯入深圳,离了婚后,堕落欢场,最后为了帮助前夫还债,无可奈何地当了台湾老板的"二奶",不知所终。但黎光写这些"事件"并非为了猎奇,而是在剖析人的灵魂。在《失落的魂灵没有家园》一文中,写了在深圳大贪污犯王建业枪决后的一番感想,再次阐发了黎光对灵魂的关切:许多人之所以走上歧途,就是失落了灵魂,只是个失去了家园孤独的幽灵,漂泊无定,无有归宿。在另一篇文中,写一个囚徒,失去家园的灵魂,成了"草窝里的丧家之犬",每走一步,都是走向死亡的深渊。在《终点回到起点的圈》中,黎光剖析了一个不法商人的事迹,从发迹到败迹,"他像一只苍蝇,追着'利益'跑",耗掉了自己大半生,又从终点回到起点,"最终消失了"。

  在这些叙事散文中,所写的故事很引人入胜。但这些故事的叙事中,都寓有作者的深刻寓意,价值判断,不是就事写事。就是在那三篇写"物"为主的石头传奇故事中,作者也对"赌石"发出警示:偷鸡不着反蚀米,何苦来?

  黎光的写作具有鲜明的时代特色:胸怀高度的社会责任心,面向当下现实,高扬时代精神,关注人的灵魂,寻求雅俗共赏。不只长篇小说、报告文学、影视剧本如此,就是他的散文写得也充满时代气息,体现出新都市文学的创新精神,为深圳的文学发展做出了杰出的贡献。

读杨黎光散文有感
2003年冬,望海书斋

守望特区献真情

金秋,是收获、喜悦的季节。因为它凝聚了春的渴望畅想、夏的热情芬芳。我坐在洒满阳光、可以眺望后海湾的书房里,推开窗户,海风轻拂,撩开一摞30多万字的文稿——《真情守望》。

于是,记忆的风帆把我带回难忘的往年。1988年金秋,在刚落成的深圳湾大酒店,由时任主管文教的副市长邹尔康,主持召开的中国散文诗学会在深圳成立分会的座谈会上,时任宣传部部长的诗人李伟彦将一对风华正茂,从新疆调来的文学伉俪黄萍、陈浩介绍给我说:"他俩是刘波副书记和我签字调来的秀才。"当时,给我留下了初次印象。而后,你来我往,相交相知。

作为1982年深圳的第一批拓荒者,黄萍、陈浩亲历和见证了特区的沧桑巨变,崛起与辉煌。而文学创作,并非他俩的主业,用黄萍的话来说:"是在做好本职工作的前提下,八小时以外种点'自留地'。作为一种精神追求,一种情怀的真实表达。"

这位"自留地"里的守望者,很刻苦勤奋,对文学满怀敬畏尊重,而且是写作的多面手。诗歌、小说、散文、随笔、报告文学,就连新闻通讯也写得颇有文采。他俩都是《深圳特区报》《深圳商报》《深圳晚报》的首批通讯员。在《中华散文》《作品》《厦门文学》《青岛文学》《特区文学》《人民日报》《羊城晚报》《广州日报》《深圳特区报》《香港文汇报》等数十家报纸杂志上发表了200多万字的各类文学作品,先后集结出版了10多本书。佳作入选40多部各类文选,多次获奖。2012年,深圳作协为他俩举办了30年文学创作作品研讨会,深港50多名作家诗人参加祝贺。

著名作家陈国凯曾在黄萍的诗集《山情海韵》序中称赞她对文学的执着精神令人敬佩。市委老领导,诗人刘波称她为"讴歌特区的百灵鸟,深圳文坛的常青树"。文学前辈王蒙、贾平凹、张同吾、石英、峭岩、韦丘等都给她这本书题词、鼓励。

《真情守望》是黄萍多年心血的结晶,共分六辑:《鹏城写意》《神州剪影》《异域风情》《岁月回眸》《人生哲思》《亲情友情》。我寻思:她在这块"自留地"里,那么激情燃烧、那么痴迷执着,究竟守望着什么?读罢她的作品,我明白了:她守望的是信仰、理想、真善美,对生命的热爱,对生活的热烈拥抱。她在文学这条崎岖的山道上,不畏艰难,一步一个脚印地攀登,尽管无法到达顶峰,却不放弃、不沮丧。总是睁着一双寻梦的眼睛,试图以阳光的色彩,驱散阴霾,涂抹生活的温馨。如《胡杨礼赞》《庐山的沉思》《故乡的桐梓树》《竹颂》等,字里行间张扬着人生的哲理、社会的反思,对人类自然的崇高礼赞。

散文的艺术特色是形散神凝,语言的隽永、精炼,形象的生动,真情的抒发等等。她将这些要素发挥到极致,如《父亲,我把您追寻》(2013年全国家书征文二等奖)、《母亲,我心中一直有个美丽的您》、《美丽的苦菜花》、《诗人伯乐——韦丘》、《忆梁湘》等篇章,除了生活的积淀外,更多的是崇敬、感恩、亲情、友情的流露与爱恋。这些抒情类散文,含有苦难的因子,孕育了悲剧的美感,读了让人动容落泪。

历史是不能忘记的,作者将个人的情感和国家、民族的命运联系在一起。满怀敬意,崇尚、讴歌那些为捍卫国家、民族尊严英勇献身的英烈,如《黄埔军魂彪炳千秋》(2010年获福建省文联海峡两岸征文三等奖)、《黄花碧血沃中华》《读林觉民烈士与妻书》(均入选《辛亥颂歌》一书),读起来令人荡气回肠、热血沸腾,把读者的思绪带到岁月的远方,去感受中华民族从苦难到崛起,漫长艰辛的历程,启迪人们珍惜幸福来之不易,激励年轻一代为实现中华民族的伟大复兴,美丽的中国梦,勇于担当,敢于担当。

在这里,我不得不提一下黄萍的人生经历。在极"左""文革"年代,她被抛入社会生活的最底层,受尽屈辱、歧视、失学、下乡、支边,艰难地跋涉在人生的风雪线上。"……倚在西去列车的窗口,我是怎样用花季的目光来测量边塞的遥远和荒凉……"这是心灵的呐喊,无言的抗争。

那么,她又是如何把生活的苦果,变成人生进取的良药的呢?我们可以从《读书,使我梦想成真》《灿烂的阳光》《白杨林中的小屋》《书本,人生的知己》等篇章中找到注脚。有梦想就会有希望,她"……/坚定地相信未来/相信不屈不挠的努力/相信战胜死亡的年轻/……"(食指的诗),支撑着她与多舛的命运抗争。

由于"文化大革命"革了文化的命,她没有机会上大学。她说自己是先天不足,只有后天来补。她认为读书可以改变命运,读书是知识的积累、思想的放牧、自我的救助,让灵魂诗意地栖息。因此,读书成了他们家庭日常生活的重要内容之一。2000年,深圳开展首届读书月活动,她家被评为首届书香家庭。2010年被评为特区三十年书香人家。她还向贫困山区、企业、学校捐赠了数千册图书。

黄萍始终对未来充满了希望和憧憬,正如她在《南下,南下》一文的开篇,"党的十一届三中全会,是我人生转折的标志……南下,南下,开始了人生的春天……"在《鹏城写意》中,她以火热的情怀置身于沸腾的现场,如《曾经的青春永在的旗帜》(庆祝中国共产党八十周年《特区党的生活》征文二等奖)中,那是她献身特区建设,青春年华的真实写照。她和千千万万的开拓者、创业者一起背负起历史前进的铧犁,像孺子牛一样辛勤地耕耘深圳这片希望的土地。

深圳是改革开放的一块试验田,这块神奇的土地温馨了她文学的梦,给了她文学创作的源泉。作为一个时代的笔录者,深圳作家写深圳,是历史赋予的使命。正如贾平凹为她题词所说:"为开拓者树碑立传。"因此,她满怀激情,深入水围村体验生活,创作出反映农村城市化,政治、经济体制改革,文化建设的长篇报告文学——《风景这边独好》,被列为人民日报出版社2008年度纪念改革开放30年优秀图书。2009年,深圳市文联、作协为她举办了作品研讨会,也就在这一年,她脱颖而出,加入了中国作家协会。

此后,她继续扎根在有600多年历史,村民系庄子后裔,被评为广东省六好社区的水围村,和村民打成一片。她能用方言与村民沟通,交谈起来没有距离。还上村民家做客,了解他们的喜怒哀乐,久而久之，自然也成了当地的"土著"，参与水围村的各项文化建设。作为他们的代言人，用文字纪录水围村的历史流变，她被聘为文化顾问。鉴于她对水围文化建设的贡献，水围村授予她荣誉村民称号。

水围社区文化中心落成时，大门口需撰写一副烫金对联，她书写了十多幅请他们挑选，结果水围人一眼就看中了"改革开放幸福小康颂党恩，和谐共荣庄氏子孙写春秋"，认为这副对联充分表达了他们的心声。

还有水围村头的庄子铜像、立村围门、历史文化长廊、文化广场上竖立的《创业史记》、文化活动中心里石刻的《恒春园记》、雅石艺术博物馆的前言、解说词写得十分凝练、精彩。但她却自嘲"这都是'村头文学'，青菜萝卜，乡下人的普通食谱"。

深圳是一片文学的热土。有不少文学社团，活跃着许多为文学公益事业服务的志愿者，有钱出钱，有力出力，热情奉献。例如特区成立20周年，迎接香港'97回归，辛亥革命100周年，这些重大历史事件，作家是不可缺席的。在这些文学义工中，不乏勇于担当者——深圳格律诗学会会长、中国作协会员、诗人胡建雄慷慨解囊，和陈浩编著了《地王礼赞》，继而和香港作联副主席、诗人张诗剑、谈耘、蔡丽双先后编著了《合浦还珠》《辛亥颂歌》，深受读者欢迎，好评，为繁荣、发展特区文学事业，加强海峡两岸暨香港、澳门文化交流做出了贡献。

"看似寻常最奇崛，成如容易却艰辛。"黄萍全程参与了这三本书从征文、收集、审稿、校对、分类、编辑、出版、首发等一系列繁琐事务的实际操作。但她却十分谦虚道："我做点后勤服务责无旁贷。"这种默默无闻的奉献精神，是缘于她对文学事业的热爱和追求。所以，在深圳文学圈里，她的人品、文品有口皆碑，赞誉有加。

她至今仍然保持着用笔写作的习惯，对自己的文章要求甚严，十分苛刻。因为不会操作电脑，每篇文章至少都要在纸上修改八到十次，所以她都要付出比常人多数倍的辛劳。

在当今社会转型、拜金主义，浮躁攀比、物欲横流的滚滚红尘中，在少数人写作被看作是奢侈游戏的时下，黄萍三十年如一日，持之以恒。其作品涉及面很广，从国内写到国外，文采斐然，语言优美，构思奇巧,力求意境深邃,既充满阳刚豪气,又不失婉约清丽的似水柔情。如春风化雨润物无声,浓墨重彩地讴歌时代的主旋律,为改革创新者树碑立传,传递正能量。自觉地践行一个作家的社会主义核心价值观。在深圳这块神奇的土地上,守望幸福,守望梦想。

为《真情守望》所作序
2014年秋,望海书斋

深圳何处水围村

深圳是个神奇的地方,20多年前我初到这里时的第一印象就是如此。

如果只在罗湖海关旁的这个小镇上停留,往东门老街转悠一下,只需半天工夫,就像我半个世纪前在北大求学时的海淀镇一样,简单明了,一目了然,没有什么神奇可言。但在这边陲小镇周围,却有许多丘陵、野坡,听本地人说有千把个,靠近深圳河畔,更有许多鱼塘、稻田,红树片片,杂草丛生,给人以神奇之感。

那时,最使我感到神奇莫测之处的,竟是一个叫作水围村的地方。

1984年我到深圳,在深圳大学校园里住了8年。那时,从深大到市区,尚无公交车,只能乘坐中巴在崎岖不平的土路上颠簸,常弄得我头昏脑涨,昏昏欲睡。但在穿过白石洲、车公庙一带村落之后,车向南一拐,突然见到一大片水塘,不由得眼前为之一亮,精神为之一振。水面甚为宽阔,只有条细长的小路穿越其间,极目远眺,只见水那边树丛、房舍隐现,真正是盈盈一水间,隐约现村落,却又不知究竟,使人遐想无穷。每当经过这里,我总要聚精会神地注视着这片水塘,并且唤起我少时的回忆。我少时在无锡梅村读书,每当寒暑假就要乘着乌篷船从伯渎江驶向苏州老家,中间要穿过阳澄湖、鹅真荡南侧的鱼池笼,这鱼池笼就是连片的鱼塘,由垂柳小路把无数鱼塘连接成一大片,深不可测,使我感到神秘。如今,这神秘之感又油然而生,情不自禁。

深圳文友告诉我,这地方就叫水围村。水围村,这名字太响亮了,不仅形象,而且贴切。还有更令人称奇的是,传说这里数百年还是一片大海,庄周的一位后人庄蒙斋从福建流落至此,发现中有一方小岛,于是就在此围海建村,造田养鱼,从此就有了水围村。这村子四面临水,孤立水中,但靠子孙后代辛勤劳作,自强不息,自给自足,发展到改革开放之初，已有100户左右人家，500多人口，真个是"水环四壁，围昌万年"。

这些都是文友告诉我的，可我在20年间从未去过水围村，未能一识这神奇之地的真面目。

没有想到，20年之后，我有幸到这水围村亲自体察了她的真貌，使我大开眼界，浮想联翩。2002年秋，我从深大新村迁居益田村。这里靠近深圳河、新洲河，南面就是香港的米埔红树林，东边隔着一个皇岗公园，再过去就是水围村，不需乘车，走过去就到。2004年春，一个凉爽的日子，我从皇岗公园漫步到景仰已久的水围村，一睹此地真面目。我先看到村子南口的一座假山，嶙峋的巨石上刻着红红的"水围村"三个大字，走近一看，竟是书法巨擘沈鹏所题。再走到村子东口，一尊高高的庄子铜像，手握经书，矗立于浓荫树旁，一下就使人肃然起敬。村子西口，一口明代古井和两棵百年榕树，清新古雅，把人带回遥远的历史深处。村中和村边，高楼林立，已经融入了现代都市行列。昔日在车上遥见的盈盈一水，早已变成了现代建筑，人口已达3万多。

这20年间，水围村发生了历史巨变。这是什么样的历史巨变，这历史巨变是怎样造成的？在我脑海里浮现出这样的问题。我内心里很久以来就盼望着能有人通过像水围村这样的典型来抒写出深圳开放改革以来的历史进程，从而认识我们自己。深圳人需要有自我意识，知道我们在走向何方。

就在这国庆前几天，文友陈浩、黄萍夫妇来益田村相访，送来了黄萍的新写书稿《风景这边独好》。这部长篇报告文学，写的正好就是水围村的历史巨变，一下就引起了我的阅读兴趣，我一口气把这部书稿读完。乘着这个兴头，提起笔来，忍不住要说一下黄萍其人及其书。

陈浩、黄萍这一对作家夫妇，我早就认识。柯蓝说得好："早春的燕子是幸运的。"他和她早我两年就来深圳。1982年，风华正茂的黄萍，这个年轻的"老移民"一直在基建战线工作，很幸运亲身经历了特区创业、激情燃烧的岁月，见证了发展到今天千万人口的国际花园城市的崛起。

如今,林子大了,什么鸟儿都有,什么人都有,什么事都会发生,抱着"过把瘾就死"的人有之,想"捞"一把就走的人有之……这里只是那些匆匆过客的驿站。但是,想在这里安居乐业,寻觅理想,用勤劳的双手建起自己的家园的终究是大多数。

然而,如何来构建人们的精神家园?特别是咱们这个新都市共同的精神家园,关心的人就比较少了。所以,"文化立市"真要付诸实践,深圳必然要呼唤更多的文人学者、作家诗人、艺术家、评论家、教育家、设计家来这里,共同奋斗,按照马克思所说的"美的规律"来建设我们的家园;从而提升这个城市的文化品位、人文精神,让大家都能"诗意地栖居"在这个新兴的都市里。

黄萍这个"老移民"二十五年如一日,那样执着地在这块热土地上,寻找灵魂漂泊的港湾,用手中的笔构筑自己的精神家园。正如广东省作协主席、著名作家陈国凯在为她的诗集《山情海韵》所写序中所言:"黄萍来深圳时间不短了,有过副处长、主任之类的头衔,行政管理够她忙了,不知她为何爱好文学?既要抚养子女,操持家务,又写诗为文,乐此不疲。这就忙上加忙了。这种精神使我佩服。在文学日见掉价的年头,在商潮高涨股票翻飞的环境中,还能坚持业余写作,真不容易。假如我是个有经济头脑的女人,我是宁可炒股票不去写诗的。股票是现成的,文学这劳什子是虚的。因此,我有点纳闷起来。后来读了她的诗,我多少明白她坚持写作的原因了。要真正做到这一点并不容易。繁华世界,物质丰盈,并不代表人的精神世界。体现一个人生存意义的还是文化含量,不只是财富的多寡。滚滚红尘中,许多人寻寻觅觅,最终寻找到的还是文化。那才是人们真正的精神家园,那才是快乐的人生境界……"

我很赞同国凯对她的评价。她为人厚道、真诚、助人为乐,善于团结人,谦和宽容。谈吐不凡,气质高雅,处事低调,从不张扬,在深圳文学圈子里口碑很好。她作为中国散文诗大家柯蓝的学生,柯蓝生前多次对她这位出身书香门第,大家闺秀的"小老乡"的人品、作品、勤奋称赞有加,并为其散文集《真情守望》一书做了题为"痴心不改都是诗"的序言。在序中嘱咐她好好保重身体,再结集出版一本散文诗集。柯老知道她身体不好，体弱多病，体重不到80斤，却非常勤奋、刻苦、意志顽强。由于不能久坐，她常常趴在床上垫个枕头，铺上夹板、夹着稿纸，一笔一画地书写，再加上不擅电脑，所以她的每一篇作品都要比别人付出多倍的时间、精力、代价，十分艰辛。

我与黄萍相识也不短了，尤其是她耐得寂寞，锐意进取的执着精神令我感动。这些年来她在海内外报纸杂志上发表了数百篇讴歌时代主旋律的文章，收获颇丰，先后出版了《山情海韵》《特区晨曲》等多部文学作品，并多次获奖。在深圳文艺理论批评系列丛书中，先后有李华、周思明、黄永健三位文艺评论家为她的作品写了评论。

近几年来，黄萍又深入到我市农村城市化城中村改造的典范——福田区水围村体验生活。因为她学会了粤语，在采访交谈中不存在语言障碍，与村里的男女老少很容易沟通，交流感情，亲密无间。她告诉我说："水围村村民很纯朴、真诚、可爱，尊重知识、尊重人才，每次我走在水围村的大街小巷，无论男女老少都会和我打招呼、聊几句。我也会问候他们全家好，渐渐地我们成了朋友、亲人，我生病了，他们会上门来探望。于是，我由'移民'变成了本地的'土著'，因此而如鱼得水，收集了大量鲜为人知、翔实、生动、感人的材料。"她多易其稿，写出了讴歌特区农村城市化改革——这一伟大的时代创举的长篇报告文学《风景这边独好》。

也许，缘于她钟情于缪斯女神，便借用了伟人毛泽东在1934年夏写的《清平乐·会昌》这首词中的"风景这边独好"一句作为书名，寓意深远，富有诗意哲理。

读完黄萍的这部作品，觉得选题很有特色很有新意。水围村的历史流变鲜为人知，跨度很长。近期经专家对水围村庄氏族谱考证，水围村人确是我国春秋战国时期伟大的思想家、哲学家、文学家庄子的后裔。这一历史背景，不仅扩展了作者的视野空间，而且使作者触摸到开放改革这一伟大时代巨变的历史脉动。

通过今昔对比，作者对特区农村城市化、城中村改造这一社会变革中的水围村农民的思想意识、人生观、价值观、幸福观、灵魂的嬗变，做了一次真实的扫描和有益的探索。

作者以巧妙的构思,诗歌般优美,富有哲理的文笔,从不同角度,形象生动地记录了以庄伟才、庄明义、庄林飞等为首的共产党人集体领导班子带领全村庄氏子孙,如何在"文化立市"中以诗铸魂,构建人们的精神家园中所表现出那种大鹏展翅、壮志凌云的气派,与今日崛起的深圳被誉为"鹏城"的美称相得益彰。什么是诗意的栖居?在海德格尔心中,不只是占有一个物质空间,而是栖居于诗的精神世界中,也就是我们所说的精神家园。

从"文化立市谱写新章"、"水围村的'两富'理论"、"人文精神——水围村的灵魂"等章节的描写中,我们看到了水围村人逐渐懂得了这样一个朴实的真理,那就是一个人可以远离故乡,到别处寻找新的家园,但需要不断地构筑自己的精神家园,才能长住久安,更何况是居住在这片有600多年历史的故土,崛起的新都市——深圳,更需要构筑共同的精神家园,也更需要重视精神家园的建设,才能够体现水围村的人文精神。

而精神家园的建设需要有经济基础的支撑,这就是马克思在《资本论》等学说中论证的"经济基础决定上层建筑,上层建筑又反作用于经济基础……"水围人虽然没有读过马克思这些经典学说,却从邓小平的"猫论""实践是检验真理的唯一标准",从改革开放中尝到了甜头,得到了证实。从而解放了思想,提高了认识,看到了希望。于是,水围村人从数千年老传统的"日出而作,日落而息"、"三四亩地一条牛,老婆孩子热炕头"的农耕文化的桎梏中解放出来。

他们牢记中国改革开放总设计师邓小平的"要杀出一条血路……要敢想、敢干、敢闯、敢冒……"、"抓住机遇,发展自己"、"坚持建设有中国特色的社会主义"的教导。始终坚定不移地坚持以邓小平理论和"三个代表"重要思想为指导,深入贯彻落实科学发展观,解放思想,推进改革开放,促进科学发展,社会和谐。在政治、经济、文化、社会,全面建设小康社会中,他们以先哲庄子的"自信人生二百年,会当击水三千里"的雄心气魄,在20世纪90年代末到21世纪的今天这15年里,在以庄伟才、庄明义、庄林飞为首的党的集体领导班子的带领下,推进特区农村城市化,城中村改造,锐意进取,艰苦奋斗,"以特区之特,定特区之位"。在以人为本构建和谐社会的今天,用"经济是势力,管理是效益,创新是动力,环境是生产力,文化是魅力"(庄伟才语)作为治村理念、企业精神,在城中村改造中独领风骚。

作者在"时代的变革,伟大的创举"、"艰难的起步,竞争与挑战"、"经济强村,未来不是梦"、"走在全市城中村改造前列"、"为民谋福——共产党人的本色"、"水围奏响和谐社会的强音"、"精彩2006——水围更上一层楼"、"水围——守候梦想,风景这边独好"等章节中,为读者展现了一幅波澜壮阔的特区农村城市化改革进程的壮丽画卷。

作品情节跌宕起伏,记事流畅,语言优美。人物刻画有血有肉,个性鲜活,形象真实丰满,色彩绚丽多姿,思维空间广阔,旁征博引,将形象思维与逻辑思维完美结合,具有强烈的感染力和震撼力。这是我市本土作家写本土,讴歌特区农村城市化这一开放改革创举的第一部长篇力作。

黄萍深深热爱这方热土,充满着时代激情在抒写,正如她在后记中所言:"我深深地眷恋热爱着特区这片神奇的土地,为了感恩这片热土,所以我要为她放声歌唱。"

在此,我衷心地祝福黄萍身体健康,创作丰收,更上一层楼,在"文化立市"中为构筑我们共同的精神家园添砖加瓦。

为《风景这边独好》所作序
2007年国庆于望海书斋

恰逢盛世放声唱

陈浩、黄萍伉俪是我到深圳后所认识的文友,多有交往,给我留下了美好的印象。

这两位好心人,对深圳的文学事业极为热心,对文学创作更为痴迷。到深圳30年笔耕不辍,他俩以饱满的激情,或独著,或合写,在海内外共发表了300多万字的小说、诗歌、散文。特区的蓬勃发展,激发了他俩的创作热情,写下了《特区晨曲》《窗口星辰》《荔枝园抒情》《鹏程万里》《梦笔生花》《山情海韵》《春华秋实》《风景这边独好》《合浦还珠》《地王礼赞》《辛亥颂歌》等作品,为繁荣深圳的文学,做出了自己的贡献。

他俩虽然已在各自的岗位上退了下来,但创作热情却未减退,还在不时发表文学作品。他俩说,生逢太平盛世,忍不住要放声歌唱,直到永远。

中秋节后,陈浩和黄萍从老远的长城大厦百花苑来我这里探望,他俩站在我客厅南风窗口宽大阳台上,远眺首善之区福田万象生辉,湖山拥福,展望益田新崛起的高楼广宇,冲动了诗人的激情,大鹏一日同风起,扶摇直上九万里。今年是中国新诗诞辰一百周年,党的十八大召开促使文艺复兴梦想成真,他准备出版一本新旧诗词赋联文集《龙腾鹏羲》,约请我为他写一篇序言。

自20世纪80年代中期北京著名老作家柯蓝(中国散文诗学会会长)南下深圳,陈浩、黄萍伉俪在文坛更活跃起来,不时邀我参加柯蓝的散文诗活动。他俩是有理想干事业的文学伴侣,热心文化公益,又有组织才干,陈浩被委任为中国散文诗学会副会长。我主编的《中国散文诗大家》选入他的"珠江"组诗和《福田赋》,借此机会,我想对陈浩的诗赋略作些介绍。

珠江潮

认识你在小学生的课本上。珠江——南中国海版图上一条大动脉,你用母亲博爱的乳汁,哺育出孙中山、叶剑英、谢飞、关山月、冼星海、马思聪、钟南山、陈国凯……五千万儿女。

今天你面对浩渺无垠太平洋,高呼着我来了,你像一条银光闪闪的巨龙,腾飞在千山万岭之间,奔流在南粤大地之上,浩荡的江水源远流长,与千里江风结成洪流,簇拥着千帆竞发大小船队、远洋货轮,托起一个崭新世纪,扬帆万里出海奔腾!长空涌泉千仞直,奔雷入海不停息!你冲开南海万顷波涛,洒下一路浪花,一路歌声,那是远洋船员热情的礼赞!

珠江啊——流金溢彩的河,滚滚奔流的大潮,大浪里飞出满江珍珠光彩,满江出口的三资企业的新产品,波涛中涌来大浪淘沙的宏图理想!

珠江春潮激荡,满江千帆竞发,开放的新时代从珠江三角洲腾飞——珠江涨潮了,汇入深圳河,汇入南海,汇入香江,汇入太平洋,汇入环球市场贸易竞争的大海洋!

福田赋

湖山拥福万象生辉,莅临莲花山下,邓公福荫,福田大地四季如春;地利界河之滨,碧波长流,招商引资,商贸繁荣发达,财源似水源也;运交聚财汇宝,黄金口岸也。

政通人和,纳八方英才,披荆斩棘,敢为天下先,创造多少历史奇迹!登莲花山,纵览福田大地,百业兴旺,气象万千。孺子牛奋力开拓三十个春秋,"抓住机遇,发展自己"福田之兴也。华强电子商务城流光溢彩,八卦岭旧貌换新颜;华侨城锦绣中华旅游天堂;皇岗新口岸一桥紧连粤港;红树林百鸟齐舞,平衡生态海滨;市民中心求真务实,改革不停步,服务民众,效益和谐深圳也。

福拥湖山万象生辉,田种丰产民奔小康。观此崛起史诗画卷,福田山海城楼之胜也。五福临门,神驰八极,环境立区,文化兴区,文博、高交会领引潮流,设计之都百业兴旺,花园城中万紫千红。高楼广宇气冲霄汉,工厂公司鳞次栉比。且看庄子《逍遥游》中大鹏鸟降临兮:当年笔架山落霞,今朝辉映赛格万丈高楼;昔日界河边渔歌晚唱;化为今日与时俱进的开拓歌——朋友请到福田来!

最早一批南飞的春燕是幸运的。1982年春,市委原副书记刘波(书法家、诗人),特批陈浩以发表诗文作品秀才身份调入时,就语重心长地讲,调你们到深圳有双重任务,一手干好工作创业特区,一手勤奋写作宣传特区……我的业余爱好也是写古体诗词……

陈浩牢记刘波的嘱咐,三十年春华秋实硕果累累,三十年业余创作十多本诗文。他们以十倍的激情、百倍的勤奋奉献大鹏城。

在柯蓝会长的支持下,1988年陈浩和谈耘、曾文经等,创立深圳市散文诗学会,连任三届会长。陈浩又大力支持海梦、陈慧群等,创建了中外散文诗学会。陈浩被选为中外散文诗学会和广东省分会副主席,让散文诗从罗湖桥走向大千世界,做了大量民间文学社团交流。他还被选为香港洲际文学协会副会长,香港散文诗学会顾问,香港文学报特聘作家。

党的十八大召开时,陈浩又和老诗人甘苦等联袂创出"春满人间诗文沙龙",组织作家深入社区学校、商贸店堂,辅导员工读首获诺贝尔奖作家莫言书《红高粱》《我的高密》《透明的红萝卜》等,设计书笺诗文:

认识五百字,可写千卷书,笔耕孺子牛,日月伴君明。

蛙跃酒国红高粱,著作等身写家乡,名至实归获诺奖,中国文学世界扬。

陈浩是深圳文坛多面手,勤奋写作,热情澎湃,诗词书画,小说散文多管齐下。已在海内外报刊《人民文学》《深圳特区报》《香港文汇报》等发表200多万字诗文作品。出版著作《特区晨曲》、《鹏程万里》(AB卷)、《窗口星辰》、《梦笔生花》、《荔枝园抒情》、《管理博弈》、《春华秋实》以及诗影书画集《多彩的旋律》等。

陈浩热心深港文化交流，在儒商诗人丁元支持下，他和张诗剑等编著出版迎香港百年回归的散文诗集《合浦还珠》，由湖南文艺出版社出版后成1997年畅销书。在中国作协会员胡建雄的支持下，又编著出版《地王礼赞》——作家笔下的深圳。纪念孙中山领导辛亥革命一百周年编著出版《辛亥颂歌》。

陈浩被誉为激情燃烧的主旋律作家，讴歌新时代晨号手，特区文坛百灵鸟。文化部原部长、中国作协副主席王蒙，专门为陈浩文集题写下了："鸟儿"——不，不能够没有鸟儿翅膀，不能够没有勇敢飞翔，不能够没有天空召唤，不然，生活是多么荒凉。

王蒙多次指导陈浩要甘当文坛孺子牛，深耕特区的试验田，挖掘开拓文学的富矿资源，多为创业者树碑立传。要把诗歌晨号吹得更响亮，振奋人心当好新时代的号手……

陈浩于新世纪之春参观北京中国现代文学馆后，就给深圳市委书记写信，建议在文化兴市中，创建深圳文学艺术中心，得到领导支持。市政府拨款6亿元，文学艺术中心已于今春破土动工。

文坛老园丁，培养新青年。陈浩践行恩师柯蓝遗愿，创立中国散文诗学会晨号杯奖，在黄萍等作家的大力资助下，已向海内外作家颁发了六届奖。

陈浩对诗词赋文的爱好，深深植根于内心深处。他曾写了一首《诗词文赋铭》表达其诗观：

水不在深，有龙则名，诗不在长，有味则灵，要写好诗文，真善美清新，鞭笞假丑恶，人生正气升。一看让人懂，过目记在心，二品有韵味，清新愉精神，三看其内容，时代新风铭，语言有文采，砚田勤耕耘，反映新时代，讴歌主旋律，形式多样化，诗词楹赋文，行云流水意，落日故人情，海纳百川大，岩耸千仞高，长虹舞蓝天，雄鹰翔苍穹。

佶屈聱牙令人厌，迷雾朦胧乱眼神，国风大雅唐宋诗，千古诗国好继承。先祖子昂问古今，"念天地之悠悠，独怆然而涕下"。诗词禅意深，人生到处知何所，应似飞鸿踏雪泥，"罗浮山

下四时春,卢橘杨梅次第新,日啖荔枝三百颗,不辞长作岭南人"。(苏东坡)

陈浩以诗会友,题诗人老书记刘波先生:

龙腾鹏城涌春潮,太平盛世乐逍遥,自信人生二百年,会当击水三千里。

陈浩自拟长联咏人生之感悟——

一辈子忠书爱诗,文学诗词教育书画古董摄影,博古通今奋力攀登知识山。

七十年情系家园,友情爱情父情医情乡情诗情,镕古铸今鹏程万里永向前。

前不久,市作家协会为陈浩、黄萍伉俪老作家举行文学创作30年作品研讨会,深港50多位诗人作家光临、祝贺。

陈浩挚友香港作联副主席蔡丽双博士发来贺诗:

梧桐山美凤飞翔,犹有龙吟引兴长。步履匆忙耕岁月,襟怀磊落贮沧桑。

生花梦笔菁华衍,似锦诗文神采扬。并茂声情缤纷雾,鹏城丽彩卷中彰。

诗人谈耘从香港发来贺词:

三十年风雨,钢铁或成锈迹,三十年笔耕,万行千首诗文生生不息。伉俪作家乐在其中,交友无数感动大鹏城。

文学研讨会上收到海内外30多份贺词,广东省作家协会原副主席彭名燕写得好:

陈浩、黄萍优俪是深圳文坛常青树,创业特区开拓者,讴歌深圳百灵鸟,书香家庭杜鹃花,关爱青年好园丁。

作为老朋友,我衷心希望这对深圳文坛的比翼鸟,乘着时代的东风,迎着梧桐山的彩霞,踏着深圳河的春潮,腾飞得更高、更好,把新时代的晨号之声,优美的壮歌唱得更加激越嘹亮!

为《龙腾鹏翥》所作序
2013年,望海书斋

山外风光更精彩

王丛飚的这部小说《走出大山》，以其个人的经历和情绪记忆为经，以时代的风云变幻话语流转为纬，构筑一代人的情感历史画卷。谓其情感历史画卷，是因为小说的主角——云峰，是饱经生活与情感的沧桑而最终功成名就的油画家，以画家的口吻自叙其奋斗历程、人生遭际和情感经历。这部带有自叙传性质的长篇小说，有些逼近刻画和叙述众多人物（主要是美丽智慧的女性）和社会历史风情的油画长卷。这幅油画长卷浪漫而又不失真切感人之处。主人公云峰与马婷、师母、师妹、三姑、飘雪、洪丽、洪燕、康洁、冼梅、张茜、阿丹、白茉莉等众多女性的恋情以及围绕着情爱而滋生出的悲情、绝情、哀情、痴情、苦情构成这幅画卷的主轴。小说的主要人物的命运轨迹也随着情感意志的奔突流徙而向前推演，此即所谓的"情感历史画卷"。

作为一部带有自叙传性质的小说，作者通过自己的化身——画家云峰对自己的奋斗历程和情感历史的叙述，完成了自己人到中年对自己生命历程的回望和检讨。作者说他孕育此书达20年之久，一朝动笔则只用了一年多时间就完成了写作（见小说后记），可知这部小说实际上表达了作者历经人生的风云际会之后对生活的概括、对爱情的立场和对女性的态度。

对生活的总结，可以用小说中作者引用的莎士比亚的话来概而述之："一个人首先要学会在逆境中生活，学会从一块石头、一棵小草上去寻找欢乐。"作者用"走出大山"这个意象作为小说的名字，实寄托冲破传统和新传统（乡土意识、封闭心态、麻木颟顸以及计划经济时代的主流意识形态如阶级论、成分论、城乡鸿沟、爱情禁忌等等）走向新生，活出人样的意义所指。"大山"也是人生道路上困难、阻遏、坎坷和宿命的象征。突破旧我，活出新我，必须"走出大山"，如果不能搬走大山（像神话传统中的愚公）的话，"走出大山"必然是艰难的攀登。沿途风光旖旎，风情万种，但是只有历经艰难困苦（事业上的重重打击，爱情生活的心灵痛劫），方可谓活过一回。小说中云峰与马婷分手之后，处于绝望崩溃的边缘，小说安排此时的云峰远游云贵川，通过与战友、亲人以及游人的交往切磋化解痛苦，并在与大自然的亲切交流中感悟人生的真谛。当云峰攀上峨眉绝顶，脱口而出诗句：只有天在上，更无山与齐，举头红日尽，回首白云低。这首诗实际上也可以看作是作者的人生理想，也可以看作是作者在历经生活磨难之后对人生对自己的一个总结。

真正的爱情无私无我，且彼此互为实现和互为印证。作者的爱情立场很明显，历经情劫，最终画家云峰的爱情归宿还是他的初恋情人——马婷。马婷是云峰爱情的启蒙者，这爱情给予云峰冲出大山，活出自我的原动力。虽然马婷此后消踪匿迹，但云峰此后的多种经历（包括情场遭遇）无不隐匿着马婷的影子。马婷是高贵、现代、激情和理想的化身，云峰一生的追求不过是从马婷身上所体现出来的人格独立、自我实现、完美完善的理想极境。云峰历经劫波最终又找到了马婷，正是云峰与马婷之间互为实现互为印证的爱情的归宿，虽则过于美好、浪漫，但它确确实实就是五六十年代出生的那一代人的爱情理想。

作者在小说中刻画了众多女性形象，美丽潇洒的马婷、痴心钟情的飘雪、沉迷自溺的师母、刻薄寡恩的师妹、纯朴真诚的三姑和洪丽、不甘沉沦颓废的阿丹、风情万种的美国妹白茉莉等等。虽则"我"从她们身上不断品尝爱的蜜汁，体验着生命的进化和飞升，但是这些情场的纠缠（包括婚姻的折磨）也确实给"我"带来苦难重重，无论如何，一千次的情劫情陷对"我"来说也是无怨无悔，因为女人并不是"我"实现理想兑现未来的桥梁和过渡，女人是"我"万变不离其宗的"我自己"，女人身上表现出来的丰富的人性内容不仅启蒙了"我"，更成就了"我"造化了"我"。所以正如作者在小说的引言中所说的"女人是人类之母，女人是艺术之源，女人是一座山，女人是一条河，女人是一首不尽的歌……"对于一路上带给"我"无尽的情感体验和情感记忆的女人们:"我无法——承受这一切,无法——报答,唯有铭刻在心里,永远珍藏!"作者对于女性的认知和判断既超越了"红颜祸水"的男性话语论调,又超越了当代"女性主义"离析两性,远离真理实相的话语困局。这来自于生命深处和实处的体验和感悟无疑是较为可信的,也更为可爱。

这部小说描述的是以改革开放为背景的年轻人的心路历程,小说中主人公不断探索新生活的努力,如考大学、办文学期刊、下海经商、闯荡广州深圳,当年(20世纪80年代)穿喇叭裤、戴蛤蟆镜,手提录音机招摇过市,这种种经历具有时代的符号意义。我要提出的是,不仅这些包括小说中主角的爱情模式(为云峰与马婷雪中诀别一幕)、婚姻模式(如与两任妻子的婚姻破裂)以及后来的网恋、一夜情、异国恋情、都市情爱沧桑等都具有时代的符号意义。因此,可以说"走出大山",走出了一段令人窒息的历史,可是同时也走进了另一段五彩斑斓的新历史。这种新历史曾被想象成光明、透亮、新鲜洁净的琉璃世界、美好的未来,但实际上并非如此。走出一种困惑,人又走进了另一种困惑,从全书的命意立场来看,作者是希望宁可十分尴尬地生活在依然问题重重的新世界,也不愿回归大山。

总之,这部小说的价值在于,它不无典型地、细节地、逼真地再现了一代人的成长历程、奋斗历程和情爱历程,是写实主义的重写再写,也是浪漫主义的、超现实主义的改写意写。这对于"70后""80后"成长起来的人群来说,可能已显得"老土"、"顽梗不化",匪夷所思,但其所执着的那些信念,做法和后果却是一个时代的伦理逻辑,也暗合人类的情感逻辑。小说中的许多细节展示、隽言妙语、快言直语、方言土语都有精彩诱人之处。小说唯一不足处,就是收尾有些急切,画家云峰的艺术成长之路没有得到足够的展现。但作者长篇小说创作首次试笔,能形成如此规模和命意境界,也实属不易,应给予充分的关注与肯定。

为《走出大山》所作序
2008初春于望海书斋

南国寻梦铸文心

每次见到念曾,他的豪爽坦率、热情奔放,时常使我受到感染,顿觉自己的心胸也开阔、活跃起来,引发许多人生的联想和人生意义的思索。文如其人,从他送我的不少诗文中,更可体验到他的内心世界,感到其中充满了勃勃生机,读来感到生意盎然,回味无穷。

不曾想到,富有活力的他,一转眼已过了耳顺之年。然而他马不停蹄仍自奋,还在积极参与创建面向海内外的大型杂志《祖国》。他那股自强不息、永有追求的奋发精神时常给我激励。对他,既有些羡慕,羡慕他适逢其时,在而立之年就能投入改革开放的大潮,充分施展自己的潜能。但我更多的是敬佩,敬佩他那奋发图强、永不停息的精神,我这比他虚长了十多岁的北大校友,在他面前真是自愧不如。人的潜能究竟有多大的发展余地,这是当今人学关注的前沿问题,研究正在深入。比念曾早两年毕业的北大教授严绍璗去年来深圳,我们得以畅谈。他坦然告我:他是北大中文系在"文化大革命"前留校任教的最后一个;但他也要退休了,标志一个时代的结束。不久前,绍璗应《中华读书报》采访,谈他自己的治学之路,最后语出惊人:人文学者的学问,要到50岁才成熟,做学问的潜能还大有发展的余地,大有可为;但目前的体制决定了专家学者很快也要退休,他深为国家惋惜。但我从念曾身上却看到,一个人的潜能,即使走出体制,只要自我奋进,勇于进取,仍能得到发挥,天生我材必有用。

20世纪60年代初期,念曾在北大中文系读书,燕园生活五年,就在"五四"文学社的诗坛上十分活跃。他的《校园之路》《大学生进行曲》等诗篇,在北大广为传诵,名盛一时。那时,我研究生毕业后留校,还是只任教了三年的年轻教师,和文学社的一些活跃人物杨匡满、杨牧之、陶文鹏、李观鼎等分别有所接触,念曾和他们多有交往。

在北大百年校庆之际,念曾写了《情系未名湖》一文,深情回忆起燕园五年的这段一生中最美好的时光,在这里度过了珍贵的青春年华。念曾时常怀念起燕园,在他送我的一本诗集的扉页上,就写下了"南国游子意,燕园故人情"的题词。说起北大的往事,他总是兴高采烈,故园之情,溢于言表。读着念曾回忆燕园生活的诗文,让我又回到了那段时光,此情此景,如在目前,不禁感慨万千,心潮起伏。

念曾毕业于1968年。此时正是"文化大革命"中北大校园最为混乱的黑暗岁月,两派武斗升级。他不愿在这血腥漩涡中白白浪费生命,悄然跑回西安老家"逍遥"起来,然后就到关西接受"再教育"。那时,我已从清华园迁入燕东园,就在导师杨晦的楼下客厅中居住,受命周培源校长为西哈努克王子那拉·迪波教授中国文学艺术,常去友谊宾馆,很少再去北大校园,在混乱中反而与世隔绝,躲过了劫难,却也不知道念曾的去向。偶尔在楼上和晦师聊天,这位老系主任说起,在他印象中,念曾可能已回到了西安老家,但不知其详。

想不到在20年之后,念曾忽然出现在深大新村我家中。1992年,他告别了大西北十多年的大学校园生活,来到了深圳,参与深圳商报的创办工作。到深圳之后,面对汹涌澎湃的经济高潮,念曾的目光却迅速转向文化艺术,密切关注起深圳的文化发展来。我比他早来8年,对深圳的文化艺术熟悉一些,所以他一到深圳就来找我,心绪一下就接通起来,有了共同关切的话题,交往也就多了起来。他到深圳没有多久,就采访了国内百多位文学家、艺术家,发表了百多篇散文、特写、通讯,结成他来深圳后的第一本集子:《艺术家脚步》。念曾持书稿来找我,要我为此写一序言。我看完书稿,毫不犹豫,欣然提笔,一气写了两千多字。我为他在喧嚣高潮中能为文化艺术鼓与呼的文化执着精神所感动,说他"平生读书逐文心,特区仍然觅诗魂",把众多文学家、艺术家的脚步留在了深圳,十分难能可贵。

有了共同关切的话题,接触多了,我们的相互了解比在北大时深了一层。1998年,北大百年校庆,在深圳的北大校友800多人包乘了"五四校庆"专列火车,从深圳共赴北京。我和念曾同处一室,交谈良久,从校友的足迹一直说到北大的精神魅力,敞开胸怀,谈笑风生,共同度过了这一生难忘的时刻。念曾围绕百年校庆,写了好几篇散文、特写,弘扬了北大精神。

念曾写得最多的虽是散文、特写、通讯,但最为倾心也最为用心的还是诗歌创作。他在童年起就爱好诗歌,青年时代受到艾青、贺敬之、郭小川等诗人的影响,开始写诗,就是在那最苦难的岁月里,仍笔耕不止。从古老的黄土地一直到深圳这新都市,20年间,念曾先后发表了200多首诗。在20世纪即将结束,新世纪即将到来之初,念曾从他的诗作中精选了60多首,结集成了《站立的河流》,由作家出版社出版。念曾送来这本诗集,希望我能读一下,然后发表评论。这样,我有机会得以全面了解了念曾的诗路历程——其中,折射出了他的人生轨迹。

读过《站立的河流》,我为他感到振奋:过了"知天命"之年的他,诗情仍然热情蓬勃,洋溢着青春活力,真是不减青春年少时的醇美。有感而发,我写了一篇评论,题目就叫《诗情不减当年醇》,先后为数个报刊选用。

念曾的诗作丰富多彩,既有对故园的怀念,又有对现实的反思,还有对未来的向往。念曾疾恶如仇,对现实的丑恶,作了辛辣的批判;但更多的是他对生活中美好的肯定、赞扬。在《寻觅》《一瞬》《等我》等诗中,诗人能在五光十色的生活中,敏感地捕捉住在平凡中闪现出来的微妙而美妙的心灵颤动。最叩动我心灵的,是他那献给教师节的《红烛之歌》,献给"我的老师"的《目光的雨巷》。诗人把老师比作燃亮别人的红烛:"总有一天,/我们会燃成灰烬,/但并不遗憾,/也不痛苦。"念曾自己也当过十多年老师,他的心声,拨动了我这当了50年的教书匠的心弦,引起深深的共鸣。

念曾还有不少诗篇是抒发"南国寻梦"之情,也许因为我将在这里终老,所以对这些诗发生了特殊兴趣。念曾少时在洛阳长大,后来才到西安,"知天命"之年来到深圳。他对韦庄《菩萨蛮》中的两句词特别赞赏:"洛阳城里春光好,洛阳才子他乡老。"他乡何处可终老?念曾深情写道:"走过了九百九十九里山路,越过了九百九十九道关隘,/送走了九百九十九束星光,/迎来了九百九十九朵云彩,/终于见到了心中的圣地:无限的海。"南国寻梦实现了,但念曾没有停息,而是百尺竿头，更上层楼。当诗人站在小平铜像前，不禁放声歌唱："眼前是天高海阔的万里征程！／迎着新世纪的曙光，／难道不应有新的抱负、新的憧憬？／面对日新月异的特区大地，／难道不应有新的哲理／新的诗情？"来到深圳的15年间，念曾的诗情不时有新的涌动，热情写下了《深圳二十岁》《深圳之恋》等精彩诗作，表达了他在深圳参与第二次创业的深圳体验。

念曾的诗，能把自己个人的独特体验和关注祖国人民的命运相融合。"心与时代合拍跳，笔为人民吐心声"，这是念曾写诗的根本理念。他说得好："诗如果不为人民歌唱，就像一株倒下的枯树"，就没有生命力了。正是因为他个人对人生的独特体验和人民的心声相呼应，把握了时代脉搏，与时俱进，所以他的诗作富有青春活力，鲜活感人。

念曾这大半生，从北京到南方，从教师到记者，从书斋到社会，从封闭到开放，经历了巨大的历史变化，然而，他终始在寻找文化艺术的净土，笔耕不断，所写文字约有百万言。念曾的著述，大致有三种类型：一是诗歌，如《站立的河流》《春天的歌》《人生之恋》，都是诗歌结集。二是散文、特写、报告文学，如《城里星光》《红烛之歌》《岁月如歌》《千秋业》《创业北歌》《艺棕山的脚步》等。三是学术论著，从古典文学到当代文学，均有所涉及，如对《史记》《汉书》的阐释，苏轼诗文的赏析，对新时期文学的研讨以及对当代百部小说的评析，念曾都曾花过心血，下过功夫。这次念曾把他所有的著述合在一起出版，成为百万字的诗文集，我为他高兴，写下此序，作为祝贺。

为《祁念曾诗文集》所序
2007年春，望海书斋

自由和谐适我性

不时有内地一些文学研究生来访,探询在深圳能否找到适合自己的工作。对于那些执着于古典文学的博士、硕士,我总是坦率相告:很难。凭我在北大30多年的老经验,深知老校的专业分工很细,学古典文学的,一门心思读古籍,不懂外国文学,不读当代作品,也很少问津美学、文艺学,真是隔行如隔山。这样的博士、硕士,当然最好去研究所,或去学校教古典文学,这才适合于专业的发展。

当我看了安裴智的文艺评论集《守望与突进》书稿之后,我发现我需要改变这种观念。这位曾专注于钻研元明清小说和戏曲的古典文学硕士,长久沉浸于中国古典历史悲剧之中,入乎其内,思考甚深,写出了十多篇论文。其后,却又能出乎其外,视野扩及当代文艺,再入乎其内,深入钻研,写出了不少当代文艺评论。他对当代文艺的评论,涉猎甚广,电影、电视剧、戏剧、小说、诗歌、散文和报告文学,都在他的视野之内,甚至还对当前出现的许多文艺现象做过精辟的分析,抨击时弊,与时俱进。他到深圳也就3年光景,但又很快进入深圳的文化"情景",入乎其内,密切关注深圳的文化发展,引发出"鹏城文思",写出了不少文化评论。这样,他的这本文艺评论集,竟有38万字,如此厚重,实为难得。

由此而使我悟得,事在人为,人的潜能在实践中发展才逐渐显示出来。在学校的专业学习,只是为后来的实践打基础,未来如何发展,却要靠自己。专业基础知识当然很重要,裴智的古典文学基础很厚实,所以能很快进入中国古典历史悲剧的研究之中。但他的知识面很广,特别爱好美学、文艺学,从中吸取营养,作为研究文学艺术的方法。他曾和我谈及:"早在上大学时,我就对文艺美学感兴趣,除选修文艺美学课程外,还阅读了大量文艺美学的书。"经典的美学,新出版的当代美学、文艺学,他都读,北大的《文艺美学丛书》数十本,他全有。参加工作后,他积极关注当代美学的发展动态,与国内美学界和评论界保持着密切的联系,加入了中华美学学会,在新闻采编之余多年兼任山西省美学学会副秘书长,执行编辑《山西美学通讯》。正因为裴智的视野广阔,不只埋在古书堆中,而能不时关注理论发展与思潮动向,能以理论作为分析的手段,用来解析文学艺术实践中的问题,所以,他写文艺评论就能持之有故,言之成理,不是隔靴搔痒,不是就事论事,即使研究古典文学,也会既有历史感,又有时代感。

就说他对中国古典戏剧的研究,乃在掌握了丰富的历史资料的基础上,着重在理论上把历史观点和美学观点结合起来,对"中国古典历史悲剧"做了深入的剖析,不是罗列历史现象。中国古典戏曲,浩如烟海,存剧目的就有4700余种,而其中历史悲剧就有四分之一左右,形成相对独立而完整的审美系统。但历来的古典文学研究,却很少能从理论上对此做全面的探索。若能从理论上对中国古典历史悲剧作系统的考察,研究它的审美品格、思想意蕴、创作规律,做出理论的概括,必将推动中国古典戏剧研究走向新的里程,亦将对中国美学的重构起积极作用。裴智潜心于此,全面审视了中国古典历史悲剧的发展历程,从"心灵历史的艺术透视"开始,经过"伦理教化的单纯传声筒",走向"社会现实的无情揭露"、"人生哲理的深沉思索",一直到"理想人格的痛苦追忆"。他研究后得出结论:"在元、明、清三个不同的朝代,由于历史背景的更替、社会思潮的变异,历史悲剧创作的美学重心呈现了特质迥异的属性。从总体看,我国古典历史悲剧的宏观走向为:由元代抒写心灵的抒情性表现悲剧,发展为明清之际以揭露社会现实的黑暗为主旨的叙事性再现悲剧;由元末明初质量低劣的伦理说教剧,演变为明清时代艺术质量上乘的忠奸模式悲剧;另外,还存在着另一类对逝去的理想化人物的痛苦追忆与无尽怀念的寄托短剧;而将抒情性表现原则与叙事性再现原则二者结合起来,并表露出对人生、社会、国家、民族、历史和命运的富有哲理意味的深沉思索,则是我国古典历史悲剧创作的最高峰——《长生殿》与《桃花扇》。抒写心灵剧、伦理教化剧、社会问题剧和人生哲理剧,正是中国古典历史悲剧在自身发展中所形成的四种最基本的类型。"经他的论证与梳理,中国古典历史悲剧的历史脉络、动态流程和美学走向,就清晰地呈现在我们面前。但裴智并不停留于此,而是更从美学上切入具体的戏剧文本,结合艺术实践进行艺术解剖,动静交错,形而上和形而下相结合,层层剥笋,步步深入。这样,裴智对中国古典历史悲剧的探索,在中国古典文学研究领域,可谓是独辟蹊径,开拓了一条新的道路。

中国古典历史悲剧和西方的古典历史悲剧一样,都反映了"历史的必然要求和这个要求的实际上不可能实现之间的冲突"(恩格斯语)。但中国古典历史悲剧自有中国的历史特点,裴智对此做了深入的剖析,指出中国古典历史悲剧,乃是体现了悲剧美学特质的历史剧,而非一般的历史剧,但又非一般的悲剧,乃是历史剧和悲剧的结合,具有两重性。在论述中国古典历史悲剧的审美特质时,裴智更进一步,对我国曾出现过的关于历史剧的理论争辩提出了自己的理论见解,颇具创见。

在20世纪60年代,我国曾有过关于历史剧的理论争辩,出现两种理论倾向。一是"重史"的倾向,二是"重剧"的倾向。"重史"的理论,突出"历史剧必须有历史根据,人物、事实都要有根据。历史剧的任务是反映历史的实际情况"(吴晗语)。"重剧"的理论,则强调"无论在怎样反映历史真实的情况下,历史剧都要求(不是允许)虚构"(李希凡语)。著名作家茅盾更把历史剧分成三类:真人假事,假人真事,假人假事,都可进入历史剧。裴智以为,这两种理论倾向各有其片面性,"重史"派片面突出"无一字无来历,无一事无出处",以再现历史事实来代替艺术创作,武断"历史一定是这样发展的";而"重剧"派则片面夸大艺术虚构,不必有历史依据,武断"历史很可能是这样发展的"。裴智以为,历史剧创作应把"可能性"和"必然性"结合起来。依裴智之见,"历史剧是根据可能性与必然性相结合的美学原则,以历史事实为基础,进行反映历史本质真实和历史精神真实的艺术创造的一种戏剧样式"、"历史悲剧起码具备三重规定性,那就是题材来源的必然性、表现内容的可能性与美学倾向上的悲剧特性。这三种属性在历史悲剧里融为一体，使它既表现了史剧的质的规定性，又富有悲剧的特有美学特质"。裴智正是从这个美学观点来研究中国古典历史悲剧，将古典戏剧的研究推向深入的。

当裴智的眼光朝向当代文学艺术时，他的坚实的理论功底和犀利的理论分析能力助他很快进入当代批评语境。他的评论首先进入那些历史题材的影视、戏剧。电视连续剧《红楼梦》一出来，一片赞扬声，他却较早就指出了改编的失误之处，甚有见地。电视连续剧《一代廉吏于成龙》问世，裴智立即撰文肯定此剧洋溢着时代精神，富有艺术魅力。他对电视连续剧《三国演义》的得失，也有很精辟的分析。他的评论，一贯坚持历史观点和美学观点相结合，具体作品作具体分析，不作虚妄之言。比如他分析电视剧《红楼梦》的缺点，虚与实比例关系不当，远与近心理距离失调，主与次描写重点转移，首与尾情节结构断裂，而根本原因就在于对小说原著审美意蕴缺乏整体把握，对影视艺术和语言艺术的审美品格缺乏有效的转换。他的这些说法，和我的感受十分接近。又如评说《一代廉吏于成龙》，乃是一部集思想性、艺术性、观赏性于一体的优秀电视剧，所以深受广大观众赏识。此剧成功地处理了历史真实和艺术真实的辩证关系，戏剧性和抒情性结合得好，特别是，编导从当代审美理想出发，以现代精神审视过去历史，站在时代高度来评说历史，为广大观众喜闻乐见，达到雅俗共赏的效果。面对蜂拥而来的改编历史的"制作"大潮，裴智保持着清醒的头脑，对不少历史影视剧、历史长篇小说中渲染的"权谋文化"做了尖锐而中肯的批评，甚至对张艺谋执导的《英雄》也敢于指出其中的"文化作秀"，做出了入木三分的犀利解剖。

追随文学艺术的足迹，裴智与时俱进，视野愈益扩展，陈香梅的散文、贾平凹的《废都》、董鼎山的小说、赵瑜的报告文学、阎延文的《台湾风云》、哲夫的《黑雪》《毒吻》、朱文的《我爱美元》等等，他都有精到的评论。对于张平这位以关心公共利益和百姓命运而著名的作家的作品，关注尤多，几乎是跟踪追进，从他早期的《法撼汾西》《天网》，一直到最新出版的、产生重大影响的几部长篇《抉择》《十面埋伏》等，都有自己的新见。在作家、作品评论之外，裴智进而对当下现实中出现的不少文艺现象,时常发表评论,如文艺如何民族化,如何推进文艺批评等,都能独抒己见。在国内商潮涌起之后,一些媒介猛炒歌星、影星、笑星,裴智却不时去造访一些专家、学者,和美学家、红学家、文艺学家王朝闻、周汝昌、舒乙、刘锡庆、樊发稼、莫言、李锐、杨争光等进行学术对话,由此更显示出裴智那种在商潮中不随波逐流,执着于追寻正义与真理的学术品格。近数年,喧嚣滚腾的文艺舞台上,一方面拒绝"宏大叙事",竭力"躲避崇高";另一方面却对暴力、色情、权谋津津乐道,不惜工本投入"宏大制作"。如果没有真正的文艺批评,我们如何对此做出正确的价值判断?时代要求发展真正的文艺批评,千万不能以一片叫好声所淹没的娱乐报道来代替文艺批评。我盼望裴智今后仍要发扬这种敢于批判的美学精神。

使我感到特别高兴的是,三年前裴智刚来深圳不久,就已很快关注起这个新都市的文化艺术,迅速进入此情此景,写起文化评论。收入这本文艺评论集的第五部分"鹏城文学管窥"就有十多篇,对杨黎光、杨宏海、燕子、李亚威、盛琼、黄啸等人的创作均有所评论。不仅评论作家作品,他还关注深圳文化发展中的许多重大问题,例如如何多出艺术精品、如何发展新都市文学、如何评价打工文学等等。而放在此卷第一篇的《家园与人文》,尤能引发我们的进一步深思——深圳人应如何构筑共同的家园?

我们都盼望诗意地栖居在大地上。什么是诗意地栖居?在海德格尔心目中,不只是占有一个物质空间,而是栖居于诗的精神世界中,也就是我们常说的精神家园。一个人可以远离故乡,在别处寻找新的家园,但需要不断构筑自己的精神家园,才能长住久安。像深圳这样新崛起的新都市,更需要构筑共同家园,也更需要重视精神家园。

裴智告别故乡来到深圳时,正是这个新都市被评为"国际花园城市"不久,他一下就爱上了这个新都市,准备在此安居乐业,做出自己的奉献。广读诗书、涉足文坛的他,很快就意识到在这里构筑精神家园的迫切需要。当他看到香港作家盼耕所写的《另一类生态平衡》一文之后,裴智有感而发,觉得在深圳不仅要寻觅一个生存空间,可以栖身,更需要构筑精神家园,安放灵魂。而人文精神和科学精神,正应是这座新都市的现代灵魂。像盼耕那样,生活在繁华喧嚣的"动感之都",却要跑到"特区后花园"里来,就是为寻找灵魂漂泊的港湾,找回失落了百年的精神家园。面对这"国际花园城市",裴智一下就感悟到,他要在这里安顿下来,就要为构筑我们共同的精神家园做些贡献。来深圳的三年里,他先是在特区文化研究中心做文化研究,为参与文化发展战略的制定而尽心尽力,后来又到特区报参与文艺评论工作,其实都在围绕构筑共同的精神家园而贡献自己的力量。

都说深圳是个移民城市,移民来自五湖四海,这个边陲小镇,周围都是不大的丘陵、山坡(有近千个),由水沟冲积出来的狭小平地上,原先只有2万多人。到改革开放建成特区成为深圳市,1984年我到这里时也只二三十万人口。到裴智来时,人口已超出600万。如今,说已700多万,实际已超千万。林子大了,什么人都有,什么事都会发生,想"过一把瘾就死"的有之,想"捞一把就走"者有之,这里只是匆匆过客的驿站。但想在这里安居乐业、建起自己的家园的终究是大多数。然而,如何构筑精神家园?特别是咱们这个新都市的共同精神家园,关心的人就少了。所以,当"文化立市"真要付诸实践,深圳必然要呼唤更多的人文学者、教育家、作家、艺术家、评论家、设计家来这里,共同奋斗,按照"美的规律"(马克思语)来建设我们的家园,构筑共同的精神家园。

裴智的文化视野甚为广阔,对当代文艺的发展势态尤其熟悉,加上理论功底坚实,善于辨析文化发展趋向,具有自己的见解,这都是他在文化艺术评论方面的优势,深圳很需要他这样的人。我一向以为,深圳真要成为国际化新都市,"文化立市"乃题中应有之义,这样,文化研究、文化评论势必要发展。一手抓创作,一手抓评论,两者相互促进,才能推进文化的繁荣。深圳的文化研究、文化评论,务必要有广阔的视野、世界的眼光,懂得世界上文化发展的趋向,作为我们的参照系,闭目塞听,闭门造车,很容易盲人骑瞎马,不知所终。但有了世界视野,我们的文化研究、文化评论还是为了解决我们自己家园里所出现的问题,以便提升我们这个城市的文化品位,而不是热闹一阵,依然故我。持有世界眼光,解决深圳问题,才会出现深圳自己的文化学派。裴智已进入深圳的文化"场",对深圳的文化已日益熟悉起来,我很希望他能以更广阔的视野更多关注深圳文化发展中的问题,探索如何提升文化品位的途径,让大家都能诗意地栖居在这个新都市里。

聊作为序,以此共勉。

为《守望与突进》所作序
2006年春,望海书斋

诗情不减当年醇

人生易老天不老,青春活力难永葆。但我读了祁念曾新出的诗集《站立的河流》,禁不住为其中流淌而出的滚热诗情所感动,一种惊讶之感油然而生:已过了"知天命"之年的他,怎会仍然洋溢着如此充沛的青春活力,诗情仍能不减当年的醇美!

是改革开放的现代化浪潮,激起了他的新的诗情。正如他在诗集的第一首诗《春天的歌》中所说:"告别了长夜漫漫的寒冬,你的生命竟是如此活跃。"春天来了,诗人雀跃欢欣,"冰化了,浪花跳跃,浪涛奔腾,/雪消了,春水欢唱,春潮汹涌,/日夜呼啸着向大海奔走,/给人间带来了多少金色的梦——"。诗人迎来了新时代,沉睡的心灵激发而动,诗兴勃发,从而一发不可收,金色的梦吸引着诗人,从古老的黄土地,走向南海之滨,诗情连绵,有感而发,先后写下了200多首诗。此次结集,从中选出了60多首,为我们展示了诗人20年来的人生轨迹、心路历程。

念曾在童年就爱好诗歌。20世纪60年代在北大中文系读书时,就已是"五四"文学社的出色诗人。他的《校园之路》《大学生进行曲》名盛一时,广为传诵。后来,他去了黄土高坡,在陕西高校任教,埋头文学研究,就不见他的诗作。9年前,他来到特区参与第二次创业,我亲眼看见他又焕发了青春热情,像当年在燕园一样,诗兴澎湃,不可遏止。

诗人深情怀念着在燕园时的文学岁月。他在赠我诗集的扉页上亲笔写下了"南国游子意,燕园故人情"之句。而这本诗集的首辑,就题名为《故园春秋》,内中就有对燕园的怀念。但是,他不是停留在春花秋月、湖光塔影的追忆,而是着眼于北大"五四"精神的发扬。我为这首《没有鲜花的祝贺》深深吸引。一位北大校友,在改革浪潮中被推上了市委书记的位置,诗人为这位校友深情祝贺:"我没有芳香四溢的鲜花,/也没有掌声献给你,/只有这一颗扑扑跳动的心/伴随着深沉的思索/和酸涩的记忆。"诗人的记忆中,也出现了燕园钟声,书楼灯光,"我们把青春的花朵/和香山的红叶/一起夹进大学毕业证里"。但是,笔锋一转,诗人更多写出了他的思索,寄希望于这位校友,不要辜负了人民的重托,不要去学官场的"整人术"和"关系学",而要发扬"当代知识分子的荣誉",全心全意为社会主义现代化服务,把自己的后半生,献给人民的事业。"再过二十年后,我们都已白发苍苍,/现代化大厦巍然屹立,/我们的一生/化成了历史的回音壁/",到那时,"我们再举杯祝贺吧,/干杯!为了母校——成长的摇篮"。在念曾的笔下,对昔日校友升为市委书记的祝福,抒发为对人民事业的歌颂,对当代知识分子献身精神的寄托,而对母校的拳拳之情,溢于言表。

  诗集中,到处都充溢着对美好事物的美好感情的抒发。《寻觅》《莫要》《一瞬》《等我》等诗,都在捕捉那五彩人生中闪现出来的微妙而美好的心灵颤动。但最叩动我心灵的,还是献给教师节的《红烛之歌》和献给"我的老师"的《目光的雨巷》。诗人把老师比作燃亮别人的红烛,"总有一天,/我们会燃成灰烬,/但并不遗憾,/也不痛苦"。念曾当过十多年老师,他的心声,叩动了我这干了近50年的教书匠的心弦,引起共鸣。

  诗篇中也有对丑恶的揭露。在《请住手,局长》一诗中,诗人对被打倒在地而又复出的一位局长的所作所为表示了愤慨:"说什么'有权快用,有福快享'?/你这离人民而去,把手伸得老长老长……/什么'四个现代化'/早已丢在脑后/什么'人民的疾苦',/早已忘得精光/。"在诗的开头和结尾,诗人都在呼喊:"住手吧,请住手,我们的局长。"这不是普通的话语,"这是人民胸中奔腾的岩浆"。

  念曾最大的梦想乃是亲近大海。在诗集的最后一辑《南国寻梦》中,我高兴地看到,诗人终于在近"知天命"之年圆了这个梦,移居到了深圳。念曾少时在洛阳长大,他最赏识的诗是韦庄《菩萨蛮》中的两句:"洛阳城里春光好,洛阳才子他乡老。"对念曾来说,他想终

"老"的"他乡"终于找到了。他从洛阳离家,半生转辗,北京、陕西,最后在岭南海滨找到了梦里寻找的新大陆。诗人深情写道:"告别故乡那温馨的灯火,/穿山越岭,去寻找您的归宿:/海!"正是那大海澎湃,激起了他那心中的青春火花:"走过了九百九十九里山路,/越过了九百九十九道关隘,/送走了九百九十九束星光,/迎来了九百九十九朵云彩,/终于见到了心中的圣地:无限的海。"(《瀑布:站立的河流》)

  南国寻梦终于实现了。当诗人站在莲花山邓小平铜像前亲身感受到特区二次创业的体验时,不由得放声高唱:"眼前是天高海阔的万里征程!/迎着新世纪的曙光,/难道不应有新的抱负、新的憧憬?/面对日新月异的特区大地,/难道不应有新的哲理/新的诗情?"(《今天,我们启航》)在特区,念曾诗情涌动,连绵不绝,热情写下了《啊!深圳河》《深圳二十岁》《深圳之恋》等精彩诗篇,发自内心肺腑的深情,喷薄而出:"啊,深圳,我选择了你,/就选择了我青春焕发的生命;/啊,深圳,我追随着你,/就是随着中国前进的脚步声。"我虽然比他早来了八年,赶上了深圳的第一次创业,感受已不如他的新鲜,但我仍为他的热情洋溢的浓烈诗情深深感染。

  念曾的诗,能把自己个人的独特的审美体验和关注祖国和人民的命运相融合。"心与时代合拍跳,笔为人民吐心声",是他作诗的一贯信念。他说得好:"诗如果不为人民歌唱,就像一株倒下的枯树",没有生命力。正是因为他个人对人生的独特体验和人民的心声相呼应,把握时代脉搏,与时俱进,所以他的诗富有青春活力,鲜活感人。

为《站立的河流》而作
2001年秋,望海书斋

美的毁灭发人省

青年书法家黄小华写了长篇小说《百年之约》，里面有两个主人公，女的是苏州人，男的是深圳人，这引起了我的兴趣。我虽然在北京生活了30多年，但在19岁之前一直在苏州、无锡，在那里长大。而在20世纪80年代初期，又来到了深圳，也将20年了，我倒想看一看小华是如何写苏州人和深圳人的。正逢暑假，有空先睹为快，一口气就把它读完了，很有些感触，就写了下来。

苏州姑娘星星，美丽而聪颖，在上海一所大学的外语系刚毕业，分配到家乡从事外贸工作，就被派到正在崛起的"一夜城"深圳来参加一个研讨班。就在这里，她认识了刚从粤东小城调到这"一夜城"来从事深圳史编纂的白阳，两人从此开始了通信。这部小说，除了通过叙事，由作者讲出两人的故事，还有很多篇幅，穿插着不少来往信件，表达了各自的心声，展示了人物的内心世界和两人间的精神交流。

这位苏州姑娘，苗条瘦弱，高雅大方，清高孤傲，气质非凡，白阳对她可说是五体投地，倾慕万分，于是在他面前展现出了一个新天地。白阳出生在粤东一个穷困的小山村，务农的外祖父因参加大革命失败而逃亡东南亚，父亲在县城当小公务员。在那急风暴雨的年代，白阳高中毕业就去当了农民、木匠、泥瓦工，后来才有机会参了军，过了10年军旅生活，当过连长、指导员，就在老家结了婚，等到转业回老家，孩子长大了。好不容易，才找机会从粤东小城投奔到新兴城市深圳，一下就见了大世面。他从未接触过如此林黛玉式的女性，人生路上碰到星星，心灵为之颤动、震撼，想不到世上竟有这样的女性。只要星星答应，他会马上和那一起生活了10多年的粤东老婆离婚，随着星星走，开始另一种生活。

故事会怎么发展？只要这位苏州姑娘愿意，她就可以和这位深圳人结婚，这样的故事，在深圳司空见惯，不足为奇。在这个"暴发"起来的"一夜城"里，什么事不会发生？不几年时光，从四面八方涌来多少移民！年轻人纷至沓来，而年轻女性多过了年轻男性，都想到这块乐土来寻找自己的出路。已经在这里站稳了脚跟的深圳人，找个内地女性做老婆或情人，是极平常事。特区初建，个人生活如何处理，在这里是最少束缚的了，可以躲开内地约定俗成的章法，"活得自由"，你结不结婚，成不成家，单身还是同居，双性恋还是同性恋，婚外恋还是包二奶，当"鸡"还是做"鸭"，都无人来过问，悉听尊便。早已有不少"码字"的快手到深圳来"猎奇"，写过不少曲折离奇、艳丽刺激的男女故事，就是抓住此类"事实"做了大肆渲染。这《百年之约》，会不会步人后尘，落入俗套，对那些令人生厌的渲染，再添加几笔？

随着故事的深入展开，我的疑惑也就逐渐化解。《百年之约》另辟蹊径，寻求艺术创新，着力于展示女主人的内心世界，刻画她的心灵之美，赋予他们的关系一种理想色彩。

星星对白阳在深圳的精心照顾、周到服务甚为感激，白阳的忠厚热忱、多才多艺也使她有了好感。深圳别后，白阳主动给她写信，为她寄去自己的书法作品"阳光土地"，她很受感动，然后才有书信来往。深圳相识之后，《百年之约》为我们描写了三次相会。一次是星星到珠海出差，然后到深圳办事，在深圳火车站，白阳和女儿为她送行，令她感激万分，而且和他女儿与蓝成了朋友。星星在珠海心脏病发作，白阳在深圳帮助她调养，从此多了一种"爱怜"之情，像兄长一样爱护她，不时向苏州寄去"救心丹"和深情的诗篇。第二次见面是在北京，星星到北京出差，白阳赴京改史稿，于是两人约会于游秦宾馆，互相倾诉流逝的岁月，并且诗意盎然地约定：当星星百岁之时，再在北京约会见面。此是这部小说的主题所在，乃是歌颂一种理想之爱。第三次见面是在星星已届28岁那年，白阳休假，专程去苏州看望星星，看看她的病情如何，生活怎样。星星为他安排宾馆，伴他游了虎丘山、网师园，参观了新城区、科技园，还邀他一起看电影、逛书店，两人彻夜长谈，又一次击掌相约，每两年见一次面。

苏州之行终于使白阳明白了星星的真实内心世界。星星和他虽然无话不谈,可以成为至交密友,但她不会嫁给他,也不愿成为他的情人,这是因为她不愿破坏他原有的家庭,不能伤害他的妻子和女儿。她不想成为破坏别人幸福而获得私利的小人,"想爱而不能爱,想为而不能为"。她愿把白阳看成可以披露真心的兄长,成为患难相交的知己好友,不能夺人之爱。她自己在苏州,也已经历了众多"追求者"的折磨,已经很理智而平静地对待爱情和婚姻。她自己体弱多病,经受不起婚姻的重压,长久地保持着理性的冷淡,也许将来会找个归宿,但并不强求,一切顺其自然。

《百年之约》共有五章,花了三章的篇幅(《梦》《浓浓秋雨》《大雪》)来展示她和他的心灵交往。就是深圳、北京、苏州的三次见而,也只是在山水间有心灵碰撞。她和他已有精神上的相互爱慕,心灵上的相互倾诉,可以无话不谈,却从未有过肌肤之亲,连吻也从未有过,只停留在纯情的精神之恋。

这样的精神之恋,在当今已是稀有,这会有什么样的结果?星星终身不嫁,一辈子维持着这种精神之恋?还是星星在苏州结婚成家,找到幸福?……还是会有其他的结果?

小说的下半部《希望之行》《爱之魂》两章,为我们展示了这位苏州姑娘的出人意料的命运。

星星确曾想在苏州成家立业,那里是自己的故乡,那里有自己的父母。但是,优秀的男士却未曾遇见。在苏州,她和一位年轻的高总拍拖了一阵,正要谈婚论嫁之时,却偶然得知,就在不久前,那个男人居然去嫖娼。这消息犹如晴天霹雳,她心灵受到了莫大打击,决心离开故乡。在表姐张缓的张罗下,星星满怀希望之情来到深圳,她被介绍给一位财政部长在深圳经商的儿子李飞交朋友。这位整日花天酒地的纨绔子弟被苏州姑娘的美丽所打动,对她发生了兴趣,带她上酒店舞厅,一连大摆宴席,吃遍山珍海味。几天下来,这花花公子的原形毕露,丑态百出。在穷于应付的困惑中,星星发现,这位出身名门的高干子弟,不学无术,暴殄天物,骄奢淫逸,粗鲁放纵,沉醉于花天酒地的生活之中;而这,又是打着他父亲的旗号,依官仗势,敲诈勒索,所以才能在深圳横行霸道,屡屡得逞。她怎么能和这样的花花公子在一起生活？她怎能找这样的丈夫？不，不能。这次"希望之行"，使她大失所望，决心离开深圳，赶快逃回苏州。可是，进山容易出山难，李飞已经设下圈套，伸出魔掌，要在她即将离去之前，落入自己手中，竟在她的饮料里偷偷放进迷魂药摇头丸。于是，在这"最后的晚宴"上，一幕悲剧发生了。星星喝了这兴奋剂饮料，心脏病突发，口吐白沫，浑身颤抖，颓然倒下，不省人事。花花公子李飞惊惶失措，带了酒肉朋友匆忙逃离。等到白阳闻讯赶到医院，昏迷中的星星渐渐苏醒，但已是回光返照，只来得及向白阳说了半句"白阳兄，我爱……"，就永远闭上了眼睛，告别了人世。

这是美丽的毁灭，一个林黛玉式窈窕淑女的现代悲剧。出身书香门第，才貌双全，一个文化修养甚高的文弱女子，在世俗社会中又不愿随波逐流，想寻找纯真爱情而又不得，却死在深圳这个"一夜城"的纨绔子弟手掌之中。虽然那出身名门的花花公子最后被判了20年徒刑，邪恶受到惩罚，但悲剧已经生成，人死不能复生，美就这样被毁灭了。

温文尔雅的星星不到30岁就死了，令人惋惜。尽管在这世上的优秀男子越来越少，市侩之气已越来越浓，但她本可在那古典风韵尚存的姑苏城里找到一个安静的角落稍微平静地生活着，愿意单身也好，有个平常的家也好，何必听那向往繁华的表姐的话，跑到这个急躁地暴发起来的香港式城市里来见什么高干子弟！在这被称颂为"一夜城"的地方，历史文化的积淀甚为薄弱，台港流行之风却很盛行，曾四面八方涌来"淘金"的移民，熙熙攘攘，急急匆匆，都想很快取得成功，充溢着急功近利之风，捞一把就走、过把瘾就死的心态随处可见。在这里，有一定文化教养的"小资"并不多，受传统文化熏陶，有一定文化积累的"中产"阶层就更稀少，急着做权钱交易而暴发的官商和善于投机倒把而暴富的奸商倒不少。这样的文化土壤，怎么适合这弱不禁风的林黛玉式的窈窕淑女的生存！

星星这一艺术形象，颇有象征意义，她的命运，唤起了我的不少联想，引发我作一些深思。

深圳是个好地方，这里靠近大海，到处是青山绿水。20年前，我初次到此,就喜欢上了,在世界大地已被"开发"得差不多的时候,竟还有深圳这样的宝地,实属难得。大家都涌到这块土地上来,很可理解,水往低处流,人却要往高处走。尽管不需要十多年工夫,这里的所有河水都被污染了,发臭了,几百个山头被削平了,千疮百孔了,有些海岸也被破坏了,但经济究竟突飞猛进了。到深圳来"闯"天下的女性特别多,而且大多找到了自己的发展机缘。当我为了躲离这个新兴都市的喧嚣而走向西南、西北、东北的一些边远地域想清静一下时,却在那里常能听到一些带着羡慕口吻的申诉:我们这里有本领的、漂亮的女子都奔到你们深圳去了!这,我信,那时出国还很难,浦东也还刚在开发,奔向深圳发展,机遇多多,自然蜂拥而来;虽说文化素质不高,但有不少本领不小,却能很快适应这里环境的人,抓住了发展机会,找到了自己的位置。自然也有知识女性,那时博士还属稀有,少有人来,但大学生、硕士生却日渐多了起来。本领大的知识女性,很多把深圳作为跳板,在此中转,抓紧机会,通过关系,出去了,去寻找自己的理想生活。最有本领的自然去欧美,差些的就去东南亚、港澳。等到浦东开发成功,这种势头就发展到了上海,于是出现了小说《上海宝贝》中那种不择手段投身外国人的女学生形象。数年前,我和上海师大一些文学研究生座谈,评论家王纪人告我:上海有些女大学生把那个"上海宝贝"当作崇拜偶像,异常佩服:竟能傍上个洋人出国去了。我没有想到,人的价值观念会变得那么快,人生追求的价值目标,差距会那么大!是悲,还是喜?

当然,来深圳"闯"天下的众多外来女性,大多在这里沉淀了下来,成家立业,扎下了根,开花,结了果,把深圳当作了自己的家园。但是,我逐渐发现,越是文化修养高的知识女性,后来发展成为单身贵族或单亲家庭的却越来越多。数年前,我曾写过一篇短文《家》,想解释这种现象。造成此种现象的缘由自然很复杂,文化修养越高的知识女性对人生的追求,期望值更高,所知的参照系更多,寻求更多更大的人生自由,可能是一个主观因素。1996年,《人到中年》的作者谌容在深圳访我,不知不觉就谈到,她在北京也已发现了此种现象。她在写过《懒得离婚》之后,就正在写《懒得结婚》。为了活得更自由自在,许多知识女性已不想再受婚姻的束缚和家庭的劳顿。在这移民聚居的地方,短期行为盛行,婚姻比内地更为脆弱,家庭更不稳定,而对知识女性的损伤更大。在这样的文化土壤上,不适合文化修养较高的"窈窕淑女"的生存和发展。所以,还在20世纪90年代,我所敬爱的一位中学语文老师从无锡来信,说他的刚从大学毕业的女儿想到深圳发展,征询我这个已来了深圳十年的苏州人,问是否适合。我真心出于对老师的关切,马上回信,劝他要慎重考虑,三思而行。

在别人的笔下,我们已看厌了太多的外来女性在深圳堕落的故事,感受了太多的污浊。现在,我们却在《百年之约》里看到了另一种女性形象,受到传统文化熏陶的现代窈窕淑女形象,给人以一种清新之感。作者热情澎湃,倾注无限深情来塑造和歌颂这一女性。因为作者以亲身经历为基础,心灵深处有着真切的体验和感受,所以写来富有真情实感,引人入胜。但我感到作者还是多少把这一女性形象予以理想化了,星星和白阳的精神之恋,富有理想化色彩。作者精心安排,竭力把这两人放在深圳、苏州、北京的青山绿水之间、花前月夜之中,以这规定情景显示两人关系的美好,更以百年之约来歌颂精神之爱的永恒,表达了作者的美好理想。然而,离开了此情此景,不能不使人困惑:她身心得以长久安顿下来的家园在哪里?人生何处是归宿?作者在歌颂两人的理想关系之后,笔锋急转,把星星拉向深圳活生生的现实生活之中,进入另一种世界,给了她一个毁灭的命运。这样的转折尽管太急促,命运太残酷,然而,我不能不借用恩格斯的话来说,这是"现实主义的胜利"。

人生并不都美好,但人却应该有理想。理想是使人还有人生追求的精神动力,理想又是人所以能辨别真善美和假恶丑的内在标准。文学艺术的创造更需要理想,从理想高度歌颂真善美,鞭挞假恶丑。深圳的文学艺术若想提高水平,就既要以现实生活为基础,又要以理想的高度来评价生活。黄小华对人生充满了理想,他的作品也洋溢着理想的气息,这正是深圳的文学艺术所特别需要的。《百年之约》写出了美的毁灭,邪恶扼杀了美,否定之否定,作者又从理想的高度否定了邪恶,在更高层次上肯定了美。理想如何和现实结合,这是文学艺术如何向先进文化方向发展的关键问题。高扬理想并非要把现实予以理想化，无视现实关系中的矛盾，而是要从理想高度来解剖、阐释严峻的现实，从理想上来看待人生。黄小华多才多艺，书法之外，摄影、美术的功底都很深，现在又写出了这部长篇小说，可喜可贺。小华出生在粤东山村，有十余年戎马生涯，在深圳也已生活了十多年，有深厚的生活底蕴，希望以此为起点，能创造出更多反映特区生活的作品来。

为《百年之约》所作序
2003年暑假于北京蓝旗营

深圳妈妈实可敬

我读别人所写青春少年生活的书,不多。20年前和我一起从北大来到深大从教的郁龙余,送来他女儿郁秀所写的《花季·雨季》让我们读一读。这是还不到18岁的郁秀写她在深圳读书的生活,很有特色。我是看着她从小长大的,读着读着,有感而发,就写了篇评论,向国内推荐。这是改革开放以后,中学生写自己生活的第一本小说,开风气之先。

如今,我看到了李芳所写的《与女儿同行》,又一次深受感动。20年前还是一位年轻妈妈的李芳,在深圳从小就精心培育她的女儿,陪伴女儿一起成长,含辛茹苦,耗尽心血,把女儿送进了北京名校,成长为献身国际文化交流的和平使者。我读后,忍不住又发一次少年狂,写下一些我的感受。

这是一本感人至深而又启人心智的好书。

它向我们展示了这样一种美好的人生:一位优秀的年轻妈妈,呕心沥血,竭尽全力,如何用爱将女儿培养成一个优秀的人才,正在走向国际文化交流舞台上的和平使者。

妈妈叫李芳,女儿叫王殊瑾。

李芳,在20世纪50年代末出生于福州的书香门第、艺术世家,父母都是从事音乐教育的行家。受家庭熏陶,李芳从小就爱好艺术,长大后进了福建师范大学音乐系,花了四年工夫学习音乐,弹唱俱佳,成绩优秀。1986年毕业后,她就来到了开办才三年的深圳大学,热情投入到这所年轻大学的初创事业之中。在我们这最早来深圳的一辈人眼里,李芳还只是个阳光照耀下的青春少女,能歌善舞,多才多艺,谈笑风生,活泼开朗。她前期一直参与了学校美育和艺术教学,后期则转向教学行政事务。她始终热心公益事业,曾获共青团深圳市委员会、深圳市青年联合会颁发的"先进个人"称号。她充满着青春活力,精神饱满,神采奕奕。

来到深圳的第二年,一个婴孩呱呱落地,李芳生了个女儿,取名殊瑾,寄寓了"与凡者殊,为国之瑾"的殷切期望。李芳从此当上了妈妈,女儿成了她生命中不可分离的部分,她开始了新的人生。在学校里,她一心一意地投入工作,一回到家里,她就全力扑在"小宝宝"身上,倾注心血,精心抚养,着意培养,像打造艺术精品一样抚育女儿。

李芳深深懂得,要使女儿健康成长,必须为她不断创造最好的环境。为此,从小学、初中到高中,李芳不辞劳苦,到处奔走,为女儿挑选的学校都堪称深圳一流:深圳实验学校、深圳中学,这都是深圳的名校。

但外因还是要通过内因才能起作用。受到妈妈的激励和熏陶,王殊瑾从小学、初中到高中,不仅学习成绩优异,而且自小就像妈妈一样,热心公益,积极投身公共活动,成为德才兼备、品学兼优的三好学生、优秀团员、文明模范。在高中最紧张的学习阶段,她还被推举为深圳中学团委副书记,并且成为一名预备党员。这是在一般中学中很难见到的,然而这奇迹却在李芳的女儿身上出现了。这颇可引起我们做进一步的深思。

名校为女儿的成长提供了优越的环境,使得她的潜力才能得以发挥出来。但女儿的每一步成长,都得到了母亲李芳无微不至的关怀和热忱的激励。李芳对女儿的拳拳爱心,始终是激励女儿向前奋进的不竭动力和丰富源泉。母女情深,亲密无间,无话不谈,密切交流,共同为女儿的人生做了设计。作为母亲,李芳对女儿言传身教,以自己的言行为女儿做了榜样,以身作则,身体力行,引导着女儿不断前进,她自己也在这过程中得到了无穷的乐趣,快乐地和女儿携手同行。

早在怀孕期间,李芳就每天为腹内胎儿弹奏钢琴,播放音乐,坚持不懈做胎教。李芳弹奏的第一支曲《献给爱丽丝》,通过这优美的乐曲,把母亲的殷殷爱意传送到腹内胎儿。久而久之,竟出现了这样的奇特效果:在女儿出生几个月后,每当李芳弹奏这类曲子时,幼儿竟然随着节拍,发出咿啊之声,和乐曲旋律相呼应。在母亲的潜移默化中,殊瑾对外界事物最早发生兴趣的,也正是音乐。而最先学会弹奏的,也就是这曲充满暖暖爱意的《献给爱丽丝》。直到长大成人,弹奏钢琴一直成为女儿的业余爱好,她一有空闲就坐下来弹奏数曲,和妈妈一起共享美乐,其乐融融。

为了女儿的成长,李芳灌注了无数心血,甚至自己甘愿做出巨大的牺牲。她推掉了许多社交活动,拒绝了许多娱乐活动,放弃了自己继续深造的机会。1994年,李芳已报考了广州星海音乐学院的研究生,想提升自己的音乐水平。但眼看女儿即将跨入小学的门槛,需要母亲的更多关怀,李芳毅然放弃了这次机会,做出了自我牺牲,而把心血灌注到女儿身上。从小学到初中,再到高中,李芳一直伴随着女儿,携手共进,扶持她茁壮成长。

特别难能可贵的是:李芳处处以自己的言行作为表率,引领女儿向前行进,从不懈怠,持之以恒。从女儿学步开始,李芳就手把手地教女儿下跳棋,练拼图,一起踢足球,教授女儿声乐,女儿在1996年就获得深圳实验学校小学部小明星卡拉OK比赛一等奖。稍有空闲,她就带着女儿一起去书城,看书买书,从小就养成女儿爱读书的习惯,读书成了一种无穷的乐趣。所以,直到如今,王殊瑾每到一个新地方,就会打听当地有什么书店,好去光顾。

李芳以身作则,身体力行,从小就十分注重培养女儿爱劳动的习惯,不怕累不怕苦。女儿病后上学,李芳就带着她,在学校帮她一起擦玻璃,使女儿感到无比温馨。在小学几年,女儿每天都把教室玻璃擦得一尘不染,乐此不疲,被同学们誉为班里的"小雷锋",还荣获"优秀毕业生"光荣称号。

在深大新村里,每天最早亮起灯光的就是李芳家里。她五点多就起床为女儿做早餐,六点放英文录音磁带,让女儿天天坚持半个多小时的听力练习,然后才上学。晚上女儿把所有的作业做完后,她会和女儿一起来完成每天必做的功课:李芳手里拿着英文书,女儿面对着妈妈背《新概念》和课文。母女俩共同在美妙的英文声中愉快地结束一天的紧张生活。

当女儿在深圳中学就读后,白天上课学习,下课后,还要参加许多活动。特别在高二期间,任校团委副书记,经常是利用下午放学后开展工作。每次回到家,等到能坐下来做功课,要到深夜才能入睡,一早又要匆忙上学。李芳为了让女儿安心学习又能很好地胜任并做好这项工作,就特地在深圳中学校园内租借了一间旧房子住下来,好照顾女儿。这一来,李芳每天要多花两个半小时在路上奔波。早上要从东门乘车赶到深大新村,再坐校车到深圳大学,下午下班后和老师们一起坐校车回市里,在公交站下车,再乘公交车赶回深圳中学,为女儿准备晚餐,辛苦无比。但李芳却感到虽苦亦乐,她和女儿互相激励,眼看着女儿在茁壮成长,心里感到无比欣慰,享受着幸福之感。

让我最感兴趣的是,渗透在李芳教育实践中有着一种崭新的教育理念,那就是要把女儿培养成一个对国家有用的德、智、体、艺、美全面发展的人。(李芳曾接受《China Daily》《深圳特区报》《晶报》等媒体采访。)

李芳自己熟谙美育,从小教女儿弹钢琴、唱歌,可谓得心应手。但是,她很清楚,孩子上学,就是要让她全面发展,必须坚持"以学为主,兼学别样"的原则,鼓励女儿不断拓展视野,全面掌握文化。在妈妈的带领和鼓舞下,女儿从小就爱读课外书,涉足美术、朗诵诗歌、指挥合唱、跳拉丁舞、参加演出,不仅艺术修养较为全面,而且爱踢足球、游泳,数学也名列前茅,被同学们称之为"数学王"。女儿的作文也写得很好,常被老师作为范文在课堂上宣读。在中学期间,女儿就有了很好的文化教养,被老师称赞为"淑女"。大家说,有其母,必有其女,从女儿身上反映出妈妈的教养,信然信然。

读书之外,李芳还鼓励女儿积极参加课外活动,关心公益事业。她要女儿,学习需扎实,视野要广阔;既要完善自我,又要关心别人;既要胸怀祖国,又要放眼世界。女儿还在初二时,李芳就鼓励她去北京参加了"中国青少年艺术新人选拔大赛",陪女儿前后忙了两个月。李芳伴随女儿一起去书城,在书海里挑选,最后挑中了一首歌颂美好大自然、倡导绿色环境的《绿叶之歌》,作为女儿赴京决赛的诗歌朗诵作品。然后,李芳又在《神秘园》中精选了一首乐曲,作为朗诵的背景音乐。女儿的这次比赛,凝聚着母女俩的共同心血,效果极佳,获得了评委的好评,荣获金奖。这真可说是"小荷才露尖尖角,早有蜻蜓立上头"。数年之后,香港举办《夏之颂》朗诵演唱会,王殊瑾与深中同学和老师一起,她带着《绿叶之歌》赴港重新登台朗诵。深圳中学的校长称赞这位初中生"多才多艺又阳光",欢迎她初中毕业后到深圳中学读高中。

在妈妈的激励下,女儿的胸襟也越来越开阔了。王殊瑾在深圳中学三年,既受到了严格的学业训练,又得到了自由发展潜能和才华的机会。多才多艺的她,积极投身校园事务,热心公益。高一就递交了入党申请书,高二通过投票选举,被任命为校团委副书记,高三成为预备党员,大学一年级光荣加入了中国共产党。她主持过不少社会活动,关爱弱势群体,支持贫困山区,被授予了"文明规范生"、"最佳辩论手"、"环保小博士"等称号。作为深圳中学的优秀学生,她的英语也学得好,并且开始走出国境,参与了国际文化交流活动。她先是去了日本游学,后又去了新西兰访学,和国外学生有了交往。2005年,由深圳中学团委书记范永泉老师领队,带领她和其他四位同学一起去北京大学,参加了中国首届"北京大学全国中学生模拟联合国大会"。在这次难忘的大会上,王殊瑾开始展示出了她的"外交风采",从而取得了首届大会"最佳风采奖"的桂冠。

这次"模联"在中国乃具有首次开创性意义的活动,对王殊瑾来说,她的参加,乃是她人生道路上走向国际文化交流之路的一次预习。所谓"模联",就要挑选优秀中学生来模拟联合国大会上的外交辩论。来自全国各地的30多所著名中学分别代表40多个国家,深圳中学作为广东省的唯一代表队,代表南非参加本次大会,王殊瑾在这次大会上,模拟了南非的外交官,她从容面对,慷慨陈词,侃侃而谈,神采飞扬,获得了满场喝彩。

2005年底在《北京语言大学2006年部分外语专业提前招生推荐表》上,深圳中学王铮校长写道:"王殊瑾同学从小受到良好的教育,德才兼备,品学兼优。作为学校主要的学生干部,自身受到锻炼,增长了才干,同时也为学生的成长和学校的发展做出了贡献,学校积极推荐。"

"不经一番寒彻骨,怎得梅花扑鼻香。"就在这年冬天,经过严格的文化课考试和口语面试,王殊瑾受到北京语言大学的青睐,被提前录取入外国语学院亚欧语系西班牙语专业。

在女儿读小学和初中的假期，李芳数次带女儿去北京的大学，让女儿亲眼看见了大哥哥大姐姐在自习室里学习的情景，女儿很受鼓舞。李芳有个心愿：女儿将来一定要争取上北京读大学。在深圳共同生活了19年，母女情深，难舍难分，但是为了女儿的自由发展，这位被女儿亲热地呼作"美女妈妈"、"漂亮妈妈"的"小宝宝"，被李芳毅然"放飞"，她要让女儿到更广阔的天地中去翱翔。2006年夏天，李芳带女儿回了福州老家，亲切看望了爷爷奶奶和外公外婆，共享天伦之乐。她又为女儿欢度了19岁生日，一起和女儿到北京，鼓励女儿走向新的人生路程。

女儿的英语学得好，已能用英语和外宾对话，当英语主持人。但李芳支持女儿更进一步拓展眼界，选择了西班牙语作为主攻方向，这为女儿开辟了新的路程。恰恰正是因为王殊瑾既会英语，又懂西班牙语，让她有了更多为国际友人服务的机缘，促使她坚定地走向国际文化交流之路。

2008年北京举办奥运会，急需大量外语志愿者来服务，而最难招募的正是那些懂得西班牙语一类小语种的人才。2007年9月中旬，北京团市委向四所高校（北外、北语、对外经贸、北二外）选拔北京奥运会西班牙语志愿者，赴古巴进行为期四个月的特别培训，回国后投入奥运服务。

正在读大二的女儿把消息告诉深圳的妈妈时，李芳就为女儿鼓气，积极支持。女儿和其他同学共20名志愿者，在法国停留了一阵，然后飞往加勒比海，进入哈瓦那大学接受了四个月的训练。生在深圳，长在深圳的女儿，如今飞到了地球的另一边，当妈妈的心里多么牵挂啊！女儿开始是用网络打电话，但古巴太遥远了，听不清楚，于是就只好通过手机发短信。李芳每次都把女儿发来的短信抄写在自己的本子上。每当想念女儿时，李芳就翻出本子，重温再三，感到无比欣慰，虽隔重洋，却仍心贴着心。女儿在短信中称赞："我妈妈是世界上最善良最好的人"，读着这些短信，我们也深深感受到这种刻骨铭心的母女亲情。

李芳一向教育女儿，要对故乡深圳充满感激之情。是改革开放的深圳，哺育了女儿的茁壮成长。王殊瑾是西班牙语志愿者中唯一来自深圳的人，这是深圳的骄傲，但她不忘感恩深圳。在奥运会和残奥会期间，王殊瑾负责危地马拉团队和委内瑞拉团队的服务，她尽心尽力，成为优秀志愿者的代表，受到了中央首长的接见和勉励。当年冬天，王殊瑾又作为首都优秀大学生代表之一，出访韩国，参加"中韩大学生志愿者交流营"，又一次在国际文化交流活动中感受到年青一代的国际友谊。然后在寒假里，她从北京重返家乡深圳，和妈妈紧紧相拥，久久不放，整个寒假，都在深圳和亲友们相聚一起，度过了难得的温馨时光。

2009年新的学年即将开始，王殊瑾恋恋不舍，又要离开妈妈北上，在大学做最后阶段的冲刺。当我听李芳说，女儿还有一年即将毕业时，我忍不住问：您想女儿毕业后做什么？李芳坦率地告诉我：她和女儿共同探讨过，当然是哪里需要去哪儿。如果要让个人选择，她们都一致希望，今后能在国际文化交流这条路上继续行走，"愿世界和平奏出和谐的乐章"。我也禁不住为她们叫好：中国急需和世界进行文化交流，把国外优秀文化吸收进来，把中国优秀文化传播出去，这才方能构建和谐世界，中国多么需要她女儿这样的人才啊！

这里，我想起了年青马克思在中学时代对选择职业所做的思考，我觉得李芳母女俩的选择，暗合了这位伟人所指引的方向。为此，我赶紧把它抄了下来，作为此序的结尾，并转赠给李芳和她的女儿，为她们深深祝福，愿她们心想事成。

中学时代的马克思在思考职业时说道：

我们应该遵循的主要指针是：人类的幸福和我们自身的完善……人类的天性本来就是这样：人们只有为同时代人的完善、为他们的幸福而工作，才能使自己也达到完美。

我们可以选择这样一种职业，它能为开辟人类的活动，达到共同的目标——对于这个目标来说，一切职业只不过是手段——达到完美境地的广阔场所。

为《与女儿同行》所作序
2009年秋，望海书斋

取之自然应有道

我是个对自然生态天生敏感之人。蛰居京城三十多载,却总是水土不服,对北方气候有过敏反应,终于被协和医院判定:不适合在北京生活。有幸在20多年前投奔到深圳,一下子就被那未曾污染的自然风光所吸引,从此沉淀了下来。但我一直在密切关注着这里的自然生态变化,深圳怎样才能成为我的最后家园,乃是我交友的一个重要谈资。所以,当我和梁俊华相识,读了他好几本著作后,顿觉一见如故,很快有了共同语言。

梁俊华堪称大自然之子,大半生都在亲近大自然。他生长在农村,年少时就去修过水库,从小就沉浸在大自然,深深爱上了它。他上的是农业大学,目光始终注视着祖国大地。到了深圳,参与了农林牧渔领域的发展策划及管理,在实践中更靠近了大自然,对深圳的自然生态有了更加深刻而敏锐的体验。更难能可贵的是,他在深切体验的基础上,进而思索,把自己的体验和思考,写了下来,且笔耕不辍。不说远的,就在进入新世纪以来,他就连续出版了三本著作,一本是诗集《生命的旋律》,一本是散文集《绿色,别无选择》,还有一本是新出的专著《吃亦有道》。这三本书尽管体裁不同,却有着一个共同的主题:对环境保护的深情呼吁。对周围环境的深切关怀和焦虑,为构建我们的共同家园而表现出来的无限深情,正是书中吸引我的根本所在。

《生命的旋律》道出了作者对于生命的真实体验:绿色才是生命的旋律,人类生命应向绿色回归。可是,周围却充满了灰色和黑色。面对日益被污染的大地、空气、水流,作者满怀忧虑和悲愤,情不自禁在诗中深情呼唤:绿色,乃生命的源泉,生命的动力,生命的表现,每一个人都要为绿色呐喊,具有绿色的理念,采取绿色的行为,共同创造一个绿色的世界。

如果说,作者在自己的诗集中主要是为了表达自己的生命体验,对于周围环境的感情态度,那么,在《绿色,别无选择》这本书中,更多把目光转向周围环境作冷静的解剖,人类在怎样破坏着大自然,大自然怎样在哭泣;人类应严峻反思,我们对环境究竟应负有什么样的责任。

作者为我们展示了一幅自然生态图景:森林在减少,水土在流失,气候在变坏,自然环境在日益恶化。作者发出警示:我们正在走向生态灾难之途。

是不是耸人听闻?不,这个警示发人深省。

我们只有一个地球,人类目前只能生活在这个星球上。可是,世界人口的急遽增长,地球的过度开发,使得适合人居之地越来越少。更使人担忧的是,土壤退化,水质恶化,空气劣化,无不表征着环境污染正在迅速扩大,严重威胁着人类的生存。

作者不仅在"现实"篇中揭示了环境污染的严重性,而且在"反思"篇中解析了造成环境污染的深层原因,进而,更在"行动"篇中热情呼吁发展绿色经济,倡导绿色消费,上下齐心,共同构建绿色家园。

在环境已被严重破坏的状况下要来构建绿色家园,谈何容易!这是一个巨大的系统工程,从决策到实施,从经济到政治,从生产到生活,各个环节,层层相扣,都必须遵循绿色理念,不仅要改变发展模式,而且要改变消费结构。作者敏锐地觉察到,我们当前的一些消费观念、消费方式正在把中国引向破坏环境的歧路,他的第三本著作就对此做了深入的探讨。

《吃亦有道》,乍一看书名,还以为是侈谈如何吃的门道,什么有营养,什么是美味,如何烹饪才好。此类书早已大行其道,到处都是,何必再凑热闹?我正疑惑间,把书看完,不由得肃然起敬,为之拍手叫好。这是一本别开生面而又严肃认真的书。"道可道,非常道",这里所论之道,并非市面上推广的吃喝门道,而是我们应如何正确对待"吃"的人文之道。

食色,性也,人要吃饭才能活下来,吃是人的天性,"民以食为天"。中国,农耕社会特别长,吃显得更重要,连墨子也说"食为性命之基也"。中国人长期以来一直是靠天吃饭,以食为天,吃和天道相连接,吃要符合天道,遵循自然之道。正是在满足了人的这个最基本的需要的基础上,才逐渐产生了礼义廉耻。古人云"夫礼之初,始诸饮食",必先温饱,才讲人伦,所谓"衣食足则知荣辱,仓廪实则知礼节"。但是,社会发展到产生人文之道,人有了礼义廉耻之心,反过来人文之道又会对人的行为起规范作用,制约着人的生活消费,大道理管着小道理。巴金老人生前曾提醒过世人:"人是为了活着而吃米,还是为了吃米而活着?"人要吃才能活,但人活着并不只是为了吃。

在这本书中,作者把"吃"放在人生哲学中来考量,旗帜鲜明地提出:当中国已基本解决了温饱而在向全面建设小康社会发展的时候,我们应该及早建立科学消费观,倡导合理的、适度的、健康的消费,制止腐败的、奢靡的、畸形的消费。正是从科学消费观这一高度出发,解析了"吃"这一人类的最基本消费方式,探讨对"吃"的应有之道:既要遵循天道,又要符合人道。全书围绕着"取之有道"这一根本原则,高屋建瓴,展开了对"吃"的思索:一是"失道之吃",二是"失道之因",三是"正道之思"。

作者尖锐揭露了当下社会出现的"失道的吃",吃的各种腐败现象:进行权钱交易的吃,挥霍公款的吃,沉溺于灯红酒绿的各种畸形之吃,炫耀攀比之吃,猎奇争艳之吃等等,真是五光十色,无奇不有。而对此种现象,作者喟然慨叹:"朱门酒肉臭,路有冻死骨"曾是我们民族历史上的一种悲哀。今日,路上已几乎见不到"冻死骨"了,但是,却有许多人正在拼命追求着"朱门酒肉臭"般的生活,这是中华民族的一种新的悲哀。

腐化的、畸形的、奢靡的吃,其害无穷,既损害人自身的健康,又破坏自然生态,更败坏社会风气,丧失天道,违背人道。这种吃喝之风,正如科学家钱学森所说"将美食变为丑食",是一种丑恶现象。按古人的说法,这是暴殄天物,天理不容,是一罪过。但是,社会上却有人前赴后继,乐此不疲。对此,作者深有感触地写道:"一些中国人给我们两个极端的面孔,两个极端的胃,一是很能挨饿,几天不吃饭都可以;二是很能奢侈,一顿饭花上几千元、上万元,眼睛都不眨一下,毫不在乎。"过去穷怕了,一旦暴发,就猛吃猛喝,需求却还是停留在低层次的水平,把吃作为人生的最大乐趣和追求;而"吃公"、"公吃"更是推波助澜,使吃喝之风越演越烈,屡禁不止。在2002年,国内公款吃喝已达1000亿元,可不到三年,2005年就翻了一番,超出2000亿元,足可供2000万名乡村教师生活。百姓对此做过辛辣讽刺:革命不是请客吃饭,可如今,革命成了请客吃饭!有些地方的政府财政,变成了"吃饭财政"。

针对这种现象,作者在书中大声疾呼:吃要有道,吃要有度,吃要符合科学消费观,过绿色消费的生活方式。

我国研究生态美学的书多了起来。近几年我阅读了不少有关环境保护的著作和译作,我发觉,许多译著,大多注意了从经济生产的角度论证,要节约资源,减少耗损,却少有从生活消费的角度考察生活消费对环境破坏的影响。梁俊华的新作,不仅指出过度的开发在破坏着环境,而且着重揭示了失道的生活消费,毒化了社会风气,损害人的健康,直接或间接地也在破坏我们的环境。正是这一新的视角,使他的书独辟蹊径,饶有新意,引导我们的思考更进一层。

经济匮乏时代过去之后,我们是否已进入了美国式的消费社会?多年来,一些媒体不时在鼓动大众,要像美国那样,推行超前消费,超高消费,超额消费,以此来带动中国经济的快速飞跃。中国古来在王公贵族、豪门巨富中本就有着骄奢淫逸的遗风,如今,在迅速完成了资本原始积累的一些先富起来的人中间,也很快滋生了想过帝王生活的欲望。而美国生活方式的渗入,更激起了一些人急欲尝一尝洋荤的欲望。于是,一股土洋结合的奢靡之风正在中国吹起。

然而,中国真的能进入美国式的高消费社会吗?中国需要向这个方向挺进吗?如果像中国、印度这样的人口大国都要实现美国式的生活方式,那就是几个地球也不够用,目前这一个地球将无法承担。所以,美国学者格罗夫就竭力呼吁:不要把美国的价值系统和生活方式输入发展中国家,"把我们目前的价值系统和生活方式输入到发展中国家,是一种全球性自杀"。如果世界上的人,都要过美国式的高消费生活，那确是全球性的自杀，地球将不堪重负而退向毁灭，这不是耸人听闻。

如今，中国已处在一个新的历史关口。中国已不仅是人口大国，而且也成了经济大国、世界工厂，今后应如何发展？按照科学的发展观，建设和谐社会、环境友好型社会、资源节约型社会、绿色消费型社会，这是我们唯一正确的出路。国内不少有识之士已经看到，中国目前最大的危机，一是低效率、高消耗的生产方式，二是低收入、高消费的生活方式。所以，按照科学发展观，我们既要转变生产方式，又要改变生活方式。中国需有自己的价值系统和生活方式。美国一位学者里夫金新出了一本书《欧洲梦——二十一世纪人类发展的新梦想》，尖锐批判了美国那种拼命追求财富、纵容欲望、超前消费的做法，只能加速地球灭亡，欧洲不应跟美国走，必须另辟新路。欧洲已有此觉醒，中国更应早走创新之路，不是美国梦，也不是欧洲梦，而是我们从自己国情出发的中国梦。

梁俊华的著作，特别是新作，给予我们莫大启示，值得我们珍视。

读《吃亦有道》有感
2007年夏于望海书斋

心声协和时代韵

正在走向中年的客人,我习惯把他称为小邱,是一个自具个性特色的诗人,性格内向、腼腆,他的诗作表现出了他自己的心灵世界,独特而丰富。他的这本诗集《十月背后》,反映出了他在1985年踏上深圳这块热土22年的心路历程,不时唤起我对这20多年岁月的回忆。但他对人生的体验,不仅是他个人的,而且折射出了我们这个时代的轨迹,他的心声和深圳的脚步相呼应,写出了时代的韵律,因而,他的诗篇不仅是个人的,而且是时代的。

客人的诗作,基本上可分为三种类型,大致上对应时间发展上的三个阶段。

第一阶段,对故乡的思念占有重要地位。从粤东小城来到深圳大学的几年,他的诗作虽然表现了对这个边缘城市的新鲜之感,但不时流露出乡愁,对故乡的留恋。这是一个"别人的城市",自己孤身一人来闯荡,还没有寻找到自己的位置,之所以以"客人"自称,有客家人和来做客之人的双重含义。他写诗,办的是《边缘》诗刊,组织的是边缘诗社。是深圳这块热土激发了他的诗情,在《粤海门的风》一诗中写道:"是你迎接了我/把我从紫罗兰色的梦叫醒/寻觅我大学生活的诗魂。"但长久以来,他一直把这陌生的城市,称作"别人的城市",诗中深深怀念着故乡,他在《家园》中一度写道:"如今人在异乡/在别人的城市怀念家园/一阵风过/把我的诗集吹成蓝光/一种朴素的感情/如此地久天长。"这确是他当时的真实感受。

第二阶段,青年诗人从平静的校园走向喧腾的社会,开阔了视野,小我和大我的视界融合,热情歌颂这个城市的飞速发展,诗风为之一变。20世纪80年代末到90年代中,这个别人的城市发生了急遽变化,诗人逐渐融入了这个城市,为之感动。逐渐,这座城市慢慢也变成了自己的,在这里献身、劳作、恋爱、育女。不过,此时的他虽已不是纯粹的客人了,但还只是以一种仰视的目光来崇敬。写出了许多大气磅礴的诗篇,像《共同的日子》《移民、移民》《全深圳响彻着晚祷的钟声》,洋溢着浓烈的时代气息。此时的青年诗人,进入了这座城市的主流生活,没有投向时尚的新潮写作,而是走着自己的创作足迹。在自己的人生实践中,他已不是被动地随波逐流,而是主动去体验生活,深深懂得了,深圳不相信眼泪,而是要靠自己奋斗。在走向人生的旅途中,客人终于融入了城市主流,成为道地的深圳人。他在《不要问我是谁》一诗中大声宣告:"请不要问我是谁/我是你,你是我/我们都是深圳人。"在深大毕业时,当时的宣传部长杨广慧和我说起,希望要一个热爱文艺的学生去文艺处,我就推荐了邱金平去。当时小邱还是一个很怯生的青年,是否能适应那里的工作需要,就要看他自己的志趣和实践。现在看来,他的诗人气质决定了他更喜欢自由自在的写诗生活,不能适应写命题公文,所以终究还是离开了。但这五六年间,他的视野大大开阔,逐渐从仰视走向高处,能学会高瞻远瞩,来俯视这座城市,从而在他面前展现出一个更为丰富的世界。

  第三阶段,那是在20世纪90年代中期转入城管办以后,有了机会更多接触普通人的生活。小邱和安子共同奋斗,更多地体验到了生活的艰难,却也更深地感受到了成功的欢乐。经过一段沉默之后,客人的写作热情又奔放出来。在《当你在深圳活得很累的时候》一诗中,他深有体会地写道:"当你在深圳活得很累的时候/你要他写诗,以良心的名义/也好给他们一些安慰,让他们安静安静/当整个世界都在睡觉的时候/依然还存在着诗歌的声音。"此时的诗作,笔触更多地伸向了生活的深处,更接近普通人的日常生活,哀老疼幼、悲欢离合、伤春悲秋,有感而发,有话则长,无话则短,感情更加细腻,体验更加深切,而短诗越来越多,诗风走向平实、深沉、多维度地靠近生活。小邱作为粤东小城的外来客,从客人转变为城市的主人,又从仰视转向俯视再到平视的视界来看这个城市。在《我终于混出了人样》一诗中,诗人这样写道:"我在这个年轻的城市/拥有了自己的洋房和小车/还有妻子和可爱的小女孩/我在那个古老的乡村/找到了自己的捐助对象/——那一对漂亮的孪生兄弟/正像小时候的我/对外面的世界充满渴望/渴望飞翔。"看来,诗人很满足于当下,生活很幸福,但他并不仅留恋现在,还渴望着未来,愿有更多人得到幸福。

客人反思自己的诗作,还是向往着回归自然,"只有那一望无垠朴素的麦地/才是自己歌唱的内望"。但我要接着向诗人说,歌唱的内容还可以更加广阔,对我们这个城市的自然环境、人文环境不是都可以做些反思?这也可以富有诗意。

为《十月背后》而作
2007年秋,于望海书斋

新诗尤需精气神

周礼红的博士论文就要出版了,能在书前写上我的感受,我深感高兴。他为人质朴笃实,虚心谨慎;他治学求真务实,勤学严谨。在这本著作中,他以郑敏的个案研究为切入点,对中国新诗有着系统而深入的思考,有些论述,发人所未发,颇有价值。

关于中国新诗,20世纪80年代后期,一些诗人开始移植西方后现代主义文论,新诗出现反传统、反文化、反意境和语言直白等现象。面对当前新诗危机,研究唯一健在的"九叶"诗人郑敏(兼诗歌理论家和翻译家)的创作思想形成,对当代新诗的发展具有重要理论与实践意义。

《郑敏的新诗创作和新诗理念研究——兼及1940年代以降中国新诗的发展动向考察》中将郑敏诗歌创作及其诗学理论作为一个典型个案进行全方位考察,通过分析郑敏创作思想如何由现代主义向后现代主义转变的过程,来折射出20世纪新诗发展的历程,试图为当代新诗的建设寻找一种有价值的启示。著作中把郑敏创作思想的转变作为出发点,以新诗的发展为主线,将郑敏的人生、诗歌、诗论和翻译融合在一起进行研究,著作中认为郑敏1986年以前的创作思想基本是现代主义的,而1986年以后基本转向后现代主义;郑敏后现代主义的创作思想先是受美国的当代诗歌和解构主义的影响,然后在1986年后郑敏的后现代主义诗歌创作实践的基础上形成的;郑敏运用后现代主义思想提出反对二元对立的思维模式,倡导当代女性诗歌应是超性别写作,主张新诗应是心灵的书写;郑敏创作思想的转变,反映了中国新诗从学习西方到回归中国传统文化思想的历史性转变。其创作实绩和理论探索为当代诗歌建设提供了三个方面的启示。第一,中国新诗百年的发展,虽然五六十年代出现看似中断的现象,但总体上看是与西方诗歌呈现同步发展的趋势;第二,中国百年诗歌潮流的发展大致和西方发展趋于一致,但中国诗歌有自己的语言特色,既体现了中国诗歌的民族特征,也体现了中外诗学的互补功能;第三,新诗的发展在当代文化转型中具有重要的意义。

著作的主体研究分为四章:第一章现代主义诗歌自觉的追寻。以20世纪40年代郑敏现代主义诗歌形成过程为考察对象,讨论了郑敏在西南联大如何接受西方现代主义诗歌的影响,尤其是德国诗人里尔克的现代主义诗歌对其影响,同时讨论郑敏20世纪40年代现代主义诗歌的独特艺术特征。第二章漫长而痛苦的冰桥。这一章主要以郑敏从美国留学归来的满腔爱国之情如何受到冷落,与她怎样受到极"左"思想的迫害到1979年郑敏又恢复创作的心路历程为考察对象,讨论极"左"政治对郑敏的现代主义诗歌创作的影响和郑敏如何对自己的现代主义诗歌进行理论上的总结。第三章郑敏后现代主义创作思想的确立。以郑敏后现代主义思想形成的过程为考察对象,讨论郑敏的后现代主义创作思想先是受美国后现代主义诗歌和德里达的解构主义的影响,然后在1986年后郑敏后现代主义诗歌的创作实践的基础上形成的。第四章汉语新诗批评。以当前诗歌存在的问题为考察对象,讨论郑敏如何运用后现代主义思想对当前新诗反叛传统的虚无主义倾向和女性诗歌寻找自我的误区进行批判。最后诗人指出新诗的发展要回归到传统道家哲学精神中去,新诗的语言是心灵的书写。

这是一部立意新颖、功底扎实、资料翔实、颇有新意的著作。作者以中国著名现代派诗人郑敏一生的诗学理论与创作实践为研究对象,全面论述了郑敏诗歌创作及其理论的美学价值及文学史意义,进而也探讨了中国现代主义诗歌几十年来崎岖坎坷的发展道路,应该说对郑敏诗歌系统化研究,该论文是具有开创意义和学术价值的。

其一,该著作认为,郑敏在1986年以前,属于现代主义的创作;1986年后,基本转向后现代主义。这一梳理是清晰完整的。其二,该著作在讨论郑敏后现代主义创作思想形成中,从郑敏所受美国当代诗歌的影响和解构主义影响入手,并结合1986年以后郑敏诗歌创作实践，提出了自己的看法。应该说，持之有据，论述周密。其三，该著作并不是一般的论述郑敏的诗歌创作，而是以中国新诗的发展为主线，将郑敏的生活、诗歌创作、诗论、翻译结合在一起，并放在20世纪整个新诗的发展背景下，以郑敏为核心，折射20世纪整个新诗发展的历程。这种研究，既不同于一般的诗歌作品研究，也不是一般的诗论研究。从方法论的角度来说，也是极有价值的。其四，该著作将对20世纪中国新诗的发展提供一个有价值的个例。特别是在20世纪中国新诗在受西方影响和中国诗歌传统的交互作用方面，更提供了一个分析范例。从中看出中外诗学的互补功能。其五，作者对郑敏诗歌前后期创作进行对比研究，并通过西方现代诗学理论去概括总结其不同的审美倾向与社会影响，这是具有很大理论难题的一次有益尝试。因为时间跨越为几十年，不同时代的社会文化对其影响极大，这需要回归历史真实状态并具有较高的艺术敏感度。作者充分考察郑敏后期诗歌对前期的超越，这是非常新颖具有价值的学术判语。其六，作者充分肯定郑敏诗歌受德国诗人里尔克而不是其他论者说的是受英国诗人燕卜生的影响，其言论也是正确与合理的。郑敏学哲学出身，她对诗歌的感性是里尔克式的哲学感悟，其许多诗作都深深包含有诗人对生命与宇宙的深度体验。著作在这一方面的学术论述，颇有深意和学术价值。其七，第四章"中国新诗批评"写得十分厚重，作者深入分析了郑敏诗论的独特性思维，认为郑敏诗学在后现代语境中传统价值的重新发现，尤其是对"汉语"文化特征与诗歌创作之间的辩论关系，论述得极为精妙。这一章充分体现出郑敏创作思想对当前新诗建设的理论和实践价值。

周礼红在展开郑敏个案研究时，大量吸收了学术界的研究成果，从而使理论最大限度地避免了偏颇。作者要处理的问题涉及中国古典文论、新文学、西方的法国文论、德国文论、美国文论和俄国文论及其之间错综复杂的关系。学术界不乏处理这些复杂关系的经验，从该著作来看，作者对相关学术领域的现状和历史是熟悉的，因而处理起来比较稳妥。

近百年来对新诗的发展研究，可谓众说纷纭，有些则是截然对立的。这体现了学术发展的常态。我以为不同见解的充分表达和自由碰撞，只会有利于学术的发展。青年学人在这一点上，尤其扮演了前卫的角色，这是让人感到欣慰的。我相信在周礼红这本著作中体现出对于新诗的建议，一定会启发我们关于这些问题的进一步思考。

2003年周礼红刚来深圳大学工作的时候，我就认识他。那时他硕士刚毕业，就积极准备考博士，利用一切业余时间在图书馆学习，并时常向我请教博士论文的写作问题。2008年5月1日同他去清华大学采访郑敏先生，接着去北京图书馆复印40年代大约4000份《大公报》上有关郑敏研究的原始资料。转眼间十年已过去，他博士已毕业两年，有关郑敏研究的文章已陆续发表出来。《西南联大与郑敏40年代诗歌》发表在《甘肃社会科学》；《论现代主义诗歌中节奏和意象的关系——以〈郑敏诗集1942~1947〉为例》发表在《东北师范大学学报》；《郑敏与〈九叶集〉》发表在《深圳大学学报》；《郑敏个人写作的坚守》发表在《南方文坛》；《郑敏与现代主义诗歌建构》发表在《深圳大学学报》；《新诗的语言哲学观：新诗的语言应承文化的踪迹》发表在《文艺评论》；《在现代主义和后现代主义之间——郑敏采访录》发表在《电子科技大学学报》；《第三代诗歌出现的原因探索》发表在《焦作大学学报》。我对他踏实勤奋的学习态度和孜孜不倦的钻研精神，表示真诚的钦佩，期盼他在学术研究中不断有新的、更加优秀的著作问世。

为《郑敏的新诗创作和新诗理念研究》所作序
2012年春节，望海书斋

与时俱进更精神

张军是深圳文学评论界比较活跃的一位文学评论学者,在一些重大的文学研讨会上,都有他的发言,因而有较多的接触和交谈。他是深圳市社科院现在唯一一位从事当代文学(诗歌)研究的文学学者,他置身于中国当代先锋诗歌研究的前沿,关注、研究中国当代先锋诗歌的最新发展,特别是对20世纪末最后十年(即"90年代诗歌")和21世纪初中国当代先锋诗歌的观念、思潮、现象,有比较前瞻的、系统的、深入的研究。

在前瞻性方面,这本诗歌理论专著有不少新的观点和信息。20世纪末期当代中国诗歌史上的"盘峰诗会"就像一个巨人的胎盘,"知识分子写作"和"民间写作"这两个二元对立的双胞胎横空出世,但不长时间就消隐了。从思想文化史的角度而言,这实际上标志着封闭的、平衡的、稳定的、"从一个空想滑向另一个空想"的"现代范式"在当代中国诗歌史上的结束。因为"盘峰诗会"不久,也就是1999年12月,"第三条道路写作"应运而生。其思想观不是基于实证主义的确定性而是基于使用主义的怀疑,这一怀疑来自基于人类经验和精神历史而非元叙述主题的任何决策。所以,"第三条道路写作"的出现实际上标志着一种开放的、动念的、具有创造性的"后现代范式"在当代中国诗歌史上的形成,从而凸现了当代诗歌写作多元化趋向的客观存在。

这种中国当代诗歌事件发生不久,张军就在2000年的硕士论文敢于第一个吃螃蟹,进行了系统的梳理和研究,为后来对"知识分子写作"、"民间写作"和"第三条道路写作"三个诗歌写作群体的单项研究和综合研究提供了思路和启示,也提供了一个版本。

张军对中国当代诗歌几代诗人如何划分的也很有自己的想法。他认为中国当代诗歌第一代是以中国民族传统文化为基础，以革命的现实主义和革命的浪漫主义相结合的正统诗歌，按时下讲，是主旋律诗歌。是闻捷、贺敬之、郭小川、李瑛等新中国成立后30年的诗人。第二代诗人则是粉碎"四人帮"后，改革开放伊始，借鉴西方现代派手法而出现的"朦胧诗"，以北岛、舒婷、顾城为代表，从1979年至1986年。第三代诗歌是1986年由安徽《诗歌报》和《深圳青年报》联合举办的诗歌上发展而涌现出来的一批具有反叛精神的新诗人，以于坚、韩东、杨黎、李亚伟为代表的第三代诗人。周伦佑在一首写《第三代诗人》的诗中自嘲和反讽道："第三代诗人……／长期在江湖上，写一流的诗，读二流的书／玩三流的女人，作为黑道人物而名扬四方。"第四代诗人是以1989年为分界线的有别于第三代的"知识分子写作"、"民间写作"、"第三条道路写作"三大阵营的诗人，也就是这本专著的研究对象的主体和文本。这种研究没有定型的文学史料，诗歌现象的发生、发展都是"现在进行式"，需要全天候的关注和考察，需要花费更多时间和精力进行综合、分析、抽象研究，考验一个学者的综合素质的判断能力。

这里的第四代诗人主要是指中国当代先锋诗歌的实践与探索的群体，具体指"知识分子写作"、"民间写作"、"第三条道路写作"三大阵营的诗人。是一种更讲究诗歌本身追求、更重视语言效果的作品，这就是中国当代先锋诗歌群体。中国诗坛主流诗歌仍在健康发展，主旋律仍在提倡，现实主义诗风仍是主流。

这本诗歌理论专著在系统性方面，也有清晰的思路。大的方面分五章进行论述，对"知识分子写作"、"民间写作"和"第三条道路写作"三个诗歌写作群体进行分别研究分析，每个诗歌写作群体论述的题例都是对应的。实际上从张军的论述中可以看出三个诗歌写作群体有一个共性的特点，都是在强调"身份写作"和"身份效应"。文化身份认同在较长一段时间一直是知识分子长久的困惑。"知识分子写作"强调自己的知识分子的身份，这些知识分子在当今已被国家体制收编，作家的文学创作也处于无处不在的文学制度之下；"民间写作"强调自己的非体制内的民间人士的身份，坚持独立精神和自由创造的品质,以社会流派和文学活动呈现出真正的活力。它要求的是独立、自由和创造力的可能,抵制的是权力、奴役的庞然大物和由体制派生出来的权利话语;"第三条道路写作"的诗人是两者皆有的身份。从广义上讲,三者都是公共知识分子的身份。而作家兼具学者、知识分子身份的状况使得诗歌作品在文学制度各因素与环节中的运作呈现出不一样的特点。

印度禅师奥修认为,现代人最大的问题是头脑、心灵与身体的不断分离导致自身的不和谐,所以焦虑感、不安全感等情绪才会愈演愈烈,破坏了生命原本宁静美好的状态。最可怕的是,头脑的野心越来越大,在意图控制心灵与身体时走向失衡。由于知识分子这种"脑力工作者"的职业特性,这种失衡比常人更甚。

萨伊德认为知识分子应是"业余者",做"公共知识分子","一种个人身份在某种程度上是由社会群体或是一个人归属或希望归属的那个群体的成规所构成的"。在大众传媒影响力越来越大的今天,知识分子们为争夺话语权的斗争也会愈演愈烈。如果追问知识分子的"身份写作"能有的能量,我们会发现这些知识分子备受关注的背后有着深刻的社会心理根源:在价值趋于多元化但同时也出现明显的人心失范的转型期的中国现代社会,每个具体的人都面临如何在多重诱惑与选择下确立真实生活的困境,这样的价值标准及其实践是由他们的理论宣示和文本显现的。面对走向真实生活的知识分子,我们觉得真实亲切,也多了一份同情与宽容,对知识分子有更多的期求。知识分子对身份归属的追寻更是一条不归路,知识分子诗歌对知识分子的"身份想象",仍将继续下去。

作为一个严谨的学者或者知识分子,这本诗歌理论专著深入地研究了中国当代先锋诗歌的观念、思潮、现象。并以"知识分子写作"、"民间写作"和"第三条道路写作"的诗歌主体和文本作实例进行了分析比较。从"知识分子写作"入手,在中国当代文学发展的进程中,对诗歌在当代文学中的地位问题,20世纪末(即90年代诗歌)到21世纪初诗歌的界定、知识分子写作在当代诗歌中的定位问题,以及时下称"诗歌写作"而不叫"诗歌创作"的提法都有深入研究。

如果我们把进入20世纪90年代视为中国文学"新时期"的基本结束，那么经由"四五"天安门诗歌运动洗礼而出现的中国新时期诗歌显然经历了一个萌发、演进、壮大又消歇、转换的运动过程。这一复杂的演变过程当然与新时期中国文化的诸多因素联系在一起。

回首世纪末的诗歌，显现了一种"丰富而又贫乏的年代"的文学景观。丰富意味着当前中国诗歌发展的可能，贫乏酝酿了它的危机。20世纪末至21世纪初中国诗歌的丰富性，来自以市场化为主导的中国社会生产和生活的世俗化变革，为诗歌写作提供的无条件的自由和无限制的可能性。在一个世俗化社会中，自由被具体化为对个人欲望的肯定和满足，而一切人类活动形式，都被无条件地征用为实现欲望的手段——技术。诗歌写作也是不能例外地被个人欲望征用的。20世纪末至21世纪初中国当代先锋诗歌首先是因为这种世俗化的征用，并且在这种征用中，实现了它的丰富性。丰富性的表现是：怎么写都是诗！而且为个人而写（个人的叙事）。社会世俗化为无条件的"个人化写作"提供了前提和动力，诗歌的丰富性必然展现为诗歌精神的整体性的分裂和瓦解，展现为"个人化写作"的极端性发展。正是个人写作的极端性发展，使诗歌写作片面追求个人表达的彻底的独特性和极端的可能性，使它丧失了内在的整体性，即丧失了诗歌的内在生命的深度，从而表现为一种"丰富的贫乏"。

总之，这本诗歌理论专著全神贯注20世纪末进入21世纪后形成的中国当代先锋诗歌的三个诗歌写作群体："知识分子写作"、"民间写作"和"第三条道路写作"的实践与探索，对三个诗歌写作群体的发生、发展、消隐进行了深入透彻的研究、分析，对置身于中国诗歌大环境中三个诗歌写作群体诗人的实验和探索给予充分的肯定，对其经验教训进行了认真的总结。在此基础上瞻望了迈入21世纪的中国诗歌走向，为当代诗歌研究做了开拓性探讨工作，提供了新的研究领域和思路。对中国当代诗歌的健康发展也有积极意义。

读当代诗论有感
2010年春，望海书斋

心廊开阔连广宇

人生在世，绝不可能离开周围环境而孤立生存。人生有限，世界无限，一个人只能在一定的时空中生活。怎样才能从有限中求无限，使人生获得更多的自由？除了通过物质实践，为自己安排好物质生活，更重要的是要通过精神实践，为自己营造精神时空，拓展自我的精神世界，获取更大的精神自由。只有精神自由才是无限的。

都说中国已从文字时代进入图像时代，文字快没有用了。但我以为，在信息化高速发展的时代，文字不是无用了，而是在更大的范围发生作用，只是在和其他符号相结合。文字和音像结合，成了电影、电视这样的动态艺术；文字和摄影结合，也可以成为摄影文学这样的静态艺术。近几年来，摄影文学异军突起，独树一帜，北京还创办了《摄影文学艺术》专刊。摄影文学，自有独特的审美价值，自成特点，其艺术魅力不能为其他艺术品种所取代，发展前景甚为广阔。

当我看到青年作家、摄影家任光中送来的他的诗影作品时，眼前为之一亮，使我更确信，摄影和文学的结合，大有可为，前途无量。

这是诗文和摄影的融合。在中国传统文化中，诗中有画，画中有诗，诗画结合，互通相融，整体大于局部之和，拓展了诗、画各自的天地，生成了更为深远的意境。摄影这一艺术品种产生之后，它的逼真性、纪实性更超过了绘画。摄影和诗文结合，继承和发扬了诗画结合的传统，使得摄影也有了"诗情画意"，诗文和摄影相互补充、相互生发、相互完形，从而拓展了、提升了艺术境界。

任光中有广泛的艺术兴趣，从小就爱好美术和文学，业余创作不断，既写散文，也写诗歌，还写评论。他写的散文《母子情》《小白的约会》等都得过深圳的优秀奖。后来又爱上了摄影，以他从小就培育的美术功底来进行摄影创作，很快就进入艺术境界，并且较早就尝试把诗文和摄影相搭配,创作了不少摄影诗文。

任光中从惠州到深圳,已在深圳生活了十多年,自然而然,不少摄影诗文就是反映深圳的火热生活。《平凡》就摄下了在海边铺设输油管道的平凡工人的形象。宏伟的蓝色钢架下,戴着红色工帽的工人正迎着朝阳向前挺进,配上诗句:"平凡的人平凡的景天天都能见/平凡的日子天复一天永不还原/我在这平凡的早晨记录下不平凡的瞬间/见证平平凡凡的一切铸就明天的不平凡。"面对那色彩鲜艳、造型壮观的钢架,读着相匹配的诗句,确实给予我们一种"不平凡"的感觉,也正是诗影相结合而产生的一种复合的艺术效果。《鹏城之夜》摄下的是深圳举办的首届高新技术交易会历史性场面。夜晚,车水马龙,灯火通明,配上诗句"广厦千万间,无处不飞歌",静止的画面,却给人以飞动之感,引发我们无穷的遐想。《希望在燃烧》,摄下了深圳球迷为深圳足球队鼓气的激动场面:"激情,在空中弥漫/希望,在这里燃烧。"那挥舞着红旗的瞬间,伴着鼓点而呐喊的表情,一下定格,但使人浮想联翩,对这座新都市充溢着无穷的希望。《祝福》《出行》《金龙劲舞》《赛车手之歌》《写给架线工人》等摄影诗文,都取材于深圳,捕捉住生活中那美好的瞬间,充满了生活气息,各有特色。

但深圳的题材在任光中的摄影诗文中只占一小部分,他的视野极为广阔,祖国的大好河山深深吸引着他,足迹所及,遍及大江南北。大自然,成了他的摄影诗文的主要题材,正如他所说:"当我利用休假外出采风的时候,常常被大自然浑然优美的形式所吸引,或者被它所蕴涵深厚的精神内容所感动,而且都习惯于品味按下快门最初那一刻的感受,并从中得到一些关于摄影,关于生活的感悟。结果就从中得到一些关于摄影,关于生活的感悟。结果就形成了一些诗句或者散文。"大自然令他陶醉,令他神往,于是就有了那些美好的摄影诗文。

从他那些以大自然为题材的摄影诗文中可以发现,任光中对祖国的美景有着敏锐的感觉,能敏捷快速地捕捉住不同美景的独特个性,留下影像,再配以诗文,实为难能可贵。《西湖美》就抓住了西子湖畔的烟花之夜,吟咏起这样的诗句:"灯火阑珊照春水/笙歌袅绕伴船桅／醉生在梦中回。"诗影相配产生了一种艺术境界,不禁把我这个江南人引向"江南好,风景旧曾谙"的回忆,忍不住要发出"能不忆江南"之叹!《老桥》摄下了江南古镇的小桥流水人家,但它所表现的已不是古代游子那种"枯藤老树昏鸦"、"断肠人在天涯"的古典意境。它用鲜艳的色彩,浣纱的少女和窗下的空调机等形象组合,特别突出了那古桥的壮丽,构成了一个"旧貌新颜"的现代意境。这使我这个已在外闯荡了半个世纪的江南游子,不由得也和作者一起品味"浣纱女的笑声里／荡漾着／水乡的富足和甘甜"。在《山岩之歌》里,任光中把莫干山的瀑布和山岩结构在一起,一动一静,相互匹配,既呈现了瀑布之美,又歌颂了山岩的坚韧品格,构成一个独特的境界,给人以独特的美感,令人赞叹。

除了江南风光,任光中还有不少以边远风光为题材的摄影诗文,给我留下了深刻印象。抒写西藏风光的《夕阳》《秋色》《渴望》《古堡下》《入藏观感》《珠穆朗玛》《一起走过》《红墙内外》《铁骨铮铮》《写在念青唐古拉山口》等,抒写新疆风光的《走进秋天》《哈纳斯吟》等,都令人难忘。抒写内蒙古风光的佳作也有不少,《暮》《向天》《骆驼》《驼铃声声》《古城遐想》《秋林如梦》《莫魂含笑》等,都很有特色,尤其是那几幅《致胡杨》的摄影,真使人感到震撼。

摄影和诗文的结合,方法可以多种多样,既可以先有了摄影,然后再配上诗文,也可以先有诗情画意,然后再去寻找合适题材,依意摄影。但不管是意在影先,还是影在意先,摄影诗文如果要成为真正的艺术,都必须通过艺术形象表达出作者自己对人生意义的领悟和人类生命的体验。对此,任光中有切身体会。他几次说起,他在拍摄这些摄影作品时,"尽管也考虑光影、色彩、构图等摄影的因素,但有时更多的是追求在平凡场景中抒发自己的思考和感受"。随着他的摄影水平的逐步提高,摄影经验的日益丰富,越到后来,就越加自觉,要追求更高的境界,就必须"力求通过对平常的自然景观和生活细节的观察、思考、选择和提炼,表达一个哲理,抒发一种感受"。任光中成功的摄影诗文,都是在有意识地追求诗情和画意的有机结合,富有哲理性。

我特别喜爱他那些抒写茫茫荒漠的摄影诗文。在这里,经过他精心构思的摄影画面,表达了作者对生命的深切体验和深远的人生哲理。当任光中在八百里戈壁沙漠中驱车驰骋之际,他深刻体验到了人的生命的有限,大自然的广阔无限。在茫茫荒漠之中,渺无人烟,只有寥寥的几只骆驼、绵羊和几棵胡杨。作者对那些在荒漠中顽强生长的胡杨情有独钟。正是在那严寒酷暑交加,戈壁沙漠周围的条件最恶劣的地带,胡杨的躯干早已干裂成沟壑,但那树冠却仍在蓬勃发展,在朔风中屹立不倒。胡杨,活着,千年不死;死了,千年不倒;倒了,千年不朽。这是人类真正的英雄树。任光中的家乡,把木棉树尊为英雄树,那树,确实鲜艳夺目。但当他看到这荒漠中的胡杨,心中不由得为之不平起来:在这恶劣环境中坚忍不拔的胡杨树,难道不应该更呼之为英雄树?面对茫茫荒漠,作者有感而发,喟然长叹:"万物灵长的人类啊,是不是应该做点什么呢?为了胡杨,更为了自己。"

任光中的审美目光,不仅注视着茫茫荒漠,而且被穷山恶水上的层层梯田所吸引。在云贵高原的崇山峻岭之中,他发现了劳动创造出来的"第二自然"的独特奇景:梯田从山脚下向远方山顶延伸,好像要升入天上,阡陌纵横,水田盈盈,层层叠升,真个是气象万千。当作者第一次置身于此情此景时,就被常常打动:"我感受到的,不仅仅是对美的陶醉,而且感受到一种源于心灵深处的强烈震撼。"使他震撼的,不仅是呈现在眼前变幻莫测的奇景,而且是从这天梯般的梯田直指上空而升华出来的一种高贵的精神。是元阳这里的劳动人民把原是穷山恶水的荒山野岭,雕塑成了精美绝伦的艺术杰作。这是一种劳动的智慧,追求美好的理想精神的体现。这就像著名作家茅盾在《风景谈》中所说:"自然是伟大的,然而人类更伟大。"穷山恶水虽然不美,但"人类高贵精神的辐射,填补了自然界的贫乏,增添了景色"。任光中所摄的《云中家园》《车轮》《水墨梯田》《向春天报到》等等,饱含深情,启示了这些梯田之美,表达了对劳动人民的崇敬之情,他们,正在"用不倦的追求/构筑/自己的天堂"。

我们的城市正在奔向现代化的路上,却已见人口膨胀,交通拥挤,空间越来越小不说,20年的过度开发,使得青山绿水已经难见,乌烟瘴气臭水垃圾到处出现,并在日益蔓延。于是,人们不免怀念起田园风光来,那渺无人烟的荒漠,不见人迹的原始森林,没有开垦的草原,难于上青天的青藏高原,在这熙熙攘攘、红尘滚滚的世界上,日益成为稀世之宝,更显其珍贵。现代化得快一些的青年一代,早已觉醒到大自然的可贵,平日尽管在高楼大厦里操管着现代信息,但一有机会,就逃出城市,走向大自然,或远走高飞,奔向边远,或亲自驾车,回归自然。我在20世纪90年代初的一位深大学生梁群,竟跑到青藏高原,登上了珠峰顶处,成为女中豪杰。任光中当然也属于热爱自然的现代一族,无论是第一自然还是第二自然,他都心向往之,并且付诸实践。正是这样,他为我们留下了那么多美妙摄影诗文,使我们这些不能去亲眼看见的书斋中人也能一饱眼福,拓展了我们的精神时空。而对那些我们已经熟悉了的自然风光,那些摄影诗文,又把我们带回美好的回忆,在回忆中再次获得美的享受。自然而然,进而引发我的沉思:我们生活于斯的正在走向现代化国际大都市的地方,能不能如马克思一再所说的那样,真能按照"美的规律"来建造得更好更美?我们还能向青山绿水、蓝天白云的自然生态回归吗?

　　　　　　　　　　　　　　为《任光中诗影选》所作序
　　　　　　　　　　　　　　2003年7月1日,望海书斋

时空交错意趣深

当今社会,分工越来越细,专门化程度也越来越高,从事不同专业的人,相互间的交流就很难,真个是隔行如隔山。幸而,人类创造了文学艺术,使得分工不同的人,得以通过文学艺术进行思想感情的交流,达到心心相印,灵犀相通。

光中长期从事金融监管事业,平日里要把目光紧盯在金融发展动向上,放松不得。但他对摄影艺术和诗词艺术有着浓烈的兴趣。一逢假日,他就和摄影发烧友驱车外出,天南海北,到处旅游,用摄影来捕捉大好河山,良辰美景。数年前,光中诗兴勃发,为摄影作品配上自己所写的诗篇,出版了一本《任光中诗影选》,受到了社会好评,也进一步激发了他的创作激情。今年春天,光中又新选了60幅在春夏秋冬不同季节里所捕捉到的摄影作品,为之配上了为此而新创的"词",名之为《四季词影选》,准备付梓。

当光中把他新选的词影送我看时,凭我的直觉,就有一种新鲜感油然而生。等我留下细看,就感到这本四季词影选真的饶有新意,值得一读。

先说"影"。选集中的60幅摄影作品,幅幅精彩。所摄的美景,有我比较熟悉的江南农家,水乡风光,湘西古城;但大多乃是我从未去过的边疆风情,原始森林,高原风光,从西南一直到东北,展现的是我从未体验过的无限风光,使我饱享眼福,其乐无穷。有些美景,可能是在一生中很难再捕捉到的。比如那幅《几层光影几层林》,乃光中在黑龙江的深山老林中拍到。此时已是深秋,清晨,阳光透过层层密林,照射到林丛深处,大地一下苏醒过来,生机勃发。我特别敬佩,光中竟能把那晨曦晓雾巧妙地捕捉到了,再配上词:"几层光影几层林,树森森,草茵茵。晓雾升腾,薄紫舞轻盈",把我一下引进到这个意境之中，竟如身临其境。就在这时，我忽然联想起画家郑板桥在一幅画竹上的题辞："江馆清秋，晨起看竹，烟光日影露气，皆浮动于疏枝密叶之间。胸中勃勃，遂有画意。"这里说的"烟光日影露气"，激发起了郑板桥的创作冲动。但是，郑板桥的画里，却很难把这"烟光日影露气"在画中呈现出来，我们能看到的只是他画的竹。如今，光中却把深山老林中的"烟光日影露气"在摄影中呈现出来了，使我感到无比清新。令我过目不忘的，还有那幅《碱蓬草——红海滩》。这是光中在东北盘锦红海滩发现的罕见奇观：在那潮起潮落的盐碱海地里，竟生长着一种生命力无比顽强的小草，连绵一片，火红如霞。光中配之以词："未知有碱蓬，今日方惊晓。秋叶始黄时，红烛滩头照。"这时正好有三只白鹤飞到这片红色草滩上，光中迅速把这稀世奇观抢拍下来。这幅奇景令我怦然心动，久久不能忘怀。它也勾起了我的联想。26年前，我初到深圳，就住在深圳大学校园里的海涛楼。这里紧靠后海湾湿地，长着茂盛的红树林，我一下就被这红树林深深吸引。不过，这里的红树林只是根部红，枝叶却像冬青树那样一片绿色。我差不多天天在红树林旁散步观赏。我邀请美学老人王朝闻夫妇到粤海门作客，他也被这红树林所吸引了，为了靠近它仔细观赏，竟陷入湿地烂泥里不能自拔，我和他夫人解驭珍费了很大的劲，才把他拉了上来。他回北京后来信，还特地提及此事，回想起来，不觉哑然失笑。岁月匆匆，如今美学老人已经不在人世，而那海滩红树林也早已荡然无存。看到光中这幅碱蓬草——红海滩美景，心里禁不住涌起一股热流：但愿这美景永世长存。

再说"词"。

这次选择和"影"匹配的不是诗，而是"词"。这是光中的又一次创新。此次选集中，广泛运用了50多个词牌格式：《沁园春》《鹧鸪天》《长相思》《浣溪沙》《浪淘沙》等等，尽收其中。这使得这本影集更为丰富多彩，引人入胜。

为什么要选择词这种文学样式？光中自己说，这是他的一种爱好，对这文字样式情有独钟。在中国传统文化中，律诗和绝句固然也很好，但光中觉得，这种文学样式限制太多，格律太严，过于刻板，对精神的自由发挥,束缚太大;相比之下,从古代世俗社会中生长出来的"词",束缚较少,有一定限制而自由度较大,所以活泼自由,平易近人,自有其独特的艺术魅力。

一个人的艺术爱好,可以多种多样,不必强求一律。有的人爱好自由诗,有的人喜欢格律诗,有的人又爱好介乎两者之间曲牌词,这是不同艺术爱好的艺术趣味多样性的表现。我常想起我在北大时的老师林庚,他不仅为我们教授中国诗歌史,而且自己也不断在写诗,尝试新的诗歌创作。他在20世纪30年代初开始写自由诗,连出两本诗集,全是自由诗。可是,写了5年之后,就出人意料,再也不写自由诗,而是全力以赴倡导新格律诗。他的友人戴望舒劝他再写自由诗,他也不予理会,坚定地认为,只有新格律诗才符合时代发展需要。他先后尝试写十一言诗、十言诗,发展到20世纪50年代初,又尝试写九言诗,形成了他自己独特的诗格,很具独创性。光中对曲牌词情有独钟,付诸实践,在这选集中收入了60首词,令人耳目一新。这种新的探索值得继续进行下去,坚持多年,必将有更为丰硕的成果。

最后说"意"。

求"影"新,求"词"新,本已不易,而要将"影"和"词"两者有机结合,使时空交错,相得益彰,构建出一个新的意境,这就更难了。但光中知难而进,力求在艺术构思上更有创新,从而新意迭出,意趣更深。

本来,摄影作为空间艺术,很难给人以时间变迁之感。但光中精心构思,抓住了祖国幅员广大的特色,把大好河山在春夏秋冬四个季节的不同形态,通过摄影向我们全面展示了出来。不同季节的景观同时向我们呈现,通过季节的反差,给予我们一种时间流动之感。从南方水乡的春暖花开,到北方冬天的冰天雪地,从江南山村的晨曦到北方田野的月色,使人仿佛感受到了时光的流转。最令我感兴趣的是那幅《长城感怀》,光中不是拍摄昌平那一段广为人知的长城,而是特地跑到怀柔的那段未曾修葺过的长城,周围是大片树丛,远处是层层山岭,这段长城就深埋在野山树丛之中。光中再配上此词:"城老垣残,透迤处,又观赏叶。极目望,关山重锁,黛层蓝叠。铁马金戈旗鼓偃，狼烟烽火痕踪灭。"一种历史沧桑感油然而生。

摄影为我们展示了"眼前景"，但由于配上了词，使得景色充满了情，词人的丰富、复杂的感情也得以表露出来。这本词影选中的第一幅《惠州西湖》，乃是光中在2006年回到老家惠州后所摄，展示出了深圳近邻惠州的"半城山色半城湖"的景色。但光中配上《沁园春》词，把我们带到他的回忆之中："忆景健步，夜读长卷；东坡砺志，西子摇船"，不仅回忆到少年生活，而且还遥想古人苏东坡在惠州时的情景。这在摄影画面上是绝不可能出现的。词里还写到，"望高处，叹西湖渐瘦，广厦连绵"，这里还有着词人的感叹：家乡已是广厦连绵，然而，西湖却在渐瘦，越来越被高楼大厦所蚕食了，这种复杂的感悟，我自己也常体验得到。我的故乡虽在苏州，但已把深圳作为最后的故乡，当然盼望深圳变得越来越美好，水更清，天更蓝。但伴随着经济高速发展而来的，却是蓝天变灰了，水变黑了，不免心有戚戚，怅然若失，常有一叹。

我真羡慕光中的活力四射，每年都能自己驾车走南闯北，走遍祖国大地，亲自去体验我们这个世界的美好，然后把他的美好的体验留存在自己的诗词影集中。这不仅可以作自我再体验，也可以提供给别人作新鲜体验，不亦乐乎！祝愿他今后的诗词影集，精益求精，不断提升。

为《四季词影选》所作序
2010年立夏，望海书斋

海滨开拓新天地

长住深圳、香港两地的剑冰（吴建斌）日前来访，送我四部长篇小说，期我一读。他的最新之作《老板迷离》，我还来不及看，只是读了《海之子》《海之龙》和《海之魂》。我把这三部长篇小说称之为"海魂"三部曲，读后颇有新颖之感，在我们面前呈现的是一种我过去不熟悉的新天地。

吴建斌属20世纪60年代初期出生的一代，年轻时就赶上了改革开放好时光，大学毕业就到北京，在中国建筑工程总公司任职，1987年就被派往香港作新的开拓，逐步跨入集团高层。如今，他已是中国海外集团的财务总监，中国海外金融投资公司的董事长。他亲身经历了世界自1987年以来发生的三次金融风暴，差不多十年就要来一次。他直接参与了处理1997年和2008年这两次金融危机侵袭企业的善后事宜，亲眼看见了香港回归前后20多年的历史巨变，对于时代的发展，有着丰富而深切的体验和感受。自1998年始，他就忍不住创作的热情，提起笔来，进行创作，一发而不可收，13年来竟写了200多万言，实为可敬。

依我看，这"海魂"三部曲，真实地写出了香港的中资企业在香港回归前后如何开拓创新、发展壮大的艰苦奋斗史。

《海之子》这一部是写了中资企业在香港回归之前的艰苦奋斗。小说主人公李达在上海高校毕业后，分到北京一家国营建筑公司坐班，当上了副处长、工程师，结了婚，也有了孩子。1994年打破了平静生活，应聘到香港，在中资建筑公司下面，当了一个小经理，负责九龙花园的建设，在此拼搏了四年。李达在香港经历了各种困难，接触到了香港社会的复杂，面对金钱的诱惑，美女的引诱，黑社会的敲诈勒索，奸商的陷害，他带领广大员工，沉着应对。最后在亚洲金融风暴袭击香港之时，仍然坚持到了胜利，工程收尾，1997年李达终于回到北京。在香港回归之前，中资公司如何在香港得到初步开拓，可见一斑。

《海之龙》这一部写的是在港中资企业如何向香港周边城市发展的经历。亚洲金融风暴袭击香港之后，使刚回归祖国的香港受到冲击，中资企业开始作战略调整，转向周边城市，开拓新的事业，作新的发展。香港总公司注资海城，在海城成立地产公司，任命年轻的唐卓坚为地产公司经理，于是，轰轰烈烈的房地产开发在海城展开了。唐卓坚不负总部所望，和公司员工齐心协力，摆脱资金匮乏的困境，冲破竞争对手的束缚，大踏步地前进，望江花园、海翠田园、华海庭院、西岸别墅、美怡花园、棕榈花园、海鹏湾畔、荷兰风情园等等，一片片崭新的住宅区建起来了，海城变得更美了。作为深圳人，我看了这部小说，感到特别亲切。显然，这海城的发展就折射出了深圳那十年的市容变化。深圳是个风光优美的地方。书中写到的莲花山、笔架山、红树湾等地方，或有山，或有水，风景都好。但在城市发展中，不同社区发展不平衡，还有不少小村落成为城中村，和现代城市化极不相称。深圳房地产的成片开发，对推进城市的现代化起到了积极作用，提升了这个城市的现代化水平。常在深圳居住的剑冰，亲身体验到了深圳这个现代化过程，所以能在这部《海之龙》中再现出来，栩栩如生。我看到了书中所写的种种情景，正就是在深圳发生的实情实景，所以，我读来也甚感亲切。

《海之魂》这一部，把笔力放在中资公司如何在香港发行股票上市这一事件上，更多地展示出了香港这地方的风土人情，更深入地触及了中资企业的内在状态。小说主人公汪浩，国海公司的总裁，长期从事对外贸易，年近花甲，深知中资公司要进一步发展，就必须勇于跨入金融市场，入市融资。但这是一个具有高风险的领域。汪浩知难而进，为了事业有更大开展而涉足金融，重用了香港本土熟悉金融的人士，从而引发公司内部员工的内部矛盾。他严于律己，诚信待人，化解了内外各种矛盾，成功发行股票，上市融资，为企业的发展做出了巨大贡献。但亚洲金融风暴袭来，公司股票瞬间滑入低谷，汪浩被北京总部停职反省。汪浩虽然被误解,离开了生活近20年的香港,回到北京,但仍然心系香港。8年后,他重访香港,见到了他的后继者李达,感到无限欣慰。李达赶上了好时光,国海已重振雄风,在香港发展成为尽人皆知的名牌公司。汪浩的心已和祖国内地、香港融成一体,过去的不快,也就烟消云散,在他面前展现着更美好的未来。

作者剑冰长期来往于香港、深圳和北京之间,对香港的风土人情也渐渐熟悉起来,在作品中也时有表现。但我的印象中,他笔下的香港,不如写海城那样清晰,这正反映出,他对深圳的生活体验可能更深些,使我感到亲切。

读《海魂三部曲》
2011年冬,望海书斋

雨季的森林

李梦,早在四五年前,宫瑞华就同我说起过。当时《特区文学》发了她一组散文,其中有一篇《爷爷》,至今还有些印象,她用稚气平实的文字记述了自己的亲人:爷爷和孙女之间只有短暂的相处,双方都找不到合适的沟通方式,但真挚的爱却超越一切障碍,在祖孙二人之间流淌。

后来,在第六届全国优秀儿童文学奖颁奖活动中,在总结深圳创作时,也提到了李梦:她是当时深圳年龄最小的作协会员,还是中学生,出版了一本作品集《我要把阳光画下来》。

我猛然感到:又一代文艺新人在诞生了。

20世纪80年代初,我从北大随清华大学张维院士到深圳大学参与创办中文系,在北京深圳间奔波了三年,终于在深圳停留下来。我开始接触深圳文学,感受这个城市的心灵脉动,亲眼看到一度被人指称为"文化沙漠"的深圳,渐渐绿树成荫。在这近30年的过程中,我也在关注着深圳一批又一批作者的成长,每一个新人的成功都会给我带来欣喜。我亲眼看见了郁秀的成长,十多年前看到她的处女作《花季·雨季》时,不禁著文兴叹:青春多美妙!如今,我从李梦的创作中看到了更年轻的一代在文艺园地里正茁壮成长,喜上心来,忍不住写下我的读后感受。

看到李梦这些新文稿的时候,刚好是她20岁生日。李梦是深圳出生、深圳长大的"新深圳人",是深圳移民后的新一代。若从年龄上说,我们之间隔了至少两代,但我很想理解新生代的精神世界,他们是怎样体验这个世界的。

按时下的分法,李梦还是不折不扣的"80后"。"80后"作家普遍实现了对传统文学观念的反叛。他们对文学营养的汲取,不再主要来自对经典的认真阅读。在多元的信息环境中,作家更加自我,他们个人经验的书写往往更富个性。

在李梦的文稿中,我就解读到了她富于个性化的独特的个人经验的书写。在《属于伦敦黑夜潮湿的花》中,她是这样书写伦敦的:

> 各处的人流开始涌进这个小小的,可爱的,如寄居蟹的壳,卑微或高尚,渺小或伟大,贫苦或富有,是一本话剧本,拥有很快的序幕和戏剧化的结束……
>
> ……情侣在做最后的吻别;酒鬼说着梦话把酒瓶像珍宝一样裹在脱线的大衣里;来购物的外地人大声议论着今天的廉价收获;信奉上帝的乞丐仍做着最后的努力或许只为买到明早街摊上出炉的面包……在同一班地铁上,人们抓紧时间为自己演一出戏,不论精彩与否。
>
> 门再一次开启,该走的该来的,像潮水般退去。落幕,又是一场了。
>
> 外面的冷空气蔓延到体内,有人在咒骂这鬼天气。紧一紧衣服,继续上路。有人露宿街头,裹着毯子打开破书本,不关心外面新闻,没有人瞥上他一眼。伦敦是这些人的天堂……

我们随作者走进又走出地铁,像是快速切换的纷杂跳动的画面,人物、场景、声音都没有具体细节,但我们感受到的却是流动的、多元的、自由的氛围,一如作者流动、多元、自由的情绪。

突出碎片化的经验,是"80后"作家之所长。下面的段落,李梦更是把碎片化的经验以精致的语词书写得恰到好处,她以一个特写加之充满灵性的想象,书写出了完全属于李梦的伦敦,伦敦的历史、传统、辉煌与潮湿在此幻化为一种诗意的梦境:

> 应是清醒着的酒鬼,用腾出的右手抚摸伦敦的白理石墙,那种抚摸是一种我从没见过的欣赏,或是爱抚更为恰当。粗糙的手指缓爬过伦敦的一段历史,嘴里喃喃说着什么,裂唇似要吻上去,浑浊的眼流出的是伦敦的万种风情。没闲过的左手挂着酒瓶。

昏黄灯光打在他身上，一圈一圈晕开，是伦敦几时的情调，此时的恰好。

……灯红酒绿，粉底尽染，是伦敦的脸吗？如此醉人，难怪伦敦的酒鬼，是喝醉了晚回家的孩子，红红的未定的脸，携着潮气，支吾出一段传说的历史。这般难堪提哪壶都说不清我的伦敦，众说纷纭的传说早已抹去历史的原貌，于是写在书上的也是传说一种。

随着日常生活的日益"审美化"，文学也"日常生活化"。文学和日常生活更加贴近。日常生活自有价值和魅力；但在"躲避崇高"、"消解美丑"等解构行为的同时，时髦的文化消费却在更多地影响年轻一代的写作。

令人高兴的是，李梦的写作，多是出于对文学的挚爱，尚无商业目的，因此才会有《怪怪我的妈妈》这样的篇章。

她的笔下是一个孩子气的妈妈：

她是一个很怕阿猫阿狗的妈妈，十米见外也赶紧逃跑；她是一个很怕壁虎啊、毛毛虫之类软体动物的妈妈，她一般会躲在我身后指使我打死；她是一个跟我一起看动画片的妈妈，有时昏昏欲睡的场景令我都要死，她却嚼着薯片，两眼如灯泡般发出炽白强光……她还是一个喜欢哈韩哈日的妈妈，照相时总是学纯情少女……

在这里，我们看不到对妈妈的传统的尊敬，反倒像是在描绘自己的姐妹，连笔调也充满了调侃：

前些日子去医院，那秃顶老医生的小眼睛的视线从眼镜片上方越过我的脸，扫向我妈的脸，然后缓缓吐出一句："她是你妈妈啊，早婚早育可是不太好的啊！"这马屁拍的！回家的路上，她的车开得跟弹弹床似的。

在当下的现实生活中，父母与子女关系的转变也正发生着，父父子子不会变，但相互之间更像朋友，这种对传统尊敬的解构是一种社会进步。解构之后亲情仍在。李梦引用了张晓风的诗句，来表达她对母亲的深层理解：

> 听说有位名叫时间的老人把他带了去
> 却换给我一个比妈妈还高的少年
> 正坐在那里愁眉苦脸地背历史
> 那昔日的小男孩啊不知何时走失
> 谁把他带还给我啊，仁人君子

我们借着雨季的李梦的文字，走进了她雨季的森林。在这里，我感受到了来自生活的许多新鲜体验。我也注意到：李梦留学国外几年，多是片断的、随感性的文字。也许李梦和她同龄作家共同面临着一个考验：如何书写更广阔的生活。文学创作是要靠独特的眼光、独特的发现、独特的表达来创造自己的个人世界，培植自己的森林。我相信，李梦和她同龄作家的森林会更加茂盛、葱郁。

为《李梦散文集》所作序
2008年初春，望海书斋

真情流露散文纯

纯真,淡雅,文静,这是刘万铭给我留下的原初印象。文如其人,看过她的散文,我就更加深了这种印象。

她的经历很单纯,从小在黑龙江长大,然后到西安上大学,修法律,毕业后就到深圳,在监察局从事公务,恪尽职守,敬业乐群,业余就投入写作。她对家乡、西安和深圳都寄予了无限深情,对生活充满了爱意。她的散文,就洋溢着这样的爱意和深情。这本《浅浅的白雪》,从她所写的百多篇散文中选出了58篇,结成一集,从中我们可以深切感受到她的率真之情。

首先让我们感受到的是她对亲情、友情、爱情的感悟。她深切体会到,亲情、友情、爱情这三种人间真情,在人生中最为宝贵,对她的影响也最为深刻。在《真实的心》《父爱的光辉》《母亲的目光》等篇中,浓浓的亲情,倾泻而出。她写母亲的手,从白皙修长、弹琴绘画的手,随着岁月沧桑,操劳过度而变成一双粗糙瘦削的手,女儿心潮起伏,"我用我的双手抚摸着那双手,用这双手创造出的温润,握那些岁月的茧,把一把荒凉。……紧紧地握着"。父母把真美和善良播撒在女儿的心灵,这样的亲情伴随着她的幸福一起成长。友谊的真诚,也令她度过许多快乐的时光,中学同窗,大学知己,友谊令人难忘。《桃李不言》写到了对师恩的感激之情,一日为师,终身为父,桃李不言,下自成蹊。

其次是她对诗情、书情、乡情的珍惜。在21世纪即将来临的前一年,她告别古城西安,来到了新都市深圳,走上了主持正义、惩贪诛腐的监察岗位。但在她的生活中已经渗浸了诗情和书情;并且,随着很快融入鹏城,从而滋生了一种新的家园之感,对这新都市怀有一种新的乡情。她会作画、跳舞、弹古筝,还会演小品。初到南国不久,她曾有机缘参加深圳首届"青春之星"大赛,得以在舞台上一试身手,由此而可以步入娱乐圈里。但是,等她亲临试场有了切身体验,她终于懂得了,入娱乐场只能靠青春,而"青春无须修饰,清纯才是青春的本意"。在她内心深处,真正喜爱的还是清纯、朴实、率真,而"舞台需要张扬,需要魅惑,需要崭露锋芒,不是写作以淡定与安宁可以放置的地方"。于是,她安于那个神圣的岗位,而把业余的精力投入写作和读书,心灵寄托于书情和诗情。她读张爱玲、余秋雨的书,又不断地写散文,为的是"让生命更充实"。而在处世办事、待人接物的社会历程中,她也体验和领悟到了人间的更多真情,表姐的默默奉献,打工朋友的奋发有为,都使她感动不已,感悟到自己要"以爱的名义在这座城市里成长"。

此外,还有一些散文,乃是抒发她在人生旅途中体验到的人生中的逸情、闲情。面对浮躁嚣尘的社会现实,她也在逐步学会如何诗意地栖居。读书、写作之外,她爱走向大自然,"翻山越岭去看海"、"劳累而温暖地溯溪"、"独走贵州"、"在漓江上入眠"。当休闲日人群奋勇地奔向商场狂购之时,她却和女友走进园博园。静静的园里,只有她们两个人,她深切体会到,这才是真正的"奢华"享受,她逐渐领悟到"人生不在长,只要好"。

在这本《浅浅的白雪》中,充满着这种深情和爱意。冰心老人说得好:"爱在左,同情在右,走在生命的两旁,随时播种,随时开花,将这一径长途,点缀得花香弥漫,使穿枝拂叶的行人,踏着荆棘,不觉得痛苦,有泪可落,却不悲凉。"也让我们就这样握着爱和同情,一路播种,一路收获,让我们的生命更加充实。

为《浅浅的白雪》所作序
2007年春节,望海书斋

云裳出彩多新美

著名设计师朱丽云多才多艺,她的设计正在向多个层面发展。服装设计、旅游工艺、装饰图案、艺术壁挂、布艺等等,都有可喜的成就;设计水平、艺术境界也在与时俱进,不断提升,充满自主创新的生命活力。

显然,她的最大贡献还是对蜡染、扎染这些传统工艺设计做了新的开拓。她不仅提升了蜡染、扎染的工艺水平,而且进而着力于探索设计风格的创新,尝试将蜡染之乡的民族风情和当下世界的时代新潮联结起来,使民俗和时尚相互交融,发展自成一格,自成特色的独特风格。由朱丽云开创的蜡扎染时装设计,品种已达数百种,我们不妨称之为"云裳"系列,自成独特风格,成了中国的著名品牌。云裳飘向了海内外,为人间增添了光彩,为我国的服装设计赢得了荣誉。

在近20年前,我有缘早就赏识过她设计制作的蜡扎染壁挂。那是1986年,应深圳大学艺术中心之邀,我陪同著名美学家王朝闻和夫人解驭珍去李瑞生所创的艺术长廊作参观访问。艺术长廊里的艺术品琳琅满目,但给我们印象最深的还是那些质朴无华的艺术壁挂,使我们在那里徘徊良久。这些用蜡扎染特殊工艺制作出来的壁挂,我乃首次见识到,给我的感觉是:色彩浓烈,造型独特,构图粗犷,表现质朴。当时,我只是初识蜡扎染工艺,并未见到朱丽云本人,听李瑞生的解说,知道蜡扎染乃来自贵州苗族民间的一种独特工艺,富有民族特色。这是我第一次接触蜡扎染艺术,给我留下了美好的印象。

没有想到,近20年后,就在我的本命年——鸡年即将临近岁末之际,朱丽云来访益田村。蜡扎染壁挂之外,她还带来了20年来她所设计的各类精品的彩照数百幅。这才使我明白原来朱丽云在1985年底初闯深圳,走出贵阳,从此就扎根深圳,在这块新的热土上大展宏图,成长为我国第一批获得成功的著名设计师。那年在深大艺术长廊的壁挂展示,可说是她的设计才华的初试锋芒,把她在贵阳市工艺美术研究所作了多年探索的蜡扎染新工艺运用于新的设计,一次开创性的尝试,所以给人耳目一新之感。

朱丽云对蜡扎染工艺的创新,超越了前人。历来,传统的蜡扎染虽早已流传,但颜色较为单调,只有蓝、白两色,经她创新拓展,远超出了两色,多种色彩都可用于蜡扎染了。过去,蜡扎染只能在棉布上实现整染,到她手里,进而发展为可在丝绸、麻织、绒尼多种不同质地的材料上整染,金丝绒、富春纺、卡其布、花格尼上都能显现出蜡扎染的光彩。这就使整个传统蜡扎染的工艺大大提升了水平。

更为可喜的是,到深圳发展崭露头角之后,她视野宽广,高屋建瓴,依托蜡扎染新工艺为基础,进而向时装的设计创新推进,在创意上下功夫。当时,朱丽云风华正茂,才思敏捷,凭着她的心灵手巧,加上任劳任怨,很快取得了新的成功,一件件新潮时装源源不断涌现。从设计构图、泼蜡作画、精选面料、裁剪缝制,一直到模特演练,她都事必躬亲,全心投入,通盘考虑,精心筹谋。她走出深圳,奔波于深、港、黔之间,得以施展自己的身手,不断使自己的产品改进、提升。正由于朱丽云精心设计的时装,匠心独运,巧夺天工,款式新颖,所以声誉日增。出彩的云裳走出了深港,飘向海外更远的地方,日本、泰国、马来西亚、新加坡、欧洲、美国,都出现了朱丽云所设计的云裳的踪影。朱丽云很快成为我国新时期第一代著名的时装设计师。

如今,朱丽云的时装仍在不断创新,精益求精。云裳系列的品种越来越多,已扩及各个层面:礼服、旗袍、连衣裙、迷你裙、西服、套装、泳装、童装等等。真个是精彩纷呈。在服装设计之外,朱丽云还在向壁挂、装饰画、布艺等领域继续深入,不时有新的拓展。使得蜡染工艺的设计,变化多端,新意迭出,但万变不离其宗,那就是要充分施展出蜡扎染的特长,充分挖掘出这一传统工艺之美,让蜡扎染这一民族之花,在这个风云变幻的时代新潮中,永葆自己的光辉。

我观看她的众多作品设计,一个最突出的感受是她竟能把时尚和民俗融合得那么好,那些出彩的云裳,显得那么神采飞扬,水转风云,气韵生动,宛若天成。但在这式样新颖、新潮时尚的云裳内里,却透着民族深厚的文化底蕴,粗犷豪放,质朴清新,使人感到野趣横生,魅力无穷。

朱丽云的设计、创意之所以能达到这样的境界,凭她的才艺智慧之外,有赖于她的学养功底的深厚,更源于她对祖国大好河山和家乡风土人情的热爱。她从小生长在贵州这个蜡扎染之乡,少小时受过苗家文化的熏陶。每当她在贵阳花溪走过,见到苗家少女身上的蜡染头巾、腰带、手帕,就为那质朴无华的装饰所吸引。等她长大成人,终于投身于蜡扎染工艺的创新探索。她一边认真钻研传统民族文化,一边又细心琢磨世界艺术大师的传世精品,拉斐尔、米开朗琪罗、毕加索、德加、列维坦等等,都在她心里留下深刻印象。她从小就亲近大自然,对美好的山水风光情有独钟,爱之若素,月出日落、小桥流水、鸟语花香都使她心醉。因此,她的图案设计除了传统工艺中常见的日、月、星、辰、龙、凤、鱼、鸟之外,更多的是直接从大自然中提炼出来的野草、藤蔓、树木、山鸡、蝴蝶、蜜蜂、青蛙等天然之物,就是那些抽象的线条,从中我也能感受得到,那是来自大自然的天然律动,就像中国传统水墨画那样,自由飘逸,生气勃发。

朱丽云如今真如一片彩云,来去于海内外,自由从容。但她始终不忘记抚育着她的蜡扎染故乡,一直把自己看作故乡的儿女,"先贵州之忧而忧,后兴黔之乐而乐"是她的座右铭。她深深懂得,是故乡的父老、山水、人文养育了她;又喜逢改革开放的盛世,得以在深圳这块热土上施展身手,创出新美,铸就云裳,漂洋过海,走向世界,为祖国作出一些贡献。跨入新世纪以后,朱丽云仍不时来往深黔之间,以宁静致远的心态,从容自如,继续向着更高的目标而稳步前进,使设计事业更上层楼,为家乡、祖国做出更大的贡献。

观工艺设计有感
2006年春节,望海书斋

第四辑

人文回忆

人生难得此回搏

人生能有几回搏？连我自己也没有想到，过了"知天命"之年的我，竟会离开京都繁华之地，来到还尚待开发的边陲小镇，还求一搏。

是改革开放的号角把我吹向这块正在开垦的热土。深圳经济特区刚成立不久，财政收入还只有一亿多元，市委就把目光投向文化教育，提出要"勒紧腰带"、"卖了裤子"也要办好深圳大学。清华大学副校长张维院士受命任校长，要以最快速度把深圳大学办起来。

就在1984年初，张维校长在清华园寓所约见汤一介和我，向我们发出邀请：深圳大学一开始就要向世界先进水平看齐，不走老路，想请北京大学的人参与创办中文系、外文系。希望乐黛云从美国回来后，我们三个人就跟他去深圳，把中文系成立起来。

那时，负责筹建汕头大学的罗列教授也邀我去加盟，我应允去看一看。我和汤一介一商量，决定由我先去深圳探一探，做实地考察，回来后再做决定。

1984年"五一"前的一周，我就先飞厦门，参加一个美学会议；再从厦门飞汕头，考察了汕头大学；然后又飞广州，转火车到深圳做实地考察。那时深圳大学的筹备处设在原宝安县政府所在地,极简陋。校舍刚在粤海门那里破土动工,一切都刚开始。但我在这里切身感受到了一种急切想投身建设的勃勃生机,周围充满了朝气和活力。深大常务副校长罗征启也劝我们快来。在临时搭建的饭棚里,我巧遇也来考察的美学同行蒋孔阳、李泽厚、刘纲纪等,都说这里是国际文化交流的好地方,不妨来此一搏。

我一回北大,就和汤一介采取行动,向张维校长报告:等乐黛云从美国回来,我们就去深圳大学参与创办中文系。张维校长一口答允,容许我们从北大调去一批年轻教师和研究生,从事教学和科研。

就这样一言为定。暑假一过,张维校长亲自率领汤一介、乐黛云、我,北大还有李赋宁(任外文系主任),清华的童诗白、汪坦、唐统一,人大的高铭煊等好几位系主任,由北京奔赴深圳大学就任。从此,我和深圳大学结下了不解之缘。

在欢庆校舍落成的开学典礼上,张维校长把我们这些从北大、清华、人大聘来的学者介绍给市委书记、市长梁湘和副市长邹尔康。他俩热忱希望大家把深圳大学办好,学习世界先进,也让世界了解深圳,所以特别鼓励国际文化交流。在中文系成立大会上,我们迎来了香港著名学者饶宗颐、罗忼烈、澳门大学的程祥徽。次年,我们就在深圳大学举办了全国首届比较文学国际研讨会,宣布中国比较文学学会的成立,迎来了国际著名学者季羡林、杨周翰、佛克马、叶维廉,英、美、法、日等国的比较文学学会主席,历史上第一次有这么多国际著名学者云集深圳。紧接着,1986年我们又在深圳大学举办了台、港、澳及海外华文文学国际研讨会,国内外许多著名华人作家、学者陈若曦、陈映真、秦牧、徐中玉、刘以鬯、曾敏之等首次云集深圳。梁湘和邹尔康还特地跑到深大来,和作家、学者们坐在讲台下,静听学术演讲,此情此景,犹历历在目。

中文系成立的最初几年,乐黛云和我采取轮换的方式来回于北大、深大之间。每年上半年她和汤一介来深大主持系,我则在下半年来这里主持系,其他时间仍在北大任教。我们陆续从北大调来了一批年轻教师和研究生,如章必功、郁龙余、景海峰等,有了一个较为稳定的教师队伍，后来成为深大的骨干力量。不久，北大要乐黛云回去全力抓比较文学研究所，汤一介则正在办中国文化书院，于是他俩就回到北大。北大中文系主任严家炎劝我也回北大，要我赶快回去，领衔向国务院学位委员会申报文艺学博士点，在北大发展文艺美学这一学科方向。但我已喜欢上了深大，准备扎根深圳。1987年初，张维院士在清华园寓所约我作了一次长谈，劝我留在深圳，为发展人文学科继续作贡献。我作了慎重考虑，和家炎敞开心怀作了深谈。好在家炎是我读副博士研究生时的师兄，我可以推心置腹，坦诚相告。他也很快谅解，决定把我的研究生王岳川留在北大，教文艺美学，放我远行。从中国人民大学来任深大副校长的方生教授也要回北京去了，他要我搬进了他在海涛楼的寓所。就这样，我终于在深圳扎下根来。

我走这一步，曾引起了社会的些许反响。当时，在北大已评上了高级职称，获得了教授席位的中年人，却又离开了北大，这在改革开放之初，我是第一人。北大师友好心劝我，在北大当上了教授，安安稳稳教教书，安度晚年算了，何必再去那边陲小镇折腾。但南方的一些报刊为我叫好，说我是"敢于吃螃蟹"的第一人。其实，我只是随着时代节拍早走了半步，究竟下一步怎么走，我也只能走一步看一步，紧跟着特区建设的发展步伐。

这样，历史给了我一次机缘，不仅得以参与特区初创期的开拓，当文化学术的开荒牛，而且与时俱进，全程投入了深圳的第二次创业。

深圳较早就意识到了，必须向国际性城市方向前进，因而及早抓了高科技，发展文化教育，想建设成为现代文化名城。一介书生，能做什么？无力也无能为建设硬实力作出什么贡献，但可以在软实力的建设中发挥正能量，当务之急，还是要抓紧培养人才。为了适应国际性城市、现代化名城的人才培养需要，我当机立断，把中文系扩建成了国际文化系，教育学生既要懂中国文化，又要懂外国文化，进而能从事文化传播，促进国际文化交流。这是国内第一次设置的国际文化系，为此，《光明日报》还在头版作了介绍，这个思路，后为许多大学接受。后来，深圳大学成立了文学院，拓展了这个思路，把中文系、外文系、传播系、对外汉语部放在一起。在此基础上，我们继续扩大和深入开展国际文化交流，参与举办了国际美学学术研讨会，当代文艺批评研讨会等。我们还陆续邀请了国际著名学者布洛克、王朝闻、王元化、王力、汝信、伍蠡甫等做学术访问，袁行霈、钱中文、严家炎、裘锡圭、章培恒、郭豫适等都曾来访做过指点，对深大多有帮助。

我虽然以为教育的视野要广，但研究的问题却要面向现实。所以，我在深圳大学倡议成立了特区文化研究所，开始开展特区文化研究。我在1986年开始在此招收文艺学研究生，1987年起，进而开办了特区文化研究生班，先后培养了数十人，成为深圳市文化建设的重要力量，其中有市委宣传部副部长、文艺处长、文化局长、文联副主席、作家协会秘书长和专业作家等，为深圳的文化发展做出了贡献。我自己也融入了特区文化生活，写文艺评论，作文化研究，被选为作家协会主席，后又参与筹建了文艺评论家协会，在深圳鼓吹，文艺也要两手抓：一手抓创作，一手抓评论。在深圳特区设立20周年之际，我主编了《深圳文艺20年》一书，在《文艺报》发表了《深圳艺术之路》。最近，作家出版社把我20年来所写的文化评论、美学随笔、散文等40万字，结集出版，题名《胡经之文丛》，大多面向当下现实。市委宣传部副部长李小甘还为此书作了序，鼓励我为特区的文化建设多作贡献。

但我的研究还是对文艺美学情有独钟。20世纪80年代初在北大开设了文艺美学课程，开始把讲稿改写成专著，到了深圳后才最后完成《文艺美学》交付出版。1998年北大百年校庆，我又修改增写了数万言，由北京大学出版社收入《文艺美学精选丛书》。20年来，我写了不少文艺美学论文，去年由华中师大出版社结集出版了《文艺美学论》，收入钱中文、童庆炳主编的《新时期文艺学建设丛书》。我积极参与文艺学的学术活动，学术界也并未忘记我，中国社会科学院文学研究所聘我为特约研究员。我先后被选为中国文艺理论学会、中外文艺理论学会的副会长，中华美学学会常务理事，广东省美学学会会长，《文艺理论研究》《文学理论前沿》等学术刊物的学术顾问。

学科发展如何与时俱进、开拓创新，这是我近数年一直在思考、探索的问题。1993年，深圳大学虽然还未有硕士点，更无博士点，但国务院学位委员会鼓励我个人申报博士生导师资格，获得通过，成了深圳大学的第一个博士生导师。我和暨南大学副校长饶芃子教授联合,在华南争取到了第一个文艺学博士点,由此开始了培养文艺美学博士生,这是对我的学术鼓励,也是一种新的学术动力。近十多年的文艺学术有了巨大变化,我指导博士生的研究必须面向新的现实,不要脱离实际。文艺美学这一学科要发展,也要研究新问题。随着大众文化的蓬勃兴起,美学也要密切关注文化新态势,发展文化美学。所以,我和郁龙余组织了深圳大学一批青年学者,在中国社会科学出版社出版一套《文化美学丛书》。美学也要关注人和环境的关系,经济开发不能牺牲生态环境,所以我为海天出版社主编了《人与自然丛书》。经过了18年的奋斗,如今深圳大学已有了18个硕士点,一代中青年学者已成长起来。我所在的文学这一学科,章必功、郁龙余、吴予敏、刘洪一、庄锡华、王晓华、郭杰、钱超英等,文学功底都很扎实,学术又各有所长,都有不少著述问世。今天,我的一个最大心愿,就是希望深圳大学加紧一搏,"争创新优势,更上一层楼",尽快使人文学科有新的发展,人文精神和科学精神都能得到发扬。我个人愿为此竭尽全力,再作一搏。

(原载2001年《大地》,后收入《深圳读本》2010年,姜威主编)

流水人生

常言道,流年似水,此话不假。人生如流水,大江东流去,年华不再来。我喜爱山水,尤酷爱流水。对于我这个人来说,爱水是天性,于水有特殊的情分。于我,也许正是世间有了流水,方显得人生的可贵。

我在江南水乡出生,伴随流水长大。人生伊始,就已与水结下不解之缘。

生长于斯的是苏州与无锡交界处一个古老的小镇,叫梅村。商周之交,泰伯从西周来江南开发,最初定居于此。一条江河,横贯镇上,为泰伯洗足之处,因而,人称伯渎江。江河水道不宽,却是水明似镜,清澈见底。"问渠哪得清如许?为有源头活水来。"说得极是。原来这条江从上游的无锡运河中分流出来,西流经这梅村,再向东流去,入阳澄湖。到了苏州,又分流入两处,一支流向苏州河,去上海,一支又汇入运河,奔杭州而去。

走出家门就是江。家家都用水桶从江里挑水,喝的就是这江水。淘米洗菜,也是用这江水。这江水养育着我们,我是喝这江水长大的。从小,我就喜爱这条江,一有空就站在江边树丛下,听那流水潺潺,看那来往船只如梭。摇橹载客的是那乌篷船,拉纤运货的是那敞舱船,最惹孩童喜爱的是那带着水鸦的捕鱼船。渔夫驾着轻舟,拍打着船板,赶着水鸦下河衔鱼。我们闻声而动,就立即冲出家门,一大群孩童跟着水鸦蹦跳欢叫,乐不可支。秋冬之交的夜晚,点上渔火,三五成群,赤脚下河,亲自去体验一下捕蟹捉虾的感受,真是兴味无穷。待当稍长,读到唐诗"月落乌啼霜满天,江枫渔火对愁眠"之句,不禁称奇,立即顿悟:不正是我少年时所见情景的写照嘛!

不过,更令人陶醉的,还是在夏日,一丝不挂地跳进河里自由自在地游水。初起下水还不会游,只能趴在水边石阶上,双脚乱蹬。胆子稍大,就扶着缸板浮在水上游。天长日久,不知不觉,也就可以赤手空拳,全靠自己来游了。就这样,少年时为了嬉水而学会了游水。不过,这游水既然为了玩,就不求什么式样,既不是蛙式,又不是蝶式,只是几种很自由、很随意的侧游、仰游而已。那时只求玩个痛快,奋力几搏,待到精疲力竭,尽欢而散。

一旦爱上了游水,就和水难舍难分。流水,给人以生命流动之感,使人心胸宽广、精神舒畅。日积月累,爱水就成了我的一种持久稳定的审美趣味,终生难以泯灭的情结。不过,少年未见大世面,连海边也不曾去过,自我陶醉于其中的生活境界,也仅止于"小桥流水人家"而已。

待到外寇入侵,铁蹄蹂躏,江南水乡也不能免。父亲只能离井背乡,去苏州教书谋生,我亦跟随辗转读书于苏州一带。这号称"东方威尼斯"的著名水城,竟被糟蹋得乌烟瘴气、不堪入目了。抗日初起,爱国绅士张仲仁(一麟)逃难苏州,目睹一片凄凉,有感而改张继《枫桥夜泊》诗云:"月落乌啼母哭天,江南劫火不成眠。姑苏城内寒衣局,夜半枪声到枕边。"抗日胜利前夕,父亲带我去过一次寒山寺,只见枫桥岸边杂草丛生,河水污浊,臭气熏天,已无诗意可言了。苏州城外尚且如此,流经城内嘈杂闹市的河道,就更污浊不堪,臭不可闻了。在苏州住家前也有一条小河,虽通城外,却如死水,腐臭发黑。这样的小河,无法取用,连游水也不能了。实在忍不住,只好偶尔走得远些,出厢门,在护城河里游个把时辰。这里水面比较宽广,和那宋代著名诗人范成大隐居的石湖,水脉相通。我去过一次玉带桥,在石湖上漫步,匆忙下石湖游过水。但这种乐趣已只能偶尔得之。兵荒马乱,心惊胆战,偶一为之,还要小心翼翼。

终于迎来了海晏河清的清平时代。恰正是我的青春岁月,赶上了可以潜心读书的好时光。于是,在20世纪50年代初期,我毅然离开江南水乡,来到了北京,进了那最古老的大学。想不到人生这一站,我竟在这里停留了30余载。

燕园的湖光水色、小桥流水,仍似江南风光,妩媚动人。但最高学府的画栋雕梁、红墙绿瓦,增添了几分庄严气氛。园里虽有数处湖泊，但只能在冬天滑冰，却不能在夏季游水。在星期日走几里地去昆明湖游上一游，但还是离得稍远，不能常去。等我当研究生时，校园里才利用了昔日王府遗址，加以改造，开辟了红湖作游泳池。但因人多池小，拥挤不堪，池里熙熙攘攘，身子难以舒展，很难再体验到那种完全陶醉在大自然中自由嬉水之乐了。然而，我在红湖有一个意外的收获，有幸在这里结识了一位酷爱浮水的美国老人温德。他那静卧水上的功夫令我惊叹不已，给我留下了不可磨灭的印象。

在游泳季节，差不多每天都能见到这位年近古稀的美国老人。他躲在红湖的一个角落里，尽量避开熙攘的人群，独自静躺在水面，身子自由舒展，却又纹丝不动。双目时闭时开，似醒非醒。双足时而平伸，时而屈起，伸展自如。尽管池里嘈杂，他却优哉游哉，旁若无人，泰然自若。一两个钟点甚至整个下午，就这样过去。这惊人之举，招引了校内无数学子，为之伸指叫好。大家都认识他，亲切地叫他温德教授。

初夏在池边结识后，我曾去他家里造访过几次。温德在20世纪40年代就从美国来燕京大学教英语，有很高的西方教养，然而来中国后又深深爱上了中国文化。北京大学迁入燕园时，温德已过五十，却不愿再离开中国，就留在这里继续执教。他单身一人，住在校园东北角最僻静的独院平房里，中式房屋已陈旧，但屋前房后却种满了花草、竹子。远眺西山，悠然可见，十足的世外桃源隐居生活。温德养花种草，不只是为了欣赏；欣赏之后，还用来饮食。倒不是为了省钱，而是真正的爱好。在那时，温德的薪资远远高于一般人，足可供他一个人过豪华生活，但他却不喜鸡鸭鱼肉，平日常去附近农舍，买来米糠麦麸，把所种的花草糅在这些杂粮中一起吃。他称这是难得的营养珍品，还能说出一番道理来。原来他年轻时在美国研究过营养学，深得营养之道。在中国又接触中国文化，懂得养生之道，对儒、道、佛文化中的饮食起居都有过研究。他把西方营养学与中国养生法结合在一起了。他自己的生活，就体现了中西文化的交融。早晨起来，在校园散步、打拳，每天骑着跑车到西山、颐和园绕个圈，冬天洗冷水澡。一到夏季，就常到昆明湖、游泳池里卧水静养。

我辈青年学子还以为洋教授学中国气功练就的水上气功，纷纷向他讨教何以能经久不沉的奥秘，学的何方神圣？他却莞尔一笑：这是他自己琢磨练就的闲养功夫，没什么奥秘，多游多练，熟能生巧，功到自然成。温德的绝招，确非一日之功，长期练成，历久不沉，直到他80岁时，还能见到他依然能久卧水上。在燕园，我交往最多的三位老师朱光潜、宗白华、杨晦，心气和平，与人无争，都活到了80多岁。但只有温德和马寅初活到101岁才终天年，是否养生更为得法？

　　每当见到他静卧水上怡然自得的情景，感到人与大自然此时完全融为一体，平衡和谐。不知不觉，我仿佛也被带进了天人合一、物我两忘的出神入化的境界。不过，在那红湖水池里，我并未学得这水上功夫，只是从旁观中获得愉悦。要等我见到了大海，在海洋里方才学得此功，从而亲身体验这水上静卧的妙趣。

　　就在那年盛夏，我本和师兄严家炎约好，一同回上海、苏州，但他有事，要晚走，我就一个人先走。我要去苏州探望双亲，特地取道青岛，乘海船去上海。于是，我有机会第一次见到大海。我有几天时光在青岛停留，抓紧时机一有空就往海边走。那时，美丽富饶的青岛还很清静，没有多少人来光顾。海水清澈，碧波荡漾，使人赏心悦目，乐而忘返。那几天，我一个人住在靠近栈桥一家旅店的单身小间里，一早起来就到海里游，浸在水里不想出来。到了夜晚，不能再在海里游了，只好躺在床上听海涛击岸，回味海中游水的乐趣。在海里游水，轻松自如，不觉吃力，比起在江河里另有一番滋味。于是，我开始琢磨温德的水上功夫，在海里尝试着静卧水面。开始，心神紧张，手足无措，稍一不慎，身子就沉了下去，连连呛水。一连练了两天，似有进展，有了点眉目，索性放开胆子，闭起眼睛，舒展全身，任其沉浮。到了第三天，终于能平心静气，不慌不忙，自由伸展，平卧水面，身子居然不沉下去了，心里感到说不出的喜悦。慢慢地，再试着睁开眼睛，放眼上下四周，猛然感到这海上世界真美。茫茫大海，辽阔天空，山天一色，气象万千，比起那小桥流水，又是另一番境界了。

　　从此，只要有水可游，我总会抓紧时机，仰卧水上，凝神养气，享受一番特殊的乐趣。将过中年，逢上了开放改革的好年代，可走的地方多了，从最北的松花江，到大连港、北戴河、普陀山，一直到海南岛的天涯海角，我都曾下水仰卧，自得其乐。就是在年近半百时，和一川、陈伟、丁涛三人爬完黄山，在山腰宾馆旁等车下山，瞥见有一泳池可游，当机立断，跳下水去仰卧了半个钟头，才仓促上车。虽感意犹未尽，仍觉其乐融融。

自然，最理想的境界还当海上游。海天相接，气势磅礴，仰卧在茫茫大海之上，最能体验人与大自然的和谐统一，人、天、海完全融为一体，充分享受大自然赐予的乐趣。然而，要真能享受大自然，就必先掌握大自然的规律，顺其自然，在和大自然的接触中获取自由。如果不掌握大自然的规律，那就要受到大自然的惩罚，为它所吞噬。我就有过惨痛的教训，因未察水情，不明情况，贸然下海，险招灭顶之灾，差些葬身鱼腹。

那是我行将步入"知天命"之年的夏季，来到厦门大学参加一个美学会议。我从北京直飞厦门，午后到达校园内的住处，听说海滩就离这儿不远，心里顿时一动，一扫旅途劳累，迫不及待地换上泳衣，直奔海边。我入海心切，既没有问问水情，也没有注意滩上行人，就跳入海里，向远处游去，想在离海滩远些的清水里再仰卧静养。水势顺畅，毫不费力，转眼就到了深水处。正想翻过身来仰卧水上，蓦然回首，忽觉海滩上已不见人影。正在纳闷，却觉水势在向外缓流，离海滩越来越远。我猛然警觉，是否已是退潮时辰？我立即返身向海滩回游。可是，游了10多分钟，好像还是在原处不动，没有进展。眼看海滩仍远，我却已感疲乏。逆水行舟，不进则退，如果无力再游，那就将随潮水冲出海外。远处就是台湾治下的两个小岛，没有退路，只有靠自己奋力游回海滩。想向海岸呼救，海滩太宽，而且滩上无人，喊亦无用。怎么办？我定一定神，环顾两侧，瞥见右侧有一半岛，虽不见人影，但水势较缓，不全是逆向，游去也许可以减少阻力，较易靠岸。于是，我当机立断，避开逆水，转身向右岸游去，时而仰游，时而侧游，力图镇静，沉着渐进。约摸游了半个钟点，终于爬上了那个半岛，穿着水淋淋的泳裤，绕过长长的小街，才回到住处。一路上行人投来惊讶的眼光，我也顾不得了。学界友人，怪我爱水太过，差点送命,何苦来着?我只能默然不语。

经了此番磨难,不能说由此就知了"天命"。不过,由这一劫,我却愈发悟得:人生犹如水中搏,既不能听天由命,随波逐流,亦不能违反自然,逆流盲动。人与环境,主体与客体,相互牵制,互为作用,必要恰到好处,自由和谐,动态平衡,方能立足于这个世界,求得生存与发展。此番之所以能化险为夷,留得余生,全赖平日同水打交道久了,懂得一点水性,大难临头,尚能镇静,及时审时度势,抓紧顺势一搏,才免一死。人要和世界和谐相处,达到动态平衡,就要学会适应世界,从而才能掌握世界。"从心所欲",倒不要费什么心力;"不逾矩",循规蹈矩,也不特别困难。但既要"从心所欲",又要"不逾矩",却非经长期磨练而不能至。这人生道理,孔老夫子要到活过了70之后,反顾自己的一生经历,方能悟得。此次遇险之后,这"从心所欲不逾矩"之说就印在我的心头。既是对必然的把握,又是对必然的超越,方能"从心所欲不逾矩",这不正是人们常说的"自由"的精义所在?自此,我常不由自主地思索起来,这是否也是马克思主义哲学的精髓?

我没有躲开大海,就在步入"知天命"之年,来到了深圳这座海滨城市,有了更多亲近大海的机会。

可惜,我住在那里的后海湾,并不是典型的大海,只是珠江入海的门口和大海相接的海湾,所以称之为粤海门。似海非海,却亦非江。潮水涨时,汪洋一片,微波荡漾,远眺香港,隔海相望,真亦海也。可是,潮水一退,露出海底淤泥,高低不平,只有那特种植物,在黑土上形成一片红树林,呈现出别一派生气。

初到后海湾,看到这里是一片荒滩、沙丘,心里确实曾掠过一丝凉意。深圳大学新校建成,开学没几天,正是中秋节。我和汤一介、郁龙余、张卫东等几个从北京大学来这里一起创业的学子在月下漫步,走到那时还是光秃秃的小山丘旁,忽然乐黛云发出感叹:这不是又回到了鲤鱼洲吗?大家的思绪,不由得一下子又回到了过去的岁月。10多年前,一声令下,北大、清华的教师被送到了南昌鲤鱼洲,围垦种地,自食其力。鲤鱼洲在鄱阳湖边上,是一块围垦出来的荒地,堤外湖水高于堤内。初去时，鲤鱼洲渺无人烟，遍地杂草。大家靠自己的双手，搭起草棚，才算见了人烟，但仍是一片荒凉。那时的情景，记忆犹新。经人一提，把这后海湾与鲤鱼洲牵连了起来，不免唤起一阵悲凉之感。不过，我心里估摸了一下，后海湾果真与鲤鱼洲相似吗？像，又不像。暂时不免荒凉，确像鲤鱼洲。但时代不同，景况各异，不能同日而语。这里处于改革开放前哨，在荒山坡上已经建起大学讲堂。居高临下，站在高楼上俯视那后海湾，只见海湾两旁，高楼方起，渐有兴旺气象，给人无限遐想。想当年，站在鄱阳湖堤岸上望茫茫大水，随时都有倒流堤内的威胁，使人惴惴不安，这完全是两种不同的感受。

我感到最大的缺憾，还是在这后海湾找不到一块甚至小小的一块可以入海游水的地方。我几次徘徊在海滩边，越过红树林，想寻找水深之处，下去游一游水，但都未能如愿。熟悉本地水势的陈乃刚劝我，这一带全是污泥，不能游水，要是陷进泥坑，就拔不出来了。我仍不甘心，曾在一个假日沿着后海湾的荒凉海岸，远远地一直向蛇口方向走去，异想天开，妄想能找到一块可以下水畅游的宝地。我曾发现一个深水潭，潮水退后，周围露出一片污泥，而那水潭却仍不枯涸，我不觉暗暗高兴，几番琢磨，跃跃欲试，想跳下去游一游。好心的朋友封祖盛忠告我：这是白沙坑，被人挖空以后留下的水潭，已是死水，乃不洁不祥之地，下不得。再说，这里是海防前线，不能下水，要是招来一些难以预测的麻烦，就不值得了。说得也是，犹豫几番，只好放弃了痴心妄想，不敢造次。过了些时日，再次漫步这海滩旁，只见那小水潭已经辟为养蚝的池塘了，真正是旧貌新颜，沧海桑田。这样，我始终没有在后海湾找到可以下海的机缘，至今引以为憾。

幸而，我在去小梅沙一带真正领略到大海风光之后，心理上才算得到了补偿，觉得到深圳来真是不虚此行，甚至，可说是不枉此生。

是年初秋，我初去小梅沙，不禁为之惊异，想不到深圳附近竟有如此优美的海洋风光，一下子为之深深吸引，那雪白的细沙，蔚蓝的海水，两侧青青的小山，相互陪衬，构成一幅令人陶醉的美景。酷暑已过，初秋稍有凉意，游人不多，我本没有想要下海，也没有带泳衣。

可是这里太吸引人了,情不自禁,我就穿着内裤,一下跳到海里,享受那游水的无穷乐趣。当我浸在略有凉意的海水里自由游弋,仰天静卧,我深深感到,这里的海水,远远胜过青岛、大连、厦门,以至普陀山。只有海南,还有北戴河西山海滩那特殊的地方,才有这样难得的美妙境地。此后,我又有机缘去了东山、南澳、溪涌、西涌一带的海滩,更使我惊叹不已,这里竟有那么多的海边胜景!像崂山海岸的雄伟壮丽,像舟山群岛的千姿百态,像西子湖畔的妩媚秀丽,在这里都可以见到。山光水色,变幻无穷,更有这里自己的独到妙处。真是,人间多胜景,这里最美妙。我不是在做理性的比较,至少,我的主观感受是如此。

然而,这些美妙胜景离我们住后海湾的人太远,不能常去领略享受。早就有人说,大学要办在小梅沙就好了。但那是非分之想,只可说说,不能实现。每天只能在来潮时欣赏一下那后海湾的景色,清晨日出,夕阳西下,照在那盈盈水面,也自有一番乐趣。只是,不能下海游水,总觉美中不足,时常心有戚戚。后来,校园里建了游泳池,心中一喜,放水那天,我第一个冲下水去,游了两个来回,就又仰卧水上,颐气养神。莫道游泳池水浅,好作水上逍遥游。有了这个游水的去处,顿觉生活中增添了不少的乐趣,不必老想着那小梅沙,向往而又不可即。继张维之后担任校长的罗征启也爱游泳,也能在这里常逢见他。

弹指一挥间,不觉七八年。每当我在那游泳池仰天长卧时,常常望着天空,生出许多遐想。白云千载自悠悠,飞鸟掠过踪影灭,不免引起思古之幽情。从池里远眺大海对岸的流浮山、落马洲,又把我的思绪带到隔岸相望的香港。数年前,我去香港时,友人特地用车送我到那小山上,回望深圳湾、粤海门,彼情彼景,尚历历在目。经这几年的奋力相搏,深圳的发展突飞猛进,赢得世人称道,香港友人也已刮目相看了。我想随着两岸的相互促进,物质文明的差距将日益缩小,而精神文明的建设,很难说后来不能居上。不过,这需要咱们自己好自为之。

夕阳西下,年青学子纷纷在课后涌向泳池。我尽量躲开人潮,藏在偏静角落仰天长卧，天长日久，终究还是招来一些有心人，也要向我学这"水上气功"。我也只好解释，此非气功，不过是在水上休息而已。不管人家将信将疑，我确觉这是老年积极休息的一种好办法，无怪当年温德持之以恒，到80高龄，尚乐此不疲。不过，我这仰天长卧，更多地还是自得其乐，一种审美的享受。静卧之外，也不时游水，但那也只是在水中散步，和别人在水中跑步不同，那乐趣，"胜似闲庭信步"。因此，我对游泳这种活动，也只是以审美态度待之，并无多少延年益寿之想。对我来说，游泳主要是一种精神漫游，其乐无穷。也许，真有一天我躺在水面上真的睡着了，长眠不醒，沉了下去，永不再起，安静地返回大自然，那也是一种幸福。

人生似流水，流水亦人生。别人怎么看我不知道，反正，我自己的人生如此。

1991年底，深大海涛楼

（原载《特区文学》）

江南稚子

时光无情日夜流,岁月匆忙不饶人。不知不觉,人生已骤然走到65岁,从教亦将有45个年头了。我这大半生,约摸经历了三个阶段:20世纪三四十年代,在江南度过近20年;进入青年时代,50至80年代,在北京大学久居30多年;然后,在1984年来到深圳大学,亦已10多年,将在这里终老。

回首往昔,思绪万千。一生淡泊,建树无多。但我一直牢记:毋愧人生。在我自己力所能及的领域,有所追求,尽力而为。

我祖籍苏州,祖父是掌握专门技术的丝织技师,一手好技艺。我父亲在无锡从事教育工作,先在小学,后入中学,一生任教。1933年闰五月,我出生于无锡梅村。

这是太湖之滨离运河不远的一个古老小镇,积淀着江南文化。江南本为荆蛮之地。商周之交,泰伯为把王位谦让给最小的弟弟,便和二弟仲雍潜躲到吴地来隐居,最初就住在这梅村。村上有一条河,东通苏州,西流无锡。泰伯常在河里洗足,后人称之为伯渎江。我小时,这条河还是水清见底,和同龄人一起跳下去游水,是当时最大的乐趣。泰伯把周文化带到了江南,逐渐形成了吴文化。后人怀念吴文化开拓人泰伯,就在梅村建立了宏伟的泰伯庙,广受苏州、无锡两地人士的崇敬。我就在这吴文化的熏陶下长大。

我自幼丧母,从小就跟着父亲胡定一,在太湖流域辗转就学。我上过私塾,跟着塾师读三字经、百家姓、千字文、唐诗、宋诗,也学唱"三月三,清明到,去游山"的吴语乡音。我也在苏州城里上过几年美国的教会学校,参加过唱诗班,做礼拜,那赞美诗给我留下优美的印象。在无锡城里,我亲见过盲人阿炳,拉着二胡,沿街踽踽,那凄美的乐曲深深地打动了我。当我后来听到柴可夫斯基的那首被托尔斯泰称之为俄罗斯苦难心声的弦乐曲时,我马上联想到阿炳的《二泉映月》,这是中华民族的苦难心声。我为太湖的风光和苏州园林所陶醉,也特别喜爱钱松喦的山水画、范成大写石湖的抒情诗篇。

我觉得,锡剧、越剧和评弹的音乐特别优美。就是在今天,一听到那些优美的曲牌音乐,仍然为之销魂。我也为江南丝竹乐和江南民歌所深深吸引。我感到,江南丝竹乐融化了中国道教音乐甚至佛家音乐的一些元素。我也爱广东音乐,当我听得父亲在月下乘凉时用二胡拉起一些广东音乐名曲时,我忽然觉得,江南丝竹乐和广东音乐颇有相通之处。这种感受至今仍留在我脑海中。

但生活并不只有美好。当日寇步步侵入到处奸淫烧杀时,我的父辈用竹篮挑着我们这些孩童,东躲西藏,好几天都要在荒岗洞穴中过夜。这样的情景,怎能忘怀?当我们乘着乌篷船,穿过阳澄湖鹅真荡去苏州家里过寒暑假,突然湖上芦苇荡中响起日寇的汽艇声,大家都心惊肉跳,恐怖气氛笼罩全船,哪里再有兴致欣赏那鱼池弄的美景?当我由父亲带着去枫桥看寒山寺时,只见那被日寇铁蹄踩躏得惨不忍睹的情景,哪里还有"月落乌啼霜满天,江枫渔火对愁眠"的景象!我渐渐懂得,美,也可能会被一些人毁灭。

1945年抗日胜利,我刚进入梅村中学,对未来充满希望。我很清楚记得,那年10月10日,苏州城里放起古典式烟火,一座座亭台楼阁、假山水榭,升空而起,流光溢彩,满天飞花,然后如海市蜃楼,烟消云散,使人回味无穷。在以后数十年中,辗转北京、深圳、香港,看过多少次烟火,却再也没有见过少年时代那次所见到的"亭台楼阁"式的江南烟火。淘汰了,还是失传了?不得而知。每当我重见节日烟火时,总是在心中重新唤起少年时代美好的回忆。然而,少年时代那美好的憧憬只是短暂的。不久,内战又起,民不聊生。我那幼小的心灵也难平静下来,开始关心起国事,读进步书刊,参加进步社团,编油印刊物,反抗征兵增税。

1948年夏,我考进无锡师范学校读书。我最爱的课程是写作和弹琴。我的作文,常常被老师陈友梅拿出来朗读或讲评。我学弹琴也很上心,感到是一种乐趣。我被级里推举为级长,由我沟通学校和同学之间的交往。梅村是一个政治斗争很激烈的地方,我和处在地下秘密活动的共产党员不时有着联系和交往。1949年初春,解放军即将渡江南下之前,我参加了新民主主义青年团,担负起组织进步学生保护学校的使命,时年16岁。在寒气逼人的初春,我和那些爱国护校的同学度过了多少个不眠之夜,心里充溢着对未来的无限憧憬和希望。

我以为从此可以走进书斋,陶醉在文学艺术的美妙世界了。但身不由己,我又被推向了社会。我被大家推选为无锡师范学校的学生会主席,要我带领同学积极投身新中国成立初期的民主改革运动,土改、参军、征粮、灭虫等等,或参与组织,或亲身投入。我被推选为无锡县第一、二、三、四届的人民代表,苏南首届人民代表,成了无锡县学生联合会的主席。我经常自己带了背包来往于梅村与市区之间。那时,即使开县人民代表会议,大家也是自己带着行李,睡在上百人共居一室的旧厂房里。只是到了苏南召开首届人民代表会议,才住进无锡市内几家仅有的饭店里,也是三四人住一间。就在这次会议上,我见到了陈丕显,也见到了荣德生。荣德生是荣毅仁的父亲,中国最早在无锡发家尔后又到上海发展的民族实业家。那时他年事虽已高(76岁),但穿着马褂长袍,仍然精神奕奕。在两年多的社会活动中,我走出了苏州、无锡,去过南京、镇江、常州、扬州和许多江南古镇,接触社会多了,视野广阔了。

在繁多的社会活动中,我坚持完成了学业。师范学校要毕业了,却面临着一次人生的重大抉择。

当时的无锡县长张卓如,是我父亲很熟识的朋友。我当县学联主席,自然也就和县长相识,并有工作上的交往。无锡的教育比较发达,中学就有数十所,张卓如县长希望我毕业后能到县里从事专职学生工作。可是,我却想在师范毕业后继续深造。毕业当年不能报考,我想在教一两年书后,自己奋斗上大学,所以不想到县里去。县长好几次劝说我到县府,我最后还是没有走上这条路,而是去了锡北当教师。先在陈墅小学任教,又在严家桥的中学补习班当教师,教语文、音乐、写作。这里是江南古镇,风景优美,人情淳朴,令人流连。但是,我还是一心想考大学,到外面去看看更大的世界。所以,在1952年夏,我送走了最后一些中学补习学生,告别了无锡,回到苏州老家。那年夏天,我埋头于苏州图书馆,然后在江苏师范学院(原东吴大学)参加了全国高校的首次统一招生。就这样,我进了北京大学,走向人生中新的路程。

1998年春,深大新村

北大学子

1952年秋冬之交，我在苏州告别了亲友，怀着新的憧憬北上求学。从此，我在燕园长居30多年。

进入北京大学与我结伴同行的苏州学子有近20人。这一次，恰逢全国高校院系调整，第一次实行全国统一招生。苏州学子都集中在原东吴大学（现苏州大学）参加考试，报考北大的相互间很快就相识了。那时，凡是被录取的学子名单，都要在全国报纸公布，我们这些人天天去玄妙观前等着，买报看榜。一旦被录取，我们被北大录取的这些人，很快就在苏州公园聚会，相约同赴北大，好相互照顾。

我本不敢考北大，开始填的志愿都是江浙一带的师范院校，如南京师大、华东师大、江苏师院等。但到填表最后时刻，我突发奇想，想考验一下自己究竟是个什么水平，就加填上北大试一试。不料，这一试，就改变了我的命运。入北大的近20人中，只我一个攻读中文，也偶有学西语、东语的，但绝大多数都到北大学数、理、化，其中有后来著名的数学家潘承洞（山东大学校长）、姜礼尚（苏州大学校长）和化学家徐洁（同济大学）等。当时青年学子的心目中，大多重理工，想当科学家、专家、学者。学子中流传最广的口头禅：学好数、理、化，走遍天下都不怕。我并不想追求当科学家，只是从小爱好文学艺术，读了不少哲学、美学、文艺学的书，感到饶有兴味。考中文系，也就是随自己的兴趣而已。

我们近20人，从苏州车站上车，沿沪宁线到了南京，再乘轮渡到浦口，转津浦线到天津，再从天津到北京，路上走了两三天。火车到前门车站，不知怎样去北大，就打电话到学校。就在等学校派车接的空隙，大家走过红墙，到广场去一睹天安门风采。不料，那广场上满是尘土，北风一刮，沙尘四起。大家心里不免有些失望，怎么天安门前会是这个样子!等到北大校车开来,一看,是辆烧木炭的黑色旧车,噪音隆隆。出了西直门,又是高低不平的石板路,一路且响且颠。到燕园时,大家又饿又累。幸而,食堂为迎新,已准备了晚饭,抬出来一看,是一大筐半热的胡萝卜饭。接待我们的老同学说,北方叫抓饭,是招待远方客人用的,平日只吃玉米窝头。我们这些从江南水乡来的吴门子弟,心里暗暗叫苦。但一看那未名湖的湖光塔影,远眺西山景色,心里也就慢慢平静下来。

终因不适应北方的寒冷和饮食,不到半年,我就得了胃病和阑尾炎。当我在年底割完阑尾炎,被安排到胃病食堂就餐时,认识了同桌吃饭的鲁迅的儿子周海婴。他比我稍长几岁,在北大物理系就读。我们很快熟悉起来,成了朋友。后来,我由他的引见,同许广平相识。在许广平最后一段岁月里,我和吴泰昌曾多次去过她家里。我还曾带西哈努克王子那拉·迪波拜访过她。许广平曾抄送给我一首从未发表过的鲁迅给她的诗,我一直珍藏着,后来经她同意给一个刊物发表了。

我进入中文系时,恰逢盛世。院系调整之后,清华、北大、燕京的最著名文学教授都集中到了燕园。中文系主任是五四时代的作家、评论家杨晦,为我们开设文学概论。游国恩、林庚、浦江清、季镇淮、冯钟芸、王瑶等为我们讲授中国文学史。吴组缃除讲明清小说以外,开设当代文学作品分析。章廷谦(川岛)教我们写作。东语系主任季羡林、西语系主任冯至、俄语系主任曹靖华以及李赋宁、闻家驷、杨周翰等为我们讲授外国文学。中国社科院文学研究所的前身是北京大学文学研究所,常务副所长是何其芳,就住在靠清华大学的燕东园,他和余冠英、俞平伯等也常被中文系请来作学术演讲。我是班里的学习委员,所以和教授们的联系就多些;我又是文学概论的课代表,和杨晦的接触更多。当时,何其芳的夫人牟决鸣,在我们班进修,为学习上的事,常去她的家,于是也就和何其芳相识。何其芳、杨晦、冯至、游国恩、魏建功都住燕东园,我去杨晦、何其芳家,也常去看看冯至加另外一人等其他几位。到我20世纪60年代也迁入燕东园住时,何其芳、冯至则已搬到市里去了。

那几年,北大的学习气氛特别浓。上课、睡觉之外,我差不多都埋身在图书馆里了。一早起来，胡乱吃过早点，立刻就飞步去图书馆抢座位，坐下来看书、写作业。除了上课、吃饭，整天就在那里，晚上快熄灯了，才回宿舍睡觉。我如饥似渴地读书，读得最多的是欧、美、俄的文学名著，国内外的文艺学、美学著作，特别是研究文学、音乐、绘画的理论，还有便是哲学。那时，突出基础学科，专业不是一开始就分。所以，文学、新闻专业的同学都在一起上课。但就读时，有些人的攻读方向就很明确，像郭超人，一进北大，就攻新闻学。崔道怡，就一心想写小说。刘学锴早已拿定主意要钻研古典文学。我则对美学、文艺学感兴趣，脑海里盘旋着，文学艺术为什么会有吸引人的魅力，想弄个明白。等到分专业，我当然选择了文学。在这几年，我真正埋头书斋，读了不少文学艺术著作和理论书籍。在1953年，我集中精力，读了不少"五四"以来的中国现代美学著作，想对晚清以来50年的现代美学做一番钻研。1954年还听了苏联专家讲的"文艺学引论"，写出了结业论文《论文学的人民性》。

但在临近毕业时，却生了一些波折。1955年底，已有人告诉我，可能要我提前半年毕业，派去阿尔巴尼亚做文化交流，也可能去高教部长杨秀峰那里当秘书。但人事处正式找我谈话时，却是这样说的：国务院要加强当时的思想教育，决定从北大、复旦、人大等校抽调一批优秀毕业生，而且必须是共产党员，提前半年到中国人民大学马列主义研究班当研究生，以应急需。这是组织分配，必须服从。我心里虽有些矛盾，但在那时代，哪里需要就去哪里，已经成为我们自觉遵守的信条。毋需费多少口舌，我就在过年后，1956年初就立即去了中国人民大学，连一些师长那里我都没来得及去告别。

我进北京大学时，校长是马寅初；我进中国人民大学时，校长是吴玉章。研究生班，先是在西郊本部，半年后又迁入城内铁狮子胡同旧北洋军政府的院子里。研究生大多是全国高校来的年轻教师，极少数是提前半年毕业的中文系学生。两年后，将到高校当教师，或者去中央文化部门（李希凡在我进来之前，就刚去《人民日报》社）。所学课程，主要是哲学、中国革命史两门。其实，我在北大都已听过，只是在人民大学要学得深入些，而且由胡华、何干之这样的名家来上课。

其他时间,就是让大家看书研究,考察参观。倒好,我在北大3年多,闭门不出,北京究竟是啥样,我还不甚清楚。到人民大学半年,不仅熟悉了故宫博物院、天坛、北海、什刹海等许多名胜、古迹,而且还去了长城、十三陵、卢沟桥、西山八大处、北京猿人洞穴考察。只是,文学艺术作品读得少了,心里若有所失。

就在1956年春夏之交,国务院公布了我国准备在北大、复旦等校试行学位制度,在秋天首次招收副博士研究生,毕业后授予副博士学位,鼓励全国优秀大学毕业生积极报考。接着北京大学在报纸上公布了招生方案,其中赫然就有导师杨晦的名字,招收文艺学副博士研究生,学制四年。这,一下子拨动了我的心弦。自我反思,沉静细想,我的兴趣还是在文艺学和美学。于是,立即行动,我跑回北大燕东园去见杨晦。杨晦听我说想考文艺学副博士研究生,甚表欢迎。但他却不明白:你怎么去了人民大学?我这个中文系主任怎么不知道?对此,我也颇感意外。我懊悔当初离开北大时,没有向杨晦告别,他竟不知我已去了人大。他热忱为我出主意,要我向人大提出申请,返回北大,由北大作为应届毕业生,留校直接报送副博士研究生。

但此事遇到了一点麻烦。人民大学马列主义研究班主任张腾霄对我说:你要回北大,人大没意见。但你属高教部规划中人才,你的去留,须由高教部决定。于是,我又跑高教部。高教部一位副司长告诉我:国家规划中的人才流动,不好随便变,还是留在人大,不要回北大。正在不知如何是好的时候,我忽然想起,应该到中南海去找严慰冰,请她为我出主意,想办法。

早在我离开无锡之初,我的中学语文老师陈友梅就一再叮嘱我:到北京后,一定要去看看陆定一夫人严慰冰。她在中学读书时,陈友梅也教过她。后来她到重庆读中央大学,而后又去了延安。我到北大后,不知道她住在哪里,也没有找过她。是周海婴从许广平那里知道了严慰冰的动向,告诉了我,原来她就在北大教中国革命史。她也是人民大学马列主义研究班毕业的,和李希凡同一届。在海婴的陪同下,我就在北大见到了严慰冰。听说是陈友梅嘱咐的,她热忱邀请我到中南海家里做客。她是个文学爱好者,在教学之余,不时在写小说、散文、诗歌。她知道我在北京举目无亲,我们是无锡同乡,又是前后同学,很快就熟悉起来。每逢节假日,她就常邀我去中南海增福堂,她的家与董必武为邻。于是我也就和她妈妈过瑛,一个无锡的革命老人熟起来。在家里见过几次陆定一,谈起过北大、文艺界的一些情况。严慰冰写过一本叙事长诗《于立鹤》,取材于她父亲革命烈士严朴在无锡的革命事迹。出版前她曾给我看过,征求我的意见。我从来没有请她帮过我的忙,但这次,我就只好求助于她了。

她一听,就说:人事调动当然要通过组织进行,但也要征求个人意愿。你是高教系统规划中的人才,但国家要招收副博士研究生,也是国家需要,应该鼓励、支持。她答应和高教部打个招呼,放我回北大。

就这样,我在1956年初夏回到了北大中文系。我先在文艺理论教研室当助教,接着又在1957年春转为副博士研究生。这是因为,我国首次招收副博士研究生,人才济济,北大一下就招了近200人,还没有来得及安排好,所以延迟到1957年春季入学。当时考取北大文艺学副博士研究生的有严家炎、王世德,还有一位陈安湖,但他没有入学,到京见过杨晦,就回到华中师院当他的讲师了。这样,就剩我们3人,跟着杨晦学中国文艺学,又随钱学熙学西方文论。到1958年,北大中文系缺现代文学教师,系里又把严家炎转为教师,去讲现代文学。这样,只有我和王世德坚持到毕业,整整攻读了4年。但1959年反修,副博士学位制被说成是修正主义,不适合中国。最后,我们参加了毕业论文答辩,却没有授予任何学位,也没有个交代。毕业后,世德兄去了四川大学,我则留在北大任教。

从回到北大起,我又埋头于书斋。导师杨晦要我从中国古典文论做起,从孔子、庄子的文艺思想,顺着历史一步步写论文。约有两年的时光,我都献给古书了,并且和南京大学专治文学批评史的罗根泽教授熟识起来。外面的鸣放、反右,闹得沸沸扬扬,我却因为是研究生,不参加教师的会议,又不参加学生的活动,一心读书,得以拉开距离,不用卷入洪流。但读了两年古书,做了不少卡片,扪心反思,觉得自己最感兴趣的还是美学。当时的文艺学太政治化,而美学又太抽象,只在客观、主观上争来争去。我想寻找一条道路,能否把美学和文艺学贯通、融合起来。杨晦赞同我的想法,要我去找朱光潜、宗白华,讨教美学问题,接受指导。从此,我和他俩的交往多了起来,可以不时地去他俩的住所求教。

于是,我开始研究我最感兴趣的课题:古典艺术为何至今还有艺术魅力?不过我的目光不是只停留在古希腊,而是主要放在唐诗宋词、中西画乐。我尝试从客体的价值(真、善、美)和主体的接受(审美感受)两方面统一起来解释这种现象。但这种想法因为现实的变化而有了延缓。学术文化界在大跃进声中批判了厚古薄今,鼓励学术面向现实。周扬、郭沫若在文艺界领先推崇新民歌、革命小说,提倡革命现实主义与革命浪漫主义相结合。接着,周扬带着何其芳、张光年、邵荃麟、林默涵、袁水拍等亲自到北京大学来开设讲座,提出要建立中国自己的马克思主义美学、文艺学。北大作了部署,让中文、历史、哲学、西语、俄语、东语等系的学生都到礼堂听课。我被北大派定为这个讲座的助教,数次去过周扬家里(沙滩后街),商量课程安排,沟通授课者与听课者之间的联系。于是,我对古典艺术的美学研究只能放缓,而把注视的目光转向现实。我被邀参加中国作家协会关于现实主义浪漫主义相结合的讨论,第一次在田汉、阳翰笙、欧阳予倩等文艺前辈面前作长篇发言,然后在《文艺报》《文学评论》发表现实主义与浪漫主义相结合的论文。1958年春,《文艺报》张光年、侯金镜聘我、严家炎、王世德和李希凡、李泽厚等为特约评论员,因而我们当时这些人得以有机会见面相识。我积极参与了当时的文艺评论,因而和谢永旺、阎纲等几位熟识起来。我对王愿坚的小说写过好几篇评论,还为李英儒的《野火春风斗古城》写过一本评论小书,1959年由上海文艺出版社出版,竟一下印了10万册。当我收到近1000元的稿费(我的一年多的津贴数)时,我马上跑到王府井、东安市场,一下子就买了一车子的书,拉回燕园享受。

就这样,我从书斋走进了文艺界。以后,又由吴组缃、王瑶等的推荐,参加了中国作家协会。但是,我并不想离开学术,只是因为我的研究对象是文艺,所以必须了解文艺界,结交文艺界朋友。到周扬的马克思主义文艺理论讲座一结束,我又从文艺界回到了书斋,专心致志地研究古典文学为何至今还有艺术魅力。1960年冬,由杨晦、游国恩、林庚、吴组缃、钱学熙等组成的论文答辩委员会,通过了我和王世德的毕业论文答辩。我的论文《为何古典作品至今还有艺术魅力》,后在北京大学学报发表。于是,我的四年研究生生涯就告结束,留在燕园任教。

教学之余,我当然不会放弃对文艺美学的研究。但不到半年,1961年春,我被借调到中央党校,参加由周扬主持的人文社会科学的教材编写工作。有两年多的时间,可以在这里专心致志地研究文学,读更多的书。

这是一个宏大的系统工程,由周扬主持。高教部、社会科学院从全国各地集中了一批学者、教授,要为全国高校编写出系列人文社会科学的教科书。周扬本人的专长是文艺学、美学,除了负责全面规划外,还亲自重点抓了《文学概论》和《美学概论》这两部教材,不仅参与提纲拟定,而且还参与讨论、审稿。我参加蔡仪主编的《文学概论》的编写,但我更感兴趣的是美学。我和《美学概论》的主编王朝闻常有美学交谈,不时从中央党校散步到颐和园里,边走边谈,畅谈艺术的美学问题。王朝闻提出要把我调入《美学概论》组。我对蔡仪很敬重,我老师杨晦和蔡仪的交情又很好,我只是答允可以参加一些《美学概论》的讨论,但还是参加了《文学概论》的编写。在这两年多的编写过程中,我有时间集中钻研了更多的小说、电影、戏剧的理论,阅读了不少艺术作品。特别在和王朝闻的交往中,学得了生动活泼的艺术分析方法,受益匪浅。王朝闻,既是一个艺术家,擅长雕塑,又是一个评论家,长于分析。他为人亲切和善,平易近人,富有幽默感,谈笑风生,妙语连珠,和他在一起,听他作艺术分析,妙趣横生,真是一种审美享受。我永远不会忘记他,我到深圳大学后第一个请来学术访问的,就是他。可惜,杨晦、朱光潜、宗白华、蔡仪等几位师长在20世纪80年代都先后亡故了,来不及请他们到深圳来看一看,我一直深以为憾。

《文学概论》和《美学概论》这两本教材,都是在20世纪60年代前期编成的,但都要在"文化大革命"之后才得以使用。无疑,这两本书都努力吸取了当时的学术成果,例如《文学概论》把理论奠基在认识论基础上,而《美学概论》对美的解释采取了李泽厚的说法,既是客观的,又是社会的(这也是苏联斯托洛维奇的见解)。但是,《文学概论》还是太政治化,而《美学概论》太哲学抽象化,都不大从艺术活动、审美活动本身的实际出发。这促使我想把文艺学和美学熔为一炉。

1963年我回到北大,为中文、俄语、西语、东语几个系的学生讲授文学概论(那时,中文系不设美学,只有哲学系才开),不时在《人民日报》《光明日报》《文艺报》发表一些文艺评论文章。

1966年"文化大革命"来临,北大最早停课。但我却被当时的副校长周培源安排在一个特别的教学小组里,作为西哈努克王子那拉·迪波的文艺教师。当时,这位王子刚从北大附中毕业,爱好文学艺术,要求入北京大学读书。但北大已经全校停课,无课可上。总理周恩来为此专门发了指示,要北大专为他成立教学小组,指定教师去友谊宾馆为他讲课。于是,在"文化大革命"初期的喧闹声中,我却可以躲进清静的友谊宾馆去做了一阵"太子太傅"。我曾陪王子去拜访过许广平、浩然、喻宜萱、夏梦等,观摩过当时已很难见到的芭蕾舞,为他讲解文学、绘画、舞蹈、电影。后来,马振方也加入了教学行列,专讲中国的文学。但在一年多以后,1968年,受到干扰的西哈努克也带着王子回到柬埔寨去了。从此,再也没有机会相见。

"文化大革命"初期,我虽未受多大冲击,但已无法做什么研究,除了读《资本论》,只有写《红楼梦》评论了,但那已无多大学术价值。去过江西鲤鱼洲围垦一年多,度过了我一生中最为苦难的岁月,差点摔死在那片土地上,侥幸能活下来,算是造化。

1998年春,深大新村

海滨游子

我自己也没有想到,已届"知天命"之年的我,会在改革开放年代,从北京跑到这边陲小镇来落户。

本来,从"文化大革命"噩梦中醒来,我已很快平静地投入文艺美学的研究之中。20世纪70年代末,我开始撰写文艺美学的文章。1980年春,我去参加中华全国美学学会成立大会,陪朱光潜老人游过昆明,回来后不久就开了"文艺美学"一课,在《美学向导》上撰文论证这一学科的必要,提倡对文学艺术作美学研究。改革开放之初,国家终于建立了学位制度。我在北京大学研究生部建议新设文艺美学专业方向,开始培养文艺美学硕士。在开设"文艺美学"课程的基础上,准备着手撰写"文艺美学"专著,并和叶朗、江溶等合作编撰文艺美学丛书。燕园,是一个可以安心下来做学问的好地方,应可以在这里做点学问,安度晚年,了却终生。

但是,改革开放的暖风把我从未名湖吹向了深圳湾。在邓小平首次南方视察的鼓舞和深圳大学的召唤下,我从最古老的学府来到了当时最年轻的大学。

早在20世纪60年代"文化大革命"前夕,我就曾萌生过回江南老家的念头。1960年底,我研究生毕业分配时,曾提出过,我父母在南京已年老,想去南京大学任教,罗根泽邀我去从事中国古典文艺批评史研究。当时杨晦要我留北大,出于师生情谊,我还是没有坚持南归。就在"文化大革命"的前一年,我父亲得了癌症,我赶回南京,把他接到北京,去几所医院求医,但发现已是晚期,医院不肯收留。我在北大,虽已有了大女儿苏薇,但三口人只能挤住一间房。我只能让我父亲、继母、爱人、孩子在一起住,我自己在外找空隙打游击,在校园里借宿。父亲自然难以安心,坚持要回南京,不到半年,他就逝世了,年仅50多岁。我赶回南京奔丧,感慨甚深。我父亲终身任教,历经艰辛,操劳一生,但得病来京,连医院也住不进;我这大学教师,能让他住下来的地方都没有。我感到悲哀,也感到懊悔,为什么不早些离开京城回到父母身边,也好报一报养育之恩。我读唐诗"忽见陌头杨柳色,悔教夫婿觅封侯",颇能体会那闺妇怨夫的真切心情,我却常联想到,我远离父母到北京来做什么!我又不是"觅封侯",无非想做点学问,但学问哪里不能做,何必非在北京?

不久,我又有了新的困扰。人到中年,体质差了,加上北京的污染日益严重,我竟对北京的气候过敏起来。北京最好的季节是金秋,但一到立秋,我却病魔缠身,浑身酸疼,四肢乏力。开始以为是感冒,但哪有连续3个月的感冒?到协和医院找专家叶世泰诊查,他断定为:北京秋季性过敏,中医叫枯草热,秋天的草快枯黄时,全身引发过敏。我在协和医院治了近10年,也不见好。叶世泰教授乃苏州同乡,对我以实相告:现代医学还未见有效办法,倒不如采取避疗法,一到秋季,就离开北京,到全国各地去走走,哪里见好往哪里去,天然选择可能会自动好。杨振宁就是在美国对特定气候有过敏,每年发病时都到中国来过,躲过那季节。海婴也告诉我,宋庆龄也是采取这办法,常去上海住。

何处是归路?改革开放的暖风吹来,使我有可能走出北京,到更大的世界中去看一看,走一走。

我先是去了西南。1980年春,我和杨辛陪着80高龄的朱光潜老人在昆明住了近10天,身心都感到舒畅。这是朱先生在20世纪40年代离开西南后,第一次也是最后一次回昆明。这次,这位美学泰斗被大家推选为全国美学学会首届会长。我陪着他,住在一套房里,又扶着他游石林、大观楼、登龙门、滇池,我感受到了他极少表现出来的高兴心情。

我和朱光潜先生相识30余载。最早是在1952年岁末之际,那年我刚进北大不久,因我想多读些"五四"前后的现代美学,特地去向朱先生求教。当时,他住在校医院北侧的几间破旧平房里。我一踏进那吱吱作响的地板房时,很感意外,这么著名的美学家怎么住在这又旧又黑的地方?以后,校医院扩建,把这破旧平房拆了,朱先生才迁出去。我当研究生攻美学时,向他请教的机会就多了起来。"文化大革命"中,他搬到燕东园27号住在杨人楩楼上。我则先搬到37号杨晦楼下,后又搬到朱先生楼下,于是交往就更多了。"文革"后,朱光潜先生迁入燕南园,我也搬到中关园,不久又进畅春园,但我常去看望他。

这一次在昆明,有近10天时间,共处一室,可以促膝相谈,从学术到生活,无所不聊。他鼓励我为中文、东语、西语、俄语等系开文艺美学。他说他老了,最后的心愿是把维柯的《新科学》翻译过来。我劝他还是招些研究生,做学术助手。后来,他招过几个研究生,其中凌继尧就是大学时代我教过的俄语系学生。

昆明会议之后,我和李泽厚、杨辛等去了成都、乐山、重庆,登峨眉山,访乐山大佛,观大足石窟,然后沿长江顺流而下,到武汉、南京、上海。

此后,连续两个秋季,我都离开北京,到南京、镇江、扬州、无锡、苏州、杭州等地去参加学术会议、讲学。我想试一试,究竟在什么地方可以长住下来。南京大学包忠文、苏州大学范伯群以及浙江大学陈志明,都曾邀我去那里落户,但是,在这里并未解除我的病痛。我终于明白,纵有老家归不得,即使回到故乡,也已难以适应,只好放弃。

1983年秋,我去了厦门,参加全国美学会议。当时,我正在发病,鼻塞头疼,浑身难受。但当飞机在厦门降落,我骤然感到浑身舒畅,精神爽快,一个念头涌出:我是不是适合到海边生活?

终于来了一次新的机遇。就在这年冬天,曾在北大中文系当过副主任的罗列教授,到中关村来访相邀。他正受命负责筹建汕头大学,劝我到那里看一看,合则留,不合则回,来去自由。接着,已去深圳大学的封祖盛亦来访。1984年初,已被梁湘市长聘为深圳大学首任校长的清华大学副校长张维院士也在清华园约见我和汤一介,希望由北大人去创办中文系。我和汤一介答允,开春后去实地看一看,再做决定。

1984年初春,我先去厦门,再飞汕头。罗列驱车到机场接我到他家住。他家两口人住一幢小楼,校园环境优美,有山有水。语言学家梁东汉,已答允来此任教。在这里养老,应是理想之地。但我在校园内外观摩了几天,临别时我坦率向罗列谈了我的观感:此处虽好,但有三不:交通不便、语言不通、信息不灵,做不了学问,我不能来。于是,我又从汕头飞广州,再从广州乘车到深圳。

那时,深圳只是像北大旁边的海淀镇那样大小,在东门附近转一圈,小半天就走了全城。我在原宝安县政府的小院二层楼里找到了罗征启。他是清华大学党委副书记,来深圳大学任党委书记、常务副校长,已早几个月来这里坐镇,加紧建设新校址。他饶有信心,虽然暂时还刚起步,但看好未来必能大展宏图。我受这种气氛的感染,也有跃跃欲试之感。正好,在食堂里又巧遇美学同行蒋孔阳、李泽厚、刘纲纪等几位,他们也来这里考察,都说对深圳的前景看好,是个国际文化交流的好地方,值得来这里一试身手。小平首次南方谈话鼓舞着大家,在改革开放暖风的鼓舞下,我下了决心。

回到北京和汤一介一商量,我们二人就去张维校长家里,决定我们三人(我和汤一介、乐黛云)一同去深圳大学任职。一年中,每人在深大半年,还有半年在北大。我答允可以试三年,每年秋季在深大;若身体好,则作长期居留的准备。1984年9月开学,我、汤一介、乐黛云,和李赋宁(外语系主任),以及清华、人大的好几位系主任,由张维率领,直飞广州,然后又从广州转乘汽车到深大。随后,郁龙余、章必功、刘小枫等也从北大来深圳,正式参加深大工作。那时,深圳大学刚迁入后海湾新址,中文系宣布成立,市长梁湘和副市长邹尔康亲自与会,香港著名学者饶宗颐、罗忼烈都来祝贺。

我人生中新的一页开始了。

春夏,我仍在北大任教,带研究生。秋冬,我则在深大,教学之余,住在海边修改我从北京带来的书稿。我感受到了这里的勃发生机,激发我要趁壮年多做些事。我接受了国家教育委员会委托的西方文艺理论的教材编撰,带着我的研究生齐心奋力。有些初稿虽在北大草就,但最后,我都是在深圳大学定稿,然后付印出版。我来往于北京、深圳的这几年,是我一生中编撰书稿最多的时期。我的《文艺美学》一书,虽在北大就开始撰写,但也是到深圳后才最终完成,1988年才交北大出版社出版。1998年北大百年校庆,北大又要我修改后再版,作为纪念。

1986年春,应香港中文大学之邀,我第一次跨过罗湖桥赴香港做学术访问,在中文大学山顶会友楼住了一个多月,得以在香港大学、中文大学查阅、搜集了不少国外资料。在袁鹤翔的引领下,拜访了饶宗颐、金耀基等著名学者,结识了黄继持、周英雄等同辈学者。后来,我又以深圳市作家协会主席的身份,访问过香港作家联会、协会,和曾敏之、刘以鬯、梅子、张诗剑、陈娟、潘耀明、陶然等熟悉起来。

在深圳,我开始扩大国际学术文化交流。在北大时我和杨周翰、张隆溪接待过叶维廉、刘若愚、叶嘉莹等著名海外华人学者。我们在深大,从1985年始就举办过几次大型国际学术会议。先是,在深大成立了中国比较文学学会,迎来了季羡林、杨周翰等前辈学者。国际比较文学学会主席佛克马,英、美、日、德、法的比较文学学会主席都亲自来祝贺。一年后,又举办了海外华人文学国际研讨会,除台、港、澳的作家外,海外华人作家云集深大,陈若曦、陈映真、杜国清等著名作家都欣然莅会。中华全国美学学会和我们合作,举办过国内首届国际美学学术会议,时任中华全国美学学会会长的汝信亲临主持。此后,美、英、法、德等著名美学家布洛克等都曾来过深大,做学术交流。我也经由香港,曾去美、德、法、荷、比等做过访问。

我已从中心走向了边缘,但国内学术界、文艺界并没有鄙弃我。我被中国社会科学院文学研究所聘为特约研究员,分别被选为中国文艺理论学会和中外文艺理论学会的副会长,中华美学学会常务理事,《文艺理论研究》和《中外文化与文学》的编委、《文学理论前沿》的顾问。我也逐渐融入了特区,为发展特区文化鼓呼。我先后被选为广东省美学学会会长,深圳作家协会主席,文联副主席,文艺评论家协会主席。

我在北大,为国家培养了不少文艺美学硕士生,有些已为这一学科做了不少贡献。王岳川,已是北大教授,王一川是北师大教授,陈伟是上海师大教授,张首映在《人民日报》,丁涛在中央戏剧学院,王坤在中山大学,谢欣在《当代》,均多有建树。我到深大后,亦招过几届文艺学研究生。为适应特区发展需要,向现代化国际性城市这一目标迈进，我倡建了特区文化研究所，开办了特区文化研究生班，为深圳培养了不少文化建设和国际文化交流人才。

我在北大时，北大还没有文艺学博士点，有资格领衔申报导师资格的杨晦在1983年谢世，未能申报，北京只有蔡仪（文研所）、黄药眠（北师大）成为文艺学博士生导师。有权招收博士的文艺学点，国内只有极少几个，长江以南竟没有一个。但在1993年，我和暨南大学饶芃子教授联合，向国务院学位办公室申报文艺学博士点，终于获得了国务院学位委员会的通过。于是，我便开始和暨南大学合作培养文艺学博士生。华南有了第一个文艺学博士点，在深圳大学设立了分教点。

我已适应这南国的气候。我爱人张景贤和小女儿燕菘也来了深圳大学，我大女儿苏薇则留在清华大学工作。我离开北大时，曾有些好友相劝：还是别去，留在北大安安稳稳当教授，别去那边陲小镇。回北京时，有人还相问：懊悔没有？我说，文人来海边，是边缘化了，但我无悔。苏轼当年被贬岭南，虽说"日啖荔枝三百颗，不辞长作岭南人"，但最后还是北归了。我到海边来是自我放逐，呼吸新鲜空气。再何况，我也仍然和内地和海外保持着文化联系，每年还要到清华园住一阵，和北大、清华的熟人和学界友人见面笑谈。人从大自然中来，最后还要回到大自然中去。中间只有几十年能为社会做些贡献。人生在世，要不断自我完善，努力做得更好，才能无愧人生。我将如范仲淹所说："不以物喜，不以己悲"，以一种宁静的心境，迎来我自己的65周岁，母校北大的百年校庆。

1998年春，深大新村

唱晚岭南应无悔

从最古老的学府北京大学来到深圳这所最年轻的大学,转眼之间,已将跨进第十个年头,我亦迈入花甲之年。

国内外都有些熟识的学者问及:这番历程,什么滋味,有何感受,懊悔了吗?

我说:一言难尽,却不懊悔。

我得从头说起。

我这大半生,经历了三段生涯。18岁之前,20世纪三四十年代在江南水乡度过,足迹不出太湖流域。50年代第三秋,我从苏州到了北京,从此久居燕园,奉献了一生中最好的年华。我自己也没有想到,会在我入"知天命"之年来到经济特区深圳,将在这里度过最后一段人生。是改革开放的暖风把我吹到了这里。

人是一个复杂的机体。蛰居北大校园30年,却一直不能适应京都的气候。本可在燕园安居乐业,不料我却对北京的秋季过敏,患了中医所说的"枯草热"。在这北京最美好的季节,我却病魔缠身,无法教书写作。在协和医院治了10多年,苏州老乡叶世泰教授最后表示爱莫能助,无能为力。他衷心劝告我,不妨尝试移地而居,说不定会不治而愈,亦未可知。海婴也劝我,不妨学学宋庆龄,不必老死北京,到南方找个地方,可以南来北往。

于是,我渐生南移之心。南京大学、苏州大学邀我回家乡,为争设文艺学博士点而共同奋斗。浙江大学陈志明也邀我去杭州参与学科建设。我也真想落叶归根,重返江南。但在秋天发病季节回到苏、杭,试了几次均未奏效,"枯草热"未见消退,着实令人沮丧。欲回天堂已无路,纵有老家归不得,只好叹息。

邓小平的南方讲话,给了我极大鼓舞,吸引我来到了深圳。

  1984年初，正在负责筹建汕头大学的罗列教授来北大，劝我去那里看一看。时任清华大学副校长、兼任深圳大学校长的张维院士则盛情相邀去深圳。耳闻不如目见，和汤一介一商量，我决定亲身去那里实地考察。

  我在厦门参加了学术会议之后，乘飞机到汕头时，正好是"五一"。罗列教授亲自到机场接我，就住在他家里。说真的，汕头大学选定的校址确是景色宜人，为教授设计的每家200平方米的别墅庭院更是诱人。但我在考察之后感到，这里并非久居之地，信息不灵，语言不通，交流不便，学术难有发展。罗列是我北大的老师，就以实相告。他亦能理解，并不见怪。

  辞别汕头，我绕道广州，到了深圳，直奔那本是宝安县政府所在地的深大筹建处。简陋而狭小的校园，人来人往，熙熙攘攘，忙忙碌碌，来访者络绎不断。没有料到，我在这里竟和来考察的美学家蒋孔阳、李泽厚、刘纲纪等几位老熟人不期而遇。我带着张维校长的信，第一个见到的就是王克来（校长办公室主任）。一谈开，方知我们还是苏州老乡。又见了清华大学来的史博文，他们都坦诚相见，劝我来深圳。那时，整个深圳，像样的还只有像海淀镇那样的一条老街，只消半天就走完了全城，毫无吸引人之处。走出简陋的校舍往西不远，还是一片未曾开发的红土地，人烟稀少，道路泥滑。但小平关于创立经济特区的设想，令人鼓舞，从清华来的常务副校长罗征启介绍的深大发展规划，前景诱人。我虽然没有再去蛇口看一看深大新校园，但深圳之行激发我产生了一种投身崭新事业的愿望，坚定了对未来的信心。回北京和汤一介一商量，很快答允张维校长，我，汤一介，还有尚在美国的乐黛云，决定应深圳大学之邀，参与创建中文系。

  就这样决定了我新的命运。1984年9月，张维校长率领我们这些从清华、北大、人大聘来的系主任近10人来深大新校就任。从此，我就和深圳大学结下了不解之缘。

  万事起头难。在这一平方公里的土地上，以飞快的速度还只是建成了一栋办公大楼和教学大楼，大片的荒地还未开发，整个后海湾显得荒凉。中秋那晚，从北大来的数位教师在月夜漫步，触景生情，回想起了鲤鱼洲,我不由得心头掠过一丝阴影,浮起一股淡淡的哀愁。但是,深圳没有眼泪,蒸蒸日上的朝气激励着开荒者马不停蹄,改革开放没有后退之路,我只能勇往直前。

确有好心人劝我勿来深圳。北大环境优美,最宜治学,当了教授,再做博士生导师,写几本书,就进入最高境界,何必离开最高学府?

这很触动我的心:如果来了深圳而丢弃了学术事业,这将是莫大的悲哀,会遗恨终生。

然而,移居深圳是不是也可以成为一种鞭策,激励自己亦能学术有成?

值得欣慰的是:正是改革开放的最初10年,我的生命第二次解放,重获青春,学术生涯具有了新的活力,注进了新的血液,从而挥发出新的学术生命。我的主要著述,几乎都是在我来深圳以后出版问世的。这使不少友人感到奇怪,这是怎么回事?

事在人为。要是有心,而且得法,在深圳这地方,仍然可以学术有成。事情都有两面,深圳的环境,对学术发展有不利的一面,却也有有利的一面,看你是否有心或是否善于掌握那有利的方面。改革开放为我们展示了美好前景,可以激发没有充分发挥的学术热忱。崭新的大学创造了宽松广阔的学术环境,可以让人自由研究学术,从心所欲而不逾矩。特区较为宽裕的境遇又为学者提供了小康之家的安定生活,不致为稻粱谋而弄得精疲力竭。如果不想当官,也无意发财,学者尚可静下心来,安居乐业,做点学问。

文化交流的扩大,拓展了学术视野,即使是文化研究,可做的课题也甚多,大可不必在羊肠小道、独木小桥上你挤我推。

学术研究如果符合文化交流需要而为人称道,这本身就是令人高兴的事。当我带着王一川、陈伟、丁涛和王岳川等,把大家读书搜集来的美学资料集编成《中国现代美学丛编》《中国古典美学丛编》数种在中华书局和北大出版时,我的本意只是想为后来的研究生提供一些方便,引导入门,以供以后治学的参考,没有想到竟会引起海外学者的注意。台、港一些同行告诉我,他们几乎都藏有我的著述,注视着我的学术动向。这使我感到欣慰和鼓舞。

30年代的封闭,使我们长期不了解20世纪西方文艺理论的发展。我到深圳后,较早从香港学者那里获得一些信息,但仍感残缺不全。国家教育委员会委托我为文科主编西方文艺理论教科书,我从深圳去香港多次,在香港大学、中文大学搜集了不少资料,得到了香港学者袁鹤翔、黄德伟以及国际比较文学学会主席佛克马教授的帮助,才得以完成数百万言的系列教材。

　　文化交流促进我们的学术研究拓展更广阔的道路。在我最近参加的一次国际学术会议上,我坦率地告诉台湾和香港学者,我所著《文艺美学》的书名,就是受台湾著名学者王梦鸥的启发而题。还在20世纪70年代,我集中精力研究《红楼梦》时,就读过老一辈学者王梦鸥的红学著作,甚感敬佩。由此我又读了他的一本文艺评论小书,深感他所说的文艺美学,实在应发展成一门独立的学科。文艺学和美学的融合,就应命名为文艺美学。于是,我在80年代初的中华全国美学会上提出了,在艺术院校、中文学科,应发展文艺美学,以区别于哲学美学,美学老人朱光潜和王朝闻都很赞同。接着,1981年我在北京大学研究生部首先招收文艺美学硕士研究生,为建设文艺美学这一学科尽了心。如今,眼看着我培养出来的文艺美学硕士,分布北大、北师大、上海师大、《人民日报》,有的已提升为教授,有的已成为博士,他们所招的硕士研究生,专业方向中也有文艺美学,我怎能不感到欣慰!我的《文艺美学》一书的写作,虽开始于北大,但完成于深大。

　　安家何必只故乡,乐业亦可去天涯。终于在深圳落地生根,成了深圳人。我的老伴、女儿都相继来了深圳。在这里,我除了研究、教学,还时常写些评论、随笔、散文,敦促自己面向深圳。承蒙深圳人不弃,选我为作家协会主席、美学学会会长、文联副主席,使我有更多机会接触社会,了解深圳,根也越扎越深。前不久,仍有好友劝我回北大去当博士生导师,还有一所著名大学邀我去当文学院长。我感谢朋友的好意,但都婉言谢绝:我已不想离开深圳。

　　深深感谢国内外文化学术界的许多好友,并不因为我离开了最高学府而厌弃我,仍然邀我参加不少学术会议,得以使我同国内外文化学术界保持着密切联系,使我能经常同国内外文化学术界进行交流,不致闭目塞听,故步自封。

也许是幸运,本来以为只有名校教授们才能得到的荣誉,竟不期然地降临。去年,国务院颁予我国家突出贡献证书。1987年,北大中文系主任严家炎劝我不要离开北大,要我领衔为北大申报文艺学博士点,我深深爱上了深圳,还是走了。国务院学位委员会希望我在深圳仍能发挥我的学术优势,鼓励我和华南地区学者联合,为华南增设文艺学博士点做出贡献。

若果能如此,将能吸引台、港、澳,东南亚及华南的青年学子来广、深攻读文艺学博士,扩大文化学术交流,为华南做贡献,当为此一搏。新任校长蔡德麟教授重视人文学科,对我多有鼓励。但谋事在人,成事在天,成与不成,处之泰然。不管结果如何,我的关注仍将是特区的文化教育。

十年辛苦不寻常,眼看深大在成长。尽管不尽如人意,但这是咱们深圳人自己的大学,大家都为之付出了心血。眼看10年前的荒滩野岭,如今已是郁郁葱葱,一群群莘莘学子从这里走向社会,怎能不欢欣鼓舞!新的一代在成长,发展道路更宽广。学生走向了社会,有献身公务、服务社会的,也有经商发达、出国开拓的,我都为之高兴、祝福。也有学业有成、继续深造,有志于学术事业的,我为学术界庆幸,不必担心后继无人。3年前,香港学生何子健要我为他推荐入北大攻读硕士,如今,他又在北大攻读博士学位了,能不为他高兴!

江海后浪推前浪,岁月匆忙不饶人。在这不断流动、颇有活力的特区天地里,希望属于年轻人,但我们这些进入老年行列的人,恐亦不能松懈,尚需继续努力,免得将来愧对余生。终老海滨须勤奋,唱晚岭南应无悔。以此自勉,亦以此自慰。

深圳大学创建十周年有感而作
1993年春,深大,海涛楼

走向边缘又何妨

今春,去母校北大参加百年校庆,重登人民大会堂,又在清华住了一阵,颇多感慨。夏末,又迎来了深大十五周年校庆,别是一番气象。岁月匆忙,人生苦短,难得碰上这样的历史时刻,忍不住提起笔来,略抒自己的感受。

那些天,面对清华园里那宁静的环境,想起我在深圳住所那令人心烦的喧嚣噪音,心里不由得浮起淡淡的哀伤。

然而,我并不懊悔来了深圳。因为,在这里,我看到了另一种天地,经历了别一番人生,体验到了另一种生活,在北大不一定感受得到。

1984年的夏秋之交,我和清华、北大的几位教授,跟随张维校长从北京来到后海湾、粤海门深圳大学新址。我的人生掀开了新的一页。

那时,后海湾、粤海门还刚开始开发,一平方公里土地,和北大差不多的面积,只有一座教室楼和一座办公室楼建成。张维校长和我们一样,住在凌霄斋,一人一间。中秋那晚,我们几个从北京来的汤一介、乐黛云、郁龙余、张卫东等人在后海湾散步,看那月亮特别圆,周围显得越加空旷。忽然乐黛云发出长叹:咱们是不是又回到了鲤鱼洲?这一唤,却把我带回到了10多年前鄱阳湖畔那荒凉之地,我们在那里围垦造地,劳动改造。那里的大地也是这么空旷,月色也是这样明亮,却反而越加衬托出那里的荒凉。

不过,我到后海湾和当初去鲤鱼洲不同。去鲤鱼洲是被迫的,工农兵要占领教育、文化阵地,我们这些手无缚鸡之力的"老九"(尽管我还是参加过学生运动的老布尔什维克)被迫放逐,那是出于无奈。而我到后海湾来却是自选。80年代以来,我一直有心想远离喧嚣,寻找清静,自我放逐,走向边缘,找一个宜人环境,做一点感兴趣的学问,安居乐业,"从心所欲不逾矩",毋愧人生。

于是,在我"知天命"之年,来到了这边陲小镇。

其实,走向边缘也不见得不好,若真有心做学问,反而可以潜下心来,排除干扰,自我调适。20世纪80年代最初几年,虽然在北京—深圳之间奔波,却在深圳完成了不少著述。春季,我在北大带研究生,一起研究文艺学、美学,撰写书稿论文。秋季,又带着书稿论文,边上课边修改。然后,将书稿、论文带回北京,或交中华书局,或交中国社会科学出版社,或交北京大学出版社,印书出版。在深大宁静的校园里,极少外界的干扰,反而可以潜心学术。

和在北大时只和书打交道不同,我在深圳,不只和书,也和人有了交道。不仅和深圳人,而且和越来越多的境外人有了交往,参与国际文化交流。到此第三天,当张维校长向公众宣布中文系成立,就迎来了专程从香港赶来祝贺的著名学者饶宗颐、罗忼烈和学友程祥徽(现澳门大学文学院院长)。以后,随着文化交流的扩展,我和港澳的学者和作家都有所交往。在相互交往中,我又和美、欧、澳、东南亚的许多华人学者、作家相识,又结交了不少国际学界新朋友,如美国美学家布洛克、荷兰比较文学家佛克马等,从而大大地开阔了我的学术视野。

虽然离开了中心,内地文化学术界也并不因我走向了边缘而鄙弃我,还不时邀我参加一些全国性学术会议。我在深圳也积极参与筹办一些国际性学术会议,促进中外文化的交流,如中国比较文学学会成立大会暨国际研讨会,海外华文文学国际研讨会、国际美学会议等,迎来了国内外的著名学者,如季羡林、杨周翰、王力、王瑶、徐中玉、汝信、秦牧、赵浩生、曾敏之等。

我也逐渐融入了特区文化圈,文化学术界的朋友越来越多。我也为深圳的报刊写随笔、散文、评论等,为特区文化学术的发展鼓与呼。

在深圳10多年,尽管我也亲眼看见了因无序开发、盲目竞争带来的人间丑恶、欺诈、腐败、堕落,令人气愤、痛心;但我也感受到了向世界先进学习而带来的清新。我永远不会忘记,当我们在刚落成的粤海门客舍举办海外华文文学国际研讨会时,市长、副市长,不仅直接过问,由市政府给予经济支持,而且还亲自到客舍来听会。那时,按国际惯例,以学术为本,开会没有那么多繁文缛节,只有学术会议的真正主角,学术主持和学术发言人坐在演讲台上,其他人一律坐台下。市长梁湘和副市长邹尔康静静地坐在听众席上,和海内外著名学者秦牧、徐中玉等一道,全神贯注地听学者在台上发言。我亲历了这一历史时代,此情此景,令人感动。可惜,这种情景,在此后我就难得再见到了,官本位和钱本位已在侵蚀学术界。

在深圳,除了扩大与人的交往,有好几年还有机会更多地亲近大自然。我在校园海涛楼住了七八年,享受到了后海湾的清新空气,天高气爽,令人心旷神怡。那时,在海边也还自然生长着红树林,在这里散步,常使我想起了俄罗斯画家笔下的荒凉的河岸。我曾分别陪着美学老人王朝闻夫妇、美国学者布洛克夫妇漫步在这荒凉的海滩边,大家都赞叹大自然的恩赐。可惜海边没有沙滩,只见淤泥,我曾沿着后海湾步行到蛇口,想寻找可以游泳的地方,走了半天,败兴而归。但当潮来水涨,特别是在雨中以及雨后天晴的时光,远眺对面香港的流浮山,山色朦胧,隐约可见,海湾里渔船归航,不由得使我想起了苏轼吟西湖的诗句,真是"黑云翻墨未遮山","山色空蒙雨亦奇",沉醉在那优美的意境之中。后来,海边建起了游泳池,教学之余,我几乎天天沿着林荫大道,赤着脚走向泳池,全身舒展,静卧水上,静看碧空,白云悠悠,激发思古之幽情,赞叹江山之多娇。

然而,俱往矣,岁月不再。我随大流搬出了校园,从此日夜伴随着那马路边货柜车的轰鸣声和污浊的废气。没有想到,十多年工夫,汽车的污染也在侵蚀这座新城了。此刻,我只能在噪音喧嚣中对那段日子作美好的回忆,对深圳大学作美好的祝福。

为深圳大学创建十五周年而作
1998年秋,深大新村

精神家园何处觅

一个人,不可能在同一时间里占有两个空间,不可能同时在两个地方生活。若能找到一个可以长住久安的地方,就希望这里不仅是可以栖身安居之所,还应是寄托灵魂的精神家园。

灵魂,虽然是在人的头脑这个特殊的物质中生成的,但它飘忽不定,游弋在人和世界之间。精神的家园也只能建立在人和周围环境的关系之中。

深圳是个好地方,有山有海,已很难得,何况,从创业伊始,就很关注文化建设。当初,虽然已建市,但实际还只是一个边陲小镇时,就建起了那样现代的博物馆、图书馆、大剧院、美术馆、体育场,这真是个"超常"发展。现在,即将兴建新的市中心区,音乐厅、新图书馆、文化大厦等新的文化设施,都被置于重要地位,着实令人鼓舞。

特区在创造着自己的精神文化。深圳人奏出了《春天的故事》《走进新时代》这样的时代心声,也为国人奉献了《深圳人》《花季,雨季》这样反映新时代的小说或电影。特区精神之流,从深圳人的心底溢出,又融进另一些人的心灵,滋润着我们的精神世界,使更多人有了精神家园之感。

但精神家园之感乃是人类和环境之间关系的综合效应,既由整体环境决定,又决定于人的整体文明。为了创造美好的世界,人当然要使自然"人"化,更加符合人的需要。但使自然"人"化,绝不是要使自然劣化,而是比之前更加优化。同时,人我自身也要不断"文"化,提升自己的文明程度。人我只有使自己日趋完善,才能使自然的"人"化向优化推进。人的"文"化和自然"人"化的相互促进,创造出整体的文明环境。

尽管我在20世纪80年代前期就已来到这块热土,但我在精神上却长久不能适应这儿的环境。

那时,我从北京飞到广州,再由广州乘车奔深圳,虽要奔波数个小时,但沿途一派青山绿水,天高地亮,感觉甚好,倒也不觉劳累。住在粤海门,在一平方公里的土地上,辽阔空旷,空气清新。后海湾那时还有红树林,不时有白鸥飞翔。香港友人杨勇从中文大学来访,站在校舍高处,竟能远眺流浮山边他所住的一片楼群,连声说这里真是好地方。

可是,在这宁静的环境下,除了教书,还能做些什么呢?我不想放弃我的美学、文艺学的研究。可深圳当时没有多少我所需的图书资料;我的学术梯队也不在这里。于是,有好几年,我只能有一半时间在深圳任教,还有半年便回燕园看书、编书、写作。

只有亲身参与特区的人文建设,逐渐融入周围环境之中,才会慢慢地在这里产生精神家园之感。

我开始和特区的文化艺术界有了交往,参加文化艺术的评论活动,为特区报、商报、作家报、特区文学等本地报纸杂志写评论、随感、散文,和大家有了精神交流。这里不是缺乏学术文化的氛围吗?那就别等待和埋怨,不如和学界朋友一起行动起来,做一些力所能及的事,共同营造学术文化的氛围。我积极参与或筹划了数次大型国际学术研讨会,如:港澳台和海外华文文学国际研讨会、国际美学学术研讨会、中国比较文学学会成立大会及国际研讨会,迎来了季羡林、饶宗颐、曾敏之、刘以鬯、王朝闻、徐中玉、汝信、陈若曦、赵浩生、布洛克(美)、佛克马(荷)等许多国际著名学者和作家。正是在这种参与中,深圳对我来说才日益感到亲切。

当20世纪90年代初春节,我和龙余从深大到市区看望必功、卫东等老师,发现宽阔的马路上竟无行人。来深圳闯天下的内地人,还是回"家"过年去了,没有把这里当作自己的家。我也曾困惑:日暮乡关何处是?难道这里只能成为匆匆过客的异乡?

然而,改革开放的继续深入和扩大,为深圳带来了更多的热闹和繁华,人如潮涌,心仪躁动。于是,人们开始关注:在经济发展中提高科技水平的同时,如何控制人口的急速膨胀?如何提高人的全面素质?如何阻止开发的无度?如何防止人和环境的失谐?深圳的物质生产和物质消费发展都极迅速,我深信,今后的经济只会越来越繁荣。但是,今后如何化解生产和消费之后丢弃的越来越庞大的废料垃圾,如何保护好深圳那美好的自然生态,我们的心思关注得还是不够。也许是杞人忧天,我最担心的是这三类污染将在今后加快扩展。一是水流的污染。深圳的河道,深圳河、新洲河、福田河等都在变黑发臭,后海湾亦将变为排污沟,如任其自流,必将直接影响人民生活。二是垃圾的污染。深圳正在大兴土木,加速开发,建筑垃圾、电器垃圾、生活垃圾等急遽增长,如何处理,急需想方设法。三是汽车的污染。深圳经济正在腾飞,先富起来的人群已在追逐私人小汽车,这就必将引发空气污染、噪声污染和交通拥堵,曼谷、吉隆坡等地已有前车之鉴。深圳如何未雨绸缪,早筹良策,不妨早些学习香港和新加坡的调控谋略,以免将来失控。

令人欣慰的是,就在近两年,深圳增强了自我意识,深知,若要想向国际化都市发展,不仅经济发展要增加知识含量,应向知识经济发展,而且要全面改善人文和自然环境。在全面掌握整体环境的基础上,对2000平方公里作出全面规划,要把东部开发成海洋旅游区域,西部开发成田园风光地带,北部则成为山野森林的观光区域。这实在是为特区人民造福的善举,我不禁为之拍手称好。这样的规划,既遵循深圳整体环境的客观规律,又符合人民的美好理想和愿望。

人应该按照"美的规律"来创造世界。若真能把自然的"人"化和人我自身的"文"化和谐结合起来,营造我们的精神家园,这个世界将多美好,真正实现天更蓝,水更清,地更绿,花更多,城更美,风更正,气更顺,命更长。我还希望再补上一句:人更好——希冀人我能提升到一个真、善、美相统一的境界。

1998年春于深大新村

家园亦可在天涯

深圳建立经济特区已有20年，我来深圳也已进入第17个年头。随着新世纪的来临，不时引起些许回忆和遐想。

在祖国大地上，我整整辗转了半个世纪。先是从江南水乡走向未名湖畔，30多年之后，又转向岭南海滨。绕了半圈，最后，终于在深圳这块土地上停格，不再走了。这里是我最后落定的家园。

美学家、艺术家、作家、诗人的生活理想，是想"诗意地"栖居在这大地上。这理想当然美好，但是否能实现，这不仅关涉这个主体以什么心态、如何对待周围世界；更重要的是，我们生活于其中的那个客观环境是否真适宜于人的生存、发展和自我完善。若真能实现"诗意地"栖居，应是人和环境这主客体互动的结果。

深圳，真是个好地方。

这倒不是主要因为这里物质富足、经济繁荣，可以随意吃喝玩乐、尽情享受。我不太在意于此。其实，我在这里的衣食住行、物质消费的支出，并不比北京高多少。不是不敢花，非不能也，是不为也，我没感到那种需要，若只停留在物质层次，享受不到多少乐趣。特区初期，我在深大参与创建中文系时，容许我有3年时间可以亲自体验、观察这个边陲小镇的生活，然后再定去留。尽管那时的文山湖还是荒凉的水池，远没有北大的未名湖漂亮。但我在荒凉的海滩边，感受到一种生机勃发、蒸蒸日上的氛围，可以激发人的潜能，施展自己的身手，也许在这里可以做成一些有意义的事。

于是，我沉淀了下来。尽管在20世纪90年代初，这里的发展曾经历过一个低谷，人们怀疑经济特区还能不能办下去，海外来客纷纷离去，内地人士也在大批撤退，我却反而把我的户口从燕园迁出，断了回北大的后路，准备在这里落地生根。

  我看中了这里的生态环境和人文环境。这是一个可以生长出现代文化和培育出新的人格的具有创新潜力的优良环境。

  这里有山有海，山水相间，蓝天白云，空气清新。在天地自然之象中，到处显露出难得的自然之美。漫步在长着红树林的校园浅海滩边，令人心旷神怡。我惊异地发现，白衬衫穿了好几天，那衣领上竟还没有发黑的迹象，空气清新如此，能不令人称奇！最令我高兴的是：经历了20年的高速开发，深圳竟仍能保持着良好的生态环境，在今年跨入了世界花园城市的行列。但我也有感到痛心的地方：在咱们开发过程中，没有及早地把深圳最珍贵的地方——东部海岸纳入规划的视野之中，以致像葵涌这一线的海岸，竟建了污染海水的化染厂。

  幸而，在最近几年里，咱们的生态环境得到了更高的重视，海岸，甚至海上的开发也被列入了规划。海洋，人类多么宝贵的财富！咱们拥有的东部海岸，特别是南澳一带，堪与夏威夷、芭堤雅这样的地方比美，它对于咱们这个城市的价值，将日显其内在的珍贵。

  这里的人文环境，向不为内地人看好。但我从来不以为这里是文化沙漠。岭南文化在这里的发展渊远流长，更重要的是，广大移民带来了各自的文化，在这里碰撞，尚未形成一种固定模式，这倒反而有助于文化创新。各种文化在碰撞中相互吸收，取长补短，也许会更好地促成一种更新更美的文化的生长。

  最使我敬佩的是，深圳在20世纪90年代初尚处在发展低谷中，就把目光转向高科技，从而使深圳的经济能得到高速而持续的发展，这真是高瞻远瞩，功德无量。而在最近几年中，深圳不仅想方设法以更大的力度发展高科技，而且视野更为广阔，把目光拓宽到深圳如何实现社会发展的全面进步这一更宏伟的战略上来，这确是更上层楼的惊人之举，令人拍案叫好。

  按照马克思的想法，咱们未来的理想社会，应是要创造出一个人人都能得到全面而自由发展的社会条件。发展高科技、经济持续发展、精神文明建设、文化艺术的繁荣，目的都在促进社会个体的全面而自由的发展，充分发挥每个人的潜能。反过来，也只有个体的全面而自由的发展，各个人的潜能的充分发挥，才能实现社会发展的全面进步。但两者不会自发地实现统一，必须由人来自觉地调控。因而，这个统一将是一个漫长的历史过程。深圳能不能及早关注并在实践中加快这一过程？在这有生之年，我会时刻关切着，在我们这里将会怎样一步一步地向着这个方向，朝马克思的这一伟大理想迈进。

  不时有友人问我是否懊悔来深圳？我毫不犹豫地称：从不懊悔。但我唯一的遗憾却是：我缺乏先知之明，不该从校园搬到皇岗大道的福田立交桥下。当初，这里人烟稀少，路宽地旷，可不到几年，如今已车水马龙、噪音隆隆。虽说是交通方便，商贸兴隆，可我还是想做点学问、思索些问题啊。对我来说，最有价值的还是宁静。在这新世纪到来之时，我唯一要期盼的是：但愿在我这最后的家园里，多一些人间已很难得的宁静！

  跨入新世纪之后，我对自己的人生多了一些反思。我深爱深圳这块热土，将在此终老。但爱而知其丑，亦感到了深圳飞跃发展中的不足。随着粗放型过度开发的急遽扩展，一些生态问题已在逐渐暴露出来，水流污染、垃圾污染、声空污染等日渐扩展。按我对生态的理解，生态至少有三个层次：自然生态、人文生态和精神生态，都应和人相适应，和谐相处，方能诗意地栖居。依我的体察，深圳当前首先要关注自然生态，防止各种污染的扩展，但同时要高瞻远瞩，及早关注人文生态和精神生态的发展，防患于未然。深圳更应加快高等教育的发展，才能有更大的后劲，把深圳建成现代国际化的海滨城市。

为深圳经济特区建立二十周年而作
2000年冬于深大新村

走出家门是香港

站在深圳河、后海湾的这边,亲身感受着香港回归这一伟大历史时刻,该是怎样的兴奋!

自己也没有想到,我的家竟会安到这香港边界前。这是通往香港的最大口岸皇岗的大路旁。从家门出来,过关就是香港,真可说,走出家门是香港。

我生于无锡,长于苏州,本与香港无缘。少时,虽听我那当教师的父亲说起过一些旅港作家、明星的奇闻轶事,但对我那幼小的心灵说来,都只是海外奇谈,虚无缥缈,不可捉摸。

青年时代去了北京求学,从此久居燕园数十年,离香港更遥远了。然而,在那艰苦的年月里,我却有缘认识了来访的几位香港朋友。

那是20世纪60年代中的一个初秋,由费彝民和夏梦带领一批香港文化界人士到北大访问,学校要我去临湖轩接待。费彝民是香港大公报社长,夏梦则是正走红的电影明星,初次相见,我很拘谨。不料,交谈下来,我和费彝民都知道了对方是苏州人,于是,干脆就用吴语交谈,说起苏州园林、吴中风情来。夏梦一听,也参加了进来,神采飞扬、兴致勃勃地谈起评弹、苏昆。原来,她这个上海人也很熟悉苏州。乡音一通,谈笑风生,我们就在从容相对中认识了。当时西哈努克王子那拉·迪波刚进北大,跟我学文艺课程。我抓紧时机,在友谊宾馆抽空带王子拜访了夏梦,请她说一说香港的文学艺术。但这是严酷的时代开始时的昙花一现,以后10多年,再也难得有这种文化交往了。

到80年代初,改革开放的暖风徐徐吹动,才又见香港朋友自南方来。在古老的京城,我和杨周翰、张隆溪等接待了当时还在香港任教的叶维廉、已在香港定居的美国学者李达三、从香港来的美国学者刘若愚,后来又接待了香港学者袁鹤翔。这些学术交往,积极地促进了北大的比较文艺学科的建设。那时，美国的、欧洲的、日本的学者来北京，都经由香港入境，香港成为中外文化交流的枢纽。在我心目中，香港已不再那么神秘了。但究竟是个什么样的地方，我仍想象不出。

特区的建立，使我的生命历程有了一个转折。我从北京来到了南海之滨，成了香港的近邻。

在1984年夏，应首任校长张维院士之邀，我们北大、清华、人大的几位学者李赋宁、汤一介、乐黛云等一同来到了深圳大学。在后海湾刚落成的校址举行的开学典礼上，我们迎来了香港著名学者饶宗颐、罗忼烈，在港校友程祥徽（后任澳门大学文学院长）等。他们特地从香港赶来，祝贺深大中文系的创立。从此，我和香港学界有了频繁的交往。我们在这里举办了中国比较文学学会成立大会、海外华人文学大会，香港的学者袁鹤翔、周英雄，香港的作家曾敏之、刘以鬯、犁青、张诗剑等不仅积极参与，而且还在香港帮助接待美、英、德、日等国的学者、作家，得以从香港顺利地出入深圳。

也正是有那么多香港朋友的热忱相助，我初次去香港，没有那种去美、德、法等国所体验到的陌生感。

1986年春，我跨过深圳河来到了香港中文大学，住在山顶上的新亚书院会友楼，做一个多月的学术访问。那时，新亚书院院长金耀基刚卸任，由林聪标新任。袁鹤翔陪我赴欢迎酒会，不仅见到了饶宗颐、金耀基，而且还见到了来访的台湾博物院长。我每天清晨漫步去半山腰图书馆，中午到书院小餐厅，和学者、教师一起用餐，得以和大家自由交谈，又认识了许多新朋友。

从山顶住所俯视吐露港，远眺狮子山，使人心旷神怡。那时，这一带清静空旷，人烟稀少，给人世外桃源之感。从山顶去图书馆，边走边欣赏周围美景，其乐无穷。晚上，鹤翔兄亲自开车，有时去沙田晚餐，有时则走得更远，去九龙绕一周。逢节假日，有时港大友人德伟兄从港岛南端驱车来新界，接我去香港大学，或去港大图书馆查资料，或去他那豪华舒适的半山寓所，谈天说地，然后又去山顶或海上游艇，欣赏海上夜景。有时，杨勇兄陪我去港岛、九龙的闹市，上街购物，或去他那锦绣花园的别墅做客，坐在绿茵草地、养鱼池旁，说古论今。东亚大学一位友人，还专门驱车送我去新界西北最偏僻的自然保护区，沿着后海湾的崎岖小路，停在落马洲头，远眺对岸的深圳大学、华侨城，历历在目。喔，原来这里离得这么近！如果这里架上一座桥，或者开辟航船，不需10分钟就能到达。

香港友人的热忱使我们的心更近。承蒙友人关怀，使我对香港有了切身的感受，一睹这颗东方明珠的真面目。来过深圳的一些友人还使我增强了信心，他们说：只要继续改革开放，深圳10多年后也能赶上当时的香港。

这次香港之行，在香港大学、中文大学阅读和搜集了不少20世纪西方文艺理论的有用资料，使我和张首映能顺利完成国家教育委员会委托编写的《西方二十世纪文论史》一书，成为国内高校的教科书。

这以后，我获得了经常出入香港的自由。为了学术、文化交流的方便，深圳给了我常年自由出入香港的通行证。香港友人有什么学术交流活动，一个电话过来，我也可以很快去那里，以文会友，甚至可以当日归来。香港大学、中文大学之外，还去了科技大学、城市理工学院、岭南学院、浸会学院，陆续又认识了黄继持、梁锡华、潘铭燊、陈方正、赵令扬、梁秉钧等学者，有了更多交流的机会。数年之后，这些学院已在建造宽敞、美丽的新址，扩展为综合大学。我真为香港朋友们高兴。

交往的香港作家也越来越多。我曾以深圳作家协会主席的身份，和香港作家联会、香港作家协会进行互访。我永远记得在维多利亚海上深港作家联欢的盛况。香港有一些作家也参加了深圳市作家协会，常来深圳聚会，有一次，副市长林祖基也来共度中秋诗会，那情景令人难忘。

随着岁月的推移，我的学生也有不少去了香港，北大的、深大的，从学士到硕士、博士都有。香港于我，变得越来越亲近。从深圳到香港，我的感觉，就像从北大到王府井去看朋友一样方便。去美国，访欧洲，我也不必再去北京，而是直奔香港，从那里起飞了。

海外友人来访就更方便了，因而常常出现意外的惊喜。10年前，美国著名美学家布洛克夫妇初次访北京、上海，最后由我的学生陈伟博士陪同来深圳访我。他俩在粤海门客舍住了几天,遍访深圳的银湖、海湾,最后,我送他俩从蛇口乘飞艇赴港返美。深圳的清新,给他留下了深刻的印象。1996年冬,中华美学会在深圳大学召开首次国际美学会议,许多国家的美学家都经香港来到深圳。我不知布洛克的最新地址,没有来得及告诉他。谁知,我在大会上刚发完言下来,有人在我身后一拍我的肩膀,我回头一看,原来是布洛克。10年不见,大家都很高兴,他告诉我:这一阵,他正在香港大学讲学。他从港大友人那里知道深大有这个国际会议,他就直接过来了,不需要另办什么手续。此次重逢,他对深圳10年的迅速发展甚感惊异;但也坦言,城市太多港化,失去了往日的清静。我默然不语,心里却明白:深圳太像香港,盖因很近香港,地缘使然。是耶非耶?历史使然。然而,近几年深圳的决策层,目光已日益远大,视野更为广阔了,在考察过欧美许多国际城市后,新的规划已在超越香港。这种变化,使我从心底感到欣慰。

随着"九七"到来,香港回归。香港这颗明珠将越来越光辉灿烂,深圳和香港的关系也将越来越紧密。也许,在日益发展的交往中,深圳和实行一国两制的香港,在携手并进的历程中,会形成各自精彩的不同的特色,具有不同风格的魅力。

1997年夏,深大新村
(为迎香港回归而作,原载《光明日报》)

南有荔园令人迷

深大校园，着实迷人。繁花似锦，遍地绿茵。湖光山色，现代建筑，交相辉映。满园春色关不住，真是一派好风景。

我这一生，曾出入于国内多地名校名园，也曾在美、德、法、俄、日等国，穿越过不少高等学府。比较之后，我敢肯定地说：深大校园，无疑可归入世界一流之列，堪称先进而又自成特色。

深大校园，荔树成林，收获季节，果红叶绿，煞是壮观，故有"荔园"之称谓。学界文人，想象丰富，亦有"北有燕园（北大），南有荔园"之美誉，令深大人为之自豪。

步入"荔园"大门，恢宏大气的空间布局，精致壮美的各类建筑，逐步展现，精彩纷呈。教学楼、图书馆、科技楼、运动场馆……一栋栋楼宇，巍然屹立，错落有致。文山湖、杜鹃山、艺术村落……一处处自然和人文景观，如诗如画。十里曲径纵横点缀，万丛鲜花争奇斗艳。可谓：触目皆是景，无处不飞花。

可是，就在30年前，这地方却是后海湾北侧的一片荒山野坡。在改革开放的鼓舞下，来自五湖四海的深圳人焕发了开荒牛精神，开拓创新，创造出了无数历史奇迹，也创建了美丽的深圳大学。我赶上了这个好时代，有幸参与了深大的发展历程，亲自目睹了深大的突飞猛进。

1984年1月，小平首次南方谈话，市长梁湘陪他去蛇口，路经这片荒山野坡，告诉小平：这里将建起深圳大学。2月，在小平南方谈话的激励下，深大在这里破土动工。1984年劳动节，我受小平南方谈话感召，第一次来到深圳。那时深大尚未建成，临时校址只能安在宝安原县政府的三层简易楼中。可到了9月，深大首任校长张维院士带了我和李赋宁、汤一介、乐黛云等几个北大人首次跨进新落成的校园时，我不能不感到惊讶和敬佩。不到7个月的工夫，漂亮的现代教学大楼、海滨住宅和学生宿舍,已拔地而起,师生准时开学上课。深大建校之快,被小平赞之为"深圳速度"。

建校的先进理念和超前设计,指引着深大的超越式发展。深谙国际教育发展趋势的张维校长,一再和我们说:深大建校,起步虽晚,但起点要高,要向国际先进水平看齐。作为清华大学副校长,他调请了清华建筑系的名家高手来深大创建新系,参与校园的整体规划设计。他特别重视图书馆在高校中的作用和地位,将图书馆比作学校的心脏,力主把深大的图书馆建在整个校园的最高处,放在学校最中心的位置,教学大楼和行政大楼则设置于两侧。当我第一次见到矗立于高处的图书馆大楼时,恍如来到古希腊山巅上的雅典神庙,一见就肃然起敬而心向往之。

深大校园之美,得到了世人的众口赞誉。粤海门客舍刚建成时,我邀全国美学会会长王朝闻来访。这位享誉全国的美学家,对深大校园赞不绝口,他说在这里看到了中国庭院式和西方园林式完美结合的独特风格。国际著名学者赵浩生曾到深大采访数天,拍下了好多校园照片。他坦率对我说:真羡慕你,能常年置身于这么优美的环境里。他要把报道和图片一起介绍到海外。

经过深大人30年的经营,深大校园越来越显示出自身的无穷魅力。"深圳大学校园总体规划"曾获得国家教委"优秀教育建筑设计奖",被评为"全国最优美的大学校园"之一。2010年,深圳大学主体建筑群被评为"深圳改革开放十大历史性建筑",载入深圳城市发展的史册。

建筑是凝固的音乐,景观是无言的展示。漫步荔园,如入灵境,流连忘返,乐在其中。欣读为深圳大学30年校庆而编的影集《南有荔园》,深大美景,尽入眼底。影册在手,使我们得以不时赏图忆境,审美怡情,更可供人同享,共赏美景,不亦乐乎?

祝愿美丽深大,明天更加美好!

为深大30年校庆《南有荔园》所作序
2013年初春,望海书斋

饮水思源倍感亲

天南海北大半生，老来海滨乡愁增；难忘故园哺育情，饮水思源倍感亲。春天，我回北京大学参加百年校庆，重登人民大会堂；秋天，我回深圳大学，庆贺建校15周年；如今，又即将迎来母校梅村中学的60岁生日，不禁百感交集，思念之情油然更增。

人生似水流不停，不觉已向晚年行。随着岁月的增长，我对故乡梅村的怀念越来越深。

我父母虽把家安在苏州，但在18岁之前，我大多在梅村度过。到19岁，我从苏州去了北京，在燕园久居30余载。却在"知天命"之年，又来到岭南海滨，在深圳亦已10多个春秋。近数年，不时去境外体察更大世界，从港澳东南亚到欧陆美洲，走了不少地方，对人生有了更新的感悟，却也更加深了我的怀旧之情。我怎能忘怀故园梅村和母校——中华中学和无锡师范？

说来也怪，我在北京30余载，却总觉客居他乡，只有江南水乡才是故园。漫步燕园，湖光塔影常勾起我对家乡的思念，发出"能不忆江南"之叹。读元人小令"枯藤老树昏鸦，小桥流水人家，夕阳西下，断肠人在天涯"，我会想起泰伯庙后院庭中那棵高大的银杏古树，盘旋其周围的群鸦。听柴可夫斯基的弦乐如歌，我会想起无锡阿炳的《二泉映月》……每当我读唐诗"忽见陌上杨柳色，悔教夫婿觅封侯"之句，由怨妇而联想到自己，常引起思乡之情，觉得不如归去。10多年前，我终于离开京城来到深圳后海湾。漫步海滨，忽然会产生一种幻觉：这后海湾是否通着伯渎江？我应杨牧之的约稿，曾为《文史知识》杂志写过一篇短文，谈重读张继《枫桥夜泊》的感受，情不自禁，开头就抒发了我对梅村的深情回忆，一下子回到了故乡。这段回忆，竟赢得了金开诚兄的拍案叫好，大加评说。

啊，梅村！我在这里度过了一生中最富有生气的一段年华，从童年到少年到青年，从这里走向社会。尽管我的祖父、父亲常在苏州，但我出生在梅村，喝着伯渎江的水长大。童年时代，曾随着父亲胡定一在锡北他乡读过私塾，也在苏州城里的美国教会学校读了几年初小，进过唱诗班。但我在读高小时，就进了梅村小学，师从陈友梅（东刍），直到毕业。1946年夏，中华中学由吴风中学和启新中学合并而成，我就入此就读。1948年从中华中学毕业后，我进了无锡县师。一直到1951年毕业，我始终没有离开梅村。从梅村高小——中华中学——无锡县师，整整8年的哺育，使我长大成人，成了青年，跨入人生的历程。这段时光，怎会忘怀？

在梅村高小的时光虽不长，但在陈友梅和我父亲的熏陶下，我对唐诗宋词和国乐产生了浓厚的兴趣。

进入中华中学，受到现代文学的吸引，进一步培育了我对文学艺术的爱好。我深深感谢语文老师何阡陌。他在课堂上的生动讲解，课外阅读中的精心辅导，吸引我步入现代文学的世界，陶醉在文学艺术的天地之中。我也不会忘记，校长潘超当时广招贤达，博罗人才，木刻家李志耕、戏剧家俞亮、音乐家黄月娟等都在这里任教，使我扩展了文化艺术视野。也正在这里，我大量接触了苏联文学和解放区文艺，积极参与文艺社团活动。我们的班长、地下党员老大哥朱浩奎（韩克）带领我们成立学生自治会，组织读书社，办文艺刊物。我读了不少书，《钢铁是怎样炼成的》《青年近卫军》、赵树理的《李有才板话》等都是在这里读的。我也开始给《开明少年》《中学生》投稿，练习写作。那时，我父亲在苏州教书，我在梅村由祖母照顾生活，平时可以全力投入读书，得以比较自由地发展。一放寒暑假，就去苏州家里，读一些新出的书，听评弹，看锡剧，赏苏昆，受更多的艺术熏陶。在中华中学3年的时光是我少年时代最轻松愉快的一段日子。

1948年夏，我从中华中学毕业，就近进了无锡县师。我听从父亲的劝告，准备像他一样，一辈子做一个好教师。于是，我沉醉在语文、写作和弹琴等课程之中。那时，我和大家一道，住进泰伯庙的后院，有很多时间参与文化体育活动。我爱上了单双杠，也深深为《沂蒙山歌》

《茉莉花》这样优美的合唱所打动。

进无锡县师不久,时势发生激烈的变化。老同学朱浩奎到省锡师就读不久,受命转移苏北,准备南下解放苏南。行前,我们在县师见面话别,不料引起了地方当局的注意。当时的区长陈时生,知道我和浩奎的交往甚多(在中华中学时,我曾参与向区长抗议抓浩奎为壮丁的请愿活动),在浩奎北上没几天,我即被区里扣押问询。我永远不会忘记,当时的班主任陈友梅老师,当夜找区长为我担保,并派人去苏州把我父亲找来,一同营救。陈友梅老师博古通今,视野甚广,不时鼓励我走文学之道。但到了1948年冬,内战之火越烧越烈,炮声隆隆,我再也无法安心读书了。终于,我投入了学生运动。

1949年初春,解放大军百万雄师即将渡江南下。梅村地区的地下党吸收我加入了新民主主义青年团,并要我组织进步学生参加护校运动,防止县师被破坏,以迎接解放军南下。我欣然答允,就和陈季梅、沈伟烈、吴干城等一批同学,白天上课,晚上巡夜,度过了一个又一个不眠之夜。那时,初春尚冷,寒气逼人,但眼望北斗,心里却是热的,充满了对未来的希望和憧憬。

终于迎来了解放大军接管了无锡县师。很快,学校成立了学生会,我被推举为学生会主席,直到1951年毕业。在此后的两年多中,我积极投身于民主改革运动,参加社会活动,征粮、土改、灭虫、拥军、参干,忙个不停。我被推选为无锡县第一、二、三、四届的人民代表,后又被选为无锡县学生联合会主席,参与无锡县政治协商会议。我还被推举为苏南人民代表,参加首届苏南政治协商会议,有幸和荣德生、陈丕显等一起议政。那时,我仍在县师读书,但常在伯渎江来往于梅村和市区之间,带着背包,睡在东门旧厂房的地铺上,参加县里的不少会议。

经这两年多的社会活动,我走出了无锡、苏州,去过南京、镇江、常州、扬州,也走过运河两旁和阳澄湖周围的一些江南古镇,接触社会的面广了,视野逐渐开阔了。尽管社会活动繁多,我还是坚持完成了学业。即将毕业时,我面临一次人生的重大抉择。

本来,我可以按惯性沿着这条道路继续前进。当时的无锡县长张卓如，乃我父亲老友，他希望我毕业后到县里工作，或去教育局或专做学生工作。但是，我的志趣仍在书斋读书，将来见识一下更大的世界。我每次进城开会，总要到书店买回一批新书，在泰伯庙大殿的汽油灯下夜读，感到乐趣无穷。我读得最多的是文艺学、美学书籍。放寒暑假，我就回苏州家里。白天，一头栽进市图书馆读书，晚上就在自己的房里边看书边听音乐，思考理论问题，觉得这是最好的享受。正是这种志趣，驱使我在师范毕业后继续上大学；而为了上大学，我宁愿先在中小学教书，而不到县府做事。

就这样，我在1951年毕业后，去锡北陈墅小学工作。半年后，又应高班同学强惠元之邀，去严家桥教初中班。我既教语文、历史，又教写作、音乐，课余抓紧读书。

1952年夏，我送走了中学补习班的学生，告别无锡，回到苏州，以同等学力投考了北京大学。我被录取的消息，先告诉父亲，然后立即写信告诉梅村母校培育我的两位老师——何阡陌和陈友梅，感谢他们的辛勤栽培。

如今，我已六十有五，平生建树无多，无甚辉煌，但遂了少时心愿，专致于文艺学和美学的研究。1993年，国务院学位委员会通过我为文艺学博士生导师，获国家突出贡献证书。我做了自己喜爱的又力所能及的工作，这其中有梅村母校对我的哺育和栽培。在母校60周年之际，我谨献上深深的祝福。

为母校梅村中学60周年而作
1998年秋，深大新村

开卷有益乐无穷

以教书、写书为生的人，要靠自己"行万里路"，恐非易事；但若想"读万卷书"，大概不算太难。

为了要教书、写书，就必须读书。由读书进而又发展到买书、藏书。20世纪50年代初，我先在江南教过书，再到北京读了10年书，然后30多年一直在教书、编书、写书，这辈子就是同书打交道了。

能多读书，自然是好事。开卷有益，读书能增长知识，开阔视野。有了知识，学以致用，用来研究学问，发展学科，那就更好了。再说，读书本身就是一种精神享受，一卷在手，入乎其内，其乐融融，烦恼尽消。读书也有三重境界，知之者不如好之者，好之者不如乐之者。

大学四年，只是多读中外古今文学名著，向图书馆去借就是了。待到跟随杨晦、朱光潜、宗白华攻读副博士研究生课程，顿感书籍不够，于是登堂入室，去向老师们借书读。出入于一些学者教授的书斋，深为他们的丰富藏书所吸引。杨晦的藏书，以文艺学为主。为了买书，他借了冯至一大笔款。朱光潜、宗白华则多美学著作。何其芳、王瑶收有丰富的现当代文学史料。游国恩收藏的文学古籍最多。暑假回南京探望父母，就去南京大学罗根泽家里拜访，方知他搜集的古典文论极为丰富，印象很深。我研究《红楼梦》，曾出入于吴世昌、周汝昌、吴恩裕的书斋。吴世昌特地邀请我去他专辟的家庭书库一看，令我大为惊讶，怎么会有这么多书！

渐渐，我自己也买起书来。读书多了，为便于记忆，喜欢在书上圈点勾画。这，必须有自己的书才行。偏偏，我研究的专业是美学、文艺学，涉及面极广，人生哲学，艺术文学，古今中外，都要涉猎。于是，需买的书越来越多。这样一来，无异于自找苦吃，我的研究生助学金是52元，除了必要的生活费用花去一半，剩下就全都投到书海里了。

幸而，不时有点稿费补偿。1958年全国开展读书运动，我当时被《文艺报》主编张光年聘为特约评论员，参加了读书辅导运动。上海文艺出版社约我写了一本评论李英儒的长篇小说《野火春风斗古城》的小书，给了千元稿酬，相当于一年多的津贴。我喜出望外，去王府井挑了一车子书，由书店直接运送到燕园，慢慢享用，倒也自得其乐。

于是，买书成了一种嗜好。日积月累30年，到80年代搬进畅春园新居而有了间书房时，书橱竟把三面墙都占满了。正在发愁，书再多下去怎么办，我却来到了深圳，有了一间更大的书房。我从最古老的学府北大来到了最年轻的高校深大，行李简单，轻装而来，但却带来了在北京积累了30多年的藏书，满满装了一个集装箱，由火车运来。最初几年，寒暑假还常回北京，又必去风入松、万圣书园等购买新书。一晃8年，不知不觉，书又堆了满满一屋。放不下了怎么办？只好忍痛处理了一些旧书，然后又向客厅拓展。

书要读才能尽其用。买来的书，我当即坐下浏览，快速翻阅一遍，了解总体轮廓，有个初步印象。等到教书、编书、写书，就把有关课题的书再找来集中细读。因为对自己的藏书胸有全局，心中有数，所以用起来得心应手，颇有成效。我撰写专著《文艺美学》，广泛利用了我自己的藏书。我和同行、研究生为国家教育委员会主编了两套教科书100多万字，相应的教学参考书七卷400万字，分别获得了国家新闻出版署颁发的"全国优秀外国文学图书奖"和国家教委颁发的"全国高等学校优秀教材奖"。为培养硕士研究生，我主编了40万字的《中国现代美学丛编》和80万字的《中国古典美学丛编》。我在北大主编的教科书和教学参考资料合起来将近800万字。这一切，也都充分利用了我自己的藏书。物尽其用，出了书，亦是一乐。

我爱在优美的音乐声中读书。这是我在少年时代养成的习惯，那时在苏州，一个人关在屋里看书，收听上海几个广播电台放送的江南丝竹乐、欧洲器乐。优美的乐曲，使我更易入读，而且创造出和谐气氛，其乐无穷，真是高雅的审美享受。现在，我最爱读的书，除文艺学、美学和哲学以外，就数描叙作家、艺术家创作过程的书了，也爱读社会活动家、政治家的传记。了解这些人的人生历程，也领略了人生乐趣。

深圳这座年轻的城市十分重视读书活动,特区建立不久,就新建了八大文化设施,其中就有具有古典风格的现代化图书馆。为推动全民阅读,首次借响应联合国倡设"世界读书日"之机,全市还举办了一次藏书家评选活动,我和姜忠等都被选中,深感荣幸。图书馆在举办藏书展览之外,还设立了读书讲座,邀我为读书爱好者畅谈一下我半生读书的体会。这促使我对自己的读书生活有了个回顾和反思的机会。

我立即想起了对我影响甚深的冰心读书的九字真经。冰心从小就接受了当教师的祖父陈子修的训诫:知足知不足,有为有弗为。冰心一生,最不知足的就是读书和写书。她的丈夫吴文藻是潜心教书,她自己就是读书和写书,读书是吸收营养,写书是付出智力。对于读书,冰心自有一套真经,她在《忆读书》中这样总结道:"我读书奉行九个字,就是'读书好,好读书,读好书'。"她这九个字说得太好了,把我的切身体会也说了出来,衷心叹服。只是,从我自己的切身体会出发,对她说的"读书好"的次序稍作些调整,放在最后,而把"好读书"突出一下,放在开头。"好读书"是把读书化为内在需要,成为读书的原动力。"读好书"是说读什么书和如何读好书。"读书好"乃是读书产生的效果,对我们带来什么好处。一旦我们体会到了读书的社会价值,就会激起新的读书愿望而去"好读书",这里就会引起良性循环,不断提升我们的人格境界,进而去参与实践,创建我们共同的更加美好的世界。为此,我要围绕这九字真经,结合我自己的体会,一一道来。

先说"好读书"。

中华民族自古以来就有"好读书"的优良传统,向以耕读传家。我少时读过私塾,后来才到苏州上教会学堂。在梅村这江南古镇上,常见到一些书香门第,门上贴的对联就是:"耕读传家久,诗书继世长。"我到北大读书,登吴组缃先生的镜春园住宅,门口仍保留有这样的对联。清人纪晓岚曾对此联作过评论,说在中国最要紧的是:"一等人忠臣孝子,两件事读书耕田。"古代文人所追求的是达则兼济天下,穷则独善其身,经营田地之余,就以读书为乐,精神物质双丰收。"好读书"是古代文人的一种人格修养。

我要到上高小时才开始从"阅读"进入"悦读",逐渐体会到读书之乐。那是受了老师陈友梅的启迪,从读古典诗词入门,慢慢爱上了山水诗和风景画,享受到其中的乐趣。然后,又为冰心那些《寄小读者》的优美散文所吸引,引导我走向更大的世界,益加喜爱大自然,向往亲近大海。

待我进了北大,更多接触了古典文学,知道古代文人对读书之乐,早有深刻的体味,自古而然,成为民族的基因。自古以来,民族志士以国家和民族为先,"先天下之忧而忧,后天下之乐而乐"。个人之乐被放置在后边。但这"后天下之乐"中就包含了读书之乐。我们的孔老夫子早就赞叹过:"学而时习之,不亦乐乎?有朋自远方来,不亦乐乎?"读书之乐还摆在交友之乐的前面。读书可以有三种境界,知之者不如好之者,好之者不如乐之者。知书达理,勤奋好学,最后到以书为乐,层层递进,乐趣无穷。五柳先生陶渊明就说他"好读书,不求甚解,每有会意,欣然忘食",陶醉在读书之乐中了。大诗人杜甫说他"读书破万卷,下笔如有神";大文豪苏轼也说"诗出万卷始通神","腹有诗书气自华",好读书的妙处,已经灌注到他们的创作和人格中去了。

从我的切身体会来说,其实读书之乐也是多重的。我们在读书时,能在书中直接看到的只是文字,而文字只不过是一种符号,若不懂这文字符号所表达的含义,也就体味不到书中所要表达的意义,读都读不懂,自然会索然无味,更谈不上"悦读"了。若能透过文字符号进而读懂内里的含义,我们就会体味到一个意义世界,这本身就是一乐。科学哲学家波普尔把我们这个世界分成三个层次、一是物理世界,可称之为世界1,二是精神世界,可称之为世界2,三是经过精神实践而创造出来的世界,称之为世界3。这世界3,弗雷格把它称之为意义世界,以区别于外在世界和纯精神世界。卡西尔则干脆称之为符号世界,这意义世界就蕴藏在符号之中。但是,这意义世界不是和外在世界和精神世界相隔离而孤立存在的,那意义世界折射了丰富多彩的现实世界。因此,透过符号所表达出来的意义世界,又能进而领悟到现实生活的丰富多彩和生活意义的无穷,那就更是一乐。我们读陶渊明的《桃花源记》,杜甫、苏轼的诗文,都能体味到多重意义,使我们回味无穷,其乐融融。

读书对我个人来说,还有一乐,那就是在读书当时能直接感受到的自由自在之乐。这是我自己一个人关在书房里独自享受到的"独乐"。年少时在无锡读师范,寒暑假回到苏州家里,就养成了一边读书一边听音乐的习气,后半生都未能改变。1986年我首次去香港,别的都不买,却毫不吝惜地花了1万多元带回一个音箱,就放在书房,边放唱片,边读书。等到书房挤不下了,我就移到更为宽敞的客厅,边读书边赏乐,南风徐吹,全身舒畅,自由自在,乐而忘忧,身心都陶醉在书海中了。我也爱竹,但不能天天赏竹,却定要有书可读,真可谓不可一日无此君也!

再说"读好书"。

"读好书"其实有两层意思,一是说要把书"读好",二是说要多读"好书"。这涉及读些什么书和如何读好两个方面,要把两方面处理好,就能开卷有益乐无穷。

读书不一定追求实用目的,但却要有益于人生,提升人的人格修养。在我看来,人生的终极价值、最高理想是在于追求真、善、美,所以我读书的目的,也把追寻真、善、美作为我的最高标准。但古往今来所生产出来的书籍并非都在肯定真、善、美和鞭挞假、丑、恶,因此,我们必须边读书,边提高分辨真、善、美和假、丑、恶的能力,培养自己的鉴赏判断力。而这却要经过一番苦练才能达到悦读,其间就需要有"苦练"来补足,所以古人说道:"书山有路勤为径,学海无涯苦作舟。"我在专业阅读中就常有此体会,为了钻研一个课题,如什么是艺术,美又是什么,就需要煞费苦心,广泛搜罗中外古今的各种各样的论述,不管我喜不喜欢,都必须下苦功夫去苦读。为了论证《红楼梦》是中国古典文学中最好的一部小说,我不得不在北大图书馆钻进古籍藏书室里,把清代的线装小说找出来浏览了一遍,其中就有不少乃不堪入目之作,不值一读。但是,沙里有时也能淘出金子,读过不少晚清小说之后,还是有所收获,使我深切地领会到了,在那些暴露晚清黑暗的小说中，正像鲁迅所分析的那样，是有所区别的，可分三种类型。一是讽刺小说，如吴敬梓的《儒林外史》，乃是以"公心讽世"，作者"秉持公心，指摘时弊"，因而具有积极意义。二是谴责小说，如李伯元的《官场现形记》，吴趼人的《二十年目睹之怪状》，其"命意在于匡世"，但"以合时人嗜好"，价值就不如讽刺小说了。三是黑幕小说，如《绘图中国黑幕大观》，已沦为"丑诋私敌，等于谤书"了。虽是苦读，但提高了鉴赏判断能力，亦为一乐。"宝剑锋从磨砺出，梅花香自苦寒来"，对于那些不大容易读懂的经典之作，就更需要我下一番功夫，勤学苦读，然后才能进入最高境界。

对于读书不多的人，就更要倡导多读好书。俄国评论家别林斯基说得好，"好的书籍是最宝贵的珍宝"，是人类最高贵的精神财富。多读好书，就会吸取人类的宝贵精神财富，鼓舞人们向真、善、美的方向发展。所以，高尔基说，"书籍是人类进步的阶梯"。国学大师钱穆曾把要读的书籍分为修养类、欣赏类、博闻类、新知类和消遣类，在这五类中，都有好书可读，这要靠读者自己根据需要而自行选择，但最好还是要有高人的指点。我少时在苏州读教会学校时，教学只顾音乐、英语，而课外阅读就任由自流，一放学就到巷口书摊上去租看连环小人书，尽是武侠、神魔、权谋一类的故事。要到读高小，有良师的指导，才转向读"五四"以来新文学，以前的那些，再也引不起我的兴趣了。改革开放以后，香港文友赠我金庸的武侠小说，实在提不起我的兴致，只好送人了事。

好书不厌百回读，对于马克思主义的经典之作就更要不时反复精读。但也要不断拓展自己的读书视野，博览群书，见多识广，心胸宽阔，能如顾宪成所说："风声雨声读书声，声声入耳；家事国事天下事，事事关心。"

最后，说一下"读书好"。

读书好，不仅读书可以给我们无穷乐趣，而且可以有助于促进我们去进而理解人生的意义，使我们感受到生活的幸福。张潮在《幽梦影》中说得好："有功夫读书谓之福，有能力济人谓之福，有学问著述谓之福，无是非到耳谓之福，有多闻直谅之友谓之福。"人生中的诸多福气，以读书为冠。我这出生于小康之家的江南书生，能在新中国成立后迈入高等学府，又当研究生继续读书，我深知，这都是新社会和人民之所赐，终生都不会忘记社会和人民的培育之恩。读书之后，我能一直从事教书、评书、编书、写书，这既是对培育之恩的报答，却又是我这一生的更大的福分，我将永远珍惜这样的幸福。

能够"读万卷书"，自是一种幸福，但若能进而"行万里路"，并将读万卷书和行万里路结合起来，融为一体，那将能获得更大的幸福。我读明清学人的一些笔记，如董其昌的《画禅室随笔》，梁绍壬的《秋雨庵随笔》等，都十分推崇"读万卷书，行万里路"的结合，既要"读"，又要"行"。宋代大诗人陆游说得好："古人学问无遗力，少壮功夫老始成；纸上得来终觉浅，绝知此事要躬行"。若是只读书，"纸上得来终觉浅"，还要去践行。书本知识，对我们来说，还只是间接经验，只有自己去践行，亲身体验，耳闻目睹，方是直接经验。间接经验只有通过我们的直接经验，方能被理解和吸收。不过，直接经验尽管很宝贵，但人类经验中更多的还是间接经验。个人经验有限，世界至大，个人不可能都去亲历。孤立的单个人，在这大千世界中，只是太空中的一丝微尘，大海中的一根芦苇，大地上的一株小草，微不足道。但是，人生活在社会中，既能从亲身实践中获得直接经验，又能和人交流，从书本中获得间接经验，汲取前人、别人的智慧，从而有了"灵明"。"盖天地万物与人原是一体，其发窍之最精处，是人心一点灵明"。正是我们的"灵明"已吸取了人类的间接经验，所以，现代人不必一切都从零开始，而是可以在前人经验的基础上按美的规律来创新，在更高的水平上进行物质生产、精神生产和人类自身的再生产。人有了"灵明"，才能为天地立心，为生民立命。

博览群书，多读好书，可以使我们的"灵明"不断提升，更加智慧，扩展了生命的空间，延伸了生命的长度。我们的"灵明"不仅具有了对象意识，对我们身心以外的对象世界有更好的认识，而且还发展了自我意识，对自我的内在世界有了更深的了解。我们能自我意识到，什么是我们值得过的生活，什么生活才是有意义的，这样，我们就能自觉调控我们和周围世界的关系，如马克思所说："了解自己本身，使自己成为衡量一切生活关系的尺度,按照自己的本质估计这些关系,真正依照人的方式,根据自己本性的需要来安排世界。"人类只有既按照物的尺度,又按照人的尺度,并运用智慧把这两个尺度统一起来,才有可能按照美的尺度来进行创造。

我欣慰地觉察到,人类的"灵明"已经发展到了新高度,将对象意识和自我意识统一了起来,发展为关系思维以至系统思维,越来越认识到,自我和世界构成一个整体。我读马克思、恩格斯经典之作,受启示最深的就是:人类是通过自觉的、有意识的实践活动(物质生产、精神生产和人自身的再生产等)和世界发生关系,建立起动态平衡的自由和谐关系。恩格斯说得多好:

> 当我们深思熟虑地考察自然界或人类历史或我们自己的精神活动的时候,首先呈现在我们面前的,是一幅由种种联系和相互作用无穷无尽地交织起来的画面。

在我们面前的这个世界,是由自然、人文、精神这三重层面构成的一个整体,天地人心符(符号)多重而一体。自然之美、人文之美、精神之美就呈现在自我和世界的多重关系之中。

这是我在读书之后获得的最大乐趣。

正当我陶醉在读书之乐时,忽闻海外传来好声音。就在不久前,1995年的11月,联合国教科文组织向世界宣告:将每年的4月23日定为"世界读书日",希望世界人民,"都能享受阅读的乐趣"。深圳人立即积极响应。我们在1984年一起从北京来到深大任教的刘楚材兄,已到深圳市图书馆任领导,他就积极倡议,应在深圳设立"深圳读书月",以推进全民阅读。又听说,明年深圳要在国内开辟第一个书城。对此,我均为之拍手称好,积极支持。此生,我要不断宣扬:好读书,读好书,读书好!

为深圳市首届藏书评选而作
1995年冬,深大新村

乐为教书献终生

我已年过70岁了,还在教学岗位当教师,培养文艺美学博士生,笔耕也未停止。

常有人问我,你这一生,怎么会一辈子都在当教师?梁启超说他的人生哲学,干什么事,一是出于兴趣,二是因为责任。我反思自己,之所以一辈子当教师,也是因为兴趣和责任。不过,兴趣和责任并不都能一致,要使这两者结合,就经历了一个漫长过程。

我并非出身豪门,但也不属贫贱之家,而是一个小康之家。父亲一直在中、小学教书,尚可自食其力,不需费太多心力为生计而犯愁。我从小就喜欢读书,既读过私塾,也进过教会学校,接受更多的是新式教育。读书、弹琴、游泳、远足,我都喜爱。我高中读的是师范,毕业后我就教过书,不仅在小学,而且在初中班也教过语文、历史和音乐,边弹琴,边教唱,乐在其中。

但我的学术生涯,却要在1952年考入北京大学后才开始。当初我进北大,就是因为对文学、音乐、美术等感到有兴趣,想从理论上探索文学艺术的奥秘,怎么会产生艺术魅力。

那是在1952年秋,我刚从苏州到北京大学就读,住在原来的燕京大学实验农场棉花地旁新建的二层楼上。晚饭后,我一个人在很少有人去的小山坡散步。学校的广播台已播放完新闻,然后在放音乐。突然,一首带着忧伤情调的优美的弦乐合奏深深吸引了我,使我不由自主地停了下来,全神贯注地静听这首我从未听到过的外国乐曲。徐缓的节奏,忧伤的旋律,美妙的和声把我全身心引入了音乐世界,心灵为之颤动,听完后还久久不能平静。我脑海里不由得浮现出了无锡阿炳的《二泉映月》的乐声,内心涌现了一种莫名的忧伤之情,更添了一抹淡淡的乡愁。这是一首什么样的乐曲?回到宿舍问同学,没有人能回答。第二天一早，我立即奔到图书馆，急忙寻找外国音乐史、世界名曲选编等资料。终于在《俄罗斯音乐史》中看到，原来这就是柴可夫斯基的弦乐四重奏中的如歌的行板，列夫·托尔斯泰听过这乐曲感动得流泪，说他听到了俄罗斯灵魂的哭泣。啊，原来如此！我马上想到，无锡阿炳的《二泉映月》也正是表达了中华民族哭泣的灵魂！音乐竟有这样的艺术魅力！

这样，我入学后的第一个冬天和次年的春天，都痴迷于音乐美学，想从理论上弄清，音乐为什么会有这样的艺术魅力？也就在这时，我第一次拜访朱光潜先生，讨教美学，从此相识。当时，我在图书馆查阅了所有音乐美学的书籍，写了不少笔记，想研究音乐魅力问题，只是后来课程太多，而且兴趣又广及美术理论、摄影美学、电影美学等领域，没能集中精力于音乐美学。1953年那一年，我在听课之外的全部精力，都倾心于读"五四"以来的中国现代美学，对王光祈的比较音乐学也发生了兴趣。但我一直未能专注于音乐美学，只在后来的《文艺美学》这部专著（北京大学出版社出版，已成为国内高校文艺学研究生的教材）才有专论音乐的章节。在所有艺术样式中，我最喜爱的艺术还是音乐，随着年岁的增长，我对音乐的爱好已超过了文学，每天都要弹奏一小时以上的钢琴。

在读无锡师范时，新中国成立之初的3年间，我积极参加了进步学生运动，本有可能走上从政之路。但在1952年春，我决心报考高等学校，感到要建设新中国，就必须依靠科学、文化。我还不到20岁，必须及早接受高等教育，以便用知识、文化来为社会做贡献。我的兴趣，不大乐意参加轰轰烈烈的社会活动，而想静下心来读书、听音乐。

我父亲在太湖流域一带当教师，他希望我也不要离开家乡。我听从他的意愿，拟填的志愿都是附近的高校：华东师大、江苏师院、南京师院、浙江师院等。但当我动笔填表时，灵机一动，想填一个名校试试，即使考不上，也可试一试自己有多大差距，就在前面加了个北大。不料，却真被北大录取了，父亲也奈何不得。

我在北大受教的第一位老师是当时任中文系主任的杨晦教授，53岁，五四运动时曾和许德珩一起闯过赵家楼。他教我们"文学概论",我当这课的课代表,所以常到他家里去送作业。当时他住燕东园37号,整整一栋小楼,附近住着冯至(西语系主任)、蔡仪(美学家)、何其芳(文学研究所副所长)、游国恩(古典文学家)、浦江清(古典文学家)、魏建功(语言学家)等,常得便去过他们家。我在1952年岁末之际去拜访了朱光潜,他当时住在校医院北侧叫做佟府的旧平房里,离我们学生宿舍很近。当我第一次跨进这破旧的平房时,感到很意外,这样著名的美学家怎么住在这摇摇欲坠的小房子里,那地板已咯咯作响。幸而,后来那破旧平房终于拆掉,改建成医院后楼,朱光潜也搬到了燕东园。20世纪60年代,我也搬到了燕东园,先是住杨晦楼下,后又搬到朱先生住的27号,住楼下和他为邻,得以常常见面。

1952年全国高校院系调整,老北大、清华、燕京三校的中文系教授全集中到北大,迁入燕园,真是名师云集。我们正赶上这个好时光。

吴组缃,著名作家,为我们讲"当代作品选读"。他讲课不讲空洞理论,而是运用"细读法",凭他自己的切身创作经验来分析作品,说来头头是道,娓娓动听。在整个大学期间,我从他的课中得益最多,主要学习到了分析作品的方法。听他的课后,我也尝试写文艺评论,1958年被《文艺报》主编张光年、副主编侯金镜聘为特约评论员。吴先生后来又开过《红楼梦》研究专题课,受启发,我曾有3年投入过《红楼梦》研究,我的学生中有好几个也想研究《红楼梦》,像作家谌容的儿子梁左,戏剧家马少波的女儿马新艳等成立一个研究小组,请吴先生当顾问,吴先生又叫我去指导这个小组。我参加中国作家协会也是吴组缃、王瑶先生推荐的。

林庚,著名诗人,为我们讲授"唐代文学史"。他讲课神采飞扬,生动活泼,上他的课本身就是一种美的享受。他写诗之外,爱好音乐,对诗乐的关系有很深的体验和研究。他是音乐之家,夫人会弹钢琴,女儿专攻音乐。在70年代后期,我和林先生有机缘共处一室两年多,无事可做,就畅谈音乐之美,从唐代诗乐一直谈到现代音乐,从新疆乐舞一直说到西洋音乐。林先生一直鼓励我,要从美的角度研究艺术。依他看来,艺术,包括诗歌、音乐在内,就是要追求美,艺术就是要给予人美的享受。1998年北大百年校庆,我在人民大会堂和李灏(原深圳市长)姜忠等参加庆祝大会,听江泽民祝辞之后,就特地到林先生在燕南园的住所去看望他。那时他已年近90,今年他已94岁了,还健在。这是北大中文系我老师一辈中最年长而且还健在的一位了,祝愿他能过百岁。

王瑶,著名现代文学史家。我进北大时,他还是个中年讲师,讲授"中国现代文学史"。讲课时一口山西话,大家听不大懂。他边讲课,同时在撰写《中国新文学史稿》,到上完课,他的讲稿也就付印了。这是新中国成立后出版的第一部现代文学史,很快被日本翻译出版,他也升了副教授,而且声名鹊起。我常出入他在中关园的寓所,在他受难时,我曾帮他奔走,迁入朗润园,后来去得更勤了。

我在北大30多年,结识的老一辈学者、专家甚多。除美学家王朝闻、朱光潜、宗白华、蔡仪等外,几位红学家何其芳、吴世昌、吴恩裕、周汝昌、蒋和森等都相识。周扬带着张光年、何其芳、林默涵、邵荃麟等来北大开"马克思主义文艺理论"讲座,我被北大分配当讲座助教。为了沟通讲授者和学生,就有机缘常去周扬、张光年、何其芳等几位的家里和办公室,有过多次交谈。周扬长期当中宣部副部长,主管文艺,推行"左"的文艺路线,但他本人的文艺思想很近于普列汉诺夫,认为在文艺和政治之间有很多中介,文艺不是直接为政治服务。我在那个年代,受"左"倾文艺思潮的影响甚多,涉足文艺评论,只懂得从政治上做评价,不知道如何做美学分析,政治热情有余,而艺术解析不足。而到了20世纪50年代末,我又从文坛回到了书斋,专心致志地研究古典文学的美学。

我在北大停留了30多年,从读书、教书、评书到编书和写书,一直以书为生。到深圳来,还是从事教学。我这一辈子就一直在和书打交道。

1983年深圳大学开办,筹备处在市区原宝安县政府的旧楼里。首任校长是原清华大学副校长张维院士,决定在第二年就成立中文系。他劝我和汤一介不妨先到深圳来考察下,若觉好,就来,如觉不好,可以回北大,来去自由。

我在1984年劳动节利用假期到深圳来考察。那时,粤海门的校舍刚动工修建,深圳是个道道地地的边陲小镇,到东门转一遍,花不了半天,一切都还在起步。蔡屋围的西面,还是一片烂泥黄土。但我感受到了这里的一种活力,令人振奋,跃跃欲试。回到北大和汤一介一商量,决定和汤一介、乐黛云一起到深圳,来深大参与创办中文系。此年9月,我和乐黛云、汤一介一同跟随张维校长到深大参加了中文系成立大会,开始了新的旅程。

那时粤海门还只有一栋办公楼和一栋教室楼,周围一片荒凉。直到90年代初,深圳虽然有了些发展,但一到年关,外地人都纷纷离去,回老家过年去了,我和郁龙余一起从粤海门到园岭去看望老师,中巴在红岭路口(那时大剧院、晶都酒店都还没有)停,路上竟无一人,心里一阵凄凉。

但我还是在深圳留下来了,觉得这里虽是一片待开垦的处女地,但只要方向正确,深大将来一定会大有作为。

深圳虽经波折,但蓬勃发展,深圳大学也从只有几百人发展成为一万多人的大学。我也成了深大的第一位博士生导师。

最近一段时光,有几件高兴事,更使我体会到教书育人的乐趣。

第一件事,人民教育出版社为了提高中学生的人文素质,在高中语文读本中收入了不少作家学者的美文,冯友兰、朱光潜、宗白华、钟敬文、朱自清的都有,也收有我同辈学者金开诚、袁行霈等的美文。我有幸,在《文艺美学》中谈古典文学的虚实相生的取境美的那一节也被收进去了,成为高三学生的必读之文。此外,在高中教师的教学用书中,又收入了我的关于"文学"的含义的一文,成为高中语文教师的必读文章。这样,我的《文艺美学》不仅成了国内高校文艺学研究生的教材,而且又开始进入中学,读者面更广了,对此,我甚感欣慰。

第二件事,我已年将70,在一般高校早已不再带博士生了,但中山大学仍聘我担任文艺学博士生导师,继续培养文艺美学博士。1993年,经国家学位委员会通过,我成了深圳大学自己产生的第一位博士生导师,已培养了九届博士生十余人。此次中山大学第一次招收文艺学博士生,又请我参与,成为首批导师,深感荣幸。

第三件事，在我学术生涯50年到来之际，深圳大学召开了一个座谈会，校长亲自主持，我的同辈学者钱中文（中外文艺理论学会会长，《文学评论》主编）、张炯（中国作家协会副主席、理论批评委员会主任）、曾繁仁（山东大学原校长、文艺美学研究中心主任）、童庆炳（北京师范大学文艺学研究中心主任）、陆贵山（马克思主义文艺理论研究会长、中国人民大学教授）、饶芃子（世界华文文学学会会长）、包明德（中国文学研究所副所长）、柯汉琳（《东方文化》主编）等，以及我的学生王岳川（北大教授）、王一川（北师大教授）、张首映（人民日报新闻研究院院长）、王列生（中央党校教授）、邵宏（华南师大教授）等50位教授共聚一堂，多年不见的老友都见到了，真乃人生乐事，不亦快哉。深圳大学文学院院长吴予敏博士还主编了40万字的《美的追寻——胡经之学术生涯》一书，国内许多著名文艺家、美学家都撰有专文论人品学。这样的学术活动，在深圳实属罕见，对我这个一辈子当教师的人是极大的激励。

随后我要说，我终身从事教育，除了接受前辈老师的启示之外，也受父亲胡定一影响甚深。

我父亲一辈子都当教师，从小他就期待我也像他那样当教师。我听从父亲的劝告，也一辈子当了教师。我体会到，当教师有几大好处：

一、学生众多，桃李芬芳。听过我课的人以千计，我不一定都认识，但学生认识我。我在1986年第一次从深圳赴港，过关时，一位海关检验员叫我胡老师，说他是北大外语系毕业的，听过我的课，我听后心里涌出一股暖流。现在中国作家协会副主席的陈建功，作家谌容的儿子梁左，马少波的女儿马新艳都是我教过的学生。上海、广州、深圳都有我的研究生，过年或过节，常有人来看我，这亦是人生的快事。

二、教学之余，可著书立说。我把我的研究成果，在课堂上讲，如我的《文艺美学》，先是讲稿，后出版，作为教材，不时丰富修改。我的《文艺美学论》《文艺学美学方法论》等都是围绕学科建设而著编，我主编的《西方二十世纪文论史》《西方文艺理论名著教程》《中国古典文艺学丛编》《中国现代美学丛编》等更是为学生编写的教材。只有《胡经之文丛》是我到深圳后写的文艺评论、美学随笔、怀旧散文,大多在深圳的报纸上发表了。

三、行有余力,投身社会活动。1984年到深圳后,参加社会活动较多。1985年成立了深圳市美学学会,是深圳建市后成立较早的学术团体,我任会长,徐葆煜为副会长,我请了王朝闻(中华全国美学学会会长)为名誉会长。我们在深圳最初是推行美育,举办美育讲座,画展,书法比赛等。后来,在长江三峡大坝即将兴建之前,我们组织了一次规模宏大的"长江三峡水上写生"的创作活动,抢在三峡改造前,在画上留下大自然的原生态。我们租下了一艘江轮的中层在江上漫游了三天,不仅深圳的画家王子武、董小明、周凯等都积极参与了,江浙沪的一些著名画家亚明、陈大羽、朱青霞等也来到船上作画。80年代后期,我又被推为深圳市作家协会主席、文联副主席,后又成立了文艺评论家协会,任主席。前不久,市委书记召开文艺座谈会,我就深圳如何提升文化品位发表了我的意见。深圳市宣传文化委员会成立艺术评审委员会,宣传部聘我任主任,为发展深圳的文艺,贡献一些绵薄之力。我最近又从文艺美学走向文化美学,想研究一下"新都市文化"应如何按照"美的规律"来建设,撰写了论文,结合深圳的文化艺术实践,提出一些看法。

回顾我这大半生的历程,都是在当教师和做学问。我在1951年无锡师范毕业就开始当教师了,那年我18岁。但我那时还不懂得什么叫学问。直到1952年考进北京大学,才渐渐走向探求学问之路。1953年我曾倾心于钻研中国现代美学,想由此而进入研究美学之门,那年我20岁。但能全心全意投入美学之路,要在数年之后。我曾一度专注于苏联文艺学,听了苏联专家一年多的"文艺学引论"课,写了结业论文《论文学的人民性》。在23岁那年,我又师从杨晦读文艺学副博士研究生,有近3年时光潜心研习中国古典文艺学。要到1985年,我才坚定地走向美学之路,把马克思主义美学作为我的学术方向。那年秋天,周扬到北大来开设马克思主义文艺理论讲座,开门第一讲就是呼唤,在中国要建设马克思主义美学。当时,周扬特别推崇毛泽东所说的文学艺术源于社会生活而又可以高于社会生活的这一美学思想。在毛泽东看来,社会生活中有美,文学艺术中也有美,"两者都是美",但人民还是不满足于生活美,进而要求创造艺术美。周扬说,生活美和艺术美的关系,就是马克思主义美学中的根本问题,要建设中国自己的马克思主义美学,就要从这里切入,作深入的研究。我当时是这个讲座的助教,觉得周扬说得很有道理,和我自身的审美体验相符合,就想接着这个话题说下去,作一些学术探讨,也为自己解惑。后来,我把目光先专注于文艺美学,就是想探索艺术美的创造怎样才能高于生活美。黑格尔只肯定"艺术美高于自然美",自然美永远低于艺术美。朱光潜受黑格尔美学影响甚深,甚至否定自然美,我一直感到困惑。但车尔尼雪夫斯基却反黑格尔之其道而行之,断言自然美永远高于艺术美,"艺术作品任何时候都不及现实的美"。这都不符合历史辩证法。其实,文学艺术和社会生活并非都美,文学艺术的创造也并不一定或必然会美;但人类之所以需要艺术美,乃是因为"可以而且应该"高于生活美。文艺美学所要研究的正是要探索艺术美的创造规律。

为了走向马克思主义美学之路,当然必先读马列经典,了解马列说了些什么,并且照着马列经典来说。我在跟从蔡仪编《文学概论》时,曾对马列经典下过功夫,而且在70年代为工农兵学员讲课时,只谈马列经典,尽量照着说。但是,我成不了马列文论专家,我缺少锲而不舍的钻研精神,紧扣马列原著,而是在"照着说"的时候,常喜跳出来加以发挥,联系到中外古今的纷纭众说,再作解读。在我心目中,马克思主义经典学说是我从事学术研究的根本方法,而其他中外古今的美学、文艺学是我的思想资料,最后,我想用来解释错综复杂的文学艺术现象,"接着说"。但这只是我个人的学术奢想,我常感到自不量力,力不从心,因而我只能常奔走于学术路上,心向往之而不能止,只在途中。

做学问和当教师可以相互促进,做学问的成果,正可用来教书,而为了教书育人,又促进我去进一步思索,做学问。我读的书,有些已用在做学问上,写成学术著作;但还有不少未能用上,我就尽可能整理编成教学参考书,为后人提供一些思想资料。当教师,不能一味只由自己讲,应该把前人说的也告诉后人,启发后人自己思考。所以,我开"文艺美学"课,就主编了《中国古典美学丛编》三本(中华书局),

后又增编成《中国古典文艺学》（北京大学出版社）。我和张首映编著了《西方二十世纪文论史》，同时就编出了参考书四本《西方二十世纪文论选》（中国社会科学出版社）。我和王岳川、李衍柱主编了《西方文艺理论名著教程》，同时又和伍蠡甫主编了三卷《西方文艺理论名著选编》（北京大学出版社）。我的学术著作只300万字左右，但主编的教学参考资料有近800万言。

当教师和做学问都成了我的爱好，但当教师和做学问如何能结合得好，相互促进，相得益彰，却要在实践中不断摸索，逐步磨合。在实践中，我越来越体会到，对万事万物，真的是知之者不如好之者，好之者不如乐之者。

我之所以当教师，最早给予我启示和指点的，是我在中学时受陈友梅、何阡陌两位语文老师的言传身教。正是这两位老师最早告诉我，梁启超的人生哲学，一重兴趣（兴味），二重责任。人的一生就要把这两者结合起来，生活既要有乐趣，又要对社会做贡献。

在接触马克思主义以后，我对人生就有了更深入的理解。马克思还在中学时代就对自己的人生道路作了思考，在他作人生道路的选择时，马克思这样说道：

> 我们应该遵循的主要指针是，人类的幸福和我们自身的完善。不应认为，这两种利益是敌对的，互相冲突的，一种利益必须消灭别一种的；人类的天性本来就是这样：人们只有为同时代人的完善、为他们的幸福而工作，才能使自己也达到完美。

当教师和做学问乃出于我个人的爱好，感到有兴味。但是，当教师和做学问怎样才能促成我自身的完善和促使人类的幸福？我力所能及的就是在教学和研究中力图贯彻马克思主义，尽力论证文学艺术必须如马克思所说，应该而且可以"按美的规律"来创造，文学艺术应该弘扬真、善、美，鞭挞假、丑、恶。

在行将跨入古稀之年，我开始不时反思我这大半人生。我年少时，羡慕谢冰心，年纪轻轻就能亲近大海，漂洋过海，走向更大的世界。但临古稀之年，在亲历了"读万卷书，行万里路"，见过大千世界之后,我却更加敬佩冰心后半生的淡泊人生。在冰心91岁时深情回忆了她的人生,她从小就接受了这个十字训诫:"知足知不足,有为有弗为"。这是她的祖父挂在厅堂上的一副对联。她的祖父叫谢子修,一辈子当教师,是严复的好友。她祖父从小就以这十个字教育冰心:人要"知足",在物质享受上要知足,勿苛求;但在品行、学识上却要"知不足",永远要追求。"有为",对人民、国家有益,对世界和平、人类进步有利的事,就要有为;反之,就要"弗为"。冰心反思,"这话说来,将近80年了!这十个字我还是牢牢记住了,也努力去实践了,但是否都做到了?还不能由我自己来说"。冰心老人活到了99岁,在1999年去世。我将以冰心为榜样,要多发挥余热,过更加简朴的生活。"知足知不足,有为有弗为"。

为答谢"胡经之从教50年座谈会"而作
2003年春,望海书斋

诲人不倦启后人

年轻时到北京求学,在京30余载,有幸受到许多老一辈学者的教导。王朝闻、朱光潜、宗白华、蔡仪等在美学上给我引导;何其芳、林庚、吴组缃、王瑶等在文学方面给我启示;冯至、季羡林、杨周翰、闻家驷等在外国文学方面给予教诲;周汝昌、吴世昌、吴恩裕等也在"红学"方面点拨。这些前辈学者的教诲,使我受益匪浅,终生难忘。

在诸多前辈学者中,对我人生道路和学术发展,影响最大、帮助最多、指导最久,使我感触最深的,还是我的导师:"五四"老人杨晦。

晦师在16年前逝世。在八宝山向他遗体告别时,我含泪徘徊,默哀良久,不忍离去。回到北大,心情久久不能平静,写了一篇悼文在北大校刊发表,寄托哀思。师兄赵齐平也写了一首悼诗,说晦师一生:"早逐狂飙骋绣鞍,耄心犹自赤如丹。沉钟声远回荒野,九鼎论新肃讲坛。"我甚有同感。

去年,我回北大参加百年校庆,特地去林庚先生家看望这位87岁老人。他一下就认出了我,向在座的一群学生说:"他是杨晦的学生。"一下子就把我带进了对晦师的回忆之中。

今年是晦师的百年诞辰,情不自禁地回想起我在他那里受教30多年的一些难忘情景。我敬佩他的为人,特别是他的那诲人不倦,一丝不苟的人格精神。

一

我和晦师的最初接触,是在1952年秋。

那时,我第一次远离江南水乡,从苏州来北京求学。全国高校刚进行院系调整,北京大学新迁入燕园。晦师任中文系主任,为新生讲授

"文学概论"。我是这门课的课代表,又是新生班的学习委员,第一个接触到的教授就是他。

这是我有生以来首次和大学教授打交道。在此之前,我在江南水乡也当过中小学教师,但从未见过大学教授。在我脑海中,大学教授威严可畏,不可亲近。想不到,当过老北大副教务长的杨晦教授,竟是一位平易近人、和蔼可亲的忠厚长者。其实,晦师当时也刚过53岁,如果在今天,还只好称中年。但他当时已是白发斑斑,朴实慈祥。给人的第一印象,他的面貌很像鲁迅。我把我的最初印象,写信告诉了我在苏州教书的父亲。

这以后,我就常去晦师的家里——燕东园37号。大多是因为课程上的事,反映同学的要求、交作业,同时把晦师对同学如何学好此课程的意见转达给同学。那时,何其芳的夫人牟决鸣也在我们班进修。这位老大姐常邀我去家里做客,于是,也有缘拜访何其芳。何其芳是杨晦邻居,所以,一去就能同时见到两位。有时,晦师要我送还几本书给冯至,他住在晦师附近,所以我又有缘认识了冯至。那时,冯至是西语系主任,和晦师是亲密好友,一起创办过沉钟社,共同经历过许多人生磨难,称得上生死之交。晦师告我,他喜欢买书,有时买书钱不够,常向冯至借钱,冯至则有求必应,从不推辞。和晦师过从甚密的还有蔡仪,也住在燕东园,所以,我也在此时认识了蔡仪。晦师还曾要我去朱光潜家里送过书。朱光潜当时不住燕东园,就住在校医院北边佟府的一幢旧平房里,离我的宿舍很近。我去看他时,他沉默寡言,听我说是杨晦叫来的,顿时就显得开朗起来。从此,我和朱光潜也就有了30多年的交往。

那一辈的师长都说,20世纪50年代前半期是中国学者的黄金时代,特别是经院系调整之后,生活安定,学者都能安下心来做学问了。有一两年时光,我和林庚有缘天天在一起自由聊天,作过多次深谈。他告诉我,这一辈子,他的主要著作都是集中在这一时期写出来的。晦师也数次和我说起,他在1920年北京大学哲学系毕业时24岁,走向社会,到处找工作,真说得上颠沛流离。新中国成立前30年间,辗转大半个中国,在孔德、集美、同济、西南联大、中央大学等15个学校教过书,一两年就换一个学校。有时还要失业,不得不为生活而奔走。只有到新中国成立以后,生活才真正安定下来。50年代初,学者、教授的地位空前提高,晦师当时定为一级教授,月工资在365元左右,比部长待遇还高。当时一般工人是20~30元,我的助学金是12元5角,除去吃饭,每月还有2元多钱作零用。晦师喜欢买书,无甚嗜好,却酷爱饮茶。我每次去看望他,他总要泡一壶好茶,和我共享。那真是一种美好的享受,我虽长于江南,却从未尝过那样好的茶。我第一次喝时,晦师指着那碧绿的茶对我说:"这是你们家乡的茶,你知道这茶叫什么?"我当时只知道龙井茶,就说是龙井。他告诉我,这不是龙井,而是太湖东山产的碧螺春,比龙井要好,这使我大开了眼界。这是我家乡最好的茶叶,晦师每月买一斤,也只花去30元。但在60年代以后,就再也见不到这种茶叶了。

  晦师为我们开设"文学概论"一课时,并无现成的教科书。教育部还未来得及编写出统一的教材,只能由教师边教边编。晦师为编教材,花去了不少精力,讲一堂课,要花10倍于此的时间,因而常要备课到深夜。后来,高等教育部决定从苏联请来文艺学专家,在北京大学开办全国高校文艺理论研究班,调送全国文艺理论教师来北大研修,由晦师任研究班主任,主持此事。而他也从此得以脱身,转而研究中国古典文艺思想史,开拓一个新的领域。

  晦师为我们上完"文学概论"的第二年,苏联专家毕达可夫就来到北大,文艺理论研究班开始了。经过班主任晦师特许,我也去班里听课。但当时晦师就提醒我:文艺理论是从文艺实践中来的,中国有自己的文艺实践,苏联的文艺理论只是作为我们的参考,不能照搬,还是要总结我们自己民族的东西。在研究班开学那一天,晦师亲自主持了一个简短的仪式,把毕达可夫介绍给大家。参加研究班的有好几十人,满满的一大教室。因为当时国内无统一的文艺理论教材,所以大家听课都很认真,一字一句地记笔记。毕达可夫是乌克兰基辅大学的一位文艺学副教授,卫国战争中受过伤,断了一条手臂,但复员后又上了大学,乃是季摩菲耶夫的学生。但他在苏联名不见经传,学术上无多大名声。他在北大讲授的"文艺学引论",基本上是季摩菲耶夫所写《文学原理》的体系，举的实例大多是俄罗斯的古典作品和现代作品。但是，当时听课的一些教学经验丰富的中年教师，利用这个时机，编写起自己的教材来。蒋孔阳就在这时开始撰写《文学基本知识》，霍松林则在思考自己的《文艺学概论》，结合中国自己的丰富的文学资料，自己进行理论探索。也有些教师，边听课，一边就把笔记寄到所在学校，作为参考，由在校教师再结合中国实际，迅速编写出教材，以应教学的急需。从这个研究进修班出来的数十位教师，回到全国各地，担负着文艺理论的教学和研究，蔚为50年代前期中国高校文艺理论的一道景观。

  大学几年，乃是我学习最自由而勤奋的时光。我如饥似渴地博览群书。我读得最多的是国内外的文艺学、美学书籍，特别是关于音乐、美术、文学、电影的理论著作，同时，又大量阅读了欧、美、俄的文学名著，作家、艺术家传记。那时北大的学习气氛特别浓，一早起来，胡乱吃过早点，就要快跑去图书馆抢座位。除了吃饭，整天就埋身书堆。晚上快熄灯了，才不得不回宿舍就寝。那时，校园里政治运动不多，教师在集中精力教书、写书，学生则全心全意学习，心无旁骛。中间有一个"反胡风运动"，班里开过一次会要学习。我看过胡风的书，并不赞赏他的文艺理论。但我开会时说："这是文艺思想问题，算不上政治反动。"说了也就完了，不当什么大事。但后来我才知道，系里有人说我这个人右倾，不关心政治。当时晦师对我比较了解，他就说，这个学生勤奋好学，愿意向学术上发展，政治上就不一定苛求了。大学期间，我得以自由自在地读书，甚至我还穿着西服在校园里独来独往。谢冕后来对我说，他们班里好多人都知道你这个穿西服的人，很快就给他留下了印象。那自由阅读风气的形成，当然与时代有关，也与晦师在50年代前期那种注重学术，无为而治的作风有关。

二

  我本该在1956年夏毕业，但在1955年底却生了一点波折，让我要提前半年毕业。

这事来得太突然，都没有来得及让我深思。人事处找我谈话，说经国务院周总理亲自批准，决定要从北大、复旦等校抽调一些即将毕业的优秀学生、共产党员，提前半年毕业，去中国人民大学马列主义研究班当研究生，以加强全国高校的思想教育。北大决定选送我去，要我服从分配，安心去学。我心里并不乐意，但在那个时代，哪里需要就去哪里，已经成为我辈自觉信守的规矩。既然学校已作决定，报到时间又仓促，毋须多费口舌，我就拿着介绍信去中国人民大学报到，连师长那里都来不及去告别。

到马列主义研究班后，我才知道，参加研究班的大多是从全国高校来的年轻教师，从应届毕业生抽调来的人只是少数。听课也不多，只是胡华、何干之等少数名家为大家上课，其他时间是自己研究。我虽然对哲学感兴趣，但我脑海里更多的还是文学艺术。我的助学金每月已有25元，比北大多了一倍，吃饭之外，可以买些书了。但阅读文学艺术书籍成了业余，并非专业，心中不免若有所失。

我永远不会忘怀，又是晦师给了我重返文学艺术专业的机缘。

那是在1956年春夏之交，国务院发布了公告：中国准备试行副博士学位制度，北大、复旦等重点高校在秋季首次招收副博士研究生，学制四年。不久，北京大学公布了首届副博士学位的专业目录，晦师的名字，赫然立于文艺学导师之列。

这，一下子就拨动了我的心弦，使我不能平静下来。研究文艺学，这不是我梦寐以求的专业理想吗？我当机立断，迫不及待地一口气从人民大学跑到燕东园晦师家里，要把我的心愿告诉他，希望他给予我帮助。

我一见到他，就说："我想考文艺学副博士研究生，不知行不行？"他说："怎么不行？你真想学，就行。你还可以不用考。招生条例中有一条，应届毕业中的优秀者，可以由单位报送，直接攻读副博士研究生。你符合这条件。"我说："我现在算人民大学的研究生，还行吗？"晦师说："你什么时候去了人民大学？我怎么不明白？"于是，我把提前毕业的事告诉了他。我一直以为，他作为中文系主任，大概会知道这情况，想不到，直到我这次见他，他才知道，相隔已有四五个月了。晦师思索良久，最后对我说："我不知道你已走了，我希望你回来。但有些麻烦，我会尽力帮你，让北大中文系接收你回来，作为应届毕业生，重新分配工作，留下来当副博士研究生。但人民大学要肯放，不肯放就麻烦了，你要想办法让他们放。"

这是我人生道路上的一次重大转折。我永远记得晦师在这关键时刻给予我的帮助，并且暗下决心，一定要在文艺学这一学科作出成绩，以报答晦师的知遇之恩。

我回到人民大学，立即向马列主义研究班主任张腾霄提出回北大的申请。张腾霄表示，人民大学不会阻拦，但此事必须由高教部同意才行。我去了高教部好几次，主管司长却不同意，理由是国家急需政治教师。实在无奈，我只好到中南海，向我的学长严慰冰求助。她听完我的话，就说："国家要培养副博士研究生，怎么就不是国家需要？我要给高教部打电话，你等消息。"当时高教部部长是杨秀峰，我不知严慰冰是给谁打的电话。到了6月，高教部通知下来，让我回北大中文系，作为应届毕业生分配，留在文艺理论教研室当助教，等首届副博士研究生入学，我再转为研究生。

我回到北大，首先就到晦师家里报到并请教，如何做入学准备。那时，副博士研究生向全国招考，北大还没做好入学准备，要推迟到1957年春节后入学。晦师要我先进入学习，从中国古典文艺思想史着手，一本一本地读原著，《论语》《庄子》等顺着历史读下来，做笔记，写读书札记。等其他研究生入学后，再做全面安排。但他讲了一番意味深长的话，后来研究生入学时又再三说过：学问要踏踏实实地做，要专心致志，心无旁骛。目标要远大，做学问就像登泰山，要奔高处，才能一览众山小。在奔向山顶的路上，会有许多花花草草，不要被这些花草迷住了，反而忘了要奔高处。这几年要埋头读书，不要急着写文章发表。学问深了，再写文章，厚积而薄发，才能得心应手。

我牢记着他的这番话，足足有两年多时光，我都沉湎于古书堆中，研究中国古典文艺思想，做了不少卡片、笔记，写了读书札记《孔子的文艺思想》《庄子的文艺思想》《魏晋的文艺思潮》等给晦师看过，但从不敢拿出去发表。可惜，这些东西大多在"文革"中丢失了，以后就未能专治此学。这两年正是多事之秋，先是1956年的"鸣放"，后是1957年的"反右"。那时，我虽算文艺理论教研室助教，但因晦师早说过，半年后要转为研究生，所以不参加教师活动，也不参加学生活动，只是一心读书。那时在中文系当助教，还延续着清华大学国学门的传统，助教既是导师的工作助理，又是导师的私淑弟子。我在当时只听从导师的安排，和导师关系密切，系里也不管我，所以，我得以拉开距离，不必卷入漩涡中心，减少了不少麻烦。回想起来，那几年所以能不卷入政治运动，安心读书，这多亏了他。

学术文化界在大跃进声中批判了厚古薄今，鼓励学术面向现实。晦师此时正集中精力研究中国文艺思想史，并配备邵岳做助教，专治此学。此时，由朱光潜、蔡仪、李泽厚等引起的美学争论甚为热烈。虽有报刊也曾约我写稿参与，但我恪守晦师教诲，未曾接受。我关注着这场争论，却觉得此时的美学太抽象，只在客观、主观上争来争去，未入文学艺术的奥妙。而当时的文艺学又太政治化，尽在说文艺如何为政治服务。我想，应把文艺学和美学打通，从美学上来研究文艺。我曾将这想法和晦师谈过，他很支持，要我去多请教朱光潜、宗白华。我除了去听朱光潜的"西方美学史"、宗白华的"中国美学史"，还常去登门请教。逐渐在我脑海里形成了一个研究课题：古典艺术为何至今还有艺术魅力？

1958年大跃进声中，晦师把我叫到家里，给我交代一项任务，要我必须认真做好，不要出现差错。周扬亲自带着何其芳、张光年、邵荃麟、林默涵、袁水拍等人，要来北京大学开设"建设中国的马克思主义文艺理论"讲座。学校非常重视，由教务长王学珍做了周密安排，选送中文、历史、哲学、东语、西语、俄语等六系学生在礼堂听课。中文系要抽一名教师专职担任此课的助教，负责和周扬等主讲者联系，主讲者和听课者有什么要求和反映，及时相互沟通，使这课程能顺利进行，还要负责讲稿的整理和如何对付报刊。晦师和魏建功商量后严肃地告诉我：这个工作就交给你了，需要系里什么支持，就找邵岳一起商量。当时，我真是一则以惧，一则以喜。晦师把这样重要的事交给我，是对我的信任，当然高兴。可是，这样的事要是出了差错，可就麻烦了。我害怕对付不过来，就把我的顾虑直率告诉了晦师。晦师说："你要有信心，根据我平日对你的了解，你能对付得了。周扬虽是领导，但也是文化人，对人还是很和气的，不必过虑。有什么不好处理的，可以直接告诉我，我尽力帮你。"有了晦师的鼓励，我才能勇敢地担当了这个任务，去过两次周扬的家里（当时住沙滩后街），具体商定课程如何进行。第一次见周扬时，听说我是杨晦的学生，就很高兴地说："杨先生是文艺界前辈，回去向他问好。"我心里就踏实起来。其实，晦师比周扬大不了10岁，但他这一说，感到心理距离缩短了。回校后，我把见周扬的情况告诉了晦师。周扬先后来北京大学讲了两次，都是围绕着如何建设中国自己的文艺学、美学这个主题。他特别赞赏普列汉诺夫的社会心理中介说，在他家里，他兴高采烈地发挥过。两次讲课，我都组织过速记，整理打印后送给他本人。但他再三交代，不要交报刊发表。"文革"中，有人问我索要这两份讲稿，我说已经丢失了。其实，我自己还存有当时记下的原始笔记。

在那变化急遽、热情洋溢的年代，一个没有人生经验的年轻学生，如何冷静面对现实，防止头脑发热，善于把握自我，这么多需要有经验的师长多加提醒和点拨。晦师常在一些关键时刻，不时给我敲敲警钟，话虽不多，但很及时，这是对我最大的关切。

1958年秋，全国文联、作家协会、《文艺报》连续召开创作方法讨论会，一些著名作家、艺术家如田汉、阳翰笙、曹禺、老舍、欧阳予倩等都参加了。北大有晦师，还通知我去参加，并且要发言，学校派车接送。我第一次参加这样的讨论会，认真写了一个发言稿，我和晦师的发言都在《文艺报》上发表了。我发言后，引起了一些老辈作家、艺术家的注意。有人就在底下打听：这是哪一个大学的教授？我当时才25岁，听了感到啼笑皆非，但心里也有点沾沾自喜。就在回校的车上，晦师恳切地对我说："有人称赞是好事，但不能自我陶醉。要把这作为鞭策，督促自己更深入探索真理。"这种提醒非常及时，引起自己的警觉。当时，我被《文艺报》聘为特约评论员（同时被聘的还有李希凡、李泽厚，同窗严家炎、王世德等），各处来约稿的甚多。我决心闭门谢客，半年之内，我集中精力，只完成了两件事，一是应王信之约，为《文学评论》

写了一篇理论文章《理想与现实的辩证结合》，二是应周天之约，为上海文艺出版社写了本评论小书《谈谈〈野火春风斗古城〉》。

从1959年下半年始，我终于转向了自己选定的研究，潜心做我的研究生毕业论文，以一年多时间完成了《为何古典作品至今还有艺术魅力》，后发表于北京大学学报。1960年底，我结束了长达4年的研究生生涯，走向人生的新的路程，坚定地走学术道路。

三

在我人生道路上的又一转折关口，晦师再次给予我指点和帮助，从此留在北京大学。

我在研究生毕业时，本来想回家乡，去南京大学。当时，我虽已到北京8年，但我一直不大适应北方的气候。我父母先在苏州，后又到南京任教，希望我能回南方工作，阖家团聚。我也很想念父母，读唐诗"忽见陌头杨柳色，悔教夫婿觅封侯"，竟常发生联想，勾起思乡之情。我的未婚妻张景贤，曾跟随王瑶进修过两年，回到辽宁大学，她的单位就是不让放走，反而动员我去辽宁大学，因而僵持不下。

就在我交完毕业论文不久，晦师找我做了一次长谈，我为此而做出了选择。

当初，录取文艺学的副博士研究生一共有4名：一位从华中师院来的陈安湖，来北京见过晦师，不久就回去当他的讲师了，没有读下去。家炎兄专心致志读了一年多，却被系里说服，转为讲师，立即开课讲授现代文学去了。只有我和世德兄二人坚持到最后。但在1959年反对修正主义热潮声中，副博士学位被说成是修正主义货色，读完4年，临到毕业，什么学位也没有给。世德兄被高教部分配去支援四川大学。晦师对这种出尔反尔、说变就变的做法也甚不满，但又无可奈何。他劝我，不要去辽宁大学，也不要去南京大学，还是留在北京大学，安心做些学问。当时，专攻中国文艺思想史的年轻教师已有邵岳、张少康二人，但文艺学应发展新的学科，需要有年轻人来开拓。当时吴泰昌、毛庆耆等一批新的研究生刚入学，郁沉还没有来，青黄不接，晦师真诚地希望我留下，师生情谊，溢于言表。晦师一番语重心长的话，使我永生难忘。他说："做学问需要有一个安定的环境，机缘可遇不可求。我前半生大多在为生活而奔波，不能专心做学问。你现在的条件好多了，应该珍视，你不是想研究文艺的美学吗？朱光潜、宗白华几位先生都在这里，可以常请教，还是留下来吧！你爱人的调动，我一定要学校优先解决。"晦师的爱护之心，使我感动万分。终于，我说服了父母，下决心留在北京。

晦师一边要我上好"文学概论"一课，一边要我准备文艺学专题课程。我被安排住在教师单身宿舍，和裘锡圭同一室，开始了我的教学生涯。但在1961年春刚开学不久，晦师叫我到他家里，微微笑道："你现在安定下来了，又是单身，你不是喜欢做研究工作吗？给你找了一个深造的机会。周扬在抓文科教材，由蔡仪主持编写《文学概论》作为全国统编教材，要我为他推荐人才。我把你推荐给他，要住到中央党校去，可能要好几年，正可以进行研究。北大还有吕德申去，但他还要照顾教研室的工作。你则可以专心致志，不需再管学校的教学。"我听了当然高兴。他想得很周到，问我准备什么时候结婚，为我出主意，要我和爱人商量，争取在"五一"就结婚。过了"五一"就要去中央党校了，一去就是好几年；不结婚，北大就会把调动爱人的事搁下来。

就这样，我在"五一"结了婚。晦师不仅给我们送了礼品，还亲自参加了婚礼作主婚人。王瑶夫妇和师兄严家炎夫妇也带了礼品来祝贺。过了"五一"，爱人回到东北，我就从北大迁入中央党校居住。这一去就是两年多，直到1963年秋才回到北大。这时，在晦师的帮助下，我爱人也从沈阳调来了。我们搬进了清华园公寓居住，离燕东园不远，就有机会不时去晦师家看望。

我逐渐发觉，晦师的精神不如以前好，话也少了起来。那年他已将六十有五，我以为，随着年岁的增长，精力减退，大概是自然现象。但是，在多次交谈中，我慢慢懂得，在经历过三年困难之后，他正在对高等教育进行沉思，心有郁结，化解不开。高等学校是要培养又红又专的人才，晦师也是一直提倡的。但是，要怎样才能培养出国家有用的人才，还是要把远大理想、爱国热忱贯彻到踏实学习中去。学校不能动不动就因运动而停课，说要去筑路修水库，收麦抢耕，一下子又把师生拉到乡下，教学怎么能进行得下去？晦师心里想不通，但身为系主任，又要执行指令，因而郁郁不乐，心情低沉。

令晦师难以忍受的是，他本以为学校领导经过三年困难的反思，应该按照1961年制定的"高校六十条"来整顿教育了，使教学走上常规，真正按教育规律办学。不料，在1964年夏，学校把全校各系主要骨干集中到十三陵进行"社会主义教育"，其主题竟是反对右倾机会主义，要大家深刻检查右倾错误。晦师忍无可忍，竟一反近年的沉默不语，拍案而起，语出惊人："当前的主要倾向是'左'倾幼稚，不按教育规律办事，哪里是右倾！"他严肃认真地拿出了"高校六十条"，一条一条地引证，以具体事实来说明，当务之急是要落实教学措施，而不是反右倾。此论一出，引起各种反响，打乱了原有部署。有人组织了批判，要他承认这是错误言论，但晦师坚持己见，决不肯随声附和。只是，经过半年多的"社会主义教育"运动，晦师心情更加沉重，说话也就更少了。我和家炎都为他感到不平。

那时，我的心情也甚为不好。我的父亲，一辈子当教师，操劳过度，积劳成疾，才50多岁，竟得癌症。我从南京把他接到北京来寻医求治，因级别不够，竟无一所医院肯接受住院治疗。父母和我们竟只能挤在清华园的一间房里，一家5个人共睡两张床。白天出门到处求医，晚上回来筋疲力尽。父亲眼看我求助无门、束手无策，不愿再连累我弄得鸡犬不宁，坚决要回南京，不到半年，就过世了。我赶到南京奔丧，回到北京后，一股深深的悲哀长久笼罩我的心头："百无一用是书生。"我困惑，读书有什么用？读书人连自己的父亲都救不了，想在后半生侍奉他的机会都没有，还谈什么读书报国！晦师一生献身教育，懂得教育规律，可又有何用，还不照受批判！校长马寅初又怎么样？提出中国要早些注意控制人口，学问够大的了，结果又怎么样！我又懊悔来北京。

反倒是晦师在此时给我开导和劝慰，使我度过了一场精神危机。他娓娓劝道："人生总会有挫折，但不要在挫折中倒下。能在挫折中站起来，就会学得更坚强。读书人的作用是有限，不可能一言兴邦，也不可能一言丧国，但还是要去追求真理，不要丧失人生方向，要有韧性。书还是要读，课还是要上，文还是要写。学问，是不一定马上有用，但若是真理，就会在后来有用。马寅初的控制人口论，将来说不定会有大用。"我听他说了几次，心里也就渐渐平静下来。

然而，他心目里盼望的教学秩序不仅没有再恢复，更大的精神打击反而接踵而来。史无前例的"文化大革命"横扫了一切学问。把读书人当作垃圾扫地出门，晦师也靠边站了。他却始终弄不明白，见面就问我，这是怎么回事，世道怎么会这样？当时我也弄不明白，要在"文化大革命"结束时，邓小平大总结出来，这是极"左"思潮发展到了顶峰。所以，当时我只能安慰他：这是暂时现象，很快会过去。但就在1966年夏，派系斗争忽然激烈起来。当时负责中文系日常工作的邵岳、华秀珠深夜找我，估计运动会冲击到杨晦，他年事已高，怕他忍受不了。他们动员我，全家搬到燕东园37号杨晦楼下住，好对他有个照顾，防止他受到更大的冲击。

我犹豫了一下，决定还是搬到晦师楼下。我父亲过世后，我们就把女儿苏薇（江苏蔷薇花开季节时所生）接到北京住，此时已有5岁。当时燕东园27号楼下杨人楩夫妇住了两间，还有两间空着，如果迁入那里，活动空间大些。而晦师楼下只有一间，但晦师和夫人姚冬特别盼望我搬到他们那里，以便相互照应。姚冬特喜爱苏薇，拉着她的手观赏她自种的花，劝我说："我只有男孩，没有女孩，我特别喜欢女孩。你们搬来，若忙不过来，我会帮你们照看苏薇。"在那动乱的时代，我感受到师生情谊，更显得珍贵，于是就搬进了晦师楼下那间我以前常来的小客厅里。

我在这小客厅住了将近两年，因此也就有了和晦师朝夕相处、促膝谈心的机缘。学校的教学早就停了，学问也无从做起，晦师却认真读起马克思、恩格斯的全集来。那时，全集还有不少未来得及翻译过来，晦师又自学起德文，想从德文看原著。那时，我还担任着西哈努克王子的"太子太傅"，有时去友谊宾馆作"侍读"，但晚间就无事，既不出去活动，又无电视可看。于是，有时就上楼，在他的书房聊天。他很想多知道些外界的情况,所以很乐意我去聊,有时聊得很晚。有时停电,他就点上蜡烛,秉烛夜谈。从聊天中,我也更多地知道了他的过去。那几年,每逢"五四"北大校庆,总有各种传媒,如中央人民广播电台、《人民日报》、《光明日报》等来采访,要晦师回忆当年他参加五四运动的情景。晦师已患白内障,视力日差,就由他口述,我整理加工,再写成文章。为此,我又把他过去写过的不少文章找来看,对他过去又有了深一层的理解。

晦师在19世纪末出生于东北一个贫苦农民家庭,这就和出身于书香门第的朱光潜很不一样。晦师从小就经历过许多苦难,在那民不聊生、水深火热的年代,他经受住种种挫折,因而性格中具有坚强的韧性。五四运动那年,晦师正在北大哲学系就读,出于爱国热忱,就和许德珩等一道,走向街头,勇闯赵家楼。他经历了太多的社会悲剧,因而他转向古典悲剧的研究,并且也动手写中国自己的悲剧。在平时,他沉默寡言,但遇到不平,则悲愤填膺。他青年时代的悲剧精神,在老年时代仍有表露,我认识他31年,也仍能时常感受到。晦师的形象和鲁迅很相似,他那坚毅不拔的精神更像鲁迅。他在北京和上海,都和鲁迅有诸多交往,在已出版的《鲁迅日记》中就有七处谈及杨晦,鲁迅对杨晦、冯至等积极坚持的沉钟社评价甚高。

我搬到晦师楼下与他为邻,原是为防止他受更大冲击。但一年多之后,我也受到了冲击。我被抄了家,晦师家也不能幸免,大家都受难了。这时,我的第二个女儿燕菘(北京大白菜成熟季节时所生)亦将出生,这小客厅也挤不下了。于是,我在1986年春从晦师这里迁出,搬进燕东园27号朱光潜的楼下,和杨人楩住一层。这样,我又有数年时光与朱光潜为邻,但不时去看望晦师。再以后,我被送去鄱阳湖鲤鱼洲劳动耕耘,继而我又不断被调来遣去,已经是身不由己了,虽然还不时去看望晦师,但已难有深夜长谈的机缘。

期盼了将近20年,高等学校的教学秩序在80年代初才恢复起来,晦师已垂垂老矣,那年他已届81岁。学位制度终于建立起来,要开始招收文艺学硕士研究生,晦师把我叫去,苦笑着说:"你读了四年研究生,学位又取消了。现在要招硕士生了,可我已年迈体衰,精力不济了,但我还是要招这第一届,开个头,你帮我作些具体安排。我就招这一届,以后,让你招了。""文革"十年,积压了大量优秀人才未能继续培养,这文艺学首届硕士生,就来了不少我本科教过的学生,如董学文、曾镇南、郭建模等等,晦师亲自培养了这一批硕士生,我则协助他安排了一些专题课程。于是,这些大学时代我的学生,成了我的师弟。晦师露出了笑容,幽默地说:"这终究不是历史的悲剧,最后还是个喜剧。"我感受到了他内心的喜悦。

最后几年,晦师都把心思放在了扶持后进上。当时负责中文系全面工作的吕梁,曾要我专门去找晦师,询问他是不是要为他配一个学术助手。晦师也曾想把他多年的思考写成《文学论》,但是出于对后学的爱护,他还是没有要。他要我向吕梁道谢:"感谢组织关怀,但我不能再要助手。中青年一辈,历经磨难,时光耽误,要让他们抢回失去的时光,抓紧做自己的学问。"

在晦师的鼓励下,我开始独立招收文艺美学的硕士研究生。受北京大学出版社之约,我和叶朗、江溶负责编辑《文艺美学丛书》,决定聘请晦师、朱光潜、宗白华三位老人当学术顾问。没有想到,晦师没有见到这套丛书的出版,竟先朱光潜、宗白华两位而作古了,给我们留下了深深的遗憾。

半生在京30余载,我有幸受到众多长辈者的直接教诲。但在我的人生道路历程中,受教最多、过往最密、影响最大的师长,当是晦师。在人生转折的几个关口,都是晦师给了我直接的帮助。16年前,长者已逝。如今,我亦已步入晚年,但在我的心里,晦师的精神永在,风范长存,给我留下了永远的怀念。

为杨晦百年诞辰学术研讨会而作
1999年初夏,深大新村

(原载《杨晦先生纪念集》,北京大学出版社,2001年)

悼念老师杨晦

在向晦老遗体告别的最后时刻,我忍不住离而复返,再次停留,含泪默哀良久:永别了,我的老师!

告别回来,我的心情久久不能平静。我30年来所见的晦老形象,此刻,在我脑海中重又萦回浮现,时断时续而又连成一片……

我和晦老的最初接触是在1952年秋。那时,我远离江南水乡从苏州来北京求学,最先发生兴趣的课程就是"文学概论",而授课老师就是晦老。我清楚记得,上第一次课,我,作为这门课的代表,在楼道门口等候教师时,只见迎面走来一人,瘦小身材,衣着朴素。难道这就是我们的系主任?我迟疑地走到他面前:"你是杨晦先生吗?"他从容而和气地笑道:"我就是。"于是,我把他请进了教室。

这是我有生以来第一次和大学教授打交道。他给我的最初印象是:一个平易近人的忠厚长者。其实,晦老当时刚过53岁,如果在今天,还只好算中年。

在大学几年,受他指点,我对文艺理论的兴趣越来越浓。我一直称他为"先生"——在我家乡,这是对老师的尊称。但我对老师的真正了解,还是在毕业以后。

晦老在1956年首次招收副博士学位研究生,我正好大学毕业,有幸跟随他攻读了4年多文艺理论。在这些日子里,我渐渐琢磨到,在他性格中,为人和善忠厚是和对生活的严肃执着结合在一起的。无论在思想或事业上,他对自己和后辈都有严格的要求。

他有过多方面的文学实践活动:创作过长篇剧本,翻译过文学名著,创办过文学社团,长期从事文学教学,撰写过不少文艺理论、文艺批评文章。文艺实践经验的丰富,使他对文艺理论有许多独到的见解。他曾接受过苏联专家来中文系讲授文艺理论,但在当时就再三告诫我们：要借鉴、吸取别国之长，却不要照搬。文艺理论从实践中来。必须紧密结合中国自己的实践经验，从我国文学艺术的历史发展中总结出具有民族特色的文艺理论。因此，他一开始就要我们系统阅读中国古典文艺理论，广泛接触中国文学艺术，培养艺术感受，积累理论材料，而不必忙于抄袭外国的理论体系。

在前两年的学习生涯中，我按他的指点，从先秦诸子、诗经、楚辞往下，一本一本地读，写读书札记。但有时我心里不免犹豫，想挤点时间写文章。晦老也许捉摸到了我的心思，几次对我说：饭，必须一口一口地吃，书，必须一本一本地读，不要急于求成，要脚踏实地。文章是要写的，这必须在研究之后，确有自己见解，有感而发，不人云亦云，不拾人牙慧。只有基础坚实，才能建高楼大厦。读书、学习，好像是登泰山之顶，有一个远大目标，不能满足于在中途小丘徘徊。

既要目标远大，又要脚踏实地，这是晦老谆谆教导我们在学术上所要到达的理想境地。

他认真教书，更重育人。他掌握着我们的思想脉搏，循循善诱，晓之以理。1958年秋，全国文联连续开会，讨论我国文学艺术的创作方法问题。我当时作为《文艺报》特约评论员和晦老一起与会，我们的发言都公开发表了。不知哪位作家向编辑打听，问我是哪个大学的教授。我听了啼笑皆非，可心里也有点沾沾自喜。晦老听后，恳切地对我说："有人称赞是好事，但不能自我陶醉，要把这作为鞭策，督促自己更深入去探索真理。"这种提醒非常及时，就像给我敲了一下警钟，使我及早注意一些思想苗头，不致从沾沾自喜而飘飘然。

晦老一生，严于律己，不放松思想改造。他是五四运动的积极参加者。20世纪60年代中有好几年，我住在晦老楼下那间客厅里，每逢为他写纪念五四运动的文章，他对往事的回叙，深深激动和鼓舞着我，我对他也有了深一层的了解。他对党有极深沉的感情，几次说起，没有共产党就没有新中国，也没有他个人。旧中国水深火热，民不聊生，知识分子也颠沛流离，走投无路，只有在新中国才创造了一个可以研究学术的安定环境。他意味深长地说："你们要珍惜现在。"晦老自己已是新中国成立初期最早加入共产党的老知识分子之一。

晦老曾想把他多年的研究写成《文学论》，长期的行政事务和十年政治动乱，打乱了他的计划。近几年来，晦老年迈体衰，连年多病，已是力不从心，但他仍然不忘扶植后进。他80岁那年，中文系党总支书记吕梁同志要我去问晦老：是否要配学术助手？当时他眼病已重，听觉失灵，对我说："组织关怀，十分感谢。但我不能再要助手。中年一辈，时光耽误，要赶紧抢回失去的时间，应该让中年人大干了。"这几年，晦老一边在整理自己的文稿，一边在花心血培养研究生。北京大学出版社要出一套《文艺美学丛书》，晦老和朱老、宗老三人都做了顾问。

他诲人不倦，学生辈的点滴进步，都使他由衷地感到高兴。大前年秋，他问及好多同学、熟人的近况，我尽我所知告诉了他。他听了面有喜色，转而严肃地说："你们这些人获得了高级职称，这是人民的信任。过去常有人一定职称，就从此止步，不再长进。你们可不能这样！学海无边，学无止境，学到老，做到老，一辈子都不停顿。"

1983年于北大燕园
（原载《北京大学校刊》，1983年5月）

博学多思善创新

蒋孔阳先生是我一向尊敬的学长。我们相识将近50年,他的为人、治学都给我留下深刻印象。我深深怀念他。

我们最早相识于20世纪50年代初期。当时我在北大就学,已迁入美丽的燕园了。高教部要为全国高校培养文艺理论教师,从苏联请来了写过《文学原理》的季摩菲耶夫的学生毕达可夫来北大开设"文艺学引论"。高教部从中文、西语、俄语三个系抽调了一批高年级学生当文艺学研究生,又从全国高校选送了不少年轻教师来北大进修,组成了一个好几十人的文艺理论研究和进修班,由中文系主任杨晦当班主任。来自复旦的蒋孔阳当年风华正茂,已有多年教学经验。他听课可不像我们这些毫无教学经验的学生,照抄照搬,生吞活剥,而是边听边想,为他活用。他利用这进修机会,早就在构思他的《文学基本知识》了,思考古典文学为何会给人以美感。正是因为他不照搬外国理论,而从文学艺术的实践出发,作独立思考,从美学的角度来研究文学艺术,所以,他的书一出来就受到广大青年文艺爱好者的欢迎,却也招来了一些只要文艺为政治服务的理论者的责难。

他年长我10岁,但平易近人,和蔼可亲,从来只把我当作小学弟来看待。当时在研究班进修的外校教师,不少人都应属于师辈,如霍松林先生比蒋孔阳先生年纪还大,但他们都专心致志地在做自己的研究,霍松林先生的《文艺学概论》就是他多年研究的成果。因为我是杨晦的学生,蒋孔阳先生常去杨晦家,所以有了更多的接触。进修结束后,他回到复旦大学,见面机会少了,但以文会友的机缘却多了。他给我寄来过《文学基本知识》,我也曾把我的《为何古典作品至今还有艺术魅力》寄送给他。60年代初期,我参加蔡仪《文学概论》的编写,想借此机会多掌握些国外文艺理论资料,而他此时正和伍蠡甫先生合作译编《西方文论选》。于是,我在1960年夏特地去上海拜访他和伍蠡甫先生,做过长谈,使我受益匪浅。

这以后,受历史的作弄,我们等了近20年之后方能再次见面。1980年初夏,中华全国美学学会成立,我陪朱光潜老人赴昆明与会。就在我俩住所的那个客厅里,我和蒋孔阳先生又做长谈,直至深夜,他怕影响朱老休息,才不得不悄悄离去。那时,我正集中精力在研究文艺美学,倡导在艺术院校、文学系科开设这一课程。我把这想法告诉他,并想在北大招收研究生时,新设文艺美学这一专业方向。他听后连声说好。他告诉我,凭他多年的教学经验,在中文系讲美学,如果不紧密联系文学艺术的实际,美学就不会有生命力。他鼓励我在北大研究生培养中开拓文艺美学这一新的专业方向,相信对文艺学的建设会起促进作用。因为他是我尊敬的学长,而且他讲授美学,一直注重分析文艺现象,所以,他的经验之谈,对我的鼓励就特别大,使我信心倍增。

改革开放的暖风,吹热了美学,我和蒋孔阳先生的交往也多了起来。我永远不会忘怀,1984年初夏,我和当时还在美国的乐黛云答允去深圳大学创办中文系,汤一介要我先到深圳去亲眼看一看。那时,深圳确确实实还只是个边陲小镇,只有几条像海淀那样的街道。深圳大学还只在宝安县政府旧址里的一幢两层小楼办公,吃饭的地方是临时搭建的铁皮房,热不可耐。那天,我从广州乘火车到深圳已是中午,学校安排我立即去用膳,不料,我一进饭棚,一眼就看见李泽厚、蒋孔阳、刘纲纪几个人也在那里。他们在广州开会,特地到深圳来看一看这方新天地。听说我和乐黛云要来创办中文系,而且采取两人轮流来深大半年,还有半年在北大的新办法,他们都说这做法好,对北大、深大都有利。蒋孔阳先生特地告诉我,近几十年西方的文艺学、美学发展迅速,香港大学、中文大学的资料极多,到深圳后可以常去香港看到这些资料,还可以开展国际文化交流,促进国际学术交往。他的分析,很快坚定了我到深圳来任职的决心。

到深圳来后,我和蒋孔阳先生交往的机会反而比在北京时多了。我不时去上海见他和伍蠡甫先生,还一起到武汉、厦门等地参加美学会议。张家界即将开发时，我还曾和王朝闻、蒋孔阳先生一同去考察过，给我们留下了无限美好的回忆。我记得是在1984年秋，武汉大学刘纲纪邀我们去长江边上的晴川饭店，参加中西艺术比较的学术研讨会。会后，湖南美学学会又邀我们去考察张家界。那时的张家界，养在深闺人未识，到改革开放之初，画家吴冠中发现了这颗明珠，香港人也开始陆续来游，引起了湖南本地的关注，准备开发为旅游胜地。当时请王朝闻、蒋孔阳等我们这些治美学的人去，是要为此出点主意。这一次，我看王朝闻、蒋孔阳的兴致都很好，难得在那里住了好几天。伍蠡甫先生有事，回上海了。伍蠡甫先生去世后，我去上海少了，也难得见到蒋孔阳先生。但我在北大的研究生王坤考上了复旦大学文艺学博士生，导师就是蒋孔阳先生。他的学术新著一出来，就给我这小学弟寄来一本；王坤也不时为我带来他的问候。我和蒋孔阳先生的最后一次见面，是在济南召开的中外文艺理论学会成立大会上。当时，他的身体已大不如前，但为了祝贺学会的成立，还是特地从上海赶到会上来讲话，我们都深深为之感动。临别之际，我们紧紧握手，互道珍重，并盼望他有机会再来深圳看看，约香港学界的朋友来共叙旧谊。没有想到，去年他就离我们而去了，不禁让人黯然神伤，为之唏嘘。

蒋孔阳先生对美学、文艺学的研究有杰出的贡献，为我们留下了一笔丰富的精神财富。他对学术研究的执着令人钦佩。他的为学之道，给我启发最大的有三。

一是坚持学术独立而又符合时代要求。每门学科都有自己的特殊研究对象和各自的研究方法，要解决各自领域中的特殊矛盾。美学、文艺学要探讨审美、文艺这些特殊社会现象的特性和规律，就需要做独立的研究。但是，审美、文艺又不是和其他社会现象绝缘的单子，而是在随着时代的变革而发展。"他律"通过"自律"在发生作用，"他律"和"自律"的相互作用而形成的"合律"，使不同时代的审美活动、文艺现象既有共同性，又有特殊性。因此，美学、文艺学既要坚持学术的独立，又要符合时代的要求，就需要高度的智慧，掌握历史辩证法。蒋孔阳先生掌握了"自律"和"他律"的辩证法，将两者统一起来研究文学艺术。在那政治吞没了审美,文艺学变成政治学的时代,他坚持了文学艺术的审美作用;而当文学艺术被一些人贬为符号游戏、感官享受之时,他又突出了美的规律不能脱离社会生活。这是一种真正符合时代发展要求的学术独立,既不随波逐流,又非故步自封。

二是注意中西会通而又追求自我创新。本来,美学、文艺学这样的人文学科,必须视野广阔,高屋建瓴,博古通今,中西会通,才能在复杂多样的审美活动和丰富多彩的艺术现象中发现美的规律。但是,在美学、文艺学的领域,由于历史的原因,造成分工过细、各守一隅的现象。研究中国的,不管西方的;研究西方的,不问中国的,相互间缺乏对话,不进行沟通,更无从交流和会通。蒋孔阳先生不仅熟悉西方美学、文艺学,而且重视中国传统美学、文艺学的研究。更使我敬佩的是,他能在会通中外的基础上,构筑自己的理论,在美学领域有所创新。在他送我的《美学新论》《美的规律》等书中,我深感到,越到后来,就更注重理论的创新,既不照搬西方,又不重复传统。就是对马克思的一些理论,他也融会贯通,作了新的阐释,给人以新的启示。他很赞赏王羲之所说的"群籁虽参差,适我无非新"。他自己的学术研究,就不断在求创新。

三是理论密切联系实际,阐释力求深入浅出。美学、文艺学应该从活生生的审美现象、具体的文艺实践出发,经过理论研究,然后再回到审美现象和文艺实践,理论研究只是从实践出发又回到实践的中介环节。理论研究本身也相应地要从感性具体出发,经过知性抽象,又提升为理性具体。美学、文艺学只有和审美现象的实际,和文艺实践密切联系,才能成为真正的科学,才能获得正常发展。也正是因为美学、文艺学能科学地解释和回答审美和文艺实践中实际存在的问题,所以才能深入浅出,真正弄懂。蒋孔阳先生研究美学、文艺,能密切联系实际,将复杂精微的审美现象、文艺创造作出深入浅出的阐释,继承了朱光潜、宗白华、王朝闻等著名美学家的优良传统。其实,深入浅出不仅只是表达能力问题,更是是否真正认识对象问题。西方学者都已懂得:把复杂的弄成简单的是天才;把简单的变复杂，是蠢材。只有真正弄懂了，才能深入浅出；而没有弄懂，就只能信口开河，故弄玄虚。所以著名教育家陶行知说过：深入浅出是通俗，浅入浅出是庸俗。深入深出犹可恕，浅入深出最可恶。当今的美学、文艺学，所患的主要不是失语症。即使存在着失语现象，但这是表层，那深层的原由，乃是对审美现象、文艺实际缺乏真正的研究，所以讲不出道理。但目前最可恶的还是一种空话症。对真正的研究对象没有认识，不接触审美和艺术的实际，但又要自我表现，炫耀自己有学问，于是玩弄新词，空话连篇，故作深奥，虚张声势，以掩盖学术的空洞。所以，在当前要特别倡导蒋孔阳先生这种面向实际、深入浅出的治学精神。

为纪念蒋孔阳先生而作

2000年春，深大新村

（原载朱立元主编的《蒋孔阳纪念文集》中，复旦大学）

国际友好佛克马

北大在改革开放之初,最先由时任副校长的季羡林开启了国际文化交流活动。1981年1月,季羡林和杨周翰、李赋宁倡议筹建了北京大学比较文学研究会,我和乐黛云、岳凤麟、孙凤城等参与了筹建,后来又和张隆溪等先后接待了一些海外来访的学者,美国学者李达三,美籍华裔学者叶维廉、刘若愚,香港学者袁鹤翔等都曾到北大来访。

我到深圳以后,国际文化交流逐步扩大。但最初接触的还是港、台、澳学者,通过中华同胞来了解海外文化。1984年在深圳大学中文系成立大会上,就迎来了中文大学饶宗颐,香港大学罗忼烈,东亚大学程祥徽等。

就在第二年,1985年,在乐黛云的积极奔走下,中国比较文学学会在深圳大学成立,并且首次召开了比较文学的国际研讨会。我们选出了会长杨周翰,推举季羡林为名誉会长,他们两位都出席了此次盛会。会上还请来了好几位外国学者,英、法、日的比较文学学会会长都来了。最令人鼓舞的是:国际比较文学学会的主席佛克马不仅代表学会在大会致辞祝贺,而且还和我、孙景尧等一起主持了学术委员会。由此,我和佛克马由相识而相知,建立了20多年的国际友谊。

佛克马是我的国际友人中交往最深,我获益最多的一位。可惜,他在2011年夏在荷兰去世,在国际上我失去了一位良师益友,我深深怀念着他。

那年,佛克马年龄只有50多岁,风度翩翩,风华正茂,但他的学术成就已誉满全球。他站在开幕式上用英语宣读贺辞,身材笔挺,修长匀称,和我后来相识的美学家布洛克一样,堪称白人美男子。为他做翻译的是王宁和张旭东。王宁如今是清华大学著名的教授,《文学理论前沿》的主编;张旭东则是北京大学的长江学者,纽约大学的比较文学教授，享誉国际。可在深圳当年，他俩还是初出茅庐的年轻人，旭东还只是北大中文系的学生。他俩都受到了佛克马的引导和指点，后来都走上了国际学术舞台，为中华民族争光。我手头至今还留着一张我和佛克马共同主持国际学术研讨会的黑白照片，旭东就坐在我们身旁。我将永远记住这历史的瞬间，这人生景象再也不可重现。

当佛克马在会下用汉语和我交谈时，我大吃一惊，这个标准欧洲人怎么会说汉语？当时，我们别出心裁，把一些出席会议的代表安排在蛇口的"海上世界"住宿。这是从法国购来的一艘退役游船"明华"轮改修而成，邓小平首次南方谈话，就登上了这"明华"轮，而且提笔一挥，写下了"海上世界"的题签，因而引起世人瞩目。我陪佛克马来往于南海酒店和"海上世界"之间的海滩上，有过多次交谈。我从小平登上"海上世界"的故事说起，向他介绍了我们如何走上了改革开放之路，他听得津津有味，兴高采烈，为我们高兴。我也由他的谈话中，知道了他为什么会说汉语，原来，他不仅是国际著名的比较文学家和文学理论家，而且还是一位汉学家，我们的距离就一下拉近了。

佛克马比我年长两岁，1931年5月4日出生于荷兰。1949年他在阿姆斯特丹大学攻读语言文学时，就已对汉学发生了兴趣。他在1956年获得文学硕士学位后，入荷兰的外交部东亚处，对中国有了更多的了解。为了对中国的文化艺术有进一层的了解，他在1963年去了美国，专攻中国的现当代文学。佛克马在莱顿大学师从汉学家胡瑟威攻读博士学位，1965年完成的博士论文，就是《中国的文学教义及苏联影响》，对中国的文艺理论和苏联的文艺理论做了比较研究。他既熟悉苏联的文艺理论，又熟悉中国的文艺理论，所以，我们在蛇口的交谈就有了更多的共同语言，很快可以相互沟通。佛克马在他和夫人易布思教授合著的《二十世纪文学理论》一书中（1985年由袁鹤翔等翻译成中文，在香港出版），共六章，中有一章（第四章）专论马克思主义的文学理论，专设了一节论《中国对马克思主义文学理论》，对毛泽东、鲁迅、周扬的文艺理论，都有评论。

最使我感到惊奇的是，他在谈到中国文艺理论的发展时，特别关注在1958年提出的"革命现实主义和革命浪漫主义相结合"这一主张。在佛克马看来，中国在1949年到1958年，一直把社会主义现实主义奉为文学经典的理想。但是在1958年，"中国权威的理论家们"就创造出了"革命现实主义和革命浪漫主义相结合"的这一理论概念，代替了"那个含混的苏联公式"。在他看来，这是中国文艺学史上的一个转折点，"要使中国的马克思主义文学摆脱苏联影响"，试图"建立中国自己的马克思主义的文艺理论和批评"。佛克马告诉我，他曾仔细地阅读过我在《文艺报》（1958）上有关两者结合的发言以及《文学评论》（1959）上的我的那篇《现实与理想在文学中的辩证结合》，给他留下了深刻印象。

佛克马怎么会关注到我写的文章？再一深谈，我才了解到，他在准备他的博士论文《中国的文学教义及苏联影响》时，就已密切关注中国文艺理论的发展，搜集大量资料。1966年，佛克马更亲身来到中国，更深入地体验了中国的文化，引发了他的理论思考。原来，佛克马在取得博士学位后，即被荷兰王国派到荷兰驻中国的临时代办处从事对华的外交，先是当秘书，后升文化参赞，"文化大革命"掀起时，他还当了临时代办。说起"文化大革命"，佛克马还忆及当初亲历的奇闻轶事。运动初起，他就带了代办处的人和其他外交使馆的人一道，去北京大学观看大字报。他回忆，当时北大接待他的是一位瘦高个儿的留学生办公室主任，名字记不得了。和他一起的还有一位矮个儿的文弱书生。佛克马反而倒过来问我：那一位是不是你？他这一问，使我回想起运动当初，确是我和留学生办公室主任麻子英在做接待外宾观看大字报的工作，但来北大的外宾很多，分不清哪些是英、美的，哪些是荷兰、德国的，连后来鼎鼎大名的外国造反派李敦白，我也不认得。给我留下印象的，反倒是初秋来访的港澳参观团，领头的是苏州老乡费彝民（《大公报》社长）和香港明星夏梦（上海人）。佛克马说，他当时不认得我，若当时就相识了，就会追住我探讨一下当时的文艺思潮，他对这很感兴趣。

佛克马那时才30多岁，亲历了中国的动乱，但仍然密切关注着中国的文化艺术的发展，抓紧时机观看了当时的几个样板戏。1968年他回国后就离开了外交界，重返学术研究，进入高等学府任教，走了他的前辈汉学家高罗佩的道路。在国际汉学界，佛克马被誉为高罗佩二世。

佛克马对中国的文化艺术情有独钟。他说,这一生他最钟爱三种学说,一是佛家学说,二是孔子学说,三是马克思学说。为表达他的敬仰,他把自己的姓名用"佛克马"这三个汉字来表示。第一个"佛",是表征佛家。第二个"克"乃表征孔夫子的孔,孔和克在英文中相谐音,这"克"就是"孔"。而第三个字"马",那就是表征马克思。佛克马写的最早一部著作是《中国的文学教义及苏联影响》,他1965年的博士论文。而他的最后一部收尾之作是《乌托邦小说:中国与西方》,在2011年出版。这一首一尾两部著作,都在关注着中国的文学。杨周翰先生的首位博士生王宁教授在清华大学创办《文学理论前沿》时,把佛克马和我都列为学术顾问,我虽感荣幸,但终觉不安,在这位学长面前,我始终觉得望尘莫及,自愧不如。

我最先读到的是他和夫人合作的那部《二十世纪文学理论》。这部文艺理论著作写于中国的"文化大革命"结束之时,1979年就出了英文版,80年代初就连续出了意大利文、西班牙文、朝鲜文版。1985年,香港由中文大学的袁鹤翔博士等翻译成汉语出版了。那年,我和佛克马在深圳相识时,袁鹤翔也代表香港比较文学学会来参加了,一起和佛克马见面交谈。但当时书稿虽已交出版社,尚未来得及出版,不能立即见到。次年,1986年4月,得袁鹤翔先生之助,我去香港中文大学访学,在新亚书院住了一个多月,就见到了袁鹤翔相赠的《二十世纪文学理论》,立即一睹为快。这是我读到的西方学者写就的全面论述20世纪文学理论的第一部著作,对我启发甚多。这时,我主编的《西方文艺理论名著教程》即将付梓,我当即对我所写的"导论"做了增补和修改。后来,国家教育委员会又要我接着编撰《西方二十世纪文论史》,张首映全力投入了这个活动,我们从佛克马的这部著作中,获益良多,他是我们的先行者。数年后,1988年,陈圣生等把《二十世纪文学理论》一书重新翻译成中文,收入钱中文等主编的《现代外国文艺理论译丛》中,由三联书店出版,在国内引发了更大影响。

我和佛克马在深圳相识后,又在1987年夏的西安和他重逢。中国比较文学学会在陕西师范大学召开第二次国际学术研讨会,我和佛克马重新见面,还是由我和他以及孙景尧等一起,共同主持了学术委员会，参观了这座历史文化名城，亲自目睹了兵马俑的历史壮观。佛克马对中华文化的兴趣更浓了，听说我正在带着我的研究生着手编撰《中国古典美学丛编》和《中国现代美学丛编》，他叮嘱我，这两本书出来后，一定要为他寄一套去。遵他嘱咐，1988年出书后，我就给他寄去了这两套资料，共四册。他高兴极了，收到后立即从荷兰打了国际长途电话到深圳大学。

那次西安会议，正在师从杨周翰攻读博士学位的王宁也来了，佛克马问他博士生毕业后怎么办？王宁说想到欧美去再作深造，佛克马当即表示愿为他推荐。1990年佛克马以荷兰皇家科学院院士的身份，推荐了王宁，得荷兰皇家科学院的资助，加入了佛克马的博士后站，和佛克马合作对当时的后现代主义文学思潮进行了深入研究。佛克马一向乐于助人，对中国的年轻学者更是关怀备至。他的最后一位博士生张晓红就是内地去的中国人，毕业后推荐到深圳大学来任教，不时在我面前说起导师的恩情。

西安会面的多年之后，我和佛克马在荷兰又有机缘重逢过一次。1994年夏，在清华大学任教的我的女婿张作义在西德做博士后研究，我女儿胡苏薇也去了歌德学院，在西德做了一个安排，把我和景贤接到德、荷边境的一座宁静小镇圩里歇去度暑假。这里离阿姆斯特丹市很近，一天就可以来回。一天，我们全家从德、荷边界的小城阿亨出发去荷兰做一日游，中午在阿姆斯特丹休息时，打了一个电话给佛克马，在市政厅附近的咖啡馆里见了面，重叙友情。我说到中国的现代化，还是在走西方的"先污染后治理"的老路，我的关注已从文艺美学转向自然美学。佛克马见多识广，活跃在国际学术舞台。他当时就告诉我，西方在六七十年代就开始兴起"环境美学"和"生态美学"。英国学者赫伯恩在1966年就发表了《当代美学与自然美的忽视》，呼吁要重视自然美，被称为"环境美学之父"。加拿大学者米克在1972年发表了《生态美学构想》一文，首倡生态美学，被称为"生态美学之父"。中国在现代化过程中，及早关注自然环境和人文环境，乃是大好事。因为那天我们还要赶回西德圩里歇，时间仓促，不及细说，未曾能听他更多高见，深以为憾。

佛克马在初临深圳20年之后，2005年最后一次又来到蛇口，我和佛克马得以又一次重逢。那时，深圳大学的校长章必功，是北京大学中文系跟随乐黛云和我一起来创办深大中文系的研究生，副校长刘洪一对国际犹太文化素有研究，想在深大振兴比较文化研究。我在2005年已是72岁，离开了教学岗位，但还担任着深圳大学学术委员会副主任、人文和社会科学学术委员会主任的职务。我们三人一商量，决定在2005年5月，再在蛇口召开一次比较文学国际研讨会，以纪念中国比较文学学会成立20周年。深圳大学把佛克马请来了，时任中国比较文学学会会长的乐黛云也再来深圳，重聚一堂。当时的"海上世界"已改建成娱乐场所，不能作旅店了，我们就在"海上世界"的上坡，找了一家以"明华"轮命名的大厦，作为会议地点。我们在这"明华大厦"住了好几天，重又和佛克马沿着海岸边散步谈天。不过，这时的海滩已经没有了，填海面积不时扩大，女娲雕像已建到延伸出去的堤岸上。我和佛克马在"明华大厦"俯视香港，流浮山已近在眼前。佛克马感叹说，这20年深圳变化真大，再填海，这蛇口要和香港连成一片了。真是沧海桑田，变幻莫测。

在这次比较文学大会上，深圳大学校长章必功宣布，任命刘洪一为深圳大学比较文学和比较文化研究所长，吴俊忠为副所长。聘请佛克马、乐黛云和我三个人为名誉所长，还隆重地举行了聘请仪式。这是我和佛克马的最后一次相叙，留下了最后的美好回忆，那年他74岁。

当后来张晓红告诉我佛克马因癌症而去世的噩耗时，我忍不住悲从中来，好几天没有平静下来。我重又找出了过往我和佛克马的照片，重忆过去，最后挑了一张我和佛克马共同主持国际研讨会的照片，送给张晓红，请她转送佛克马夫人，作为永久的纪念。2011年去世的他，方到80岁，走得太早了。经常出入国际学术交流场域的王宁这样称道佛克马："在西方主流学界，能有如此开放的胸襟和宽阔的视野的学者，实在是凤毛麟角。"他的去世，乃是国际学术界的一大损失。我们将永远怀念着他。

2012年春，望海书斋

患难至交严家炎

我和家炎生于同一年（1933），他还晚了几个月，但我一直把他视若兄长，称呼他为老严或家炎兄。这是因为他在政治上和思想上比我成熟多了，社会经历也比我丰富，少年老成，精干老练，对我帮助甚多，令我敬佩。

我们自1957年始，在北大一起攻读文艺学副博士研究生，从相识而相知，已超过了半个世纪。我们在北大，不仅在一起共同读书、编书，度过了最美好的时光，而且在政治斗争最为激烈的严酷岁月，又一起被卷进了斗争的漩涡，走进了北大历史的深处，身同感受，休戚与共。我们成了同甘共苦的患难至友。每当忆起北大往事，家炎的形象总会不时浮现在我的脑海中。

一

家炎在1956年夏，以同等学力的资格考取了北大的文艺学副博士研究生，这在我们当年留校的研究生中传为美谈。

那一年，高等教育部在钱俊瑞的积极推动下，开始在北大、复旦等少数名校试行苏联的学位制度。新中国成立之后，我国没有设立学位制，招收的研究生只学两年，不给学位。如今要试行学位制了，马寅初、江隆基积极响应，立即付诸实践，从1956年起，北大开始面向全国招收四年制的研究生，毕业时要通过学位论文答辩，然后授予副博士学位。这是学的苏联的学位制，将来还准备设博士学位。为广开贤路，这副博士研究生面向全国招生，鼓励已在职多年的以往毕业大学生来应试，通过4年的钻研，培养出新一代专家学者，吸收新鲜血液，以此来提升高校的学术水平。这一措施激励了许多想向科学进军的在职人员踊跃报考，应试者众，年龄大多较大，像王世德就比我大3岁，已从事文艺评论多年。年岁最大的师兄叶蜚声，已年届三十，新中国成立前就已在圣约翰大学毕业，长期在中国银行从事金融，已是高级经济师，懂得英、德、俄、法、日等好几种语言，喜爱作比较语言学的研究，所以抛弃了高薪职位，投考在高名凯、岑麟祥门下，钻研普通语言学。家炎是应试者中年龄最小的，而且，他在高中毕业后只在苏州读过半年华东人民革命大学，就走上了革命的道路。在"向科学进军"的鼓舞下，家炎就以同等学力的资格报考，成绩优异，一试而中。因此，严家炎这个名字已在我们留校的研究生中传开，如雷贯耳。

但我要在1957年春节过后才见到家炎，那是因为北大一时安排不了这届研究生的住所。这次试招副博士研究生，应者众，成绩好，北大一下就从全国招进了近200人。按当时规定的标准，两个人住一间，必须有近百间住所，一下调整不出来，来不及在当年秋季入学。直到1957年1月，北大才把南校门口的25斋整座楼腾了出来做研究生楼，家炎等才得以入学报到，迟了半年。

我和家炎、世德兄初次见面就一见如故。这两位学兄都是同乡。世德兄是无锡城里人，进的是苏南社会教育学院，从无锡迁到了苏州的拙政园，他毕业后就留在了苏州文化局工作。家炎是上海的宝山县杨行镇人，那时代，这地方还是江苏的属地，多年后才划归上海，他上华东人民革命大学就是在苏州。新中国成立初期，江南人在北京的还不多，所以在北大见到同乡就倍感亲切，不由自主地就会用吴语方言来相互对话，这本身就是乐趣。我和家炎，不但同乡，而且同年，经历也颇相似，我们都在很早参加了新民主主义青年团。他在政治上进步得更快，早在1954年就在铜官山矿区（今铜陵）参加了中国共产党，担任办公室副主任。我则要到了北大就读，方迟迟提出入党申请，等到1955年才加入党的行列。从和家炎相识开始，我一直把他看作革命道路上的先行者，又是亲如兄长的老大哥。

在那个"向科学进军"的时代，北大不仅扩招了许多副博士研究生，而且还接纳了全国不少的年轻学人来进修，帮助国内一些高校提升学术水平。广西师院的黄海澄，河南大学的刘增杰，福建师大的陈一琴，辽宁大学的宋彬玉、张景贤等，都是那几年送来北大培养的进修教师。这些研究生和进修教师来自全国各地，互不相识，如今集中在一起，要在这里一起生活好几年，如何才能组建成一个和谐的集体，相互协助，一起前进。正是家炎受命担当起了组建和领导了这个约有30多人的集体。家炎担任了党支部的书记，刘增杰、我等几个人是协助他开展工作的支部委员，我负责组建和联系共青团。

在这个集体中，家炎身先士卒，积极钻研，而且弘扬高尚风格，牺牲小我，为人表率，成为大家学习的榜样。家炎在我们这些人中间，级别最高，收入最多，他在1955年升任铜官山矿务局的办公室副主任后，已享受到了十七级的行政待遇，每月工资已近百元。这是在当时可以当县太爷的行政级别，可是他不留恋高位，而宁愿考到北大来当研究生。照当时高教部的规定，在职人员考取副博士研究生，在读期间仍可享受原工资的八成的待遇，家炎每月仍有76元的助学金，这可比我们留校的研究生高出了好多。我、刘学锴（导师林庚）、陈振寰（导师王力）3个是中文系的应届毕业生，毕业留校先享受了助教的待遇，每月52元。到了1957年初从助教转为四年制研究生，每月的助学金是57元，比当助教还高了5元。这引发了当时留校任教的年轻教师的不满，反映到高教部，才把我们的助学金降到52元。家炎知悉内情后，深感不安，就向北大校方打了一个报告，主动要求把助学金降到和大家一样的水平，从76元一下降到52元，减少了24元。这减去的24元，在当时是一个普通工人的每月收入，可以养活一家。我清楚记得，我在北大读本科时，每月的助学金是12元，足够温饱。1955年底到中国人民大学马列主义研究班当研究生，助学金每月升到25元，可以享受中灶的待遇了，还可以常常购书。

家炎的这种高尚举动，得到了大家的高度赞扬，对他心悦诚服。他的这种人格魅力把大家吸引到了党支部的周围，从内心深处，乐意听党的话。从家炎身上，我深切体会到了，中国共产党之所以有伟大的凝聚力，正在于有像家炎这样具有自我奉献精神的人，在不同阶层中起着引领和示范作用。

家炎不仅热心公益，而且关切他人，乐于助人。世德兄在北大读研究生期间，能把爱人张蔚从苏州调进北大附小任教，既为世德伴读，又为北大教育做贡献，一举而两得，这得力于家炎之助。世德在苏州已成了家，爱人张蔚是苏州人，就在少年宫教歌舞。那时代对副博士研究生的政策特别优待，为鼓励向科学进军，读副博期间允许携带家属伴读。世德兄向家炎提出了此事，希望给予他帮助。作为党支部书记，家炎亲去北大附小联系，把附小的校长说动，很快把张蔚调来教音乐，并且分配了宿舍。所以，世德兄在北大攻副博4年，就已住进了北大的家属宿舍。我们一见世德兄，都戏称他是"北大家属"，他也乐得笑嘻嘻地点头。这是北大那个时代出现的独特景观，但在重提阶级斗争以后，这就再也没有出现过。

　　我和家炎、世德兄攻读的专业，那时叫文艺理论，但范围较为宽泛，中国古典文艺理论、西方文艺理论、当代文艺评论都包括在内。北大中文系的文艺理论教研室是为学苏联而成立起来的，系主任杨晦兼任教研室主任，苏联专家毕达可夫来北大，也属这个教研室，还特地把研究英国文艺理论的钱学熙也从西语系调入。我在1954年听毕达可夫的"文艺学引论"，必须写结业论文，就是在钱学熙教授的指导下，写了《论文学的人民性》。这次招副博士研究生，指导教师就是杨晦和钱学熙两位。杨晦指导我们研习中国文艺思想史，钱学熙指导我们研习西方文艺理论。他俩为我们开列了一个长长的书单，主要是靠我们照书单自学，写阅读笔记，然后提出疑难问题向导师讨教，到导师家里面谈。我们3个人都是统一行动，一起去导师家里。钱学熙先生住中关园的平房，离任继愈、王瑶家不远。他家里人不多，夫人在城里上班，很少见到，儿子钱绍武，也已经去了苏联学雕塑，正在攻读美术学副博士研究生。钱先生是无锡人，他的普通话比陆定一强不了多少，一口无锡腔，如果是北方人，很难听懂。幸而我们3人都属吴语区，不但听得明白，反而感到乡音亲切，因而小屋里充满了欢笑。家炎学的是英文，我和世德学的是俄文，所以，家炎那时对西方文艺理论关注更多些，常向钱先生提一些问题，得益甚多。钱先生的英语极好，等我们这一届研究生毕业后，他最后还是回到了西语系，以充分发挥他的英语特长。

我们去杨晦家里更为频繁,差不多每一周都要去一次,成为燕东园37号的常客。杨晦每次和我们约定的时间都是上午9点,或者是下午3点,家炎把这定期的师生见面戏称为"九三学社"。但是,杨晦的每次指导都会延长,谈话常要在下午1点或下午7点左右才告结束,那时,学校的食堂早已关门,吃不上饭了。世德兄有福,家里有张蔚为他准备了饭菜,我和家炎都还未成家,所以就常到北大东门外的"义和居"饭馆,美美吃上一顿。有时也会把世德兄拉上,3人共进午餐,天南海北,谈天说地,谈笑风生,乐趣横生。家炎好客大方,总是他抢先付钱,不让我们掏腰包。

杨晦对我们3个人的要求很严格,再三叮嘱我们要照开列的书单,读原作、原著、原典,不要我们只读第二手材料。读经典原著,还要勤于写读书笔记,记下心得,他要抽查。晦老鼓励我们要以马克思为榜样,安心在大英博物图书馆里钻研学问。正如马克思所说,在科学上没有平坦的大道,只有不畏劳苦沿着陡峭山路攀登的人,才有希望冲破险阻达到光辉的顶点。晦老经常以登泰山为例,说明向科学进军,就像登泰山一样,要向那最高峰玉皇顶攀登,千万不要在登山途中,被沿路的闲花野草所迷住,一再停顿下来,把远大的目标也忘了。他再三劝告我们,要多读书,不要急着写文章发表。1958年4月,《文艺报》主编张光年和副主编侯金镜聘了我们3个人为特约评论员,受聘的还有李希凡、李泽厚,上海的姚文元。当时的"南姚北李",名声极大,成为当时许多文艺青年的学习榜样。但是,杨晦却不时在我们面前敲警钟,再三嘱咐:你们3个人可千万别跟风,不要像李希凡、姚文元,东放一枪,西放一炮,动不动就批人,用棍子打人,那不是在做学问。国家培养你们读副博士研究生,是要你们做学问,不能只破不立。批判别人容易,做学问就难,要有自己的建树,这就要沉得住气,静下心来,安心研究。这是当时杨晦的真实思想状态,在当时就已"不合时宜",难怪陆平在三年困难时反右倾,就要以杨晦当批判的靶子。

家炎对晦老的见解虽有所修正,认为学文艺理论的人还是要面向现实,适当参战,但要立字当头,破在其中,重视正面立论,能说出个道理,言之有理,持之有故。这还是吸取了杨晦所坚持的精神。他后来的文艺评论，如评《创业史》等，都讲究说理，深入分析，所以取得了突出成就。

在向科学进军的"大跃进"中，家炎动了脑筋，组织我们集中完成了一个集体课题：《中国历代农民问题文学资料》。家炎倡导，研究要从事实出发，首先要弄清历史真相，这本历史资料集洋洋40多万言，从古籍中辑录了800余种，近千篇与农民问题有关的文学资料。由家炎领头，程毅中、赵齐平、李厚基、赵曙光、刘学锴和我等参与了编撰，最后署名"北京大学中文系文学研究生资料组编"，在中华书局出版了。全书末尾附有一篇3万字的论文《中国封建社会的一面镜子》，由家炎、齐平、毅中、厚基执笔。家炎当时的想法，科学研究还是要着眼于正面建设，要有自己的创见。如今，齐平、厚基等早已过世，家炎、毅中、学锴和我还常能在北京见面，回首往事，不胜感慨。

二

家炎很想读完这4年的研究生生涯，但身不由己，读到中途，他的人生就发生了转折。

1958年的北大，在陆平的主持下，补划了一批右派之后，又掀起了"拔白旗，插红旗"的批判资产阶级学术权威的高潮。正在教中国现代文学的王瑶，在1956年刚提升为教授，正待大展宏图之时，这次也被当作资产阶级学术权威受到批判。讲台主将王瑶不能再站在讲台上了，原先作为接班人培养的乐黛云、金开诚等也被补划为右派，也不能讲课了。这年秋天，中文系总支书记3次找严家炎谈话，动员他不要再读研究生了，立即转当教师，接王瑶的班，开讲中国现代文学史。导师杨晦和家炎自己虽然都不大乐意，但从全系大局出发，最后还是答允了。从这年的10月开始，家炎步入教书生涯，很快提升为讲师。家炎和大师兄陈贻焮，乃是新中国成立以后北大新培养出来的第一代学者中，最早评上讲师的先行者。

我和世德兄坚持到了最后，读了整整4年，做了毕业论文，1960年底在北大中文系通过了论文答辩，总算毕业了，但那副博士学位却没有了。当时中国，经历了批判苏联修正主义和资产阶级学术权威的运动之后，自上而下，要"限制资产阶级法权"，不仅取消了军衔制，而且也取消了学位制。高教部当初之所以要学苏联的副博士学位制，本来是想促进高校教师的学术水平，提高学术地位。在苏联，职称和学位密切挂钩，大学本科毕业工作几年之后，就可报考副博士研究生，取得副博士学位后，就能很快提升副教授，再任教几年后，就可报考博士研究生，获得博士学位后，再提升教授。像美学家斯托洛维奇，1952年大学毕业后当了教师，攻读副博士学位后，1955年就提升为副教授。但苏联的学位制在当时的中国未能推行，被当作修正主义的货色批判掉了。反对苏联修正主义不仅在国内废止了学位制，而且还影响了我国在苏联留学的年轻学人。钱中文告诉我，他当时在莫斯科大学攻读苏联文学的副博士研究生，中国一反修正主义，中苏关系紧张，立即被撤回国内，苏联也就不再授予他副博士学位。我和世德兄毕业后，不仅没有学位，而且长期未定职称，工资则高于助教，却又低于讲师。一直要到改革开放之初，恢复了职称评定，第一年被定为讲师，第二年随即又定为副教授，那离我研究生毕业已经整20年了，只能付之一笑。多年之后，我在教育部的一位学生告诉我，部里发了一个文件，说是当年那副博士学位虽没有给，但如今可享受博士毕业的待遇。但这对我们这些衰老之人就更无任何意义了。在仿照英美的学位制之后，我也被立入了博士生导师之列，可以培养博士了，说当初的副博士相当于如今的博士，无非是一种精神安慰。令人痛惜的是，我们这一辈人的学术生命，在"文化大革命"中被生生糟蹋了。

　　追随于家炎之后，我在1960年底也留在中文系开始任教，由同窗而转为同事；而且从1961年5月开始，我俩又同时去了中央高级党校参与编写教材，住在同一栋楼，天天见面，朝夕相处，愉快生活了两年多。

　　我和家炎在研究生读书期间就已成了知心好友。他善解人意，主动体谅和关心别人，对我的帮助尤多。1957年夏，我父亲胡定一在南京生病，盼望我在暑假能回去一趟。那时，北大正处于反右斗争的热潮之中，我正犹豫不决，怕他这个支部书记会感到为难。但家炎很体谅我的心情，爽爽快快放我去南京了。秋后算账，有人批评我对反右斗争不积极，更厉害的说我是逃兵。家炎却主动出来承担责任，是他同意为我放行，怎么能说是逃兵？对此，我一直感激在心。1958年夏，我们在编出《中国历代农民问题文学资料》一书后，我和家炎约好，暑假里一同南返，经青岛，先到他上海家里，然后到我苏州、无锡老家去走一遭。但到临出发前，系里有事，他要晚几天才能走。于是，我一个人先去了青岛，然后从青岛乘船去上海，在上海和家炎会面，再到苏州、无锡，最后从南京回北京。这是一次我们二人在读书期间难得的江南之游，回到北京不久，家炎就转而去当教师了。

经历多年的交往，我和家炎之间可以推心置腹，无所不谈，从个人私密到世界大事，相互间真诚相待。从研究生转为教师后，家炎的生活安定下来了，想成家立业，潜心做学问。1959年一天晚饭后，家炎找我一起散步，告诉我说，他正在谈恋爱，追求的是中文系的年轻教师梁惠陵，想听听我的看法如何。我一听，颇感意外，顿生疑惑：他们两个人的性格差别较大，能合得来吗？梁惠陵是个广东人，是王力从中山大学带过来的1957年语言系毕业生，刚毕业留系当教师。我在1957年暑假从中国人民大学马列主义研究班回北大，就和毕达可夫的研究生赖应棠住在同一间宿舍。梁惠陵是赖应棠的表妹，不时到19斋来找赖应棠说话聊天，说到高兴处，常常畅怀大笑，给人的印象是无忧无虑，天真烂漫。赖应棠说他这表妹性格任性，活跃爱动，喜欢到外界活动，不是坐下来做学问的那种类型。她常要拉他出去上街购物，赖应棠说他爱静，习惯于坐在书房里做学问，受不了他这表妹的性格。在我印象中，家炎和赖应棠的性格相近，事业心很强，想在学术上有所作为，能和梁惠陵这种性格合得来吗？于是，我就把赖应棠对他表妹的看法转告了家炎，我自己对梁惠陵则无甚了解。家炎听我说后，坦诚告诉我：他也觉察到了小梁率真任性，天真烂漫，可这正是她的可爱之处！我一听，家炎已经陷入情网，不必再多说什么了，就向他深深祝福。

家炎和小梁在1960年"五一"结了婚，那年他27岁。婚后，他搬出了单身宿舍，迁入了中关园二公寓，和胡启立、郝克明夫妇住在一个套间里，我不时去家炎家里，亦能见到胡启立或郝克明。胡启立本是北大的团委书记（我入校时他是学生会主席），后调到团中央，但仍住北大。这一套间中只有两间半房，每家住一间，还有那半间作为公共用房。在那年代，当官的和普通教师一样，无特殊待遇，一间房也就12平方米，那共用的半间只有6平方米。

我也结婚了，比家炎晚整整一年，是在1961年的"五一"。我是在北大结的婚，系主任杨晦，现代文学教研室主任王瑶都来了，家炎、惠陵也来了，都送了纪念性礼品。但北大尚未分配给我家属宿舍，结婚后几天我就搬到中央高级党校去住了，那两年多只能以党校为家。

我爱人张景贤，1958年由辽宁大学派到北大来进修中国现代文学，导师是王瑶。景贤和家炎、惠陵都熟，而且在学业上受过家炎的指点。后来，他俩的独生女儿严北陵和我的大女儿胡苏薇还是小学和中学的同班同学，所以，我们这两家时有往来。作为同窗好友，在我和景贤确定关系之前，我也征求过家炎的意见，他对我的选择甚是赞同。1959年，我在跨向文坛一年多后，又想回到书斋安心做学问，写论文。那时，一些好心人不时为我介绍对象，所介绍的还有文艺青年。在那个时代，学者、教师的社会地位虽有贬值，但远没有后来那么低，文艺青年也还没有像后来那么红火，所以相互间共同语言还较多，尚能乐于相处。李泽厚的夫人就是当时一个著名文工团的歌舞演员，王世德夫人张蔚也是个歌舞教师。可是，我的研究生老大哥叶蕚声却劝我，要成家，千万别找文艺青年，弄不好，这个家就会鸡犬不宁，不得安定。我已向文坛跨出了半步，稍知文艺界的些许内情，觉得叶兄说得有道理。既然我又不想向文艺界继续发展，还要关在书斋做学问，那就要找一个能同甘共苦、长相厮守的永久伴侣，平平静静过日子。在景贤进修期间，我负责联系共青团，她是共青团的小领导，已经加入了共产党，在工作上多有联系，相互了解就多了起来。她比我小3岁，但性格内向稳重，为人诚恳，忠厚老实，勤奋踏实，做事尽力而为，却不喜张扬，更不求出人头地。我最后还是选择了她作为终身伴侣，我们的家庭一直和谐安定，没有出现过危机。后来，家炎在出现家庭危机，导致离婚后感叹：你的选择是对的。

1960年底毕业留校，我从25斋迁入了19斋，从1961年1月到5月，我和裘锡圭住在一层的最西头那一间。裘锡圭是复旦大学历史系的副博士研究生，也是在冬季毕业，分配到北大中文系古典文献教研室从事古文字研究和教学。我们有缘在这间房里共处一室，这间房又暗（不见阳光）又吵（旁边就是人来人往的通道），但我俩都安之若素，相安无事。我结婚是向北大房产科申请了一间临时客房，住了一周就退还学校了。景贤还要回到辽宁大学去上课，我则从19斋搬到了党校，那时的生活就是这么简单。

在中央高级党校两年多，我和家炎见面的机会反而多了。他参加的是唐弢主编的《中国现代文学史》的编撰，但住在同一栋楼，三餐饭也在同一食堂，常在一起说说笑笑。有时，我也会跟着家炎一起和唐弢去颐和园散步。唐弢从上海调文学研究所不久，我就在铁狮子胡同和他相识了。我曾奉杨晦之命，请他到北大讲鲁迅，到党校后，因家炎的关系，就更加熟悉起来。

家炎对于学术研究，十分严肃认真，要求极严，"板凳甘坐十年冷，文章不著一句空"成为他的座右铭。他生活简朴，严于律己，牢牢记着当初进入华东人民革命大学校长舒同的题词："工作向上看齐，生活向下看齐。"家炎自转入教学岗位后，一边从事教学，一边抓紧科研。在参与编写教材前，他已发表过《五四新文学革命的性质问题》《〈创业史〉第一部的突出成就》，以及《谈〈创业史〉中梁三老汉的形象》等文，引起了文艺评论界的重视。唐弢对家炎很信任，请他参加编委会。家炎重视独立研究，常发表自己的创见，且很自信，敢于坚持己见。唐弢带着赞赏的口吻，说他"有点固执"。后来文学评论界流传说，严家炎对学术上要求是"严加严"，还有点"过于执"。其实，家炎这种执着学术的精神，正是我们当前所缺少的，值得倡导。

家炎是我相识的同辈友人中最关心国家大事的一个，他有着一颗忧国忧民的仁爱之心。

1963年春，家炎听到皖北老战友传来一个消息，知道三年困难时，仅安徽一省就死了不少人口，使他大为震惊，夜不能寐，通宵失眠，冥思苦想，怎么会这样？浮夸之风，弄虚作假，不说真话，只说好话，报喜不报忧，下情不能上达，最后酿成苦果。北大在大跃进之后，曾由党委第一副书记、副校长邹鲁风率领了一个人民公社调查组,到河南、河北等地进行了深入的调查研究,如实地反映了那里的真实情况,集成《问题汇编》,向上报送,作为高层决策参考。但是邹鲁风因此而受到了批判,被指责为"猖狂攻击人民公社"。当时的党委书记、校长陆平亲自挂帅,组织了对邹鲁风的反右倾大批判。1959年邹鲁风含冤自尽,陆平拍案大怒,竟要定冤死的邹鲁风为叛徒,开除党籍。对此,我和家炎都感到困惑不解。我和家炎当时都对党中央提出来的"调整、巩固、充实、提高"的八字方针寄了莫大希望。

但是,现实生活却并不都能按照我们的美好愿望进行,1963年,我们完成了教材编撰都回到了北大,又共同遭遇了新的困惑。

我一回北大就在清华园安下了家,按照蔡仪的新编教材,我开讲"文学概论"。在杨晦的积极敦促下,我爱人张景贤从辽宁大学调进了北京,北大立即为我分配了宿舍,住进清华园公寓。清华园和燕东园只一墙之隔,离得很近,我就得以不时去杨晦家里看望他。杨晦在1961~1963年这几年里,心情很舒畅,在"调整、巩固、充实、提高"方针的鼓舞下,他自己潜心学术,钻研中国文艺思想史,还在周扬的带领下,多次参加了蔡仪《文学概论》、唐弢《中国现代文学史》的研讨会,积极提出修改方案。作为系主任,他主持了全系的教学、科研,围绕新订的"高教六十条",积极鼓励教师多作研究,多开新课。但是,没过多久,风向又变。1964年夏,陆平在十三陵的分校召开了一次北大高层会议,重申要以"阶级斗争为纲",开展"社会主义教育",主旨是反对右倾。杨晦和冯至都是党员系主任,都去参加了。但从十三陵回来,我发现杨晦的情绪一落千丈,沉默寡言,闷闷不乐。

我感到很奇怪,晦师怎么会有这样的变化呢?我是个基层普通党员,不知道北大上层的内情。还是家炎告诉了我,这次十三陵反右倾,杨晦成了教育对象,矛头指向了他,他怎么也想不通,心存郁闷,化解不开。家炎当时,虽然未入北大高层,但在中文系已属中层骨干力量,很少有人达到他这样的级别,所以深知十三陵会议的内情。我听家炎说,在十三陵会议上,反右倾的气氛很浓,不少人在会上做了自我检讨,阶级斗争观念薄弱,滋长了右倾思想,重用了资产阶级知识分子等等。杨晦却不肯随声附和，反而说那几年正使教学走上了正常轨道，恢复了教学正常秩序，知识分子的作用正在逐渐发挥出来，怎么能说右倾了呢？针对有人批评他重用资产阶级知识分子，杨晦拿出"高教六十条"来，对批评逐条批驳，针锋相对。他直接为党外人士吴小如辩护，说他新中国成立之初还是个青年，逐步成为人民教师，已为社会主义教育事业服务了10多年，怎么还说他是资产阶级知识分子？三年困难，吴小如知难而上，为古典文献教研室开了新课"工具书使用法"，具有开创性，一般教师开不出来，他开出来了，功莫大焉。这样的人，应该属于"劳动知识分子"，怎么还要把他推向"资产阶级知识分子"行列？杨晦在十三陵会议上的这番言论，被作为右倾投降主义的典型，登在会议的内部简报上，作为批判材料。可杨晦一直没有屈服，坚持己见，想不通错在哪里，心中郁闷，情绪低落。

那段日子，是杨晦一生中最痛苦的时光。他一生都献身于教育，到处奔走，最后得以落户北大，为教育事业贡献余生，但得到的回应却是受批判，实在难以接受。在最痛楚之时，杨晦甚至产生过轻生的念头。家炎有一次去看望他，晦师向家炎吐露，有几天他站立在二楼阳台上，四顾茫茫，却不敢向下去看，怕控制不住自己，纵身一跳了事。我和家炎都感到十分震惊，就常去看望，尽量安慰他。我就不时为他说起学界文坛上的一些见闻，分散他的注意。后来，晦师把自己的精力逐渐转向研读马列经典原著，甚至，为此而向挚友冯至讨教，竟学起德文来。晦师的精神危机自我化解了，而且信念更为坚强了。当时我也产生了精神危机，终身当教师的父亲得了癌症，到北京来求医无门，回南京不到半年就与世长辞。我更感到"百无一用是书生"，我还来不及早些回到江南故乡侍奉双亲，刚过50多岁的父亲就离世了，我又懊悔自己久留在了北京，不如早些归去。这时，反倒是晦师给了我劝慰和开导，要我学会在挫折中站住，面对现实，更加坚强。家炎也给了我莫大的安慰和鼓励，风物长宜放眼量，人生的路程还很长，要我知难而进，勇往直前，不要中途退缩或止步不前。

晦师还是没有躲过最后一劫。1966年春节之前有一段岁月，北大已是雷雨欲来风满园，陆平为从张磐石社教工作队把北大定性为资产阶级独立王国的泥潭中挣脱出来,也高举起了批判党内资产阶级代表人物的大旗,把副校长翦伯赞,副书记冯定,前北大副教务长、中文系主任杨晦内定为党内的资产阶级学术权威,要组织力量大张旗鼓地进行批判。就在春节前的两三周,陆平派了副书记张学书、团委书记刘文兰,带了宣传部的一些笔杆子,坐镇燕南园63号原马寅初的住地,开展了中文系的党内整风。中文系教师中的全体共产党员都被召集到这里,约有近30人,名为整风,其实是集中火力批判杨晦的"右倾"言行,是他把中文系引向了资产阶级知识分子一统天下的泥坑,是罪魁祸首。那年,杨晦年已六十七,是中文系最年长的学者,"五四"老人,但每天还要迎着严冬的寒风,从燕东园穿过成府街,越过未名湖、临湖轩,走过大半个校园到燕南园接受批判。我和家炎都为杨晦感到不平,不时站出来为他辩护。那次整风,尽管有党委副书记、团委书记压阵,但也没有出现"一面倒"。中文系的总支副书记华秀珠,上海工人出身,教师党支部书记邵岳,出身农民,都比较了解东北乡村出身的杨晦,怎么也不相信杨晦就成了资产阶级在党内的代表人物。和杨晦接触较多的彭兰(张世英夫人)、冯钟芸(任继愈夫人)也都站出来为杨晦说话。我没有经历过党内斗争,政治上比较幼稚,常在别人发言批判杨晦时,我就迫不及待,插话反驳,带有不满情绪。家炎就比我慎重老练,在底下就劝我不要随便插话,要发言,就要经过一番思索,有条有理,方令人信服。正是在家炎的启示下,我就在每次发言前早作准备,甚至引经据点,援引马列经典,正面阐发。这样,就是那些笔杆子,也无从对我们的发言挑什么错误。

正是这一次燕南园整风,使我卷进了政治斗争的漩涡,跟随于家炎之后,走向了北大历史的深处。我从家炎那里学到了在书本上学不到而只能在实际生活中领会到的人生智慧。

不到半年,"文化大革命"来到,我们大家都受难了,我和家炎也未能逃脱。在那荒诞的岁月,我们都受到了命运的作弄。

三

在那荒诞的岁月里，家炎受到的折磨比我早而且多，真的是一波三折，被批斗了三遭。我要在"文化大革命"后期被抓"五一六"，才受批斗，但我在精神上受伤比他重，差些倒在鲤鱼洲上，起不来。当改革开放的时代到来，家炎起步早，迅速站在时代前列，快步向前。我尽管也紧跟时代而上，但我还是没有赶上家炎的步伐，逐渐落伍，走向边缘化了。只是，我们在同窗时建立起来的兄弟般的情谊，却随着时代的发展而越来越深厚。

家炎在"文化大革命"开始不久就受到第一次冲击。1966年9月，中文系的红卫兵就揪斗了他，说他是"周扬文艺黑线在北大中文系的代表人物"，又是邵荃麟"中间人物论"的吹鼓手。家炎在60年代初写过好几篇评论柳青《创业史》的文章，称赞"中间人物"梁三老汉写得好，本来这是当时家炎的创见，这次却被批，算总账。批斗后，家炎还被送去圆明园劳动，直到1967年春，因自我批判深刻获释放，让他反戈一击，参加批判文艺黑线，清理文艺思想。

家炎受第二次冲击是在军工宣传队进驻北大，要打破知识分子一统天下的时候。1968年冬，军工宣传队清理阶级队伍，家炎对"文革"以来出现的乱世异象，忧心忡忡，万分忧虑。他从一个共产党员的正义感出发，对党要襟怀坦白，沉思了3天，竟找了军代表面呈己见，对国家的命运和前途，甚是焦虑，甚至，对林副统帅即将上台之后会怎么样，也道出了自己的担心。家炎向军代表"交心"，足足谈了两个小时，谈完后大汗淋漓，如释重负，以为精神可以解脱了。但家炎的这一次对自己的"严加严"和"过于执"却害了他自己，这不就是"反革命的自我暴露"吗？于是，军代表向大家严肃宣布，严家炎是"疯狂炮打无产阶级司令部"的现行反革命分子。现行反革命比历史反革命更可恶，立即实行专政。1969年林副统帅一号命令下达，家炎也被送到鄱阳湖边鲤鱼洲头劳动改造。

第三次冲击是在1971年初，有半年时光又被军宣队作为"五一六"骨干来批斗和劳改。家炎在鲤鱼洲劳动，表现突出，不仅艰苦奋斗，而且斗私批修，对自我改造坚持"严加严"，执着于理想信念，受到军宣队的表彰，成为大家学习的榜样。1970年北大招收工农兵学员，开展教育革命，家炎就被选中调回北京，为首批学员开设鲁迅研究的课程。1971年初，他跟着学员出去"拉练"，劳累过度，突发肺炎，高烧40.3℃。住医院尚未复原，新的灾难就已来临，军宣队宣布他要交代"五一六"反革命罪行。同时被揪斗的还有我在文艺理论教研室的同事刘烜。

我当时在鲤鱼洲也被揪斗，和家炎、刘烜被打成一伙，都被说是"五一六"的骨干。他俩的被揪斗，乃是受我的牵连，为此我一直深感愧疚。"文化大革命"之初，为响应毛主席的伟大号召，我接受了有些学生的好心建议，不知天高地厚，竟办起了一个民间刊物《文艺批判》。我的政治觉悟不高，当时还以为这是为知识分子找到了一个"避风港""保险箱"，用不着到校园外去大串联，扫四旧，忙夺权，照样可以躲进小楼成一统，耍耍笔杆子，也就算参加了"文化大革命"，还自以为得计。家炎和刘烜都是我请来帮忙的。家炎还不远千里，岁尾还远去江阴精心校对《毛主席诗词注释》，用以广为散发，直忙到春节才回到家里。没有料到，军工宣传队一进北大，就声称要打破知识分子的一统天下，我们这《文化批判》（由《文艺批判》改名而来，历史系、东语系、俄语系都有人参加进来，加强了批判苏联修正主义的内容），也被停刊，当时只说是所有人员都回系闹革命，并无清算之说。可是军宣队进校两年多之后，却对我、家炎、刘烜进行了总清算，说我们是恶毒攻击林副主席的"五一六"骨干、头目。我在鲤鱼洲挨批被斗，家炎、刘烜在北大受审，南北呼应，要把我们一网打尽。可"五一六"究竟是什么，我们三个人都一无所知。直到多年之后，我才见到负责抓"五一六"的北京主管吴德口述的《十年风雨纪事》，他坦率承认，他也说不清"五一六"是啥，大抓了一阵，揭批了5万多人。后来听谢静宜说，毛主席说了，"五一六"是极少数人的事，早抓起来了，不要扩大化。吴德一听，赶快停住。吴德自己也感叹："一场声响很大的抓'五一六'的运动就此结束，但留下的后遗症却不是一下子能消除的，在一段时间里，人们要轮流地吃它的苦果。"后来又听谢静宜说，北大、清华也大张旗鼓查了好一阵，却没有查出一个"五一六"分子来。这是那荒诞岁月里一件典型的荒诞事。

"五一六"是不抓了，但"恶毒攻击林副主席"这个罪名还是没有消除，那恐惧的心情一直笼罩在我心头。直到1971年秋林彪出逃，机毁人亡，自取灭亡，我才得以解脱。如果历史不是这样发展，林彪真的上了台，林立果接了班，我们这些人将会有什么样的命运？一想到这事，真使人不寒而栗。

幸而，那荒诞的岁月终于过去，北大最早跨入了邓小平时代。人逢喜事精神爽，家炎精神振奋，一马当先，全副精力投入了改革开放的崭新事业。1977年秋，北大在周培源校长的率领下，很快恢复了教学秩序，家炎马上投入准备开设新课，很快写出了《关于现实与理想的统一——对革命现实主义和革命浪漫主义相结合的一些理解》，在上海《文艺论丛》上发表。当年他就开出了《李自成》研究的新课，为我辈率先作出了榜样，在中文系掀起了开选修课、炒名牌菜的创新高潮。1978年底北大恢复职称评定，家炎立即从讲师提升为副教授。这高级职称虽然迟到了10多年（家炎在1960年就已是讲师），但在我辈学人中，他是最早获得的一个。就在这一年，北大中文系开始首次招收硕士研究生，家炎和王瑶先生一道，成为首批硕士生导师，一次就招收了8名硕士生，温儒敏、钱理群、吴福辉、赵园、凌宇、陈山、刘蓓蓓、李复威，其中好几个是我教过的大学本科毕业生。家炎是我辈中的先行者，我要晚了两年才获高级职称，方能招收文艺学硕士生。

在家炎和王瑶的通力合作中，北大的中国现代文学这一专业，起步早，提升快，水平高，迅速在全国高校中成为领先的学科，被国家学位委员会定为首批博士点，有权培养博士生了。就在1984年，家炎经教育部的特批，提升为教授，和王瑶一起，成为中国现代文学的博士生导师。我永远赶不上家炎的步伐，但乐于追随他之后，慢步前进。我要在1986年才和汤一介、乐黛云等一起，由教育部审定为教授，又比家炎晚了两年。但我对家炎心悦诚服，衷心敬佩，为他高兴。

也就在1984年这一年，最了解北大历史变迁的王学珍当了北大的党委书记，家炎被任命为中文系主任，接替季镇淮。北大中文系自1984到1989年，由家炎执掌5年，曾经一度还被挑中为北大副校长的候选人。正是在他的宽容和体谅下，我得以在北大和深大之间来往了3年，最后得到了他的谅解，放我远行，终于定居在深圳。

1984年初，清华大学副校长张维院士在清华园寓所约见了汤一介和我，邀请汤一介到深圳大学创办国学研究所，约我和正在美国访学的乐黛云一起去参与创办中文系。家炎一就任系主任，我就对家炎如实相告，我想去那里试一试，看看怎么躲过北京气候对我的伤害。我在北京30多年，一直不能适应那里的水土，三年困难时期，我的免疫力更是大为降低，在党校编书时就已开始对北京秋天的气候有过敏反应。协和医院叶世泰，已去广播事业局的海婴都劝我到南方找个地方避难，南京大学的包中文，苏州大学的范伯群等都劝我回南京或苏州。但我试了几次，都未能减除我的病痛，江苏老家归不得，只好叹息。家炎对我的情况了如指掌，甚为同情，却也无可奈何。这次有机会去岭南一试，家炎非常体谅我的苦衷，一口答允，并给予我具体帮助，把我的课全排在上半年，下半年让我去深圳。后来，甚至还容许我在深圳招研究生，由北大代培，为深圳大学培养年轻教师。

正是在家炎的宽容和谅解下，我自1984年到1987年间，得以在深圳开辟了一个新天地。柳暗花明又一村，我豁然开朗，终于深深爱上了深圳，萌生长居此地之意。但北大校方自1987年起就不断敦促我和汤一介、乐黛云三人早些回到北大，和深大脱钩，一心一意在北大从事学科建设。当时的北大副书记、副校长张学书，一见我就追问：怎么还不回来？那时，汤一介的重心早已转回北大，他在北京参与创办了中国文化书院，正在蓬勃发展，他是书院院长，忙得不可开交，已顾不上深圳。乐黛云也已被任命为北京大学比较文学研究所所长，重心也已逐步转回北大。但我却越来越喜欢上了深圳，并不时参加香港、深圳的学术文化活动，我的重心已由北大转向了这方热土。1987年初，张维校长劝我留在深大，为发展人文学科继续做贡献。此时，我必须自我作出决定，留深圳，还是回北京。1987年，家炎去美国一年后回北大，郑重其事地劝我：回北大吧。他希望我早些回去，下一步要我作学科带头人，正式向国务院学位委员会申报文艺学博士点，要把北大的文艺学发展为全国重点学科。那时，经国务院学位委员会批准的文艺学博士点还只有5个：蔡仪为首的文研所文艺理论研究室，黄药眠为首的北师大文艺理论教研室，蒋孔阳为首的复旦大学文艺理论教研室，徐中玉、王元化、钱谷融为首的华东师范大学的文艺理论教研室，以及周来祥为首的山东大学文艺理论教研室。家炎要争取把北大的文艺理论教研室建成国内第六个文艺学博士点。

  我很感激家炎的这番好意。但我们是多年的同窗好友，可以推心置腹，无话不谈，我也就向他坦率相告，说出了我的由衷之言。当初我从江苏老家来北大读书，是想读万卷书，行万里路，然后落叶归根，再回江南故乡，安居乐业，侍奉父母。研究生毕业，听晦师劝告，留在了北大，停留了30多年，万卷书是读了，但没有行万里路。我向家炎坦陈了我的"活命哲学"：哪里能活得好，就往哪里去。这次有机缘去了深圳这块正在开发的处女地，喜欢上了，想在这里落脚，去那里多见识些世面，补上行万里路，然后安下心来，在此终老。我已经意识到，深圳这里是我可以安放灵魂、寄托精神的一方新天地。作为同窗好友，希望家炎给我帮助，不仅为我放行，而且还向王学珍、张学书等老领导等作个解释，不要以为我对北大有什么不满。北大对我很好，我和家炎一直被作为重点进行培养，对此，我感激不尽。虽然在燕南园63号整风时，和张学书曾有争执，但"文化大革命"一来，误会早消除了；抓"五一六"是军宣队指挥的，他们未曾参与。家炎对这些情况都很清楚，不会发生误解。他看我这个决定是经过深思熟虑的真心实意，很快取得了他的谅解，也就不再劝阻。但他问我：文艺美学这一学科是我在北大倡导的，下一步该怎么办？我就坦率道：这好办，培养年轻人继续干。我在北大已培养了一些文艺美学的硕士生，已把王一川推荐给童庆炳，去了北师大当黄药眠的首届博士生，陈伟已去了上海，后随周来祥读博士生，我也把张首映推荐给了钱中文，随他读博士生，王坤正准备攻读蒋孔阳的博士生。当时，王岳川还在读文艺美学硕士生，正将毕业，我就向家炎作了推荐，劝他把岳川留在北大，从事文艺美学的教学和研究。岳川和一川都是从四川大学出来的，世德兄教的美学，对书法、绘画、音乐等都很熟悉。家炎一听，就放下了心，后来果然要当时的文艺理论教研室主任张少康打报告，把岳川留下了。

就这样，我取得了家炎的谅解，终于结束了3年的往来于京深之间的奔波生涯，把心安在了这块正在开发的处女地。学界友人对我此举有种种说法，都不确切。我长居深圳之后，和家炎仍然保持着联系和交往，至交情谊没有减弱，更见增长。

说来也巧，家炎的两个首届博士弟子也和深圳结缘。1984年，家炎和王瑶合招了两位首届博士生，一个是温儒敏，一个是陈平原，都是广东人。真个是名师出高徒，这两位不仅学术成就出众，而且都师承家炎之风，热心公益，服务大众，先后都担任过北大中文系主任。温儒敏是家炎的第一届硕士生，留校后又攻读首届博士生，我们早就相识。儒敏的兄长就在深圳的华侨旅行社工作，他常来深圳探望，我不时从他这里得知家炎和北大的情况。陈平原在1984年入学报到时，我正准备到深圳，在中文系办公室的院子里遇见了他。他初次见我就主动和我打招呼，转达他硕士生时的导师吴宏聪的问候。我和中山大学的王季思、楼栖、吴宏聪都很熟，听陈平原说是从中山大学来的，我自然问起熟人的情况。他从中山大学到北大攻读博士，我为他高兴，北大是读书的好地方，但我告诉他，我却要从北大到他家乡那边去了，他老家在深圳东边的潮汕一带。我半开玩笑地说：你我南来北往，感恩改革开放。时光流转已近30年，2012年我即将跨入八旬之年，深圳大学的学术委员会实行换届，我从学术委员会副主任、社会科学委员会主任的位置上退了下来。在交接会上，我一看新的学术委员会名单里有陈平原的姓名，正要抬头寻找，陈平原正好走到我身边向我问好。他告诉我，他也即将从北大中文系主任的位置上退下来，如今正在香港中文大学和母校中山大学讲学，又被深圳大学请来当学术委员。我熟悉50年代到80年代的北大，再以后就不知道北大的变化了。所幸，我看过他不少论学散文，触及近30年北大历史的深处，我在不少地方颇有同感。他和夏晓虹在圆明园旁已有自己的永久居所，不知他是否还会有落叶归根之想。

家炎在1989年春就辞去了中文系主任之职，无官一身轻。此后，他也就活跃在国际学术文化交流的舞台上，不时去美国、韩国、日本、新加坡，以及台湾、香港等地讲学。他也曾在深圳的"创作之家"住过一阵，就在麒麟山疗养院旁，我们得以见面畅叙。他在这里写成他的

《五四小说理论批评概说》，在深圳，给我留下印象最深的一次是在1991年底。那时我还住在深圳大学校园里的海涛楼，家炎突然从北京来访，我正奇怪已近年关了，他有什么急事来深圳？细说之下，我才知道他这次是要来蛇口去见一位女士，这位女士名叫卢晓蓉，乃长江爱国船王卢作孚之孙女，在香港定居。经由刘梦溪、陈祖芳夫妇的介绍，卢女士和家炎约定，她从香港到蛇口和家炎见面相识。家炎在第二天就去了蛇口见晓蓉，两人真有缘分，一见钟情，相见恨晚，相见没有多久，都觉情投意合。家炎把我和景贤请到了南海酒店，和卢晓蓉一起见面，就在那里宴请我们。这意味着他俩已跨入谈婚论嫁的门槛。果然，不到半年，1992年的5月，他俩就在北京举行了婚礼，组成了新的家庭。从此，家炎就常来往于香港、北京之间，在北京住一阵，又往香港住一阵，和香港文化界有了广泛联系，更和金庸成了朋友。

  2003年，家炎70岁时在北大办了退休手续，但北大仍聘他为"文科资深教授"，为北大继续做贡献。我晚他一年，在2004年71岁时步他后尘，也退休了。2003年我70岁时，深圳大学谢维新校长和文学院长吴予敏为我举办了学术生涯50年的学术座谈会，张炯、钱中文、陆贵山、曾繁仁、饶芃子、李衍柱等文艺学界的朋友都来了。北大来了3位，中文系主任温儒敏，北大社会科学部主任程郁缀，北大出版社总编辑张黎明。温儒敏特地把我拉到一旁告诉我，他在这中文系主任位上，竭力向许智宏校长建议，办成了一件他感到欣慰的事，那就是为提升文科的地位，设立了"文科资深教授"的制度。严家炎退休时，学校立即聘了他为"文科资深教授"。儒敏颇感遗憾地说：你胡老师若不离开北大，我中文系也会向校方促成聘你为资深教授。我对儒敏的这番好意，甚为感激，他当了两届中文系主任，没有把我忘记。但我有自知之明，无论是为人还是学问，我怎么比得上家炎！更何况，家炎一直站在时代前列，我则早已在深圳走向边缘了。我的研究生张首映博士更毫不客气地说我，早已隐居闹市了，已不知这世界发生了什么变化。承蒙儒敏不弃，一直不忘记我，在他主编的由北大出版社出版的《北京大学中文系百年图史》一书中，把我归入了百年来"百位知名校友"的行列，既感荣耀，又觉惶恐，只能更加自觉，鞭策自己，反思人生，如何活得更有意义。

我们退休后，人生进入了一个新的阶段。家炎和我相约，只要我回北京看望我已近百岁的老母，或到清华大学我女儿处小住，就一定要和他打个招呼。然后，他和晓蓉就会约好老同学程毅中、刘学锴、陈振寰等见面，找一个宽敞的场所，开怀畅谈，从海外见闻一直到北大往事，畅叙同窗友情。这成为我们晚年的一大快事，家炎仍是当年的豪爽风格，抢着由他做东，不让我们付钱。

家炎和我还各自做着自己的学问，没有停止写作。但家炎还在做着大学问，领头承担着三卷本的《二十世纪中国文学史》这样的大工程。全书130万字，10位学者花了8年时间，2010年在高等教育出版社出版。我做的都是小学问，每年虽也写有近10万字，但都是些散文随笔，或者是自己感兴趣的问题，谈些自己的体会，如生态美何在，梁启超的美学贡献，蔡元培的美育精神等，有感而发，无感不发，随兴而致，入不了主流。我看他治学仍然那样"严加严"，有时还"过于执"，就劝他要放松一些了。我们都已年将八旬，应该进入"从心所欲而不逾矩"的状态了。家炎觉得有理，于是我们就有了那次一生难得的俄罗斯之行。

那是在2010年的7月，家炎、晓蓉和我相约，我们两家和李光羲一家，一起去俄罗斯参加汉语文化年的盛大活动。我和家炎一样，从小受过俄罗斯优秀文化的熏陶，年轻时又接受社会主义教育，仰望苏联，心向往之，但我们都未曾得到机会去亲历瞻仰。李光羲生于1929年，比我们年长三四岁，我上北大时他就已是我崇敬的著名男高音歌唱家，他夫人王紫薇也是北大毕业的医学家。光羲兄精神焕发，兴致勃勃，一路上又唱又说，为我们畅谈往昔岁月多次赴苏演出的亲身经历。他去过克里姆林宫，见过伏罗希洛夫等苏联领导高层，对俄罗斯的传统文化也很熟悉。但自批判苏联修正主义之后，特别是苏联解体，使我们和俄罗斯的文化交往中断好久。这次我们得以有机缘去俄罗斯10多天，都想亲自目睹一下，苏联解体以后，俄罗斯究竟发生了什么样的变化？俄罗斯那光辉灿烂的文化传统还在吗？我们三家，随着北京文化艺术界的许多人士一道，从北京机场起飞，直抵莫斯科，入住由法国戴高乐总统赞建的宇宙大酒店，遍访红场、克里姆林宫、莫斯科大学等处。然后，我们登上游轮，沿着伏尔加河，泛舟5天。一路上,在船上开展文化交流活动,又上岸欣赏自然风光,森林、草原、荒岛、古堡、村庄,尽收眼底。5天后,游轮开到了圣彼得堡的涅瓦河,我们弃舟登岸,在圣彼得堡住了几天,遍访冬宫、夏宫(俄罗斯的凡尔赛宫)、沙皇村、大教堂。在圣彼得堡大剧院,我们还观赏了芭蕾舞《天鹅湖》。面对浩瀚的波罗的海,李光羲豪情满怀,诗兴勃发,忍不住高声朗诵起普希金的诗篇来。那天细雨蒙蒙,大家都撑了雨伞,光羲兄兴到高处,竟丢下雨伞,引吭高歌,放声歌唱起来。这是我们一生中都难以忘怀的美好时刻。

这一次俄罗斯之行,是我在离开北大后和家炎一直相聚最久的日子,有10多天时光朝夕相处。在船上,我和家炎、光羲常在甲板上喝茶畅谈,沿路上一起照了不少相片,成为永久的纪念。从莫斯科回到北京后,我和家炎还约请了老同学程毅中、刘学锴、陈振寰相叙了一次,说起这次俄罗斯之行,回味无穷。然后,我在北京大学参加了第十八次世界美学大会,应叶朗之邀,我主持了"自然美"论坛的专场研讨会。因为伏尔加河两岸的自然风光给我留下了深刻印象,我在论坛的主旨发言《向人生成自然美》中,忍不住大谈起伏尔加河的自然之美来。

此行时间虽不长,但我和家炎等得以亲临俄罗斯现场,亲自目睹了那里的实际状况,实现了青年时代的一个愿望。我和家炎都感受到了,俄罗斯人虽然遭遇了苏联解体的重大挫折,但没有就此倒下,而是还在奋发图强,勇往直前。我们的突出感觉是,俄罗斯人的整体素质、文化修养高,这还是要归功于社会主义建设时打好的基础,实行了全民的义务教育,从小学到大学,都普及全民受教育。正因为俄罗斯重视教育,所以整体素质高。正因为俄罗斯人整体素质高,所以就珍惜文化传统,辉煌的优秀文化艺术得以传承和发扬。也正因为俄罗斯人的整体素质高,也就珍重自然,保护自然遗产,不去暴殄天物,摧残自然。如今,我们的经济发达了,要实现中华民族的伟大复兴,俄罗斯人的这种重视文化传统、珍重自然的精神,还是值得我们学取。对此,我和家炎、光羲都有同感。

2012年夏"五一",望海书斋

同窗四载读副博

王世德比我年长3岁，80岁的人了，仍然精神饱满，声若洪钟，令人钦羡。

我们俩，相识于北大，有4年时光，共同追随杨晦、钱学熙教授攻读文艺副博士研究生，并由此而走上了美学研究的道路。后来，他去川大，我留北大，给我留下了鲜明的印象：一个达观爽朗的人。

岁月匆忙，一转眼间，不觉半个世纪竟然就过去了。回忆当年同窗情景，思绪万千，令人神往。

一

1956年，我们都赶上了一个好时光，知识分子得到了重视。年初，中央召开了知识分子工作会议，随之提出了百家争鸣、百花齐放的方针。向科学进军的号角吹响，在马寅初、江隆基的主持下，北大承高教部之命，决定试行学位制。就从此年开始，北大向全国招考，招收四年制的副博士研究生。此乃向苏联老大哥学习，采取"学士—副博士—博士"的学位递进制，不像欧美那样，中间设立的乃硕士学位。招收副博士研究生，这在中国是开天辟地第一回，过去从未有过，所以，全国应试者众，跃跃欲试，都想一显身手。

当时，北大的著名教授如冯友兰、翦伯赞、魏建功、王力、冯至、曹靖华、游国恩、林庚、王瑶等人都招收了副博士研究生，文艺理论教研室一下就录取了4位。我是作为应届毕业生被选中而留下的，不需考试，其他3位都是经过严格的考试而被录取的。一位是严家炎，上海宝山人，年纪轻轻（和我同龄，1933年生），却是铜官山矿区的办公室副主任，马上可以当县太爷的级别（十七级），应是官途无量。但他爱好文艺理论，所以弃官从学来北大就读。他在1948年就发表过文学评论。一位就是世德兄。还有一位是陈安湖，时在湖北师范学院（今华中师大）任教，已将升讲师，学校已准备提他为中文系副主任。被北大录取后，他来到北大和杨晦面谈了一次，不久就又回到湖北了，没有读下去。所以真正入读当文艺学副博士研究生的，就是家炎、世德兄和我三人。但是到了1958年，家炎兄也转向了。当时本科生把王瑶作为资产阶级学术权威批判了，当作白旗拔掉，不让再讲"中国现代文学史"。王瑶的助教乐黛云、金申熊（开诚）在陆平来北大后也都补划成了右派，因而无人能上此课。中文系总支书记程贤策说服了杨晦，就把家炎兄转为教师，讲授"中国现代文学史"去了。这样，最后读完4年做了副博士论文的，就只剩下世德兄和我。

我和世德兄初次见面，乃在1957年春节过后。这次始收副博士研究生虽已在1956年就录取完毕，但北大还未安排好住所。快到年底，北大才把紧靠南校门原来住外国留学生的那栋25斋腾了出来，这样，这届研究生的入学时间只好拖到次年春节之后。

我和世德兄虽是初识，但真可是一见如故，很快就熟。他是无锡人，却在苏州读书、工作；我是苏州人，却在无锡读书、工作。他和别人说话，说的是带着无锡口音的普通话。但和家炎及我在一起，则是说带苏州口音的无锡话。我说的是带无锡口音的苏州话，家炎兄说的则是上海话。一说起吴音方言，少了语言的隔阂，我们之间很快就有了心灵的沟通，在北京这异乡之地，同乡人的亲切感一下子就涌现出来。他从小在无锡城里的北塘长大，这也正是我很熟悉的地方。我在无锡读书时，有3年参加学生运动，当过苏南（当时还未成立江苏省）首届人民代表，常出入于此地。那里紧靠大运河，河面开阔，乃无锡最大的米市，外地商人在此云集，文化交流亦开放得早。世德兄在此成长，抗战时，30年代又在上海住了7年，得风气之先，早得灵性。看他中等身材，身板结实，两道剑眉，炯炯有神，神采奕奕。一谈起太湖、惠山、瞎子阿炳、刘天华，谈兴就来了。说起苏州，他就更加滔滔不绝。新中国成立之前，他就考上了苏州的国立社会教育学院专攻艺术，学校就在苏州著名的拙政园，毕业后就在苏州市文化局工作，已发表过不少文艺评论。谈论起苏州园林，评议起苏昆、苏绣、评弹，我们的谈兴就更浓了。世德兄是个健谈之人，谈起来有声有色，有戏剧性，也很投入，他的精辟分析，使我敬佩不已。

世德兄在苏州时已成了家，夫人张蔚是个能歌善舞的苏州姑娘。当时北大对副博士研究生特别优待，容许带家属陪读。世德兄就和我、家炎谈起，能否把张蔚调来北大。家炎去了北大附小，我则去了北大夜校，询问有无需要和可能。当时家炎说动了附小校长，就把张蔚调来了，当了教师。这样，张蔚很快就得了住所，小两口搬到家属宿舍去住了。我们见面，就开玩笑：你这副博士研究生反倒成了北大教工的家属了。他一听，总是哈哈大笑，为自己的夫人感到自豪。

那几年，我和世德兄都感到，这是人生中难得的一段日子。世德兄在燕园安了家，无后顾之忧，可以安下心来读书、著文、做学问。那时，从校外考入的副博士研究生，可以发给原工资的八成，世德兄领取的津贴，打了八折，仍有60元，加上夫人的工资，足可过上小康之家的生活。家炎兄则更高，就是打了八折，每月仍有76元津贴，这在北大，要像陈贻焮那样的资深讲师才能享受得到。我在中国人民大学马列主义研究班当研究生时，只有25元津贴，回到北大文艺理论教研室当助教，工资是52元，一转为副博士研究生，就提升到了57元。但留校当助教的反应强烈，研究生的待遇怎么比助教还高？最后高教部下令，把副博士研究生的助学全降为52元，以适合中国的国情。我开始时和毕达可夫的文艺理论研究生（三年制）赖应棠、乔福山等同住19斋，相互间的情况都了如指掌。毕达可夫在1955年就回苏联去了，蒋孔阳、张文勋、王文生等一批进修教师也回去了，但赖应棠、乔福山等这批研究生却要再留一年，做毕业论文，走不了。这些三年制的研究生每月津贴只有45元。所以赖应棠在同室常对我开玩笑：我们这些苏联专家的研究生不是亲生，你们才是国家的嫡亲！我们虽然没有飘飘然，心里却是喜滋滋，觉得赶上了好时光。在那些岁月，我和家炎、世德兄到杨晦先生家回来太晚之时，就常去东南门外的小店"义和居"吃片儿汤。那时，真是价廉物美，一个砂锅鸡才一元多钱，我们几个都吃得起，家炎常常抢着付钱，我受惠最多。

那时,我们虽然都归属文艺理论教研室,但我们只去杨晦、钱学熙家里听课,后来又去听朱光潜、宗白华、蔡仪的课。我和世德兄一心一意做学问,但到了1958年的大跃进运动中,我们却面临了一次人生的重大抉择:走什么样的学术道路?

二

家炎、世德兄和我一样,之所以要攻读副博士研究生,都是为了做学问。但要做什么样的学问,如何做学问,当时我们的想法并不一样。

家炎、世德兄都是在走向社会多年之后,再想做学问,都很有现实感,想多读些书后,研究和回答现实中提出来的重大问题,理论要面向现实。我虽然在中学时代参加了学生运动,接触过社会,但我从1952年起就进了北大,读的大多是中国古典文学和西方文学名著,不关切现实问题。胡风的万言书出来,虽然我不喜欢胡风的理论,但我只是表了个态,说这是文艺思想问题。班里反映给系领导,批评我右倾。幸而杨晦对我有所了解(我是"文学概论"的课代表),就说这学生好读书,不关心政治,书生气,不必苛求,要宽容。他同意我去听苏联专家毕达可夫的课"文艺学引论",但他就提醒我,还是要着力总结中国自己的经验。苏联专家一来,他自己就学术转向,专心致志地从事中国文艺思想史的研究。1956年我投入他门下攻读,先当他的助教,后又当他文艺学副博士研究生,中国文艺思想史就成了我的学科方向。他给我开了一个书目,要我从《庄子》《论语》读起,一本一本地读经典原著,做卡片,写读书笔记,从庄子的文艺思想、孔子的文艺思想到魏晋南北朝的文艺思潮,我都写了心得。约有两年多时光,两耳不闻窗外事,闭门只读圣贤书,我的学术方向就是要向研究中国文艺思想史这条路上走。那时在北大中文系当助教,还继承着北大和清华的国学门的老传统,助教既是导师的工作助手,又是导师的私淑弟子,听从导师的安排。我既不参加教师的活动,又不参加学生的活动,所以既未去大鸣大放,又未去反击右派,躲过了此次劫难。为此,我这一生始终感恩晦师。

家炎、世德兄入读以后，开始时基本也是按照导师开列的书单自己读书、钻研，定期到导师家里去交流心得。当时导师为我们开设了两门课程，一门是杨晦的中国文艺思想史，一门是钱学熙的西方文艺理论，都没有教材，只开列参考阅读书目，然后到导师家去交流、提问、求解。钱学熙出身无锡钱氏大家族，住中关园。他儿子钱绍武在中央美术学院学雕塑，毕业后去了苏联攻读美术学专业的副博士研究生。钱学熙的英文极好，翻译过好几种《诗论》到国内来。他本是外语系的教授，因为文艺学的副博士学位点设在中文系，所以就从外语系转了过来。他要我们学习直接看英文原著，但我们几个人，只有家炎兄学的是英文，还可努力边查字典边啃原著。我和世德兄学的是俄文，就很难读英文原著，只好读读已翻译过来的西方文艺理论书籍。令我们高兴的是，学熙师说的是一口无锡话，我们这3个学生在他家也就可以自由自在说起吴语方言来，说得高兴，大家都畅怀大笑。

杨晦是中文系主任，又是文艺理论教研室主任，住在燕东园37号独栋小楼。我们三个去他那里，他就泡上一壶上好的碧螺春绿茶，边喝边聊，多半都超过了午饭时间，我们才得以离开，食堂已没饭吃了，就去"义和居"用餐。晦师和家炎、世德兄第一次会面，就集中说起为学之道，我则已多次听他说过：做学问要细水长流、坚持不懈，不要急功近利、急于求成。做学问就像一个人登泰山一样，目标是要向那最高处一步一步地爬，不可能一步登天。在向最高处攀登的中途，会有各种各样的花花草草吸引着你。你可别被诱惑，千万别在中途停住，而要直奔那最高处。攀登到了那最高峰，才算成功。后来，当李希凡、姚文元越来越红，受到社会热捧之时，晦师更发出了惊人之论：你们要好好读书、安心做学问，千万别走李希凡、姚文元的道路！晦师这惊人之论，我也和家炎、世德兄一样在内心引起震动，并且开始思考。在当时，李希凡、姚文元可都是被最高领导层树立为青年学子的榜样，"南姚北李"之名已广为人知。李希凡出名比姚文元早，在批判俞平伯《红楼梦研究》之时，李希凡、蓝翎合写的批判文章，就受到了毛泽东的赞扬。李希凡在山东大学毕业后到人民大学马列主义研究班，出来就到《人民日报》做文艺评论编辑。姚文元则要到1955年批判胡风的运动中才崭露头角，在反右斗争中成了"反右英雄"，受到毛泽东的青睐。但在杨晦看来，李希凡、姚文元都不是走的做学问的道路，而是借学术批判参与了政治斗争。做学问不能这样，必须安心坐下来，老老实实下功夫钻研。晦师一再地要我们三人不要走这条路，乃是从他数十年的人生经历中总结出来的经验教训。

但是，从社会再走向书斋的家炎、世德兄对做什么学问、如何做学问等，也有各自的理解。家炎、世德兄都抱着"吾爱吾师，但更爱真理"的态度，曾在晦师的客厅里有过争论。他们的意思，要做学问，也要关注社会现实，理论应面向社会现实，回答和解决现实中出现的重大问题。闭门造车，自说自话，对社会现实起不了作用。晦师虚心听取了他俩的意见，也修正了自己的看法：他的意思不是要大家不关心现实，而是做学问要有长远打算，应有更高的目标。不能东打一棍，西打一棒，只是批判别人。世德兄还做了进一步的发挥：做学问要关心现实，不要用棍子打人，而要对真理有探索，真能讲出个道理来，言之成理，持之有故，有学问和没有学问是不一样的。

世德兄一向关心现实。他在苏州时已发表过不少文艺评论，到北大后，他抓紧时机，尽力按照晦师的要求，读了许多古典名著，但仍然没放松写文艺评论，而且密切关注着当时的美学争论。世德兄爱好文艺理论，但我看他更大的兴趣是在以文学理论为武器，用以分析、解读文艺作品，提高文艺评论水平，这是别林斯基所说的运动中的美学。在解析、评论文艺作品中，可以得到多重愉悦，既从欣赏作品中获得愉悦，又从解读和分析中获得愉悦，而评论的面世，自己的劳动得到社会的反响，则更是一种愉悦。世德兄不想成为只储藏了无数理论资料的空头理论家，而想成为能解释现实中鲜活的文艺现象的务实的理论家。世德兄的这种一贯关注现实的治学精神使我敬佩，并在不知不觉中对我发生潜移默化的影响。当1958年大跃进运动来临时，家炎、世德兄都在《文艺报》上发表了评论，针对当时高等学校存在的"厚古薄今"的学术之风，鲜明地提出，中国的学术研究，应该走"厚今薄古"之路。不久，家炎兄就转而去教"中国现代文学史"了，只剩下世德兄和我。由此开始，我也逐步走向反思自己的学术道路：是不是继续要在研究中国古典的路上走下去？今后的路怎么走？

三

现实的力量是巨大的。经过一段日子的反思，在以后的发展中，我的学术道路正在向世德兄所走的路逐步靠拢。

世德兄的学术道路乃是研究、评论两不误，而且在研究与评论之间形成了良性循环。他善于在文艺评论中发现理论问题，从而对这理论问题进行思考、研究；反过来，又以理论研究的指导，使自己的评论不断深化和提高。世德兄真正做到了两条腿走路。

其实，晦师一生，也是长期关注着社会现实的。这位"五四"老人在北大上学时，就参加了"五四"运动，他和许德珩等领头，勇闯赵家楼，以后又和冯至等组织了沉钟社。他写了许多文艺评论，都是面向现实中的问题，有感而发，他的文艺评论集《文艺与社会》一书即是最好的见证。但他对当时所谓的"破字当头，先破后立"之说甚为反感；学术研究的要务是"立"，怎么可能先"破"后"立"呢！晚年，他选择了研究中国文艺思想史，但他也决不强求我走他那条路。所以，在1958年批判过"厚古薄今"之后，他看我的思想也转向"厚今薄古"，反而给我制造机会，向关注现实这一方向转去。1958年，周扬主动向北大提出来北大开设"马克思主义文艺理论"讲座，晦师和魏建功商定，就要我来担任这个讲座的助教。全国文联、作家协会组织讨论"革命现实主义和革命浪漫主义相结合"的研讨，晦师就带了我一同去参加，促使我的学术兴趣越来越转向关注现实，向世德兄的道路靠近。

但晦师的多次劝导也对我们发生了积极作用。在大跃进驱动下的大学生批判资产阶级学术思想运动轰轰烈烈展开之时，我和世德兄仍能保持较为清醒的头脑、冷静的态度。在大跃进的那些岁月里，我和世德兄经历和参加了三件事，值得一提。

第一件事是周扬在北大讲课，开门见山就提出要建立中国的马克思主义美学，这对世德兄和我起了导向作用。1958年秋，周扬兴致勃勃地在北大小礼堂作了两次演讲。在第一次演讲中,就鲜明地提出,在中国,要建立自己的马克思主义美学。这个名为"马克思主义文艺理论"的讲座,听众有800人,大多是中文、俄语、西语、东语、哲学等系的高年级学生。但有许多教授也来了,中文系主任杨晦,俄语系主任曹靖华,西语系主任冯至,东语系主任季羡林,哲学系的朱光潜、宗白华、马采等老教授都来听。在大跃进声中,学术批评横扫一切之后,还可以做什么样的学术研究?当教师的心里没有数,很想听听周扬讲些什么,怎么讲。当时周扬是主管文化艺术的中宣部副部长,从他的言行中,可以预测意识形态的动向。他到北大来旗帜鲜明地提出了要在中国建设马克思主义美学。我和世德兄听后精神一振,感到鼓舞人心。世德兄在苏州拙政园里学戏剧学时,就开始接触美学,到了北大后又听过朱光潜、宗白华、蔡仪等的美学课。他特别关注当时的美学大讨论,正在向美学研究的道路上走。我也正从中国文艺思想史的路上转向现实,首先关注的也是这场美学大辩论。周扬的演讲,促使我和世德兄增强了走向美学之路的信心。因为我是这个讲座的助教,曾有几次机缘去过周扬在沙滩北街的住所,听过他提出了研究美学要从整理美学资料着手,要重视普列汉诺夫的美学思想,对社会心理中介说要做深入研究。之后,我和世德兄的学术之路更加接近,走向美学之路的步伐更坚定了。

  第二件事是,我和世德兄都参与执笔撰写了杨晦主持的《关于现实主义与反现实主义问题论纲》,受到了一次较好的锻炼。在那个意气风发的年代,晦师在研究中国文艺思想史之外,也在关注着社会现实。他自己参加了并也让我投入了"革命现实主义和革命浪漫主义相结合"的讨论。1958年下半年,《文艺报》上发表了我们的发言稿。晦师再接再厉,又对中国文学史上的现实主义和反现实主义问题发表自己的系统见解。依晦师的研究,他认为中国文学史上的优秀作品,多为现实主义和浪漫主义或者两种的结合,曾写了几篇分析关汉卿戏剧的论文,来解剖麻雀。1958年春,晦师又在北大学报上发表了《关于现实主义问题》一文,他告诉我,这乃有感而发,想对茅盾一种见解表示不同看法,但绝不点名,不采取论战方式。著名作家茅盾自

1957年起连续发表了系列论文，1958年由百花文艺出版社出版了《夜读偶记》一书，基本观点就是：中国文学史就是现实主义和反现实主义的斗争史。此论是从苏联那里搬过来的，在中国影响甚广。北大中文系1955级学生编写的红色文学史，就是以此为纲，统率全书，把中国文学史归纳为现实主义和反现实主义的斗争史，浪漫主义也被归入了反现实主义行列。杨晦一直对此观点持否定态度，以为这不符合中国文学史的实际。为此，他亲自和张炯（负责为红色文学史写《绪论》和《结束语》的副主编）作了三小时的长谈。后来，晦师又要世德兄和我执笔写《关于现实主义和反现实主义问题的论纲》，把问题展开，作系统的论证。最后由晦师亲自修改，完稿，交北大学报发表。在这篇文章的写作过程中，我和世德兄都深受晦师的教益。这篇1万多字的论文，针对现实中出现的问题只做正面论述，是平心静气地探求真理，不提茅盾的《夜读偶记》，也不指涉红色文学史，更不提及苏联老大哥。晦师的这种学风，影响到我们今后如何治学。此文先在北大学报上发表，后来晦师把它收入《杨晦文学论集》。

  第三件事是，我和世德兄都为国内倡导的读书运动做了点事。当时国内出了不少新书，特别是长篇小说有好几部。为促进文艺评论的开展，《文艺报》聘请了一批特约评论员，北京有李希凡、李泽厚，北大有严家炎、世德兄和我3人，上海有姚文元。在北京的几个，我们先后都见过面，但姚文元此人一直未曾见过。为向全国推广读书运动，上海文艺出版社派了周天到北京来，请《文艺报》帮忙，要组织力量来评论《青春之歌》《红旗谱》《林海雪原》等新出作品，总称《读书运动辅导丛书》。周天到北大来找到世德兄和我，要我们各写一册，向全国青年推荐。世德兄是文艺评论老手，前不久还应李希凡之约在《人民日报》发表了评论杨沫《青春之歌》的文章；此时，徐怀中的《我们播种爱情》一书刚出来，他很快就为上海文艺出版社写了评论小册。我在大学时代，吴组缃教过我们如何写文艺评论，但我从未发表过此类文章。周天劝我不妨一试，找一部我熟悉的作品来分析一下。那时我刚读过李英儒的《野火春风斗古城》，若有所感，可以一谈，我就答应写一本评论此书的小册子。好在世德兄已有榜样在先，从他发表的文艺评论中我学到不少东西,写起来也就顺畅了。1958年初冬,我躲在25斋宿舍,连续作战,花了10天,一口气写了3万多字的评论小册子《谈谈〈野火春风斗古城〉》,一次就发行了10万册。上海为我寄来了1000元稿费,是我一年半的研究生津贴。这是我有生以来第一次得到这么大一笔稿费,我当即跑到王府井东安市场,买回了一批线装古籍。后来我有学生从美国回来对我说:在美国的图书馆很难找到中国五六十年代出版的书籍,但却在那里见到了我和世德兄各自写的小册子。

在文艺评论的道路上,我就走了这一步,也就停止了。大跃进运动过去了,还是要坐下来考虑怎么做学问,选择什么样的课题做副博士学位论文。世德兄在1959年出版了他的《浇花集》,把那两年在北京发表的文艺评论文章集中于此,然后集中精力来做美学研究,准备毕业论文。

四

世德兄的美学研究比我起步要早。当我还沉湎于现实主义和浪漫主义问题时,他就在关注和思考美与人类劳动实践改造世界、追求理想等美学上的根本问题。周扬在北大提出建设中国自己的马克思主义美学后,世德兄就更明确了美学研究的方向,加快了步伐,着力甚勤。

世德兄经过缜密考虑,把自己的副博士学位论文定名《劳动实践和马克思主义美学》。他博览群书,广搜资料,初稿就写下了十万言,最后浓缩为一篇3万字的毕业论文。

我确定学位论文比世德兄要晚。究竟以什么题目做毕业论文,我犹豫不决。如果省事,我就可以沿着现实主义和浪漫主义这个历史传统来梳理中国文学史,最后发展到现实主义和浪漫主义相结合,既符合晦师的研究思路,又符合当时倡导的"革命现实主义和革命浪漫主义相结合"的这一方向。但我已经写了2万字的论文在《文学评论》发表,再来做毕业论文,已经没有了新意,我自己都提不起精神来了。那时柳鸣九等正在展开对"共鸣"问题的争论,像李煜、李璟那样的古代帝王，写出来的诗词，怎么会引起今人的"共鸣"呢？这就触发了我的思绪。马克思在《政治经济学批判大纲》的导言中，提出了一个令人深思的问题：古希腊艺术和史诗，经历了多少历史年代，可到了今天，"何以仍然能够给我们以艺术享受"？自1952年进入北大以来，我读的书大多为古典名著，这些古典作品为何至今还有艺术魅力呢？此时，我萌生了一个想法，想从理论上总结一下我读古典作品的感受和体验。晦师觉得这个课题可以一做，但又觉得题目稍大，要防止只发空论。他又提醒我：可以针对"共鸣"争论的难点进行研究，但不要直接介入争论，而是说你自己研究出来的道理。当时，我心里尚存一丝顾虑，若是我在这里大谈古典作品的真、善、美，是不是又会走向"厚古薄今"的老路？这时，我有了第三次也是最后一次见到周扬的机会。他在1959年春天来北大做完第二次演讲，以后邵荃麟、何其芳也来做了演讲。到了夏天，周扬已把精力转向中国人民大学，和何其芳、何洛等筹建文艺理论研究班，让学员以"马文兵"的笔名撰文批修正主义了，不再来北大。最后一次见面时他在办公室交代如何了结北大这个讲座的事宜，嘱咐中文系不要出版学生编写的《毛泽东文艺思想概论》，他的《马克思主义与文艺》一书的修订、增编也不要再继续进行了。谈完公事，我抓紧时间向他请教，我想研究古典作品的艺术魅力问题，可不可以做？不料他一听，兴致勃勃地说：马克思就思考过古希腊、史诗的艺术魅力问题，你这是接着说啊，怎么不能研究？这使我从心里有了底，毕业论文就是做这个题目了。

整个1960年，我和世德兄都全心投入了毕业论文的写作，走上了美学研究之路。在新中国成立以后的第一代学者中，比我大3岁的李泽厚最早进行美学研究，已发表了不少美学文章，敢于和老一辈美学家朱光潜、蔡仪、黄药眠等论战。但他为人温文尔雅、博学多才、思路开阔，在同辈中，他的美学成就最大，影响也最广。世德兄钻研美学比李泽厚晚，但在理论探讨的起点上，世德兄有略高一筹之处。泽厚兄当时的主要观点是在论证美是人的本质力量的对象化，自然必须经由人化才产生美。世德兄虽然也认为劳动实践能创造美，但是经杨晦师的提醒，觉察到劳动创造的不一定都美，人的本质力量对象化的事物中也可能产生丑。所以,对美的规律必须有更进一层的探讨。

在晦师的谆谆教导下,我和世德兄都没有走向李希凡、姚文元的道路,而是走向了接近李泽厚、蒋孔阳的道路。多年之后,我又高兴地看到李希凡也走向了艺术史的学术研究之路。

副博士,特别是博士,在当时苏联都是尊贵的称号。我的一位大学同学孙美玲在北大读了一年,又去俄专读了半年俄语,再到苏联莫斯科大学读了5年俄罗斯文学,只得了一个学士学位。她告诉我,美学家斯托洛维奇在1955年通过了副博士论文《论艺术审美本质的若干问题》,年仅25岁,读了副博士,很快就晋升为副教授。若要提升为教授,那就要再攻读博士学位。所以,攻读副博士,就标志着走上了学者之路。但是在中国,这个刚开始实行的副博士学位制,就在反修正主义的声浪中消失了。因此我们是第一届也是最后一届中国所招的四年制副博士研究生,真可说是空前绝后,最后烟消云散。

世德兄和我的毕业论文,在1960年冬都进行了答辩。由杨晦、钱学熙、游国恩、林庚、吴组缃、王瑶等组成的答辩委员会给予了很好的评价。但最后高教部对所有这一届的研究生都没有授予副博士学位。此时正是反修正主义的高潮,这副博士学位也被当作修正主义的货色反掉。尽管晦师为我们抱不平,数次在校务委员会上批评这是出尔反尔,不讲信用!但亦无可奈何。这一反修,不但反掉了我们的副博士学位,而且也使许多留苏学生丢失了学位。后来钱中文告诉我,他在1955年大学毕业后,又送去莫斯科大学攻读俄罗斯文学副博士学位研究生,1959年反修,就从苏联撤回北京,他也没有获得副博士学位。直到30年之后,我的一位在高教部任职的学生告诉我:凡在那时通过毕业论文答辩的四年制研究生,相当于现今的博士生,享受博士生毕业的待遇。我听后付之一笑,这对于我和世德兄这样的老人来说,已经没有什么意义了。

1961年初,世德兄被高教部派去四川大学任教,我则留在了北大。从此天各一方,音信疏通,各自忙着自己的事业。

五

我和世德兄再次见面,那已是将近20年之后,一起在昆明参加中华全国美学学会成立和中国历史上的第一次美学学术会议。世德兄已年届五十,我亦是四十有七。

1980年春,年已83岁的朱光潜老人、哲学系的杨辛、中文系的我共3人代表北大与会。受西语系的委托,要杨辛和我两人负责照顾光潜老师。中国社会科学院哲学研究所美学研究室主任齐一特别安排我们3人住在昆明军区最幽静的一套庭院别墅里,光潜老师住里间,杨辛和我住外间,最外间是客厅。我们住进当晚,世德兄就来看我们了。看望过光潜老师后,我们两人就在客厅里做了长谈,畅叙这20年的经历。世德兄在1961年春去了四川大学,虽也讲"文学概论",但坚定地走美学研究的道路,第二年就为临毕业的中文系五年级学生开出了"美学"一课,这在川大是首创。那时,我还在中央高级党校参与蔡仪《文学概论》的编写,还没有来得及开设美学课程。要等到"文化大革命"之后,1979年晦师要我协助他安排首届文艺学硕士课程,我才准备"文艺美学"这一课程。1980年下半年,我才开讲"文艺美学"。我虽在1953年啃了一下中国现代美学,但未能集中延续下去。世德兄在研究美学这条道路上,一直走在我前面。

我们这一代人很看重这一次美学盛会。朱光潜老人也感到非常欣慰。他这一辈子都在从事美学研究,新中国成立后有几年不谈美学,但在百家争鸣声中,他又重新走向美学讲坛。"文化大革命"把美学革掉,但改革开放东风一吹,美学成了我们这一代人激发人心、向往美好的暖风。如今老中青三代聚会春城,共谈如何发展我国的美学事业,这是历史上从未见过的盛况。当时,老一辈美学家朱光潜、蔡仪、王朝闻、宗白华、伍蠡甫、洪毅然等都活跃在美学论坛上。这次中华全国美学学会成立大会,推举朱光潜老人为会长,周扬为名誉会长,蔡仪、王朝闻、李泽厚三人被选为副会长,众望所归。中年一辈李泽厚、蒋孔阳、汝信、杨辛、甘霖、刘纲纪、周来祥、涂途等都在为推动我国的美学事业而贡献自己的力量。我和世德兄当属中年一辈,都把学术方向转向了美学。但我们渐渐发现,从事文学艺术教育的人和从事哲学研究的人对美学关注的问题不大一样。我们关注美学,是想从美学上来解决文学艺术中的一些复杂问题,只用社会学、心理学的方法很难解决。李泽厚要我在大会上的发言是《中国美学史方法论》,但在高等学校美学分会成立的大会上,我却提出:文学系科、艺术院校讲美学,应该另辟蹊径,开设和哲学美学有所不同的文艺美学。世德兄十分赞同。他也认为高校中文系应开设文艺美学课。我回京后不久,北京大学出版社编《美学向导》一书,请了赵宋光等好几个人撰文谈论文学艺术的美学。我在北大开设"文艺美学"后,美术学院等都有人来听,北京师范大学童庆炳也来听过,想知道一下,"文艺美学"讲的什么,还选派了青年教师齐大卫到我这里进修。中国人民大学郑国铨叫我去文艺理论研究班讲,他听后说,这"文艺美学"还真和"文学概论"不一样。

　　参加这次盛会,世德兄和我都受到鼓舞,坚定了信心,要把文学艺术的美学研究下去。朱光潜老人也很支持我们,其实他的代表作《文艺心理学》《诗论》,谈的多为文学艺术。随着社会生活的发展,美学要面向社会,不断扩大研究领域,但文学艺术绝对不可少,对它的美学研究只会越来越深入。光潜师这次来昆明,乃是抗战以后近40年的第一次,也是最后一次。石林、西山、滇池、龙门、筇竹寺,他都想故地重游。齐一知道我住燕东园时曾同朱先生邻居多年,比较了解光潜师的起居习惯,叮嘱我一定要陪他出行,还专门配了一辆轿车送他。车去石林时,正好赶上世德兄也在。光潜师和我、世德兄在石林留下了一张合影,虽然是黑白片,不甚清晰,但十分难得,以后就再也没有这样的机缘了。

　　散会之后,朱光潜老人由齐一(我们学会的秘书长)护送直接回北大。世德兄盛情邀我和杨辛赴四川大学做客,同行的还有泽厚兄、马奇等。我们先到成都,住在四川大学招待所。世德兄那时正在川大组织了由高年级学生参加的美学研究组,开始编写国内第一部美学辞典,请李泽厚、马奇等为他们指导。世德兄还带了学生亲自陪李泽厚、杨辛和我等一行去爬峨眉山和看乐山大佛。此时虽还是初夏时分,但一爬山就热得满身大汗，一个个都把衣服脱了，只穿汗衫、背心。不记得哪位好心人把我们在乐山大佛脚趾上的这副形象照了下来。在峨眉山上，还留下了一张我和李泽厚、杨辛的合影。如今再看那几张黑白照片，唤起了无数回忆，不禁哑然失笑。

昆明相会之后，世德兄和我都精神振奋。他在1978年招收了第一个文艺学研究生陈孝信（现已是著名艺术评论家），领导了一个由76级、77级部分同学参加的美学研究组，编撰《美学辞典》的提纲，得到了周扬、大百科全书出版社的姜椿芳社长兼总编等的鼓励，大大鼓舞了他们的信心。回川以后他加紧了编撰《美学辞典》的步伐，于1986年在知识出版社出版，获北京金钥匙奖。在1982年，他在《美育》上发表了《什么是文艺美学》收入他的《文艺美学论集》（1985年1月重庆出版社）作为代序。我也一连写了几篇论文，先在1980年的《工人日报》和1981年的《大学生》上谈《文艺美学是什么》，后又在《美学向导》上对此作了稍为详细的阐发。此时，我们有一个共同的目标：发展文艺美学。他在川大，我在北大，相互呼应，都想在文艺学硕士培养上有所创造和变革。

我要特别感谢世德兄，当我在1981年开始招收第一届文艺美学硕士生时，他为我输送了新鲜血液。先后来北大攻读文艺美学的王一川、王岳川，都是世德兄在川大培养出来的高足。

北大的文艺学硕士点乃是由杨晦开始建立起来的，由他亲自招收了第一届硕士生：曾镇南、董学文、杨星映、郭建模。但到1981年，晦师已84岁，白内障日重，耳听亦渐失灵。他向我交代：他就招这一届，算是开个头，以后他再也不招了。从1981年开始，就由我和吕德申开始招文艺学硕士生。我向晦师建议，文艺学硕士的专业设置应该开辟一个新的方向：文艺美学。晦师欣然同意，就向校方送交了一个设置文艺理论、文艺美学两个方向的文艺学培养新方案。我去学校几次向研究生处做了详细说明，所以，北大1981年的研究生招生简章中，文艺学就出现了两个专业方向：文艺理论（导师吕德申）、文艺美学（导师胡经之）。那年，报考文艺美学这一新的专业方向的人竟达98人，王一川就是其中的一位。一川和岳川本是同班，都是应届毕业生，但岳川被教育部挑中,当年就入中央教育研究所去研究美育了。一川年龄最小,曾对世德兄说,决心一生献给美学,就报考了文艺美学研究生。1981年,世德兄未招,一川就考了我的研究生。我发现一川考得很好,就想对他做进一步的了解。那时还没有面试之说,怎么办?我当机立断,马上给师兄世德写信,请他告诉我一川的专业基础和为人如何。承世德兄相助,复信告诉我,盛赞一川的勤奋好学,基础扎实和才思敏捷。我立即把一川录取了,加上北京的丁涛,上海的陈伟。岳川当时并未考研,一川入学后,才由一川推荐而认识了他。他在中央教育研究所研究了二年美育,再考到北大来当文艺美学研究生。一川和岳川都是在川大受过世德兄的培育,如今都汇集在北大,成了艺术学和文艺美学的学科带头人。

岁月不饶人,在我人生路上起过引路作用的"五四"老人杨晦在86岁时,1983年5月与世长辞。第二年,我也离开了生活了30多年的京都,到了深圳大学去参与创办中文系。我从中心走向了边缘,而一川、岳川当年的年轻一辈纷纷从边缘走向了中心,这是历史发展的必然和机缘的交织。长江后浪推前浪,青出于蓝而胜于蓝,我和世德兄都为他们高兴。我和世德兄20世纪八九十年代还曾在厦门、成都的学术会上见面。1995年我到川大开会,与他在招待所又作畅谈,还同游天府广场等处。但在进入新世纪以后就难得见面了,我们亦冉冉老矣。近年,我们只能在电话中交谈,有时候一谈就说上一个小时。虽然家炎兄向世德兄多次相约,要世德兄到北京和刘学锴、程毅中等当年老同学相聚,但世德兄远在四川,老同学已很难凑齐。我在这南国海滨,遥祝世德、张蔚幸福安康。

为《王世德美学文集》而作
2010年夏,望海书斋

适逢其时解放初

我和姚汉荣早就相识于新中国成立之初，结下的深厚友谊，延伸了半个多世纪。如今，汉荣永逝，再也不能见面通话，我深深怀念着他，年少时往事，犹历历在目。

江南解放前夕，1948年秋，我和汉荣都考入了梅村的无锡县师范学校。我们都是无锡人，应属同乡，只是不在一个村镇。我是梅村本地人，无锡县师就在梅村的泰伯庙里，我算就地入学。汉荣不是梅村人，而且也不在同一班级，所以当时并不相识。无锡，在解放前并未设市，市区和郊区合起来总称无锡县。无锡县师就是为无锡地区培养初中和小学教师的专门学校，分成三个科层。一是一年制的简易师范科，只学一年就毕业，去教初级小学。二是四年制的中级师范科，招收高小毕业生，四年毕业后，去教高级小学。三是三年级的高级师范科，招收初中毕业生，三年毕业后，去教高级小学，也可教初中。我在中华中学读完了初中，然后考入无锡县师的高师班。汉荣从高小毕业后，就直接考进了无锡县师的中师班。他比我小1岁，但在无锡县师属同一届，都是1948年秋入学。

虽然我们在入学时并不相识，但不久，他和我都分别被各自的班级推举为班长，所以，我们在共同的学生活动中渐渐相识了。只是，在初起时尚无个人交往，因此还说不上相知。

为迎接江南的解放，我和汉荣的命运开始连接在一起了。

临近解放，无锡县师并不平静。县师的校长、教导主任、训育主任都是无锡县国民党当局直接指派的。训育主任、军训教官还是国民党员，直接指挥着校内的三民主义青年团。解放大军即将渡江南下，无锡县师将迎来什么样的命运？这引起了我和汉荣等许多县师人的关注和担心。

梅村这地方，正处在太湖和阳澄湖之间，一条伯渎江横穿其间，为交通发达的富饶之地，国共两党在此斗争激烈。我在中华中学读初中时，就和共产党发生了联系，参加了外围组织红梅读书会，参与了反饥饿、反内战、反抓丁的斗争。我到县师后，1948年冬，和我保持联络的党内老大哥朱浩奎特地来找我，嘱咐我要在县师做好迎接解放的思想准备。他已奉地下党之命，立即要从无锡转移到苏北解放区，配合解放大军做渡江准备。他要我在无锡县师密切关注形势发展，团结周围同学在解放前夕开展爱校护校活动，防止敌人破坏，迎接江南解放。临别他又交代，以后地下党会另派人和我联系。就在这年的寒冬，我在校外参加了梅村地区的新民主主义青年团。那时，无锡县师还没有这个组织，我只能在校外参加。此青年团不是三民主义青年团，也还不叫共产主义青年团，而是新民主主义青年团，简称新青团，目标是要为新民主主义而奋斗，是和国民党的三青团对立的，心向着共产党，是共产党的预备力量。

1949年初春，新学期刚开始，梅村地区的地下党就通过比我高一班的安成、过楚生（也都是新青团员）告诉我，解放大军即将渡江南下。我们县师的新青团员要立即行动起来，组织县师的进步学生，开展护校活动。我最先动员起来的是我同班几位最熟悉的同学，陈季梅、吴干城、沈伟烈、包冠群等人，白天照常听课学习，晚间就组织起来在校园巡逻，防止有人破坏。进而，我们又扩大队伍，动员更多同学来参加，我在其他班级中，首先想到了汉荣。这不仅是因为汉荣所在的那个班级在全校属最大，约有百人左右；更重要的是，我在和汉荣的接触中，感到他为人富于正义感，热心公众事业，乐于为大家做好事。我还听说，虽然汉荣本人没有和共产党发生联系，但他的大哥却和地下党接近，汉荣也受大哥影响，政治觉悟高。果然，我找到汉荣一说，请他组织他那班级的同学参与护校活动，他就一口答允，并立即付诸行动，很快组织起了一个夜间巡逻队，由他领头，参加了这一护校活动。从此，我们有了共同的语言，进而有了更深入的思想交流。我发觉，汉荣在他大哥那里，也读过奥斯特洛夫斯基的《钢铁是怎样炼成的》，小说中高扬的豪言壮语，成了我和汉荣当时共同信奉的座右铭：

> 人的一生应当这样度过：
> 当回首往事的时候，他不会因虚度年华而悔恨，也不会因庸庸碌碌而羞愧。
> 在临死的时候，他能够说：
> 我的整个生命和全部精力，都已献给了世界上最壮丽的事业——为人类的解放而奋斗。

1949年这一年，我16岁，汉荣15岁，我们都热爱县师，准备在毕业后都献身于教育事业。我们也都密切关注着时势的发展，做好了迎接江南解放的准备。我们都住在泰伯庙的后院，白天各自在班上听课；夜晚就集中在泰伯庙大殿，在汽油灯的照耀下，复习功课，自修阅读。在休息间歇，我和汉荣等就会走向大殿旁侧的走廊里轻声交谈，分析当下形势。我们分析，解放大军南下，无锡县师的最坏可能，乃是国民党当局裹挟县师南逃，去东南或西南，组织流亡学校。这种可能不能不防，但我们分析，江南的学生和东北、华北南逃来江南的流亡学生不一样。那时，苏州、无锡一带确有不少从东北、华北逃来的流亡学生，生活艰难，更谈不上安心读书了。前途茫茫，有何前途？江南为国内富饶之地，县师的学生怎会跟着国民党人仓皇出走，离开江南水乡而流窜他乡呢？我们又分析，无锡县师的校长吴震新，教导主任郭佩珍，虽是国民党当局所委派，但这两人为人尚算温和，不大可能走向极端；市里的地下党已派人在做他俩的说服工作，估计他俩不敢轻举妄动。县里最危险的人物是那个训育主任、军训教官，平日里狐假虎威，气势逼人，直接指挥着三青团，我和汉荣都把注意力集中在此人身上，防他狗急跳墙，夜晚巡夜就特别关注此人动向。我们已做好准备，一有风吹草动，就会立即动员广大同学，阻止任何破坏活动。正是在县师学生的严密防备下，那训育主任、军训教官也不敢轻举妄动，在解放大军即将压境的前几天，不敢再到学校里来，不知躲到哪里去了。校长和指导主任则没有跟着国民党走，而是留了下来，准备共产党来人接收。

我和汉荣一道,以无比欣快的心情迎来了江南的解放,从此走向了新的人生道路。1949年4月,百万雄师渡长江,解放军从江阴的白茆口上了岸,以最快的速度沿着锡澄路直逼梅村,先解放了锡东、锡北,然后才进入无锡市区。在解放大军里,我见到了分别半年的党内老大哥朱浩奎,他此时已改名为韩克,成了代表共产党来接收无锡地区的一位军代表。他告诉我,无锡解放之初,军管会除了首先关注民族工商业(以荣德生为首)的复兴以外,就特别重视省锡师和县锡师这两所学校。当时百废待兴,但最迫切需要的是人才。江南解放了,马上要进行建设,需要各类人才;还要进而解放大西南,解放东南方,也急需各类人才。人才哪里来? 还是要从学校中来,要培养人才,就急需要教师。教师哪里来? 无锡就要依靠师范学校赶快培养。所以,无锡的军管会就特别重视无锡县师的建设,一解放就派了工作组进入县师进行清理整顿。韩克要我们发扬连续作战的精神,继续为建设新的县师而再做贡献。

　　从此,我和汉荣都走上了学生活动的前列。在县师解放不久,我们立即组建了县师第一届学生会,我被推举为学生会主席。我了解汉荣,他勤奋好学,又善动脑筋,我就请他担任学习部长,在县师推动中共党史和社会发展史的学习。当年暑假,我到无锡城里,参加了苏南解放以后的第一届青年夏令营,开始接触其他城市(苏州、常州、松江、常熟等)的青年学生。次年,1950年又在苏州举办了第二届苏南夏令营,汉荣也参加进来了。汉荣的悟性很高,在接触了共产党,开始学习马列主义以后,如虎添翼,不仅很快适应了解放之初的发展时势,而且激发了他身上蕴藏着的多方面潜能,积极投入了学生活动,成为县师学生的领袖人物。1949年秋,县师来了共产党员薛成章当校长,新来的政治教师蒋尧生也是共产党员,由他在县师公开组建了新民主主义青年团支部,他任支部书记,我当了学生委员。很快,汉荣也被吸收参加了新青团。没有多久,蒋尧生受命去参与筹建江苏省而离校了。新来的政治教师俞坚平把县师的青年团支部提升为总支委员会,我作为学生会主席,仍担任学生委员,汉荣则担任了宣传委员。当时担任总支委员的还有我同班的陈季梅,比我低一班的邹燕琴,但和我发生工作关系最多的还是汉荣。汉荣负责宣传，和我在工作上的关系更密切了，相互配合得好，形成一股合力。

那几年，我和汉荣共同参与了一些什么社会活动呢？解放之初，社会活动甚为频繁，我和汉荣积极参与的主要事件有：

一是土地改革运动。轰轰烈烈的土地改革运动在无锡兴起之时，我和汉荣负责组织县师学生参加宣传，下乡配合运动。初起时，要发动农民起来斗土豪分田地，但当时江南流行的一些说法，如"江南无地主"，"农村剥削不多"等，影响农民的发动。汉荣出身无锡西郊农村，了解农村实际，就亲手动笔编写一些材料，以事实来说明，江南也有地主，而且剥削也不少。汉荣先给县师的学生进行讲解，然后我和汉荣又带了学生，深入农村，发动农民起来进行土地改革。

二是青年夏令营受训。共产党极为重视青年教育，解放当年暑假，就在无锡举办了青年夏令营。那几年，江苏省还未成立，只有苏南行署和苏北行署。苏南的青年夏令营，先是在无锡举办，此后陆续去了苏州、南京，为苏南地区培养青年干部。当时苏南地区的负责人陈丕显、管文蔚、包厚昌等都亲自来讲演。在苏州那次，还听到了时任华东军政委员会副主席马寅初的演讲，他一上来开口第一句话就说："兄弟我马寅初，出身浙江大地主家庭。"给我们留下深刻印象。我和汉荣在苏南青年夏令营初识大世面，真是受益匪浅，回校后干劲更足，逐渐懂得如何开展工作了。

三是选送急需人才。无锡地区在1949年4月解放，军管会接收之后，解放大军继续南下，乘胜追击，要去解放东南沿海和大西南，急需补充大量人才，随军南下。县师的新青团、学生会配合接收工作组，积极为解放军选拔急需人才，并做初步培训。初夏，我和汉荣作为县师的推荐委员，就向邓小平下令组建的西南服务团选送了不少优秀学生，这些人随军去解放大西南后，就留在西南地区成为当地的得力干部。暑假后，又陆续不断向苏南公学、华东团校、华东革命大学等校推荐人才，中央团校也来人挑选青年团干部，真是应接不暇。最后是解放军的各类军校（航校、炮校、卫校）都要县师挑选人才去那里培养，我和汉荣成为保送委员，协助工作组挑选了不少人才，保送到军校。

在解放之初的近3年中,我和汉荣在共同活动中结下了深厚的友谊,成了可以无所不谈的忠实朋友。

我参加青年团比汉荣略早一年,所以在社会活动中也多担一些责任。解放军接管无锡之后,为便于开展工作,更深入广大群众,苏南行署将原无锡县一分为二,市区单独成立了无锡市,市外郊区和农村则称为无锡县。无锡县不属无锡市管,直属苏南行署,县长是太湖游击队的薛永辉和张卓如。无锡县管辖地区甚广,西抵常州,北邻江阴,东达上海边上的松江。无锡县的教育也甚发达,仅中学就有20所左右,为此,无锡县单独成立了全县的学生联合会。组织和联合所有中学的学生会,为建设新中国而共同奋斗。我在1950年被推举为无锡县学联主席。新中国成立初期的许多社会活动,如土地改革、工商改造、参干参军等等,都有学联参与其间,我也常去许多中学做宣传鼓动。从1949年开始,我被邀为一、二、三、四届无锡县人民代表,每年都要开两次代表会议,我作为学生代表,积极向县政府献计献策。1950年,苏南地区召开首届苏南人民代表会议,我作为无锡县学生代表,和陈丕显、荣德生、钱孙卿、王忍之等一起共聚一堂,对苏南如何建设、发展,各抒己见,议政协商。

可是,我在1951年暑假就将毕业了。早在1950年底,我就催促团总支书记俞坚平,让我赶快解职,另定人来接班。我积极倡议,最好由汉荣来接替我的工作。汉荣熟悉我的工作,办事认真负责,由他接替,会比我干得更有声有色,给无锡县师争得更多的光荣。俞坚平接受了我的倡议,从1951年开始,汉荣获选为无锡县师的第二届学生会主席,后又接替我被推为无锡县学联主席,在组织全县学生的参干参军活动和支援抗美援朝的运动中,做出了更大贡献。

新中国成立之初,我和汉荣都属青春年少,朝气蓬勃,热情澎湃,走了同一条道路,积极参与了社会活动,冲击了国民党的政统。但是,我和汉荣也没有由此而走上从政之路,仍然执着于读书报国的信念,读书不忘报国,报国更需读书,坚持在县师把学业完成。无锡县师的师长,承袭着中华民族的历史文化传统,激励我们勤奋好学,发扬县师的优良学风。梅村这地方长期保持着古老的泰伯遗风，倡导温良恭俭让、仁义礼智信，我和汉荣都受到了熏陶。梅村古称梅里，本为江南荆蛮之地，落后于中原文化。商末周兴之初，周太王的长子泰伯，为谦让皇位给三弟季历，就带了二弟仲雍，一起从西北黄土高原来到长江下游，最后在梅里停了下来，开发江南，成为吴文化的发源地。泰伯死后，葬于梅村东北的鸿山（钱穆老家鸿声里，离此不远），而在梅村，就建起了一座宏伟的泰伯庙，每月正月初九，传说是泰伯诞辰，周围百姓都来瞻仰。这里一条运河，贯穿太湖和阳澄湖、苏州河，泰伯常在这里濯足，因而称为伯渎江。受泰伯遗风的影响，梅村地区的文化教育十分发达，泰伯庙内在早年就附设有书院、道观，到了辛亥革命倡导新学，无锡县里就在泰伯庙内办起了新式学堂，成为无锡第四高等小学。开办之初，钱穆和钱挚（钱伟长之父）就在这里任教，讲授国学。钱穆就在泰伯庙里住了近两年，继承和发扬了泰伯的道统和学统。此后，梅村在第四高等小学的基础上，又先后办起了吴风中学、启新中学，又发展为中华中学、无锡县师。

我和汉荣在梅村这样的人文环境中，深受泰伯遗风的熏陶，都眷恋与热爱中国传统文化，所以后来都走上了研究中国传统文化之路。1952年，我在无锡教了半年小学、半年初中之后，就在苏州以同等学力资格考入了北京大学中文系，攻读文艺学、美学。汉荣也在不久后考入了复旦大学中文系，钻研中国古典文学。由此，我和汉荣的交往就有了更多的共同语言，心灵的交往深入到了学术场域。

汉荣在县师毕业后数年，随着新民主主义建设向社会主义革命转化，无锡县师为适应新的需要而转变为梅村高级中学，成为江苏省的重点中学，向全国高等学校输送优秀人才。无锡县在和无锡市分拆开来后半个世纪，又重新和无锡市合在一起，总称为无锡市。梅村成了无锡市的高新技术开发区和文化旅游的重要基地，泰伯庙又成为万人瞻仰的历史古迹。梅村中学，从1913年第四高等小学成立算起，也已到了百岁。2013年夏，为祝贺母校诞辰100周年，我专程从深圳回到梅村，参加母校的庆祝活动。在那里，我见到了汉荣的同班同学程中原，当今的国史、党史专家，还有当初在一起从事青年团工作的邹燕琴，国内的著名老中医，共叙旧事。我们都说到了当年的汉荣。可惜，汉荣卧病在床，未能回梅村一聚，只能远祝汉荣早日康复。没有想到，今年汉荣竟离我们而去了，不胜叹息。若汉荣地下有知，喜看梅村中学今日欣欣向荣的景象，当亦会为之欢欣鼓舞，唤起当年青春年少时的多少回忆！

安息吧！汉荣。

岁月匆忙何仓促，
人生难得几回搏。
常忆梅村年少事，
意气风发学起步。

2014年秋，望海书斋

忘年之交忆柯老

人从大自然中来，最后还是要回归大自然中去。这是自然规律，我辈亦应坦然面对。

但在今年，我的熟人中寂然而逝的接连不断，禁不住悲从中来，黯然神伤。这一年中，我母校北大中文系就接连痛失了7位教授。有3位是我的老师：97高龄的林庚、80多岁的冯钟芸（任继愈夫人）、林焘。还有3位是我的同辈：褚斌杰（文学史家）、汪景寿（曲艺学家）、徐通锵（语言学家）。甚至我们的下辈亦已有人开始夭折，像孟二冬博士未过50就已英年早逝，他的导师袁行霈乃我同辈。数天前友人又传来耗信：柯蓝老人也过世了。

柯老之去世，实出我意料。近10年间他在深圳的文学活动颇多。在相互交往中，我和蒋开儒都感到他老当益壮，精力充沛，对文学事业真称得上乐此不疲。我们真把他作为学习的榜样，相信他能活到百岁。就在今春，仙湖植物园为柯蓝散文诗碑林长廊揭幕，全国散文诗作家云集，柯老还作了热情洋溢的致辞。国庆之后，我还收到了他寄来的新著《中国散文诗创作概论》，他亲笔在扉页为我写下了"谢谢你的多次支持"。入冬之后，深圳即将举办第二届柯蓝散文诗朗诵比赛，我们都在等着他的再次莅会。不料，就在赛前传来了他逝世的消息。

我久久不能平静，思念之情油然而生。我这大半生，基本上是在书斋中过日子，接触的大多为学者、书生。虽然我年轻时就已涉足文艺评论，加入了中国作家协会和不少文艺界人士相识，但真正能坦诚相见、无所不谈的却很难得，作家和学者，思维方式差别甚大，很难说得投机。我在北京30多载，有点深交的也就端木蕻良、浩然等几位北京作家。柯蓝当时在上海，后又回湖南老家，到20世纪70年代后期，快到60岁了，才从长沙到北京，当了《红旗》杂志社的文艺部主任，但不久就离休了，所以，我在北京时和他并不相识。我在80年代初期就离开北大到了深圳。柯老在90年代中期到深圳来常住，我们才相遇，却一见如故。他比我大13岁，但我们能坦诚相见，推心置腹，成了忘年交，由相识而相知，有了十年交情。

柯老早年就奔向革命圣地延安，1940年在鲁迅文学艺术院文学系学习时，20岁就开始了创作生涯。抗日时期所作的《洋铁桶的故事》，通俗易懂，誉满解放区。1948年，我15岁时正在故乡无锡梅村读初中，秘密参加地下学生运动，就读到了这本小说和赵树理的一些作品，内心就涌起了对"山那边好地方"的憧憬和向往。我和柯老谈起此事时，他总是谦称，这是他的"稚子之作"，不值一提。在以后的60年中，柯老创作了近400万字的小说、散文、散文诗，1996年在深圳出版了《柯蓝文集》六大卷。去年他又送我一本1996年以后写的散文合集《岁月风情》，这是他的第八本也是最后一本散文集。说起他的创作道路这个话题，他的话就多了。从他的《深谷回声》如何改编成《黄土地》（陈凯歌执导的电影），怎样编写《话说长江》等等，真有说不完的话。

柯老晚年的最大成就乃是向海内外倡导、创作、推广散文诗。1959年，柯老的第一本散文诗集《早霞短笛》出版，在国内发生了巨大影响，吸引了无数年轻人。后来他创建了中国散文诗学会，创办了《散文诗报》（周刊），主编《散文诗世界》杂志。1998年又在香港出版《中国散文诗》季刊，在全国不少城市举办一年一度的散文诗少儿朗诵比赛。散文诗的创作，正在向海内外华人中推进，蔚为风气，柯老的后半生努力，功不可没。

近数年，柯老除了推广散文诗创作外，还潜心于对散文诗做理论上的探索，总结自己的散文诗创作经验，想为后人留下更多的精神财富。他希望我这个研究文艺美学的教书匠，也能帮他从美学上对散文诗作些阐释。在他的鼓励下，我也写下了《散文诗：美的创造》，被柯老收入他的最后一本著作，2006年刚出版的《中国散文诗创作概论》一书中。如今，这已成为我对他的一个永久的纪念。

因为我在北京时和周扬、张光年（光未然）、何其芳、王朝闻、严文井等相识，而这些人都是柯老在鲁艺学习时的老师。于是，这也成了我们交往中的一个话题。他不时谈起这些前辈在延安的往事，使我对这些文艺先辈的过去有了更具体的了解。

柯老和我几次谈起，他虽然进过鲁艺，但没有上过正规大学，对高等学府有一种肃然起敬的神圣之感。1978年，柯老的小儿子唐健行考中了北京大学东方语言文学系学日语，全家欢腾，这是柯老四代人中唯一的一位入读最高学府的大学生。次年，柯老有生以来第一次到北大参观，心中涌起一股热流，其激动的心情难以言表。回长沙后，柯老和夫人文秋一说，当机立断，坚决要求调入北京和儿子分享这种读书的快乐。他对我半开玩笑地说："我虽不是北大人，但我儿子是北大人，我也算半个吧！我对北大心向往之。"

柯老对人诚挚，感情深沉。我自己有个笔名，叫吴蓝，因我喜爱蓝色，特别是海洋的蓝色。出于好奇，我问过柯老：为什么要叫柯蓝，柯蓝是他的本名还是笔名？他对我解释道，他本名叫唐一正，是他父亲请一位小学校长取的名，取用孟子的话"一君正而天下定"中的二字，寄希望于儿子将来能做个安邦定国的正人君子。1937年他参加抗日救亡学生运动，在西安他遇到一位女护士，来自南洋华商家庭，两人一见钟情，在战火中相恋。但这位女护士不久被日军战机炸死，唐一正悲痛欲绝，坚决要求组织把自己的姓名改成柯蓝，这正是那位护士的姓名，他要以此来永远怀念她。从此，唐一正成了柯蓝，多么诚挚深沉的感情！

2006年12月24日，望海书斋

永远的柯蓝

柯老逝世一周年了，我们深深怀念他。一些文友共同商定，要为他出一本纪念文集，以寄托大家的哀思，缅怀他的过去。

在和柯老最后10年的交往中，最使我触动的乃是他那种生命不息、永生追求的精神。正是这种勇往直前的精神，激励着我们这些后人精神振奋，永不停顿。

柯老一生，都在追求创新，不断前行。他早年投身进步学生运动，奔向革命中心，在激流中开始写小说和散文。可是，当他从延安进入城市之后，另辟新路，醉心于散文诗的创作。当时许多作家，大都起步于新诗写作，后转向小说，晚年则转向散文。柯老和这些作家不同，他的创作道路是从写小说、散文开步，晚年则倾心于散文诗写作，不断探索新路，追求艺术创新。

50多年来，柯老在散文诗创作实践中不断在做新的探索，从最早结集的《早霞短笛》，一直到《迟开的玫瑰》《拾到的纪念册》《踏着星光远行》等脍炙人口的7本诗集，凝结了他矢志不移追求创新的心血。他不仅发展了抒情散文诗，而且力倡叙事散文诗、政治散文诗，首创联组散文诗。柯老一直在努力把鲁迅散文诗的哲理性和泰戈尔散文诗的抒情性密切结合起来。越到后来，冷静沉思的分量越来越重，凝聚了他对人生的思考："我的沉思是我的痛苦，我的微笑是我的孤独"。柯老在散文诗创作实践上的贡献，广受赞誉，功不可没。

使我敬服不已的是，柯老不仅自己创作了那么多的散文诗，而且还竭力把散文诗推向社会，积极办散文诗刊物，向广大人群普及，激起大众的创作热情。在他生命的最后10年，大多时间虽在深圳，但他不时走向天南海北，足迹遍及全国，向大众传播散文诗，在大众文化兴起的时代，构成了一道独特的景观。柯老的散文诗，短小凝练，朗朗上口，很适合朗诵。他一再倡导,散文诗不要太长,"要在几百来字中(最长不超过500字),自成一种诗的意境"。他走向全国各地,组织各种散文诗朗诵会,得到了大众的呼应,起到了普及散文诗的社会效应,特别使青少年得益匪浅。实践证明,散文诗很适合大众文化的需要,值得倡导。我在深圳,受他鼓舞,也不时参与他的一些活动,亲自目睹和切身感受到了他那种不辞劳苦、乐此不疲的献身精神,使我也受到了感染。2006年初春,我和他在仙湖植物园参加了中国优秀散文诗颁奖大会和柯蓝散文诗碑林揭幕,他还是那样神采飞扬,不知疲乏。他告诉我,随后,他就要去内蒙古草原,参加另一个柯蓝散文诗碑林的落成典礼。就在这半年中,他一下子就走了10多个城市,风尘仆仆,到处奔波,却不以为苦,反觉其乐。这不能不使我这个比他小10多岁的晚生肃然起敬。

对我这个一直沉浸于美学思索的人来说,他的理论专著《中国散文诗创作概论》更使我引发了阅读的兴趣。就在柯老逝世前不久,他给我寄来了这本积十年之功而新近才由人民文学出版社出版的理论专著。在这里,柯老对自己的散文诗创作实践从理论上做了概括,进而又在更高的层次上对我国散文诗的美学特征展开了论证。柯老不仅以他的创作,而且从理论上阐明了:"散文诗是诗化的散文,散文的诗化,散文诗是新诗与散文的化合,兼存二者的优势和特点。"如今,散文诗已作为一种独立的文体,得到了广泛的发展,甚至在海外华人中发生着影响。

柯老常对人说:人生有限,但散文诗前景无限。自己要在有生之年,把自己的有限生命,投入散文诗的宏大事业中去。这,正是柯老的精神所在。

斯人已逝,精神永在。

在这本纪念文集中,为了大家阅读的方便,把悼念诗文依文体的不同而分成三大类:一是散文,二是诗曲,三是评论。

对参与此集编写的各位文友,致以衷心感谢!

为《永远的柯蓝》所作序
2007年10月,望海书斋

人间仙境又重现

前辈作家柯蓝送来他主编的《仙湖植物园抒情》，装帧高雅洁朴，颇有特色。翻开先看图片，更觉摄影极为精美，一下子把我从喧嚣尘世拉回这人间仙境，心与境谐，不禁心旷神怡。再读其中的诗文，更引起不少美好的回忆，浮想联翩，回味无穷。

仙湖，这响亮的名字，深圳人几乎都知晓。这里有邓小平南方谈话时种下的高山榕，我全家都在榕树前照过相。就在半月前，我正好去植物园参加一个文化活动，特地去湖边看看那棵树，已是独木成荫，郁郁葱葱，象征着祖国的欣欣向荣，心中喜悦，油然而生。

其实，早在仙湖建植物园的第二年，1984年冬，我就来此见识过它的自然风光。那时，香港、澳门的文友来访，华侨城还未开发，市区没什么好看，深圳市作家协会就请大家去梧桐山、植物园一带欣赏天然景色。仙湖那地方，本是一片林场，没什么建筑，还少有人工雕琢，但我一去就被它深深吸引住了。想不到在这里，竟有一片桃花源式的乐土，令人心花怒放，乐而忘返。那时，仙湖山清水秀，水面显得特别宽阔，碧波荡漾，映照出周围青山的倒影，真正是水天一色，天上和人间和谐地打成一片。这以后，有朋自远方来，我或是亲自陪同前往，再体验一次审美的享受，或是劝友人自己去走一走，领略这大自然的恩赐。世纪之交，我陪年迈的妈妈，全家特地去仙湖畅游，80多高龄的她，面对这天然景色，竟流连忘返，特地雇了船在湖里漫游了一番。

仙湖虽好，但离我还是太远，不像蒋开儒（《春天的故事》《走进新时代》的词作者），就住在仙湖附近，可以天天去那里游泳，甚至仰卧水上作逍遥游，构思他的词作，真是羡煞人也。我心想，不能常去那里，多照几张照片，把人间仙境留住回家欣赏也好啊！没有想到，在仙湖植物园建立20年之际，柯蓝先生主编了这样精美的图册，还配上诗文，让我辈能在家里坐享仙湖美景，真使人喜出望外，大获我心。

此书图文并茂，别具一格。那摄影艺术的高超，已令人赞叹：一丛丛碧绿的竹林，烟雨蒙蒙的青山，弯弯曲曲的溪水，挺拔苍翠的铁树……使人心醉。更妙的是，图片配上了诗文，把摄影艺术和诗文艺术完美地结合了起来，相得益彰，相互阐发。邓小平手植的那棵高山榕，配上了王向同的散文《仙湖有一棵宝树》，抒发了对这位伟人崇敬之情，展示了这棵树的历史意义，从而丰富和拓展了高山榕形象的文化内涵。整体大于个体之和，图和文相互激发，增生了更为深广的艺术意蕴，更能打动人心。

为了征集诗文，仙湖植物园还举办了诗文笔谈，邀请国内外华人作家、诗人撰稿，最后精选出内地、香港的26位作家、诗人的32篇诗文，配以优美照片，结集精印。这26位作家、诗人，老中青全有，我惊喜地发现，其中不乏熟人，如香港的张诗剑、夏马、文榕等都参与了。在深圳多年的江苏画家、诗人袁成兰，1986年在深圳大学参加海外华文文学的国际研讨会时，就去过仙湖，以后7次重游，在这人间仙境乐而忘返，其乐融融，其情其境，溢于言表。

给我的整体印象是：所选诗文、图片，彼此映照，相互阐发，构成一个艺术整体，引向一个总的主题——爱护自然，美化环境，让人类生活在美好的绿色世界里。仙湖植物园虽然只有20年的历史，但它已成为我国面积最大的植物园，山水相连，风光优美，天然和人工结合得好，浑然一体。它已和东部黄金海岸、红树林自然景区、华侨城景区等一道，成为深圳的骄傲，深圳人引以自豪。这使我对植物园的建设者产生深深的敬意。

由这画册，使我想起了许多为深圳作过贡献的"开荒牛"。数年前，我的一位文友，当时正在当副市长的林祖基和我交谈中说起，早在20世纪80年代，为了预防深圳的土地被掠夺和浪费，一些有识之士就把植物园和市中心隔离带，专辟为禁止房地产开发的绿地，从而保住了大片绿土。我听了，当时陡然就对他增添了几分敬意。深圳，正是有了许多绿色世界的保护者和建设者,才为深圳人留下了一方乐土。深圳的土地开发得太快,土地资源已经不多,因此,像仙湖植物园这样的青山绿水,就显得更加珍贵,更需要我们加倍爱护。愿仙湖植物园建设得更好、更美!

为《仙湖植物园抒情》而作
2003年初春,望海书斋
(原载《香港商报》,2003年3月15日)

怀念乐群

周乐群离我们永去已经一年了。

我们虽然不在一起工作,但彼此相识已近30年。初次见面是在20世纪60年代初的北京。当时,我们还只是20多岁的年轻人,都参加了由周扬主持的全国高等学校统编教材工作。我在中央党校参加《文学概论》的编写,而他从武汉来北京大学,参加由杨周翰任主编的《欧洲文学史》的编写,所以有机会相识。当时,我正在研究现实主义与浪漫主义相结合的问题,发表了几篇论文。他对此甚感兴趣,对欧洲文学史上的现实主义和浪漫主义做过深入思考,所以特来找我,作过长谈。我的印象,觉得他好学不倦,勤于思考,不但熟悉西方文学,而且爱作理论思索,抓住问题,深入下去,因而,我们很有共同语言。他回武汉以后,陆续传来一些音信,却未曾再有机会见面。直到80年代初,友人从武汉来告诉我,乐群在中南文化学术界甚活跃,创办了由他和徐迟主编的一个面向全国的大型学术刊物《外国文学研究》,很希望我写点文章。我很为他高兴,对他如此热心学术文化,深为敬佩。

想不到20多年以后,我们都会不约而同地来到特区工作。我在1984年来深圳,不到一年,听说他已举家南迁,在教育学院任教。于是,我们又有了见面机会。人生难得喜相逢,他乡遇故友,实亦快事。我发现,他虽经风雨,但对文化学术事业的热忱仍不减当年,对他,我更增添了几分尊敬。即使他后来得了癌症,仍然那么乐天,泰然自若,依旧那样敬业乐群,扶持后进。前年,我的研究生要做论文答辩,想请乐群和立勋两位来评审,又怕乐群身体吃不消,征询他的意见。他却爽快允诺,特地从市区和立勋一起赶到深圳大学,忙了一天,却兴致仍浓,围绕特区文化学术的发展问题,畅谈了一番,兴尽而归。

最使人难忘的是前年冬天的一次相叙。深圳市作家协会要邀请一些专家为大鹏文艺奖第一次评选优秀文学作品，我向文联提议务必要请乐群参加。他慨然应允，由许兆焕在报社派了一辆车，送我们一起去大鹏湾畔东山住下。没有想到，这里的住宿条件特别艰苦，在东山的山顶上，只有几间当年知青插队住的简陋客房，六七个人一间睡上下铺。我和兆焕、乐群等几个50多岁的同辈人都挤在同一间，对乐群不免从心里感到歉然，怕他这病人吃不消。文化艺术界同行的好心人颇有为这些专家不平者，说深圳文人真寒碜，住不起宾馆，只好到这破屋来评奖，在当今，不要说国外，恐怕在国内也少见了。我悄悄问乐群："身体吃得消吗？如不行，我请作家协会先送你回去。"乐群笑呵呵地说："中国文人一向安贫乐道，清茶淡饭硬板床，苦惯了，没关系。偷得浮生半日闲，躲到这里来看看作品，交换看法，机会难得，乐在其中。既来之，则安之。"我本也感到歉然，又有一些淡淡的悲哀，经他这么一说，受他那乐天精神的感染，心中也就释然，幽默地说："也好，咱们在这深圳，难得再体验一下过去的苦难岁月的生活，这次就算是重返'五七'干校。"在这次评选活动中，他那种精心评阅、全身投入的态度，更使我肃然起敬。

在紧张之余的闲谈中我感到，乐群一直关切着特区的文化学术事业的发展。他去了几次东莞，把青年烈士张志宽的诗集整理了出来，已交付出版，打算做更多的事。他和我商定，想努力奔走一下，同社会建立联系，尝试能否建立一个文化研究基金会，办一文化研究丛刊，以推进深圳的文化研究。他总怪自己做的事太少，老想办成更多的事。他风趣地说，这是本性难移，"贼"心不死。

我们最后一次见面是去年初春，在市人大会议厅举行的特区十年社会科学优秀著作颁奖大会上。那天晚上，市里的几位主要领导都去了，乐群感到很高兴，情绪甚好，对我说："市里这样重视社会科学，深圳大有希望。"我们谈到了在新形势下如何讲授西方文艺理论，他说绝不能因噎废食，应更系统、全面地进行评述。我在改革开放之初，为国家教育委员会主编了数套西方文论教材，年内我想召开研讨会，着手修改，他是行家，我希望他能参加出主意。他诙谐地说:只要招呼,随叫随到。没有想到,他竟这样快地离我们而去了,令人唏嘘!

乐群走了,文化学术界失去了一个热心人,我少了一个可以促膝长谈的故友。然而,他那种敬业乐群、甘于奉献的精神却永远留在我们心中,永远鼓舞、激励着我们前进。

为纪念乐群去世一年而作

1992年初夏,深大新村

家

人们都说，好想有个自己的家。可若要问什么是家？一时又难以说得清楚。

依我看，家（Home），该是个人身心得以安居的温馨空间，个体能够诗意地栖居的特殊场所。并不是人人都能理想地结婚而居、组织家庭（Family），但想有自己的家，安居乐业，自在生活，却是人之常情。

前不久，北京作家谌容来访。谈话先从我问起她儿子梁左的近况开始。梁左①是我在北大的学生，曾教过他，还是我指导的《红楼梦》小组的一员。但随后话题一转，就说起她一直关注着的社会、家庭问题。她的《懒得离婚》出来后，引起了强烈的社会反响。现在，她又在编写一部电视剧，名字就叫《懒得结婚》。她是目睹了现实生活中的许多社会现象，有感而发。她在北京、深圳认识不少30多岁的年轻人，生气勃勃，精力充沛，事业发达，才貌双全，绝非找不着爱侣的人，可是不想结婚，不想要孩子，甚至也不和人同居。这并不意味着这些单身贵族没有自己的家。这些人的家都很舒适，由现代电器和现代艺术装饰起来的家，不仅能享受现代物质文明，而且也可以享受丰富的文化生活。若要问这些单身贵族为何不组织家庭？回答是：找那麻烦？何苦！真正是懒得结婚。

当然，大多数人还是在结婚生养，组织家庭。可是，进了围城的人，不时又有人想冲出来。时有年轻教师向我申诉苦衷：到了而立之年，想养儿育女之时，才成立家庭。可家庭负担竟要付出那么多的时间和精力，丧失那么多个人自由，真有些悔不当初，后悔莫及。

---

① 此文收入《胡经之文丛》时，惊闻梁左病逝，不禁黯然神伤，默默悼念。愿梁左地下有知，灵魂升华。

也许，这只是某些都市人的心态。在广阔的乡村，人们的心态可能还是在祈求多子多孙。这种反差，会造成什么后果，一时还说不清。

随着时代的发展，家庭的观念和家庭的模式都在发生着变化。现代人的家庭进程是：在一个家庭中，新生命诞生，长大成人，然后，这新生命从老家庭中裂变出去，和另一生命结合，组成新家庭；最后，那老家庭逐渐老化、消亡；而新家庭又产生新生命……家庭得以延续和发展。这就是马克思所说的人类自身的再生产。现代家庭的典型模式，是以两人世界为中心的，但这两人又是独立的自由个体。这是不是反映了现代社会正在从家庭本位逐渐向个体本位发展呢？

不管家庭向什么方向发展，家庭仍然自有其独特的价值，不会为其他社会形式所替代。传统家庭，经济的、政治的利益因素非常突出；而现代家庭，精神的、人文的因素日益更见重要。人格上的相互尊重，精神上的相互关怀，生活上的相互照顾，成为现代家庭的基石。肌肤之亲，儿女之情，天伦之乐，为家庭创造特有的温馨。在此基础上萌生出来的美好感情，乃是维系家庭的精神纽带。这里所说的美好感情，除了亲情，主要是爱情和友情。随着子女的离去，家庭的老化，可能亲情日益淡化，可能爱情逐渐褪色，但友情理应永在，仍需相敬如宾。

1996年冬，深大新村

第五辑

少作拾遗

野火春风卷古城

一、艰苦复杂的年代

青年人哟！我向你们祝福。祝你们热爱自由，热爱生活，热爱生命吧！这些都不是容易得到的哟！

——金环遗书

我几乎是一口气读完了李英儒的《野火春风斗古城》。深夜寂冷，但小说里金环遗书中的这句话却长久地在脑海里萦回振荡，叫人掩卷深思，叫人不能平静。我要向别人说：读一读吧，读读这本书吧！它能叫人回忆过去，也能给人新的认识，但，更重要的，它能令人深思，让人得到鼓舞，激励你更加奋发地为崇高的革命理想而斗争。当我们生活在今天，看到欢乐的农民在那坦荡的平原那样辛勤劳动，带着焦急和愉快心情的工人在机器旁那样细心操作，躺在母亲的手推车里的婴孩正在树荫下那样安详地入睡……当我们看到这一切,也就会更深切地体会到这句话的真实含义:是的,"这些都不是容易得到的哟"!我们幸福的今天,正是昨天的革命先辈以鲜血和生命争取来的,我们绝不能忘掉过去,革命的传统和成果正需要继承和发展,一切为了更美妙的未来!无数革命英雄人物的崇高形象,也将永远铭刻在人们心里,并将在人们心里愈来愈显得更清晰、崇高。我再说一遍:读读这本书吧!它能给你教益,让你更好地理解过去,从而热爱今天,向往未来。

《野火春风斗古城》所描绘的生活图景,虽然还不像有些作品那样显得波澜壮阔,而只是截取了抗日战争时期那艰苦斗争的一个方面——1942年底到1943年初华北一个地区地下斗争的画面;但是,它同样深刻地揭示了这样的生活真理:"帝国主义和一切反动派都是纸老虎"(毛主席)。敌人暂时似乎显得很强大,实则外强中干;因为正义在中国人民一边,人民必定取得胜利,纸老虎一定要现出原形。

如果我们回忆一下历史,会帮助我们更了解这个真理,从而会更深入地理解这部小说。

在那艰难的年代里,中国人民经历了严峻的考验。这是1941年到1943年初——抗日战争最困难的时期。由于法西斯阵营在苏德战争和太平洋战争初期取得了暂时性的军事优势,日寇企图迅速征服中国,把中国变为太平洋战争的后方基地,以便扩大国际冒险。于是,日本帝国主义一方面对中国人民加紧侵略,另一方面则对国民党顽固派继续进行政治和军事两方面的攻势,采取了以政治进攻为主、以军事进攻为辅的方针,特别着重引诱国民党投降,诱降和胁迫相辅。从1941年起,国民党部队就开始了大批投敌,国民党军变为伪军后,就把枪口指向解放区。蒋介石一方面用自己的主要兵力包围着我陕甘宁边区及其他抗日根据地,另一方面又有计划地指使自己部队投降日寇,以便明目张胆地打起反共的旗帜,和日寇一起,企图消灭人民力量。同时,又准备在日寇被击败时,使伪军能再打起国民党的旗帜,趁机占领日占区,攫取胜利果实。蒋介石把这个卖国通敌反共反人民的阴谋,得意地名之为"曲线救国"。国民党的这种阴谋,在《野火春风斗古城》中得到了具体的表现。范大昌这个国民党特务，跟着鹿炳勋军队投降了日寇，加入了日本特务机关，当了剿共委员会主任；同时又拉拢日特蓝毛，好在将来趁机捞胜利果实，向蒋介石报功讨赏。

　　这样，中国共产党和人民不仅要抗击一个日本帝国主义，而且还得同时抗击敌伪军和蒋介石的"反共"军。党和人民面临着严重考验，抗日根据地处于极端困难的严重局面。然而，中国人民是不屈不挠的，我们的党充分认清敌人的诡计及本质，掌握了历史发展规律，了解中国人民的切身利益，因而领导了全体人民展开对敌斗争。正是在这艰难的年代里，共产党领导了马克思主义的教育运动（整风运动），为战胜困难做了思想上的准备；也开展了大生产运动，为战胜敌人做了物质上的准备。到了1942年，敌后各根据地的大生产运动，更是普遍发展，在经济上打击了敌寇及国民党的摧残、掠夺和封锁，保护和发展了根据地的物质财富及生产。中国人民没有被敌人的凶恶所吓倒，相反，表现了沉着、乐观、机智、英勇的精神，根据地的人民对前途充满了信心。这在《野火春风斗古城》中也得到了反映，我们只要想一想跳山根据地的那幅欢腾的图景就可以了解。

　　党领导人民在思想上和经济上做了充分的准备，同时也就更有效地展开了对敌斗争。日寇把华北华中地区分别为三类，即所谓治安区（即敌占区）、准治安区（即游击区）和非治安区（即抗日根据地）。敌人在敌占区内实行清乡政策，强化法西斯的保甲制度，用圈村办法实行大编乡；对游击区则实行蚕食为主的政策，恐怖和怀柔政策并用，修筑封锁线、碉堡，平毁村庄，残酷地制造"无人区"；对抗日根据地则实行大扫荡，野蛮残忍地施行"三光政策""梳篦清剿"等等。党领导人民针对不同的情况进行了不同的对敌斗争：我们在根据地采取了军队和人民形成一体、正规军游击队和广大民兵结合的反扫荡斗争；在游击区，我们采取了反蚕食斗争，我们的武装工作队也深入敌人后方，使敌人腹背受击、穷于对付；而在敌占区，我们采取了反清乡斗争，即根据敌进我退的方针，向敌后之敌后推进。一方面，组织武工队，越过敌人封锁，在敌后和敌人心脏，神出鬼没地进行公开或秘密的斗争；另一方面我们也向敌伪组织内部进行政治攻势，使他们分化、瓦解或中立，以便孤立日寇。

《野火春风斗古城》所描绘的，正是在这艰苦的年代和艰苦的地区——华北敌后抗日根据地和华北日寇占领的省城——地下斗争的艰苦复杂的生活。是的，这是在艰苦的年代，同时，也是在艰苦的地区，因而斗争也就显得更复杂、艰苦。日寇占领华北地区的年月较久，兵力充足，1941年和1942年，敌人对华北根据地更是进行了频繁的扫荡，使用兵力达80多万人，而每次用1000人以上的扫荡，就达174次之多，日寇普遍地修筑碉堡、封锁沟和封锁墙。书中的日本高级特务多田顾问，就曾在宴乐园向伪军官员打气时自我吹嘘："单是在华北平原上，我们的碉堡新建了7700余座，遮断壕长达12000公里，相当中国6个万里长城，约合地球外围的四分之一。为什么花费这么大的劳动建筑这样大的工程呢？一句话，大日本皇军要用全力对付共产党。"然而，这只是敌人的垂死挣扎罢了，终究不能挽救他自己必将溃败的历史命运。而我们党则领导人民进行了多方面的艰苦斗争，其中，也派遣了党的优秀儿女，深入敌人"心脏"，在政治上、在军事上瓦解、分化和争取敌伪军，在敌我力量悬殊的境地下进行斗争。当杨晓冬接受任务时，党的领导者在给他交代情况的信中这样写道：

> 敌人是强大的，更是凶恶的。但应该知道，真理和正义在你们一边，你们背后有党和人民的支持。今天，你是携带着革命种子去拓荒。革命种子播在沦陷区人民的心里，必然要开花结果。那时节，再强大的敌人，也是无能为力的。

这正是一语道破了当时现实的本质——敌人貌似强大凶恶，其实内里虚弱腐烂，而我们越战越富有生命力，一天天壮大起来；同时也预示了抗日胜利一定到来，叫人长志气、增力量。1942年11月至1943年2月的斯大林格勒会战，苏军消灭了33万德寇，取得完全的胜利，1943年成为苏联卫国战争进程中根本转变的一年，这对中国人民是莫大的鼓励。正是在《野火春风斗古城》中，我们看到了敌人的垂死挣扎，同时也看到了胜利的曙光。在春节前夕宴乐园中散发的传单中，我们就看到，苏军的胜利给予地下工作者多么大的鼓舞和力量，而给那些敌伪人员是一个多么重大的打击。它向人们预示：胜利一定属于人民！

感谢作家李英儒，他在自身丰富的实际斗争生活经验基础上，进行了艺术劳动，描绘了惊心动魄的地下斗争生活，使我们窥一斑而见全豹。这里虽只是写了地下斗争的一角，但能帮助我们更深刻、全面地理解整个抗日斗争的全貌，懂得党是如何领导人民多方面地和敌人做艰苦复杂的斗争的。我们的文学在反映抗日斗争生活方面，可以高兴地说是有丰富的多方面的成就的。只要略为回顾就可以知道，马烽、西戎的《吕梁英雄传》，袁静的《新儿女英雄传》，孙犁的《风云初纪》《荷花淀》，邵子南的《李勇大摆地雷阵》，柯蓝的《洋铁桶的故事》，周而复的《燕宿崖》，以至最近的《苦菜花》（冯德英）、《敌后武工队》（冯志）等等，都从不同的方面反映了抗日斗争，或是写大规模的对敌战斗，或是写游击队的袭击，或是写武工队和民兵的敌后斗争。但就是还没有以争取、瓦解和分化敌伪军为题材的长篇小说，而这却又正是对敌斗争的较为复杂、尖锐的重要方面之一。人们渴望着，希望有反映这种复杂的地下斗争生活的小说出现。而现在，我们有了《野火春风斗古城》这部小说，正是它较为成功地满足了人们的这种需要和希望。因此也不难理解，为什么许多人，特别是年轻人，是那样废寝忘食、如饥似渴地抢着阅读它！书从这里传递到那里，通宵达旦、贪婪地一口气读完了它！

然而，假如仅仅以为只是题材的奇特和新颖才吸引人们，那就低估了这部小说的成就。题材的新颖也许只能暂时吸引人，作家只有站得高、看得远，从一定的思想高度去认识它，以艺术匠心去精心琢磨它，创作出艺术精品，才能发生艺术魅力，从而引人入胜、扣人心弦。因之，《野火春风斗古城》给予我们的，绝不仅仅是在那抗日最艰苦年代里的地下斗争生活的展示，而是通过这种特定的斗争生活的描绘，给予我们具体而生动的思想教育，在思想感情上激动人，给人鼓舞、启发，叫人从中汲取精神力量。在作品中体现出来的革命精神，那就是魂。正是整部作品洋溢着这种革命精神，使得它不仅有认识作用，而且有教育作用，而这两者又是密切结合在一起、相互渗透的。这种教育作用和认识作用，又不是通过理论或概念的抽象形式，而是通过具体的形象而显现出来的。《野火春风斗古城》之所以激动人心,正在于塑造了一系列英雄形象以及写出了那些惊心动魄的事件,真实地反映了地下斗争生活,揭示了生活中的客观真理。这部小说也发挥了巨大的美学作用,它把我们带进了一个艺术世界,生动地显现了人民是如何进行艰苦的地下斗争,在这斗争中,什么是善的,什么是美的。

《野火春风斗古城》虽然还不是十分完美的小说,但确是1958年出现的优秀长篇小说之一。它真实地描写了叫人"感奋起来"的地下斗争事件和英雄人物形象。李英儒为我们人民革命斗争的英雄画廊里,挂上了珍贵的一幅。

那么,我们现在就把注意力转向事件和人物的具体分析方面来吧。

二、惊心动魄的斗争

小说一开端就把人们引进惊心动魄的境地。

> 深夜时分,在一条羊肠小路上,老梁领着杨晓冬政委在快步走着。……
>
> 他一路上老是拉开杨晓冬政委一段距离,为的是能在前面侦察情况;遇到意外,免得他所保护的首长遭到危险。

就这样,它抓住了人们的心,叫人思索:他们是什么样的人?深夜去做什么?将要发生什么样惊心动魄的事?……小说马上告诉我们,杨晓冬,一个曾经担任过团政委而目前正担任县委书记的党的干部,立刻要以失业市民的身份,被党派到敌占区去,进行艰苦的地下斗争。工作是艰苦而复杂的,他的任务是到华北一个古老的省城去开展斗争。敌人是强大的,他必须同省城内的3个敌对头子——多田顾问、伪省长吴赞东、伪治安军司令高大成和他们率领的全部敌特人员做斗争。而我们地下斗争的力量暂时还不足:外线只有老梁所率领的城郊武工队和联络员金环;而内线只有以合法身份——参议员——出现的高鹤年老先生,伪职员高自萍和秘密联络员护士银环。然而,敌我力量虽然悬殊，但因为真理和正义在我们一边，有着党的领导和广大人民群众的帮助和支持，杨晓冬对斗争的前景充满了信心。问题在于，他将如何依靠党和人民，以及如何掌握敌人内部矛盾，从而分化、瓦解及打击敌人。于是，随着杨晓冬来到省城，必将引起一场复杂而艰苦的斗争。

果然，杨晓冬带去的革命种子播种在人民的心里，终于开花结果了。星星之火，终成燎原之势，古老的省城里的地下抗敌活动展开了。

是的，成功的文学作品不一定都有复杂、曲折的情节和故事。但是，假如有一部优秀的小说，不是离开作品的主题和人物，不是脱离生活真实而写出了惊心动魄的情节和故事，那么我们又有什么理由不欢迎它呢！我们喜爱《野火春风斗古城》的原因之一，正是与它反映了惊心动魄的斗争生活有密切联系的，而这种故事与情节又绝不是由脱离主题和人物的孤立事件所组成，而是由生活本身所决定，并服从于主题、人物形象的要求。因而，它就绝不像有些惊险小说，仅以离奇曲折的故事暂时吸引读者，却不能长久激动人心；相反，它正给予我们以艺术感受。地下斗争，这种生活本身就是复杂曲折的，不理解这种艰苦生活的人，却往往容易把它看得神秘、离奇。而李英儒在自己亲身斗争经历的基础上提炼、加工，反映了这种生活本身的真实面貌，他并没有渲染离奇和神秘，并没有故弄玄虚。作者在发展故事和情节时，紧紧抓住了这两个环节：一方面写出了斗争是紧紧依靠党的领导和人民群众的帮助而进行的；另一方面整个作品中都贯穿了这一条线索，即斗争的中心是放在从政治上瓦解敌伪军。在这里，地下斗争既不是被描写成只是个别英雄人物的军事冒险，也不是被描写成脱离了群众而只在敌伪上层作无益的劝说。书中的陈副司令员对杨晓冬说得好：

> 争取瓦解敌军，是我们党的重要政策和重要政治任务。我不否认这项工作有一定的技术性，但更重要的是政治上的争取和瓦解。共产党员靠真理吃饭，靠提高别人的思想认识去进行工作。在你们部门里，有人忽视政治，单纯追求技术，把主要精力放在什么侦察术呀、化装术呀、秘密联络法呀、十字路口倒穿鞋呀等等，不一

> 而足。……技术有重要性，但更重要的是政治，忽视政治的观点，任何工作、任何时候都是错误的。

作者在写斗争时，正是把注意力集中到在政治上瓦解敌人以及依靠党和群众这方面。而在写这些斗争时，既不是把敌人简单化，而是写出了敌人暂时的强大和凶恶；另一方面更是突出了我地下工作者的机智、英勇的斗争。因而，小说令人信服地表现出了，党的地下斗争之所以能取得巨大的胜利，正是因为它联系着千百万人民的命运；敌人虽凶狠，但不得人心，必然溃败，我们一定胜利。

小说的故事和情节，随着杨晓冬进入省城而展开了，并随着斗争的发展而发展。

杨晓冬来到了省城，这是1942年的冬天。他找到了内线联络员银环，但是，境况是多么艰难！高鹤年和高自萍的工作只停留在和上层敌伪官员周旋，脱离了群众斗争，当然不能把希望寄托在他们身上。必须另外开辟新路，那就是必须去依靠和发动省城内受压迫的群众！他首先按照党的指示，找寻到了革命烈士的后代，三轮车工人韩燕来和他的妹妹小燕，把他们作为骨干，利用了小市民、伪公职人员苗先生不问政治的弱点，通过他取得失业市民的合法身份作为掩护，定居下来。活动就这样展开了：一方面，他依靠了银环、韩燕来、小燕的帮助，进一步去教育、争取并发动周围可以团结的群众，如忠厚的周伯伯，善良的邢大婶，帮助党工作；另一方面，杨晓冬利用一切机会，深入敌人内部去了解敌人内部的矛盾，以便打击、分化敌人。他亲自到新舞台娱乐场去，利用看戏，观察到了高大成与吴赞东之间的矛盾，觉察到了伪军团长关敬陶与这个统治集团的不协调之处。知己知彼，才能百战百胜，杨晓冬正是依靠了周围人民群众和利用了敌人的弱点，首先完成了党临时托付的两件工作：在极为艰难、危险的境地，杨晓冬亲自和韩燕来等护送了两位病弱的负责干部，巧妙而机智地闯出了封锁线，避过特务的追索，转入根据地。他们也找到了4个从北京来而和党失去了联络住在旅馆内发愁的学生，并掩护他们转入根据地。

这个省城内的地下斗争,主要针锋首先指向了敌伪军,要扩大敌伪军内部的矛盾,促使其分崩离析。因此,作者的笔墨自然也就着力于这个方面。杨晓冬决定利用春节的机会,向城内敌人发动一个政治攻势,造成敌人内部的混乱。就在除夕那天,杨晓冬、韩燕来、小燕、银环4个人全体出动,要在城内散发革命传单,特别是要利用除夕敌伪上层官员宴会的时机,把传单送到敌人手里。一场战斗开始了,一幅敌人的百丑图也鲜明地在我们面前出现。在灯红酒绿、吵吵嚷嚷的宴乐园里,参加宴会的人纷纷来到了:伪省府的厅处长,省城附近几十个伪县长,新民会的不少科长,伪治安军的军官,还有那些高级官员的太太、姨太太和妓女们。伪省长吴赞东和治安军司令高大成,卑躬屈膝地请日本首席顾问多田来到宴会,表示他俩永远尽忠于"皇军","鞠躬尽瘁,死而后已"。那种谄媚的丑态,不由得叫人作呕。特别是当多田进入宴会所引起的那种混乱,更是对那些献媚日寇的汉奸做了剥骨的讽刺描写。当中厅到会的人正在信口开河或窃窃私语的时候,多田由高大成、吴赞东陪着,不声不响进入中厅。高大成跨前一步,遮住伪省长的全身,伸直脖颈猛喊:"统统站起,立正——"。这一声吼叫,就引起了一幅漫画式场面的出现:

> 站在会场核心的军官们,皮鞋喀咪一响立正了,因他们是原地立正——按照立正是不动姿式——以致有不少的军官屁股对着讲台;距离高司令近的这伙人是伪省府的高级职员,他们平常多半是书呆子,太阳底下站久了要灼伤脸皮,办公室打个茶杯都会吓得心跳,猛听高大成闷雷似的叫喊,丢神失魄地站起,碰倒前沿两三张方桌;税务人员中有一个日本人起得过猛,手肘碰落邻居的瓜皮帽盔,帽盔滴溜溜滚转到高大成脚下,高大成怕顾问看到不礼貌,乘势一脚把它踢得无影无踪。日本人右边是位戴金丝眼镜的,他怕被日本人猛起时撞了脑袋,急忙闪身歪头,金丝眼镜勾挂住身旁老科长的花白胡须。

这一幅图景,恰好勾画出了这些敌伪人员的奴才相,使我们不能不联想到果戈里在《钦差大臣》结尾中所描绘的那幅图景,也使我们想到陈白尘在《升官图》中所描绘的图景。接着,作者更进一步剥落了高大成、吴赞东等的丑态。随着情节的发展,我们面前出现了一幕幕讽刺剧:高大成与吴赞东的钩心斗角,姨太太、妓女们的丑态,敌伪副官的帮腔等等,使我们愈来愈看清了这帮人的腐朽本质:凶恶而残忍,但是矛盾重重。多田在宴会上信口开河地作无耻的自我吹嘘和唬吓伪官员,说什么"历史会无言地证实我的保证:在不久的将来,大日本皇军同希特勒的闪击部队在西伯利亚,在天山山脉会师"。正是在这个时光,银环抓住空隙,潜入了宴乐园,巧妙地把传单当作上峰机关的贺年片,叫招待员送到酒席上。银环从容地走出了警卫森严的宴乐园,而贺年片给宴乐园带来了巨大的恐惧与慌乱。吴赞东和高大成正各自安下了骗钱的计策,张开钱袋眼睁睁地等着大捞一把;而那些到会的人好容易等到送走多田,口水直流地眼巴巴等着大吃一顿。正是这个时候,传单在人群里传开了,惊人的消息像踩翻了的地雷在人群里爆炸:"斯城红军歼敌三十三万,俘虏中将少将十五名,生擒德国元帅鲍利斯……"这传单在敌伪人员中引起了强烈的反应,这不仅是对多田自我吹嘘的一个辛辣的讽刺和嘲笑,而且是对所有敌伪人员的沉重的一击,让他们知道人民的力量是强大的,给他们一个响亮的警告。这不能不引起高大成、吴赞东的惊恐和慌乱。高大成一声令下,军官们立刻拉枪栓顶子弹,桌凳推翻,酒菜洒地;东西吃喝,前后奔扑,把一座"恭贺新禧"的宴乐园,霎时间变成如临大敌的战场。从室内到室外搜索了一遍,然而却一无结果。这一次政治攻势,促使敌伪统治集团内部的矛盾更加尖锐。高大成和吴赞东在新舞台娱乐场表现出来的矛盾,到此时更加发展了,他俩想相互推诿这次失事的责任。而吴赞东变得更狡猾,在接到警告信后,现实提醒自己要"小心"行事,一面和蒋介石拉上关系,另一方面又想伸一只脚到共产党方面,想学狡兔三窟,因而促使他不得不注意高鹤年这一线,从而有了杨晓冬会见吴赞东之举。而关敬陶经过宴乐园的事实教训,又接到了警告信,也更使他清醒一些,对日寇伪军更失去了依托的信心。这一场战斗,一直到后午夜,杨晓冬4人分头在全城都散发了传单,给许多重要敌伪官员送了警告信。随着春节黎明鞭炮一响,革命传单在全城传开，真是春风吹起了野火，席卷了古城，激烈的斗争马上又将来临。

在斗争的发展中，杨晓冬他们是经历过曲折的路程的。韩燕来由于连续遭遇了不幸，接连受了鬼子、敌伪军的欺辱，触动了按捺不住的怒气，买了一把尖刀要去杀几个坏蛋出气。半路上碰见了侦缉特务蓝毛，刚脱身而逃，恰巧又爬到日本经济特务龟山的屋里，他心头火起，杀了正对蒲小蔓施行非礼的龟山。这是革命感情冲动的表现，但在当时的环境下，这举动却未顾及地下斗争的整体（而且事件本身还带着较大的偶然巧合）。幸经杨晓冬的严厉批评，在以后的斗争中韩燕来便接受了教训。杨晓冬也曾在宴乐园斗争之后不久，怕高鹤年误解党对他不信任，特别推迟了回根据地的日期，而去会见吴赞东。这也是未经深思的轻率行动。杨晓冬固然事先已摸到了吴赞东这个狐狸的一些性格、心理；但是，他没有充分估计到宴乐园一场斗争后的吴赞东的心理变化，特别是没有摸清此时日寇已派了由国民党转过来的特务范大昌来控制吴赞东，就贸然去见吴赞东。虽然杨晓冬在吴赞东面前伸张了正义，但却暴露了自己的真实身份，而且差一点被吴赞东打入樊笼。幸亏杨晓冬当机立断，以迅雷不及掩耳的强硬手段，迫使吴赞东不得不派车送走自己。但这着实叫读者担忧：假如吴赞东再狡猾一些怎么办？假如当时立即对杨晓冬下辣手怎么办？而当吴赞东被迫把杨晓冬送走后，吴赞东再施一些诡计怎么办？……幸而省城内出现了一种象征着大风暴将要到来之前的密云不雨的政治气候，杨晓冬遵照根据地的指示，带着韩燕来抓紧这个时机回到山区去了。这种没有事先充分摸透敌人心理而作了轻率的个人冒险的行为，在山区受到了陈副司令的当面批评。以后杨晓冬就接受了教训，集中了全部精力发动群众，在政治方面去分化、瓦解敌人，保证了地下斗争在正确方针指导下取得重大胜利。

杨晓冬和韩燕来在群众的掩护和武工队的帮助下秘密地返回了眺山根据地。这一次返山有多种意义。首先，他们更深久地接受和体会了党关于地下斗争的政策和思想，学习了许多党内文件，亲身聆听了首长的指示，因而进一步明确，在暂时还十分强大的敌人——多田、高大成、吴赞东等面前，斗争的重点，应该转移到敌人的军队方面，分化和瓦解敌人的军队。这将有力地配合当前的武装斗争（对当时敌人根据地所作的大规模"扫荡"，起积极的牵制和削弱其力量的作用），也能从长期着眼。其次，眺山根据地的人民和生活，党对他们的关怀，使他们自己受到具体、深刻的思想教育，更加激发了决心斗争到底的革命态度。在这里，根据地的欢乐情景，叫刚从令人窒息的敌占区走出的人不由得扬眉吐气、心情舒畅。这里不仅仅是天然风光十分诱人，而且，人民生活里充满了在党的阳光照射下的集体的温暖，这更深深吸引人和激动人。这一切，给予了他俩多少鼓舞和力量！而这又将激发他俩更好地去做地下斗争。对于韩燕来更是如此，在这难忘的山区，他加入了光荣而伟大的党，他是多么留恋、不忍离去啊！而对于在这里生活和斗争了多少年的杨晓冬又何尝不是这样！是的，革命者的心永远是火热的，永远被革命和人民所深深地激动着。

杨晓冬和韩燕来是领受了新的重大的任务，匆忙地离开了眺山根据地回到省城去的。敌人已经开始了1943年初的"扫荡"，并且已封锁了眺山口，而根据地将要展开一场波澜壮阔的边区反"扫荡"。杨晓冬急切要回到省城，配合反"扫游"做新的紧张战斗。省城里的伪治安军由高大成亲自率领跟着日寇到眺山去"扫荡"了，城防空虚，只有关敬陶率领少数人守卫省城，此外还有少数零星分散的日寇。杨晓冬根据这新的变化，决定调配城郊武工队的力量，发动一次对敌人心脏——省城治安军司令部的袭击。显然，这正是一个很好的时机，一方面能够通过轰轰烈烈的袭击，叫外出"扫荡"的敌人不能安心，不得不抽回兵力来保卫自己的"心脏"，叫敌人惊慌失措。另一方面，这正是争取、分化敌伪军的一个重要步骤，使关敬陶进入"捉放"的圈套，好进一步把他"逼上梁山"。于是，小说中的第二个斗争浪潮出现了，这次斗争的规模远比宴乐园更大，而对敌人的打击更为沉重。夜晚，经过周密安排好了的杨晓冬、银环、周伯伯等暗暗尾随关敬陶身后，走到伪治安军司令部门口，武工队梁队长率领的化装人员神速地闯了进去。深夜12点，八九个武工队员按计划俘虏了关敬陶等一批伪军，并迅速向八里庄转移。杨晓冬按照原定的"捉放"计划，对关敬陶伸以大义，并宣布代表共产党立即予以释放，要他回去做个有良心的中国人。同时，通过阶级教育，把司令部的老伙夫赵黑锅和关敬陶的传令兵汤二狗争取了过来，释放了他们，他们表示回去愿意为抗日活动出力。这一次迅雷不及掩耳的袭击，有如突然伸出的铁拳，猛捣了敌人"心脏"，叫全城的敌伪人员震惊，叫进入山地的敌军丧胆，叫正在进行反"扫荡"的边区军民感到无限的兴奋。而这次斗争，依靠了更广泛的群众，打击了敌伪军。通过斗争，又争取到了更多的群众。这个波浪给敌伪方面极大的震动，日寇连日来对内对外采取了一系列措施：多田亲自组织了全部警察特务，加紧城防岗哨，严密盘查行人，彻底清查户口，秘密逮捕了关敬陶；又从山区急速调回两个团，连日整夜地四下"讨伐"。于是斗争到了更尖锐、更艰苦的阶段。在掩护杨晓冬从八里庄转回省城的途中，金环在先行探路时被日本特务逮捕。她始终不屈，并将计就计地以几句话断送了日本走狗李歪嘴的性命，解救了关敬陶。最后，她行刺多田未成而壮烈地牺牲了，在这斗争道路上洒下了烈士的鲜血。高大成从山地回到了省城，加上日特蓝毛和国民党特务范大昌的进一步勾结，使得敌人决心来一次大抢粮、大清乡暴行，高大成亲自来组织兵力和"鼓励"士气。而杨晓冬、银环等一方面积极争取关敬陶的起义，另一方面也在积极组织一切力量做反抢粮的准备。于是，我们预感到第三次更宏大、更激烈的斗争浪潮即将来临。

　　然而，斗争发生了波折。杨晓冬组织的反抢粮计划在敌我悬殊的情况下没有实现。外线的主力部队来不及赶来对敌人做军事狙击；而在内线，在治安军内的小汤、赵黑锅、邢双林等对于反抢粮也表示束手无策，周伯伯去到人民群众中做动员反抢粮工作，也没有成功；而杨晓冬亲自去争取、说服关敬陶起来反抢粮，关敬陶也表示无可奈何、无能为力。显然，这说明还没有到"逼上梁山"的时候。于是，杨晓冬和韩燕来断然决定闯进商会会长的私室，勒令会长停止组织交通工具为敌人运输。但这并未阻住高大成部队的抢粮，4个团的伪军冲到离城40里的村庄。小麦已全部被根据地军民在一夜之间连根拔走了，高大成下令抢劫村庄。梁队长率领的武工队寡不敌众只能撤退。村庄遭到了敌人的洗劫，而更困难的是，敌人抓到了一个女叛徒孔梦华,通过她的告发又逮住了杨晓冬的母亲。最后,又抓住了另一个叛徒高自萍,并利用了银环的政治麻痹,逮住了杨晓冬,斗争进入了最为艰难、困苦的阶段。

革命是摧残不了的,在前进的道路上洒下了烈士的鲜血,然而斗争终将取得胜利,"野火烧不尽,春风吹又生"!杨晓冬被捕后坚贞不屈,利用宴乐园场地作了叱咤风云的演说,表现了一个共产党员的英雄气概。革命的母亲杨老太太牺牲了,杨晓冬又受了严刑拷打。但就在这个时候,党想尽办法,组织了武装力量,帮助杨晓冬越狱。这需要机智和英勇,而在越狱这一事件中,作者很好地表现了这些,因而深深地吸引着读者。

杨晓冬越狱之后决定继续坚持在省城内展开更激烈的斗争。环境是更艰难了,蒋介石由分裂倒退走向投降,命令胡宗南撤退河防大军,却去包围陕甘宁边区。日本鬼子乘隙调兵遣将准备进行秋季"大扫荡"。在这紧要关头,地下斗争必须动员一切力量打击敌人,配合根据地反"扫荡"。杨晓冬首先组织了力量去营救被日寇抓走的武工队长老梁等,并由此狠狠给日寇一个袭击。这时,一方面更深入地展开了群众工作,把护士小叶,伪军里的苏兴旺等争取过来;另一方面又进一步去争取关敬陶,帮助八路军的突击。经过周密的策划和安排,决定乘机促使关敬陶的一个团起义,扩大战斗。于是出现了小说里最激烈、紧张的战斗,这第四个浪潮汇成了小说的高潮。杨晓冬化装成副团长机智地占领了城郊的炮楼,帮助老梁、张小山等袭击了伪军,同时,乘机半劝半逼地争取了关敬陶的起义,全团伪军突围开赴根据地。等到高大成率兵赶来,也只能眼睁睁看着起义部队在八路军的掩护下走向眺山。日寇和伪军受到了沉重的打击,日本特务蓝毛被打死了,国民党特务范大昌被俘,伪军头子高大成被枪击落马……到这里,小说达到了情节发展的高峰。

当我们掌握了这部小说的情节发展后,不能不注意到作者在情节描写方面的一些特点。

首先,作者不是孤立渲染离奇曲折的故事,而是围绕着作品的主题和人物性格的刻画来展开故事、情节,这就不仅增强了作品的思想性，而且赋予作品以艺术性，故事的生动丰富性，正是这部作品的艺术特色所在。生活本身是异常丰富而且复杂纷繁的，一个作家注意什么，突出什么，怎样才能不只做生活现象的记录而能抓住主要方面，怎样抓住生活中的本质的方面而加以突出地表现，这正是作品之有高度思想性和艺术性的根本关键。《野火春风斗古城》通过艺术形象生动地告诉我们：斗争虽艰苦，但革命一定取得胜利；敌人虽强大，但必定要死亡。而它的故事、情节正是围绕着这个主题，从而真实地反映了生活现实。小说自始至终贯穿了两条线索：地下斗争紧密依靠着党的领导和群众的支持；同时也紧紧抓住了对敌人的"在政治上的争取与瓦解"。一切工作必须发动群众，在艰难复杂的斗争中更需要群众，小说把杨晓冬的斗争置于群众之中，他耐心培养韩燕来和小燕成为具有阶级自觉的地下尖兵，团结了周伯伯做掩护工作，通过银环又争取了护士小叶，通过韩燕来又争取了邢大婶、邢双林、苏兴旺等。杨晓冬不仅依靠群众进行了斗争，也通过斗争吸引了更多的群众参加斗争。季米特洛夫在莱比锡审判时的光辉演讲中曾经说道："群众工作，群众斗争，群众抵抗，统一战线，不要任何冒险行为，共产主义的始末便是如此。"小说的作者很懂得这一点，因而既不把地下斗争加以神秘化，也不使之简单化。小说在写发动群众的同时，又展开了另一条线索，那就是了解和揭示敌人的内部矛盾，从而从政治上去分化、瓦解、争取敌人。这也是争取胜利的不可缺少的环节，在这里需要更多的机智、英勇。作品在剖析和揭露敌人内部矛盾是较为深刻的，这里有日寇与伪军政人员之间的矛盾，敌伪上层官员本身之间的矛盾（伪省长与伪军司令，蒋介石特务和伪军官等等之间的矛盾），敌伪军政人员上层与中、下级之间的矛盾。特别是，在斗争中抓住了关敬陶和高大成、多田、吴赞东这整个敌伪统治集团的矛盾，加以着力描写，使关敬陶在作品中的起义成为必然。而在着力写这些的过程中，也没有简单化，一方面写出了关敬陶本身"反正"的思想基础和党对他的教育、启发，引起他若干重大的思想变化；另一方面又揭示他与高大成等的矛盾的深化，使他感到不能容身于敌营；再一方面又写出形势所逼，当我伏击队伍在他驻地打死了日寇，救了犯人，使他处在只能进不能退的境地,于是局面已定,不得不如此。小说中军区陈司令员曾有一段关于争取敌人起义的精辟而富有形象的议论,很可以帮助我们了解关敬陶起义的合理性:

> 有些人能不能起义,对具体人要加以具体分析。你们看过《水浒》,这部书写出很多典型人物,也回答了敌伪军工作上提出的问题。看!英雄们是怎样地上梁山呢?道路好不同呵!黑旋风李逵说去就去。林冲、宋江各自有其曲折,家大业大骡马成群的卢俊义是最费周折的,吃败仗当俘虏受到最优惠的待遇,但他不肯在梁山"落草",直到丢了家产跑了老婆被官府绑缚刑场杀脑袋。所以俗话说"逼上梁山",这个"逼"字有深邃的意义,适合辩证法。它是自愿和强迫的统一,敌伪军中的上层人物,不比卢俊义简单些,没有逼的成分,很难自动上梁山的。

其次,我们还可以看到,小说中的惊心动魄的故事、情节,并不是脱离了生活真实的人为的虚构和捏造。这些故事、情节恰恰是地下斗争生活本身的复杂发展的反映。如果故事情节本身反映了生活真实,而且描写合情合理,那就值得肯定,我们不能抽象笼统地反对着力写故事、情节。在这部小说中,确有些地方是过多渲染了偶然事件,这将在下面谈到。但是,小说中有不少故事情节的描写,确是表现了作者善于从偶发事件中揭示出事件发展的必然,这就不能一概视之为不真实。试看杨晓冬越狱这一事件,就写得很生动、紧凑,引人入胜。刚一看似乎觉得有些偶然,为什么正当监门开时,韩燕来就恰巧来了,但仔细思索,也就觉得很巧妙。因为,一方面,外面党的力量已做了周密细致的安排,摸清了监牢内的规律;另一方面由于敌人腐朽本质所决定,必然有一些漏洞存在(如牢卒间的矛盾)。而监门开不开不是关键问题,即使门锁了,韩燕来去盗得钥匙也是预料中的事。这里正是通过这情节显现了杨晓冬的机智、周密。读到这里,很容易使我们想起古典小说如《水浒》中不少越狱的场面。杨晓冬初次由金环护送入城的那个情节,也很紧凑而又自然。杨晓冬利用了哨兵的心理弱点,趁机帮助拾萝卜而混进了城。城门口出现的水车溅水,毛驴惊叫和萝卜滚地是偶然出现的,但杨晓冬正利用了这偶然事件,打入省城,这是合乎事件和性格的发展的。敌守虽严,但有隙可循,这是必然的;杨晓冬的机智、灵活,也就决定他能利用一切机会进城。小说中有很多故事、情节,正是通过偶然事件而表现了必然性。而这正是生活本身决定的,地下斗争本身就是复杂的,需要更多的机智,有许多事件仍然会预料不到而突然出现,这时就更必须有"智"斗,巧妙、灵活地展开活动。

但我绝不想掩盖这部小说中的一些不足之处。假如我们从更高的要求来看,作者还是可以站得更高,看得更远,挖得更深,能更深刻、全面地表现出地下斗争复杂的全貌。人们要求更集中、更典型、更理想、更概括地表现生活,从这方面要求,我们还不能满足于这部小说的描绘,作者还没有能做出更高的艺术概括。这可能主要是由于作者还缺乏更多的艺术经验,但也并不是完全与作者的分析、观察、概括力等无关。

首先,地下斗争中的人民群众的力量,还没有在小说中得到全面而充分的表现。小说注意到了写群众发动的线索,这是正确的道路,应该充分肯定。但是在具体描写时却还不能使人满足。第一,省城内的地下斗争与省城外的人民革命力量之间的相互联系和影响,特别是根据地人民的力量、敌占区以外对敌武装斗争的进展,如何影响着地下斗争,却缺乏深刻的表现。本来,地下斗争是应该服从和配合根据地斗争需要的,而且地下斗争的能否开展,敌人内部矛盾的变化等等,都与外面人民群众的力量息息相关,但作者还没有能够紧紧抓住这个环节。小说对杨晓冬入城做地下斗争的重大意义,便缺乏明确而具体的揭示,一直到小说的后半部,杨晓冬返山区后才找到了明确的斗争目标,这就减弱了地下斗争的意义。而根据地人民的斗争如何对地下斗争起了推动、促进作用也未充分表现,这就减弱了小说的时代意义。第二,省城内的革命力量和人民群众的面貌也未有全面、深刻反映。这古城的地下革命力量在一开始显得过于涣散、微弱,只有不懂得政治斗争的高参谋,庸俗无聊而后沦为叛徒的高自萍,党只配备了一个政治上软弱的银环当联络人,除此以外,就再也没有别的革命力量了。因而,杨晓冬的入城就不免叫人担忧:他如何存得下身?他如何展开工作?要叫人不担忧只有两个办法:或者在这古城内再安下一些革命星火,或者要在这艰苦的境地下更加突出地表现出杨晓冬的魄力和迅速发动群众。而在小说中,除了周伯伯、蒲小蔓、小叶、邢大婶等少数人在活动外,一般群众面貌就很少反映。自然,地下斗争是特殊环境下的特殊斗争,不能笼统地要求作者写出斗争的"群众规模"。但是,有许多群众场面还是可以写出人民群众的面貌来的,如春节传单的散发如何掀动了这个古城,金环被捕游街,在人民群众中激起了什么反响等等,这些是可以而且有必要加以描绘的。第三,一些主要人物如何深入地去发动群众,写得也嫌不足。发动群众的描写,多半停留在交代任务,群众是如何发动起来的,小说的描写却显得不足。其次,对反面形象的刻画,也有待进一步深化。第一,知己知彼,才能百战百胜,这就必须充分了解敌人。地下斗争的情报工作是重要的一环,而小说里没有这个线索。由于未充分摸透敌情,因而出现了许多冒险的场面,如杨晓冬亲自见吴赞东,杨晓冬送袁主任等过封锁线等,常常是措手不及,和敌人短兵相接,这就不仅减弱了作品的思想意义,也使英雄人物的光辉有所损伤。第二,敌人的凶恶、奸滑以及他们自身利益的一致之处,尚没有充分写出。敌人内部的关系是复杂的,有深刻的矛盾,但在紧要关口在根本利益上有一致之处,因而也有勾结,共同敌视人民。把笔力集中到高大成方面,这是对的,因为工作的中心是在于瓦解敌伪军;但是,在地下斗争面前的敌人,既有高大成,又有吴赞东,也有日寇(多田病了,也还有其他日酋),还有国民党特务。在激烈的斗争中,吴赞东何处去了?作者似乎没有明确的认识,因而显得很模糊。蒋介石的特务范大昌和汪精卫的特务蓝毛在小说中是有联结的,但也未进一步揭示他们卑劣无耻的内幕。

最后应该指出的是,确实也有许多细节没有做更周密的安排。有许多事件本身是真实的,也许生活中曾经出现过,但当写进小说时,由于只在关键处做了现象上的描绘,却未从整个故事的发展本身相互联系起来,因而出现了漏洞,或者与主题配合不紧。例如韩燕来刺杀龟山,银环巧遇蒲小蔓等。这说明,小说还是应该而且可以有更高的艺术概括。这样说并不否定小说的根本成功之处,我想这是毋需多做说明的。

三、丰满动人的形象

《野火春风斗古城》之所以激动人心,不仅只是因为它有惊心动魄的故事和情节,而且,主要的还是由于小说是通过这惊心动魄的故事和情节而创造了一系列人物形象。这是场尖锐、激烈和复杂的敌我斗争,而正是在这斗争中,充分表现出了人物的性格和内心世界。在这敌我对立的矛盾与冲突中,出现了两种场面、两种人物的鲜明对立:多田、高大成、吴赞东、范大昌、蓝毛等反动人物;杨晓冬、杨老太太、金环、梁队长、韩燕来、小燕和银环等英雄人物。作者在塑造这些人物时,心里充满了强烈、鲜明的爱憎感情,一方面,对于敌人的丑恶、凶残、狡猾做了尖锐的讽刺和揭露,但又不是做简单化的描绘,而是写出了敌人临死前的回光返照。从战略上藐视敌人,在战术上仍不低估敌人,从而,这就更深刻揭示了敌人的丑恶本质和更加衬托出英雄人物的光辉。另一方面,对于地下斗争英雄人物,是充满了深厚的爱的。可以看出,在具体描写中,作者是充满强烈的感情,甚至是含着泪在描绘这些人物。作者亲身参加过这种激烈的地下斗争,亲眼看到或亲自接触到许多英雄人物,李英儒自己的外甥就是被捕遇难而壮烈牺牲的。此外,还有一个从小和作者在一起长大的朋友,就在保定解放前几天被敌人杀害了,是在高呼共产党和毛主席万岁之后而慷慨就义的。这些英雄人物深深激动着作者,因而,我们看到这些英雄人物形象,也正像看到了现实生活中那些英雄们。而这样的无名英雄,在那艰苦的年代里,不知出现了多少!作者正是怀着深深的敬意和怀念,写出了不少英雄人物。作者又是那样熟悉当时的生活和人物,因而,在作者笔下,华北平原的革命妈妈、农村妇女、武工队长等的形象便得到了栩栩如生的表现。我们一闭上眼,英雄人物的声音、笑貌、穿戴、动作等历历在目,跃然纸上。

作者特意以更多的艺术匠心放在英雄人物的塑造上,这些英雄人物都在尖锐、复杂的斗争中显示出自己的性格。恩格斯说得好,工人阶级很自然地一定要在反抗斗争中"显出自己最动人、最高贵、最合乎人性的特性"。而我们在杨晓冬、杨老太太、金环、韩燕来、小燕、梁队长等人物的身上,正也看到了在斗争中显示出来的高贵品格:对于革命事业的坚定信念,对于美好将来的向往,革命的英雄主义,为人民幸福而自我牺牲在所不惜的精神等。这些高贵的品性,通过每个人自己所特有的个性表现出来,他们都有这些高贵品性,但我们并不会把不同的人物混淆起来,杨晓冬也好,梁队长也好,韩燕来也好,我们都会清楚地分辨出他们来。

现在,让我们逐个进入这些人物的内心世界中去吧。

作为整个作品的中心人物、地下斗争的领导者杨晓冬,是一个相当完整的艺术形象。作者从多方面突出了这个英雄人物的高贵的精神境界,塑造出了一个动人而真实的英雄形象。从这个人物身上,可以使人深切地感到:一个真正的革命战士,必须是一个善于把革命的理想和热情结合起来的人,这样他才能够在最艰难的斗争中,充满革命的乐观主义,保持旺盛的革命活力,因而也才能充分发挥革命英雄主义的精神和力量。杨晓冬那种生龙活虎般的英雄气魄和英勇不屈的斗争精神,他的机智、果断、沉着,表现了属于共产党教养出来的那种革命战士的光辉耀目的性格。作者在塑造这个人物时,多方面地作了刻画和描绘:首先,是把他放在一连串紧张、尖锐而复杂的斗争中来表现他的性格;其次,是从他与人民群众的相互关系中显示他的品性;最后,还从他自己内心世界的多方面活动,表现了这个人物的性格的丰满。因而,这个人物在读者的心目中,留下了深刻的印象。

首先,杨晓冬这个英雄人物是通过斗争而显现出自己"最动人、最高贵、最合乎人性"的品性的。而通过斗争的发展,这个形象就显得更为完整和饱满了。本来,地下革命斗争是有其特殊的复杂性、艰苦性的,这绝不只依靠一刀一枪硬拼就能战胜敌人,而是必须不露声色地在全副武装的敌人眼皮下进行搏斗,常常是一分钟的麻痹,一分钟的迟疑,就可能招致极大的损失。斗争是如此尖锐,考验是这样严酷！这就不仅需要勇敢、机智、果断、魄力，而且更重要的，必须还有对党的无限忠诚以及对未来充满希望和坚定的信念。作者在这部小说中，正是把这些高贵的性格突出了，并置于重大的冲突、惊心动魄的斗争中去描写，即使是他的爱情、日常生活等等所谓"人之常情"的东西，也是带着地下工作者的特殊色彩，处处扣紧那个紧张而严酷的环境气氛。

在小说的结尾，杨晓冬曾严肃地对韩燕来说过这样的话："一个党员，必须按照党的意图办事，不能把个人兴趣爱好摆在党的工作前面。党指派我们搞内线工作，内线工作就成了我们的职业。干这一行要安于这一行，钻研这一行，热爱这一行。"又说，"是无名而又要安心去做，并且做得很好，这正是党员的党性，也是党员品质高贵的地方"。杨晓冬自己就是这样勤勤恳恳为党工作的人。在那艰苦的地下斗争中，不知有多少同志牺牲了性命；甚至组织还不知道，人民还不知道，然而，"难道这就降低了这些同志的牺牲价值？难道革命事业里就没有他的这份功劳"？正如杨晓冬自己说的，革命和人民的利益要求自己这样工作，革命一定胜利的信念鼓舞着自己前进。杨晓冬是这样一个坚强而对未来充满着理想和信心的人，甚至在那最艰苦的斗争环境中，仍是这样想："革命里有严寒酷热、春夏秋冬，咱们的思想里，不应有大寒大暑，应该永久是春天。"他也曾这样想着：将来大反攻时，参加解放故乡省城的战斗，那时，要和全城的居民一起，在大街的十字路口，放开喉咙高喊"共产党万岁"！他也以这样的理想和信念去感染自己的母亲。正是在这种崇高而美好的理想的鼓舞下，正是在这种"先国后家，先党后己"的光辉思想指导下，他进行了坚强不屈的斗争。

杨晓冬早年是出身于贫寒农民家庭的穷苦师范学生，接受了《共产党宣言》等马列主义书籍的影响，靠拢了地下党员，因而获得政治上的进步和迅速地觉悟起来。作为一个知识分子，他也走过一般革命知识青年所走过的道路，参加了反抗国民党压迫进步师生的斗争，终于参加了党，抗日一开始就被党派到平原根据地进行革命斗争，在革命熔炉里，经受过严峻的考验。当他受到党的委派进省城做地下工作时，他已经是一个久经锻炼的革命战士，一个当过团政委和县委书记的革命领导者。因而，他在小说中一出现，就已给我们留下深刻的印象：当他走到省城边时，想到的是祖国和人民的命运，想到古城和善良的人民正陷于水深火热的苦境，心里激动异常："我绝不辜负党的委托，我要在敌人的心脏里大干一场。"那种渴望和受难同胞承担苦难、率领他们进行对敌斗争的心情，只身闯入龙潭虎穴的豪迈感情，浪涛般地撞击着他的胸膛。不知不觉地，他脚步加快了，带路的伙伴被他拉下很远。这种由对祖国和人民的爱所激起的迫不及待奋起斗争的心情，在小说的一开始就把我们吸引住了。杨晓冬自己很清楚地理解，等待他的是怎样险恶的环境，怎样艰难的斗争！他是在投身到豺狼横行、魑魅满目的世界中去搏斗，监牢、酷刑，甚至绞架都有可能落到他的头上。但是，甚至一丝阴影都没有在他心头掠过，而是满怀信心，渴望着斗争，迫不及待地大踏步向前走。只有像他这种把个人生死得失置之度外、全心全意为革命的人，才能那样不放过任何机会打击敌人，维护党和人民的利益。

杨晓冬在不同的场合，对不同的敌人进行过不少面对面的斗争，在斗争中他始终保持了主动进攻的姿态，敌人在他面前显得那样渺小。试看，他亲自护送首长出境而在范家屯碰上特务蓝毛，为了保护首长安全，就挺身而出，用合法身份和特务巧斗，狡猾的敌人终于被他喝退了。这一方面反映了他的机智沉着、胆大心细，是个智勇双全的人，另一方面，表现了他处处以党的利益为重，"豁出自己一个人的生命保护首长的安全"的自我牺牲精神。再看，他只身深入虎穴，面对面和吴赞东谈判，义正词严地粉碎了对方无耻的吹嘘，而当吴赞东以死亡威胁他时，他立即一跃而起，"燃烧着复仇的大眼"，揭露对方的罪恶，晓以利害，使对方有如面临着死的恐惧和惶惶不安。从而，这个"伪省长像被长嘴蚊子叮了一口，立即患了颜面神经麻痹症"，接着便"像患了一场大病，汗水涔涔下流"地不知所措。再看，他得知敌人有抢粮的计划，就立即组织了反抢粮斗争，而当中途袭击敌人的计划不能及时实现，为了根据地人民的利益，就立即亲自出马，和韩燕来一起闯入商会会长家里，严厉警告会长不许动用交通车辆支援敌寇。最后再看，杨晓冬几次同关敬陶交手，显现了那种掌握事物辩证发展，争取敌人并使之"逼上梁山"的才能和魄力：通过"捉放"，对关敬陶晓以大义，促使他内心矛盾以及他和高大成等的冲突的加剧；继之，通过银环去做细致、深入的思想说服工作；而到了救出梁队长，在关敬陶驻地打死日寇时，掌握住这个火候，立即教育关敬陶弃暗投明。和敌人的惨败丑态相对照，我们的英雄形象就显得日益高大起来。

杨晓冬这一形象特别显现其光彩和使人难以忘怀的，是在敌人的威胁和利诱面前表现出来的那种对党无限忠诚，对敌人顽强不屈的英雄气魄。小说在描绘他被叛徒出卖入狱后经受了严峻的考验的几个篇章中，杨晓冬的人格得到了最光辉的表现。被捕时，他脑子里想的不是贪生怕死，畏惧敌人，而是在严肃认真地自责："你领导的工作多糟糕呀！"监狱、酷刑、绞架，这一切都是可怕的代名词，然而，对于革命战士来说，却从来没有被这一切屈服过，也从来没有把这些看作可怕的死亡深渊。相反，这里正是一个真正的革命者最能表现自己革命意志的地方，他们把监狱变成革命的社会大学，把法庭变成控诉和审判那些历史罪人——凶暴的反革命刽子手们的讲台，以他们的革命英雄主义的光辉，压住趾高气扬的敌人的凶焰，以他们的不可摧毁的革命意志、伟大的共产主义信仰，照耀着人类。当小说写到杨晓冬在监狱以及在宴乐园中慷慨激昂的正义陈词，我们就会自然地想起季米特洛夫在莱比锡法庭上对法西斯的无情、辛辣的揭露，想起伏契克在狱中强有力的控诉，想起方志敏……一个共产党员的英雄气概，中华民族人民的伟大气魄，正是在这里得到了充分的表现。杨晓冬一被捕，敌人想给他来个下马威，叫爪牙们嘭嘭两枪，两颗子弹流星似的从他身边掠过，想使他一吓而服。但他面不改色，正义凛然，对敌人投以藐视的目光，使众丑瞠目结舌、不知所措。任凭敌伪司令高大成、伪蒋特务范大昌和汪伪特务蓝毛费尽心机，用尽各种卑鄙恶毒的伎俩：压杠子、坐电椅、美人计、神经心理战等等威胁、利诱，杨晓冬依然岿然不动。敌人甚至利用杨晓冬深切爱母的心理，竟使用"母子倒替着受刑，轮班参观"的残忍伎俩，以迫使杨晓冬出卖革命。然而这一切阴谋诡计在杨晓冬面前都彻底破产了,这丝毫没有动摇英雄的意志。而那些凶恶的敌人,在一个只身陷入樊笼的囚徒面前显得心拙计穷,这倒充分地表现了敌人在精神上、道义上的破产。在宴乐园的斗争场面中,作者通过杨晓冬和群丑面对面的对立情势,深入一层揭露了敌人精神面貌的丑恶,突出地表现了英雄人物的性格。敌人原想用这样一个恶毒圈套,想通过宴乐园让杨晓冬讲话,以便借此在外面大肆宣传杨晓冬已"归顺皇军"的目的,使他"想不下水,欲罢不能"。但久经锻炼的杨晓冬立即一眼识破这个阴谋,一方面在敌人布置的宴会上,严峻斥退摄影记者,喝令搬开聚光灯,当着省城敌伪众丑面前厉声地说:"别看你们人多,能夺我的生命,夺不了我的志向。"杨晓冬又将计就计,争取主动,走向台前,正言厉色地谴责和警告了在座的敌伪众丑,把这个敌人企图迫使他投降的陷阱,变成了伸张人民正义、揭露敌人罪恶的讲台。这种有声有色的描绘,暴露了敌人的卑鄙无耻、昏聩无能和狼狈不堪的丑态,突出了杨晓冬那种大义凛然、机智沉着地利用一切机会打击敌人的英雄性格。小说中正是这样突出地刻画了杨晓冬的性格的。而随着斗争的日益尖锐和发展,杨晓冬的形象就愈来愈显得清晰和高大。

但是,杨晓冬也绝没有被描绘成料事如神、神出鬼没的"侦探"式的英雄。他不是高不可攀、不可企及的"超人",更不是"不食人间烟火"式的不同"凡俗"的"神人",而是一个生活在群众里的朴实的革命战士。小说的另一成功之处,正在于写出了杨晓冬与人民群众的密切联系:杨晓冬不仅生活和战斗在人民群众中间,而且把个人和人民群众的命运和思想感情紧密联系、结合起来。

我们这个时代的英雄人物,绝不是和普通的劳动人民群众对立并"超越"在他们上面的人。他,从人民群众那里汲取了智慧和力量,体现并反映了人民群众的愿望、意志,密切关注着人民的命运,并为之而斗争。就是秘密活动的地下工作者,假如他是真正的英雄,也不例外地必须和群众结合。有人说得好:"我们搞地下工作的,既要能像松柏那样坚定不移,又要能像杨柳那样到处扎根。"这是一个朴素、真实而生动的比喻。杨晓冬的生龙活虎般的活力的源泉,正在于一方面依靠党的领导,另一方面则是人民群众的支持。小说写出了这些,因而使杨晓冬这个人物显得更真实,而且增强了作品的思想性。

杨晓冬深深懂得这个真理:"群众是干柴,共产党是烈火;干柴触烈火,就能在心脏中燃烧起来。"因而,他刚打入省城连个落脚的地方都没有时,一想到这个真理,"立刻觉得心明眼亮,胸怀舒畅"。他一进城就迅速走向群众,首先启发与教育韩燕来——这个烈士的后代、这个正直的工人,摸清了他的思想情绪——这里隐藏着强烈的民族仇恨和阶级仇恨,于是把他们兄妹当作了最可靠的基本力量,耐心教育、帮助,终于把他们引向革命的道路,成为党的战士。到结尾时,他俩甚至成了省城地下工作的骨干。杨晓冬很清楚什么人是革命的基本群众,知道应该依靠什么人,团结什么人,利用什么人。他对周伯伯和对苗先生的不同态度,就充分表明了他善于掌握阶级路线,懂得如何接近不同的群众,能够真正扎根到群众中去,从而能在艰苦环境下受到群众保护,坚持斗争。杨晓冬不仅清楚了解周伯伯这个被压在生活底层的老人的心情(正直、义气、滚热的好心肠),而且深深地爱着这样淳朴的劳动人民。因而,他一方面教育韩燕来改变那种简单粗暴的态度;另一方面,他又针对这个饱经风霜的老人害怕惹是生非的心理,作了委婉、中肯的启发、教育,既合人情又切中大义,披肝沥胆地激发起老人的阶级觉悟。终于周伯伯也站到革命一边,拼死保护杨晓冬,甚至卖血来为杨晓冬治病。杨晓冬也受到了深刻的教育:"人们用鲜血养育着我们,拿生命捍卫着我们",周伯伯这种行为,使杨晓冬等深受感动,更激起对人民的爱和对革命的热情。正因为英雄人物是在群众中生根,共产党人和人民群众永远在一起,因而就如鱼得水,得到了人民群众的支持和帮助。我们在小说中看到,随时随地有群众在帮助杨晓冬他们,打掩护,出主意。例如杨晓冬和韩燕来闯过封锁线到了马驹桥,要到眺山庄去,一个理发员就自觉地送他们上路。这个理发员和党没有组织上的联系,但他是劳动人民,他送路,是因为暗中看出杨晓冬等是根据地的人。又如蒲小蔓、小叶等也都为杨晓冬等打掩护。没有这些群众的支持和帮助,地下斗争也就会遇到更多的困难,对敌斗争的顺利展开简直是不可想象的。而更主要的是，小说还写出了杨晓冬在人民群众那里汲取了力量和智慧，体现和反映了人民的愿望。杨晓冬自己出身贫苦家庭，父亲惨遭地主杀害，有深切的阶级仇恨；而在读书时，又受过像老韩那样劳动人民出身的革命战士的熏陶，从那里汲取了斗争的智慧，以后又和华北平原根据地人民一起战斗。这一切都使他和人民的利益、命运联结在一起，因而当他进省城时，想起受苦受难的人民，一种急切打击敌人的心情就油然涌起。杨晓冬的力量，正是来源于党的领导和人民群众的支持。

小说对杨晓冬形象塑造的第三个成功之处，乃是更进一层写出了这一人物的内心世界的丰富和饱满。

小说里描写了杨晓冬和人民群众的联系，以及写出了在斗争中显示出来的英雄品性。但这些却不是抽象的，而是通过对其内心世界的全面揭示和描绘、显现出其性格的丰富、饱满而达到的。杨晓冬是一个有血有肉、充满深厚阶级感情的人。列宁说得好："如果没有'人的感情'，任何时候也没有，而且也不可能有人对真理的追求。"本来，人的思想感情随着改造客观世界的活动而会愈来愈变得丰富，愈来愈向美好的方面发展。杨晓冬的性格虽然还没有得到完美无缺的描绘，但作者却是努力在朝这方向发展，即力图把英雄人物写得更饱满、更丰富些。杨晓冬性格中，充满了对人民和革命的爱，也有对美好未来的爱，同时也有深厚的母子之爱，诚挚的男女之爱，真诚的同志之爱，甚至也写出了对美好的大自然之爱。但这一切又都是以阶级感情作为基础，都是联系着革命的发展、人民的命运，并在斗争的发展中表现出来的。

杨晓冬是那样深深地爱着他那多年受苦的母亲！他对家园也是充满着深厚的感情。我们读到杨晓冬回家看母亲的那一章，深深为那种儿子对母亲的爱、母亲对儿子的爱的感情所激动。然而，杨晓冬清楚地知道，并不是娶上一个媳妇，一起陪着母亲，就算是尽到对母亲的爱了；不是的，一种更崇高的爱，那就是，为了母亲，就必须参加革命，让千千万万个母亲都得到幸福，从而也让自己的母亲得到幸福，这才是真正高尚的爱。正是这样，他鼓励和动员了母亲参加革命工作，并且以未来的光明鼓舞母亲："盼着吧！盼到咱们老百姓翻过身来的时候",和人民共享幸福。也正因为这种爱是崇高的,不是狭隘的,所以杨晓冬被捕后敌人要以杀害他母亲为要挟,要他出卖革命,他便毅然鼓励母亲坚强斗争,绝不投降。这是真正的大爱。杨晓冬也曾有过爱人,后来也爱上了银环,但是,在艰苦斗争的年月里,绝不愿意为了个人的爱情而影响革命斗争。当他在监狱中逃出来,在省城隐蔽很困难,银环对他充满了关切和爱护,千方百计想要使他得到片刻的宁静和休息,并劝他回根据地去休养时,他严峻地批评了银环:"你这是什么观点?我到省城里来,是个住店的旅客,爱来就来,爱走就走?同志!这儿也是战场,是党派我工作的阵地,想叫我当逃兵开小差呀,可不行。……我们同敌人的斗争才刚刚开始呢。"就是在最紧张严酷的时机,在千钧一发的成败关头,他从来不让儿女私情来缠绕自己。在他即将出发去解救老梁等人时,他对凄惶不安的爱人是那样激动地说:"战火中的伴侣不是都能够白头到老的。想想吧!我的好同志,咱们的母亲和金环姐姐——她们坟上已经长出新草啦!抗战6年来敌人夺走了我们多少同胞的生命,妻离子散鳏寡孤独的人数也数不清。我们共产党人坚硬,多么严峻的情况下,我们也能撑过去。"有些人也许会说杨晓冬不懂得爱情,不,相反,他对银环有着深挚的爱情,他是十分懂得爱情的;但是,他内心激发着一种更崇高的对人民的爱,而自己的生命、青春、爱情,都是服从于对人民的爱这个前提的。我们再看看他对同志的深厚感情。他深切地体会到,同志间是充满着多少革命的温暖,特别是当最艰苦最需要同志帮助的时候。当他刚要入省城,老梁和金环的帮助使他更感到"同志,是多么亲切的称呼啊"!他热情地关注着老战友老韩的子女,引导他们继承父亲遗志走向革命道路,他亲自带燕来到眺山根据地去,为的是让他增长革命意志,介绍他入党。对小燕也是无限关怀。当金环牺牲的消息传来,他无限激动地说:"像金环这样的同志,她要求我们的,绝不是悲伤和眼泪。她要的是霹雷和火剑,我们要用霹雷和火剑去消灭敌人。"他把对同志的爱化作了对敌人的憎恨。使人难以忘怀的是他在眺山和肖部长那样的同志情谊,他们睡在同一床上,通宵达旦地交谈,从革命大事一直到私人生活,简直无所不谈;临走时依依惜别,那革命友谊的真挚、深切,洋溢于字里行间。而他还亲自为燕来挑开脚泡,亲手为燕来补鞋底,更使我们感到亲切,崇敬之情不禁油然而生。最后,我们还看到杨晓冬对于眺山风光的爱,感到"自然的无限美好,生存实在快乐"。当夜半人静挑灯夜读时,甚至怕因说一句话而"惊扰了大自然的肃穆和宁静"。这种对于自然的感情,已经与他对于根据地人民的爱渗透在一起,因而也就更显出了杨晓冬内心的丰富和心灵美来了。

小说就这样勾画出了一个饱满、丰富的共产主义战士形象。当然,作者的描绘并不是完美无缺的,例如他显得过分拘谨、矜持,还未充分表现出他的性格中的大胆魄力。又如他在处理高自萍问题上,怕被人认为是在爱情纠葛上(与银环)夺人之爱有损私德,而仍把她放在革命岗位上,以至在后来造成了革命的巨大损失。这实际上是把个人的情面放在革命利益之上,不去考虑在严酷的斗争中一个人的变节,将会断送多少同志的生命,使革命事业遭受不可弥补的损失。这是有损杨晓冬这个人物性格的完美的。但是,整体说来,杨晓冬这一人物的塑造是成功的,作者在这个人物的描绘上付出了创造性的艰苦劳动。

《野火春风斗古城》中成功地塑造了好几个妇女形象。一看到这些形象,就很自然地使人想起冀中抗日根据地千百万个劳动妇女,特别是革命母亲杨老太太和金环这两个形象,在小说中闪耀着革命的光芒。

杨老太太是个光辉的革命妈妈的形象。她是一个慈爱的母亲,又是一个坚强的革命者。这是作者根据自己最熟悉的人物,融合了无数革命妈妈而概括、提炼、塑造出来的动人形象。作者是饱含着感情、带着热泪来写出关于杨老太太的篇章的,因而,尽管着墨不多,但是给人深刻印象。

她第一次出现,一个淳朴慈爱的母亲形象就宛然如生地浮现了。这是杨晓冬初入省城顺道去看望她的时光,母子久别七八年,儿子突然在一个深夜回来了,这是一个多么动人的场面:门打开了,娘俩依偎在一起。先是儿子感到热辣辣的热泪滴在他的脸上,接着母亲一定要点灯看看儿子：

> 母亲爬上炕，先拿被单罩住窗户，又伸手摸着火柴。第一根用力过猛，擦断了；第二根燃着后没有去点灯，先借着光看了看儿子，回头找灯盏又找错了地方；第三根火柴才点亮了灯。母亲转过身来，紧握住儿子的手，仔细端详着儿子的脸。

这种细致的描绘，充分写出了母亲急于一看儿子的心情，把全副精神都集中到儿子身上。一个慈母见到久别的亲子时那种惊喜、激动、急切的心境惟妙惟肖地表现出来，叫人感到又亲切、又高兴、又辛酸，犹如看到了自己的母亲。但她不只是一个慈母，更重要的她还是一个深明大义，有着朴素的阶级和民族意识的革命者，她绝不狭隘地把儿子拴在家里当作私有物。她多么想让儿子在家多待几天啊，但她尊重儿子的事业和他选择的道路。她把自己以半生孀居辛辛苦苦拉扯大的独生子毫无保留地交给了革命和千百万受苦难的人民。她希望的是"打击鬼子去……看到共产党成了气候，看到儿子没灾没病地回来"，她答应帮助儿子当地下交通员，自己也参加了革命，但又希望着儿子："做好掩护，千万别暴露目标；一年之内讨个儿媳妇；年底要回家过个年。"她的母爱的崇高和无私正就体现在和革命融成一体。母子的第一次会晤从深夜直到天亮，听到鸡啼了儿子要走了，可母亲还说："莫着慌，那是后邻毛娃子家的芦花公鸡，整天价胡叫唤，没个准头。按理说，春三遍，秋四遍，冬天一夜叫八遍，还早着哩。"不管母亲怎样阻拦，儿子终于走了，母亲一直送到村边，晓冬再三阻止，才"眼看儿子的影子消失在黑夜中，她兀自站在冷风里，像木雕泥塑般的一动也不动，仿佛儿子从她的心肠上面系了一条绳索；走一步，一牵引，牵得她心肠阵阵作疼。"这一篇章生动地勾画出了一个革命母亲的肖像，其中是包含着多么感人肺腑的内容呵！

杨老太太第二次出现是在银环家里。这次只是和银环的短暂会面，但写出了她的豪爽气概和慈爱心肠。她已经参加了革命活动，她一面很谦虚，觉得自己"哪会搞工作"，另一方面，她又感到自豪：儿子"有胆量，敢在敌人枪尖底下挺着胸脯搞工作，当娘的还能缩脖子打退堂鼓"?再一方面,她也为儿子提心吊胆,怕他遭到敌人的毒计。尽管她的心是那样不平静,但她丝毫不去阻挠儿子的革命活动,相反,她以自己的不避困难的倔强性格,影响和鼓舞儿子。

杨老太太的第三次出现是在春节前夕进城来看晓冬。当母亲有母亲的心思,她希望儿子和设想中的未来儿媳妇银环一起回家过春节,她在10天前就做了周密安排,赶集、蒸糕、煮饺子……这里渗透了母爱、希望。但是,紧张而艰苦的斗争破灭了这种热切、诚挚的幻想,她不能阻挠儿子的革命事业。她沉默地同意了儿子"先为其国,后为其家"的思想,轻轻地拉过儿子,抚摸着儿子的头发,无言地为儿子拔掉了一根白头发。母亲那种深切的爱,在这里得到了多么细致、动人的表现!

杨老太太的第四次出现是在被捕后和银环的会面。由于叛徒的出卖,她被捕了,当她被捕时,表现得那样镇定,而在狱中表现得那么坚决、英勇。她想的不是自己个人,她想到的是革命,她对银环说:"你们千万提高警惕,防备内奸。"在这样的时刻,她还是要银环嘱咐晓冬:"告诉我的冬儿,叫他把孝敬我的心肠,献给中国的人民吧!"最后,她把白银戒指套在银环手上,要亲自成全儿子的婚事,了却一桩心事。在这里,我们又进一层地看到一个革命母亲的崇高形象,也看到一颗灼热的慈母的心。

杨老太太的最后一次出现是在她为革命献出生命的时刻。这是一个壮烈动人的场面:敌人把杨晓冬带到她面前,梦想利用她来出卖他的心,逼迫杨晓冬变节。然而这是敌人的妄想,他们不了解革命母亲的心。她绝不会求得自己的生还而出卖儿子。她在儿子面前,没有诉苦,没有哀求,她激昂地向杨晓冬说:"我说什么呢?冬儿,你别认为:妈有你这样的儿子是觉着受了连累,不介,我养你这样儿子觉得露脸。我不后悔,也绝不累赘你,你坚持到底吧!"说完,就低头猛扎,从三楼跳下自尽了。小说就这样最后完成了革命母亲的崇高而完整的形象。死,对于每个人来说都是痛苦的事,谁不愿意活下去?她不是也渴望着人民过着幸福生活,盼望儿子也能带着儿媳妇过一个团圆年?她是那样热爱生活,然而,她,母亲的良心,革命者的心肠,使她宁愿死,也绝不能出卖自己和儿子的灵魂。她光荣地死了,可是她的精神没有死！高尔基在《母亲》中说过这样一句话："假如一个人在精神上也能称自己的母亲是亲人，那该有多么幸福。"杨老太太就是这样的亲人，是我们全体人民的精神上的亲人！这样一个从具有朴素的阶级和民族意识的普通母亲，到一个具有伟大胸怀的无产阶级战士，她的形象是愈来愈发展，愈来愈鲜明。最后，她不仅把儿子献给了革命，也把自己的生命献给了革命。这样的形象，将活在我们的心里而永志不忘！

金环，也是小说中一个感人至深的妇女形象。

她也是一出现就给我们留下了印象的人物。一个深夜梁队长带领杨晓冬进入敌区边境的一个村庄，敲了三遍土墙，一个年轻妇女推门出来了，"从举止到服装"，"处处显得洒脱干练"，两眼明亮，"聪颖机警"之中"隐藏着泼辣和傲气"，这就是金环。这种外貌神情的描绘，正好显露了她的性格：刚强、勇敢、有胆识、充满火辣辣的革命热情。她半生都是在斗争中度过的，日寇入侵那年，她一个人带着妹妹银环，逃到千里堤落户，宁可住破庙讨百家食，绝不肯给地主做小。后来和一个长工结了婚，新婚没几个月，就劝说丈夫去参军。丈夫牺牲了，她带着4岁的女儿，重回到省城，移居郊区。按党的需要，她找到了分别多年的父亲，把妹妹安插在城内，自己单枪匹马地来往奔波，担负城内和根据地之间的联络，忍耐、抑制着对敌人的憎恨，在敌人炮楼和岗哨间周旋。她把对丈夫的全部爱，都付给了革命，觉得只有这样才能算是"继承爱人的遗志"。

正是因为她有坚定的信念，有明确的革命方向，所以她寻找一切机会为党工作，深信"真正好藕，不怕沾泥，清水一涮，总是鲜白洁净"。在那艰苦困难的战争年月里，有多少优秀的农村妇女，就是抱着"豁出一身剐，敢把皇帝拉下马"的火辣辣的革命劲头，为党工作的。作者正是概括、集中了千百万妇女身上这种高贵品性，塑造了这个令人难以忘怀的形象，淋漓尽致地表现了她那迸发出来的革命热情和对敌人的深刻憎恨。

她被捕了，而她的性格在这里表现得更为鲜明、突出。不知恐惧，不知惧怕，她受尽了严刑拷打，但她坚贞不屈，屹立不倒。正如她自己说的："他俩能够敲碎我的牙齿，能割掉我的舌头，甚至剖腹摘出我的心肝,但是他们只有一条不能,不能从我嘴里得到他们所需要的话。"这是多么坚强的心,这正是敌人不可理解的,他们以为摧残共产党人的肉体就会动摇他的意志。错了,敌人越是残酷,恰恰只能更燃起共产党人的革命火焰。金环,像一块真金,越在烈火中越发出光彩。她,把自己生命的最后时刻都用来打击敌人,保卫革命。她被捕时,为了让杨晓冬闻声而有所防备,就瞅个空子拼命夺一个坏蛋的枪,逼得他不得不朝天开火,使杨晓冬听到这声报警的枪声。她被敌人捆绑起来,被耀武扬威的敌兵吆喝着押在街上示众,她觉察到敌人的阴谋,立刻忍着疲乏和肉体的痛苦,以傲然不屈的姿态昂坐马上,给敌人以回击。我们在小说中看到的是她那凛然不可侵犯的不屈形象:"特务群的核心处,簇拥着一匹黑马,骑在马上的人被倒剪双手。从远处看,只能看出她穿一身银灰色便衣,和便衣上那个洁白夺目的衣领。近些,看到她挺起胸膛,拧着脖颈,满带一副傲骨嶙峋的劲儿。再近些,才看清她的蓬松长发乱披两肩,一对大而圆的眼睛,直直瞪着,像是看她所看到的任何人,又像是什么也不值得一看。把她比方成鹤立鸡群也许并不确切,实在说,她是端坐在马上的一尊傲然得不可屈辱的神像。"她在监狱里也利用了一切机会为党工作:借刀了结了汉奸李歪鼻的性命,掩护了我方争取对象关敬陶。最后,她,这位24岁的女英雄,用头簪刺伤了日本特务头子多田的喉咙……她终于英勇地牺牲了,当她面临死亡时,毫无恐惧,她首先想到的是党:"我还年轻,受党的恩德太多,出力的机会太少。……"她死了,然而,她那光辉的形象,却仍在我们心目中永远闪耀着光芒。她和杨老太太一样,是个平凡的人,但又是伟大的人、光荣的人,"生的伟大,死的光荣"。

她牺牲前写下的那封长长的遗书,一字一句都浸透着血泪。这封由爱和恨交织着的遗书,全面地揭开了她的崇高的内心世界:她不仅有泼辣、勇敢、大胆、临危不惧的一面,而且还有更为深沉的一面——她顾大局、识大体、粗中有细、刚中有柔、能屈能伸、深谋远虑。特别是,她对于党的事业的热爱,对于美好未来的向往,深深感染我们。只有像金环这样具有坚定的共产主义信心的人,才能在那暗无天日的人间地狱里,写出那封遗书——那么乐观、明朗的诗篇,表露了对生命、对青春、对光明未来的渴望。占据和最激动她的不是个人的死,而是祖国的光辉的未来。

我希望,我想也一定,小离儿再到新水闸念书的时候,中国就是人民的中国了,正像我们过年贴春联写的"普天同庆,大地回春"一样。那时候的中国人民可以自由地呼吸,可以自由地歌唱,可以在共产党的领导下,选择自己最理想的工作。……我把唯一的幸福寄托在理想和希望中了。

这样一封激动人心的遗书,应该称之为革命现实主义与革命浪漫主义相结合的诗篇。李英儒是一夜之间完成了这篇长信的创作的,金环的形象浮现在作者眼前,他不能平静,必须写,写出她的伟大。这封信,真实地最后完成了对金环性格的塑造。在这以前,金环这个人物在我们心目中还不甚突出,印象也还不够完整,而在这封信中,我们便感到她是特别高大地在我们面前站立起来了。

我们也不必掩饰小说在塑造金环这一人物方面的缺陷。金环这一形象的塑造,给我的印象是"言语大于行动",不很协调。作者可能已意识到了对这一人物刻画中的一些思想缺陷。为了补救,作者就为金环写了那样一封长长的遗书,以表明自己的心迹。她在信中自述对梁队长、赵大夫的态度,假如联系到具体情况和具体环境,就也不必过分指责,并不会使人觉得似乎金环是在靠色情来维系革命活动,而是使人感到金环为革命工作、为顾全大局不惜受种种委屈。但是,小说中没有对具体环境、条件作充分的具体描写(虽然信中已有提及),因而使人觉得有些突兀,在故事情节上呼应不够,给我的感觉是,戏不够信来凑。就这封长信来看,可说是革命现实主义与革命浪漫主义相结合的诗篇,但是,假如把它和整个作品联系起来,作为金环性格发展中的一个环节来看,就有不足之处,那就是,似乎显得革命浪漫主义有余而革命现实主义不足。那是因为,在此以前,她性格中的柔、细一面,在行动中似无表现,如何会有这一方面的发展过程,写得稍嫌不足。此外,在细节上,金环处在那样被特务看守的条件下,如何能写这样的长信?从其热情充沛,内心激动,必然要表露这一点来说,似乎必然要写信；但是，就具体条件说，又不大可能有这样一封信。高尔基依据他的创作经验出发，突出文学的形象应大于思维。在金环这一形象的塑造上，显得有些思维大于形象，存在着席勒化的倾向。我想，为要充分完成金环这个人物的发展，倘若能够把这信中的主要内容，化成金环这人物自己的行动，由情节表现出来，既表露了信中那股冲天的革命热情，又做具体、细致的描绘，那么，将会使革命现实主义与革命浪漫主义相结合在这个光辉的英雄人物身上得到完美的表现。

最后，以最简略的篇幅谈谈小燕和银环这两个人物。

小燕写得也是较为生动的。她玲珑活泼，机智伶俐，鉴貌辨色，巧心眼多，既有孩子的乐天精神、天真无邪，一心向往美好方面，但也懂得人世苦乐，爱憎分明。她跟着杨晓冬、韩燕来等一起办着轰轰烈烈的革命大事。她对杨晓冬说："杨叔叔，有什么事，你就吩咐吧。狗熊嘴大啃地瓜，赢雀嘴小啄芝麻……小，怕什么！秤锤小，压千斤。我是个胡椒，也能辣他们坏人一下。"寥寥数笔，就活画出一个懂事要强的孩子神态。她灵活地和银环联络，想办法送革命工作同志出关卡，到迎宾馆去找人，一到哪里，哪里就显得活跃。这人物写得令人喜爱，但也给我们一种不大协调的感觉，那就是，她的智慧、才干，似乎已超出了她的年龄。

银环，是和她的姐姐金环有不同性格的人物，她不像金环锋利、火辣，而是温情、朴实，正如她们的父亲说的，大女儿"刁"，小女儿"娇"。她也忠心耿耿为革命工作：到宴乐园散发传单，出入这魔窟而如入无人之境，毫无惧色；寒冬腊月，当掉毛衣等为周伯伯治病；金环牺牲后，更积极活动，大胆无畏地去劝说关敬陶夫妇反正。银环的性格在斗争中向金环走近了一步，有了一个新的发展。但是，这个人物整个给人一种太温情、太软弱的感觉，和一个革命者的性格不相称。在银环的性格里，缺乏对未来的幻想及向往，缺乏那种革命者的坚定信念和革命英雄主义的气魄。当然，她是个小资产阶级知识分子，写出她的善良、温情，是她的性格的真实表现，但假如在写这些时，若不也写出她的更为崇高的方面，就使人感到不足。她对高自萍的态度，就是显露了她在政治上的软弱，对高自萍的流氓式的无赖手段，她只是噙着泪花说："小高！你这话是成心欺侮人。"她看不清高自萍的本质，不敢斗争，而总是在个人感情问题上纠缠不清。在杨晓冬被捕后，也多半是从个人的怜爱出发，哭哭啼啼地去求关敬陶的帮助，而且精神恍惚，不知如何是好。作者也没有通过杨晓冬来批评她在政治上的严重错误，杨晓冬反而说："依我看，你可以算作觉悟高、能力强、对革命又有贡献的人。"这不仅有损杨晓冬这一人物的完美，而且也容忍了银环的政治性错误。她对杨晓冬，也是充满了缠绵的情调，写她"心里不是滋味"，"满怀心事"，"无名隐痛"……在她心目中，对杨晓冬感情上的地位占得太多了些，甚至在大决战前夕，她还是心里凄惶不安，想和他"多坐一会"，"有心吐露几句情意缠绵的话，又怕影响他的情绪，无可奈何时她慢慢踱到他的跟前"。这些，都使得银环这一人物没有能够在我们心里留下如金环那样的深切印象，尽管作者花了许多笔墨。

小说中还塑造了其他一些革命者的形象，这里只是简略地谈一下生龙活虎般的梁队长和韩燕来。

老梁这样一个敌工队长的形象，在许多文学作品中也曾出现过，因此，我们是熟悉的。小说中虽也着墨不多，但是却给我们留下生动而深刻的印象。小说开端的粗粗几笔，就把这个人物写活了。请看！老梁在深夜独自送杨晓冬进敌区，半路碰上敌人，有人喊出："站住！什么人？"老梁就像狸猫般敏捷，一个箭步蹿到道旁一棵大树背后，趁势拔出腰间的手枪。当敌伪听说是武工队梁队长，慌乱起来，只好畏缩而退。他又亮开嗓门向炮楼敌军警告、喊话，语音未了他就举枪啪的一声，炮楼里那盏明亮的挂灯立即给打灭了，炮楼上吓得死一般寂静。寥寥几笔，这个艺高胆大的神枪手的形象，就栩栩如生活现在我们眼前。以后，又通过他护送首长过境，表现了他的高度责任感；袭击治安军司令部的机灵，反抢粮时的英勇，更突出了他的性格。同时，又通过金环的口吻，侧面地写出他是"心地善良、为人忠厚"的好同志。他是有深厚感情的人，不仅仅只有英勇、刚健，因此他没有掩饰对金环的爱。

韩燕来那种决心革命、一心向党的崇高品质在小说中是比较突出地表现出来了的。他是个有刚强血气的年轻工人，他继承着父亲的反抗性格，饥饿困苦磨不掉坚强的意志，在敌寇压迫下也不忘掉寻找党，"死了也要走父亲走过的道路"。可是在遇见党以前，他虽有满腔义愤，但是看不清光明的未来，因而他苦闷、急躁，于是常找人吵架，"捅马蜂窝"，像断线的风筝，没有着落。只有当他遇见了杨晓冬，像风筝接了线，在党的教导下，为党安心工作，渐渐变得老练起来，不猛冲蛮干了。尽管他身上的暴躁、莽撞、粗犷还是没有完全克服，时不时有所流露，但那种可杀而不可辱，绝不愿苟且偷生的英雄气魄是突出了。可惜，作品没有进一步以更多的笔墨，着力写出他在遇见共产党以后的深刻变化，更突出他的工人阶级的优秀品质。与其他英雄人物比较起来，韩燕来的形象便显得不够丰满和突出。

四、朴素真实的风格

当我们读完《野火春风斗古城》，不禁由衷地感到喜悦。这是我们1958年文学园地中的新收获之一。这部小说，比起作者的第一部长篇作品《战斗在滹沱河上》，无论在思想内容上和艺术成就上，都有可喜的新发展。当我们掩上书时，再概括地想一想这部书的特色，也许会更深刻地理解这部小说。

整部小说，给我们一种朴素、真实的印象。作者没有渲染新奇、夸大惊险，而是真实地写出了地下斗争的面貌。但这并不是说作品中没有激情。作者的革命热情，在这里是和如实地描绘生活和人物紧密结合在一起。而这种热情又是作者的真情流露，绝没有矫揉造作，因而也显得朴素、真实。这种朴素、真实的风格，贯穿在整个作品的各个方面，而且和作品中人物塑造、故事情节等的特点联系在一起。

首先，小说把人物和故事有机地结合起来，结合在生活真实的基础上。小说中有引人入胜、惊心动魄的故事，但是，故事情节没有脱离主题，没有脱离人物性格的刻画。本来，人物必须在斗争中发展，在激烈的斗争中特别能显出人物的高贵、崇高之处。但是，要把人物和故事这两者辩证地结合起来，写得成功，却还是不容易的。当然，没有惊心动魄的故事情节，也可以有伟大的作品。但是，假如既有成功的人物形象,又有惊心动魄的故事,那就更会受到广大人民群众的欢迎,例如《水浒传》《三国演义》《西游记》等。我们的文学创作不能一概否定写紧张曲折的故事,我们只是反对为惊险而惊险。

其次,小说在塑造英雄人物方面,突出了英雄人物内心世界的美、崇高,因而许多英雄人物能够矗立在我们心里。试回忆一下,无论是金环、杨老太太、老梁,虽然在作品中着墨不多,并没有作为中心人物来刻画,但是,由于突出地写出了他们精神的崇高方面,因而深深感动人。相反,小说中银环的笔墨花得很多,甚至细致地描述了她的内心活动,但是由于没有突出她在斗争考验中内心美和崇高方面,旧的东西没有遭到批判,性格就显得相形失色。而在塑造杨晓冬这一人物方面,更有一些可资借鉴的地方:小说把他放在斗争中去写,在斗争发展中突出他的精神世界,在斗争中突出他的"最动人、最高贵、最合乎人性的特性"。小说也把他放在群众中,从和群众的相互关系中来突出他的内心美。最后,小说把他的内心的丰富、饱满,全面地揭示了出来。这样,创造出来的人物,既是平凡、可亲、和群众在一起的普通战士,又是内心崇高的、不平常的人物;既是有明确的方向、坚定的信念,但内心又无限丰富的人物。以前曾出现过这样荒谬的论调,似乎写英雄人物就必须要"复杂"地写出先进人物在一刹那间的"动摇"或"邪念",人物才会丰富、真实,否则就是公式化。这正是对英雄,对这个崇高称呼的污辱,英雄人物——为革命理想自觉斗争的人,正是随着改造客观世界(社会和自然)的斗争而使自己的精神世界愈来愈丰富、崇高。《野火春风斗古城》正以事实驳斥了那种谬论,在塑造英雄人物方面走上正确的方向,尽管还有一些不成功的教训。

再次,在表现手法方面也有一些值得注意的优点。例如,小说善于用粗线条的勾画和工笔画的细描相结合的手法来表现人物的性格。用粗细条勾画时,使人物通过一连串的事件,表现人的性格,而这一连串的事件通常都是用很简洁有力的叙述笔调,几笔就勾出一种气氛、一种场面,从而表现出人的性格。而在用工笔细描时,常用对话和动作,以至细致的抒情笔调来描绘人物的声音、笑貌、风度和内心世界。最为成功的是写杨老太太见杨晓冬那一篇章,两者结合得很好。小说一开端写梁队长过东亭镇的那一篇章,也叫人惊叹。在写敌人时,也因为采取了这种手法而取得很有成效的效果。最生动的就是写宴乐园飞传单的那一场,作者成功地用漫画式的粗笔勾画出了敌伪人员的全貌,同时又以工笔的细描突出地写高大成等几个人物,因而敌人的面目,显露无遗。此外,在小说的结构方面,也常用"画中有画"的方法,有些篇章成为一个完整单位,有完整的故事情节,而这又是全篇的有机部分。因而有些篇章独立开来,可以成为短篇,而合起来,又是整体的一部分。上面谈到的那几个篇章,都是有这种特点。

最后必须简单地谈谈的是,小说的语言也是朴素而有表现力的。作者能借助语言特征来巧妙地勾画人物性格。高大成的语言,就充满了地痞、流氓的鄙语和惯匪的黑话,更突出了高大成的丑恶,只要回忆一下他对部下鼓励抢粮的那些话,高大成的形象就活现在眼前,闻声如见其人。小燕的语言,也特别显得活泼、跳跃,正与人物相合。而在劳动人民出身的杨老太太、周伯伯、金环等的语言中,常常熟练地运用民间口语、俗语、比喻等,很切合他们的性格、教养、经历。

当我们看完这本书时,我们对作者不能不充满着感激,他为我们呈现出了地下斗争的真实面貌,塑造了地下工作者的英雄群像。同时,我们也同样充满期望:希望他有更多更美的作品出现。

《野火春风斗古城》,李英儒著长篇小说,1958年出版。上海文艺出版社出版《读书运动辅导丛书》,请胡经之评论《野火春风斗古城》,写成此小册,1959年出版,成丛书之一种。

1959年冬,北大燕园

《七根火柴》赏析

王愿坚的《七根火柴》这篇小说，既没有波澜壮阔的场面和曲折离奇的情节，也没有叱咤风云的性格刻画和错综复杂的人物关系。但是，这个只有2000多字、几分钟就能读完的短篇，却对我们具有巨大而深沉的艺术魅力。这篇小说的艺术形象，是那样单纯、朴素、明朗和确定，我们一读完，就几乎已经感受和理解到了整个内容。然而，读完这篇小说，丝毫也没有平淡、单薄之感，而是感到它的内容丰富，含义深广。它以丰富而凝炼的思想在理智上引起我们深思，它也以强烈、炽热的感情感动我们，使我们沉重不安，又使我们热血沸腾。

这篇小说为什么会具有如此巨大而深沉的艺术魅力呢？几根火柴，也正像几粒青稞、几滴水珠和几颗盐粒一样，那么寻常，那么平凡，以至我们在平日生活当中很少去特别注意到它们。然而，在那严峻的时代和残酷的年月里，连这些最平凡、最寻常的东西，也和非凡的、不寻常的斗争联系着，关联到无数人的温饱甚至生命。而人们如何看待这些东西，也就成为衡量一个人的崇高或卑下、善或恶、美或丑的品质的标志。但是，要从平凡、寻常的东西中看出不平凡、不寻常的意义，要从一件小事里写出一个人的品质，表现出他内心世界中真的、善的、美的东西，这不是每一个作家都能做到的。有鲁迅那样的作家，能从《一件小事》中表现出真的、善的、美的东西；也有另一些平庸的作家，或者是玩弄细节、故弄玄虚，或者是牵强附会、滥加发挥。《七根火柴》显然不是这种平庸的作品，而是像《一件小事》那样令人不能忘怀的短篇。我们在这《七根火柴》上，似乎看到了革命的火光在闪耀，我们看到了那无名战士的崇高和壮美。我们也似乎感到，我们从那无名战士的手中，接过了革命的活火，在我们生活里燃起更高、更旺的熊熊之火。

我们不妨从三个段落的发展中来了解这个短篇的整体。从小说开始到卢进勇见到无名战士，这是一个段落。无名战士和卢进勇的全部对话和描写，是另一个段落，它占了作品三分之二的篇幅。最后，描写卢进勇赶上连队以后的情景，完成了这篇小说。这几个段落，有机地联系着，一层紧接着一层，构成一个整体，集中地表现了主题思想。

小说一开始，寥寥几笔的环境描写，就把我们引进草地的湿漉漉、阴沉沉的气氛里。整个草地沉浸在一片迷蒙的雨雾和刺骨的凉风里。这种环境描写，不但使我们能想象到红军战士们如何艰苦地经过草地，而且，直接为人物性格和事件的展开，造成一种浓烈的气氛，把《七根火柴》和这样的环境联系起来，从而更深刻地揭示了即将发生的那件"小事"的意义。接着，因为气候恶劣和小腿伤口发炎而掉了队的红军战士卢进勇，在树丛里出现了。他忍着饥饿和寒冷追赶着连队。他全身都湿透，已经一昼夜没有吃到半点东西。这时候，他很自然地想到了火和粮食这两件东西。可是，他知道，要想得到火，这是妄想，因为连队早在3天前就没有火柴了，只能吃生干粮和挨着冻。至于粮食，他只能从口袋底里刮出一小团已经被雨水泡成稀糊的生青稞面，还舍不得马上吃。这两个细节的描写，进一步为人物刻画和事件展开做了准备，也就是暗示出了《七根火柴》怎样关系到了千百人的温饱，从而预先交代了无名战士的行为将具有怎样的意义。

正当卢进勇要把面团送到嘴边的时候，他听到了微弱、低沉的呼声："同志！"一个完全躺倒在污泥水中、不能动弹的战士在叫唤他。这时候，一小堆火、一杯热水和一点粮食，对他来说，是多么重要！正是只要几根火柴和一点粮食，也许就能救活他的生命。可是，也就在这里，真正展示出了这位无名战士内心世界的崇高和美。首先，他推开了卢进勇把面团送到他嘴边的手，低声说："不，没……没用了。"然后，他又拒绝了卢进勇要扶着他一起追赶队伍的好意，而让卢进勇从他腋窝里摸出了一个硬纸包。他抖抖索索地打开了纸包，里面露出一张党证。党证里边，七根火柴整齐地排列在一起。他小心翼翼地数着，脸上露出一种喜悦的光。然后小说这样充满感情地描写道："只见他合起党证，双手捧起了它，像擎着一只贮满水的碗一样，小心地放到卢进勇的手里,紧紧地把它连手握在一起,两眼直直地盯着他的脸。'记住,这,这是,大家的!'他蓦地抽回手去,深深地吸了一口气,用尽所有的力气举起手来,直指着正北方向:'好,好同志……你……你把它带给……'"这位崇高的无名战士,还来不及说完,就静静地躺下了,永远躺下了。读到这里,我们心里不由得肃然起敬,深深为之激动。我们感到沉重,也感到崇敬,一下子就把我们的精神世界提得很高、很高。这位无名战士把党证和七根火柴亲手交给了卢进勇,完成了自己的使命,然后才安心地死去。人虽然死了,他的精神却永远和革命、和党联结在一起。就是临终的顷刻,他的手也是高高地擎着,像一只路标,直指着正北方向,笔直地指向长征部队前进的方向。这里,我们可以看到,正是对于党、对于革命、对于集体的无限忠诚和爱,使他付出了自己的一切。也正是这种精神照耀着革命战士,使得革命力量战胜了难以想象的艰苦,走向胜利。

无名战士的崇高形象就这样完成了。然而,假如小说就此结束,也许还不能像现在这样,能如此充分揭示出这一形象的意义,如此充分表达出作者深深的怀念。在如何结束这个短篇上,更深一层表现出了作者的匠心。最后,小说是这样描写的:卢进勇含着眼泪,在无名战士的崇高精神鼓舞下,奋力向前,天黑时分就赶上了后卫部队。在无边的长夜里,篝火烧起来了。火,由那无名战士留下的七根火柴中的一根点燃了的火,给战士们带来了温暖。然而,这个场面的意义仅只在此吗?不,它启发我们想得更多、更远!这幅情景使我们联想到熊熊的革命之火,正从这样的无名战士们的手中接过来,在无数战士手里燃烧起来,冲破了黑暗,放出光明。最后卢进勇把那党证和剩下的六根火柴严肃而沉重地交给了指导员。在这里,表达了作者也表达了广大读者对于无名战士的深深的怀念和崇敬的感情。小说在把我们导入这样的怀念和崇敬的感情里的时候结束了。这种描写,收到了古人所说的"言有尽而意无穷"的艺术效果,使我们可以再三玩味,反复深思。

这篇小说有自己的艺术特色。

首先给我们强烈的印象是:这篇小说的主题和形象都极为单纯

和集中、鲜明和确定。作者毫不掩盖自己的价值意向，集中笔力，以那样炽热的革命感情和明确的阶级爱憎去塑造无名战士的形象，突出他的崇高和壮美。作品是那么明朗，丝毫也不使人感到隐晦曲折。

但是《七根火柴》的主题和形象的单纯、明朗，并没有导致整个内容的单薄、贫乏，而恰恰和第二个特色相联系着，那就是：作者能在最有限的篇幅中表现出丰富、饱满的内容。作者不去铺叙那些次要的方面，例如这位无名战士是怎样掉队的，他是怎样度过这几天草地生活的等等，而是用寥寥几笔，抓住那最能表现无名战士的光辉性格特征和最激动我们心灵的几个动作，特别是在无名战士如何对待七根火柴的态度上，烘托出了其整个内心世界的崇高和美。这里表现了作者精密的、巧妙的构思。

《七根火柴》的第三个特色是：它的艺术形象，既像雕塑、绘画那样线条分明、色彩明朗，也像抒情诗那样诗意盎然，意境深远。无名战士那只高高擎起、紧握着党证和七根火柴的手，直指向长征的方向，这是像雕塑一样的形象。作者对人物的感情，一定要在形象中流露出来。在这里，作者的感情，不是外加的，而是已经化为形象的有机部分，这就使得小说诗意盎然、意境深远。我们上面谈到的，在无名战士死后，卢进勇赶上后卫部队的那段描写，就是作者感情的充分流露。在这篇作品里，卢进勇这个人物，是一个独立的形象，起着烘托无名战士高大形象的作用；同时，作者通过他对无名战士的情感态度的描写，更好地抒发了作者的思想感情，起着作者的"我"的作用。通过这个人物直接表达作者的感情，衬托出无名战士行动的意义，而读者也就直接受到了强烈的感染。

我们读王愿坚的小说，总觉得有一股炽烈的热情扑面而来。请回想一下，当无名战士取出党证和七根火柴的时候，作者是如此感情深重地写道："红红的火柴头簇集在一起，正压在那朱红的印章的中心，像一簇火焰在跳。"我们读着，我们的心好像也在和火焰一样跳动，和作者起着共鸣。而在无名战士躺下死去的时候，作者这样写道："卢进勇觉得自己的臂弯猛然沉了下去！他的眼睛模糊了。远处的树、近处的草，那湿漉漉的衣服、那双紧闭的眼睛……一切都像整个草地一样，雾蒙蒙的；只有那只手是清晰的，它高高地擎着，像一只路标，笔直地指向长征部队前进的方向……"这里，面前的一切景象都已染上了作者的感情色彩。

《七根火柴》正如王愿坚的其他短篇一样，风格是那样朴素、明朗、单纯、简洁。他绝不把没有深切感受过和深刻理解过的东西写进去，不矫揉造作，故弄玄虚。他的语言也是那样精炼、省俭、朴实。我们可以这样说，这是一篇感人至深，发人深思，给予我们深刻的革命传统教育的好小说。

1961年8月中央人民广播电台《阅读与欣赏》
1961年夏，中央高级党校

王愿坚的短篇小说

置身于幸福的今天的年青一代已经不能像老一辈革命英雄那样亲身经历像长征那样的艰苦斗争,因而他们更迫切地希望了解老一辈是怎样斗争过来的,革命果实的获得是怎样不易,革命的传统应该怎样继承和发展。王愿坚的短篇小说,在一定程度上满足了年青一代的这种愿望和要求。

王愿坚创作上的一个显著的特点是具有鲜明的倾向性。他塑造人物,总是充满一股革命热情,并特别突出地刻画老一辈革命者的崇高的心灵、共产主义的思想品质,使人受到鼓舞和教育。他在《后代》[①]的后记里曾说:革命前辈的精神品质是那么美丽、崇高,今天走的这条幸福道路正是这些革命前辈用生命和鲜血给铺成的;他们身上的那种崇高的思想品质就是留给我们这一代人最宝贵的精神财富。正是有这种思想情感为基础,他把主要的精力放在反映那些在30年代英勇斗争的老一辈革命英雄这方面,带着无限的崇敬和热情,刻画了一群崇高的、光辉的共产党员形象。

读短篇小说集《党费》[②]里的5篇和《后代》里的11篇,可以清楚地看到,出现在这些作品里的有这样三类英雄形象:斗争在长征途中的红军战士;斗争在"白色恐怖"下、生活在人民群众中的党的忠实儿女;经历艰苦斗争而目前仍在辛勤地为建设社会主义而劳动着的将军。这些英雄形象各有自己的个性、特点,然而也有革命老战士所共有的崇高思想,显出了老一辈战士的精神面貌。这些形象深深地铭刻在我们的心上。

[①] 作家出版社,北京,1958年。
[②] 工人出版社,北京,1956年。

我们首先注意到的是红军战士的形象

1934年10月,红军开始了震惊世界的二万五千里长征,而不少红军游击队和老根据地的人民仍留下坚持艰苦的斗争。无论是踏上征途的红军或者坚持根据地斗争的战士,他们都受到空前艰苦的考验。当时外遭日寇的残酷侵略,内有反动派的疯狂进攻,每一个忠诚的战士都必须更加沉着,更加机智,更加英勇,特别是要有对党的无限热爱和对前途的坚定信心。疾风知劲草,路遥知马力,正是在这最艰苦严峻的斗争关头才更显示了这些英雄的本色。是的,这些英雄也都是平凡的人,然而他们表现出了人类最伟大的精神。

我们看这些长征战士吧。《三人行》一开始就是一幅动人心魄的图景;身负重伤的红军指导员王吉文背着双脚溃烂的通讯员在泥泞的水草地上艰难地行进。他们已经断粮两天,只能用野菜叶塞肚子,但是又遇到一个身负重伤不能走路的红军战士。怎么办?王吉文"想着师长的话","蓦地想出了办法",毅然决定一个人背两个伤员走。于是一幅更艰苦动人的图景又展示在我们眼前:这位又饥又累的负伤的指导员在水草地上往返轮流地背着他们前进,一趟,两趟,十几趟,他晕倒了。而等他醒来,更感动人的景象出现了:"只见自己正躺在油布上,油布旁边的水草里,两条糊满泥巴的腿在往前移动,一条小腿上正汩汩地流着血水。再往前看,黄元庆和小周并排着匍匐在草地上,每人肩上挂着半截绑腿,拉住了油布的两只角,正在吃力地拖着往前爬。"读到这里,一股强烈的力量促使你深思:这是什么力量在支持着他们这样做?仅仅是生的欲望吗?不,这是一种深厚的阶级感情,是浸透了无产阶级感情的深厚情谊,同志间的生死与共的情谊。而这种崇高的情谊,正为着一个伟大的目标:要革命到底。正是这样,他们才能以最大的毅力战胜死亡,要为党和人民活下去。战士们在战斗中视死如归,但是绝不在艰苦的关头轻易地死去,因为他们知道,生命只有一次,把自己的生命和党联系起来,这才是真正有意义的生命。这正是促使他们那样行动的真正原因。

在《七根火柴》中,我们会更进一步体会到这一点。到实在不能再活下去的时候，一个革命战士绝不会感到死的难受；因为就是在临终的顷刻间，他想的也不是个人，而是怎样更能为党做贡献，就是做一点点也好。瞧这里，一个无名的战士躺在一滩污浊的水里，再也不能动弹了，他已经知道自己再也不能活下去了；但他没有丝毫死的恐怖，只是在焦急地等待，等待有人来能够把身边仅有的七根火柴带走，而这七根火柴关系着无数战士的温暖乃至生命。卢进勇发现了他，给他送上从衣袋底刮下来的青稞面，尽管他是多么需要，却不肯接受。他知道战友也需要，而他自己已经没用了，应该留给别人。这时候他也是多么需要一点火来温暖一下啊！但是他把小心翼翼地保存好的七根火柴珍重地交给了卢进勇，要他带给部队。当他自己意识到已经完成自己的使命而感到喜悦的时候，他静静地躺下了，在那湿漉漉的草地上，他死去了。这样的无名英雄将永远活在我们心里，随着年月的增长，这种英雄形象在我们心里将愈来愈显得高大、清晰。

另一个令人难忘的形象是《赶队》里的"红小鬼"——一个年仅十七八岁的女孩子小何。她，不仅和战士们一样跨雪山，过草地，而且要照顾伤病员。在大家面前，她永远显得那么活跃，富有生命力，为的是给大家精神安慰，而实际上她是以最大的毅力在和疲劳斗争：一连5天不能有片刻休息，自己偷偷用两节嫩草棍撑眼皮。敌人骑兵把队伍冲散了，她和一个伤员老滕掉了队，但是她毅然扶着只能用一条腿走路的老滕，两个人三条腿，对着北斗星踏上赶队的路，走出山区，跨进草地。为了伤员，她给老滕煮青稞麦粥，而自己偷偷地煮皮带吃，吃完了，就吃大黄叶。这是一种多么崇高的情感！这是真正的无产阶级战士的品质。我们将永远带着崇敬的心情怀念着这样的人，她也将永远鼓舞我们前进。

王愿坚笔触主要着力于勾画敌后游击队和老根据地党的儿女形象

这16个短篇，有10篇是写坚持在"白色恐怖"下的难忘的人们。其中较早的短篇集《党费》中的5篇就全是表现农村中忠实的党的儿女对党的无比热爱和无限忠诚，在对敌斗争中显示了崇高的品质。

在这里，我们看到那些留在根据地的游击队战士——有慈爱的老妈妈,有睿智的老战士,有英勇的少年……不管是谁,他们都有一颗红透了的心,为党继续在"白色恐怖"下播种那革命的种子。他们坚定地相信,革命是永远开不败的花。我们忘不了《后代》这个短篇中的黄茂有。正是他,在随军北上的途中负伤了。他听党的话,回到老家参加敌后游击战争,白天睡在地窖里,孜孜不倦地读着毛泽东的著作,晚上就出去活动。他是那样乐观,对革命是那样充满信心。他看到了未来,甚至还为他的后代展示革命胜利后的生活图景——怎样建设,怎样过好日子。他的内心是那样丰满,那样崇高。他对孩子这样说道:"等我们把它抢过来,交给你们,这好日子就是你们的了。那时候,你可别忘了,这是老一辈人的命换来的,就是拼上性命也得保住它,还要把它侍弄得更好。"可就是这样的人被敌人杀害了,他为了掩护20多个同志而牺牲了自己。临终时,他叹息的是"还有多少事要干呵!嗨……太早了……"他对孩子们说道:"爹是个共产党员,不会给你们留下什么金银财宝、肥地高楼;留给你们的是……没杀净的白鬼子,是还没完成的革命工作。"他死了,留下了最珍贵的遗物:血衣包着的两本书——毛主席和列宁的著作。而他的后代没忘记他的遗言,大儿子参加了新四军,也牺牲了;小儿子黄承谋参军去抗美援朝,同父亲那样,也是一挺机枪杀伤了数不清的敌人。革命的后一代没辱没老一辈的志气,把革命的旗帜举得更高。读完这篇,我们怎能不把这句话深深刻在我们心上呢?"老一辈用一捧捧的鲜血换来的幸福生活,就在我们背后,我们要好好保卫它!"

我们也忘不了《粮食的故事》中的郝言标。这个"老革命"宁愿让自己家里人饿着,想尽办法,把能找到的一切粮食送到山上给游击队。终于,这样的严峻关头来到了,游击队当晚就迫切需要一批粮食。他毅然带着自己的儿子,冒着敌人的封锁,在黑夜里往山上送粮。但是半途碰到敌人,看形势难逃脱了,怎么办?扔了米吧?不,不能……蓦地他起了这样的念头:为了把米送上山,他叫儿子冒着生命的危险引敌人跟着跑,转移目标,而他自己把粮食送上山。儿子牺牲了,他为了革命,忍痛牺牲亲生的儿子,这难道仅仅是他偶然的情感冲动?不,绝不,这种念头正是他长期受革命熏陶而浸透了革命思想的结果,这正是崇高的革命理想的表现。"这些人都是些什么样的人啊!"当我们生活在如此美好的时代,我们怎能忘记这些崇高的人?

我们同样忘不了这些游击队战士:《村野的火星》中的通讯员彭绍明,在长征途中受了重伤,敌人把他和部队隔断了,但这冷不了革命的心。他,一个17岁的少年团员,白天躲开人,晚上就一瘸一拐地赶路,赶回苏区继续斗争。终于由老乡背着他,领着群众袭击白匪,处决叛徒,让革命的火星仍在燃烧下去。还有《小游击队员》中的机智勇敢的樟伢子,这个被白匪杀害了全家的12岁的孩子,在深山里跑遍了,要找寻红军叔叔,为爹妈报仇。他以他的机智、勇敢,两次救了红军游击队侦察班长,并且帮助游击队打击了白匪军,终于成了一个小游击队员。这是革命摇篮中长大的红色少年。还有《支队政委》中的那个胡志得——一个永不疲劳的坚强战士,《歌声》中3个在大森林中摸索的游击队员,他们都为了崇高的理想,为了党的事业,为了人民的幸福未来而艰苦斗争着。《三张纸条》里的老农民程元吉那样忠心于红军,也深深感动我们。我们也可以看到,我们的党、我们的人民军队是和人民有怎样的血肉联系。

应该特别提到在"白色恐怖"下坚持斗争的那些崇高的妇女形象。在那艰难的岁月里,她们不仅担负着自己原有的责任,还要做许多几千年来妇女从未做过的工作。你能忘掉《党费》中的女共产党员黄新的形象吗?她带头送丈夫参加红军,自己在极困难的境地为游击队当联络员。盐,在那样的年月是多么难得到啊!而她自己忍着饥饿,为游击队腌了一大筐咸菜,作为党费。也就在这时,白匪发现了她。她为了掩护通讯员而挺身出来,牺牲自己,保存同志。你能忘掉《老妈妈》里的革命母亲吗?她丈夫牺牲了,带着快要成人的两个儿子进了根据地。在最艰苦的岁月,她一个人负担着流动医院的全部最艰苦的责任。就她这么一个年老的妈妈,要在山洞里照看二十几个伤员。从看护、煮饭一直到解决经费困难和防备白匪,都由她一人奔波。她整天忙着,钱和粮都没有了,她不声不响地爬到白匪占领的山庄去找群众帮忙。伤员情绪不好,她耐心地说服和热情地鼓励。为了躲开敌人搜索,她一天爬了40里山路,寻到安全的山洞。更叫人难忘的是,她组织轻伤员和人民群众，巧妙地打进地主家里，分了粮食、财产。她把每一个伤员都看作自己的儿子。这样的妈妈，在革命队伍中涌现了不知多少。在《妈妈》中的冯大姐也正是这样的革命母亲。她为了要把文件交给党，不得不把孩子交给别人。哪个母亲不爱自己的孩子？然而为了更多的人，为了革命，冯大姐忍受了这种痛苦。她的母爱和对革命的崇高的爱结合在一起了。而党把孩子找了回来，最后孩子又回到她的怀抱。是的，"妈妈"，这个世界上最好的字眼，多少国家、多少民族的儿女在用这个崇高的字眼来称呼他们最亲爱的人呵！在我们的文学中，正耸立着无数这样崇高的母亲形象。

特别吸引我的是那些生活在今天的将军形象

他们实际上就是过去的老红军战士，是过去那些动人形象在新的时代、在和平的日子里的新的发展。在他们身上，那些崇高的品质有进一步的发展。作者刻画这些人物，把他们的过去和目前联系起来，并更远地展望将来。《普通劳动者》中林将军的形象有很成功的表现。一个身经百战的老将军，过去为了后代而拼命斗争，今天又在那洒过热血的土地上用自己的汗水和劳动建设更理想的生活。这样的崇高精神，令人肃然起敬。然而他又是平凡的人，在十三陵工地上，作为一个普通劳动者，和普通的战士一起劳动。他待人是那样谦逊、热诚、亲切。他不让别人知道自己是将军，只是作为一个普通劳动者和战士们一起劳动。通过劳动，他更清楚地看到后一代的接班人的精神面貌，看到自己一辈的革命传统已经作为最珍贵的精神财富而为新的一代所继承，并且在发展。我也深深喜爱《休息》中的将军形象。他永远不知道什么叫疲劳，永远不"休息"，永远为党辛勤工作。小说中还插入了红军时代的回忆，与现在对比，更突出了人物形象，使人印象鲜明、深刻。

下面谈一谈王愿坚在塑造人物形象方面的特点。

首先给我强烈感觉的是，王愿坚写人物，总是鲜明、突出地强调精神世界中的崇高这方面。生活是复杂的、多方面的，我们目前还有无产阶级和资产阶级的矛盾，就是劳动人民内部也有先进和落后的矛盾，我们也需要反映这些矛盾的作品。但是作家能更多地注意正面人物的塑造，并取得很大的成功，那不是更应该欢欣鼓舞吗？这是因为它确能更直接地起革命理想教育的作用。王愿坚在这方面的努力是值得大家高兴的。几年前出现过这样一种论调：写人物必须写出他在生死关头的一刹那间的动摇，才能显得真实，人物才能活起来；写英雄人物只有给他添加一点缺陷，才能避免公式化、概念化。王愿坚的创作恰恰以事实粉碎了这种论调。他笔下的正面人物，内心是那样丰满，深深激动着我们。他没写出他们的所谓"一刹那间的动摇"，而是按照生活本身的样子表达了他们的英雄本色，写出了他们心灵的崇高和美。作者在这里是把真善美统一起来了。王愿坚并不拘泥于真人真事，而是有生活概括，有丰富的想象。王愿坚笔下大都是1934~1935年的革命战士形象。他并没赶上那个年代（他是在抗日战争时期参加革命的），只能从老战士或者亲友、老师那里听到这些故事，这些故事深深地打动了他的心。然而这还不能让他创造出那样动人的形象。正是由于他自己参加了革命斗争——虽然已是抗日战争后期和解放战争，这才能利用自己的生活经验，通过想象而塑造出动人的形象。从这里，我们也正可以体会到，即使是写历史题材，作者自己的思想情感和生活经验仍然是那么重要。

　　我们还可以看到，王愿坚善于抓住广阔的斗争生活中一个片断、巨大事变中的一个细节来刻画一个特定的人物形象。在这里，事件和人物是相当密切地结合着，不是为写事件而写事件，而是借助于事件来突出人物的内心世界。他把自己的思想情感和人物的内心世界结合集中在一个事件上，勾画出平凡而崇高的形象，让那人物深深铭刻在读者心中。

　　王愿坚作品的这些特点表明了一种创作趋向，即随着创作实践的深入和提高，他的作品正愈来愈接近短篇小说在形象塑造和表现方法上的一些特点。短篇小说是一种很经济的文学样式。它篇幅短小，往往只能截取一个生活片段或人物侧影来刻画，但又必须通过这片断或侧面给人物一个完整的形象。这就不仅需要使事件和人物紧密结合，使作者的思想情感和人物的内心世界紧密结合，而且必须抓住事件和人物的典型的特征，在有限的篇幅里做深刻、集中的表现。同时，结构必须严谨，语言必须简练。为了便于说明王愿坚的这种可喜的创作趋向，这里，我想就《党费》《七根火柴》和《普通劳动者》这三篇做些分析。《党费》写于1954年，《七根火柴》写于1958年初，《普通劳动者》写于1958年6月，可以代表王愿坚创作的三个阶段，从中可以窥见他的创作的发展进程及整个创作面貌。首先，这三个短篇塑造了三种不同类型的形象："白色恐怖"下的英雄、长征途中的红军战士、和平年代中的将军（前面说过，这正是王愿坚全部创作中着力刻画的形象）。在不同的形象里，从不同的方面表现人物的崇高的内心世界。其次，形象的塑造在这三篇中也有明显的发展，那就是艺术概括力逐渐提高，形象更加鲜明、完整。拿《七根火柴》和《党费》比较，可以看到，前者已成为成熟的短篇小说了。而《普通劳动者》又更多地体现了短篇小说的特色，那就是说，能在有限的篇幅中，更有力地抓住人物的特征，从多方面去丰富形象，给人更完整的印象。最后，在表现方法上也相应地有了发展。如结构更加严谨、完整，人物和事件之间的内在联系更加紧密。《党费》里较多的是"我"在那里叙述故事，《七根火柴》里的人物和事件就更密切地结合在一起，突现了那个无名英雄的崇高形象。而《普通劳动者》甚至充满了许多戏剧性的冲突，语言也更简练、生动和符合人物心理特征。《党费》里，故事情节的发展是以第一人称的叙述来表现的。《七根火柴》里，作为故事发展线索的卢进勇，虽然仍是起着第一人称"我"的作用，但作者是力求脱离"我"的直接叙述故事，尝试用第三人称来表现。而《普通劳动者》里，已经更成熟地运用第三人称的方式来表现人物了。这样，人物对话也逐渐个性化了。当然，这并不是说第一人称的表现方式不能产生好作品，它有它的长处，比如说较能自由地表达思想、抒发情感。

《党费》是王愿坚创作的起点。在这里，已经显示出他的一些创作特色。《党费》里塑造了在革命低潮中坚韧不拔的党的好女儿黄新的鲜明形象，她为了缴纳党费（这是用特殊的物品——咸菜作为党费）而英勇牺牲了。值得注意的，作者只以7000来字的篇幅就使这个形象鲜明地站起来,活在我们心里。前面说过,他是用第一人称说故事的方式来表现的。他对这个含血带泪、激动人心的故事充满了深厚情感,引起我们的共鸣。他又特别抓住最令人感动的人物心灵的最崇高之处,运用中国传统的说故事的方法来突出它、渲染它,吸引读者步步深入,进到人物的内心深处。一开始,作者就通过"我"的回忆,交代了1934年秋天"白色恐怖"的时代背景。然后引出了"我"要联络的八角坳青年妇女黄新。接着,"我"到村子里去找她,这时,我们不仅看到她的外貌,而且从她哼的歌、她的言语和行动知道她的性格,知道她对党的无限忠诚和对革命的坚定信念。假如没有作品最后部分突出刻画的那个事件,她的形象也不会那样鲜明地像雕塑一样站起来,活在我们心里。她苦心地凑合了一筐咸菜,准备作为党费送给已经缺盐好久的山区游击队。盐,在那样艰苦的斗争环境中是多么宝贵,然而就在"我"和她联络的时候,被匪徒发现了。为了掩护"我",她把党证,全部财富——一块银圆、一篮咸菜,还有自己的孩子,交给了"我",而她自己则为了转移敌人的视线,挺身而出,光荣地牺牲了。作者就这样激动人心地完成了这个崇高形象的塑造。这个形象塑造的过程,实际上也是作者认识日益深入本质的过程。据作者在《在革命前辈精神光辉的照耀下——谈几个短篇小说的写作经过》①中说,原先这也只是听来的故事:在村里坚持斗争的卢春兰,组织各家腌了咸菜送给山区游击队,不幸半路落入敌手,敌人用枪威胁全村人供出实情,她领着自己的小孩,从容地挺身而出。这事发生在1935年,作者才五六岁,那时他对时代背景、斗争情势、人物风貌都不理解,只有孤零零的故事。但他一方面以自己的生活经验(抗日战争、解放战争的经历)补充形象,另一方面深入地抓住故事的本质,深入挖掘。就是说,它不只是一般地写人民群众支援游击队的行动,而且反映了在革命低潮时、在"白色恐怖"下的党员和党的关系,因而把女主人公写成党员。而党员与党的关系,有形的联系莫过于缴党费,于是把送咸菜和党费联结起来,让故事围绕着党费(咸菜)这条线索展开。这就使

---

① 《解放军文艺》,1959年6月号。

故事具有更深刻的意义，使人物形象更突出，也更激动人心。《党费》在艺术概括和表现方法上还有不够成熟之处，例如，虽然吸取了传统的说故事方式，步步深入，但事件和人物还不能完全扣紧。又如故事是以"我"为线索展开的，这就在一定程度上使作者不能以更集中的笔触来刻画主人公。如果再费些匠心，这篇小说是还可以写得更精炼些、更集中些的。

《七根火柴》是个众口赞扬的作品，在艺术概括和表现方法方面都有许多优点，标志了作者创作的日趋成熟。长征那样特殊艰苦的环境，要求红军战士有强大的毅力和信心，这毅力和信心来自革命战士对革命事业和对革命集体的无限忠诚以及由这产生的高度的阶级爱。为了革命，为了集体，他们可以付出一切以至自己的生命。正是由于有这种精神，红军战士战胜了难以想象的艰苦，跨过危难，走向胜利。正是作者对长征的这种理解，形成了《七根火柴》的主题。这种深邃的思想、巨大的主题，必须通过具体的形象才能得到艺术的体现。看来，作者掌握了短篇小说的特点，理解到在许多革命前辈的斗争生活中有不少片段和侧影完整而充分地显示了性格的特征和精神的美，这种精神的美光耀夺目，蕴藏着无限激情和使人深思的思想力量。捕捉住这么一道光华，把从生活中感受到的这种美，集中到一个富有表现力的环境里，用省俭的篇幅描写下来，这有多大的思想意义和艺术意义！基于这种理解，作者抓住草地这个环境，刻画了一个无名战士，在生命的最后一瞬间，还小心翼翼地把关系着千百人的饱暖的七根火柴连同党证交给党。作者是怎样在这短短的2000多字篇幅里体现这个主题，塑造这个崇高的形象呢？小说开端就先展示了环境：整个草地沉浸在一片迷蒙的雨雾、刺骨的凉风里。这种环境描写为人物性格和事件的发展造成一种浓烈的气氛：一方面突出了无名战士的那种崇高思想，另一方面烘托出了七根火柴怎样关系着千百人的饱暖。这样，环境和人物事件有机地结合起来了。接着写卢进勇发现无名战士，用三分之二的篇幅来着力刻画这位主人公的形象，并把他放在事件的发展中来显示他的内心世界的美。这里有两个情节：一个情节是，当卢进勇把那点从衣袋缝里刮出来的青稞面递到他嘴边时，他嘴唇翕动了好几下，齿缝里挤出了几个字："不，没……没用了。"这是对革命同志的多么真挚的感情的流露！另一个情节是，他积攒浑身力量，把七根火柴和党证小心地递给卢进勇。而他完成了这个最大的心愿后，便静静地躺下了。最后，写卢进勇在强烈的感动中追上了部队。这时，"在无边的暗夜里，一簇簇的篝火烧起了"。读到这里，读者和卢进勇一样沉浸在激动中，并且激起一股前进的力量。作者能很好地作艺术概括，才使得这有限的篇幅发出巨大的思想力量。作品的语言也显得简洁、生动、形象，也成功地运用了对话，因而突现出无名战士的内心世界。

《普通劳动者》是王愿坚在1958年6月参加十三陵水库劳动后创作的。作者截取了波澜壮阔的十三陵水库劳动生活中的一个片段和插曲，刻画了一个将军作为普通劳动者而参加劳动的平凡而崇高的形象。这个形象鼓舞了广大读者，教育了年青一代。作者抓住了人物的本质方面，把将军作为一个平凡而又崇高、可敬而又可亲的形象来刻画。"普通"是这个人物在劳动中的主要表征，但是在平凡的生活中，像将军这样的人身上，也会显露出许多光辉：高度的政治觉悟，明智的洞察力，非常的毅力等等。作者基于这种理解，写出了将军的"普通"一面，也突出了他的崇高一面——在暴风雨中带头前进。作者还抓住了人与自然作斗争中的人与人之间的关系。这样，通过人与人之间的关系更突出主人公的形象。小说里的喜剧性冲突，就是由此而展开的。这表现在将军与青年战士小李的关系上。这里有两次冲突：一次是两人合作抬筐，小李总是要照顾将军（小李当时还不知道对方是将军），而将军总想多卖力，于是发生了争执；一次是小李转述指导员讲的红军长征故事，表现得很激动而将军的反应"淡漠"，把将军狠狠"教育"了一顿。这种冲突完全建立在崭新的思想基础上，同时这是由于小李始终不知道对方就是将军而产生的，因而充满喜剧性。通过这种冲突，作者塑造了一个鲜明的青年战士形象，在这形象身上，可以看到老一代的革命传统得到了继承而且在发展，同时也更突出了将军的形象。作品的景物描写和主人公的回忆紧密结合，这就深入地表现了主人公的内心世界。这种回忆写得那样简洁、生动，这是由于紧紧扣住主人公的真实情感,也表现了作者自己的真实感受。将军每当看到自己曾在那里战斗过的土地上矗立起无数新建筑,心里就很自然地涌起过去的图景,从而一种喜悦、愉快就油然而生。这不仅丰富了人物形象,而且通过这种对比也更突现了当前的现实。将军的形象,事实上正是我们这个时代的现实反映。我们想一想那些革命前辈,现在不正是一个个以普通劳动者的身份出现在群众中间?他们那样关心群众,在过去漫长的艰苦岁月里是这样,在今天和平建设的日子里也是这样,将来也仍会是这样。不过过去是在严酷的战斗里,现在则是在和平的劳动生活里。《普通劳动者》正是这样集中、概括地反映了我们的现实,同时教育人们更勇往前进。

  正面形象的塑造,王愿坚已经摸索出一些可以为人借鉴的初步经验。我们满怀信心地期望他进一步创造出更多更美的艺术形象。

1959年2月写,北大燕园
(原载《语文学习》,1959年5月号)

劳动人民的赞歌
——《工人诗歌一百首》评介

《工人诗歌一百首》①是49位工人作者的诗歌合集。这本诗集的出版，生动地表明，我们伟大祖国的工人阶级已经普遍地起来亲手描写自己的生活，塑造自己的形象。这是个不平凡的事件。虽然这100首诗歌只是表现空前规模的群众创作高潮中所涌现的无数艺术才能的一个方面，但是透过它可以看到整个工人阶级的艺术智慧和才能。这种艺术智慧和才能以前只是集中地表现在个别人身上，而广大群众的才能却无从发挥。从这里也可以远眺人类未来文艺的曙光，那就是：每个人将是体力劳动和脑力劳动结合的劳动者，既创造物质财富，也创造文化艺术。正如马克思、恩格斯说的，"在共产主义社会里，没有单纯的画家，而只有把绘画作为自己的从事的活动之一的人们。"②在这百首诗歌的作者身上正显示了这种因素和萌芽。他们不是脱离生产去做艺术创作活动，而是把诗歌"作为自己从事的活动之一"。对于这，难道还不应该以崇高的敬意和激昂的热情来赞美吗？

热情赞美，还因为这百首诗歌气概豪迈，思想深厚，意境清新，语言爽朗，给我们的诗歌领域增加了新的血液。

这百首诗歌在内容上的显著特点是：紧密地与劳动连接着，几乎篇篇是以劳动为主题。本来生活的核心就是劳动，劳动人民的文艺总是与劳动不可分割：它在劳动中产生，并服务于劳动。但是过去因为阶级压迫沉重，文艺不得不主要用于对剥削阶级的斗争，这就相对地

---

① 诗刊社编，中国青年出版社，北京，1958年。
② 《德意志思想体系》，转引自《马克思、恩格斯、列宁、斯大林论共产主义社会》，人民出版社，北京，1958年，第134页。

较少表现生产劳动;同时劳动在过去由于阶级剥削,成为一种负担,一种痛苦,因而文艺也多半在这种意义上去表现劳动。现在,劳动具有了新的意义,文艺也不能不以新型劳动作为描写的中心了。

我们国家已经出现许多劳动的赞歌,但是正如工人自己所指出的,"我们的诗人们写了许多高原的、草原的、平原的诗……但遗憾的是,铜的、钢的、铁的诗写得太少了";于是工人亲自动手来满足这种要求。现在,我们欢欣地看到,战斗在祖国各地的工人纷纷驾着火车头、拖拉机、汽车等驶进诗歌领域中来,揭开了诗歌创作的新的一页。

从这百首诗歌中可以看到,工人写劳动主题的特点是,反映生产斗争最前列的多方面的劳动业绩。劳动的天地是这样广阔:矿工们在地球深处劳动,农垦手在辽阔的土地创作生活,装卸工在水边、在车站战斗,架线工在半空里劳动,更多的人在厂里各种各样的机器旁忙碌。工人作者以奔放的热情、豪迈的气概歌唱着多方面的劳动业绩和冲天干劲。同时,这百首诗歌也从生活的各个方面来写劳动:有的像在辽阔的田野上豪迈地放歌,直抒自己的劳动的欢快(如《冲压机上放歌》);有的像打开自己的心扉,倾吐着内心的激荡(如《深夜,我走在中央大道上》);有的怀着深刻的爱,歌颂了"人退休了心没退休"的老工人的崇高形象(《不老松》);有的以富有戏剧性的笔调勾画出干劲冲天的少女形象(如《补畚箕》);有的以抒情的笔触描绘战斗中的工人形象(如《夜班》);有的从侧面烘托出工人的劳动干劲(如《女广播员可忙透了》)……不管从哪一面写,都深刻地反映了我们这时代的工人阶级的劳动业绩和冲天干劲。工人作者以自己的诗篇证实了:文学只有与劳动结合,才具有无比活跃的生命力,同时有力地粉碎了那种认为劳动进入文学会使文学枯萎的谬论。

更重要的是,这些诗篇绝不是只写劳动本身,绝不是"见物不见人",而是通过劳动深刻地表现出劳动者在创作业绩中的崇高思想和高贵品质:对劳动的爱、对社会主义建设的信心、对共产主义前途的向往和追求。同时也深刻地反映出劳动中的人与人的新的关系等等。

这里,首先让我们激动的是表现在诗里的那种共产主义劳动态度。这些诗篇充分表达了工人阶级对劳动的高度热爱和深厚感情。

劳动已经不是沉重的负担，而是"光荣的使命、荣誉的事业、豪迈和英勇的事业"。劳动已经不是为了个人，而与整个工人阶级、全体人民的命运联系起来，与光明的未来连接起来。这怎能叫人不歌唱？请听一听这样豪迈的歌声吧：

> 红铁！是我们雕刻用的料，
> 气锤！是我们雕刻用的刀，
> 千锤百炼，
> 我们锻工就像灵巧的艺术家，
> 在每个零件上
> 都有我们刻下的刚健的线条。

这是《铁匠的心》的声音，但它抒发了整个工人阶级对劳动的热爱。他们对待劳动就像艺术家对待艺术创造一样，劳动再也不是负担，而是最大的乐趣、幸福的源泉。

> 当我们每天超额完成任务，
> 我们的心，
> 就像天安门夜空中闪烁的礼花。

劳动，也是最高尚的美。我们在黎曙的《钨矿短歌》、侯铖的《深夜，我走在中央大道上》以及其他诗篇中，都可以强烈地感受到工人对劳动的热爱和赞美。这里不能不特别提到温承训的《不老松》和黄世松的《"马达医生"》中塑造的老工人的崇高形象。这些形象生动地体现了劳动成为"生活的第一需要"的共产主义思想。我们深深为这些形象所感动，就主要由于他们的这种共产主义劳动态度。《"马达医生"》中的老电工说得好：

> 我从来不想调换我的职业，
> 我爱它就像爱我的生命；
> 假如，我一旦丢了它，
> 那才是我最大的不幸。

劳动已成为他的血肉的一个重要组成部分,因而他可以自豪地说:"人们都尊敬我,信任我,赠给我光荣的绰号:'马达医生'!"《不老松》中那个退休了的老工人,由于关怀生产,关怀小组的荣誉,半夜仍赶到车间去劳动,这种对劳动的感情多么叫人感动。

我们也可以看到,工人阶级衡量人的标准,首先就是劳动态度。正是在劳动态度这个问题上表现了一个人对人民、对共产主义是否忠诚。在感情深沉的《火车上》(侯钺)中,在耐人寻味的《验布姑娘》(沈澈)和《最高的奖赏》(高连余)中,都可以鲜明地看到这一点。人们对于验布姑娘"心醉",主要是因为她对劳动的态度严肃认真,才敢于抒发自己对她的爱慕。这首短短的抒情诗实在道出了工人阶级的美学标准,使人们受到感染,在心灵深处也迸发出一种美好的思想情感。

其次,工人阶级的革命英雄主义的精神通过这些诗篇强烈地鼓舞和感染着我们。工人阶级不仅掌握了政权,成了国家的主人,而且正在完成伟大的历史使命——建设社会主义和走向共产主义。工人阶级的自豪感和革命英雄主义在建设祖国的伟大斗争中愈来愈增长。请看房德文的《写在高潮中》:

谁说"巧媳妇
做不出没米的饭"?
我要在破擦布里
炼出金刚钻。

这是多么豪迈的声音!工人能创造一切,具有将世界变得无比美好的革命智慧和冲天干劲。而正由于工人阶级发挥了这种革命智慧和冲天干劲,我们的祖国才飞跃前进。于是作者在诗的末尾豪迈地宣告:

祖国!祖国!
不需要你出一分钱,
明年,一辆汽车,
就从我手里出现。

陈振坤《女板车手》中充满革命英雄主义的女板车手的形象,也给人留下了难忘的印象:

> 跨开大步,让小伙们看一看,
> 我们,是什么样的板车手。

接着,她们说:

> 哪怕山高路远?
> 哪怕泥尘风沙?
> 就算板车千斤重,
> 在我们手下,要它赛过骏马。

这种气魄绝非历史上的一些女英雄形象所能比拟的,这是新时代的女工人的巨大形象。黄声孝的《我是一个装卸工》和《汗水浇熄火焰山》,都以夸张手法反映了工人的劳动干劲。装卸工骄傲地唱道:"太阳装了千千万,月亮卸了万万千。""钢铁下仓一声吼,龙王吓倒在水晶宫。"气势之盛,都通过这个形象表达出来了。工人阶级这个巨大形象在范影《抡起革命的铁锤》中也有生动的抒写:

> 英雄的身躯映在墙上,
> 构成一幅壮丽的画像,
> 抡起革命的铁锤,
> 掀起工业高潮的巨浪。

在百首诗歌里,洋溢着浓烈的革命乐观主义气氛。尽管是在艰苦的条件下,他们还是坚定地和自然斗争,而且对美好未来充满坚定的信念。如建筑工人周用宁在《信念》中写道:

> 遮天盖地的黄尘,
> 呐喊着在飞旋,
> 遮住了天空、树林和山峦,
> 挡住了测量镜的光圈……

谁会害怕
这咆哮的风沙?
明天它会化作春风,
在绿色的工人村轻轻掠过……

陈振坤的《补畚箕》中,更是充满了一种乐观、风趣、明朗的气氛:

老爹,不要生气,不要生气,
不是我故意砸烂畚箕,
挑重走快?怎能不挑重走快!

是什么力量鼓舞工人的劳动?是什么力量激发工人的革命英雄主义、革命乐观主义?这正是为了祖国和人民的现在和未来呵!邹积禄的《通风工》的结尾,就以这样充沛的情感描绘了自己的劳动和祖国的联系:

啊!运布车是无数艘飞船,
那红旗是船上的帆;
正乘着你送来的风啊,
飞驶在社会主义的航线。

工人的劳动的每一个节奏都与祖国的呼吸相呼应,每一种劳动都是为社会主义大厦砌上一块砖;工人阶级不仅看到社会主义,而且看到更远更幸福的未来。正因为这样,在地球深处劳动者的挖煤工人看到的也绝不只是黑色的地底,而是美好的远景:

铮亮的煤层像磁石把我们吸引,
康拜因割煤机争相欢唱,
一个音符,一个美妙的理想,
"顿巴斯"的远景把心照亮。

这里,作者从劳动中表现了工人阶级对社会主义的热爱和信念,对未来的理想和向往。我们从这里能理解工人阶级为什么表现了革命英雄主义，洋溢着革命乐观主义。

　　这百首诗歌不仅歌颂了工人劳动中表现的崇高思想，而且反映和颂扬了工人在劳动过程中的新的关系。这种新的关系是为着共同的目的和理想、在集体劳动中建立起来的，显示着工人阶级的崇高的集体主义精神。它使人们互相关怀，互相促进，共同呼吸。在饶克语的《夜语》中可以看到，冬天的雪夜，大家围坐在火炉旁欢度周末，用矿山工人的最朴素的语言，"从故乡谈到矿山，从妻子怀中的婴儿谈到生产，即使谈到新铺上的一个新枕木，劳动成果是这样逗人喜欢"。这一切，是那样的和谐、亲切，使人感到工人集体中的无比温暖。高文真的《铁锥》写"铁哥们"下班后"加点"劳动，为郊区合作社突击赶制铁锥，他们"情愿在深夜流下汗水"，只"为表示这点点心意"。在向群的《厂长》、孙迎谟的《深夜了》中，我们感动地看到厂长、党委书记等在深夜劳动留下了不可磨灭的印象。我们也在于德成的《师傅，你回来啦》及其他诗篇中，亲切地感到学徒和师傅间的关怀和协作。这一切，都叫人欢欣、振奋，激发人们向往更远的将来，更加热爱社会主义。

　　和思想内容相联系，这百首诗歌的艺术特点也很鲜明、突出。这百首诗歌塑造了不少鲜明生动的工人形象。我们在农村歌谣中看到一些激动人心的巨大形象，那多半是通过短短的抒情、通过强烈的思想感受的激越抒发而形成的，如《我来了》；一些专业诗人也创造了一些劳动人民的形象，但是常常是冗长平坦的述说，缺乏激越的抒情。而工人作者所创造的形象把抒情和叙事结合起来了。温承训的《不老松》、黄世松的《"马达医生"》和李成荣的《学徒的问话》都塑造了令人喜爱的老工人形象，这些形象身上都具有那种深深热爱社会主义、把劳动看作自己生命的深厚感情。他们在旧社会受过苦，所以更体会到今天的幸福。特别是《不老松》中，老工人的形象更显完整，"人退休了心没退休"，这种劳动感情是多么令人激动。我们还在孙友田的《工业子弟兵》、杨皓辉的《检修工》中看到从部队转业来的工人形象，他们把人民军队的优秀品质也带来了，在工业战场上，仍然充当勇敢的尖兵。向群的《有一个工人》中，短短几句就塑造了一个带着幸福的心情紧张地偷偷地劳动了一夜的工人形象。陈伯水的《架线》、于德成的《师傅，你回来啦》中，也是用简练朴素的几笔就写出了师傅、学徒亲密无间的动人情景。邹积禄的《通风工》、黎曙的《安装工》中那种充满豪迈心情、艰苦劳动的形象，栩栩如生，跃然纸上。孙迎谟的《深夜了》，只用短短的八句就塑造出一个头发斑白半夜还在辛勤劳动的党委书记的鲜明形象。至于沈澈的《验布姑娘》、沈国梁的《女广播员可忙透了》和陈振坤的《女板车手》等，都写出了充满跳跃欢乐气氛的女工人形象，却具有不同的风格。

不少诗篇体现了革命现实主义精神和革命浪漫主义情致的结合。这关键是在于诗的远大理想、革命英雄主义和革命乐观主义，而不只是哪种夸张的手法。只有高瞻远瞩，从远大的理想出发，从高处看现实中的一些事物，并深入体验生活，才能有革命现实主义精神和革命浪漫主义情致的结合。你看，工人在冲压机上放声歌唱：

> 抬起头来，
> 向月亮高歌，
> 和云彩嬉戏，
> 把星星摘来给你挂一串项链，
> 把银河搬来配四根琴弦，
> 弹奏出我心中的快乐，
> 向祖国，向大地。

这是劳动时的真实情感，但它充满了未来劳动的理想，看到的不仅仅是眼前的现实。又如《安装工》：

> 用大地当纸
> 我们在祖国辽阔的土地上
> 绘制着庄严美丽的图案

这是一个胸怀祖国大地的工人阶级的巨大形象，作者所看到的也不仅仅是眼前的现实。其他如黄生效的《我是一个装卸工》《汗水浇熄火焰山》等，都表现了这种现实和理想的结合。

产生于劳动中的工人诗歌,它的韵调、旋律也与劳动的节奏息息相关。这百首诗歌的形式方面可以看到和农村歌谣不尽相同的特色,那就是节奏更为灵活、自由,但仍然是声韵铿锵。这些诗虽然是用的和工人口语相应的自由诗形式,但也具有民歌的特色,又在一定程度上吸收了专业诗人的一些优点。工人诗歌正在愈来愈多地出现,我们可以相信,其中一定会涌现无数更优美的、多种形式的诗歌。

1958年冬,北大燕园
(原载《语文学习》,1959年1月号)

革命战士英雄歌
——《战士诗歌一百首》评介

曾经出现过这样一种论调:只有在静穆的乡村、寂静的田野才会有诗,至于在喧闹的机器旁和在纪律森严的军营里,哪能有诗?然而,工人和战士中涌现出的无数诗篇以事实粉碎了这种陈腐的美学观点。是的,"资本主义的生产对于精神生产的某些部门是敌对的,对于艺术与诗歌就是如此"。[①]这是资本主义的社会矛盾的反映。社会主义却为广大人民提供了条件,促使诗歌等得到空前的繁荣。社会主义思想的深入人心和人民生活的朝气蓬勃,激发了普通人的诗情,忍不住也提起笔来作诗。你读《战士诗歌一百首》[②],更会深深相信这个道理。

在战士的群众创作高潮中,涌现了无数短小精悍的枪杆诗、墙头诗、快板、顺口溜,这些诗篇实际上就是部队中的山歌。战士们大都来自劳动人民之中,他们的诗和民歌有天然的联系。但是这些诗也有新的特点,那就是更富有战斗性,一首诗就是一面战鼓,就是一声前进的军号,更突出地洋溢着革命英雄主义和革命乐观主义的精神。而在形式、风格方面也更显得明快、高朗、舒爽。这是因为这些诗是战士生活的反映,而他们的生活本身就更富有战斗性。曾经有一些诗人描写战士生活,喜欢把战士和姑娘联系在一起,或者喜欢追求边疆、海岛的新奇的事迹和情景。但是,正如战士自己说的:"我们的生活不但有爱情,虽然在前线战壕中也谈论过爱情的追求和情趣,但并不是常

---

① [德]马克思《剩余价值论》,转引自周扬编《马克思主义与文艺》,解放社,延安,1949年,第57页。
② 诗刊社编,中国青年出版社,北京,1958年。

常谈的这些;谈得更多的是我们艰苦斗争生活的意义,是欢呼家乡的建设成就……"战士们自己写的诗就是这样全面地反映了战士生活的丰富多彩,表现了他们的丰富、饱满的内心世界。同工农群众的诗歌把劳动诗化了一样,战士的诗歌是把战斗生活诗化了,从而证实了:革命激情最热烈的地方,也就是诗意最饱满最强烈的地方。这百首诗歌中,每一首短诗似乎只从一个角度、一个方面抒发战士的感受,但都反映了战士生活的特点,有独立的艺术价值。

最突出地给予我们深刻印象的,是诗里抒发的那种对生活的热爱、对战斗岗位自豪的思想情感。工农群众把劳动看作光荣豪迈的事业而热情赞美,战士们也很自然地对自己的战斗生活纵情歌唱。海边哨兵紧握着发亮的枪,严峻的目光注视着前方,"大海就是我的土地"这种情感油然而生。这里,农民热爱土地、战士热爱战斗岗位的情感联结在一起了。高射炮兵把深厚的爱,把自己的理想和愿望,向亲密的伙伴——高射炮轻轻倾吐了:"高射炮呀,高射炮!我的心思只有你知道。"水兵站在战舰上大声地吆喝:"让开路吧,大海,你看谁来了!"充分表达了豪迈的气概。还有不少诗篇情感浓烈得把战士的生活诗化了,如永乐的《好人缘》:

> 高射炮兵人缘好,
> 起床百灵来吹哨,
> 跑步大海喊口令,
> 操练烈风把扇摇。
>
> 高射炮兵人缘好,
> 傍晚夕阳把炕烧,
> 青蛙枕边道晚安,
> 星月陪伴头上笑。

由于作者对生的热爱和乐观主义精神,不但是生活充满乐趣,并且使自然界的事物也感染上作者自己的性格和情绪。这难道仅仅是写作的技巧所能达到的吗?不,这里正灌注了诗人的浓烈的情感,表现了诗人对革命事业的爱和对生活的乐观态度。我特别喜欢于元辉的《请你们爱护"家"》，它一开头就把人引进主人公的内心深处："交胸章，摘帽花，十年感情压不下。"接着是回忆，从"童音没变离开家"到"炮火下面入了党"，整整七章，都充满了这样高尚的情感：全靠党和部队哺育自己，自己的一生再也不愿和部队分离了；然而现在要转业了，有多少说不完的话啊！在以后三章中这样写道：

> 交胸章，摘帽花，
> 十年感情压不下，
> 离开部队啊！
> 就像离开家。
>
> 下午回乡搞生产，
> 上午最后把枪擦，
> 擦好交给领导上，
> 新同志来了好用它。
>
> 紧紧握住战友的手，
> 抱住首长手难撒：
> "首长啊！同志啊！
> 请你们爱护我的'家'。"

读到这里，我激动得心潮澎湃，长久不能平静。祖国要他到另一个更需要的地方去，他是那么爱部队，舍不得离开，但他自觉地意识到这是祖国的需要，必须服从，因而在临走之前把自己的和大家的这个"家"做了周到的安排。对部队的深厚的爱和对祖国建设事业的自豪感，在这里达到高度的统一。

战士对生活、对自己战斗岗位的爱，总是和对祖国对人民的爱密切联系着的。他们清楚地意识到自己这种和祖国和人民的血肉关系，因而深情地歌唱这种血肉关系。如温民法的《平静的月夜》：

> 轻柔的月光像棉纱，

> 云朵像洁白的花瓣,
> 身披棉纱,手持花环,
> 雷达兵在向祖国问安。
>
> 祝家家窗口发出甜蜜的鼾声,
> 祝人民舒畅地度过夜晚,
> 愿海浪长期美丽的夜曲,
> 愿每只渔船都把鱼虾装满……

这是多么珍贵的情感!当我们正在夜晚安静地工作的时候,正在酣睡的时候,我们的雷达兵却彻夜不眠地守卫在沙滩,为祖国和人民深深地祝福。当我们读这首诗的时候,也许正是战士们在为我们祝福的时刻,那么,也让我们深深地为他们祝福吧!我们要把这种战士的高贵情感和战士的形象深深地铭刻在心上。再像张铭的《穿上我的解放鞋》和西峨的《他领到一支枪》,都同样浓烈地流露出战士对祖国的爱,读来叫人感动。前一首写一个战士得到了一双"解放鞋",情不自禁地唱出:

> 解放鞋呵解放鞋,
> 今天我把你穿起来,
> 第一个登上台湾岛,
> 要把蒋贼赶下海。

后一首写一个新兵宣誓后领到了一支枪,整天乐得闭不上嘴,一天擦上三遍,也还是抱着枪杆一起睡觉。我也喜爱赵英的《我的回答》:

> 花儿香,
> 糖儿甜,
> 毛主席派来慰问团,
> 这比花更香,
> 这比糖更甜!
> 俺不准备酒,

也不准备烟,
　　扛起步枪到靶场,
　　三枪命中三十环,
　　保管亲人笑满面!

这里,我们看到一个生龙活虎般的英雄形象。而在豪迈气概里面又饱含着多少对毛主席、对人民和对祖国的深厚的爱!这是真正的英雄式的爱,也是最珍贵的爱。

一个战士对祖国对人民有深厚的爱,必然也对自己的乡土、家园有深切的关怀,家乡的每一步发展都会使他得到鼓舞。崔泽的《妈妈的来信》中成功地表达了这种情感:

　　五月麦浪金闪闪,
　　妈妈寄来信一件。
　　拆开口儿看一看,
　　几颗麦粒掉桌面。

　　哎呀呀,这么大!
　　哎呀呀,真好看!
　　捡起麦粒放手心,
　　放在手上暖心间。

作者尽管没怎么直抒自己的高兴的心情,但是,正是在对于这几颗麦粒的描写却表达出了强烈的情感:对家乡事物的自豪感,对家乡麦子丰收的无比欢欣。战士们对家乡的这种关怀,已不是狭隘的乡土观念,而是和对祖国和人民的爱密切联系的。所以战士们随处为家乡、为祖国的每一个角落的发展而欢欣鼓舞。《古战场上扎军营》和《红柳河》进一步生动地表达了战士们的这种思想情感。昔日的古战场、荒草地,如今铺上了铁轨,建立了工厂,一片欢腾,战士们怎能不为它歌唱?

有一些从另一个方面反映战士和人民的亲密关系的诗篇,也令人难忘。如东娃的《送亲人》,从老乡对战士的真挚友情方面反映了战士和群众的亲密关系：

> 我送亲人到村口，
> 实在难撒亲人手。
> 拉着亲人不放松，
> 要求再呆5分钟。
> 5分钟不呆呆3分钟，
> 再留1秒也称心。

我们平日也会有这样的体验：在热切盼望一个亲人的时候，总嫌时间过得太慢；在和亲人团聚的时候，又觉得时间过得太快。这首诗里，正捕捉了人们常感到的这种情感，因而使人感到十分亲切：

> 汽车跑得快如飞，
> 难舍亲人后面追。
> 汽车汽车真是怪，
> 为什么去时偏比来时快？

再如杨宏才的《解放军叔叔到俺家》，通过一个天真的小孩的眼光，显出了战士与人民的亲切关系：

> 叔叔、叔叔别拉我，
> 今天偏不听您的话，
> 到俺山区没好的，
> 栗子花生蜂蜜茶。
> 快吃吧，快喝吧，
> 要不不让您出发，
> 您要不嫌背包大，
> 栗子花生由您拿。

我们还可以从一些写志愿军生活的诗篇中感受到国际主义精神。这种精神其实也是深深植根于人民对祖国的爱中。无产阶级不仅是为了自身的解放，而且也是为了人类的解放而斗争。我们的部队正是这样。我们的志愿军战士与朝鲜人民有血肉的联系,把朝鲜人民的命运看作自己的命运,因而朝鲜人民永远忘不了他们。朝鲜的大爷和大娘在霜雪中在路旁等着他们,把苞米硬塞给他们(李苏卿《大爷和大娘》),而朝鲜的姑娘则盛情地给他们送来蜜一样甜的苹果(王贵溥《路过的苹果园》)。这种深厚的情谊多么叫人感动!战士们不禁这样唱道:"谁能比我幸福?我有两个母亲:一个近在朝鲜,一个远在祖国。"(田苏《谁能比我幸福》)战士们的国际主义精神,在邹达开的《返国诗抄》(三首)中也有完美表现。如其中的《离别之前》写战士们在离别之前把营房粉刷得白晃晃,把玻璃擦得亮堂堂,把房舍内外打扫得干干净净,布置得美观大方,还嫌不足,而要"再采一簇鲜艳的金达莱花,整齐地插入室内的瓶中——好让我们亲密的人民军战友,住在这里心情舒畅"。

我们的部队不仅是战斗的部队,同时也是劳动部队。战士们不仅是战斗的英雄,同时也是劳动的能手。在这不少诗篇中有生动的反映。如有的描写战士们的劳动热情和冲天干劲:"镐头落地震山谷,铁锹飞舞山白光。……来年再看十三陵,荒山摇身变苏杭。"(薛国珍《十三陵前修水库》)有的抒写战士们的劳动气概:"铁镐举起,高山直哆嗦;铁镐猛落,高山塌半坡。"(丰维忠《铁镐举起》)也有的歌唱被改造了的大自然:"水渠弯弯如金线。……塞外风光胜江南。"(红英《水渠弯弯如金线》)

百首诗歌中有一些是写部队内部人与人之间的关系的,也写得很感动人。我们的部队内部,一直有一个光荣的优秀的传统,就是官兵打成一片,士兵亲密无间。吴崔的《磨豆汁的炊事员》,以寥寥数语刻画了一个磨豆汁的炊事员的形象,这个形象在人们心里将随着年岁增长愈来愈显得高大,这是一个默默地"我为人人"的人的崇高形象:"一盏油灯,伴着个巨大的人影,磨呀磨到天明",望着可以"滋养着同志们"的雪白的豆汁,迎着"灿烂的早晨",他快活地笑了。这是概括了集中了许多受了革命熏陶的炊事员的原型而塑造出的形象。林文俊的《淘米》也体现了这种"我为人人"的精神:"别人沙里淘金,是为了获得至宝;我们金里淘沙,是为了战友吃得更好!"王选庆在《二班长》中也刻画了一个半夜为战士烘鞋的班长的动人形象。特别值得我们注意的是,有许多诗篇反映了将军与士兵间的新的关系。许多将军深入连队,和战士们一起战斗、劳动,人人都成为了一个普通劳动者。钟德灿的《将军和新兵》写一位白发苍苍的将军伏在泥泞的射击场上细致耐心地指导一个18岁的新兵射击。曹继水的《师长下伙房》以诙谐的笔调写出师长和炊事员的亲密无间。天刚蒙蒙亮,师长就到伙房为战士煮菜汤:

炊事员问师长:
"入伍干哪行?"
师长微笑答:
"咱们都一样。"

冰夫《将军和士兵》中的将军的形象也使人难忘。三昼夜的战士们正在熟睡的时候,"油灯下将军为战士缝补棉衣,满脸笑容,一针又一针"。"早晨,战士在寻找补衣的亲人",将军却正迎着冷风,披着满身的石末沙土,"向山顶的哨所攀登"了。

  限于篇幅,这里不能再做更多的介绍。总之,在这本战士诗集中,像上述的那样优秀的诗篇很多。虽然有个别诗篇不能令人完全满意,但总的看来,它们充分地反映了我们战士淳朴、美丽、丰富的精神世界,多方面地表现了战士的生活和思想感情,从而使我们对战士有一个完整的印象,并从他们身上得到鼓舞和教育。这里我记起周恩来所录革命残疾军人刘渝生的话:"爱祖国,恨敌人,是我们的个性,征服困难,是我们特有的才能。"这正是对革命战士的最正确的概括。这也是我读了这本战士诗歌所得到的最突出的印象。

  在我们的革命部队中,一直有群众性的诗歌创作传统。战士们的行军途中,在坑道前沿,在练兵场上,在帮助群众的劳动中,或是出自心底的对祖国对人民的爱,或是被战友的英勇行动所鼓舞,或是为鼓舞战友们继续勇敢向前……每当情绪高扬,意气风发,诗句就脱口而出。这些诗不仅有坚实的生活基础、战斗的思想内容,而且在艺术上给诗歌领域带来了新的养料。这一方面由于战士们大都来自劳动人民中，他们的诗歌和民歌有天然的联系，另一方面由于战士们从生活出发，直抒胸臆，作品就特别生动活泼、明快朴素。有许多近似格律体，有许多则采取较自由的形式，更合于口语。人民群众有多方面的需要，现实对象也有多方面的特点，诗歌在形式方面也必然会有多方面的表现。况且它本身在发展，在这发展中将会出现更加完整的形式。我们深信，随着群众创作的更广泛更深入，战士群众中间将会涌现更多更美的诗歌。

1959年春，北大燕园
（原载《语文学习》，1959年4月号）